O QUE ESPERAR
QUANDO VOCÊ ESTÁ ESPERANDO

Heidi Murkoff

O QUE ESPERAR
QUANDO VOCÊ ESTÁ ESPERANDO

Tradução de
Alessandra Bonrruquer

Prefácio de Charles J. Lockwood, professor de Obstetrícia,
Ginecologia e Saúde Pública e decano da Faculdade de Medicina
Morsani, Universidade do Sul da Flórida

Revisão técnica de
Mariana Okuyama
Alberto de Oliveira D'Auria
Elisa Poleza Mello

40ª edição

EDITORA RECORD
RIO DE JANEIRO • SÃO PAULO

2025

CIP-BRASIL. CATALOGAÇÃO NA PUBLICAÇÃO
SINDICATO NACIONAL DOS EDITORES DE LIVROS, RJ

M954q
40. ed.
    Murkoff, Heidi
    O que esperar quando você está esperando / Heidi Murkoff; tradução Alessandra Bonrruquer. – 40. ed. – Rio de Janeiro: Record, 2025.

    Tradução de: What to expect when you're expecting
    Inclui índice
    ISBN 978-65-5587-311-5

    1. Gravidez. 2. Nascimento. 3. Parto. 4. Cuidado pós-natal. I. Bonrruquer, Alessandra. II. Título.

22-78651   CDD: 618.24
                           CDU: 618.2

Gabriela Faray Ferreira Lopes – Bibliotecária – CRB-7/6643

Copyright © 1984, 1988, 1991, 1996, 2002, 2008, 2016 by What to Expect LLC

Adaptação do projeto gráfico de miolo de Lisa Hollander e Barbara Peragine
Adaptação de ilustrações de miolo de Karen Kuchar
Adaptação do design de capa de Vaughn Andrews
Fotos de capa: © mattbeard.com

Título original em inglês: What to expect when you're expecting.

Todos os direitos reservados. Proibida a reprodução, armazenamento ou transmissão de partes deste livro, através de quaisquer meios, sem prévia autorização por escrito.

Texto revisado segundo o Acordo Ortográfico da Língua Portuguesa de 1990.

Direitos exclusivos de publicação em língua portuguesa para o Brasil adquiridos pela
EDITORA RECORD LTDA.
Rua Argentina, 171 – 20921-380 – Rio de Janeiro, RJ – Tel.: (21) 2585-2000,
que se reserva a propriedade literária desta tradução.

Impresso no Brasil

ISBN 978-65-5587-311-5

Seja um leitor preferencial Record.
Cadastre-se em www.record.com.br
e receba informações sobre nossos
lançamentos e nossas promoções.

Atendimento e venda direta ao leitor:
sac@record.com.br

Para Erik, meu tudo.

Para Emma e Wyatt, por me tornarem mãe, e para Lennox e Sebastien, por me tornarem avó.

Para Arlene, a primeira e mais importante parceira em *O que esperar*. Seu legado de cuidado, compaixão e integridade será eterno; você sempre será amada e sempre será lembrada.

Para mães, pais e bebês por toda parte — e para todos aqueles que cuidam e se importam com eles.

Agradecimentos e mais agradecimentos

Então está na hora de outro parto. E, se entregar um livro é como ter um bebê — e, de muitas maneiras, é (você cuida, cuida, cuida, se estressa, se estressa, se estressa, tenta respirar, respirar, respirar e então faz força, força, força) —, eu tenho um monte de acompanhantes de parto a quem agradecer:

Primeiro, sempre e para sempre, o pai de *O que esperar*, Erik — o homem que me transformou em mãe de Emma e Wyatt, mãe de *O que esperar* e a mulher mais feliz do planeta. Meu parceiro todas as horas na vida, no amor, no trabalho, na criação dos filhos e (o melhor de tudo) na paparicação dos netos.

Suzanne Rafer, editora e amiga, que me ajudou a dar à luz mais livros do que posso contar e esteve lá desde que *O que esperar* foi concebido (e, na verdade, nomeou nosso primeiro bebê): incansavelmente ensinando, estimulando e policiando meus trocadilhos (com limitado sucesso — é para isso que servem as borrachas).

Peter Workman, que criou a casa onde eu tive todos os meus bebês e cujo legado vive neles.

Todo mundo na Workman que contribuiu para este bebê: Jenny Mandel, Emily Krasner, Suzie Bolotin, Dan Reynolds, Page Edmunds, Selina Meere, Jessica Wiener e Sarah Brady.

Matt Beard, que nos deu cobertura, de capa a capa, exibindo belas imagens de Lennox antes e depois. Karen Kuchar, por dar vida a mamães e bebês com suas adoráveis ilustrações. Lisa Hollander e Vaughn Andrews, por reunirem tudo artisticamente em um pacote tão bonito. Beth Levy, Claire McKean, Barbara Peragine e Julie Primavera, por administrarem habilmente a impecável produção do livro.

Dr. Charles Lockwood (que, apropriadamente, desempenhou o papel de obstetra na quarta e na quinta edições de *O que esperar quando você está esperando!*), nosso intrépido consultor médico — sempre pronto para abordar qualquer tópico em nossas mentes de mães (mesmo aqueles que talvez devessem permanecer à margem) e empregar suas enormes reservas de conhecimento, experiência, sabedoria, cuidado e compaixão para nos ajudar a entregar nosso último bebê de forma segura e sadia. Dr. Stephanie Romero, por suas contribuições inacreditavelmente inspiradas. Dr. Howie Mandel, por seus cuidados compassivos — e por fazer o parto de Lennox.

ACOG, por serem incansáveis defensores de mães e bebês por toda parte, e todos os médicos, parteiros, enfermeiros, educadores infantis e consultores de lactação em todo o mundo, que literalmente cuidam das cuidadoras entre nós, ajudando a fornecer um início de vida mais saudável para todos os bebês e um futuro mais saudável para todos nós. Os especialistas dos CDC — uma organização passionalmente devotada à saúde e ao bem-estar de nossa família global, especialmente quando se trata dos mais vulneráveis entre nós —, por sua missão e seu comprometimento e por serem parceiros inestimáveis na disseminação de importantes mensagens de saúde (e prevenção da disseminação de doenças!).

E também nossos outros parceiros na saúde das mamães e dos bebês e em #BumpDay: International Medical Corps (internationalmedicalcorps.org), humanitários, primeiros socorristas e treinadores de heróis da assistência médica (como minha heroína pessoal e parteira do Sudão do Sul, Tindilo Grace Losio, também conhecida como Incrível Grace). 1,000 Days™, por acreditar que um futuro saudável depende de um início saudável (e bem alimentado). A UN Foundation's Universal Access Program, por seu apoio passional aos direitos reprodutivos, à saúde e ao bem-estar de mulheres e meninas.

Nossos parceiros no Special Delivery, a USO e as incríveis mamães militares em todo o mundo, que tive a honra de abraçar e ainda quero abraçar (mais abraços chegando!).

Nossa incrível equipe da whattoexpect.com, destemidamente liderada por Michael Rose, Diane Otter e Kyle Humphries, por sua infinita energia, entusiasmo, inovação, integridade, criatividade, convicção, paixão e propósito partilhado (e por acreditarem no poder do púrpura).

Pela inspiração e pelo amor, nossas belas "crianças": Wyatt, Emma, Russell e, é claro, Lennox. Howard Eisenberg, Abby e Norm Murkoff, Victor Shargai e Craig Pascal.

Sumário

Prefácio à nova edição, por dr. Charles J. Lockwood. 13
Introdução à nova edição 15

———— PARTE 1 ————
PRIMEIRO O QUE VEM PRIMEIRO

Capítulo 1: Você está grávida?. 19
   O que você pode estar se perguntando. 19
   TUDO SOBRE: Escolher e trabalhar com seu médico 29

Capítulo 2: Seu perfil gestacional 39
   Seu histórico ginecológico. 39
   Seu histórico obstétrico 47
   Seu histórico médico 65
   TUDO SOBRE: Diagnóstico pré-natal. 86

Capítulo 3: O estilo de vida gestante 99
   O que você pode estar se perguntando. 99
   TUDO SOBRE: Medicina complementar e alternativa. 119

Capítulo 4: Nove meses comendo bem. 127
   Nove princípios básicos para nove meses de alimentação saudável. 129
   As Doze Porções Diárias da gestação. 134
   O que você pode estar se perguntando. 149
   TUDO SOBRE: Alimentação segura para dois. 170

———— PARTE 2 ————
NOVE MESES: DA CONCEPÇÃO AO PARTO

Capítulo 5: O primeiro mês: *Aproximadamente 1 a 4 semanas* 175
   Seu bebê este mês 175
   Seu corpo este mês. 177
   O que você pode esperar de sua primeira consulta pré-natal 179
   O que você pode estar se perguntando. 181
   TUDO SOBRE: Paparicar-se durante a gravidez. 209

Capítulo 6: O segundo mês: *Aproximadamente 5 a 8 semanas*............ 219
    Seu bebê este mês 219
    Seu corpo este mês... 221
    O que você pode esperar da consulta deste mês................... 222
    O que você pode estar se perguntando........................... 222
    TUDO SOBRE: Ganho de peso durante a gravidez................ 246

Capítulo 7: O terceiro mês: *Aproximadamente 9 a 13 semanas* 251
    Seu bebê este mês 251
    Seu corpo este mês... 253
    O que você pode esperar da consulta deste mês................... 254
    O que você pode estar se perguntando........................... 254
    TUDO SOBRE: Gravidez no trabalho............................. 272

Capítulo 8: O quarto mês: *Aproximadamente 14 a 17 semanas* 289
    Seu bebê este mês 289
    Seu corpo este mês... 291
    O que você pode esperar da consulta deste mês................... 292
    O que você pode estar se perguntando........................... 293
    TUDO SOBRE: Exercitando-se quando você está esperando........... 311

Capítulo 9: O quinto mês: *Aproximadamente 18 a 22 semanas* 335
    Seu bebê este mês 335
    Seu corpo este mês... 337
    O que você pode esperar da consulta deste mês................... 338
    O que você pode estar se perguntando........................... 338
    TUDO SOBRE: Sexo e o casal grávido............................. 369

Capítulo 10: O sexto mês: *Aproximadamente 23 a 27 semanas* 381
    Seu bebê este mês 381
    Seu corpo este mês... 383
    O que você pode esperar da consulta deste mês................... 384
    O que você pode estar se perguntando........................... 384
    TUDO SOBRE: Educação para o parto............................ 406

Capítulo 11: O sétimo mês: *Aproximadamente 28 a 31 semanas* 413
    Seu bebê este mês 413
    Seu corpo este mês... 415
    O que você pode esperar da consulta deste mês................... 416
    O que você pode estar se perguntando........................... 417
    TUDO SOBRE: Aliviar a dor do parto............................ 442

Capítulo 12: O oitavo mês: *Aproximadamente 32 a 35 semanas* 451
   Seu bebê este mês 451
   Seu corpo este mês... 452
   O que você pode esperar da consulta deste mês 454
   O que você pode estar se perguntando........................... 454
   TUDO SOBRE: Amamentação 488

Capítulo 13: O nono mês: *Aproximadamente 36 a 40 semanas* 497
   Seu bebê este mês 497
   Seu corpo este mês... 499
   O que você pode esperar das consultas deste mês 501
   O que você pode estar se perguntando........................... 502
   TUDO SOBRE: Pré-trabalho de parto, falso trabalho de parto,
   verdadeiro trabalho de parto 523

Capítulo 14: Trabalho de parto e parto. 529
   O que você pode estar se perguntando........................... 529
   Tudo sobre: Parto.. 558
   Primeiro estágio: Trabalho de parto 558
   Segundo estágio: Puxo e parto.................................. 573
   Terceiro estágio: Expulsão da placenta........................... 581
   Parto por cesariana 584

Capítulo 15: Esperando múltiplos. 589
   O que você pode estar se perguntando........................... 589
   TUDO SOBRE: Parto de múltiplos 605

PARTE 3
DEPOIS QUE O BEBÊ NASCEU

Capítulo 16: Pós-parto: a primeira semana 613
   O que você pode estar sentindo................................ 613
   O que você pode estar se perguntando........................... 614
   TUDO SOBRE: Começar a amamentar........................... 636

Capítulo 17: Pós-parto: as primeiras seis semanas. 649
   O que você pode estar sentindo................................ 649
   O que você pode esperar da consulta pós-parto.................... 651
   O que você pode estar se perguntando........................... 652
   TUDO SOBRE: Recuperar a forma 689

PARTE 4
PERMANECENDO SAUDÁVEL QUANDO VOCÊ ESTÁ ESPERANDO

Capítulo 18: Se você ficar doente 697
   O que você pode estar se perguntando. 697
   TUDO SOBRE: Medicação durante a gravidez 715

PARTE 5
COMPLICAÇÕES DA GRAVIDEZ

Capítulo 19: Lidando com as complicações 725
   Complicações da gravidez 725
   Complicações pouco comuns da gravidez 749
   Complicações do parto e pós-parto 754
   TUDO SOBRE: Se você precisar fazer repouso. 762

Capítulo 20: Perda da gravidez..................................... 775
   Tipos de perda. 775
   TUDO SOBRE: Lidar com a perda da gravidez 787

Índice 803

Prefácio à nova edição

Dr. Charles J. Lockwood
Professor de Obstetrícia, Ginecologia e Saúde Pública e decano da Faculdade de Medicina Morsani, Universidade do Sul da Flórida

Esta nova edição de *O que esperar quando você está esperando* dá continuidade ao incrível legado de levar às gestantes (e seus parceiros) informações precisas e atualizadas, assim como conselhos médicos práticos e sensatos. E faz isso com uma maravilhosa mistura de compaixão e praticidade. Recomendei este livro durante anos, e por uma boa razão: ele é abrangente e contém o tipo de informação que você esperaria ouvir de seu médico ou profissional de saúde favorito. Ou seja, alguém informado, mas bem-humorado; meticuloso, mas prático; experiente, mas entusiástico; organizado, mas empático. Todas as questões-chave que os futuros pais provavelmente enfrentarão são abordadas com o nível exato de detalhes. As recomendações sobre dieta, nutrição, exercícios e saúde mental são incrivelmente úteis, e as discussões sobre o trabalho de parto e o nascimento atendem ao alto padrão que passei a esperar de Heidi. O que é excitante e novo nesta edição é que conselhos específicos para os pais foram cuidadosamente inseridos em cada capítulo, enfatizando que eles são parte integral e importante da gestação.

Em resumo, este livro contém os últimos avanços da medicina, da genética e da obstetrícia, apresentados de maneira clara, interessante e compreensível. Como obstetra de alto risco que fez milhares de partos, frequentemente com mães em condições médicas e obstétricas muito complicadas, sei que uma paciente bem-informada é a pedra fundamental para um bom desfecho. Este livro não poderia ser melhor ao fornecer essas muito necessárias informações. Não foi por acaso que *O que esperar* se tornou o padrão pelo qual os outros livros sobre o assunto são julgados. Coloque os pés para cima e aproveite a leitura. Meus melhores votos de uma gravidez maravilhosa.

Introdução à nova edição

Talvez você conheça a história (eu a conto repetidamente) de como *O que esperar quando você está esperando* nasceu. Ou, na verdade, como foi concebido, porque foi exatamente isso que aconteceu. Eu concebi um bebê e então concebi um livro. E, cá entre nós, não esperava nenhum deles.

Primeiro, o bebê. Foi uma gravidez "ops": eu e Erik nos casamos e, apenas três meses depois, ops... eu estava grávida. Grávida e completamente sem noção. Sem noção sobre como engravidara (eu conhecia a biologia básica, mas tinha certeza de que era incapaz de conceber) e sem noção do que fazer agora que estava grávida. Procurei nos livros (a única fonte disponível antes dos sites de busca) respostas para minhas perguntas, alívio para minhas preocupações, uma mão para segurar, um ombro no qual chorar, uma voz que me acalmasse e animasse na excitante, mas desnorteante jornada que eu e Erik estávamos iniciando. Li e reli, mas não encontrei o que precisávamos desesperadamente saber: o que esperar quando você está esperando. Assim, escrevi um livro, entregando a proposta somente duas horas antes de iniciar o trabalho de parto do bebê que inspirou isso tudo, Emma.

E o resto deveria ser história, exceto que a história não é reescrita (ou não deveria ser) e livros sobre gestação são (ou deveriam ser, e com frequência). Afinal, embora algumas coisas sobre a gestação nunca mudem (ainda dura mais ou menos nove meses e você ainda fica inchada, enjoada e constipada), muitas outras coisas mudam. E muito.

Com essas mudanças em mente — e com os incríveis insights e sugestões que recebo on-line e pessoalmente de mães e pais de todo o mundo, e que constituem meu recurso mais valioso —, passei por outro trabalho de parto... o desta edição.

O que há de novo nesta nova edição? Muita coisa, de uma capa a outra (incluindo as capas, das quais falarei mais tarde). Você encontrará quadros "Para os pais" integrados ao longo do livro, abordando suas preocupações como parceiros na gestação, no parto e na criação (destinados também a parceiras que são outras mães, e não pais). Todas as questões médicas foram incluídas e atualizadas, é claro: as últimas novidades em exames e diagnósticos pré-natais, a segurança dos medicamentos (incluindo antidepressivos) durante a gestação, os bancos de cordões umbilicais, terapias complementares e alternativas e uma nova seção sobre contracepção pós-parto. As novas tendências de estilo de vida também receberam espaço, de chás de revelação a presentes para a nova mamãe, de consumir cafeína, beber uma taça ocasional de vinho, fumar um cigarro eletrônico ou mordiscar um cookie de maconha à sensatez de compartilhar coisas demais nas redes sociais. A alimentação durante a gestação também está no cardápio expandido, incluindo dietas crudívora, paleolítica e líquida, consumo de carne de gado criado a pasto, alimentos orgânicos, saudáveis e transgênicos (e os supostos superalimentos) — e até mesmo por que comer amendoins e outras oleaginosas pode ajudar o futuro bebê a não ter alergias. A gravidez ecológica também está presente, incluindo como evitar o bisfenol e os ftalatos. Há cuidados com a pele e o cabelo, produtos e procedimentos cosméticos e orientações de beleza para o casal à espera. Há uma imensidão de informações para todo mundo que está esperando: mais conselhos sobre gestação múltipla, sequencial (incluindo amamentação para gestantes), *in vitro* e após cirurgia para redução de peso.

Também há mais opções de parto: na água, em casa, clampeamento tardio do cordão umbilical, parto vaginal após cesariana, cesariana natural, puxo tardio e posições para o parto.

E lembra das capas das quais falei? Nelas você encontrará duas surpresas especiais: na capa, Emma, o bebê que deu início a tudo, grávida de seu primeiro bebê (e nosso primeiro neto), Lennox. Na contracapa, quem mais? O próprio Lennox.

Essas são duas coisas que não esperei quando estava esperando — e que são muito mais do que eu jamais teria esperado ou sonhado possível.

Que suas maiores expectativas se tornem realidade!

Um grande abraço,

SOBRE A WHAT TO EXPECT FOUNDATION

Toda mãe deveria poder contar com uma gravidez saudável, um parto seguro e um bebê sadio e feliz. Foi por isso que criamos a What to Expect Foundation, uma organização sem fins lucrativos dedicada a transformar essa missão em realidade para mães e bebês necessitados de todo o mundo. Nossos programas incluem o Baby Basics, chás de bebê Special Delivery para futuras mães das Forças Armadas (em parceria com a USO) e uma iniciativa global de treinamento de parteiras (em parceria com o International Medical Corps). Para mais informações e para saber como você pode ajudar, visite nosso website: whattoexpect.org.

PARTE I
Primeiro o que vem primeiro

Capítulo 1
Você está grávida?

Talvez sua menstruação só esteja atrasada um dia. Ou três semanas. Talvez nem esteja atrasada, mas você tenha na barriga (literalmente) a sensação de que algo está acontecendo — como um pãozinho assando em seu forno! Talvez você tenha dado tudo de si para engravidar nos últimos seis meses ou mais. Talvez aquela noitada duas semanas atrás tenha sido sua primeira conexão amorosa sem contraceptivos. Ou talvez você nem estivesse tentando e, mesmo assim, conseguiu. Ao menos, acha que conseguiu. Quaisquer que sejam as circunstâncias que a trouxeram até este livro, você deve estar se perguntando: será que estou grávida? Continue lendo para descobrir.

O que você pode estar se perguntando

Sinais iniciais de gravidez
"Minha menstruação ainda não atrasou, mas já me sinto grávida. Isso é possível?"

A única maneira de ter certeza absoluta de que está grávida — ao menos em uma fase tão inicial — é obter resultado positivo em um teste. Mas isso não significa que seu corpo não **esteja** se manifestando sobre o fato de que você será mãe. Na verdade, ele pode estar oferecendo várias pistas. Embora muitas mulheres jamais apresentem os primeiros sintomas de gravidez (ou só os apresentem semanas depois), outras recebem muitas dicas de que um bebê está a caminho. Experimentar qualquer um destes sintomas ou notar qualquer um destes sinais pode ser a desculpa de que você precisava para correr até a farmácia e comprar um teste de gravidez:

Seios e mamilos sensíveis. Sabe como seus seios ficam sensíveis e doloridos pouco antes da menstruação? Isso não é nada comparado à sensibilidade que você pode sentir após a concepção. Seios sensíveis, pesados, inchados, formigando e mesmo doloridos são alguns dos primeiros sinais que algumas mulheres (mas nem todas) notam quando o espermatozoide encontra o óvulo. Essa sensibilidade pode se manifestar alguns dias após a concepção (embora frequentemente só ocorra semanas depois) e ficar mais pronunciada com o avanço da gestação. Muito mais pronunciada. Como diferenciar os seios da síndrome pré--menstrual dos seios da gestação? Muitas vezes não é possível, o que alimenta as especulações.

Aréolas escuras. Não somente seus seios podem ficar sensíveis, como suas aréolas (os círculos em torno dos mamilos) podem ficar mais escuras, algo que tipicamente não ocorre antes da menstruação. Elas podem até mesmo aumentar de diâmetro. Você pode agradecer aos hormônios da gestação já circulando em seu organismo por essa e outras mudanças de tom de pele (haverá muitas mais nos próximos meses).

Bolinhas nas aréolas. Pode ser que você nunca tenha reparado nas minúsculas bolinhas em suas aréolas, mas, quando elas começarem a crescer e se multiplicar (como fazem tipicamente no início da gestação), será difícil não notá-las. Essas bolinhas (chamadas de tubérculos de Montgomery) na verdade são glândulas que produzem óleos para lubrificar mamilos e aréolas, o que certamente será uma proteção bem-vinda quando o bebê começar a mamar. Esse é outro sinal de que seu corpo está fazendo planos com bastante antecedência.

Escape. Até 30% das futuras mães experimentam sangramento de escape quando o embrião se implanta no útero. O chamado sangramento de implantação provavelmente ocorrerá mais cedo que o fluxo mensal esperado (geralmente entre seis e doze dias após a concepção) e terá uma coloração rosada mais ou menos intensa (raramente vermelha, como na menstruação).

Fadiga. Extrema fadiga. Melhor ainda: exaustão. Absoluta falta de energia. Superletargia. Qualquer que seja a expressão, é como se você estivesse sendo drenada — literalmente. E você se sentirá ainda mais esgotada quando seu corpo colocar a máquina de fazer bebês para funcionar a todo vapor. Veja a p. 184 para entender por quê.

Frequência urinária. O vaso sanitário se tornou sua poltrona favorita? A necessidade de urinar com surpreendente frequência pode surgir já no início da gestação (geralmente entre duas e três semanas após a concepção). Curiosa para saber por quê? Leia a p. 195 para descobrir todas as razões.

Náusea. Eis outra razão pela qual você pode pensar em se mudar para o banheiro, ao menos até o fim do primeiro trimestre. A náusea e o vômito — conhecidos como enjoo matinal, embora frequentemente durem o dia inteiro — podem afetar a mulher grávida logo após a concepção, embora sejam mais prováveis por volta da 6ª semana. Para entender por quê, veja a p. 187.

Sensibilidade olfativa. Como o olfato acentuado é uma das primeiras mudanças que algumas mulheres grávidas relatam, uma gestação pode estar no ar se seu nariz ficar muito mais sensível e for mais facilmente assaltado por cheiros ruins.

Distensão abdominal. Você está se sentindo uma boia ambulante? Essa sensação de estufamento pode surgir bem no início da gestação, embora possa ser difícil diferenciar entre o inchaço pré-menstrual e o inchaço da gravidez. Definitivamente é cedo demais para atribuir qualquer distensão abdominal ao crescimento do bebê, mas você pode culpar os hormônios que já mencionamos.

Aumento da temperatura. Se você usa um termômetro basal para acompanhar sua temperatura pela manhã, notará que ela aumenta mais ou menos 1 grau na concepção e permanece elevada durante toda a gestação. Embora esse não seja um sinal infalível (há outras razões para o aumento da temperatura), ele pode estar alertando para uma grande — embora ainda minúscula — mudança.

Menstruação atrasada. Parece óbvio, mas se sua menstruação estiver atrasada (especialmente se for regular como um relógio), você pode desconfiar que está grávida, mesmo antes de confirmar fazendo um teste.

Diagnóstico de gravidez

"Como posso saber com certeza se estou grávida?"

Para além da mais notável ferramenta de diagnóstico existente, a intuição feminina (algumas mulheres "sentem" que estão grávidas dias — ou mesmo minutos — após a concepção), a ciência médica moderna ainda é a melhor aposta quando se trata de um diagnóstico preciso. Por sorte, há muitas maneiras de saber com certeza se há um bebê a bordo:

O teste de gravidez de farmácia. Ele é fácil como fazer xixi e você pode realizá-lo na privacidade e no conforto de seu próprio banheiro. Os testes de farmácia são rápidos e precisos e você pode usar a maioria das marcas mesmo antes de a menstruação atrasar (embora a precisão aumente perto da data de menstruar).

Todos os testes de farmácia medem os níveis na urina da gonadotrofina coriônica humana (hCG), um hormônio da gestação produzido pela placenta (em desenvolvimento). A hCG surge no sangue e na urina quase imediatamente depois que o embrião se implanta no útero, entre seis e doze dias após a fertilização. Assim que a hCG puder ser detectada na urina, você obterá (teoricamente) um resultado positivo. Mas há um limite para o uso precoce dos testes de farmácia: eles são sensíveis, mas nem sempre tão sensíveis. Uma semana após a concepção, já há hCG na urina, mas não em quantidade suficiente para ser detectada pelo teste de farmácia, o que significa que, se fizer o teste sete dias antes da data esperada da menstruação, provavelmente obterá um falso negativo, mesmo estando grávida.

DICAS PARA O TESTE

O teste de gravidez provavelmente é o mais simples de todos. Você não precisa estudar para entender, mas deve ler as instruções cuidadosamente antes de começar (sim, mesmo que já tenha feito outros testes antes, porque diferentes marcas trazem diferentes instruções). Eis alguns detalhes para prestar atenção:
- Você não precisa usar a primeira urina da manhã. Pode ser a urina de qualquer momento do dia.
- A maioria dos testes prefere que você use o jato intermediário. E, como o médico pedirá o mesmo em seus exames mensais de urina, você pode dominar a técnica agora, se já não o faz: urine por 1 ou 2 segundos, pare, segure o xixi e então posicione o bastão ou copinho na posição adequada para captar o restante do fluxo (ou o quanto for necessário).
- Qualquer detecção, mesmo que tênue, é um resultado positivo. Parabéns, você está grávida! Se o resultado não for positivo e sua menstruação ainda não tiver descido, espere alguns dias e refaça o teste. Talvez ainda seja cedo demais para saber.

Não consegue esperar para fazer xixi no bastãozinho? Alguns testes prometem entre 60% e 75% de precisão entre quatro e cinco dias antes da data esperada da menstruação. Não gosta de arriscar? Aguarde até a data esperada da menstruação e terá 99% de chances (dependendo da marca) de obter o resultado correto. Independentemente de quando fizer o teste, a boa notícia é que os falsos positivos são muito menos comuns que os falsos negativos, o que significa que, se seu teste der positivo, você pode ter certeza. (A exceção é se passou recentemente por tratamentos de fertilidade; veja o quadro da p. 23.)

Alguns testes dizem não somente se você está grávida, mas também há aproximadamente quanto tempo, exibindo as semanas estimadas desde a ovulação: entre uma e duas, entre duas e três ou mais de três semanas desde que seu minúsculo óvulo foi fertilizado pelo espermatozoide de seu parceiro. A palavra de ordem é "aproximadamente": não use essa leitura para calcular a data do parto. Também há no mercado um teste compatível com um aplicativo para celular. E, em breve, haverá um que pode ser descartado no vaso sanitário!

Qualquer que seja o teste de farmácia que escolha (das marcas mais baratas às de última geração), você receberá um diagnóstico muito preciso já no início da gestação, e esse alerta precoce permitirá que comece a se cuidar da melhor maneira possível. Mesmo assim, o acompanhamento profissional após o teste é essencial. Se o resultado for positivo, está na hora de telefonar para o médico e agendar a primeira consulta pré-natal.

TESTE EM CASO DE CICLOS IRREGULARES

Seus ciclos não são como um relógio? Escolher a hora de fazer o teste de farmácia será bem mais complicado. Afinal, como você pode realizar o teste na data esperada da menstruação se nunca sabe quando será? A melhor estratégia em caso de ciclos irregulares é esperar o mesmo número de dias do ciclo mais longo dos últimos seis meses (com sorte, você registrou seus ciclos em um aplicativo) e então fazer o teste. Se o resultado for negativo e você ainda não tiver menstruado, repita o teste após uma semana (ou após alguns dias, se não conseguir esperar).

O exame de sangue. O exame mais sofisticado pode detectar gravidez com praticamente 100% de precisão uma semana após a concepção, usando apenas algumas gotas de sangue. Ele também pode datar a gestação ao mensurar a quantidade exata de hCG no sangue, dado que seus valores mudam com o progresso da gestação (veja a p. 203 para saber mais sobre os níveis de hCG). Muitos médicos solicitam exames tanto de urina quanto de sangue para estarem duplamente certos do diagnóstico.

O exame médico. Embora um exame médico possa ser realizado para confirmar o diagnóstico de gravidez, a precisão dos testes de farmácia e dos exames de sangue torna esse procedimento — que busca sinais físicos de gravidez, como alargamento do útero, alterações na coloração da vagina e alterações na coloração e na textura do colo do útero — quase obsoleto. Mas visitar o médico e iniciar o acompanhamento pré-natal jamais é obsoleto (veja a p. 26).

TESTES DE GRAVIDEZ E TRATAMENTOS DE FERTILIDADE

Toda futura mamãe fica ansiosa (e sentada na beirinha do vaso sanitário) esperando pelo momento no qual finalmente poderá fazer xixi no bastãozinho e confirmar que está grávida. Mas, se passou por certos tratamentos de fertilidade, a espera pelo resultado positivo pode ser ainda mais angustiante, especialmente se lhe disseram para ignorar o teste de farmácia e esperar até que um exame de sangue seja possível (o que, dependendo da clínica, pode demorar até duas semanas após a concepção ou transferência do embrião). Mas há uma excelente razão para que a maioria dos especialistas em fertilidade recomende essa abordagem: os testes de farmácia podem gerar resultados pouco confiáveis para pacientes de tratamentos de fertilidade. Isso porque a hCG, o hormônio cuja presença é testada, frequentemente é usada no tratamento para induzir a ovulação e pode permanecer em seu organismo (e ser detectada na urina) mesmo que você não esteja grávida.

No geral, se o primeiro exame de sangue prescrito pelo especialista em fertilidade der positivo, ele será repetido dois ou três dias depois. Por que repetir? O médico quer verificar não somente se há hCG no organismo, mas também se seu nível aumentou em ao menos dois terços (indicando que tudo vai bem). Se aumentou, outro exame de sangue será feito dois ou três dias depois, quando o nível de hCG deve ter aumentado dois terços ou mais novamente. Esses exames de sangue também determinam se os níveis de certos hormônios (como estrogênio e progesterona) são suficientes para suportar a gestação. Se os três exames de sangue tiverem resultado positivo, um ultrassom será agendado entre a 5ª e a 8ª semanas para detectar batimentos cardíacos e a presença do saco gestacional (p. 236).

Uma linha fraca

"Usei um teste de farmácia mais barato, em vez do digital, que é mais caro, mas ele apresentou somente uma linha fraca. Estou grávida?"

A única maneira de um teste de farmácia gerar resultado positivo é você ter um nível detectável de hCG na urina. E a única maneira de ter um nível detectável de hCG na urina (a menos que você esteja fazendo um tratamento de fertilidade) é estar grávida. O que significa que se o teste mostrar uma linha, por mais fraca que seja, você pode ter certeza de que está grávida.

A razão para obter uma linha fraca, em vez da linha forte e definida que você esperava, pode estar relacionada à sensibilidade do teste. Para descobrir o quanto um teste de gravidez é sensível, observe as miliunidades internacionais por litro (mUI/L) na embalagem. Quanto menor o número, mais sensível o teste (um teste de 20 mUI/L dirá que você está grávida mais cedo que um teste de 50 mUI/L). Sem surpresa, os testes mais caros geralmente apresentam maior sensibilidade.

Também saiba que, quanto mais avançada a gestação, mais elevados os níveis de hCG. Se estiver fazendo o teste bem no início (antes da data esperada da menstruação), pode não haver suficiente hCG em seu organismo para gerar uma linha forte. Espere alguns dias, faça um novo teste e provavelmente obterá uma linha que acabará com todas as suas dúvidas.

O segundo teste não deu positivo

"Meu primeiro teste de farmácia deu positivo, mas fiz outro alguns dias depois e ele deu negativo. Então fiquei menstruada. O que está acontecendo?"

Infelizmente, parece que você passou pelo que é conhecido como gravidez química, quando um óvulo é fertilizado, mas, por alguma razão, não completa a implantação. Em vez de se transformar em uma gravidez viável, ele resulta em menstruação. Embora os especialistas estimem que até 70% de todas as concepções sejam químicas, a vasta maioria das mulheres sequer percebe que concebeu (com certeza, antes dos testes de farmácia, as mulheres só descobriam que estavam grávidas muito tempo depois). Frequentemente, um resultado positivo muito precoce seguido de menstruação tardia (entre alguns dias e uma semana mais tarde) são os únicos sinais de gravidez química. Se existe uma desvantagem nos testes precoces, essa definitivamente é uma delas.

TRANSFORMANDO O NEGATIVO EM POSITIVO

Se você não estiver grávida dessa vez, mas quiser engravidar em breve, tire o máximo proveito do período anterior à concepção seguindo os passos descritos em *What to Expect Before You're Expecting* [O que esperar antes de estar esperando]. Uma boa preparação antes de conceber garantirá a melhor gestação possível quando óvulo e espermatozoide finalmente se encontrarem. Além disso, você encontrará milhares de dicas para aumentar suas chances de conceber e conceber mais rapidamente.

Em termos médicos, uma gravidez química é mais parecida com um ciclo no qual não ocorreu gestação que com um verdadeiro aborto espontâneo. Em termos emocionais, para mulheres como você, que fizeram o teste precocemente e obtiveram resultado positivo, a história pode ser muito diferente. Embora tecnicamente não se trate de interrupção da gestação, a perda da promessa de gestação pode ser compreensivelmente angustiante para você e seu parceiro. Ler sobre como enfrentar a interrupção da gestação no capítulo 20 pode ajudá-la a lidar com essas emoções. E saiba que o fato de a concepção ter ocorrido uma vez significa que com toda probabilidade ocorrerá novamente, em breve, com o resultado muito mais feliz de uma gravidez saudável.

Resultado negativo
"Minha menstruação está atrasada e eu me sinto grávida, mas fiz três testes de farmácia e os três deram negativo. O que devo fazer?"

Se você está experimentando os sintomas iniciais da gravidez e sente, com ou sem teste — ou mesmo três testes —, que está grávida, aja como se estivesse (tomando vitaminas pré-natais, alimentando-se bem, reduzindo a cafeína, parando de fumar e beber e assim por diante) até obter uma resposta definitiva. Mesmo os melhores testes de farmácia podem falhar, produzindo um falso resultado negativo, especialmente quando realizados muito no início. Você pode muito bem conhecer seu corpo melhor que o bastãozinho no qual fez xixi. Para descobrir se seu palpite é mais preciso que o teste, espere uma semana e tente outra vez: sua gravidez pode simplesmente ser recente demais para detecção. Ou peça que o médico solicite um exame de sangue, mais sensível à hCG que o exame de urina.

Também é possível experimentar todos os sinais e sintomas e não estar grávida. Afinal, nenhum deles isoladamente — ou mesmo em conjunto — é prova absoluta de gravidez. Se os testes continuarem a dar negativo, mas você ainda não tiver menstruado, peça que o médico elimine outras causas fisiológicas (como um desequilíbrio hormonal, por exemplo). Se elas também forem eliminadas, é possível que seus sintomas tenham origem emocional. Às vezes, a mente tem uma influência surpreendentemente poderosa sobre o corpo, até mesmo gerando sintomas de gravidez quando não há nenhuma, somente o forte desejo (ou medo) de estar grávida.

Agendando a primeira consulta
"O teste de farmácia que fiz deu positivo. Quando devo agendar a primeira consulta com o médico?"

O bom acompanhamento pré-natal é um dos ingredientes mais importantes para gerar um bebê saudável. Portanto, não adie. Assim que obtiver resultado positivo no teste de farmácia, telefone para o médico e agende uma consulta. Quando ela será realizada pode depender da agenda e da política seguida pelo médico. Alguns consultórios conseguirão encaixá-la imediatamente, ao passo que os mais concorridos talvez só sejam capazes de recebê-la dali a várias semanas. Em certas clínicas, é rotineiro esperar que a mulher esteja entre a 6ª e a 8ª semanas de gestação para iniciar o acompanhamento pré-natal, embora algumas ofereçam uma "consulta geral" para confirmar a gestação assim que você tiver suspeitas (ou resultado positivo em um teste de farmácia).

Mas, mesmo que o pré-natal tenha de ser adiado até meados do primeiro trimestre, isso não significa que você não deva cuidar de si mesma e de seu bebê. Independentemente de quando for a consulta, comece a agir como grávida assim que obtiver resultado positivo no teste de farmácia. Você provavelmente está familiarizada com muitos dos cuidados básicos, mas não hesite em telefonar para o consultório se tiver perguntas específicas sobre como agir. Você talvez receba um panfleto, mesmo antes da consulta, que ajudará a preencher as lacunas (muitos locais fornecem um pequeno manual com orientações variadas, alimentos permitidos e proibidos, recomendações de vitaminas pré-natais e uma lista de medicamentos seguros). E, claro, você também encontrará muitos conselhos neste livro.

Em uma gestação de baixo risco, iniciar o acompanhamento pré-natal já no início não é considerado medicamente necessário, embora possa ser difícil lidar com a espera. Se você ficar estressada ou sentir que pode estar em risco (por causa de uma doença crônica ou de um histórico de abortos, por exemplo), tente antecipar a consulta. (Para saber mais sobre o que esperar na primeira consulta pré-natal, veja a p. 125.)

No Brasil, no entanto, o Ministério da Saúde e o Sistema Único de Saúde (SUS) recomendam que o pré-natal seja feito desde o primeiro mês de gestação, e, em alguns casos, até antes da concepção. Assim que a futura mamãe tiver conhecimento de que está grávida, deve encontrar um obstetra de sua confiança para fazer o acompanhamento até o parto. Para isso, a gestante deve procurar uma unidade de saúde pública mais próxima de sua casa e solicitar o atendimento com o Cartão Nacional de Saúde (CNS), assim poderá coletar informações necessárias sobre obstetras que poderão acompanhá-la até o fim da gestação de forma gratuita pelo SUS.

A data do parto
"Acabo de obter resultado positivo no teste de gravidez. Como calcular a data do parto?"

Depois de absorver a grande notícia, é hora de pegar o calendário e marcar o grande dia: o parto. Mas, espere... quando será o parto? Você deve contar nove meses a partir de agora? Ou de quando pode ter concebido? Ou são quarenta semanas? E quarenta semanas a partir de quando? Você acabou de descobrir que está grávida e já está confusa. Quando, afinal, o bebê vai chegar?

Respire fundo e se prepare para um curso de matemática para gestantes. Por uma questão de conveniência (porque você precisa ter alguma ideia de quando o bebê vai chegar) e convenção (porque é importante ter referências para avaliar o crescimento e o desenvolvimento do bebê), considera-se que a gestação dura quarenta semanas, mesmo que somente 30% delas tenham essa duração precisa. Na realidade, a gestação é considerada plena entre 39 e 41 semanas (um bebê nascido na 39ª semana não é "prematuro", assim como um bebê nascido na 41ª semana não é "tardio").

Mas aqui as coisas ficam ainda mais confusas. As quarenta semanas não são contadas a partir do dia em que o bebê foi concebido, mas a partir do primeiro dia da última menstruação. Por que iniciar a contagem antes mesmo de o espermatozoide ter encontrado o óvulo (e antes mesmo de o ovário ter liberado o óvulo)? A data da última menstruação (ou DUM) é simplesmente uma data confiável. Afinal, mesmo que você tenha certeza sobre o dia em que ovulou (porque é mestre em muco cervical ou em previsões ovulatórias) e sobre o dia ou dias em que teve relações sexuais, provavelmente não pode precisar o momento em que óvulo e espermatozoide se uniram (também conhecido como concepção). Isso porque o espermatozoide pode esperar entre três e cinco dias por um óvulo após ter chegado à vagina, e um óvulo pode ser fertilizado até 24 horas depois de ter sido liberado, criando uma janela mais ampla do que você imagina.

Assim, em vez de usar a incerta data da concepção como início da gravidez, você usará algo mais garantido, sua DUM, que (em um ciclo típico) ocorreu cerca de duas semanas antes de o bebê ser concebido. O que significa que duas das quarenta semanas já se passaram no momento em que o espermatozoide encontra o óvulo e quatro semanas desde que sua menstruação não desce. E quando finalmente chegar à marca das quarenta semanas, seu pãozinho terá assado no forno por somente 38.

Ainda está confusa com esse sistema? Não é surpresa: é confuso mesmo. Felizmente, você não precisa entender como funciona. Para chegar à data do parto (chamada de DPP, ou data provável do parto, porque se trata sempre de uma estimativa), basta fazer este cálculo simples: subtraia três meses do primeiro dia de sua última menstruação e acrescente sete dias. Digamos que sua última menstruação começou em 12 de abril. Volte três meses, o que significa 12 de janeiro, e acrescente sete dias. A data provável do parto será 19 de janeiro. Não está com vontade de fazer nenhum cálculo? Apenas insira sua DUM no aplicativo What To Expect e sua DPP será calculada, você saberá em que semana da gestação está agora e a contagem regressiva poderá começar.

Considere que, se você tem ciclos irregulares, pode ser difícil calcular a data do parto com o método DUM. E, mesmo que seus ciclos sejam regulares, o médico pode fornecer uma data diferente daquela a que você chegou usando o método DUM ou um aplicativo. Isso porque a maneira mais precisa de estimar a data do parto é através de um ultrassom, normalmente realizado entre a 6ª e a 9ª semanas, que determina de modo confiável o tamanho do embrião ou feto (as medidas obtidas por ultrassom após o primeiro trimestre não são tão precisas).

Embora a maioria dos médicos use o ultrassom aliado ao método DUM para datar oficialmente a gestação, também há sinais físicos que podem ser usados para confirmá-la, incluindo o tamanho do útero e a altura do fundo (o topo do útero, que será medido em cada consulta pré-natal após o primeiro trimestre e chegará à altura de seu umbigo por volta da 20ª semana). E há no horizonte a possibilidade de um exame de sangue capaz de determinar com precisão a idade gestacional do bebê.

Todos os sinais indicam a mesma data? Lembre-se de que mesmo a mais confiável DPP é apenas uma estimativa. Somente seu bebê sabe em que dia nascerá... e ele não vai contar para ninguém.

TUDO SOBRE:
Escolher e trabalhar com seu médico

Todo mundo sabe que são necessárias duas pessoas para conceber um bebê. Mas são necessárias no mínimo três — mãe, pai e ao menos um profissional de saúde — para fazer com que a transição entre óvulo fertilizado e bebê recém-nascido seja segura e bem-sucedida. Presumindo que você e seu parceiro já tenham cuidado da concepção, o desafio seguinte é selecionar o terceiro membro da equipe de gestação, assegurar-se de que você está confortável com a escolha e começar a trabalhar com ele.

Obstetra? Médico de família? Parteira?

Onde procurar pelo profissional perfeito para guiá-la durante a gravidez e além dela? Primeiro, você precisa decidir que tipo de credenciais médicas atendem melhor a suas necessidades.

O obstetra. Quer um profissional treinado para lidar com todos os aspectos médicos da gestação, do trabalho de parto, do nascimento e do pós-parto, da pergunta mais óbvia à complicação mais obscura? Então considere um obstetra. Ele pode não somente fornecer cuidados obstétricos completos, como também atender a todas as suas necessidades de saúde feminina não relacionadas à gestação (teste de Papanicolau, contracepção, exame dos seios e assim por diante). Alguns também oferecem cuidados em outras áreas, atuando como clínicos gerais.

Se sua gravidez for de alto risco, você pode querer um profissional ainda mais capacitado, um obstetra especializado em gestações de alto risco e medicina materno-fetal. Eles passam três anos treinando para cuidar de gestantes de alto risco, além dos típicos quatro anos de residência em ginecologia e obstetrícia. No Brasil, eles passam um ano se especializando em gestão de alto risco e dois anos em medicina fetal, além dos típicos três anos de residência em ginecologia e obstetrícia. Se você engravidou com o auxílio de um especialista em fertilidade, provavelmente iniciará o acompanhamento pré-natal com ele e então será encaminhada a um obstetra ou parteira (tipicamente perto do fim do primeiro trimestre, embora possa ser mais cedo) ou, se sua gravidez for de alto risco, a um especialista em medicina materno-fetal.

Mais de 90% das mulheres escolhem um obstetra. Se você já está sob os cuidados de um ginecologista e obstetra que respeita, do qual gosta e com o qual se sente confortável, pode não haver razão para mudar agora que está grávida. Se seu ginecologista não é obstetra ou você não está convencida de que ele é o médico que gostaria de ter a seu lado durante a gestação e o parto, está na hora de começar a procurar.

O médico de família. Os médicos de família oferecem serviços médicos em todas as fases da vida. Ao contrário do obstetra, que após a faculdade recebeu treinamento em saúde reprodutiva da mulher, clínica geral e cirurgia, o médico de família recebeu treinamento em cuidados primários, maternos e pediátricos. Se você se decidir por um, ele pode ser seu clínico geral, ginecologista, obstetra e, quando a hora chegar, pediatra. Idealmente, ele estará familiarizado com a dinâmica de sua família e interessado em todos os aspectos de sua saúde, não somente nos obstétricos. Se sua gestação enfrentar complicações, o médico de família poderá encaminhá-la a um obstetra para uma consulta ou para obter cuidados especializados, mas permanecerá envolvido em seu caso.

CONSULTANDO O DR. GOOGLE?

Sinta-se livre para visitar todos aqueles sites e aplicativos sobre gravidez, mas pesquise com cuidado. Entenda que não pode acreditar em tudo que lê, especialmente on-line e — enfaticamente — nas redes sociais. Antes de seguir qualquer orientação ou prescrição do dr. Google, sempre peça a opinião de seu médico real que, de forma geral, é a melhor fonte de informações sobre a gestação, especialmente as relacionadas a seu caso.

A enfermeira obstétrica. Se está procurando uma profissional habilidosa, centrada na medicina baseada em evidências, que fará consultas pré-natais mais longas, será tão atenta a seu bem-estar emocional quanto sua condição física, fornecerá conselhos nutricionais detalhados e orientação geral sobre aleitamento, estará mais aberta a terapias alternativas e outras opções de parto e será uma enfática defensora do parto sem medicação, você pode se unir a cerca de 9% das gestantes que escolhem ser atendidas por uma enfermeira obstétrica certificada. Elas são treinadas para acompanhar gestações de baixo risco (podendo solicitar exames e prescrever medicamentos) e realizar partos sem complicações. Também podem fornecer cuidados ginecológicos rotineiros e, em certos casos, cuidados pediátricos. A maioria trabalha em hospitais, e outras realizam partos em clínicas e/ou em casa. Mas a maioria dos partos com enfermeiras obstétricas são em hospitais ou clínicas. Embora, na maioria dos estados americanos, elas tenham o direito de oferecer alívio para a dor e prescrever medicamentos para a indução do parto, o nascimento auxiliado por uma enfermeira obstétrica tem menos probabilidade de incluir qualquer intervenção médica. Em média, elas têm taxas de cesariana (realizada por colegas obstetras) muito mais baixas que as dos médicos, assim como taxas mais altas de sucesso em partos vaginais após cesariana, em parte porque é menos provável que lancem mão de intervenções médicas desnecessárias e em parte porque cuidam somente de gestantes de baixo risco, com menor probabilidade de precisarem de parto cirúrgico. Estudos mostram que, para gestações de baixo risco, partos realizados por enfermeiras obstétricas são tão seguros quanto aqueles realizados por médicos. Outra coisa para considerar se você está cobrindo parte ou todos os custos: o acompanhamento pré-natal com uma enfermeira obstétrica normalmente custa menos que aquele realizado por um obstetra.

Outra opção, também certificada pelo Colégio Americano de Enfermeiras Obstétricas, mas com permissão para atender e prescrever somente em certos estados, é a parteira certificada. Uma parteira certificada tem aulas de saúde e ciências com nível de bacharelado e recebe o mesmo treinamento como parteira que uma enfermeira obstétrica, mas não é enfermeira registrada nem bacharel em ciência da enfermagem.

A maioria das enfermeiras obstétricas e parteiras certificadas está associada a um médico de apoio em caso de complicações, e muitas atendem juntamente com um ou vários médicos. Para mais informações sobre enfermeiras obstétricas, visite midwife.org. No Brasil, visite cofen.gov.br.

Parteiras tradicionais. Essas parteiras são treinadas sem serem enfermeiras ou obterem bacharelado. Parteiras tradicionais tendem a fazer partos domésticos, embora algumas também atendam em clínicas. As certificadas através do Registro Norte-Americano de Parteiras são chamadas de parteiras profissionais certificadas. No Brasil, elas são certificadas pelo Programa Trabalhando com Parteiras Tradicionais, do Ministério da Saúde. Outras parteiras tradicionais não são certificadas. O licenciamento para parteiras tradicionais também é oferecido em certos estados, ao passo que em outros elas não podem trabalhar de modo legal. É importante saber que o treinamento recebido pelas parteiras tradicionais não atende à maioria dos padrões internacionais, e muitas não se qualificariam como parteiras em outros países desenvolvidos. Menos de 0,5% dos nascimentos nos Estados Unidos é acompanhado por parteiras tradicionais. Para mais informações, contate a Aliança de Parteiras da América do Norte em mana.org.

DIVISÃO DO TRABALHO

O que acontece se seu obstetra estiver viajando no dia do parto? Alguns obstetras e hospitais recorrem ao obstetra plantonista, que trabalha exclusivamente no hospital atendendo somente gestantes em trabalho de parto e auxiliando nos nascimentos. Os obstetras plantonistas não acompanham as pacientes durante a gestação, mas estão lá para ajudar seu bebê a chegar ao mundo se seu médico não estiver disponível (talvez ele esteja de férias ou participando de uma conferência).

Se lhe disserem que um obstetra plantonista poderá realizar o parto, pergunte a seu médico se já trabalhou com ele no passado. Pergunte se suas filosofias e protocolos são similares. Você também pode telefonar para o hospital e pedir para conhecer a equipe com antecedência, para não ser atendida por estranhos no momento do parto. Também se assegure de chegar ao hospital com seu plano de parto (caso tenha um, veja p. 433), para que quem quer que a atenda esteja familiarizado com suas preferências, mesmo que não esteja familiarizado com você.

Se a ideia a deixa desconfortável, pense em alterar o tipo de atendimento agora, e não mais tarde. Mas considere que se já estiver sendo atendida em sistema de rotação, há uma boa chance de seu obstetra "regular" não estar de plantão no dia do parto. Também considere que, como os obstetras plantonistas focam somente no nascimento, eles estão preparados para oferecer os melhores cuidados durante o trabalho de parto. E também estão muito mais descansados, porque trabalham em turnos, e não o dia todo.

Tipos de atendimento

Você escolheu um obstetra, um médico de família ou uma parteira. Agora precisa decidir que tipo de atendimento a deixará mais confortável. Eis os mais comuns e suas possíveis vantagens e desvantagens.

Atendimento individual. Procurando por um médico literalmente único? Então você deve escolher o atendimento individual, no qual o médico de sua escolha trabalha sozinho ou chama um médico de apoio quando não está disponível. Um obstetra ou médico de família pode atender sozinho, ao passo que, na maior parte dos estados, uma parteira precisa trabalhar em colaboração com um médico. A maior vantagem do atendimento individual é que você será atendida pelo mesmo médico em todas as consultas, e essa familiaridade pode gerar conforto, especialmente quando chegar a hora do parto. Você também receberá conselhos consistentes, em vez de ficar consistentemente confusa ao ser atendida por diferentes médicos, com diferentes (e às vezes conflitantes) pontos de vista. A maior desvantagem é que, se seu médico estiver fora da cidade, doente ou indisponível no dia (ou noite) em que o bebê chegar, um médico de apoio que você não conhece (em alguns casos, um obstetra plantonista, veja o quadro na página anterior) pode fazer o parto. Conhecer o médico de apoio antes do parto pode fazer com que você se sinta mais confortável com essa possibilidade. O atendimento individual também pode ser um problema se, no meio da gestação, você decidir que seu médico não é exatamente aquilo que esperava. Se isso acontecer e você decidir mudar de médico, terá de começar do zero, procurando alguém que se adapte a seu perfil.

Atendimento em parceria ou em grupo. Nesse tipo de atendimento, dois ou mais médicos da mesma especialidade cuidam juntos dos pacientes, geralmente em sistema de rotatividade (embora, na maioria das vezes, você possa ser atendida por seu médico favorito e só entre no sistema de rotatividade no fim da gravidez, quando as consultas se tornam mais frequentes). Novamente, tanto obstetras quanto médicos de família oferecem esse tipo de atendimento. A vantagem do atendimento em grupo é que, ao ser atendida por um médico diferente a cada consulta, você passa a conhecer todos eles, o que significa que, quando as contrações chegarem fortes e rápidas, haverá um rosto familiar na sala. A desvantagem é que há o risco de você não gostar de todos os médicos e, comumente, não pode escolher qual deles fará o parto. Além disso, ouvir os pontos de vista de diferentes médicos pode ser uma vantagem ou uma desvantagem, vai depender do quanto essa diversidade é reconfortante para você ou a deixa confusa.

Atendimento misto. O atendimento em grupo, que inclui um ou mais obstetras e uma ou mais parteiras, é considerado misto. As vantagens e desvantagens são similares às do atendimento em grupo. Há a vantagem adicional de, em algumas consultas, você receber o tempo e a atenção que a parteira pode oferecer e, em outras, beneficiar-se do extenso treinamento especializado do médico. Você pode decidir que o parto será realizado pela parteira e ter a garantia de que, se houver problemas, um médico conhecido estará nos bastidores.

Atendimento em casas de parto. Nesse tipo de atendimento, parteiras certificadas fornecem a maior parte dos cuidados e o obstetra é chamado quando necessário. Algumas casas de parto ficam no interior de hospitais, com salas de parto especiais, ao passo que outras têm sedes individuais. Todas as casas de parto oferecem cuidados somente para gestantes de baixo risco.

Os benefícios desse tipo de atendimento são óbvios para as futuras mães que preferem ser acompanhadas por uma enfermeira obstétrica. Outra possível vantagem é que enfermeiras obstétricas e casas de parto geralmente cobram menos que obstetras e hospitais. Essa pode ser uma consideração fundamental, pois, embora o plano de saúde seja obrigado a cobrir a gestação e o parto, talvez seja necessário pagar parte da conta, dependendo do tipo de plano, da franquia estipulada e de o profissional ser conveniado ou não. Uma potencial desvantagem desse tipo de atendimento: se houver complicações durante a gravidez ou o parto, o nascimento pode ser assistido por um médico de plantão que você nunca viu antes. E, finalmente, se estiver sendo atendida em uma casa de parto com sede própria e surgirem complicações, você precisará ser transportada para o hospital mais próximo para receber cuidados emergenciais.

MÉTODO *CENTERING PREGNANCY*

Procurando uma alternativa para o modelo tradicional de cuidados pré-natais? Talvez o modelo *Centering Pregnancy* seja ideal para você. Em vez de agendar consultas mensais, você participará de um grupo com oito a doze gestantes (e seus parceiros) com datas prováveis de parto próximas da sua, reunindo-se geralmente por cerca de dez sessões durante a gravidez e logo após o parto (os bebês também participam!). Você terá consultas mensais com o médico, como ocorre no atendimento individual, mas também passará cerca de duas horas por sessão obtendo respostas para suas perguntas, partilhando experiências com outros futuros pais e discutindo tópicos que vão da nutrição na gestação até os tipos de parto.

Acha que o método *Centering Pregnancy* é exatamente o que você está procurando? Visite centeringhealthcare.org para saber mais e descobrir se há um centro perto de você.

Atendimento por uma enfermeira obstétrica independente. As enfermeiras obstétricas oferecem às gestantes de baixo risco a vantagem de cuidados personalizados e um parto natural de baixa tecnologia (às vezes em casa, mas mais frequentemente em casas de parto ou hospitais). Uma enfermeira obstétrica independente deve contar com um médico disponível para consultas e em caso de emergência, seja durante a gestação, no parto ou após o nascimento do bebê. O atendimento por uma enfermeira obstétrica independente é coberto pela maioria dos planos de saúde, embora somente alguns cubram partos em casa ou em instalações que não um hospital.

Encontrando um candidato

Quando tiver uma boa ideia do profissional e do tipo de atendimento que deseja, onde poderá encontrar candidatos? Estas são todas boas fontes:

- Seu ginecologista, médico de família (se não fizer partos) ou clínico geral, desde que você esteja satisfeita com o estilo de atendimento. Médicos tendem a recomendar filosofias similares às suas.
- Amigas, colegas de trabalho ou conhecidas do grupo whattoexpect.com local que deram à luz recentemente e cujas filosofias em relação ao parto são similares às suas.
- Seu plano de saúde, que pode fornecer uma lista de médicos conveniados que realizam partos, juntamente com informações sobre suas qualificações, especialidades, interesses especiais, tipos de atendimento e registro no conselho.
- A Associação Médica Americana (ama-assn.org; clique em "Doctor Finder") pode ajudá-la a encontrar um médico em sua área.
- O diretório de profissionais do Congresso Americano de Obstetras e Ginecologistas (ACOG) traz nomes de obstetras e especialistas em medicina materno-fetal. Acesse acog.org e clique em "Find an ob-gyn".
- O Colégio Americano de Enfermeiras Obstétricas, se você estiver procurando uma enfermeira obstétrica. Acesse midwife.org (clique em "Find a Midwife").
- A La Leche League local, especialmente se o apoio ao aleitamento for uma prioridade para você.
- Um hospital próximo que contenha as instalações importantes para você — salas de parto com banheiras de hidromassagem, acomodação para o pai e o bebê no quarto da mãe ou UTI neonatal — ou a casa de parto em que você gostaria de dar à luz. Peça o nome dos médicos e parteiras da equipe.
- No Brasil, procure uma unidade de saúde mais próxima, como uma Unidade Básica de Saúde (UBS) e Clínica da Família.

Fazendo a seleção

Depois que conseguiu o nome do profissional de saúde potencial, agende uma consulta. Vá preparada com perguntas que vão ajudá-la a descobrir se suas filosofias estão em sincronia e se suas personalidades interagem confortavelmente (não espere concordar com ele em tudo). Seja observadora e tente ler as entrelinhas durante a consulta: Ele é bom ouvinte? Paciente ao explicar? Interage igualmente bem com você e seu parceiro? Tem senso de humor (se isso for importante para você)? Trata suas preocupações emocionais tão seriamente quanto as físicas? Agora é a hora de descobrir a posição dele sobre questões importantes: parto sem medicação *versus* alívio da dor quando necessário ou desejado, amamentação, indução do trabalho de parto, uso de monitoramento fetal contínuo ou intravenosa de rotina, parto vaginal após cesariana, parto na água ou qualquer outra coisa. Informação é poder, e saber como seu médico trabalha ajudará a evitar surpresas desagradáveis mais tarde.

Quase tão importante quanto o que a conversa revela sobre seu médico potencial é o quanto revela sobre você. Fale bastante e deixe emergir sua verdadeira personalidade como paciente. Você será capaz de julgar, pela reação do médico, se ele está confortável e responde bem a você como paciente.

Você também precisa pensar no hospital ou na casa de parto a que o médico está afiliado e se o local possui as características que você considera fundamentais. Embora suas preferências em relação ao local não devam ser os únicos critérios ao escolher um médico, elas certamente devem ficar claras. Faça perguntas sobre as características e opções que achar importantes (leve em conta que nenhuma decisão definitiva pode ser tomada até mais tarde, e muitas só podem ser tomadas no momento do parto): o hospital ou casa de parto oferece banheira para o parto na água, barra de apoio para o parto de cócoras, acomodações confortáveis para o pai, espaço para a família e os amigos, UTI neonatal? Há flexibilidade em relação às regras ou procedimentos que lhe interessam (como comer ou beber durante o trabalho de parto ou intravenosa de rotina)? Há anestesistas de plantão, para que você não precise esperar pela epidural se quiser uma? O parto vaginal após cesariana é encorajado (p. 477), se for seu caso? Cesarianas "naturais" são oferecidas (p. 471)? Os irmãos do bebê podem ficar na sala durante o trabalho de parto? O hospital obteve a designação Amigo da Criança ou implementou políticas de aleitamento e humanização para o bebê (como transformar em prioridade o contato pele a pele logo após o nascimento)? Há atendimento 24 horas para a amamentação, fornecido por consultoras de lactação (ou apoio se você escolher não amamentar)? Veja na p. 433 mais informações sobre escolhas e opções relacionadas ao parto.

Antes de tomar a decisão final, analise se o profissional inspira confiança. A gravidez é uma das jornadas mais importantes que você fará, e você precisa de um copiloto em quem possa confiar.

ONDE VOCÊ DARÁ À LUZ?

Você está absolutamente decidida a dar à luz em um hospital? Está se perguntando se uma casa de parto seria mais adequada? Gostaria de fazer o parto em casa? A gravidez e o parto estão cheios de escolhas pessoais, incluindo onde você dará as boas-vindas ao bebê:

Em um hospital. Não imagine algo frio e clínico. As salas de parto de muitos hospitais são acolhedoras e oferecem um ambiente familiar, com iluminação suave, poltronas confortáveis, quadros relaxantes nas paredes e camas que parecem saídas do catálogo de uma loja de móveis e não de um fornecedor de material hospitalar. Os equipamentos médicos normalmente são mantidos fora de vista, em armários parecidos com os que temos em casa. A cabeceira da cama pode ser erguida para manter a gestante em posição confortável durante o trabalho de parto e os pés podem ser removidos para abrir espaço para a equipe médica. Após o parto, os lençóis são trocados, alguns interruptores são apertados e, pronto, você volta para a cama. Muitos hospitais também têm duchas ou banheiras de hidromassagem ao lado das salas de parto que oferecem o alívio da hidroterapia durante as contrações. Banheiras para parto na água também estão disponíveis em alguns hospitais (veja o quadro da p. 436 para mais informações sobre o parto na água). A maioria das salas de parto tem sofás-camas para seu *coach* e outros convidados.

Essas salas normalmente são usadas somente para o trabalho de parto, o nascimento e a recuperação, o que significa que você e seu bebê provavelmente serão levados para o quarto depois de mais ou menos uma hora de união familiar praticamente ininterrupta.

Se precisar de uma cesariana, você será transferida da sala de parto para a sala de cirurgia e, mais tarde, para a sala de recuperação, mas estará de volta a um quarto agradável assim que o bebê nascer.

Em uma casa de parto. Casas de parto, no geral com sede própria (frequentemente a apenas alguns minutos de um hospital, embora também possam estar associadas a um ou mesmo localizadas em seu interior), oferecem um local aconchegante, personalizado e de baixa tecnologia para o parto, com quartos privativos suavemente iluminados, duchas e banheiras de hidromassagem para o trabalho de parto e o parto na água. Uma cozinha também pode estar disponível para os familiares. As equipes normalmente são compostas por parteiras, mas muitas casas têm obstetras de plantão. E, embora não usem intervenções como monitoramento fetal, possuem equipamentos médicos à mão para que os cuidados emergenciais possam ser iniciados enquanto se aguarda a transferência para o hospital mais próximo. Mesmo assim, somente mulheres com gestações de baixo risco são boas candidatas a casas de parto. Eis outro fator a considerar: o parto não medicado é o foco da casa de parto e, embora narcóticos suaves estejam disponíveis, epidurais não estão. Se você acabar querendo uma epidural, terá de ser transferida para um hospital.

Em casa. Somente cerca de 1% dos partos nos Estados Unidos é realizado em casa. A vantagem do parto doméstico é óbvia: o bebê nasce em meio à família e aos amigos, em uma atmosfera acolhedora e amorosa, e você permanece no conforto e na privacidade de sua própria casa, sem protocolos e equipes hospitalares pelo caminho. A desvantagem é que, se algo der errado, as instalações para uma cesariana de emergência ou para a ressuscitação do recém-nascido não estarão à mão.

As estatísticas mostram que, nos partos realizados por parteira, há um risco ligeiramente maior para o bebê que nasce em casa em relação ao que nasce no hospital. De acordo com o Colégio Americano de Enfermeiras Obstétricas, se você estiver pensando em um parto doméstico, deve estar na categoria de baixo risco, ser acompanhada por uma enfermeira obstétrica associada a um médico, ter um meio de transporte disponível e morar a menos de 50 quilômetros de um hospital.

Capítulo 2
Seu perfil gestacional

O teste de gravidez de farmácia deu positivo e você já se acostumou (mais ou menos) com a ideia: você vai ter um bebê! A empolgação aumenta, assim como as perguntas. Muitas, sem dúvida, estão relacionadas aos loucos e descontrolados sintomas que você pode já estar experimentando. Mas outras, talvez, tenham ligação com seu perfil gestacional. O que é um perfil gestacional? Não, não é algo que você publica nas redes sociais (como aquela *selfie* da barriguinha que está planejando tirar toda semana). É uma compilação de seus históricos médico, ginecológico e obstétrico (se não for sua primeira gestação). Em outras palavras, é a história passada de sua gravidez, que pode ter impacto na história que está prestes a começar.

Leve em consideração que, talvez, grande parte deste capítulo não se aplique a você, porque seu perfil gestacional (assim como o bebê que está esperando) é único. Leia aquilo que se adapta a seu perfil e pule o que não servir.

Seu histórico ginecológico

Contraceptivos durante a gestação
"Fiquei grávida enquanto estava tomando pílula anticoncepcional. Continuei a tomar por mais um mês porque não sabia que estava grávida. Isso afetará meu bebê?"

Idealmente, ao parar de usar contraceptivos orais, você deve passar por ao menos um ciclo menstrual normal (ou seja, causado por seus próprios hormônios) antes de tentar engravidar. Mas a concepção nem sempre espera pelas condições ideais e, embora seja bastante incomum (menos de uma chance em cem quando tomada de maneira perfeitamente consistente), é possível engravidar tomando pílula. A despeito dos alertas que você provavelmente leu na bula, não há razão para se preocupar. Não existem evidências confiáveis de risco aumentado para o bebê quando a mãe concebeu enquanto usava contraceptivo oral. Precisa de mais garantias? Converse sobre a situação com seu médico: ele com certeza as fornecerá.

Você, provavelmente, receberá as mesmas garantias do médico se concebeu enquanto usava anel vaginal, adesivo, injeções ou implante. Todas essas formas de controle de natalidade usam os mesmos hormônios presentes na pílula, o que significa que, assim como não há evidências de risco aumentado para o bebê quando a mãe concebeu enquanto tomava pílula, não há evidências de risco aumentado quando ela usava outras formas de contraceptivo hormonal.

UM LIVRO PARA TODAS AS FAMÍLIAS

Uma família é uma família: qualquer que seja sua composição, é o amor que importa. Mas, ao ler *O que esperar quando você está esperando* você notará referências a relacionamentos familiares tradicionais. Essas referências definitivamente não pretendem excluir gestantes (e famílias) que não seguem os moldes tradicionais, como as que são solteiras por escolha ou circunstância, as que têm parceiras do mesmo sexo ou as que moram com seus parceiros, mas escolheram não se casar. O uso de termos como "cônjuge" ou "parceiro" é uma maneira de evitar expressões (como "seu marido ou a pessoa significativa em sua vida") que são mais inclusivas, mas também muito extensas. O mesmo se dá com o uso de "pai" em vez de "pai ou outra mãe" em referência à figura parental não gestante. Por favor, edite mentalmente qualquer expressão que não seja adequada e a substitua pela que é certa para você e sua adorável família.

Você faz parte de um casal que terá um bebê por gestação sub-rogada (mais conhecida como barriga de aluguel ou barriga solidária)? Essa gravidez também é sua — assim como este livro. Use-o para acompanhar o progresso da cedente temporária do útero em que seu bebê está sendo gestado.

"Concebi usando camisinha com espermicida e continuei a usar espermicida antes de descobrir que estava grávida. Deveria estar preocupada?"

Você não precisa se preocupar se engravidou enquanto usava camisinha (ou diafragma, capuz cervical ou esponja) e espermicida, camisinha com espermicida ou simplesmente espermicida. A boa notícia é que não existe absolutamente nenhuma conexão conhecida entre o uso de espermicidas e doenças congênitas. Relaxe e aproveite a gravidez, mesmo que tenha ocorrido de maneira meio inesperada.

"Uso DIU e acabo de descobrir que estou grávida. Conseguirei ter uma gravidez saudável?"

Engravidar durante o controle de natalidade é sempre meio inquietante (não foi por isso, afinal, que você decidiu usar um contraceptivo?), mas acontece ocasionalmente. As chances de acontecer com o DIU são muito baixas, cerca de uma em mil.

Contrariar as probabilidades e conceber com DIU deixa a você duas opções, que devem ser discutidas com o médico o mais rapidamente possível: manter o DIU no lugar ou retirá-lo. Dependerá muito de o médico conseguir ou não ver o cordão de remoção saindo do colo do útero. Se o cordão não estiver visível, a gestação tem uma chance muito boa de seguir em frente com o DIU no lugar, mesmo que seja do tipo que libera hormônios. Ele será simplesmente empurrado contra a parede do útero pelo saco amniótico (ou bolsa amniótica) em expansão e então expelido com a placenta. Se, no entanto, o cordão estiver visível no início da gestação, o risco de infecção aumenta. Nesse caso, as chances de uma gestação segura e bem-sucedida serão maiores se o DIU for removido assim que a concepção se confirmar. Se não for, há risco significativo de aborto, que cai para somente 20% quando o DIU é removido. Se isso não parece muito reconfortante, considere que a taxa estimada de abortos espontâneos em gestações confirmadas é de 15 a 20%.

Se o DIU for deixado no lugar, fique especialmente alerta para sangramentos, cólicas ou febre durante o primeiro trimestre, porque o DIU aumenta o risco de complicações iniciais. Informe ao médico imediatamente se notar um desses sintomas. Também há um risco maior de parto prematuro se você concebeu enquanto usava DIU (mesmo que ele seja removido), então fique atenta para essa possibilidade perto do fim da gestação.

Miomas

"Tive miomas por vários anos e eles nunca me causaram problemas. Causarão agora que estou grávida?"

É provável que seus miomas não a impeçam de ter uma gravidez sem complicações. Na verdade, na maioria das vezes, esses pequenos tumores benignos nas paredes internas do útero não afetam a gestação.

Às vezes, uma gestante com miomas nota dor ou pressão abdominal, embora geralmente não haja nada com que se preocupar. Mesmo assim, informe ao médico. Atividades reduzidas ou repouso parcial por quatro ou cinco dias, e um analgésico seguro, em geral proporcionam alívio.

Muito ocasionalmente, os miomas podem aumentar ligeiramente o risco de complicações como placenta abrupta (descolamento da placenta), parto prematuro e apresentação pélvica. Como cada caso é diferente, converse com o médico para descobrir mais sobre a condição em geral e sobre os riscos, se houver algum, de seu caso particular. Se o médico suspeitar que os miomas impedirão o parto vaginal seguro, ele pode optar por uma cesariana. Na maioria dos casos, no entanto, mesmo um grande mioma sairá do caminho do bebê quando o útero se expandir durante a gestação.

"Removi miomas há alguns anos. Isso afetará minha gravidez?"

Na maioria dos casos, a cirurgia para remoção de pequenos miomas uterinos (particularmente se realizada por laparoscopia) não afeta a gravidez subsequente. Mas uma cirurgia extensa para remover grandes miomas pode enfraquecer tanto o útero que ele não é capaz de suportar o trabalho de parto. Se o médico decidir que esse é o caso, uma cesariana será programada. Familiarize-se com os sinais de trabalho de parto pré-termo no caso de as contrações começarem antes da cirurgia planejada e tenha um plano para chegar rapidamente ao hospital se entrar em trabalho de parto.

Endometriose

"Após anos sofrendo com endometriose, finalmente engravidei. Terei problemas durante a gravidez?"

A endometriose está tipicamente associada a dois desafios: dificuldade para engravidar e dor. Tendo engravidado, você já superou o primeiro desafio (parabéns!). E as coisas ficam ainda melhores: estar grávida pode ajudar com o segundo.

A endometriose causa dor na região pélvica porque o tecido que reveste o útero (chamado endométrio) cresce fora dele e reage às mudanças hormonais do ciclo menstrual se espessando, descamando e sangrando (como faz normalmente no interior do útero). Durante a gravidez, quando a ovulação e a menstruação passam por um hiato e há aumento da progesterona, esses implantes endometriais, como são chamados, ficam menores e menos sensíveis, frequentemente aliviando a dor causada pela endometriose. Na verdade, muitas gestantes não têm ou quase não têm sintomas durante toda a gravidez, embora algumas possam sentir certo desconforto quando o bebê cresce e começa a chutar, particularmente se os chutes atingirem áreas sensíveis.

A notícia não tão boa é que estar grávida oferece apenas uma pausa, e não a cura, para os sintomas de endometriose. Após a gestação e a amamentação (às vezes antes), eles normalmente retornam. A outra notícia não tão boa é que mulheres com endometriose podem ter risco aumentado de gravidez ectópica (assim, fique alerta para os sinais associados; veja a p. 782) e parto prematuro. Por causa desses riscos, seu médico provavelmente a monitorará com mais frequência (com um número maior de ultrassons, por exemplo). Finalmente, no caso muito improvável de você ter passado por uma cirurgia para tratar da condição, o médico provavelmente optará por uma cesariana.

Colposcopia

"Um ano antes de engravidar, fiz uma biópsia cervical e um LEEP para remover algumas células anormais. Isso coloca minha gravidez em risco?"

Felizmente, é pouco provável. A biópsia cervical definitivamente não é fonte de preocupação, já que a amostra retirada é minúscula. Também é muito pouco provável que o LEEP [procedimento de excisão eletrocirúrgica com alça], que remove tecido cervical anormal usando corrente elétrica, tenha algum impacto em uma futura gravidez. De fato, a vasta maioria das mulheres que fazem LEEP é capaz de ter uma gestação completamente normal. O mesmo se dá com as que passam por criocirurgia (na qual as células anormais são congeladas). Mas algumas, dependendo de quanto tecido foi removido durante o tratamento, podem ter risco ligeiramente aumentado de certas complicações, como insuficiência (às vezes chamada incompetência) cervical e parto prematuro. Informe o profissional responsável por seu pré-natal sobre seu histórico cervical para que a gestação possa ser monitorada mais atentamente.

Se células anormais forem encontradas durante um teste de Papanicolau de rotina durante a primeira consulta pré-natal, o médico pode realizar uma colposcopia para analisar melhor a situação, mas biópsias e outros procedimentos normalmente são adiados para depois do nascimento do bebê.

Abortos anteriores

"Fiz dois abortos. Isso terá algum impacto em minha gravidez?"

Múltiplos abortos no primeiro trimestre têm pouca probabilidade de afetar futuras gestações. Assim, se os abortos ocorreram antes da 14ª semana, é provável que você não precise se preocupar. Mas múltiplos abortos no segundo trimestre (realizados entre a 14ª e a 27ª semanas) podem aumentar ligeiramente o risco de parto prematuro. Em ambos os casos, informe ao médico. Quanto mais familiarizado ele estiver com seu histórico reprodutivo completo, melhor será o cuidado que você e seu bebê receberão.

ISTs E GRAVIDEZ

Não é de se surpreender que a maioria das ISTs pode afetar a gravidez. Felizmente, a maioria também pode ser tratada com facilidade e segurança, mesmo durante a gestação. Mas, como as mulheres frequentemente não estão conscientes de estarem infectadas, o CDC recomenda que todas as gestantes sejam testadas no início da gestação para as ISTs que mais apresentam riscos para a mãe e o bebê. Elas incluem:

Gonorreia. Há muito se sabe que a gonorreia causa conjuntivite, cegueira e infecções generalizadas graves em bebês nascidos de um canal de parto infectado. A gestante que testar positivo para gonorreia será tratada imediatamente com antibióticos. O tratamento é seguido por uma nova cultura, para garantir que a mãe está sem infecção. Como precaução adicional, uma pomada antibiótica é passada nos olhos de todo recém-nascido.

Sífilis. Como essa DST pode causar várias doenças congênitas e morte fetal, o teste é rotineiro durante a primeira consulta pré-natal. O tratamento com antibióticos antes do quarto mês de gestação, quando a infecção começa a cruzar a barreira placentária, quase sempre evita danos ao feto. A boa notícia é que a transmissão de sífilis da mãe para o bebê é rara.

Clamídia. Mais comum que a sífilis e a gonorreia e ocorrendo com mais frequência em mulheres sexualmente ativas com menos de 26 anos (especialmente as que tiveram múltiplos parceiros), a clamídia é a mais comum infecção passada da mãe para o bebê, e considerada um risco potencial para ambos. Como metade das mulheres infectadas não apresenta sintomas (o que significa que é possível pegá-la em algum momento e não saber), os testes rotineiros são importantes.

O melhor momento para tratar a clamídia é antes de engravidar. Mas o tratamento imediato com antibióticos (geralmente azitromicina) durante a gravidez pode evitar a infecção do bebê (na forma de pneumonia, que felizmente é branda na maioria das vezes, e infecções oculares, que podem ser severas) durante o parto. A pomada antibiótica usada rotineiramente logo após o nascimento protege o recém-nascido de infecções oculares por clamídia e gonorreia.

Tricomoníase. Os sintomas dessa DST causada por parasitas (também chamada de infecção por tricomonas) são secreção esverdeada, espumosa e com cheiro desagradável que lembra peixe. A coceira também é comum. Metade das afetadas não apresenta nenhum sintoma. Embora a doença normalmente não seja séria nem cause problemas durante a gestação (ou afete o bebê da mãe infectada), os sintomas podem ser irritantes. De modo geral, gestantes com sintomas de tricomoníase são testadas e, se o resultado for positivo, tratadas de modo seguro com antibióticos.

Infecção por HIV. O ACOG recomenda (e a maioria dos estados requer) que todas as mulheres grávidas recebam aconselhamento e sejam testadas para HIV o mais cedo possível durante cada gestação, a menos que se recusem a fazer o teste. Isso porque a infecção pelo vírus HIV, que causa AIDS, é uma ameaça não somente para a gestante, mas também para o bebê. Cerca de 25% dos bebês nascidos de mães não tratadas desenvolvem a infecção (confirmada por testes durante os seis primeiros meses de vida). Felizmente, os tratamentos agora disponíveis oferecem muita esperança para as mães infectadas e seus futuros bebês. Tratar uma gestante HIV positiva com AZT (também conhecido como ZDV ou Retrovir) ou outros medicamentos antirretrovirais pode reduzir dramaticamente o risco de ela infectar o bebê, sem efeitos colaterais danosos. Para mulheres com alta taxa de HIV no organismo, o parto por cesariana programada (antes de as contrações começarem e as membranas se romperem) pode reduzir ainda mais o risco de infecção.

Se você não sabe se foi testada para ISTs, pergunte ao médico. Os testes são uma precaução vital na gravidez, mesmo que você tenha certeza de que não está infectada. Se um teste der positivo, o tratamento (tanto para você quanto para seu parceiro, se necessário) protegerá não somente sua saúde, mas também a de seu futuro bebê.

No Brasil, sob orientação do Ministério da Saúde, como rotina, na primeira consulta de pré-natal, são solicitadas sorologias de sífilis e HIV, entre outros exames, mas não são realizadas triagens de rotina para gonorreia, clamídia e tricomoníase. Porém é realizada a profilaxia da oftálmica neonatal em todos os nascimentos (colírio de nitrato de prata ou pomada antibiótica).

HPV (papilomavírus humano)
"O HPV genital pode afetar minha gravidez?"

O HPV genital é o vírus sexualmente transmissível mais comum mundo, embora, graças à vacina, o número de infectados esteja declinando. A maioria das pessoas infectadas jamais fica sabendo, porque, na maior parte do tempo, o HPV não causa sintomas óbvios e normalmente se cura sozinho entre seis e dez meses.

Mas há vezes em que o HPV causa sintomas. Algumas cepas causam irregularidades nas células cervicais (detectadas no esfregaço de Papanicolau) e outras podem gerar verrugas genitais (que podem ter a aparência de uma lesão quase invisível, de um carocinho achatado, macio e aveludado ou de um tumor em forma de couve-flor; as cores variam do rosa-pálido ao rosa-escuro) na vagina, na vulva e no reto. Embora sejam normalmente indolores, as verrugas genitais podem arder, coçar e até sangrar. Na maioria dos casos, desaparecem sem tratamento em alguns meses.

Como um caso ativo de HPV genital afeta a gravidez? Por sorte, é improvável que afete. Ocasionalmente, no entanto, as mudanças hormonais da gestação podem fazer com que as verrugas se multipliquem ou cresçam. Se esse for seu caso e as verrugas não desaparecerem sozinhas, o médico pode recomendar um tratamento durante a gravidez, especialmente se elas crescerem a ponto de obstruir o canal de parto. Elas podem ser removidas seguramente com criogenia, cauterização ou *laser*. Se não estiverem afetando a gestação, o tratamento pode ser adiado para depois do parto.

Se você tem HPV, o médico examinará o colo do útero para garantir que não existam irregularidades nas células. Mas, mesmo que células anormais sejam encontradas, qualquer biópsia cervical para removê-las provavelmente será adiada para depois da chegada do bebê.

Você tem medo de que seu bebê possa ser infectado pelo HPV? Não tenha. A transmissão de HPV para bebês é muito baixa e, mesmo que ocorra, o que é muito improvável, normalmente o vírus desaparece sem tratamento.

O HPV pode ser prevenido com vacina, que é recomendada para todas as meninas e meninos a partir dos 11 ou 12 anos, mas também pode ser aplicada até os 45 anos, se não o foi previamente. A vacina é aplicada em três doses e, se você iniciar a série e engravidar antes de terminá-la, terá de esperar para receber as doses faltantes depois que o bebê tiver nascido. No Brasil, a vacina, aplicada em duas doses, é oferecida gratuitamente pelo Programa Nacional de Imunização do Ministério da Saúde e recomendada para todas as meninas entre 9 e 14 anos.

Herpes
"Tenho herpes genital. Meu bebê pode pegar?"

Há excelentes chances de que seu bebê chegue seguro, sadio e sem ser afetado pelo herpes, particularmente se você e seu médico tomarem medidas preventivas durante a gravidez e o parto. Eis o que você precisa saber:

Em primeiro lugar, a infecção de recém-nascidos é rara. Um bebê tem menos de 1% de chances de contrair a condição se a mãe tiver uma infecção recorrente (ou seja, se já teve herpes antes) durante a gestação. Em segundo lugar, embora uma infecção primária (que surge pela primeira vez) durante a gestação aumente o risco de aborto espontâneo e parto prematuro, esse tipo de infecção é incomum, dado que a gestante e seu parceiro têm muito menos probabilidade de apresentar comportamento de risco (como fazer sexo sem proteção com um novo parceiro). Mesmo para bebês em grande risco — aqueles cujas mães tiveram a primeira infecção de herpes perto do parto (novamente, um cenário muito improvável) —, há até 50% de chances de que eles nasçam sem infecção. Se você nunca teve herpes genital e apresentar sintomas de infecção primária (febre, dor de cabeça, fadiga e dor muscular por dois ou mais dias, acompanhadas de dor genital, coceira, dor ao urinar, secreção vaginal e uretral e sensibilidade na virilha, além de lesões que formam bolhas e então casquinhas), fale com seu médico.

Se você pegou herpes antes da gravidez, o risco para seu bebê é muito baixo. Para diminuí-lo ainda mais, o médico provavelmente prescreverá medicação antiviral a partir da 36ª semana, mesmo que você não tenha lesões ativas. Se você apresentar lesões no momento do parto, provavelmente fará uma cesariana para proteger o bebê da infecção no canal de parto. No improvável caso de o bebê estar infectado, ele será tratado com um medicamento antiviral.

Após o parto, as precauções corretas permitirão que você cuide de seu bebê — e o amamente — sem transmitir o vírus, mesmo durante uma infecção ativa.

Seu histórico obstétrico

Fertilização *in vitro* (FIV)
"Concebi meu bebê através de FIV. O quanto minha gestação será diferente?"

Merecidos parabéns por seu sucesso com a FIV! Com tudo que passou para conseguir engravidar, você merece tranquilidade e, provavelmente, a terá. O fato de que a concepção ocorreu em um laboratório, e não em sua trompa de Falópio, não deve ter um impacto tão grande assim na gestação, ao menos não após o primeiro trimestre. O mesmo é verdadeiro para um bebê concebido através de outras técnicas de reprodução assistida (como a injeção intracitoplasmática de espermatozoides [ICSI] e a transferência intrafalopiana de gametas [GIFT]). Mas, no início, haverá algumas diferenças na gestação e nos cuidados que você receberá.

Como um teste positivo não necessariamente significa que a gestação terá continuidade (particularmente porque a gestação por FIV é confirmada por um exame de sangue muito precoce), como tentar outra vez é caro e emocionalmente esgotante e como não se sabe, no início, quantos embriões transferidos se transformarão em fetos, as primeiras seis semanas de uma gestação por FIV podem ser mais angustiantes que a maioria. Você passará mais tempo no consultório do especialista em fertilidade para repetidos exames de sangue e ultrassons. O sexo e outras atividades físicas podem ser restritos e repouso parcial pode ser recomendado (embora estudos mostrem que o repouso não ajuda a melhorar as chances de sucesso da FIV). E, como precaução adicional, provavelmente o hormônio progesterona (e possivelmente aspirina infantil) será prescrito para ajudar o desenvolvimento da gestação durante os dois ou três primeiros meses.

Mas, depois que esse período extracauteloso tiver passado (e você for encaminhada para um acompanhamento pré-natal regular, entre a 8ª e a 12ª semanas), sua gravidez será muito parecida com todas as outras — a menos que você tenha múltiplos bebês a bordo, como é o caso de mais de 40% das mães que concebem por FIV. Se for seu caso, leia o capítulo 15.

A segunda vez
"Essa é minha segunda gravidez. O quanto ela será diferente da primeira?"

Como duas gestações nunca são exatamente iguais, não há como prever o quanto esses nove meses serão diferentes (ou similares) dos anteriores. Mas algumas generalizações sobre a segunda gestação e as subsequentes se mostram verdadeiras, ao menos parte do tempo (como todas as generalizações, elas nunca são verdadeiras o tempo todo):

> ### CONTE TUDO
>
> O que quer que tenha acontecido no passado, agora não é o momento de deixá-lo para trás. Na verdade, seu histórico sexual, reprodutivo e médico é mais importante (e relevante) do que você imagina. Gestações anteriores (e quaisquer complicações), abortos espontâneos ou não, cirurgias, ISTs ou outras infecções podem ou não ter impacto sobre o que acontecerá durante a gestação, mas compartilhe todas as informações que tiver — ou qualquer outro aspecto de seu histórico — com o médico (tudo será confidencial). Fale também sobre qualquer histórico de depressão e transtorno mental ou alimentar. Quanto mais o médico souber, melhor ele poderá cuidar de você e de seu futuro bebê.

- Você provavelmente "sentirá" que está grávida mais cedo. Como a maioria das mães de segunda viagem, você provavelmente estará mais atenta aos sintomas iniciais e mais apta a reconhecê-los.
- Você provavelmente experimentará repetição dos sintomas. De modo geral, a primeira gravidez é uma boa previsora das futuras, nas mesmas condições. Isso dito, todas elas, assim como todos os bebês, são diferentes, o que pode significar que os sintomas também serão. Alguns

podem ser menos aparentes porque você está ocupada demais para prestar atenção (ou, no caso da fadiga, porque já está tão cansada que nem nota a diferença). Alguns podem surgir mais cedo (como a frequência urinária), e outros, mais tarde, ou simplesmente não surgir. E alguns — como o desejo e a aversão por certos alimentos e o aumento e a sensibilidade dos seios — são tipicamente (mas não universalmente) menos pronunciados da segunda gestação em diante, porque seu organismo já passou por tudo isso antes. Você também pode se preocupar menos, especialmente se ficou muito ansiosa durante a primeira gestação.

- Você parecerá grávida mais cedo. Graças aos músculos abdominais e uterinos mais frouxos (não há maneira gentil de dizer isso), você provavelmente terá barriguinha mais cedo que da primeira vez. Também poderá notar que a barriga do segundo bebê é diferente da do primeiro. O segundo bebê (ou terceiro, ou quarto) provavelmente será maior que o primeiro, e você terá mais peso para carregar. Outro resultado potencial dos músculos abdominais mais frouxos é que as dores nas costas e nos quadris serão mais intensas e podem surgir mais cedo.
- Você provavelmente sentirá movimentos mais cedo. Eis algo bom causado por aqueles músculos mais frouxos: é provável que você sinta o bebê chutar mais cedo, talvez por volta da 16ª semana (talvez antes, talvez depois). Você também terá mais probabilidade de reconhecer esses movimentos, já os tendo sentido antes. É claro que a posição da placenta pode influenciar o momento em que os primeiros chutes serão sentidos, mesmo na segunda gestação ou em gestações subsequentes.

PODERIA SER MELHOR?

Teve todos os sintomas descritos aqui da primeira vez? Ou mesmo uma ou outra complicação? Isso não significa que não terá mais sorte (e uma jornada mais tranquila) desta vez. Na verdade, se as coisas poderiam ter sido melhores na primeira gestação, agora é sua chance de fazer alguns ajustes para reduzir os obstáculos no caminho do segundo bebê, incluindo: ganhar peso de modo constante e dentro dos limites recomendados (p. 246), comer bem (leia o capítulo 4 para saber como), fazer os exercícios corretos (p. 311) e encontrar maneiras de relaxar se é estressada. Já ter filhos frequentemente exacerba os sintomas da gravidez; veja o quadro na página a seguir para saber como minimizar os sintomas se você está combinando o esforço de ser gestante com o trabalho de ser mãe.

- Você pode se sentir menos excitada. Isso não significa que não esteja feliz por estar grávida novamente. Mas talvez você note que seu nível de excitação não é tão alto. Essa reação é completamente normal (afinal, você já passou por isso antes) e de modo algum reflete seu amor pelo futuro bebê. Também leve em consideração que você está preocupada (física e emocionalmente) com a criança que já está aqui.
- Você provavelmente terá um parto mais fácil e rápido. Essa é a coisa realmente boa sobre aqueles músculos mais frouxos. O afrouxamento (particularmente nas áreas envolvidas no parto), combinado à experiência anterior de seu corpo, pode garantir uma chegada mais rápida para o segundo bebê. Embora não haja apostas seguras na sala de parto, todas as fases do nascimento provavelmente serão mais breves e você precisará fazer força por muito menos tempo: o segundo bebê muitas vezes nasce em questão de minutos.

CUIDANDO DAS CRIANÇAS

Algumas mães de segunda viagem ficam tão ocupadas cuidando do primeiro filho que mal têm tempo de notar os desconfortos da gravidez, pequenos ou grandes. Para outras, isso tende a agravar os sintomas. O enjoo matinal e a azia, por exemplo, podem aumentar em momentos de estresse (como a correria para não se atrasar para a escola ou preparar o jantar a tempo). A fadiga (grande surpresa!) pode ser ainda maior porque parece não haver tempo para descansar. As costas podem doer mais se você carrega uma criança no colo o tempo todo. Até mesmo a constipação pode piorar se você nunca consegue ir ao banheiro quando tem vontade. Você também terá mais probabilidade de pegar resfriados e outras viroses, cortesia dos germes disseminados pelas crianças mais velhas.

Não é realista colocar seu corpo grávido sempre em primeiro lugar quando há outro corpinho exigindo cuidados (os dias de ser uma grávida paparicada certamente acabaram no primeiro parto). Mas dedicar mais tempo para cuidar de você mesma — colocando os pés para cima ao ler aquela matéria, cochilando (em vez de passar o aspirador) quando seu filho dorme, fazendo lanchinhos saudáveis se não der tempo de se sentar para almoçar e aceitando ajuda sempre que estiver disponível — pode aliviar o fardo que seu corpo está carregando, minimizando os sofrimentos da gravidez.

"Tive complicações em minha primeira gestação. Esta será igualmente difícil?"

Uma gestação complicada definitivamente não prediz outra. Embora algumas complicações possam se repetir, a maioria não o faz, e outras, muito raramente (como, por exemplo, as geradas por um evento único, como uma infecção). Você também tem menos probabilidade de sofrer complicações causadas por hábitos que abandonou desde então (como não se alimentar bem ou não fazer exercícios). Se a causa foi um problema de saúde crônico, como diabetes, controlar a condição antes de engravidar pode reduzir enormemente o risco de complicações. E mesmo que as complicações enfrentadas da última vez tenham chance de se repetir a despeito das medidas preventivas, a detecção e o tratamento precoces (porque você e o médico estarão atentos à repetição) podem fazer grande diferença.

Discuta com o médico sobre as complicações que teve da última vez e o que pode ser feito para evitar que se repitam. Quaisquer que sejam os problemas ou as causas (ou mesmo que nenhuma causa tenha sido determinada), as dicas do quadro a seguir podem tornar a gestação mais confortável e segura para você e para o bebê.

ABORTOS DE REPETIÇÃO

Caso tenha tido abortos de repetição (definidos como dois ou três abortos espontâneos seguidos), é compreensível se for difícil para você acreditar que uma gestação e um bebê saudáveis possam estar em seu futuro, por maiores que sejam as esperanças. Mas podem estar, especialmente com os cuidados certos.

As causas dos abortos de repetição às vezes são desconhecidas, mas há testes que podem lançar luz sobre o problema, mesmo que cada um deles tenha uma causa diferente. Tentar determinar a causa de uma única perda normalmente não compensa, mas testes e uma avaliação médica provavelmente serão recomendados se você sofreu dois ou mais abortos espontâneos consecutivos.

Os abortos recorrentes já foram um mistério, mas houve muito progresso na descoberta de suas causas. Muitos testes atuais podem revelar fatores de risco, e existem estratégias mais efetivas de prevenção. Discuta com o médico as opções em seu caso, que podem incluir o encaminhamento a um especialista em medicina materno-fetal.

Alguns dos testes que podem ser oferecidos após abortos de repetição incluem:
- Um exame do cariótipo para você e o pai do bebê, para determinar se um dos dois porta uma transloca-

ção: alteração no arranjo dos cromossomos que pode causar abortos.
- Um exame de sangue para detectar anticorpos antifosfolipídeos (anticorpos que atacam os tecidos da mulher, causando coágulos que podem obstruir os vasos sanguíneos que alimentam a placenta).
- Um ultrassom antes da gravidez, no qual uma solução salina é injetada no útero para revelar a presença de possíveis problemas anatômicos.
- Uma análise do perfil cromossômico do embrião ou feto abortado, para ajudar a determinar a causa do aborto.
- Testes para detectar deficiência de vitaminas.
- Testes para determinar os níveis hormonais.

Quando souber a causa ou causas, você pode conversar com o médico sobre tratamentos para proteger a próxima gestação. Em alguns casos, pacientes com histórico de abortos espontâneos se beneficiam da terapia hormonal: progesterona para as que parecem estar produzindo muito pouco ou um medicamento para reduzir os níveis de prolactina se os testes revelarem que seu excesso é a causa. Se um problema na tireoide for detectado, ele será facilmente tratado.

Mesmo que uma causa não seja identificada, você ainda tem boas chances de levar a gestação a termo. Mas, talvez, seja difícil acreditar nisso e manter as esperanças. Será importante encontrar maneiras de administrar o compreensível medo de que estar grávida novamente signifique que sofrerá outro aborto. Yoga, meditação, técnicas de visualização e exercícios respiratórios podem ajudar a conter a ansiedade e, também, o apoio de mulheres que sofreram perdas similares (você encontrará muitas histórias assim no fórum Luto e Perda do whattoexpect.com). Comunicar abertamente seus sentimentos a seu parceiro também pode ajudar. Lembre-se: vocês estão nisso juntos.

Para mais informações sobre abortos espontâneos, leia o capítulo 20 a partir da p. 775. Para informações mais detalhadas sobre a prevenção de abortos de repetição, leia *What to Expect Before You're Expecting*.

Gestações sequenciais

"Engravidei novamente dez semanas após o parto e, embora estejamos felizes, não foi bem isso que planejamos. Engravidar novamente tão cedo pode trazer riscos para mim ou para o bebê?"

Está expandindo a família (e a barriga) novamente, um pouco antes do esperado? Iniciar outra gestação antes de ter se recuperado totalmente da última já é difícil o bastante sem adicionar estresse à situação. Assim, antes de tudo, relaxe. Embora gestações muito próximas possam gerar desgaste físico na futura mãe que acabou de ser mãe, há muitas coisas que você pode fazer para ajudar seu organismo a lidar melhor com o desafio de produzir um bebê após o outro, incluindo:

- Obter acompanhamento pré-natal assim que desconfiar que está grávida. Gestações muito próximas (com menos de doze meses entre uma e outra) aumentam o risco de parto prematuro, embora um bem-cuidado pré-natal desde o início reduza o risco.
- Alimentar-se da melhor maneira possível (veja o capítulo 4). Seu corpo provavelmente não teve a chance de reabastecer as vitaminas e os nutrientes empregados para gerar o último bebê, e isso pode deixá-la em desvantagem nutricional, particularmente se ainda estiver amamentando. Você talvez precise compensar na nutrição para assegurar que nem você nem o futuro bebê sofram carências. Continue tomando as vitaminas pré-natais (ou recomece, se já tiver parado), mas não se limite a elas. Tente não permitir que a falta de tempo ou energia (você certamente terá pouco de ambos) a impeça de comer bem e bastante. Pequenas porções saudáveis em intervalos regulares ao longo do dia podem encaixar os muito necessários nutrientes em uma agenda apertada, então se abasteça de petiscos sadios e prontos para consumo, como palitinhos de queijo, amêndoas, frutas liofilizadas e pacotinhos de minicenouras com sachês de húmus.
- Ganhar a quantidade certa de peso. O novo bebê a bordo não liga se você teve tempo para perder o peso que o irmão ou irmã acabou de depositar sobre seu corpo, o que significa que você provavelmente terá de adiar os planos de perder peso para depois do parto. Converse sobre o ganho de peso razoável com o médico (que pode ser igual, maior ou menor que da última vez). Foque na qualidade dos alimentos que consome (o que é sempre importante durante a gestação, mas especialmente importante nas sequenciais), mas mantenha o olho na balança.
- Amamentar. Se ainda está amamentando seu recém-nascido, pode continuar enquanto quiser e se sentir disposta (veja o quadro da p. 54).
- Descansar. Você pode precisar de mais descanso que o humanamente (ou maternalmente) possível. Chegar perto dessa cota exigirá não somente determinação, mas também ajuda de seu parceiro e outras pessoas. Estabeleça prioridades: deixe as tarefas menos importantes por fazer e se force a cochilar (ou ao menos colocar os pés para cima) quando o bebê estiver dormindo. Se não estiver amamentando, o pai pode cuidar das mamadeiras noturnas. Se estiver, ele pode ir buscar o bebê às duas da manhã.
- Exercitar-se. Atravessar o dia (e a noite) com um recém-nascido pode

parecer ginástica suficiente, especialmente agora que você acrescentou a fabricação de um bebê à lista de tarefas de seu exausto organismo. Mesmo assim, a quantidade certa do tipo certo de exercício pode aumentar seus níveis de energia no momento em que você mais precisa, além de melhorar as chances de ter uma gravidez mais saudável e confortável. Se não encontra tempo para exercícios regulares, insira atividades físicas em seu cotidiano com o bebê: 15 minutos de caminhada bastam. Matricule-se em uma turma de ginástica para gestantes ou nade em um clube ou centro comunitário que ofereça serviço de babá. Ou deixe o bebê na cadeirinha enquanto você malha assistindo ao DVD *What to Expect When You're Expecting Pregnancy Workout* [O que esperar quando você está esperando: exercícios para gestantes].

AMAMENTANDO DURANTE A GRAVIDEZ

Ainda está amamentando sua trouxinha preciosa, mas descobriu que já tem outro pãozinho no forno? De modo geral, aleitamento e gravidez são perfeitamente compatíveis, o que significa que você provavelmente não precisa aposentar seus seios pelos próximos nove meses, se não quiser.

Teme que a ocitocina liberada durante a amamentação cause contrações e leve a um aborto espontâneo ou parto prematuro? Não tema. Em uma gestação de baixo risco, as suaves contrações geradas pela amamentação não são um problema. Na verdade, até que seu útero esteja pronto para passar do modo acolhimento para o modo nascimento (por volta da 38ª semana), a ocitocina parece não ter muito efeito sobre ele.

Está tendo dificuldade para manter qualquer coisa no estômago, que dirá comer bem o bastante para permitir tanto o crescimento do bebê quanto a produção de leite (um combo que pode consumir até 800 calorias a mais por dia)? O enjoo matinal pode ser literalmente um dreno e exaurir os nutrientes e líquidos necessários para alimentar o bebê que já está aqui e o que ainda está para chegar. Se a náusea e o vômito forem especialmente severos e você estiver perdendo peso, discuta sobre esse desafio com o médico. Vocês podem chegar à conclusão de que a melhor escolha para os três (mãe, bebê e futuro bebê) é deixar de amamentar o primogênito. Mas, se o enjoo matinal for suportável e você não estiver perdendo peso — e o médico apoiar a ideia —, você pode seguir como der durante os primeiros meses e usar os dois trimestres seguintes para aumentar seu peso gestacional e refazer o estoque de nutrientes. Assim, terá certeza de que você, seu bebê e seu futuro bebê receberão as calorias e os nutrientes necessários.

Com medo de que os hormônios da gravidez circulando em seu organismo possam chegar ao leite? Felizmente, ele continua seguro agora que você está grávida, e os especialistas dizem que os hormônios da gravidez não chegam facilmente ao leite materno.

Imaginando se o fluxo de leite diminuirá quando as demandas da gravidez aumentarem? Provavelmente, sim, mas não até o meio da gestação. Seu bebê pode ou não notar diminuição no volume do leite. Outra coisa que ele pode ou não notar: mudanças na consistência ou no gosto quando o colostro começar a ser produzido (geralmente também no meio da gestação).

Alguns bebês decidem parar de mamar em algum momento da gravidez (por causa da diminuição do fluxo ou da mudança no gosto), ao passo que outros seguem impassíveis, mesmo com a chegada do novo bebê. Na verdade, presumindo-se que você e o fluxo de leite ainda estejam fortes após o nascimento do novo bebê, você pode amamentar tanto o recém-nascido quanto o bebê mais velho (amamentação em tandem).

Se o bebê deixar de mamar ou você não quiser amamentar estando grávida (ou estiver muito enjoada ou cansada para continuar), não se sinta culpada. Você já forneceu a seu mais novo (que logo será seu mais velho) os muitos benefícios da amamentação, e os carinhos e beijinhos manterão os laços entre vocês fortes como sempre. Outra opção caso não queira amamentar o tempo todo, mas ainda não esteja pronta para o desmame: suplemente com fórmula quando precisar ou desejar.

Uma família grande

"Estou grávida de meu sexto filho. Isso significa algum risco adicional para mim ou para o bebê?"

Quanto mais, melhor em sua casa? Eis outra razão para celebrar: aumentar a família pela sexta vez (ou mais) não acarreta riscos adicionais. Na verdade, para além de um pequeno aumento na incidência de nascimentos múltiplos (gêmeos, trigêmeos e assim por diante, o que significa que, potencialmente, sua grande ninhada pode ficar ainda maior), a mãe de muitos tem a mesma probabilidade de ter uma gravidez sem complicações que a mãe de um ou dois. Apenas assegure que a gestação (e você mesma) não seja negligenciada enquanto você cuida de todos os pequenos no banco de trás (de sua provavelmente enorme minivan). Veja mais dicas no quadro da p. 50.

Parto prematuro

"Tive parto prematuro em minha primeira gestação. Fiz tudo que podia para diminuir o risco, mas ainda estou com medo de que aconteça novamente."

Parabéns por fazer tudo que pode para garantir que essa gestação seja a mais saudável possível e dar a seu bebê as melhores chances de permanecer a bordo até o fim da jornada. É um excelente primeiro passo. Provavelmente, há outros passos que você pode dar, com auxílio do médico, para minimizar as chances de um novo parto prematuro.

Se teve um parto prematuro anterior, pergunte ao médico se é boa candidata a injeções de progesterona. As pesquisas mostram que injeções semanais de progesterona da 16ª à 36ª semana de gestação reduzem o risco em mulheres que já tiveram parto prematuro e estão gestando apenas um bebê.

O médico também pode pedir um teste de fibronectina fetal (FNF), que procura sinais de parto prematuro em mulheres que apresentam fatores de risco (como parto prematuro anterior). A fibronectina fetal é a cola que seu organismo produz para segurar o bebê no útero. Se o teste — que é feito no consultório médico — der negativo (significando que a FNF ainda não começou a se dissolver e, portanto, não é detectável), as chances de entrar em trabalho de parto nas próximas duas semanas são menores que 1% (e você pode respirar aliviada). Se der positivo, seu risco de entrar em trabalho de parto pré-termo é significativamente mais alto e o médico pode adotar medidas para prolongar a gestação e preparar os pulmões do bebê para o nascimento precoce.

Outro teste para parto prematuro em mulheres que já passaram por um é o comprimento cervical. O comprimento do colo do útero é medido por ultrassom e, se houver sinais de que está curto, o médico pode prescrever uma aplicação diária de gel de progesterona — ele vem com um aplicador que deve ser inserido na vagina — desde a 20ª até a 37ª semana. Se já estiver recebendo injeções de progesterona devido a um parto prematuro anterior e o ultrassom mostrar que o colo do útero encolheu no meio da gestação, o médico pode recomendar uma cerclagem (sutura do colo do útero). Leia a próxima pergunta para saber mais.

Também pergunte a ele sobre os novos exames de sangue que avaliam proteínas, RNA, biomarcadores inflamatórios e outros fatores que podem ajudar a prever o risco de parto prematuro.

SEU PERFIL GESTACIONAL E O PARTO PREMATURO

Cerca de 10% dos nascimentos são considerados prematuros, significando que ocorrem antes do fim da 37ª semana. E cerca de metade deles ocorre em mulheres com alto risco conhecido de parto prematuro, incluindo a sempre crescente porcentagem de mães de múltiplos.

Há algo que você possa fazer para impedir o parto prematuro se seu perfil gestacional indicar alto risco? Em alguns casos, não: mesmo quando um fator de risco é identificado, ele nem sempre pode ser controlado. Mas, em outros casos, o fator ou fatores de risco que talvez levem a um parto prematuro podem ser controlados ou ao menos minimizados. Elimine qualquer um que se aplique a você e aumentará as chances de que seu bebê nasça no momento certo. Eis alguns fatores de risco conhecidos que podem ser controlados:

Ganho de peso insuficiente ou excessivo. O ganho insuficiente de peso pode aumentar as chances de que o bebê nasça mais cedo, mas o mesmo acontece com o ganho excessivo. Conceber no peso ideal e ganhar somente os quilos adequados a seu perfil gestacional fornecerá ao bebê um ambiente uterino mais saudável e propício e, idealmente, uma chance melhor de permanecer seguramente abrigado até o fim da gestação. Assim, estabeleça um ganho de peso ideal com o médico e faça o possível para se manter nele.

Nutrientes insuficientes. Dar a seu bebê o início de vida mais saudável possível não significa somente ganhar o número certo de quilos, mas também ganhá-los através do tipo certo de alimentos. Uma dieta sem os nutrientes necessários (especialmente folato e selênio) aumenta o risco de parto prematuro, ao passo que uma dieta repleta de nutrientes o diminui.

Muito tempo em pé ou realizando atividades físicas pesadas. Definitivamente não é preciso passar a gravidez sentada. Na verdade, permanecer ativa é exatamente o que o médico (ou a parteira) deseja que a futura mamãe faça. E passar algum tempo em pé nas atividades cotidianas, como fazer compras no shopping ou ficar na fila do cinema, não é um problema em gestações normais. Mas, se seu trabalho envolve longas horas em pé todos os dias — especialmente se também exige muito esforço físico ou a movimentação de objetos pesados —, verifique com o médico se deveria trabalhar menos horas ou solicitar a alteração de suas tarefas, especialmente no fim da gravidez.

Estresse emocional extremo. Alguns estudos demonstraram relação entre o estresse emocional extremo (não o estresse diário, do tipo "meu trabalho nunca termina") e o parto prematuro. Qual a diferença entre estresse normal e extremo? O estresse normal a deixa ansiosa, mas é administrável e pode ser motivador. O estresse extremo é deletério: ele a drena e debilita e impede que você durma, coma ou viva bem. Às vezes, a causa do estresse extremo pode ser eliminada ou minimizada (como pedir demissão ou trabalhar menos horas em um emprego de altíssima pressão, por exemplo), mas, às vezes, é inevitável (quando uma demissão a deixa com uma pilha de contas para pagar ou há doença ou morte na família). Mesmo assim, muitos tipos de estresse podem ser reduzidos com técnicas de relaxamento, dieta saudável, equilíbrio entre exercício e repouso e conversas com o parceiro, amigos, médico ou terapeuta sobre o que a está abalando.

Uso de álcool e drogas. Gestantes que consomem álcool ou drogas ilegais aumentam o risco de parto prematuro.

Fumo. Fumar durante a gravidez aumenta o risco de parto prematuro. Parar de fumar antes da concepção é a melhor atitude, mas parar o mais cedo possível durante a gestação é definitivamente melhor que não parar.

Infecção das gengivas. Alguns estudos demonstram que doenças gengivais estão associadas ao parto prematuro. Os pesquisadores suspeitam que as bactérias que causam a inflamação podem entrar na corrente sanguínea, chegar ao feto e dar início ao parto. Outra possibilidade: as bactérias que causam inflamação na gengiva podem levar o sistema imunológico a produzir inflamação no colo do útero e no útero, induzindo o parto prematuro. Escovar os dentes, usar fio dental e realizar profilaxia regularmente pode evitar infecções. Tratar as infecções existentes antes de engravidar também reduz o risco de várias complicações, incluindo o parto prematuro.

Insuficiência cervical. O risco de parto prematuro como resultado de um cérvix incompetente — nome que se dá a um colo do útero fraco e que se abre antes do tempo — pode ser reduzido com uma sutura (cerclagem) e/ou com o monitoramento constante do comprimento do colo do útero através de ultrassons (p. 59 para mais informações).

Histórico de parto prematuro. Suas chances de ter um parto prematuro são maiores se você já teve um no passado. O médico pode prescrever injeções ou géis de progesterona durante a gestação para evitar uma repetição.

Os seguintes fatores de risco não são controláveis, mas, em alguns casos, podem ser modificados. Em outros, saber que eles existem permite que você e o médico gerenciem melhor os riscos, além de melhorar imensamente o resultado se o nascimento pré-termo for inevitável:

Múltiplos. O melhor momento para o nascimento de gêmeos é na 38ª semana. Mas muitos nascem antes. Um bom acompanhamento pré-natal, excelente nutrição e a eliminação de outros fatores de risco, além de restrição das atividades e mais tempo de repouso no último trimestre, podem evitar o nascimento precoce. Veja o capítulo 15.

Encurtamento cervical prematuro. Em algumas gestantes, por razões desconhecidas e aparentemente não relacionadas à insuficiência cervical, o colo do útero começa a encurtar no meio da gestação, aumentando o risco de parto prematuro. Um ultrassom rotineiro do colo do útero no meio da gestação pode revelar esse risco aumentado. O tratamento com géis ou supositórios de progesterona é prescrito, em alguns casos, para tentar prolongar a gestação.

Complicações gestacionais. Diabetes gestacional, pré-eclâmpsia e excesso de líquido amniótico, assim como problemas com a placenta, como placenta prévia ou descolamento, podem tornar o parto prematuro mais provável. Administrar essas condições da melhor maneira possível talvez permita que a gestação chegue a termo.

Doença materna crônica. Condições crônicas e doenças no coração, fígado ou rins podem aumentar o risco de parto prematuro, mas o bom cuidado médico ajuda a evitar complicações.

Infecções. Certas infecções (ISTs e infecção do trato urinário, cervical, vaginal ou renal) aumentam o risco de parto prematuro. Quando a infecção se prova danosa para o feto, o parto prematuro pode ser a maneira de o organismo tentar resgatar o bebê de um ambiente insalubre. Evitar a infecção ou tratá-la imediatamente pode prevenir o nascimento pré-termo.

Fatores genéticos. Os pesquisadores identificaram seis mutações genéticas que aumentam o risco de parto prematuro. Essa descoberta os guia enquanto procuram maneiras de evitá-lo.

Idade. Adolescentes frequentemente apresentam risco aumentado de parto prematuro. Mulheres mais velhas (com mais de 35 anos) também têm maior probabilidade de entrar em trabalho de parto antes do fim da gravidez. Boa nutrição e acompanhamento pré-natal podem reduzir esse risco.

Insuficiência cervical

"Tive um aborto espontâneo no quinto mês da primeira gestação devido à insuficiência cervical. Acabo de receber resultado positivo em um teste de gravidez e estou com medo de ter o mesmo problema."

A boa notícia (e há boas notícias) é que não precisa acontecer. Agora que a insuficiência cervical (também conhecida como cérvix incompetente) foi diagnosticada como causa do aborto anterior, o médico poderá adotar medidas que evitarão um novo aborto.

Com tratamento adequado e observação cuidadosa, as chances de você ter uma gravidez saudável e um parto seguro são muito altas.

Estima-se que o cérvix incompetente, que se abre prematuramente sob a pressão do útero e do feto em crescimento, ocorra em uma ou duas de cada cem gestações e seja responsável por 10 a 20% de todos os abortos espontâneos no segundo trimestre. Ele geralmente é diagnosticado quando a mulher sofre um aborto espontâneo no segundo trimestre, após experimentar o apagamento (encurtamento e afinamento) e a dilatação progressiva e indolor do colo do útero, sem contrações uterinas ou sangramento vaginal aparente. Embora a causa exata da insuficiência cervical não esteja clara, ela pode ser resultado de uma debilidade genética, do esticamento excessivo ou de severas lacerações no colo do útero durante partos anteriores, de uma conização cervical extensiva em função da presença de células pré-cancerosas, de cirurgias ou de terapia com *laser* na região. A gestação de múltiplos também pode levar à insuficiência cervical (devido ao peso extra dos bebês pressionando o colo do útero), mas, se acontecer, o problema normalmente não ocorrerá na gestação subsequente de um único bebê.

Para ajudar a proteger a gestação, o obstetra pode realizar a cerclagem — um procedimento simples que sutura a abertura do colo do útero — quando você estiver no segundo trimestre (em qualquer momento entre a 12ª e a 22ª semanas). A cerclagem é feita pela vagina, com anestesia local ou epidural. Doze horas após a cirurgia, você será capaz de retomar as atividades normais, embora as relações sexuais não sejam permitidas até o fim da gestação e você, talvez, precise de exames pré-natais mais frequentes. Normalmente, as suturas são removidas algumas semanas antes da data provável do parto. Em alguns casos, podem ser removidas somente no início do trabalho de parto, a menos que haja infecção, sangramento ou ruptura prematura das membranas.

Mas há muita controvérsia sobre a efetividade da cerclagem e se ela deve ou não ser realizada rotineiramente em mulheres com insuficiência cervical. Alguns médicos só a realizam em mulheres com histórico de parto prematuro (antes da 34ª semana) se um ultrassom realizado antes da 24ª semana mostrar que o colo do útero está encurtando ou se abrindo. Outros a realizam como medida preventiva entre a 13ª e a 16ª semanas em mulheres que tiveram um ou mais abortos espontâneos no segundo trimestre, mesmo que não haja evidência de fraqueza ou encurtamento cervical. Atualmente, a cerclagem não é recomendada para mulheres que apresentam encurtamento do colo do útero no segundo trimestre, mas não sofreram aborto espontâneo anterior. Nesse caso, emprega-se o gel vaginal de progesterona. A cerclagem tampouco é realizada no caso de gestação de múltiplos.

Quer você faça ou não cerclagem, seu histórico significa que precisará estar alerta para sinais de problemas no segundo e no início do terceiro trimestres: pressão na parte inferior do abdômen, secreção com sangue, frequência urinária incomum ou sensação de ter um caroço na vagina. Se experimentar qualquer um desses sintomas, procure o médico imediatamente.

Incompatibilidade de Rh

"O médico disse que meu exame de sangue mostra que sou Rh negativa. O que isso significa para meu bebê?"

Felizmente, não significa muita coisa, ao menos não agora que tanto você quanto o médico sabem disso. Com essa informação, passos simples podem ser dados para proteger efetivamente seu bebê da incompatibilidade de Rh.

O que, exatamente, é a incompatibilidade de Rh e por que seu bebê precisa ser protegido dela? Para entender, acompanhe esta breve aula de biologia. Cada célula do corpo possui em sua superfície numerosas estruturas parecidas com antenas, chamadas antígenos. Um antígeno que frequentemente está presente na superfície dos glóbulos vermelhos do sangue é o fator Rh. A maioria das pessoas herda o fator Rh (tornando-as Rh positivas), ao passo que outras não herdam (tornando-as Rh negativas). Se você é Rh positiva ou negativa, não importa muito, exceto quando se trata da gravidez. Quando uma mãe Rh negativa está grávida de um bebê Rh positivo (tendo herdado o fator Rh de um pai Rh positivo), os glóbulos vermelhos do sangue da mãe não combinam com os do bebê. Se os glóbulos vermelhos Rh positivos do bebê entrarem no fluxo sanguíneo Rh negativo da mãe, o sistema imunológico dela poderá considerá-los "estrangeiros" e mobilizar exércitos de anticorpos para atacar o estrangeiro (o bebê) que os está gerando, em uma resposta imunológica normal. Isso é conhecido como incompatibilidade de Rh.

Todas as mulheres grávidas fazem o teste de fator Rh no início da gestação, normalmente na primeira consulta pré-natal. Se a futura mãe é Rh positiva, como 85% da população, a incompatibilidade não entra em questão. Isso porque, seja o bebê Rh positivo ou negativo, não haverá antígenos estrangeiros nos glóbulos vermelhos do sangue dele para fazer com que o sistema imunológico da mãe se mobilize contra eles.

Se a mãe é Rh negativa, o pai do bebê é testado para determinar se é Rh positivo ou negativo. Se você for Rh negativa e seu marido também, seu bebê será Rh negativo (já que pais "negativos" não podem gerar um bebê "positivo"), o que significa que os glóbulos vermelhos de seu sangue são compatíveis com os glóbulos vermelhos do sangue do bebê e não existe potencial para problemas. Mas, se seu marido for Rh positivo, existe a significativa possibilidade de que o bebê tenha herdado o Rh positivo, criando incompatibilidade entre vocês.

Essa incompatibilidade normalmente não é um problema na primeira gestação, porque ainda não existem anticorpos contra o fator Rh do bebê. Mas, quando ocorre a natural resposta imunológica protetora na mãe e ela produz anticorpos durante a primeira gestação ou parto (ou aborto), eles permanecem no organismo dela — o que não é um problema, até que ela engravide novamente de um bebê Rh positivo. Durante a gestação subsequente, esses anticorpos podem potencialmente cruzar a placenta, entrar no sistema circulatório do feto e atacar seus glóbulos vermelhos, causando anemia branda (se o nível de anticorpos maternos for baixo) ou muito severa (se for alto).

Impedir o desenvolvimento de anticorpos Rh é a chave para proteger o bebê quando existe incompatibilidade. A maioria dos médicos emprega uma estratégia dupla. Na 28ª semana, a gestante Rh negativa recebe, como se fosse uma vacina, uma injeção de imunoglobulina anti-Rh, conhecida como Rhogam, para impedir o desenvolvimento de anticorpos. Outra dose é administrada 72 horas após o parto se o exame de sangue revelar que o bebê é Rh positivo. Se o bebê for Rh negativo, nenhum tratamento é necessário. A Rhogam também deve ser administrada após abortos, espontâneos ou não, gravidez ectópica, biópsia das vilosidades coriônicas, amniocentese, sangramento vaginal ou trauma físico durante a gestação. O uso da Rhogam nesses momentos pode evitar problemas em futuras gestações.

ESPERANDO A MISSÃO

Se você é casada com as Forças Armadas — com um militar que é frequentemente mobilizado —, estar separada de seu parceiro durante eventos importantes (como aniversários, feriados e formaturas) faz parte da vida cotidiana. E você provavelmente já se conformou com isso, embora não tenha exatamente aceitado (especialmente nos momentos em que realmente precisa de um abraço).

Mas e quando você está esperando um bebê e ele está esperando ser convocado? Como vocês permanecerão conectados quando estiverem separados durante o evento mais importante de suas vidas, a gravidez, e mesmo no nascimento do bebê? Com um pouco de criatividade e muita tecnologia. Eis algumas ideias para começar:
- Fotografe a barriga. Comece com uma *selfie* da barriguinha todas

as manhãs. Ela pode não mudar muito de um dia para o outro, mas receber uma atualização todos os dias no e-mail o deixará feliz. Além disso, vocês dois gostarão de olhar para trás e acompanhar a transformação, de sem barriga para uma barriga fabulosamente redonda. Mais perto da data do parto, pense em gastar algum dinheiro em um ensaio fotográfico só para ele.
- Decore a barriga. Você está pronta para libertar sua artista interior e se conectar com seu parceiro durante os feriados? Desenhe cartões celebratórios na barriga e envie para o seu parceiro.
- Acompanhem juntos a evolução da gravidez. Organize um clube do livro à distância: dê a ele uma cópia deste livro e, mais tarde, de *O que esperar do primeiro ano*, para que vocês possam ler ao mesmo tempo. Peça que ele instale o aplicativo What To Expect para assistir aos vídeos e receber atualizações sobre o progresso do bebê, além de entender os loucos sintomas dos quais você tanto reclama. Transforme a escolha do nome em brincadeira: vocês podem baixar um aplicativo e votar nos favoritos.
- Leve-o junto para as consultas. Se o fuso horário e as agendas permitirem, tente agendar algumas consultas em horários nos quais ele possa participar por videochamada (e garanta que ele possa tirar suas próprias dúvidas). O mesmo para os ultrassons. Se ele não conseguir participar das videochamadas, envie uma seleção de fotografias ou vídeos do ultrassom. E, porque ele gostará de ouvir, tente gravar os batimentos cardíacos do bebê.
- Compartilhe seus desejos. Está se entupindo de sanduíches de manteiga de amendoim com azeite de oliva? Apaixonada por bananas? Monte uma caixa com seus desejos alimentares para que ele possa ter um gostinho de casa — e um gostinho de como é ter esses desejos. Encontre substituições para os itens que não resistirão à viagem (como bananas: você pode enviar um pacote de bananas liofilizadas). Ou envie uma foto do sorvete enorme que o bebê a obrigou a comer às duas da manhã na noite passada.
- Faça um chá de revelação à distância. Quer esteja planejando descobrir o sexo do bebê no ultrassom da 20ª semana ou em um elaborado chá de revelação, garanta a participação do pai. Faça uma videochamada durante o chá ou peça que o amigo ou familiar que já sabe o sexo providencie caixas iguais de confetes ou balas azuis ou cor-de-rosa para vocês abrirem ao mesmo tempo.
- Deixe que ele crie laços com o bebê. Do sexto mês em diante, a

audição do bebê já está bastante desenvolvida. Faça uso disso. Sempre que estiver em uma videochamada ou falando ao telefone, coloque o dispositivo perto da barriga para que o bebê possa ouvir a voz do pai, que soará como música para ele. Dessa maneira, o bebê reconhecerá a voz do pai desde o nascimento. Outra maneira de criar laços: faça um vídeo dos soluços, das cutucadas e das contorções do bebê quando ficarem visíveis do lado de fora.

- Façam compras juntos. Talvez ele não tenha tempo para ver páginas e páginas na internet de berços, carrinhos e babás eletrônicas (e talvez esteja muito satisfeito com isso), mas provavelmente gostaria de votar nos finalistas quando você tiver reduzido as opções. O mesmo vale para a cor das paredes e o tema da decoração do quarto do bebê. Tire fotos do passo a passo enquanto remodela o quarto ou cantinho do bebê (não pinte as paredes você mesma nem erga peso). E organizem juntos a lista on-line de itens para o chá de bebê.
- Encontre o apoio de que você precisa. Toda futura mãe precisa de um forte sistema de apoio: de um ombro no qual chorar, alguém com quem desabafar, alguém para incentivá-la ou partilhar momentos especiais. Você precisa — e merece — ainda mais. Conecte-se com outras gestantes nas Forças Armadas, on-line ou na base, para que possam se apoiar mutuamente e compartilhar recursos. A USO local pode fornecer apoio e programas para as mães, além de ajudar com recursos.
- Escolha um amigo ou familiar para ser seu *coach* se seu parceiro não chegar a tempo para o parto (com sorte, você conseguirá estar com ele por videochamada em cada passo do caminho) e participar com você do curso de parto (e das aulas de amamentação e ressuscitação infantil). Pense em acrescentar uma doula à equipe de parto (p. 439). Muitas oferecem serviços gratuitos ou com desconto para as mães nas Forças Armadas, especialmente aquelas cujo parceiro foi mobilizado. E, se você acha que precisa de mais que um amigo com quem conversar, se está se sentindo deprimida ou ansiosa, tendo problemas para comer, dormir ou cuidar de si mesma, peça ajuda ao médico. O aconselhamento profissional, combinado a um grupo de apoio, pode ajudar imensamente.
- Inscreva-se no programa Centering Pregnancy. Se houver um centro em sua base, pense em participar para obter o apoio e a camaradagem que ele oferece. Veja a p. 34 para mais informações.

E se a gestante Rh negativa já tiver desenvolvido um nível de anticorpos capaz de causar anemia no feto Rh positivo? Primeiro, o pai do bebê será testado, se ainda não tiver sido, para determinar seu fator Rh. Se ele for Rh positivo, será feita a tipagem do sangue do bebê. Isso pode ser feito através de amniocentese ou de um exame de sangue não invasivo (embora nem todos os planos de saúde cubram o exame de sangue, que é muito caro). Se o feto for Rh negativo, a mãe e o bebê terão tipos sanguíneos compatíveis e não há razão para preocupação ou tratamento. Se o feto for Rh positivo e os anticorpos da mãe tiverem chegado a um nível crítico, um ultrassom especial será realizado a cada uma ou duas semanas para avaliar as condições do bebê e descartar a possibilidade de anemia. Se, em qualquer momento, desenvolver-se anemia, talvez seja necessária uma transfusão de sangue Rh negativo para o feto. Isso é feito com a inserção, orientada por ultrassom, de uma pequena agulha no cordão umbilical fetal. Tais transfusões são muito efetivas e estão associadas a excelentes resultados.

Felizmente, o uso da Rhogam reduziu enormemente a necessidade de transfusões em gestações com incompatibilidade de Rh e, hoje, elas são empregadas em menos de 1% dos casos.

Incompatibilidades similares podem surgir com outros fatores sanguíneos, como o antígeno Kell, embora sejam menos comuns que a incompatibilidade de Rh. Se a mãe não tiver o antígeno Kell e o pai tiver, há potencial para problemas. Um teste padrão, que faz parte do primeiro exame de sangue de rotina, analisa a presença de anticorpos no sangue da mãe. Se eles forem encontrados, o pai do bebê é testado para verificar se é positivo, caso em que o procedimento é o mesmo que na incompatibilidade de Rh.

Seu histórico médico

Obesidade

"Estou uns 30 quilos acima do peso. Isso expõe a mim e ao bebê a um risco maior durante a gravidez?"

A maioria das mães acima do peso (e mesmo as obesas, definidas como aquelas cujo peso está 20% ou mais acima do peso ideal) tem gestações seguras e bebês sadios. Mesmo assim, carregar muito peso extra quando já está carregando um bebê aumenta a probabilidade de certas complicações, incluindo aborto espontâneo, doenças congênitas, morte fetal, parto prematuro, pressão alta e diabetes gestacional. Estar acima do peso também causa problemas práticos. As camadas adicionais de gordura podem dificultar o trabalho do médico na hora de determinar o tamanho e a posição do feto (e tornam mais difícil sentir os primeiros chutes). E você poderá ter um trabalho de parto mais longo e demorado se o bebê for muito maior que a média, o que frequentemente é o caso quando a mãe é obesa (particularmente se for diabética, e mesmo que não tenha ganhado muito peso durante a gravidez). Se uma cesariana for necessária, a obesidade pode complicar tanto a cirurgia quanto a recuperação.

Então, há a questão do conforto ou, antes, desconforto, durante a gestação. Infelizmente, quando os quilos se multiplicam, multiplicam-se também os sintomas desconfortáveis. Os quilos a mais (sejam os que você já tinha ou os que adquiriu durante a gravidez) podem resultar em mais dores nas costas, veias varicosas, inchaço, azia e mais.

Desanimada? Não fique. Há muito que você e o médico podem fazer para minimizar os riscos (e os desconfortos) desses quilos a mais — só será preciso um esforço extra. Do lado médico, você talvez seja monitorada mais atentamente que a gestante de peso normal (por exemplo, pode ser testada para diabetes gestacional mais cedo e fazer alguns ultrassons a mais para determinar o tamanho do bebê).

De seu lado, cuidar-se bem também pode fazer muita diferença. Eliminar todos os riscos que estão sob seu controle — como beber e fumar — será particularmente importante. Manter o ganho de peso dentro dos limites estabelecidos será importante também, e seus limites provavelmente serão menores que o da gestante média e monitorados mais atentamente pelo médico. O ACOG recomenda que as gestantes acima do peso ganhem entre 7 e 9 quilos e que as gestantes obesas ganhem, no máximo, 7 quilos, embora as recomendações de seu médico possam ser diferentes. De fato, alguns recomendam que mulheres obesas não ganhem nenhum peso durante a gestação — mas, novamente, siga o plano que seu médico ou parteira estabelecerem para você.

Mesmo com um limite menor, sua dieta diária deve estar repleta de alimentos que sejam fontes concentradas de vitaminas, minerais e proteínas (veja a Dieta da Gravidez a partir da p. 127). Focar na qualidade das calorias ajudará seu bebê a receber o maior benefício nutricional de cada bocado que você ingerir. Tomar sem falha as vitaminas pré-natais também fornecerá uma garantia a mais. Fazer exercícios regulares, seguindo as orientações médicas, permitirá que você consuma mais dos alimentos saudáveis de que você e seu bebê necessitam sem ganhar muito peso. Combine exercícios regulares, o ganho de peso correto e uma dieta saudável e você diminuirá o risco de desenvolver diabetes gestacional.

Está se perguntando se seria possível diminuir o ganho de peso com suplementos e bebidas que prometem suprimir o apetite? Eles podem ser perigosos durante a gravidez: fique longe deles, mesmo que sejam vendidos como "naturais".

Na próxima gestação, se estiver planejando uma, tente chegar o mais perto possível do peso ideal antes de conceber. Tornará a gestação muito mais fácil e com menos complicações potenciais.

Subpeso
"Sempre fui magra e tenho dificuldade para ganhar peso. Estar abaixo do peso terá impacto em minha gravidez?"

A gravidez definitivamente é um momento de comer bem e ganhar peso, para as magras e para as não tão magras. Mas, se você engravidou estando supermagra (com um IMC de 18,5 ou menos; veja a p. 246 para descobrir como calcular seu IMC), terá de encher o prato ainda mais. Isso porque há riscos potenciais (como ter um bebê muito pequeno ou um parto prematuro) associados ao fato de estar grávida e extremamente abaixo do peso, particularmente se você também está subnutrida (o que é muito menos provável se tiver uma dieta saudável, mas for naturalmente magra). Mas qualquer risco adicional pode ser eliminado comendo bem (obtendo a quantidade certa de calorias e nutrientes), tomando as vitaminas pré-natais e ganhando peso suficiente. Dependendo de onde você começou na balança, o médico pode aconselhá-la a ganhar um pouco mais, provavelmente entre 12 e 18 quilos, em vez dos 11 a 15 quilos recomendados às mulheres de peso normal. Se foi abençoada com um metabolismo acelerado que torna difícil ganhar peso, veja algumas dicas na p. 263. Desde que o ganho de peso atinja os limites esperados, sua gravidez não deve encontrar nenhum obstáculo.

Transtornos alimentares
"Sou bulímica há quase dez anos. Achei que conseguiria parar agora que estou grávida, mas não consigo. Isso vai prejudicar meu bebê?"

Não se você conseguir o tipo certo de ajuda, imediatamente. O fato de ser bulímica (ou anoréxica) há alguns anos significa que suas reservas nutricionais provavelmente estão baixas, colocando seu bebê e seu corpo em desvantagem. Felizmente, no início da gravidez, a necessidade de nutrição é menor do que será mais tarde, dando a você a chance de compensar o déficit nutricional de seu organismo antes que ele possa prejudicar o bebê.

GRAVIDEZ APÓS CIRURGIA PARA PERDA DE PESO

Você perdeu peso graças a uma cirurgia bariátrica? É provável que tenham lhe dito para esperar entre doze e dezoito meses para engravidar, já que esse é o período de perda de peso mais drástica, com potencial para subnutrição. Mas, agora que passou esse período e está grávida, está na hora de ser duplamente parabenizada: por ter perdido peso e por estar prestes a ganhar um bebê! Dê um tapinha em suas costas (e faça um carinho em sua barriga) porque ter perdido todo aquele peso (como quer que tenha acontecido: manga gástrica, banda gástrica ou *bypass*) lhe dá chances ainda melhores de ter uma gestação e um bebê saudáveis. Você diminuiu seu risco de diabetes gestacional e pré-eclâmpsia e de ter um bebê grande demais. Isso, sim, é uma vitória!

Mesmo assim, há precauções adicionais que você precisa adotar como gestante que fez cirurgia para perda de peso:

- Mantenha o cirurgião da bariátrica em sua equipe de parto (que agora se chama Equipe Bebê). Ele será capaz de aconselhar seu obstetra ou parteira sobre as necessidades de uma paciente que passou por cirurgia para perda de peso.
- Continue a tomar vitaminas. Você precisará manter a suplementação durante a gravidez; afinal, agora está se nutrindo por dois. As vitaminas pré-natais são um bom início, mas você pode precisar de ferro, cálcio, ácido fólico, vitamina B12 e vitamina A em função de problemas de má absorção. Discuta suas necessidades de suplementação com o médico que está realizando seu pré-natal e com seu cirurgião.
- Mantenha o olho na balança. Você está acostumada a cuidar do peso, mas, nos últimos tempos, habituou-se a vê-lo diminuir. Agora que tem um bebê a bordo, provavelmente o verá aumentar. Seu trabalho é se manter nos limites: ganhar quilos a menos ou a mais pode submeter a gestação e o bebê a riscos desnecessários. Saiba que existe uma chance maior de ter um bebê pequeno após a cirurgia bariátrica, mas ganhar o número certo de quilos vai ajudá-lo a nascer saudável.
- Cuide da alimentação. Comer por dois é mais desafiador quando o espaço em seu estômago foi reduzido pela cirurgia. Pode haver outros desafios quando seu útero e seu bebê começarem a crescer, apertando o estômago ainda mais. Como a quantidade de comida que consegue comer confortavelmente é limitada, você precisará focar na qualidade. Tente não desperdiçar

espaço (ou calorias) em alimentos que não satisfaçam requerimentos nutricionais, escolhendo os que oferecem o maior número de nutrientes no menor volume.
- Esteja atenta aos sintomas. Se tiver náusea ou vômito excessivos ou notar qualquer dor incomum no abdômen, telefone imediatamente para o obstetra e para o cirurgião da bariátrica. Os sintomas podem estar relacionados à gravidez ou podem ser algo mais sério, relacionado à cirurgia, caso em que você precisará de atenção médica imediata.

Há pouca pesquisa na área dos transtornos alimentares na gestação, em parte porque eles frequentemente interrompem o ciclo menstrual, o que significa que poucas mulheres com esse problema engravidam. Mas os estudos realizados sugerem que a compulsão alimentar seguida de expurgo (em outras palavras, bulimia ativa) durante a gestação parece aumentar o risco de aborto espontâneo e parto prematuro, assim como de depressão pós-parto. A anorexia ativa durante a gestação aumenta o risco de aborto espontâneo, pré-eclâmpsia, parto prematuro e cesariana. Tomar laxantes, diuréticos, moderadores de apetite e outras drogas às vezes usadas por bulímicas e anoréxicas também pode ser prejudicial durante a gravidez. Eles retiram nutrientes e líquidos do organismo antes de serem usados para nutrir o bebê (e, mais tarde, produzir leite) e podem provocar consequências sérias, incluindo possíveis doenças congênitas, se usados regularmente. E não ganhar peso suficiente durante a gravidez pode gerar vários problemas, incluindo parto prematuro e um bebê pequeno para a idade gestacional.

Felizmente, os estudos também sugerem que, se abandonar esses hábitos insalubres, você terá as mesmas chances de ter um bebê saudável que qualquer outra gestante, se as condições forem as mesmas. Se está tendo problemas para comer bem e normalmente, não consegue distinguir entre o enjoo matinal e a bulimia ou está escondendo a bulimia sob o enjoo, procure ajuda. Comece contando ao responsável por seu pré-natal sobre o transtorno alimentar: ele não somente adotará medidas para garantir que isso não afete o bebê ou a gestação, como também poderá ajudá-la a conseguir o apoio e o cuidado necessários para ficar e permanecer saudável, indicando um terapeuta com experiência em transtornos alimentares. O aconselhamento profissional é sempre uma boa ideia na batalha contra a anorexia e a bulimia, mas é essencial se você está tentando comer bem por dois. Você também pode encontrar ajuda em grupos de apoio (pesquise na internet ou peça uma recomendação a seu médico ou terapeuta).

Estar comprometida com a superação do transtorno alimentar para poder nutrir seu belo bebê é o primeiro e mais importante passo. Colocar o ganho de peso da gravidez em perspectiva também pode ajudar. Saiba que:

- A silhueta da mulher grávida é universalmente vista como saudável e bela. Os contornos arredondados são normais, um sinal de que você está gerando um bebê. Celebre suas curvas! Aceite seu corpo grávido!
- Espera-se que você ganhe peso durante a gravidez. A quantidade certa de quilos (recomendada pelo médico), ganhos na velocidade certa e com base nos alimentos certos é vital para o crescimento e o bem-estar do bebê no útero e depois (parte da gordura que você adquire durante a gestação será usada após o parto para ajudá-la a amamentar). E essa estratégia é benéfica não somente para o bebê, mas também para a mãe. Ela ajudará a garantir uma gravidez mais saudável e confortável e um retorno mais rápido à forma física anterior. Se você fica ansiosa vendo os números na balança subirem enquanto ganha esse peso vital, deixe que o médico faça o acompanhamento. Esconda a balança do banheiro para não ser tentada a se pesar e feche os olhos durante a pesagem no consultório (peça que a enfermeira anote o número em sua ficha sem dizê-lo a você).
- Você pode (e deve!) permanecer em forma durante a gravidez. Os exercícios ajudarão a enviar para o lugar certo os quilos que ganhou (primariamente, o bebê e seus subprodutos). Mas tenha certeza de que os exercícios são apropriados para gestantes e aprovados pelo médico. Se sempre fez exercícios exaustivos como maneira de queimar as calorias adicionais que consumiu, está na hora de trocar essa estratégia por uma abordagem mais saudável. Evite também quaisquer exercícios que aumentem excessivamente a temperatura, pois não é seguro durante a gravidez (saunas e *hot yoga* estão proibidas).
- Você perderá no parto muitos dos quilos que ganhou durante a gravidez, mas não todos. E levará vários meses para perder o restante. Realisticamente falando, talvez demore ainda mais para entrar em forma. Por essa razão, os sentimentos negativos em relação à imagem corporal às vezes fazem com que as mulheres com transtornos alimentares voltem a comer compulsivamente e expurgar ou então a passar fome no período pós-parto. Como esses hábitos insalubres podem interferir em sua capacidade de se recuperar, cuidar do bebê e produzir leite suficiente se decidir amamentar, é importante que você continue a receber aconselhamento profissional com alguém experiente no tratamento

de transtornos alimentares. Grupos de apoio (em sua comunidade ou on-line) também podem ajudar.

A coisa mais importante para se ter em mente é que o bem-estar do bebê depende do seu bem-estar durante a gravidez. Se você não estiver bem nutrida, seu bebê também não estará. O reforço positivo definitivamente ajuda. Coloque fotografias de bebês fofinhos na porta da geladeira, no escritório, no carro e em qualquer lugar onde possa precisar de um lembrete sobre por que deve se alimentar de maneira saudável. Visualize o alimento que está ingerindo chegando até o bebê (e o bebê consumindo alegremente essas refeições saudáveis).

Se durante a gestação você não conseguir parar de comer compulsivamente e vomitar e usar diuréticos e laxantes ou então se obrigar a passar fome, discuta com o médico a possibilidade de hospitalização até que consiga controlar o transtorno. Nunca houve uma razão melhor para ficar — e permanecer — saudável.

SE VOCÊ TEM UMA DOENÇA CRÔNICA

Qualquer um que já tenha vivido com uma doença crônica sabe que a vida pode ficar bem complicada com remédios para tomar e consultas extras para ir (sem mencionar as novas terapias e medicamentos para acompanhar). Acrescente gravidez à mistura e seu prato estará ainda mais cheio. Felizmente, com algumas precauções, esforços e cuidados adicionais, a maior parte das doenças crônicas é totalmente compatível com a gravidez. Eis algumas recomendações gerais para gestantes que sofrem de doenças crônicas comuns (procure seguir as ordens médicas, que provavelmente foram adaptadas a suas necessidades específicas):

Diabetes. A chave para administrar com sucesso uma gestação diabética — seja do tipo 1 (na qual o corpo não produz insulina) ou tipo 2 (na qual o corpo não responde à insulina como deveria) — é chegar a níveis normais de glicose no sangue antes de engravidar e mantê-los pelos nove meses seguintes. Você será capaz de fazer isso com uma dieta cuidadosamente elaborada (que provavelmente será similar à Dieta da Gravidez, contendo pouco açúcar e grãos refinados e muitos alimentos ricos em fibras e lanches saudáveis), exercícios regulares, cuidadosa monitoração dos níveis de glicose no sangue e medicação correta (insulina, se necessário). Você também receberá um limite para o ganho de peso gestacional que será especialmente importante, uma vez que ganhar peso demais pode gerar complicações.

Para garantir que tudo vai bem, você será observada cuidadosamente durante a gravidez. Além dos exames regulares para determinar seus níveis de glicose, você fará testes de urina (para verificar o funcionamento dos rins) e oftalmológicos (para verificar as retinas). O bebê será examinado através de um ecocardiograma fetal (para garantir que o coração está se desenvolvendo sem problemas). O médico também estará atento a sinais precoces de pré-eclâmpsia (p. 732) e diabetes gestacional (p. 730), uma vez que a diabetes aumenta os riscos de ambas.

Como os bebês de diabéticas às vezes crescem muito, mesmo que o peso da mãe esteja dentro dos limites, o crescimento do bebê será monitorado atentamente através de ultrassons. Bebês mais pesados tornam o parto mais difícil (com uma chance maior de complicações e/ou necessidade de cesariana). O parto precoce pode ser necessário se surgirem problemas no fim da gestação, mas a equipe médica se assegurará de que os pulmões do bebê estejam suficientemente desenvolvidos antes de induzir o trabalho de parto ou realizar a cesariana.

Finalmente, se planeja amamentar, tente começar o mais cedo possível após o parto (idealmente 30 minutos) e alimentar o bebê a cada 2 ou 3 horas para prevenir hipoglicemia (pouco açúcar no sangue). Por precaução, bebês de mães diabéticas normalmente só recebem alta do hospital quando se alimentam bem e seus níveis de glicose são estáveis.

Hipertensão. Se você sofre de hipertensão crônica, sua gravidez será considerada de alto risco. Mas, com cuidados médicos e pessoais, provavelmente obterá o melhor resultado: uma gestação segura e um bebê saudável. Você terá de acompanhar sua pressão arterial em casa, exercitar-se regularmente (o que baixa a pressão), reduzir o estresse (através de exercícios de relaxamento, meditação e terapias da medicina alternativa, como *biofeedback*), comer bem, permanecer hidratada e manter o ganho de peso dentro dos limites estipulados. Medicamentos seguros para gestantes, se necessários, também ajudarão a garantir que sua pressão arterial permaneça sob controle. O monitoramento médico também será intensificado para evitar que você desenvolva pré-eclâmpsia (p. 732).

Síndrome do intestino irritável. É difícil precisar o efeito da síndrome do intestino irritável na gestação — e vice-versa — porque os intestinos frequentemente são impactados (às vezes literalmente) pela gravidez. Gestantes têm mais tendência à constipação (um sintoma da síndrome) e/ou intestino solto (outro sintoma). O mesmo vale para os gases e o inchaço, que tipicamente pioram quando você está grávida, tenha ou não a síndrome.

Para manter os sintomas toleráveis, mantenha as técnicas com as quais está acostumada: coma menos e com mais frequência, permaneça hidratada, evite o estresse excessivo e fique longe de comidas e bebidas que possam piorar as coisas. Se está fazendo a dieta FODMAP, peça que o médico verifique se está obtendo o equilíbrio correto de nutrientes para a gravidez. E, se estiver tomando medicamentos para amenizar os sintomas, certifique-se de que são seguros para gestantes — nem todos são. Você também pode consumir alguns probióticos. Eles são surpreendentemente efetivos para regular as funções intestinais.

Anemia falciforme. Essa doença coloca a gestação em alto risco, mas, com os cuidados certos, mães com anemia falciforme — mesmo aquelas que apresentam complicações, como doenças cardíacas ou renais — têm boas chances de uma gestação segura e um parto e um bebê saudáveis. A pré-eclâmpsia e a hipertensão são mais comuns em gestantes com anemia falciforme, e muitas são hospitalizadas ao menos uma vez durante os nove meses. Complicações como aborto espontâneo, parto prematuro e restrição do crescimento fetal também são mais comuns.

Embora não se saiba com certeza se é benéfica ou não, é possível que você receba uma transfusão de sangue ao menos uma vez ou periodicamente durante a gestação, assim como no início do trabalho de parto ou pouco antes do nascimento.

Problemas na tireoide. Se você tem hipotireoidismo e sua tireoide não produz tiroxina suficiente, é importante continuar fazendo a reposição (ela não somente é segura como pode ser essencial para a gestação). Você também precisará monitorar seu nível de hormônios para ter certeza de que a reposição está atendendo às suas necessidades e às necessidades do bebê (e, se teve um problema na tireoide no passado, mas parou de tomar medicamentos, informe ao médico, para que seus níveis hormonais possam ser testados novamente). O hipotireoidismo não tratado aumenta as chances de aborto espontâneo. Além disso, bebês que não recebem hormônios da tireoide maternos em quantidade suficiente durante o primeiro trimestre podem desenvolver problemas neurológicos e, possivelmente, surdez. (Após o primeiro trimestre, o feto produz seus próprios hormônios e está protegido, mesmo que os níveis da mãe estejam baixos.) Níveis baixos de hormônios da tireoide também estão ligados à depressão durante a gestação e após o parto — outra excelente razão para continuar o tratamento.

A deficiência de iodo, que está se tornando mais comum entre mulheres em idade fértil nos Estados Unidos em função da redução no consumo de sal iodado, pode interferir na produção dos hormônios da tireoide. Assim, assegure-se de que está recebendo uma quantidade adequada desse micromineral.

A doença de Graves moderada a severa (também conhecida como hipertireoidismo, quando a tireoide produz uma quantidade excessiva de hormônios), se não tratada, pode levar a sérias complicações para você e o bebê, incluindo aborto espontâneo e parto prematuro. Assim, o tratamento apropriado é necessário. Felizmente, se a doença for tratada adequadamente (na gravidez, o tratamento mais adotado é a menor dose efetiva do medicamento propiltiouracil), o resultado provavelmente será bom para mãe e bebê.

A doença crônica que a afeta não está listada aqui? Você encontrará asma na p. 298, escoliose na p. 345 e informações sobre outras doenças crônicas, incluindo fibrose cística, epilepsia, fibromialgia, síndrome da fadiga crônica, lúpus, esclerose múltipla, fenilcetonúria, incapacidade física e artrite reumatoide em what toexpect.com.

Depressão

"Fui diagnosticada com depressão há alguns anos e tomo antidepressivos desde então. Agora que estou grávida, devo parar?"

Cerca de 15% das mulheres em idade fértil luta contra crises de depressão. Então, você não está sozinha. Felizmente para você e todas as outras gestantes na sua condição, as previsões são luminosas: com o tratamento certo, mulheres com depressão podem ter gestações perfeitamente saudáveis e felizes. Mas decidir como será o tratamento durante a gravidez é um delicado malabarismo quando se trata de medicamentos. Com o responsável pelos cuidados por sua saúde mental e o médico que realiza seu acompanhamento pré-natal, você precisa pesar os riscos e benefícios de usar ou não tais medicamentos enquanto está grávida.

Talvez a decisão pareça simples, ao menos à primeira vista. Afinal, que razão seria boa o suficiente para colocar seu bem-estar emocional acima do bem-estar físico do bebê? Mas a decisão é muito mais complicada. Os hormônios da gestação podem alterar seu estado emocional. Mesmo mulheres que jamais tiveram transtornos de humor, depressão ou qualquer outra condição psicológica podem experimentar drásticas alterações de humor, mas mulheres com histórico de depressão correm risco maior de crises depressivas durante a gestação e de depressão pós-parto. E isso é especialmente verdadeiro para as que param de tomar os antidepressivos durante a gestação.

Além disso, a depressão não tratada provavelmente não afetará somente você (e aqueles que estão próximos), mas também o bebê. Gestantes deprimidas podem não comer ou dormir tão bem nem prestar atenção aos cuidados pré-natais, e apresentam maior tendência de manter hábitos insalubres, como beber ou fumar. Em alguns estudos, esses fatores, combinados aos efeitos debilitantes da ansiedade e do estresse excessivos, foram associados a risco aumentado de nascimento pré-termo, baixo peso ao nascer e índice de Apgar mais baixo. Tratar a depressão efetivamente — e mantê-la sob controle durante a gestação — permite que as gestantes nutram seu corpo e seu bebê.

O que isso significa? Que você deveria pensar duas vezes antes de jogar seus antidepressivos no lixo. Mas também que deveria conversar tanto com o responsável por seu pré-natal quanto com o médico/terapeuta que trata sua depressão antes de decidir qual medicação adotar, se alguma. Certos medicamentos são mais seguros que outros e alguns não são recomendados para mulheres grávidas, o que significa que aqueles usados antes da concepção podem não ser a escolha certa agora. Ou que a dose precise ser alterada.

O responsável por seu pré-natal (e também seu profissional de saúde mental) pode lhe dar as informações mais precisas e atualizadas sobre a segurança dos medicamentos antidepressivos durante a gestação, porque elas estão sempre mudando e as informações encontradas na internet frequentemente estão erradas. Outra razão para procurar orientação profissional (em vez de motores de busca): as pesquisas até agora são conflitantes; alguns estudos mostram risco aumentado de autismo, defeitos cardíacos, alterações no cérebro e baixo peso ao nascer em bebês cujas mães tomaram certos antidepressivos durante a gestação, e outros não demonstram nenhuma correlação. O que se sabe é que, de modo geral, os inibidores seletivos de recaptação da serotonina (ISRS) Celexa [citalopram], Prozac e Zoloft são considerados boas opções durante a gestação (o Paxil, outro ISRS, não é, porque está associado a um pequeno aumento nos defeitos cardíacos no feto). Inibidores seletivos de recaptação da serotonina e noradrenalina (ISRSN), como Cymbalta e Efexor XR, também estão entre as opções de tratamento para gestantes. O Wellbutrin não é um medicamento de escolha durante a gestação, mas pode ser usado se a paciente não responder às outras opções.

Eis o que é importante ter em mente enquanto você e seu médico pesam as opções: embora tomar qualquer medicação durante a gestação — incluindo antidepressivos — sempre acarrete riscos, os especialistas acreditam que isso não deve impedir a gestante de usar antidepressivos se a depressão não puder ser tratada efetivamente de outras maneiras. A depressão não tratada também acarreta riscos, muitos com efeitos de longo prazo. Escolher o medicamento mais seguro possível, prescrito na dose mais segura possível, e usá-lo no momento mais seguro possível da gestação ajudará a mitigar os riscos tanto da depressão quanto dos medicamentos.

Lembre-se também de que existem tratamentos não medicamentosos para a depressão e eles podem ser muito efetivos, tanto sozinhos (em alguns casos, permitindo que a gestante com depressão branda evite totalmente a medicação) quanto associados aos medicamentos (permitindo que a gestante use uma dose menor ou passe para uma medicação mais segura). Esses tratamentos incluem a psicoterapia (terapia da fala), terapia por luz brilhante e abordagens da medicina complementar e alternativa, como acupuntura e, possivelmente, neuroterapia. Os exercícios (em função da liberação de endorfinas), a meditação (para ajudar a gerenciar o estresse) e a dieta (mantendo a glicose estável com refeições regulares e saudáveis) também podem ser adições benéficas ao programa de tratamento. Fale com seus médicos para averiguar se essas opções estão disponíveis para você.

Transtorno do déficit de atenção com hiperatividade (TDAH)

"Fui diagnosticada com TDAH na adolescência e tomo medicação diária desde então. Preciso parar de tomar meus remédios durante a gestação?"

Muitos adultos usam anfetaminas como Adderall ou metilfenidatos como Concerta ou Ritalina para permanecerem focados e funcionais socialmente e no trabalho — e isso inclui muitas gestantes. O problema é que não se sabe muito sobre a segurança desses medicamentos durante a gestação, já que eles não foram amplamente estudados. Até agora, são categorizados como medicamentos que não se provaram prejudiciais ao feto, mas tampouco são comprovadamente inofensivos. Como mais mulheres em idade reprodutiva estão recebendo prescrições para tratar TDAH, os pesquisadores têm mais dados para estudar. Algumas das últimas pesquisas mostram que metilfenidatos no início da gestação aumentam o risco de problemas cardíacos no bebê, ao passo que anfetaminas, não.

Então, o que você deve fazer? Primeiro, fale com o médico responsável pelo pré-natal e com o médico que prescreveu a medicação. Pergunte sobre os estimulantes mais seguros e discuta se deveria ou não continuar a usá-los (ou se deveria parar durante o primeiro trimestre e retomar no segundo). Qualquer risco potencial de usar a medicação durante a gestação terá de ser pesado contra o risco potencial de permitir que o déficit de atenção continue sem tratamento. Pergunte também sobre tratamentos não medicamentosos (como terapia cognitiva comportamental ou *coaching* clínico), que podem atuar como alternativa aos estimulantes ou suplemento a uma dose menor. Finalmente, lembre-se de que, qualquer que seja o tratamento, a gravidez pode alterar seu foco, sua concentração e sua funcionalidade, e que uma névoa induzida por hormônios se instala na mente de praticamente toda futura mãe.

Ter um bebê depois dos 35

"Tenho 38 anos e estou exultante por estar grávida pela primeira vez, mas me pergunto o que minha idade significa para mim e meu bebê."

Ter mais de 35 anos e estar grávida do primeiro filho significa que você está em boa — e crescente — companhia. Também cresce o número de mulheres com mais de 40 anos tendo seu primeiro filho.

E a boa companhia traz boas notícias. Os riscos da gestação são muito baixos, e crescem pouco e gradualmente conforme você envelhece. A maioria pode ser reduzida ou mesmo eliminada.

Primeiro, os riscos. O maior risco reprodutivo enfrentado pelas mulheres com mais de 35 anos (um grupo etário talvez injustamente chamado de "idade materna avançada" ou AMA) é o fato de que elas podem não conseguir engravidar, em razão do leve e muito gradual declínio da fertilidade que se inicia quando saem do período ótimo de fertilidade, que ocorre por volta dos 20 anos (assim, não se trata de uma queda súbita aos 35). Agora que já conseguiu conceber (parabéns!), você tem chances ligeiramente maiores de ter um bebê com síndrome de Down. Novamente, trata-se de um risco relativamente baixo que aumenta gradualmente conforme a mãe envelhece: 1 em 1.250 para gestantes de 25 anos, cerca de 3 em 1.000 para gestantes de 30 anos, cerca de 1 em 300 para gestantes de 35 anos e 1 em 35 para gestantes de 45 anos. Especula-se que o aumento gradual dessa e de outras anomalias cromossômicas esteja mais frequentemente ligado aos óvulos da mulher mais velha (as mulheres nascem com um estoque de óvulos para a vida inteira, e eles envelhecem com ela). Isso dito, como um mínimo estimado de 25% dos casos de síndrome de Down e outras anomalias cromossômicas resulta de um defeito no espermatozoide do pai mais velho — e como mães mais velhas frequentemente são casadas com pais mais velhos —, nem sempre está claro se é a idade da mãe ou a idade do pai que está em questão.

PARA OS PAIS

PAIS MAIS VELHOS

Durante a maior parte da história, acreditou-se que a responsabilidade do pai no processo reprodutivo se limitava à fertilização. Somente no século XX (tarde demais para ajudar as rainhas que perderam a cabeça por não produzirem um herdeiro do sexo masculino) se descobriu que o espermatozoide tem o voto genético decisivo na hora de determinar o sexo da criança. E somente nas últimas décadas os pesquisadores começaram a perceber que o espermatozoide de um pai mais velho também pode contribuir para os riscos aumentados para o bebê. Como os óvulos da mãe mais velha, os espermatócitos (espermatozoides subdesenvolvidos) do pai mais velho tiveram exposição mais longa aos riscos ambientais e têm maior probabilidade de conter genes ou cromossomos alterados ou danificados. O que isso significa para o futuro bebê de um pai mais velho? Os pesquisadores descobriram que, independentemente da idade da mãe, o risco de aborto espontâneo aumenta com a idade do pai, assim como a incidência de síndrome de Down, se ele tiver mais de 50 ou 55 anos (novamente, qualquer que seja a idade da mãe). Também parece haver risco aumentado de autismo ou questões de saúde mental quando o pai tem mais de 40 anos.

Você está se perguntando se sua idade significará mais testes diagnósticos para sua parceira ou seu bebê? Os conselheiros genéticos não recomendam testes invasivos, como amniocentese ou biópsia das vilosidades coriônicas, com base somente na idade do pai — e, felizmente, os testes oferecidos rotineiramente para a gestante (qualquer que seja sua idade ou a idade do parceiro) podem detectar a maior parte dos problemas cromossômicos.

O essencial, se você é um pai mais velho, é o mesmo que para as mães mais velhas: os riscos são muito pequenos, e os benefícios de ter um bebê no período certo para você são claramente imensos. Realmente imensos. Então, relaxe e aproveite a aventura da gravidez: a espera vale a pena.

Alguns outros riscos gestacionais aumentam ligeiramente com a idade. Um deles pode não parecer um risco, mas um benefício: mães mais velhas têm maior probabilidade de conceber gêmeos (mesmo que concebam naturalmente), graças à predisposição de liberar um ou mais óvulos de cada vez. Em geral, o aumento da idade significa também aumento do risco de aborto espontâneo (por causa dos óvulos mais velhos), pré-eclâmpsia, diabetes gestacional e parto prematuro. Em média, o parto e o nascimento demoram mais e têm probabilidade ligeiramente mais alta de complicações (frequentemente porque a gestação já é de maior risco), com taxas mais altas de cesariana.

Mas, mesmo que os riscos de uma gravidez em sua idade sejam ligeiramente mais elevados, eles permanecem baixos — e, é claro, nem se comparam à recompensa que você espera tão ansiosamente. O melhor de tudo é que as complicações mais comuns em mães mais velhas podem ser evitadas e, caso contrário, normalmente controladas. A combinação certa de atenção médica e medicação pode evitar o parto prematuro, e descobertas recentes continuam a diminuir os riscos na sala de parto. E, embora a síndrome de Down não seja evitável, ela pode ser identificada no útero por vários testes. Ainda melhor: os testes essencialmente não invasivos realizados no primeiro trimestre (p. 86), recomendados para todas as mulheres, independentemente da idade (não se preocupe, mamãe: eles não estão implicando com você!), são muito mais acurados que no passado. As mães que fazem esses testes não necessariamente prosseguem para testes diagnósticos mais invasivos (como amniocentese e biópsia das vilosidades coriônicas), como já foi rotina, mesmo que já tenham passado do 35º aniversário. Isso poupa tempo, dinheiro e — o mais importante — estresse.

Mas, apesar do muito que a ciência obstétrica pode fazer para ajudá-la a ter uma gestação e um parto seguros e um bebê saudável, isso em nada se compara ao que você mesma pode fazer, através de exercícios, alimentação correta, ganho razoável de peso e cuidados pré-natais regulares. Somente ser mais velha não necessariamente a coloca na categoria de alto risco, mas o acúmulo de riscos individuais pode colocar. Elimine ou minimize tantos quanto puder e será capaz de retirar anos de seu perfil gestacional, tornando suas chances de ter um bebê saudável praticamente tão boas quanto as de uma mãe mais jovem. E talvez até melhores.

Assim, relaxe, aproveite a gravidez e fique tranquila. Nunca houve uma época melhor para ter mais de 35 anos e esperar um bebê.

NÃO SOMENTE PARA OS PAIS

Famílias grávidas e felizes vêm em todos os formatos. Talvez vocês sejam duas mães esperando o bebê que uma de vocês está gestando. Ou dois pais esperando através de uma gestação sub--rogada ou planejando uma adoção aberta, e gostariam de permanecer física e emocionalmente conectados à mulher que está grávida de seu precioso pacotinho. Ou, talvez, você seja mãe solteira sem um parceiro envolvido (ou tradicional), mas com amigos e familiares fornecendo o apoio que ele poderia fornecer. Não importa qual seja o formato de sua família, este livro é para você, assim como os quadros para os pais são para todos que a acompanham. Edite-as da maneira que preferir e use o que for aplicável para ajudar sua família a fazer a importante transição para a vida com um bebê.

Mapeamento genético

"Eu me pergunto se não tenho problemas genéticos sem saber. Será que deveria fazer um mapeamento genético?"

Praticamente todo mundo é portador de ao menos um distúrbio genético, mesmo que ele jamais tenha se manifestado no histórico familiar. Mas, felizmente, como a maioria dos distúrbios requer um par de genes, um da mãe e um do pai, eles provavelmente não se manifestarão no filho. Um ou ambos os pais podem ser testados para esses distúrbios antes (o que é preferível) ou durante a gestação, graças aos testes genéticos. Na maioria dos casos, os testes são recomendados para um dos pais. Testar o segundo só se torna necessário se o primeiro obtiver resultado positivo.

Até recentemente, as recomendações oficiais sobre quem deveria ser testado e para o que eram baseadas no background étnico ou geográfico e limitadas a alguns distúrbios. Por exemplo, casais judeus com ancestrais vindos da Europa do Leste (asquenazes) deviam ser testados para as doenças de Tay-Sachs e Canavan e, possivelmente, outros distúrbios (contate victorcenters.org ou jscreen.org para saber mais). A doença de Tay-Sachs também foi notada em outros grupos étnicos, incluindo cajuns do sul da Louisiana, franco-canadenses e holandeses da Pensilvânia, e você precisa pensar em fazer o teste se sua família vem dessas raízes. Similarmente, casais afro-americanos devem ser testados para traços de anemia falciforme, e os com ascendência mediterrânea ou asiática, para talassemia (uma forma hereditária de anemia).

IMUNIZAÇÃO NA GRAVIDEZ

Como praticamente todas as doenças evitáveis por vacina podem causar problemas na gravidez, estar em dia com a imunização é especialmente importante quando você está grávida. A maioria das vacinas que usa vírus vivos não é recomendada durante a gestação, incluindo a tríplice viral (sarampo, rubéola e caxumba) e a da varicela. Por isso, é importante tomá-las antes de conceber, se necessário. De acordo com o CDC, outras vacinas não devem ser tomadas rotineiramente, mas somente se necessário. Elas incluem as vacinas contra hepatite A e a vacina pneumocócica. Você também pode ser imunizada contra hepatite B, de maneira segura, mesmo estando grávida.

No departamento de vacinas indispensáveis durante a gestação, o CDC recomenda que toda mulher que engravidou durante a temporada de gripe (geralmente entre abril e outubro) receba a vacina contra gripe

> e a vacina tríplice bacteriana (DTP, que protege o bebê contra difteria, tétano e coqueluche) entre a 27ª e a 36ª semanas de gestação (veja a p. 441 para saber mais sobre a DTP).
>
> Para mais informações sobre vacinas, converse com seu médico e leia a p. 710.

Mas, como é cada vez mais difícil designar perfis étnicos ou geográficos na sociedade multiétnica de hoje, que tem raízes muito espalhadas, a base para essas recomendações se tornou muito menos confiável. Por exemplo: embora caucasianos de ascendência europeia há muito sejam alertados sobre a importância de fazerem testes para fibrose cística, já que possuem uma chance em 25 de serem portadores, os backgrounds mistos expandiram o conjunto de portadores. Como resultado, as orientações para os testes de fibrose cística também se expandiram. Agora se recomenda que todos os casais, independentemente de sua etnia, sejam testados.

Será que as orientações para os testes de distúrbios genéticos deveriam se expandir ainda mais? Muitos acreditam que sim. Avanços nos testes genéticos permitem que todos os casais — qualquer que seja seu perfil étnico ou geográfico — façam testes para uma ampla variedade de doenças antes de conceberem. O chamado teste de portadores expandido pode detectar o gene portador de mais de trezentas doenças, e dá a você o poder de saber se você e seu parceiro correm o risco de passar qualquer uma delas para o bebê que conceberem juntos. Se os dois forem portadores (novamente: não é preciso testar o pai se a mãe for negativa), outros exames e aconselhamento genético podem ser empregados para testar o bebê ou futuros bebês. Além disso, saber com antecedência que há risco significativo de ter um bebê com distúrbio genético dá ao casal a escolha de usar novas técnicas reprodutivas (como fertilização *in vitro* com diagnóstico genético pré-implantação para testar os embriões antes da implantação) ou pensar em doação de esperma ou outras rotas não tradicionais para iniciar uma família.

Embora muitos especialistas peçam a expansão dos testes de rotina para todos os casais, o ACOG ainda não concordou com essa posição. Por agora, a recomendação é que o teste expandido seja feito principalmente com base no histórico e na etnia familiares (por menos confiável que a etnia autorrelatada possa ser), com os testes de rotina limitados ao gene da fibrose cística.

Mesmo assim, o ACOG e o Colégio Americano de Medicina Genética e Genômica (ACMG) concordam que todos os casais devem ter a opção de realizar o mapeamento de genes, se desejarem, antes de conceber. Mas, para reduzir o potencial custo emocional, os especialistas recomendam que ele seja acompanhado de aconselhamento com um obstetra ou geneticista, que explicará exatamente quais distúrbios são testados nos painéis expandidos para que os casais possam não receber os resultados dos genes sobre os quais não querem saber. O ACMG acrescenta que o rastreamento deve incluir apenas distúrbios relevantes para a decisão reprodutiva, sem testar os que surgem somente na idade adulta (como algumas das trezentas doenças testadas no mapeamento de portadores), a menos que o casal ofereça consentimento específico.

A melhor maneira de decidir como lidar com o mapeamento genético — independentemente das recomendações atuais — é falar com seu médico. Assim, você e seu parceiro podem decidir o que é melhor para vocês e sua família em crescimento.

SEM SEGURO-SAÚDE, MAMÃE?

Ter um bebê definitivamente pode ser caro, e isso antes mesmo de você comprar o primeiro macaquinho. Mesmo assim, nenhuma gestante deveria atravessar a gestação e o parto sem o cuidado pré-natal de que ela e o bebê necessitam. E, por sorte, há maneiras de consegui-lo.

Lei do Cuidado Acessível. Essa lei exige que os planos de saúde cubram condições preexistentes, incluindo gravidez. Se seu empregador ou o empregador de seu marido não oferecem seguro-saúde, você pode se afiliar a um através do Health Insurance Marketplace. Mas deve fazê-lo durante o período de afiliação (que ocorre anualmente), a menos que se qualifique para uma afiliação especial. A gravidez não é considerada um evento qualificador para a afiliação especial, mas casamento, divórcio e mudança de endereço são, e normalmente você pode acrescentar o bebê à sua cobertura ou mudar para uma cobertura que também o inclua sessenta dias antes do parto, mesmo fora do período de afiliação. Saiba mais, inclusive sobre como contatar um representante do Health Insurance Marketplace, acessando healthcare.gov.

Medicaid e CHIP. Mesmo que você não se qualifique normalmente, muitos estados aumentam os níveis de renda elegíveis durante a gestação para ajudar mulheres grávidas a receberem cobertura através do Medicaid. A Kaiser Family Foundation (kff.org) tem uma lista dos limites de renda de cada estado, e o Departamento de Saúde e Serviços Humanos dos Estados Unidos também oferece uma planilha muito útil (medicaid. gov). Ou telefone para o representante local do Health Insurance Marketplace no número 800-318-2596 para saber se você é elegível.

Em todos os estados, o Children's Health Insurance Program (CHIP, Programa de Seguro-Saúde para Crianças) fornece cobertura de baixo custo para famílias cuja renda é alta demais para o Medicaid. Em alguns estados, o CHIP também cobre gestantes. Para descobrir se você é elegível para a cobertura pré-natal do CHIP, preencha a ficha de inscrição de seu estado ou visite insurekidsnow.gov.

COBRA. Se você ou seu marido ficaram desempregados e anteriormente tinham plano de saúde, podem conseguir até 36 meses de cobertura através de um programa chamado COBRA. Infelizmente, as mensalidades do COBRA geralmente são muito altas, já que não incluem contribuição dos empregadores, mas podem ser um bom meio-termo até que você ou seu marido consigam um novo emprego com plano de saúde (contate o departamento de recursos humanos de seu antigo empregador para obter mais informações). Antes de se afiliar ao COBRA, compare os custos e benefícios com os de um plano do Health Insurance Marketplace se você estiver no período de afiliação ou se qualificar para a afiliação especial. A mensalidade do plano pode ser mais barata que a do COBRA, especialmente se você se qualificar para subsídios sob a Lei do Cuidado Acessível.

Seus pais. Pela Lei do Cuidado Acessível, se você tiver menos de 26 anos e um de seus pais tiver plano de saúde, você pode ser adicionada como dependente, mesmo que não more com eles, já seja casada e não esteja listada como dependente na declaração de imposto de renda. O porém? Você precisa esperar pelo período de afiliação, e muitos planos de saúde não cobrem serviços obstétricos para dependentes.

Clínicas. Se não puder pagar um plano de saúde e não se qualificar para cobertura através do Medicaid e do CHIP, você pode conseguir cuidados médicos de baixo custo em um centro de saúde ou clínica comunitária. Encontre uma clínica em findahealthcenter.hrsa.gov ou telefone para 800-311-BABY.

Descontos. Se investigou as outras opções e mesmo assim terá de pagar, seu médico talvez possa ajudar. Muitos médicos e hospitais oferecem descontos de 20 a 30% para quem paga em dinheiro vivo. Eles normalmente oferecem a opção de parcelar a fatura, mas veja se o parcelamento não terá juros. Verifique o mesmo antes de assinar um cartão de crédito oferecido pela clínica para cobrir os custos: você pode pagar taxas de 20% ou mais. Outra possibilidade são os serviços ou cartões de desconto, que negociam reduções nos custos médicos por uma tarifa mensal. Leia as letrinhas miúdas para se assegurar de que seus prestadores de serviços médicos estão incluídos e de que não há tarifas ocultas.

Outras maneiras de economizar se está pagando: se for saudável, com baixo risco de complicações e quiser um parto não medicado, você pode economizar muito dando à luz em uma casa de parto, e não em um hospital. Na casa de parto, o parto vaginal não medicado, sem complicações, normalmente custa menos que em um hospital. Escolher uma parteira também a ajudará a economizar, mesmo que você opte pelo parto em hospital. No Brasil, todas as mulheres, com ou sem plano de saúde, podem recorrer ao SUS. Basta ligar para o SAMU, para o número 192, ou ir a uma Unidade Básica de Saúde mais próxima.

"Eu e meu parceiro não fizemos testes genéticos antes da gravidez. Deveríamos consultar um conselheiro genético?"

Uma vez que, felizmente, a maioria dos casais apresenta baixo risco de transmitir um distúrbio genético, a maioria tampouco precisa consultar um conselheiro — e é provável que você esteja na maioria. Para ficar mais tranquila, converse sobre sua situação específica com o médico responsável por seu pré-natal e veja se precisará levar o aconselhamento genético para o próximo nível. Normalmente, o encaminhamento a um conselheiro genético ou um especialista em medicina materno-fetal é limitado àqueles que precisam dessa especialização adicional:

- Casais cujos exames de sangue e/ou mapeamento genético expandido mostraram que são portadores de um distúrbio que pode ser passado para o filho.
- Casais que já têm um ou mais filhos com doenças congênitas genéticas.
- Casais que já passaram por dois ou mais abortos espontâneos consecutivos.
- Casais nos quais a mulher tem mais de 35 anos e/ou o homem tem mais de 40 anos.
- Casais que sabem de um distúrbio hereditário em qualquer ramo de suas árvores familiares. Em alguns casos (como a fibrose cística e certos tipos de talassemia), o teste de DNA dos pais antes da gestação torna mais fácil interpretar o teste de DNA do feto.
- Casais nos quais um dos parceiros (ou seu pai, irmão ou filho mais velho) tem uma doença congênita (como cardiopatia congênita).
- Mulheres grávidas que obtiveram resultado positivo no teste de anomalias cromossômicas.
- Casais com laços familiares próximos, dado que o risco de anomalia genética nos filhos é maior quando os pais são parentes próximos (de uma em cada oito no caso de primos em primeiro grau, por exemplo).

O melhor momento para conversar com um conselheiro genético (e pensar no mapeamento expandido) é antes da gravidez. Um conselheiro genético é treinado para informar aos casais a probabilidade de terem um filho saudável com base em seus perfis genéticos e para orientá-los na decisão de ter ou não filhos. Mas não é tarde demais nem mesmo quando a gravidez já foi confirmada. O conselheiro pode sugerir os testes pré-natais apropriados com base no perfil genético do casal e, se eles revelarem um problema sério no feto, apresentar aos futuros pais todas as opções disponíveis e ajudá-los a decidir como prosseguir. O aconselhamento genético ajudou incontáveis casais de alto risco a evitarem a dor de ter filhos com problemas sérios e a realizar o sonho de terem bebês totalmente saudáveis.

A GRAVIDEZ E A MÃE SOLTEIRA

Você é mãe solteira? Só porque não tem um parceiro não significa que terá de atravessar a gestação sozinha. O tipo de apoio de que você precisa (de que toda mãe precisa) pode vir de outras fontes. Um amigo ou familiar próximo com quem você se sente confortável pode ampará-la, emocional e fisicamente, durante a gravidez. De muitas maneiras, essa pessoa pode desempenhar o papel de parceiro durante os nove meses e além, acompanhando-a durante as consultas pré-natais e as aulas de parto, emprestando um ouvido (e um ombro), ajudando-a a preparar sua casa e sua vida para o bebê e agindo como *coach*, animador de torcida, apoiador e defensor geral durante o trabalho de parto e o nascimento. E, como ninguém sabe melhor aquilo pelo que você está passando que alguém na mesma situação, você pode pensar em se unir a (ou iniciar) um grupo de apoio para mães solteiras ou encontrar um grupo de apoio on-line (verifique o canal de mensagens das mães solteiras em whattoexpect.com). Pense também em adicionar uma doula à equipe de parto e pós-parto (p. 439). Ou, se houver essa opção, escolha uma unidade do programa Centering Pregnancy ou outro local que promova pré-natal coletivo para receber o acompanhamento pré-natal, já que a abordagem do grupo significa que você nunca estará sozinha nas consultas (p. 33). Se está passando sozinha pela gravidez porque seu parceiro está em missão militar ou viaja a trabalho por semanas ou meses de cada vez, leia a p. 62.

Você está feliz em passar por isso sozinha, talvez até mais feliz do que estaria de outra forma? Essa é a opção feita por algumas mães solteiras, felizmente.

TUDO SOBRE:
Diagnóstico pré-natal

É menino ou menina? O bebê terá cabelo loiro ou castanho? Olhos azuis ou verdes? A boca da mãe e as covinhas do pai? O talento musical do pai e o jeito da mãe com números... ou o contrário?

Os bebês definitivamente mantêm os pais fazendo adivinhações (e apostas amigáveis) muito antes de chegarem — às vezes, mesmo antes de serem concebidos. Mas a pergunta que os pais mais fazem também é aquela sobre a qual mais hesitam falar ou pensar: "Meu bebê será saudável?"

Antigamente, essa pergunta só podia ser respondida após o nascimento. Hoje, ela pode ser respondida já no primeiro trimestre, através de uma ampla variedade de testes pré-natais de triagem e diagnóstico. Quais testes de triagem você fará durante suas quarenta semanas? Os testes de diagnóstico farão parte de seu plano de gestação? Com o campo crescendo constantemente e as recomendações sempre se alterando, você precisará confiar em seu médico para guiá-la pelas escolhas certas para você e sua gestação. Mas algumas informações podem ajudá-la a conhecer os testes de triagem e de diagnóstico mais comuns.

Testes de triagem

A maioria das gestantes (mesmo as consideradas com baixo risco de terem um bebê com problemas) passa por vários testes de triagem durante suas quarenta semanas. Isso porque os testes de triagem não são invasivos e se tornam cada vez mais precisos. Eles não apresentam nenhum risco para a mãe (com exceção da ansiedade) ou para o bebê, mas podem fornecer muitas respostas benéficas. São uma maneira fácil de respirar aliviada.

Os testes pré-natais de triagem usam sangue e/ou ultrassom para identificar se você tem risco aumentado de ter um bebê com anomalias genéticas, como a síndrome de Down, ou com um problema no tubo neural, como espinha bífida. Eles não podem diagnosticar tais condições — somente um teste diagnóstico pode fazer isso —, mas podem determinar a probabilidade de seu bebê ser afetado, com 80 a 99% de precisão. Eis o que você precisa saber sobre cada um deles.

Teste pré-natal não invasivo (após a 9ª semana). Você sabia que partículas do DNA de seu bebê circulam em seu sangue? O teste de triagem pré-

-natal não invasivo (NIPT ou NIPS, na sigla em inglês) requer um simples exame de sangue, em qualquer momento após a 9ª semana, que analisa esse DNA (ele é chamado de DNA fetal livre de células ou DNA livre circulante) para estabelecer o risco de várias anomalias genéticas, incluindo síndrome de Down. O NIPT é um teste de triagem, o que significa que só pode informar sobre a probabilidade de o bebê ter uma anomalia (com o bônus de informar o sexo, se você quiser saber), não se seu bebê definitivamente a tem (ou não). A empresa que realiza esses novos testes de triagem disse que o NIPT apresenta muito menos falsos positivos que os exames padrão (como a triagem quádrupla; veja p. 89). Os resultados podem ajudar você e seu médico a decidirem os próximos passos, incluindo fazer ou não testes diagnósticos, que são mais precisos, mas acarretam alguns riscos.

Como o NIPT requer somente uma rápida retirada de sangue com agulha e seringa, tudo que você precisa fazer é estender o braço no consultório médico ou laboratório, de modo que o teste é perfeitamente seguro para você e o bebê. A amostra então será enviada a um laboratório, que verificará o DNA em seu sangue em busca de sinais de risco elevado de anomalias.

Quando o resultado do NIPT chegar, o médico provavelmente o comparará ao resultado de seus ultrassons no primeiro trimestre ou ao ultrassom de translucência nucal (veja abaixo) para determinar se mais testes são necessários. Em caso de resultado positivo, ele recomendará uma amniocentese (p. 94) ou uma biópsia das vilosidades coriônicas (p. 92) para confirmar o resultado e verificar a existência de problemas que o NIPT não pode detectar, como anomalias no tubo neural.

Como o NIPT é relativamente novo, ainda não foi aprovado pela FDA. Atualmente, o ACOG recomenda que seja oferecido somente a mulheres com altíssimo risco de estarem gestando um bebê com anomalias cromossômicas (como mães com 35 anos ou mais, as que já tiveram um filho com doença genética e as que têm histórico familiar de doenças genéticas), e não para mulheres de baixo risco. O NIPT não é de modo algum recomendado para mulheres gestando múltiplos ou que conceberam com óvulos doados.

Antes de agendar o NIPT, veja com seu plano de saúde se o teste é coberto (a maioria dos planos oferece cobertura) e, se não for, quanto custará.

Ultrassonografia obstétrica com translucência nucal (10 a 13 semanas). O teste de translucência nucal — basicamente, um ultrassom especializado — informa se você tem risco aumentado de ter um bebê com problemas cromossômicos, como síndrome de Down. Ao contrário dos testes diagnósticos, esse ultrassom não pode dar uma resposta definitiva sobre se o bebê tem ou não uma anomalia genética. Em vez disso, fornece uma probabilidade estatística. Com essa informação, você e seu médico podem decidir se um teste diagnóstico (mais invasivo, mas conclusivo), como amniocentese ou biópsia das vilosidades coriônicas, é necessário.

O que, exatamente, o teste de translucência nucal mede? Ele foca em um espaço pequeno e claro no tecido da parte de trás do pescoço do bebê em crescimento, chamado prega nucal. Os especialistas descobriram que esse local tende a acumular líquidos e, como resultado, a expandir em bebês com anomalias genéticas como a síndrome de Down (causada por uma cópia extra do cromossomo 21, um dos 23 pares de cromossomos que contêm o código genético humano), síndrome de Edwards (uma cópia extra do cromossomo 18) e síndrome de Patau (uma cópia extra do cromossomo 13).

O teste de translucência nucal, que deve ser realizado entre a 10ª e a 13ª semanas de gravidez (depois disso, o tecido fica tão espesso que já não é translúcido, tornando os resultados do teste inconclusivos), é feito com um equipamento de ultrassonografia altamente sensível (mas como um equipamento padrão, é considerado seguro). O técnico de ultrassom medirá seu bebê para confirmar a idade gestacional antes de focar na prega nucal e medir sua espessura na tela. Essas medidas, mais sua idade e a idade gestacional do bebê, serão inseridas em uma equação que calcula a probabilidade de anomalia cromossômica.

O ultrassom com translucência nucal frequentemente faz parte dos testes pré-natais rotineiros do primeiro trimestre e é recomendado para todas as mulheres. Embora esteja amplamente disponível, algumas áreas — especialmente as rurais — podem não ter os equipamentos e técnicos com o treinamento necessário para realizar o procedimento.

Como medidas aumentadas estão associadas a cardiopatias, seu médico pode sugerir um ecocardiograma fetal por volta da 20ª semana para procurar problemas cardíacos se seu resultado for alto. Medidas altas também podem estar ligadas a um risco ligeiramente mais alto de nascimento pré-termo, exigindo monitoração.

Triagem pré-natal combinada (11 a 14 semanas). Como os resultados da ultrassonografia com translucência nucal têm precisão de somente 70 a 75% (isso significa que o teste não detecta de 25 a 30% de bebês com síndrome de Down), o médico pode lhe oferecer a chamada triagem combinada, na qual os resultados da ultrassonografia são combinados a um ou dois exames de sangue que medem e comparam os níveis de dois hormônios, hCG e PAPP-A (proteína plasmática A associada à gravidez), que são produzidos pelo feto e passam para a corrente sanguínea da mãe. Ao combinar esses dois exames de sangue com o ultrassom, a precisão na descoberta de síndrome de Down aumenta dramaticamente para uma taxa de cerca de 83 a 92%.

> ## CONHECENDO OS FALSOS POSITIVOS
>
> Você passa por testes de triagem pela tranquilidade que espera que eles forneçam, e os resultados normalmente são tranquilizadores. Mas é importante iniciar o processo com uma discussão franca com seu médico para aprender sobre os falsos positivos (resultados positivos para risco aumentado de distúrbios quando, na verdade, o bebê está bem): o que realmente significa quando você obtém um resultado positivo e quais testes têm as taxas mais altas (como a triagem quádrupla e o teste de translucência nucal realizado sozinho) e mais baixas (como o NIPT) de falsos positivos. O que você ouvirá é que mais de 90% das mães que obtiveram resultado positivo na triagem tiveram bebês perfeitamente normais e saudáveis. Que coisa mais positiva!

Se a triagem combinada mostrar que o bebê tem risco aumentado de anomalia cromossômica, um teste como a biópsia das vilosidades coriônicas ou a amniocentese será sugerido. Se a triagem combinada não mostrar risco aumentado, seu médico pode recomendar uma triagem integrada no segundo trimestre (p. 89) para descartar também as anomalias no tubo neural.

Lembre-se de que a triagem não testa os problemas cromossômicos diretamente e não pode diagnosticar uma doença específica. Os resultados fornecem a probabilidade estatística de o bebê apresentar problemas. Um resultado anormal na triagem combinada definitivamente não significa que seu bebê tem um problema cromossômico, mas simplesmente que ele tem risco aumentado de ter um, tornando os testes diagnósticos aconselháveis. De fato, a maioria das mulheres que obtêm resultados anormais nas triagens tem bebês perfeitamente normais. Ao mesmo tempo, um resultado normal não garante absolutamente que seu bebê seja normal, significando que é extremamente improvável que ele tenha uma anomalia cromossômica.

Triagem integrada (primeiro e segundo trimestres). Outro teste de triagem que pode ser oferecido combina as mensurações do hormônio PAPP-A e (possivelmente) a ultrassonografia com translucência nucal do primeiro trimestre com mensurações dos quatro hormônios testados na triagem quádrupla do segundo trimestre (veja abaixo). Combinar as mensurações do primeiro e do segundo trimestres fornece um pouco mais de sensibilidade à triagem.

Triagem quádrupla (14 a 22 semanas). A triagem quádrupla é o exame de sangue que mensura os níveis de quatro substâncias produzidas pelo feto e passadas para a corrente sanguínea da mãe: alfafetoproteína (AFP), hCG, estriol e inibina A. Altos níveis de AFP sugerem a possibilidade (mas de modo algum a probabilidade) de que o bebê tenha alto risco de anomalia no tubo neural. Baixos níveis de AFP e níveis anormais dos outros marcadores podem indicar que o bebê em desenvolvimento tem risco mais alto de uma anomalia cromossômica como a síndrome de Down. A triagem quádrupla, como todos os testes de triagem, não pode diagnosticar uma doença congênita, mas somente indicar alto risco. Qualquer resultado anormal significa simplesmente que outro teste é necessário.

Seu médico pode recomendar uma triagem quádrupla no lugar de um NIPT porque o NIPT pode não estar disponível em sua área ou não ser coberto por seu plano de saúde. Essa triagem também é menos precisa que a ultrassonografia com translucência nucal combinada aos exames de sangue do primeiro trimestre e, normalmente, é recomendada somente para gestantes que já estão no segundo trimestre.

Quando existe uma anomalia, a triagem quádrupla é muito boa para detectar risco aumentado, detectando aproximadamente 85% dos casos de anomalia no tubo neural, quase 80% dos casos de síndrome de Down e 80% dos casos de síndrome de Edwards. Mas sua taxa de falsos positivos é muito alta. Os fetos de somente uma ou duas em cada cinquenta mulheres com leituras anormais realmente foram afetados. Em todos os outros casos, novos testes mostram que não existe nenhuma anomalia. Algumas vezes, os níveis hormonais apresentam resultados fora da variação normal porque há mais de um bebê. Outras, porque a data provável do parto está errada (o feto é algumas semanas mais novo ou mais velho que o esperado). Outras ainda, os resultados são imprecisos ou mal interpretados. Se você obtiver um resultado positivo, estiver gestando um único bebê e seu ultrassom mostrar que suas datas estão corretas, o exame recomendado a seguir será uma amniocentese. Mas, antes de adotar esse ou qualquer outro curso de ação com base na triagem quádrupla, assegure-se de que um conselheiro genético ou médico experiente na interpretação desse tipo de teste avalie e confirme os resultados.

Outra coisa a considerar ao obter os resultados da triagem quádrupla: os estudos indicam que mulheres com resultados anormais na triagem quádrupla, mas resultados normais nos testes diagnósticos, como uma amniocentese, ainda podem ter risco ligeiramente aumentado de complicações, como um feto pequeno demais para a idade gestacional, parto prematuro ou pré-eclâmpsia. Pergunte a seu médico se isso se aplica a você.

Ultrassom nível 2 (18 a 22 semanas). Mesmo que você tenha feito um ultrassom no primeiro trimestre para datar a gestação (p. 235), provavelmente fará um ultrassom de triagem no segundo trimestre. Esse exame de nível 2 (também chamado de ultrassom morfológico, veja o quadro na p. 354) é muito mais detalhado e foca na anatomia fetal para assegurar que tudo está crescendo e se desenvolvendo como devido. Também pode ser mais divertido, porque fornece um retrato mais claro do futuro bebê que o primeiro ultrassom, muito embaçado, que você fez no primeiro trimestre.

O ultrassom de nível 2 também procura marcadores, características que podem indicar risco aumentado de anomalia cromossômica. Eis o que é importante saber antes de fazer o ultrassom: muito poucos bebês que mostram leves marcadores ultrassonográficos (cisto do plexo coroide, foco ecogênico ou pielectasia, para citar alguns dos impronunciáveis) acabam apresentando alguma anomalia. De fato, esses marcadores são encontrados em 11 a 17% de todos os bebês saudáveis. Essa é uma boa razão para não se preocupar se um deles for detectado no ultrassom de seu bebê. Seu médico a informará se qualquer teste posterior for necessário (frequentemente não é).

Como no caso de qualquer ultrassom, uma sonda (transdutor) é colocada em sua barriga e envia ondas por seu corpo. As ondas são rebatidas pelos órgãos e líquidos internos e o computador converte esses ecos em uma imagem bidimensional (ou um corte transversal) do feto na tela. Às vezes, é empregada tecnologia 3D ou mesmo 4D em vez de tecnologia 2D.

Durante o ultrassom de nível 2, você talvez consiga ver o coração do bebê, a curva da espinha, o rosto, os braços e as pernas. Talvez até o veja chupando o dedo. Geralmente, os genitais podem ser vistos, e o sexo, determinado, embora com menos de 100% de confiabilidade e dependendo da cooperação do bebê (se você só quer saber o sexo do bebê no parto, informe ao médico ou técnico de ultrassom com antecedência).

Testes diagnósticos

Embora praticamente toda gestante concorde com os testes de triagem, dar um passo além e fazer os testes diagnósticos não é para todos. Muitos pais — especialmente aqueles cujos testes de triagem deram negativo — decidem continuar esperando, com a feliz tranquilidade de que há chances esmagadoras de que seus bebês sejam absolutamente saudáveis.

Mas, se você obtiver um resultado positivo em um teste de triagem, seu médico pode recomendar um teste diagnóstico para ver se a anomalia realmente existe (o que muito frequentemente não é o caso). Outras razões para considerar os testes diagnósticos pré-natais: ter histórico familiar ou ser portador de doença genética, ter tido um bebê com doença congênita ou ter sido exposta a infecção ou substância que possa causar danos ao desenvolvimento do bebê.

Ao contrário das triagens, testes diagnósticos como biópsia das vilosidades coriônicas e amniocentese analisam o material genético em células coletadas da placenta ou do líquido amniótico. Esses testes são mais precisos na detecção de anomalias cromossômicas como síndrome de Down e, no caso da amniocentese, de anomalias no tubo neural, porque procuram diretamente por problemas, e não por sinais que podem indicar problemas. Você talvez queira conversar com um conselheiro genético para obter informações precisas antes de realizar os testes.

ERROS ACONTECEM

Por mais avançado que seja o diagnóstico pré-natal, é importante lembrar que ele está longe de ser infalível. Erros acontecem, mesmo nos melhores laboratórios e instalações e com os profissionais mais habilidosos usando os equipamentos mais avançados. Além disso, os falsos positivos são muito mais comuns que os falsos negativos. É por isso que testes posteriores e/ou consultas com outros profissionais devem ser realizados para confirmar qualquer resultado que indique que há algo errado com o feto — e, se o resultado for confirmado, saber qual é o prognóstico para o bebê.

Por que realizar os testes diagnósticos se há riscos envolvidos? A melhor razão é a tranquilidade que eles normalmente trazem. Na maior parte das vezes, os testes mostram que o bebê é perfeitamente saudável — o que significa que a mãe e o pai podem parar de se preocupar e começar a aproveitar a gestação.

Biópsia das vilosidades coriônicas (10 a 13 semanas). A biópsia das vilosidades coriônicas (BVC) é um teste diagnóstico pré-natal realizado no primeiro trimestre que requer a retirada de uma pequena amostra de tecido das vilosidades coriônicas, que são projeções em forma de dedos da placenta. Essa amostra é testada para detectar anomalias cromossômicas. Como a BVC é realizada no primeiro trimestre, ela pode gerar resultados (e, na maioria dos casos, conforto) mais cedo que a amniocentese, que normalmente é realizada após a 16ª semana. A BVC pode detectar (com 98% de precisão) vários distúrbios, incluindo síndrome de Down, doença de Tay-Sachs, anemia falciforme e muitos tipos de fibrose cística. Mas não pode testar anomalias no tubo neural ou outros problemas anatômicos. O teste de outras doenças genéticas específicas (que não a síndrome de Down) geralmente é feito somente quando há histórico familiar ou os pais são portadores.

A BVC é quase sempre realizada por um especialista em medicina materno-fetal com um aparelho de ultrassonografia. Dependendo da localização da placenta, a amostra de células é retirada através da vagina e do colo do útero (biópsia transcervical) ou através de uma agulha inserida na parede abdominal (biópsia transabdominal). Nenhum dos métodos é totalmente indolor, e o desconforto pode ir de muito leve a moderado. Algumas mulheres sentem cólicas (similares às menstruais) quando a amostra é retirada. Ambos os métodos duram cerca de 30 minutos do começo ao fim, embora a retirada de células, em si, dure somente 1 ou 2 minutos.

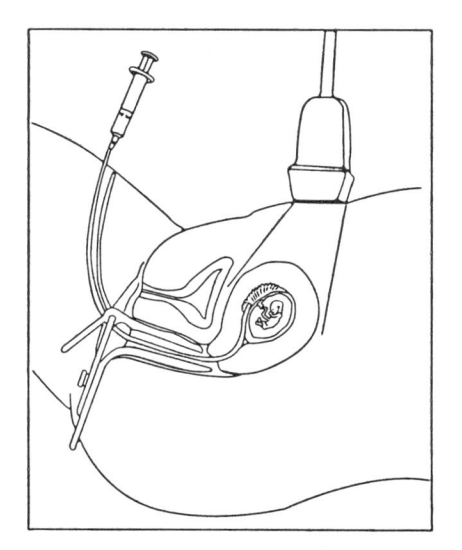

BVC transcervical

No procedimento transcervical, você fica deitada de costas com os pés em apoios enquanto um tubo longo e fino é inserido no útero através da vagina. Guiado pelas imagens de ultrassom, o médico posiciona o tubo entre o revestimento uterino e o cório, a membrana que formará o lado fetal da placenta. Uma amostra das vilosidades coriônicas é cortada ou aspirada para estudo diagnóstico.

No procedimento transabdominal, você também fica deitada de barriga para cima. O ultrassom é usado para determinar a localização da placenta e das paredes uterinas. Então, sempre com orientação do ultrassom, uma agulha é inserida no abdômen e na parede uterina até o limite da placenta, e as células que serão estudadas são aspiradas através da agulha.

Como as vilosidades coriônicas são de origem fetal, examiná-las pode fornecer um retrato claro da constituição genética do feto. Os resultados ficam disponíveis em uma ou duas semanas.

A biópsia das vilosidades coriônicas é segura e confiável. O procedimento tem taxas de aborto espontâneo iguais às da amniocentese: menos de 0,5%. Escolher um laboratório com um bom histórico de segurança e esperar até a 10ª semana pode reduzir ainda mais os riscos associados ao procedimento.

Pode ocorrer sangramento vaginal após a biópsia, e ele não precisa causar preocupação, embora deva ser reportado. Você também precisa informar ao médico se o sangramento durar mais de três dias. Como existe ligeiro risco de infecção, relate qualquer febre ocorrida nos primeiros dias. Se for Rh negativa, você receberá uma injeção de imunoglobulina anti-Rh (Rhogam) após a biópsia, para evitar problemas de Rh mais tarde (p. 61).

> ### É... SURPRESA!
>
> Um teste diagnóstico (e alguns testes de triagem, como o NIPT e o ultrassom realizado no terceiro trimestre) pode determinar se sua trouxinha de felicidade é menino ou menina. Mas, a menos que essa seja uma parte necessária do diagnóstico, você terá a opção de saber ou não o sexo do bebê quando receber os resultados do teste (ou cortar um bolo cor-de-rosa ou azul durante o chá de revelação) ou esperar para descobrir da boa e velha maneira, na sala de parto. Apenas assegure-se de comunicar sua decisão antecipadamente ao médico, para que ele não estrague a surpresa sem querer.

Amniocentese (16 a 20 semanas). Nesse teste diagnóstico, que geralmente é feito entre a 16ª e a 18ª semanas de gestação, uma agulha longa e fina atravessa o abdômen e a parede uterina até chegar ao saco amniótico, cheio de líquido. Um ultrassom é realizado ao mesmo tempo, para que o bebê não seja espetado pela agulha (ver ilustração na p. 94). Você sentirá uma espetadela e talvez dor e cólica leves. Uma a duas colheres de sopa de líquido são retiradas (não se preocupe, mais líquido será produzido) e enviadas para análise em um laboratório. O líquido contém células descartadas pelo bebê e elementos químicos. Ao analisar essa sopa de bebê, o médico pode avaliar a saúde do feto e procurar certas condições médicas (como síndrome de Down) causadas por anomalias nos cromossomos. Todo o procedimento — incluindo a preparação e o ultrassom — dura normalmente cerca de 30 minutos, do começo ao fim (embora a retirada de líquido amniótico em si leve apenas 1 ou 2 minutos). Se você é Rh negativa, receberá uma injeção de imunoglobulina anti-Rh (Rhogam) após a amniocentese, para garantir que o procedimento não gere problemas de Rh (p. 61).

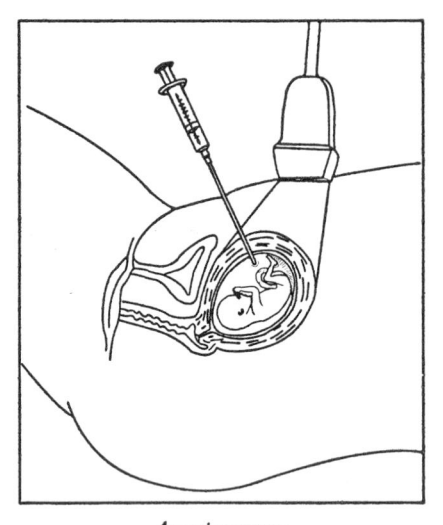

Amniocentese

A amniocentese e a biópsia das vilosidades coriônicas diagnosticam quase todos os distúrbios cromossômicos, incluindo a síndrome de Down, com 99% de precisão, e centenas de outras doenças genéticas (como a anemia falciforme), desde que testadas especificamente, com ao menos 90% de precisão. Mas não detectam todas as anomalias, incluindo lábio leporino e fenda palatina, e não podem determinar a severidade do problema. Ao contrário da biópsia das vilosidades coriônicas, a amniocentese também detecta anomalias no tubo neural (como espinha bífida).

A amniocentese geralmente é recomendada se você apresenta alto risco de certas anomalias, já teve um bebê com doença congênita, tem histórico familiar de doenças genéticas (a menos que tenha sido testada e não seja portadora) e/ou recebeu resultado positivo em uma triagem como ultrassom com translucência nucal, NIPT, triagem combinada ou triagem quádrupla e perdeu a janela do terceiro trimestre para realizar uma biópsia das vilosidades coriônicas (ou optou por não fazer a biópsia porque o teste não detecta anomalias no tubo neural). O resultado normalmente demora entre dez e catorze dias.

Embora a maioria das condições detectadas por amniocentese não possa ser curada, o teste permite que os pais saibam antecipadamente da anomalia. Isso lhes dá tempo para se informarem e tomarem decisões sobre os futuros cuidados com a saúde do bebê ou a difícil decisão de interromper a gestação.

Mas raramente as notícias são ruins. Em mais de 95% dos casos, a amniocentese encontra somente um bebê saudável. (E, se você quer saber o sexo, ela também pode lhe dar essa informação.)

Após o procedimento, você poderá dirigir de volta para casa (embora alguns médicos recomendem que alguém dirija para você, só por precaução) e, provavelmente, receberá instruções para repousar por algumas horas ou mesmo um dia inteiro. Você terá de evitar relações sexuais, erguer peso, fazer exercícios extenuantes e andar de avião pelos três dias seguintes. Poderá ter cólicas leves. Se ficarem severas ou persistentes, telefone para o médico. Faça o mesmo se notar vazamento do líquido amniótico, sangramento de escape ou febre.

As complicações na amniocentese são raras, mas você deve discuti-las com seu médico antes de se decidir pelo procedimento.

SE FOR ENCONTRADO UM PROBLEMA

Na vasta maioria dos casos, o diagnóstico pré-natal tem o resultado que os pais esperam: tudo está bem com o futuro bebê. Mas, quando a notícia não é boa — quando algo realmente está errado —, a informação fornecida por esse diagnóstico devastador ainda pode ser valiosa para os pais. Com um especialista em aconselhamento genético, ela pode ser usada para tomar decisões vitais sobre esta e futuras gestações.

Ao obter resultados positivos em testes diagnósticos definitivos, você será (ou deve pedir para ser) encaminhada a especialistas, como um conselheiro genético e/ou um médico especializado na condição do bebê, a fim de conhecer suas opções (incluindo se deve ou não repetir o teste para ter certeza de que o diagnóstico está correto). Você também pode fazer sua própria pesquisa. Afinal, quanto mais souber sobre a condição e sobre o que sua família enfrentará, mais preparada você estará (em termos práticos e emocionais) para o que vier pela frente, seja receber um bebê com necessidades especiais ou lidar com sua perda inevitável. Você também poderá lidar com as reações (negação, ressentimento, culpa) que pode ter ao descobrir que seu sonho de ter um bebê perfeitamente saudável não se tornará realidade. Participar de um grupo de apoio específico à condição — mesmo on-line — também pode facilitar as coisas, fornecendo tanto respostas quanto senso de comunidade.

Dependendo da condição do bebê, talvez seja recomendável realizar o parto em um hospital especializado, se possível. Um local especializado pode atender melhor às suas necessidades ou recomendar intervenções médicas que, se realizadas imediatamente após o nascimento, aumentam a qualidade de vida do bebê. Além disso, muitos hospitais que realizam partos de alto risco já têm grupos de apoio em seus programas comunitários, além de UTIs neonatais especializadas que fornecerão os melhores cuidados ao bebê, se necessário. Conhecer um pediatra com treinamento especializado enquanto ainda está grávida garantirá cuidados específicos à condição de seu pequeno no dia em que ele chegar.

Em alguns casos, a anomalia pode ser tratada antes do nascimento. Se seu bebê tem uma cardiopatia séria ou espinha bífida, você pode realizar um procedimento pré-natal para corrigir o problema em vez de esperar até o nascimento. Pergunte a seu médico se seu bebê é um bom candidato para uma cirurgia pré-natal. Intervenções precoces — como terapia e outros tratamentos médicos —, realizadas assim que o bebê nasce, também podem melhorar muito o prognóstico e a qualidade de vida dele.

Se lhe disserem que seu bebê provavelmente não chegará a termo (dado que fetos com certos distúrbios cromossômicos frequentemente não sobrevivem à gestação) ou poderá não viver por muito tempo após o parto, talvez seja possível doar um ou mais órgãos saudáveis a um bebê que precise deles. Alguns pais encontram nesse gesto consolo para a própria perda. Um especialista materno-fetal (ou neonatologista) pode fornecer informações úteis em tal situação e ajudá-la a se preparar física e emocionalmente. Também há numerosos hospitais e clínicas que fornecem cuidados perinatais e apoio paliativo a famílias que desejam manter a gestação de bebês que provavelmente não sobreviverão por muito tempo após o parto.

Se o teste sugerir uma anomalia fatal ou extremamente incapacitante, e um novo teste e interpretação realizados por um conselheiro genético confirmarem o diagnóstico, alguns pais podem tomar a agonizante decisão, após falarem com seu médico ou outros especialistas, de interromper a gestação. Se fizer isso, dê a si mesma tempo e espaço para o luto, como devem fazer todas as futuras mães que experimentam algum tipo de perda na gestação.

No Brasil, o aborto está previsto em lei em três situações: quando a gravidez é decorrente de estupro, quando há risco à vida da gestante ou quando há um diagnóstico de anencefalia do feto. O procedimento é oferecido gratuitamente pelo SUS.

Capítulo 3
O estilo de vida gestante

É claro que você espera alguns ajustes em seu cotidiano agora que está grávida (adeus, camisetinha baby look, olá, camisetona bebê a bordo). Mas também pode estar se perguntando o quanto será drástica a mudança de seu estilo de vida agora que vive por dois. O coquetel antes do jantar terá de ficar para depois do parto? Os banhos de banheira foram cancelados? Você pode limpar a pia do banheiro com aquele desinfetante eficaz, mas com cheiro forte? E aquilo que dizem sobre a caixa de areia do gato? Estar grávida realmente significa pensar duas vezes sobre coisas às quais nunca deu atenção, de deixar sua melhor amiga fumar na sala a usar o micro-ondas para esquentar o jantar? Você descobrirá que, em alguns poucos casos, a resposta é um enfático sim (como "Não quero vinho, obrigada"). Mas, em muitos outros, você será capaz de continuar fazendo o que sempre fez — a trabalho ou por prazer —, com apenas um pouco mais de cautela ("Querido, é sua vez de limpar a bandeja do gato — pelos próximos nove meses!").

O que você pode estar se perguntando

Exercícios físicos

"Posso continuar minha rotina de exercícios agora que estou grávida?"

Exercícios são não somente permitidos para a maioria das mulheres grávidas, mas definitivamente necessários. De fato, a maioria deles faz bem para a maioria delas, o que significa que você quase certamente pode seguir com sua rotina usual durante os nove meses. Para ter certeza, peça que seu médico libere seu treino habitual e informe a ele antes de iniciar um novo (a gravidez não é o momento de começar a praticar nenhum esporte radical). Lembre-se também do mantra das gestantes: ouça seu corpo. Não faça exercícios até cair... ou doer. Em vez disso, adote a moderação como *modus operandi*. Veja a p. 314 para saber mais.

Cafeína

"Eu bebo café para enfrentar o dia. Terei de desistir da cafeína agora que estou grávida?"

Você não precisa entregar seu cartão de cliente da Starbucks, embora possa ter de usá-lo com menos frequência. A maioria das evidências sugere que cerca de 200 miligramas de cafeína por dia são perfeitamente seguros para seu feijãozinho. E quanto é isso, exatamente? Possivelmente, não tanto quanto você gostaria: uns 350 mililitros (duas xícaras pequenas ou uma xícara grande) ou duas doses de café espresso. O que significa que está tudo bem se você bebe café de maneira leve ou moderada. Mas terá de reavaliar seu consumo se bebe demais (por exemplo, se for membro honorário do Clube das Cinco Doses de Espresso).

Por que tão pouco? Bem, para começar, você está dividindo esse café, como tudo que come e bebe quando está grávida, com seu bebê. A cafeína (presença mais famosa, abundante e deliciosa no café, mas também em outros alimentos e bebidas) cruza a placenta, embora não esteja completamente claro em que extensão (e em que dosagem) afeta o bebê. As últimas informações disponíveis indicam que a ingestão excessiva de cafeína no início da gravidez aumenta ligeiramente o risco de aborto espontâneo.

Mas há mais nessa história, ao menos quando você exagera. A cafeína realmente tem um incrível efeito estimulante, mas, em grandes doses, pode bloquear a absorção de ferro. Também pode agir como diurético, fazendo com que o cálcio e outros nutrientes-chave sejam eliminados de seu organismo antes de serem totalmente absorvidos — sem mencionar que pode aumentar a frequência urinária (que você provavelmente já acha mais que suficiente). Também pode causar irritações na bexiga, que sofre muita pressão (literalmente) durante a gestação. Precisa de mais motivos para reduzir o consumo? A cafeína em excesso, misturada aos hormônios da gestação, pode se transformar em um estimulante especialmente intenso para muitas gestantes: a poção perfeita para um humor ainda mais volátil. Também pode prejudicar o descanso de que seu corpo necessita mais que nunca, especialmente se você a consumir depois do meio-dia (ela pode permanecer no organismo, acelerando seu motor, por até 8 horas).

Diferentes médicos fazem diferentes recomendações sobre o consumo de cafeína. Converse com o seu para estabelecer uma cota diária. Ao calcular o consumo diário, tenha em mente que não é necessariamente tão fácil quanto contar as xícaras (especialmente porque elas variam muito em tamanho e intensidade). A cafeína não é encontrada somente no café, mas também em refrigerantes cafeinados, sorvetes e iogurtes de café, muitas variedades de chá, barrinhas e bebidas energéticas e no chocolate (quanto mais escuro o chocolate, mais cafeína). Você também precisa saber que as variedades mais intensas servidas nas cafeterias contêm muito mais cafeína que o café feito em casa. Do mesmo modo, o café instantâneo contém menos cafeína que o café coado (veja o quadro na p. 101).

Como reduzir (ou interromper totalmente, se quiser) o consumo de cafeína? Isso depende do que ela significa para você. Se é uma parte (ou muitas partes) de seu dia da qual você não gostaria de abrir mão, não precisa fazer isso. Basta tomar café regular pela manhã e café descafeinado à tarde. Ou pedir seu café com leite com mais doses de descafeinado que de regular, ou com menos espresso e mais leite (obtendo um bônus em cálcio).

Se é a energia que você deseja — e com a qual seu corpo se acostumou —, reduzir o consumo será mais difícil. Como sabe qualquer amante do café, estar motivado para reduzir o consumo é muito diferente de conseguir. A cafeína é viciante (é daí que vem a vontade de tomar aquele cafezinho), e reduzir ou interromper o consumo causa sintomas de abstinência, incluindo dor de cabeça, irritabilidade, fadiga e letargia. Por isso, é melhor reduzir gradualmente. Tente cortar uma xícara de cada vez e dê a si mesma alguns dias para se ajustar à dose menor antes de cortar outra xícara. Outra maneira de reduzir o consumo é acrescentar meia xícara de café descafeinado a cada xícara de café regular, gradualmente chegando a várias xícaras de café descafeinado, até que o consumo total de cafeína tenha se reduzido a duas doses diárias ou menos.

CONTADOR DE CAFEÍNA

Quanta cafeína você ingere por dia? Pode ser mais — ou menos — do que pensa (e mais ou menos que o limite aproximado de 200 miligramas). Confira esta lista para fazer as contas antes de entrar na cafeteria ou devorar aquela barra de chocolate:

- 1 xícara (240 ml) de café coado = 135 mg
- 1 xícara de café instantâneo = 95 mg
- 1 xícara de café descafeinado = 5 a 30 mg
- 1 dose de café expresso (ou qualquer bebida feita com 1 dose) = 90 mg
- 1 xícara de chá = 40 a 60 mg (o chá verde tem menos cafeína que o chá preto)
- 1 lata (350 ml) de refrigerante de cola = cerca de 35 mg
- 1 lata de refrigerante de cola diet = 45 mg
- 1 lata de Red Bull = 80 mg
- 30 gramas de chocolate ao leite = 6 mg
- 30 gramas de chocolate amargo = 20 mg
- 1 xícara de leite com achocolatado = 5 mg
- ½ xícara de sorvete de café = 20 a 40 mg

O que quer que a atraia no café, reduzir o consumo de cafeína será menos chato se você seguir estas dicas energizantes:

- Aumente seu nível de glicose para aumentar sua energia. Você receberá uma injeção de ânimo mais duradoura se consumir alimentos saudáveis frequentemente, em especial carboidratos complexos e proteínas (uma mistura que lhe dará muita energia).
- Faça exercícios apropriados para gestantes todos os dias. Exercitar-se ajudará a diminuir a vontade de tomar café, além de aumentar seu nível energético e liberar endorfinas que a farão se sentir bem. Fazer exercícios ao ar livre lhe dará ainda mais energia.
- Reponha energia dormindo. Dar a seu corpo o sono de que ele necessita à noite (o que provavelmente será mais fácil sem toda aquela cafeína mantendo-a acesa) a fará se sentir mais disposta pela manhã, mesmo antes de tomar a primeira xícara de café.
- Mantenha os olhos no objetivo, e no bolso. Faça as contas. Diminuir as visitas à cafeteria significa que você poupará dinheiro para gastar com as coisinhas do bebê.

Bebidas alcoólicas

"Bebi alguns drinques antes de saber que estava grávida. Isso pode ter prejudicado o bebê?"

Não seria bom receber uma mensagem de texto de seu corpo no momento em que espermatozoide e óvulo se encontrassem? ("Só para avisar que temos um bebê a bordo e está na hora de trocar o vinho pela água.") Mas, como (ainda) não existe um aplicativo para isso, muitas gestantes não fazem ideia de que a fabricação de bebês já começou e só descobrem semanas mais tarde, especialmente se não acompanharem seus dias férteis. Nesse meio-tempo, podem fazer uma ou outra coisa que não fariam se soubessem. Como tomar alguns (muitos) drinques. E é por isso que sua preocupação é partilhada por muitas futuras mães.

Felizmente, é uma preocupação que você pode tirar da lista. Não há evidências de que alguns drinques bem no início da gestação, quando você sequer sabia que estava grávida, prejudiquem o desenvolvimento do embrião. Você — assim como todas as outras mães que não receberam a mensagem imediatamente — pode relaxar.

Isso dito, definitivamente está na hora de mudar seu pedido na hora das bebidas. Continue lendo para saber mais.

"Ouvi dizer que não faz mal beber uma taça de vinho ocasional durante o jantar quando você está grávida. Isso é verdade?"

Isso tem sido muito difundido entre as gestantes ultimamente, mas não há nenhuma pesquisa afirmando que uma taça de vinho (ou cerveja ou coquetel) ocasional seja segura durante a gravidez. Na verdade, o Ministério da Saúde, CDC, ACOG, AAP e muitos especialistas afirmam que nenhuma quantidade de álcool é segura para mulheres grávidas.

Você pode pedir uma recomendação ao médico: alguns são mais lenientes quando se trata de álcool durante a gravidez (especialmente uma taça de vinho durante o jantar), seguindo textos médicos do Reino Unido e de muitos países europeus, nos quais beber moderadamente por dois é considerado aceitável.

Mas eis por que o consenso médico nos Estados Unidos é tão definitivamente contrário ao consumo de álcool durante a gestação. Primeiro, por precaução — o que, se você pensar bem, é a melhor atitude quando se tem um bebê a bordo. Embora ninguém saiba com certeza se existe um limite seguro para o consumo de álcool durante a gravidez (ou se esse limite deveria ser diferente para cada mulher e bebê), sabe-se que a gestante jamais bebe sozinha. Ela divide cada taça de vinho, cerveja e coquetel com o bebê. O álcool entra na corrente sanguínea do feto mais ou menos na mesma concentração presente no sangue da mãe, mas o feto demora duas vezes mais para eliminá-lo. Segundo, para algumas gestantes, tomar um drinque ocasional durante a gravidez pode ser uma armadilha — o golinho de vinho de uma mãe pode ser a taça cheia de outra —, tornando mais sensato simplesmente ficar longe do álcool.

O tamanho das taças e doses (seja em casa ou no restaurante) também varia muito, e essa é outra boa razão para se abster totalmente. Certamente, mais que uma bebida leve e ocasional está associada a riscos sérios e comprovados para o desenvolvimento do bebê; veja o quadro da p. 104.

Recusar bebidas alcoólicas durante a gravidez é facílimo para certas mulheres, especialmente as que desenvolvem uma aversão pelo álcool que pode se prolongar até depois do parto. Para outras, particularmente aquelas acostumadas a relaxar com uma cerveja no fim do dia ou bebericar uma taça de tinto durante o jantar, a abstinência pode exigir esforço e mudanças no estilo de vida. Se você bebe para relaxar, tente usar outros métodos: música, banho de banheira, yoga pré-natal, meditação ou visualização (uma das técnicas da meditação). Se beber é parte de um ritual diário do qual você não quer abrir mão, tente beber um Virgin Mary (um Bloody Mary sem vodca) no *brunch*, suco gaseificado ou cerveja sem álcool no jantar ou um spritzer, feito com suco de fruta e água com gás, servido no horário habitual e na taça habitual (a menos, é claro, que esses truques gerem anseio pela coisa real). Se seu marido fizer o mesmo (ao menos em sua companhia), as coisas serão muito mais fáceis.

Se tiver problemas para desistir do álcool, peça que seu médico a encaminhe a um programa que possa ajudá-la a parar de beber.

UM HÁBITO QUE PODE SER DEVASTADOR

Em que ponto o álcool se torna excessivo para o feto em desenvolvimento? É difícil dizer, já que cada mulher e cada feto são diferentes (e a quantidade de álcool varia em cada dose e drinque). Mas beber frequentemente ou em excesso (mais de quatro drinques de cada vez, mesmo que ocasionalmente) pode resultar não somente em sérias complicações obstétricas, mas também em síndrome do alcoolismo fetal. Essa condição produz bebês pequenos para a idade gestacional, com deformidades faciais e danos cerebrais (que mais tarde se traduzem em tremores, problemas no desenvolvimento motor, déficit de atenção, dificuldade de aprendizado, baixo QI e possivelmente deficiência mental). Beber mesmo moderadamente durante a gravidez pode aumentar o risco de aborto espontâneo e morte fetal, assim como problemas de desenvolvimento e comportamento na criança.

Os efeitos do álcool durante a gravidez são devastadores, permanentes e completamente evitáveis pela abstinência total. Quanto mais cedo a mãe parar de beber, menor será o risco para a gestação e para o bebê. Se não consegue parar de beber, fale com seu médico e consiga ajuda imediatamente.

Cigarros

"Fumo cigarros há dez anos. Isso prejudicará meu bebê?"

Felizmente, não há evidências claras de que qualquer cigarro que você tenha fumado antes de engravidar — mesmo que tenha fumado durante dez anos — possa prejudicar o bebê que está gestando agora. Mas está bem documentado (e exibido nos maços de cigarro) que fumar durante a gestação, especialmente depois do terceiro mês, é prejudicial não somente para sua saúde, mas também para seu bebê.

Quando a mãe fuma, o feto fica confinado em um útero cheio de fumaça. Seus batimentos cardíacos aceleram e, o pior de tudo, como o oxigênio é insuficiente, ele não consegue crescer e se desenvolver como deveria.

Os resultados podem ser devastadores. Fumar na época da concepção aumenta o risco de gravidez ectópica e continuar a fumar pode aumentar o risco de várias complicações, incluindo implantação anormal e descolamento prematuro da placenta, ruptura prematura das membranas e parto prematuro.

Também há fortes evidências de que o desenvolvimento do bebê no útero é direta e adversamente afetado pelo fumo da mãe. Os riscos mais disseminados para os bebês de fumantes são baixo peso ao nascer, baixa estatura e menor circunferência da cabeça, assim como lábio leporino, fenda palatina e anomalias cardíacas. E nascer pequeno demais é a maior causa de doença e morte em recém-nascidos.

PARA OS PAIS

SEU BEBÊ É UM FUMANTE PASSIVO

Futuras mães definitivamente carregam um fardo pesado — e a maior parte da responsabilidade pelos cuidados com o bebê, ao menos até o nascimento. A exceção: quando se trata de fornecer um ambiente sem fumo, elas não podem agir sozinhas. Se há fumaça de cigarro no ambiente, há fumaça de cigarro (e subprodutos prejudiciais do tabaco) no ambiente do bebê. Se você (ou outros em torno) fumar, mesmo que a gestante não fume, o corpo do bebê absorverá quase tanta contaminação quanto se ela o fizesse. Fumar longe de sua parceira grávida é melhor que fumar perto dela, mas você ainda a estará expondo (e ao bebê) às toxinas em suas roupas e sua pele.

Uma grande (mas muito pequenina e vulnerável) razão para parar de fumar: dar ao bebê a melhor chance possível de nascer saudável. Mas os benefícios de ter um pai não fumante não se limitam ao parto. Se qualquer um dos pais for fumante, aumentam os riscos de morte súbita na infância e de problemas respiratórios, danos aos pulmões e outras doenças em qualquer idade. E também aumenta a chance de seu pequeno ser fumante algum dia. Parar agora dará ao bebê uma casa e uma vida mais saudáveis. Sem mencionar que ele terá a chance de crescer com um pai saudável que viverá por mais tempo. Para obter ajuda para parar de fumar, veja o quadro da p. 106.

Seu bebê lhe agradecerá por tampouco fumar charutos e cachimbos. Como não são inalados (tragados), eles liberam ainda mais fumaça no ar que os cigarros, tornando-se potencialmente mais prejudiciais ao bebê. Em vez disso, distribua charutos de chocolate.

Também há outros riscos potenciais. Bebês de fumantes têm maior probabilidade de morrer de síndrome da morte súbita infantil (SMSI). Também são mais suscetíveis à apneia (lapsos na respiração) e, de modo geral, não são tão saudáveis ao nascer quanto os bebês de não fumantes. As evidências indicam que, em média, eles apresentam déficits físicos e intelectuais de longo prazo, especialmente se os pais continuam a fumar perto deles. Filhos de mães que fumaram durante a gestação são hospitalizados com mais frequência no primeiro ano de vida e são particularmente sensíveis a sistema imunológico deprimido, doenças respiratórias, otites, cólicas, tuberculose, alergias alimentares, asma, baixa estatura, obesidade e problemas na escola, incluindo transtorno do déficit de atenção com hiperatividade (TDAH). Também apresentam maior tendência a serem anormalmente agressivos durante a infância e terem problemas comportamentais e psicológicos na idade adulta. Outra pesquisa sugere que filhas de mães que fumaram durante a gestação têm risco aumentado de desenvolver diabetes gestacional ao engravidar. Finalmente, filhos de mulheres que fumaram durante a gestação têm maior probabilidade de se tornarem fumantes.

Os efeitos do uso de tabaco, assim como no caso do álcool, dependem da dosagem. O tabaco reduz o peso ao nascer em proporção direta ao número de cigarros fumados: uma fumante de vinte cigarros ao dia tem 30% mais chances de ter um bebê abaixo do peso que uma não fumante. Assim, reduzir o número de cigarros ajuda um pouco. Mas reduzir pode ser enganoso, porque a fumante frequentemente compensa dando tragadas mais frequentes e profundas e fumando mais de cada cigarro. Isso também pode acontecer quando ela passa para marcas com menos alcatrão ou nicotina.

E quanto aos cigarros eletrônicos? A despeito das poucas pesquisas sobre seu uso durante a gestação, a maioria dos especialistas diz que é melhor não usá-los. Apesar de afirmarem conter significativamente menos toxinas e nicotina que os cigarros tradicionais, eles contêm o suficiente para potencialmente afetar o bebê. Além disso, é difícil saber a quanta nicotina você está se expondo (e o bebê), mesmo que a regulamentação exija que eles apresentem um alerta dizendo que contêm nicotina, aditivos e flavorizantes. Em suma: até que se saiba mais — e haja mais regulamentação —, é melhor ficar longe dos cigarros eletrônicos.

AJUDA PARA PARAR

Parabéns: você decidiu dar a seu bebê um ambiente sem fumaça, dentro e fora do útero, e está supermotivada. Por sorte, há muita ajuda disponível. Entre as estratégias que transformam fumantes em ex-fumantes, estão a hipnose, a acupuntura e técnicas de relaxamento. Se você se sente confortável com a abordagem de grupo — baseada no apoio mútuo —, pense no Programa Nacional de Controle do Tabagismo, oferecido pelo SUS, o Disque Saúde (136). Ou busque apoio on-line com outras mulheres grávidas que tentam parar de fumar. Acesse saúde.gov.br

Imaginando se é seguro usar substituição de nicotina (adesivos, balas ou chicletes) ou Champix (tartarado de vareniclina, um medicamento usado para diminuir a vontade de fumar) enquanto está grávida? Pergunte a seu médico. A maioria dos especialistas não recomenda essas estratégias como primeira linha de tratamento para parar de fumar durante a gravidez.

O mesmo vale para o narguilé, no qual a fumaça de um tabaco especial passa pela água e é aspirado por um cano de borracha ligado a uma ponteira. Fumar narguilé é tão tóxico quanto fumar cigarros. A despeito do que você possa ter ouvido, a água do narguilé não filtra os ingredientes tóxicos (como alcatrão, monóxido de carbono e metais pesados) da fumaça do tabaco. E, ainda pior, os fumantes de narguilé podem aspirar mais nicotina que os fumantes de cigarros, por causa da grande quantidade de fumaça que inalam durante uma sessão.

Ansiosa para parar de fumar? Deveria estar, porque alguns estudos mostram que mulheres que param de fumar no início da gravidez — até o terceiro mês, no máximo — podem eliminar todos os riscos associados. Para algumas fumantes, parar nunca será tão fácil quanto no início da gestação, quando podem desenvolver súbita aversão pelos cigarros — provavelmente o alerta de um corpo intuitivo. Quanto mais cedo, melhor, mas parar de fumar, mesmo que seja no último mês, ajudará a preservar o fluxo de oxigênio para o bebê durante o parto. Veja o quadro para obter mais informações.

Maconha

"Ouvi dizer que algumas mulheres usam maconha para aliviar o enjoo matinal e outros sintomas, porque acham que a maconha é mais segura que a medicação. Isso é verdade?"

É verdade que a maconha teve grande aumento de popularidade entre as gestantes, que a veem como alternativa segura aos medicamentos para alívio de dores, náusea e ansiedade. O que não é verdade, aparentemente, é essa percepção. Na realidade, tanto o ACOG quanto a AAP recomendam fortemente que gestantes e lactantes abandonem o uso da maconha em qualquer apresentação. Por que essa posição intransigente? Porque a maconha — e sua droga ativa, o THC — atravessa a placenta e entra na circulação sanguínea do feto (e, mais tarde, no leite materno), o que significa que a mãe que usa maconha a divide com o bebê. E, embora os pesquisadores ainda não saibam quais são os efeitos exatos do THC em um bebê em desenvolvimento, os poucos estudos realizados mostraram riscos, especialmente quando a gestante usa maconha de modo diário ou mesmo semanal. Os pesquisadores descobriram que os bebês nascidos de mães que usam maconha têm duas vezes mais probabilidade de terminarem na UTI neonatal. Outros estudos demonstraram que o uso de maconha durante a gestação aumenta significativamente a probabilidade de os bebês estarem abaixo do peso e terem cabeças menores ao nascer. O uso durante a gestação também foi ligado à maior chance de trabalho de parto prematuro. E, como se isso não bastasse, também existem efeitos de longo prazo. Crianças nascidas de mães que usam maconha têm resultados piores em testes cognitivos, mnemônicos e comportamentais que outras crianças. Também apresentam risco ligeiramente aumentado de hiperatividade, desatenção e impulsividade e, em média, resultados piores em interpretação de texto e matemática ao chegar à idade escolar, comparadas a crianças cujas mães não usaram maconha durante a gestação.

Se já fumou ou ingeriu maconha no início da gravidez, não se preocupe. Mas pare agora. Tente encontrar maneiras de relaxar e obter estímulo de maneira natural (exercícios liberadores de endorfina, yoga, meditação, hipnose, acupuntura). Se usar maconha por razões médicas, como alívio da dor crônica, pergunte ao médico sobre terapias seguras durante a gestação.

DIGA NÃO AOS OPIOIDES

Não há dúvidas de que a epidemia de opioides se tornou uma crise de saúde disseminada nos Estados Unidos. Mas e quanto ao uso ocasional de medicação para dor (codeína, oxicodona, hidrocodona) durante a gestação? A resposta curta: não é seguro. A exposição a opioides aumenta o risco de o bebê em desenvolvimento ter doenças congênitas e nascer antes do termo, além de apresentar sintomas de abstinência após o nascimento. A chamada síndrome de abstinência neonatal gera sintomas como convulsões ou tremores, choro excessivo e problemas para respirar e se alimentar. Para proteger seu bebê, fale com o médico sobre quaisquer opioides que esteja usando, mesmo que tenha sido prescrito por outro médico.

Cocaína e outras drogas

"Cheirei cocaína uma semana antes de descobrir que estava grávida. Agora estou com medo do que isso pode ter feito a meu bebê."

Não se preocupe com o uso passado de cocaína, desde que tenha sido o último. Do lado positivo, usar cocaína uma ou duas vezes antes de descobrir que estava grávida provavelmente não terá qualquer efeito. Do lado negativo, continuar a usá-la durante a gestação é perigoso. O quanto é perigoso não está claro. Como muitos usuários também são fumantes, é difícil separar os prováveis efeitos negativos da cocaína dos documentados efeitos negativos do cigarro. O que muitos estudos demonstraram é que a cocaína não somente cruza a placenta, como pode danificá-la, reduzindo o crescimento fetal, particularmente da cabeça. Também se acredita que leve a parto prematuro, baixo peso ao nascer, sintomas de abstinência no recém-nascido e problemas neurológicos, comportamentais e de desenvolvimento no longo prazo, além de QI possivelmente mais baixo. Certamente, quanto mais a futura mãe usa cocaína, maior é o risco para o bebê.

Relate a seu médico qualquer uso de cocaína (ou outras drogas ilícitas, incluindo heroína, metanfetamina, crack, ecstasy e PCP) desde que concebeu. Se tiver dificuldade para abandonar inteiramente a cocaína ou outra droga, consiga ajuda profissional. Entrar em um programa de desintoxicação agora pode fazer tremenda diferença no resultado de sua gestação.

VIOLÊNCIA DOMÉSTICA

Proteger o bebê é o instinto mais básico de toda gestante. Infelizmente, algumas mulheres não conseguem proteger nem a si mesmas durante a gestação. Isso porque são vítimas de violência doméstica.

A violência doméstica pode ocorrer a qualquer momento, mas é especialmente comum durante a gravidez. Embora ter um bebê leve nova (ou renovada) ternura a muitos relacionamentos, outros são abalados, às vezes gerando inesperadas emoções negativas no parceiro (de raiva e ciúmes à sensação de estar preso em uma armadilha), particularmente se a gravidez não foi planejada. Em alguns casos, essas emoções assumem a forma de violência contra a mulher e o bebê não nascido.

Fatores financeiros e culturais ou histórico familiar de violência doméstica contra mulheres também podem contribuir para a agressividade do parceiro.

As estatísticas são alarmantes. Quase 20% de todas as mulheres grávidas experimentam violência nas mãos do parceiro, o que significa que uma gestante que desenvolve pré-eclâmpsia ou entra em trabalho de parto prematuramente tem duas vezes mais probabilidade de ser vítima de violência doméstica. Ainda mais chocante e trágico é o fato de que a violência doméstica é a principal causa de morte entre mulheres grávidas.

A agressão doméstica (emocional, sexual e física) contra mulheres grávidas acarreta mais que somente o risco imediato de ferimentos para a mulher e o bebê (como ruptura ou hemorragia uterina). Ser agredida durante a gravidez pode levar a numerosas consequências negativas, incluindo desnutrição, cuidado pré-natal deficiente, abuso de substâncias nocivas e assim por diante. Seus efeitos na gestação também podem incluir aborto espontâneo ou morte fetal, parto prematuro, ruptura prematura das membranas e baixo peso ao nascer. E, quando o bebê nasce em um domicílio fisicamente abusivo, ele pode facilmente se tornar vítima de violência direta, além de agressão emocional.

A agressão não discrimina: ela permeia todos os perfis socioeconômicos, religiões, idades, raças, etnias e níveis educacionais. Se você é vítima de violência doméstica, lembre-se de que não é sua culpa. Você não fez nada errado. Se está em um relacionamento abusivo, não espere que as coisas melhorem: consiga ajuda agora. Sem intervenção, a agressão tende a piorar. Considere que, se não está segura em seu relacionamento, o bebê também não estará.

Fale com seu médico, conte a amigos e familiares confiáveis e telefone para uma linha de atendimento a vítimas de violência doméstica. Muitos estados têm programas que podem ajudá-la a conseguir abrigo, roupas e acompanhamento pré-natal. Acesse a Coalizão Nacional contra a Violência Doméstica em ncadv.org e a página de recursos do CDC em cdc.gov/violenceprevention ou telefone para a Linha Direta contra a Violência Doméstica no número 800-799-7233 (thehotline.org). Se estiver em perigo iminente, ligue para 911.

No Brasil, você pode ligar para a Central de Atendimento à Mulher (disque 180), que escuta e acolhe as vítimas, informa sobre os direitos da mulher, indica locais de atendimento mais próximos e apropriados para cada caso, como a Casa da Mulher Brasileira, Centros de Referências, Delegacias de Atendimento à Mulher (Deam), Defensorias Públicas, Núcleos Integrados de Atendimento às Mulheres, entre outros. A ligação é gratuita e pode ser feita em todo território nacional e em outros países. O serviço funciona 24 horas por dia, todos os dias da semana.

PRESCRIÇÃO PARA UMA GRAVIDEZ SAUDÁVEL

Você ficou grávida com um estilo de vida totalmente sadio, sem beber, fumar ou usar drogas? Essa é uma excelente notícia para você e para o bebê. Mas e quanto às drogas prescritas? Dependendo da medicação que usa, agora pode ser a hora de algumas mudanças. Para informações detalhadas sobre a segurança dos medicamentos durante a gestação, veja a p. 715.

Dispositivos móveis

"Todos os dias, passo horas em meu smartphone, trabalhando, me divertindo e procurando coisas para o bebê. É seguro?"

Você é obcecada pelo celular? Maníaca por fóruns? Louca por aplicativos? Se sim, isto deve deixá-la muito feliz: as evidências sugerem que é improvável que os dispositivos móveis e a radiação que emitem apresentem qualquer risco para o bebê.

Está ansiosa para preservar a segurança, mas ainda quer usar o telefone? Os especialistas sugerem que você evite carregá-lo na cintura (ou onde antes ficava sua cintura) e o mantenha no silencioso quando estiver próximo da barriga. As pesquisas mostram que o feto se assusta quando ouve alertas, bipes ou toques de celular tão perto, possivelmente interrompendo seu ciclo de sono.

Um perigo documentado dos dispositivos móveis, esteja você grávida ou não, é usá-los para conversar ou enviar textos enquanto dirige. Aliás, em muitas áreas, isso é ilegal. No Brasil, utilizar dispositivos móveis enquanto dirige é proibido pelo Código de Trânsito Brasileiro (CTB) e considerado uma infração gravíssima. Mesmo os dispositivos que deixam as mãos livres podem distraí-la enquanto dirige, e a melhor coisa a fazer é deixar o celular no silencioso (para não ouvi-lo tocar ou ficar prestando atenção nas notificações das redes sociais) ou desligá-lo enquanto estiver no carro. Encoste em uma área segura quando quiser telefonar ou enviar uma mensagem.

Caminhar distraída (usando o celular enquanto anda) também pode deixá-la em apuros. Você já fica um pouquinho mais suscetível às quedas com o progresso da gestação (seu centro de gravidade foi alterado e você não consegue ver seus pés), e não há razão para acrescentar outro fator de risco à situação. Sente-se em um banco no parque, aproxime-se de uma parede no shopping ou pare de caminhar pela trilha ao enviar uma mensagem ou conferir quantas curtidas recebeu a foto que você postou na noite passada.

DIVERSÃO SELVAGEM

A gestação não é uma montanha-russa suficiente para você? Está pensando em algo ainda mais ousado? Não é preciso abrir mão do parque de diversões ou feiras, mas pense em algo mais relaxado e menos excitante, evitando os brinquedos bruscos e de alta velocidade. Existe uma razão para haver alertas para gestantes nesses brinquedos extremos: paradas e partidas bruscas e forças intensas podem levar ao descolamento da placenta ou outras complicações. Não se preocupe com as voltas que já deu, mas evite-as daqui para a frente.

Outra coisa para considerar: usar o telefone ou tablet antes de dormir pode mantê-la ocupada (e produtiva, quando há tantas coisas em sua lista de tarefas), mas também acordada. A luz da tela altera os estados de sonolência e alerta e suprime os níveis de melatonina, o hormônio que regula seu relógio interno e interfere em seu ciclo de sono. Desligue seus dispositivos ao menos 1 hora antes de se deitar.

Micro-ondas

"Uso meu micro-ondas praticamente todos os dias, para esquentar comida e mesmo cozinhar. A exposição às micro-ondas é segura durante a gestação?"

Use o quanto quiser, mamãe. Todas as pesquisas indicam que o forno de micro-ondas é completamente seguro durante a gestação (e em todas as outras ocasiões). Apenas tome algumas precauções razoáveis: use somente potes fabricados especificamente para o forno de micro-ondas (e sem BPA) e não deixe o filme de PVC tocar nos alimentos, cobrindo-os com uma tampa apropriada para o micro-ondas ou uma toalha de papel. Continue a praticar esses protocolos depois que o bebê chegar: eles não são somente para a gestação.

Banheira de hidromassagem e sauna

"Temos uma banheira de hidromassagem externa. É seguro usá-la enquanto estou grávida?"

Você não terá de tomar banho frio, mas provavelmente é uma boa ideia ficar fora da banheira de hidromassagem. Qualquer coisa que aumente a temperatura corporal para mais de 39° e a mantenha alta por algum tempo — seja um mergulho na banheira de hidromassagem ou um banho extremamente quente — pode ser perigoso para o embrião ou feto em desenvolvimento, especialmente nos primeiros meses. Alguns estudos demonstraram que a banheira de hidromassagem não eleva a temperatura para níveis perigosos imediatamente: leva ao menos 10 minutos (ou mais, se ombros e braços não estiverem submersos ou a temperatura da água for inferior a 39°C). Mas, como as respostas individuais e as circunstâncias variam, é melhor se precaver e manter a barriga fora da banheira de hidromassagem. Mas fique à vontade para mergulhar seus pés doloridos.

COISAS QUENTES NÃO SÃO ASSIM TÃO QUENTES?

Está pensando em se enrolar no cobertor elétrico quando o inverno chegar? Ou aliviar aquela dor nas costas com uma almofada térmica? Calor demais não é assim tão bom quando você está grávida, porque pode elevar excessivamente sua temperatura corporal. Então, abrace seu amorzinho em vez de usar o cobertor elétrico (ou, se os pés dele forem tão gelados quanto os seus, invista em um edredom, ligue o aquecedor ou aqueça a cama com o cobertor elétrico e então o desligue antes de se deitar). Ainda está sentindo frio? Saiba que, com o passar dos meses, você provavelmente se manterá tão quente — graças ao metabolismo estimulado pela gravidez — que chutará todas as cobertas.

Quanto à almofada térmica, enrole-a em uma toalha antes de aplicá-la às costas, barriga ou ombros para reduzir o calor transmitido (tornozelos e joelhos não precisam da toalha), mantenha-a na temperatura mínima, limite as aplicações a 15 minutos de cada vez e evite dormir com ela. Já passou algum tempo debaixo do cobertor elétrico ou da almofada térmica? Não se preocupe: não há risco comprovado.

E quanto aos emplastros? Veja na p. 345.

Se você já deu alguns mergulhos na banheira de hidromassagem, provavelmente não há razão para se preocupar. A maioria das mulheres sai espontaneamente da água antes que sua temperatura corporal chegue a 39°, porque o calor se torna desconfortável. É provável que você tenha feito o mesmo.

Também evite a sauna seca ou úmida enquanto estiver grávida, pois ela pode aumentar excessivamente sua temperatura corporal e levar à desidratação, tontura e queda de pressão.

Para mais informações sobre a segurança de outros tratamentos de spa, veja a p. 209.

O gato da família

"Eu tenho gatos. Ouvi dizer que eles carregam uma doença que pode prejudicar os bebês. Preciso me livrar de meus bichinhos de estimação?"

Antes de se livrar dos gatos e da areia suja, saiba que o risco de contrair toxoplasmose (causada por parasitas que gatos e outros animais carregam e excretam em suas fezes e que podem ser prejudiciais ao bebê) é muito remoto se seus gatos só ficam dentro de casa. Além disso, se tem gatos há algum tempo, você provavelmente já é imune à toxoplasmose (porque provavelmente já foi infectada, como a maioria dos donos de gatos). Um simples exame de sangue pode confirmar sua imunidade, mas isso não será útil a menos que você tenha sido testada antes de conceber (porque o exame não é sensível o bastante para dizer se você tem uma nova infecção ou simplesmente anticorpos de uma infecção antiga). Fale com seu médico para saber se foi testada antes de engravidar.

Se foi testada antes de conceber e não é imune, ou não tem certeza se é imune ou não, tome as seguintes precauções para evitar infecção:

- Peça que o veterinário teste seus gatos para ver se eles têm uma infecção ativa. Se tiverem, coloque-os em um gatil ou peça para um amigo cuidar deles por ao menos seis semanas, o período em que a infecção é transmissível. Se eles estiverem sem infecção, mantenha-os assim, não permitindo que comam carne crua, passeiem do lado de fora, cacem ratos ou pássaros (que podem transmitir toxoplasmose para gatos) ou tenham contato com outros gatos.

- Peça para alguém limpar a caixa de areia. Se tiver de fazer isso você mesma, use luvas descartáveis e lave bem as mãos ao terminar e sempre que tocar em seus gatos. A caixa de areia deve ser limpa ao menos uma vez ao dia.
- Use luvas quando cuidar do jardim. Não cultive áreas nas quais seus gatos (ou outros gatos) podem ter depositado fezes.

Embora um teste universal para toxoplasmose não seja atualmente recomendado pelo ACOG, alguns médicos urgem por testes rotineiros antes da concepção ou bem no início da gravidez, a fim de que as mulheres que testarem positivo possam relaxar, sabendo que são imunes, e as que testarem negativo possam tomar as precauções necessárias para evitar infecção. Fale com seu médico para saber o que ele recomenda.

SEM GATO, SEM TOXOPLASMOSE?

Os gatos não são os únicos culpados quando se trata de disseminar a toxoplasmose. Também é possível contrair a infecção manuseando ou consumindo carne crua contaminada ou frutas e vegetais que cresceram em solo com parasitas da toxoplasmose. Felizmente, o risco de infecção é baixo. Mesmo assim, por precaução, siga estas dicas durante a preparação de alimentos (que, de qualquer forma, são as melhores práticas alimentares):

- Lave e enxague bem frutas e vegetais, principalmente os que foram plantados em hortas caseiras, e/ou descasque ou cozinhe antes de consumir.
- Não consuma carne crua ou malcozida nem leite ou derivados não pasteurizados.
- Lave as mãos cuidadosamente após manusear carne crua.

Riscos domésticos

"Preciso realmente me preocupar com riscos domésticos como produtos de limpeza, BPA e outros riscos domésticos? E quanto à água da torneira, ela é segura para beber durante a gravidez?"

Um pouco de perspectiva pode ser muito útil quando você está grávida. A realidade é que sua casa provavelmente é um lugar muito seguro para você e seu bebê, especialmente se combinar certa cautela com muito bom senso. Eis o que você precisa saber sobre os chamados riscos domésticos:

Produtos de limpeza. Limpar o chão da cozinha ou passar lustra-móveis na mesa de jantar pode ser difícil para suas costas, mas, normalmente, não é um risco para a gravidez. Mesmo assim, faz sentido ser cuidadosa. Deixe que seu nariz e as seguintes dicas de bom senso sejam seus guias:

- Seja o mais verde que puder. Prefira produtos ecológicos, sem ingredientes tóxicos (muitos são surpreendentemente eficazes). Ser ecológica ao limpar é um bom hábito para você adquirir agora, antes que o bebê comece a engatinhar pela casa (e a tentar colocar tudo que encontrar naquela boquinha linda).
- Se o produto produzir vapores ou tiver cheiro forte, não o inale diretamente. Use em áreas muito arejadas ou não use.
- Nunca (mesmo não estando grávida) misture amoníaco com produtos à base de cloro. A combinação produz vapores letais.
- Tente evitar produtos como limpadores de forno, que estão cheios de advertências sobre níveis tóxicos.
- Use luvas de borracha se precisar usar um produto forte. Isso protegerá suas mãos do ressecamento e evitará a absorção de substâncias químicas através da pele.

Chumbo. A exposição ao chumbo não é potencialmente danosa somente para crianças pequenas, mas também para gestantes e fetos. Felizmente, há alguns passos que você pode dar para reduzir a exposição ao chumbo em casa, criando um ambiente mais seguro para o bebê. Eis como ficar longe de algumas fontes comuns de chumbo:

- Verifique a torneira. Como a água da torneira é uma fonte comum de chumbo, tenha certeza de que a sua não está contaminada (página seguinte).
- Verifique a tinta. Tintas velhas são uma importante fonte de chumbo. Se sua casa foi construída em 1955 ou antes e camadas de tinta tiverem de ser removidas por alguma razão, fique longe de casa enquanto a obra estiver sendo realizada. Se a pintura das paredes ou de uma peça antiga de mobiliário estiver descascando, verifique a possibilidade de remover toda a tinta antiga ou repintar as paredes ou o móvel para evitar que as partículas com chumbo se desprendam. Novamente, fique longe de casa até a obra terminar.
- Verifique a porcelana. Você é fã de mercados de pulgas? O chumbo também pode ser encontrado em cerâmicas e porcelanas antigas, feitas à mão. Se não sabe se uma peça de cerâmica, barro ou porcelana não tem chumbo (procure um rótulo), não a use para guardar alimentos ou bebidas, mas somente como objeto de decoração.
- Preste atenção a desejos incomuns. A picamalácia, o desejo por itens não comestíveis, pode levar muitas gestantes a consumirem terra, barro

ou pedacinhos de tinta, que podem conter chumbo.

Água da torneira. A água ainda é a melhor bebida, mas não é seguro consumi-la diretamente da torneira. Para ter certeza de que, ao encher um copo d'água, você estará bebendo à sua saúde — e à saúde do bebê —, faça o seguinte:

- Contate o fornecedor local, a Secretaria de Saúde ou um grupo de defesa do consumidor. Se houver a possibilidade de a água de sua casa ou comunidade não ser segura (em razão de deterioração do encanamento, fonte contaminada, proximidade com uma área de disposição de lixo ou por apresentar cor e gosto estranhos), faça com que seja testada. A Secretaria de Saúde ou EPA local lhe dirá como.
- Se os testes revelarem que a água possui contaminantes inseguros, invista em um filtro (o tipo depende do que a sua água tiver) ou use água mineral para beber e cozinhar. Mas saiba que a água mineral não é automaticamente livre de impurezas. Algumas contêm mais que água e outras são engarrafadas diretamente da torneira. Muitas marcas não contêm flúor, um importante mineral, especialmente para o crescimento dos dentes (do bebê). Para verificar a pureza de uma marca, procure por ela no NSF International (nsfinternational.com.br) ou confira o rótulo para ver se ela tem certificação NSF. Também prefira garrafas que não contêm BPA (p. 114) conferindo o código de reciclagem "1" no fundo. Evite água destilada (da qual todos os minerais benéficos foram removidos).
- Se os testes revelarem chumbo na água, passe a usar água mineral ou um sistema de filtração certificado que reduza ou elimine o chumbo para cozinhar, beber e escovar os dentes. Tomar banho de chuveiro ou banheira não é problema, pois o chumbo contido na água não é absorvido pela pele.
- Se a água tiver cheiro e/ou gosto de cloro, ferva ou deixe repousar, sem tampa, por 24 horas, para permitir que o cloro evapore.

Pesticidas. Não consegue viver com baratas, formigas e outros insetos nojentos? Felizmente, o controle de pestes e a gravidez podem ser perfeitamente compatíveis, com algumas precauções. Se seu bairro estiver sendo pulverizado, evite ficar do lado de fora até que o odor químico tenha se dissipado, o que normalmente ocorre em dois ou três dias. Mantenha as janelas fechadas. Se a dedetização contra baratas ou insetos for necessária em sua casa ou apartamento, assegure-se de que guarda-roupas e armários de cozinha estejam bem fechados e que todas as superfícies usadas para preparação de alimentos estejam cobertas. Ventile abrindo as janelas até que os vapores tenham se dissipado. Depois da dedetização, certifique-se de que as superfícies de preparação de alimentos na área dedetizada sejam totalmente limpas.

Dentro de casa, use "iscas" ou armadilhas, estrategicamente colocadas nas áreas de tráfego intenso de insetos, para se livrar de baratas e formigas. Use lascas de cedro em vez de naftalina nos guarda-roupas e escolha o inseticida menos tóxico ou mais ecológico que encontrar. Sempre que possível, tente adotar uma abordagem natural para o controle de pestes. Por exemplo, compre joaninhas ou outros predadores benéficos (disponíveis em lojas de jardinagem) que gostem de se alimentar dos insetos que a incomodam.

Ainda mais importante, a exposição breve e indireta a pesticidas ou herbicidas provavelmente não será prejudicial (mas é melhor evitá-la, se possível). O que aumenta o risco é a exposição frequente e demorada, do tipo que você receberia trabalhando diariamente com tais produtos (em uma fábrica ou em campos ou jardins intensamente pulverizados).

Tinta. O quarto do bebê está passando por uma reforma que inclui pintura? Felizmente, as tintas de hoje não contêm chumbo ou mercúrio e são seguras durante a gravidez. E há no mercado muitas tintas ecológicas, feitas sem compostos orgânicos voláteis, fungicidas tóxicos ou pigmentos químicos, que você pode usar no quarto do bebê.

Mas, mesmo que a tinta que está usando não seja potencialmente prejudicial, a pintura pode ser, e há boas razões para passar o pincel para outra pessoa, mesmo que você esteja tentando desesperadamente se manter ocupada nas últimas semanas de gestação. O movimento repetitivo da pintura pode forçar os músculos das costas, que já estão sob pressão em função do peso extra, e o equilíbrio de uma gestante na escada é precário, para dizer o mínimo. Além disso, o cheiro da tinta (embora a maioria não seja prejudicial) pode causar náusea, o que é uma boa razão para tentar não estar em casa quando a pintura for feita. Esteja ou não em casa, mantenha as janelas abertas para ventilar.

Evite inteiramente a exposição aos removedores, que são altamente tóxicos, e evite o processo de remoção (seja com produtos químicos ou lixa), particularmente se a tinta que estiver sendo removida for antiga ou puder conter mercúrio ou chumbo.

Bisfenol A (BPA). A exposição excessiva ao bisfenol A — uma substância encontrada em alguns recipientes de plástico, latas e mesmo no recibo de algumas lojas — pode apresentar risco à gestação. Isso porque se acredita que ele mimetize hormônios e perturbe o sistema endócrino, responsável pelo desenvolvimento apropriado do feto. O bisfenol está por toda parte (de acordo com o CDC, 93% de todos os americanos têm bisfenol A em suas correntes sanguíneas), mas a boa notícia é que está se tornando cada vez mais fácil evitar a exposição excessiva. Você pode fazer isso:

- Optando por alimentos enlatados que contenham "sem BPA" no rótulo ou escolhendo alimentos embalados em vidro.
- Selecionando recipientes, tábuas de cortar e utensílios feitos de plástico sem BPA ou então feitos de vidro, madeira ou cerâmica.
- Usando garrafas de água de aço inoxidável ou que sejam "sem BPA" (as com códigos de reciclagem "3" e "7" têm maior probabilidade de conter bisfenol A).

Ftalatos. Os ftalatos, às vezes conhecidos como plastificantes, vêm de compostos que aumentam a flexibilidade dos plásticos. Eles são encontrados em tubos intravenosos, canos de PVC usados em encanamentos, sacolas flexíveis de plástico (como as dos supermercados) e alguns recipientes de alimentos e bebidas, entre muitos outros exemplos. Também fazem parte da composição de muitos produtos de higiene pessoal, de fragrâncias a batons, xampus e esmaltes, e encontram cada vez mais resistência entre o público. Pesquisas descobriram que a exposição excessiva a ftalatos durante a gestação pode danificar as células e o DNA, possivelmente levando a complicações, incluindo pré-eclâmpsia, parto prematuro e aborto espontâneo. A exposição excessiva a ftalatos no útero também foi ligada a baixo QI, desenvolvimento tardio da linguagem e risco mais alto de dificuldades de aprendizado em crianças.

A boa notícia é que mais produtos estão sendo fabricados sem ftalatos. Você pode reduzir a exposição não somente escolhendo produtos sem ftalatos, mas também procurando a palavra "fragrância" (um termo genérico que pode esconder ftalatos) na lista de ingredientes de um produto que não seja rotulado como "sem ftalatos". Também reduza o uso de plástico (use sacolas de pano e recipientes de vidro para alimentos e bebidas). Não está pronta para abrir mão dos recipientes plásticos? Escolha entre o número cada vez maior de marcas que não têm BPA e ftalatos ou, ao menos, não aqueça alimentos e bebidas nos recipientes regulares, pois esquentar o plástico permite que os elementos químicos se rompam e se depositem na comida.

Poluição do ar
"O ar poluído da cidade pode prejudicar o bebê?"

Respire fundo. Respirar normalmente em uma grande cidade é muito mais seguro do que você imagina. Afinal, milhões de mulheres vivem e respiram nas maiores cidades do mundo e dão à luz milhões de bebês saudáveis. Mesmo assim, é sempre prudente evitar altas doses da maioria dos poluentes, já que os estudos mostram que a exposição extremamente alta à poluição pode colocar o bebê em risco de baixo peso e doença congênita ao nascer e de autismo ou asma

mais tarde. Eis como respirar mais facilmente por dois:
- Preste atenção à qualidade do ar. Tente limitar o tempo que passa do lado de fora se a qualidade do ar for ruim e mantenha as janelas fechadas. Verifique a qualidade do ar perto de você com o aplicativo MonitorAr (portalmonitorar.mma.gov.br).
- Abasteça à noite. Encher o tanque após o pôr do sol, especialmente durante os meses mais quentes, libera menos poluição que encher o tanque durante o dia.
- Verifique o sistema de exaustão do carro para ter certeza de que não há ferrugem ou vazamento de vapores nocivos. Nunca ligue o carro com a porta da garagem fechada e mantenha a porta traseira da SUV ou minivan fechada quando o motor estiver funcionando.
- Seja prudente ao parar. Mantenha as janelas e as entradas de ar do carro fechadas no trânsito pesado e evite ficar perto de carros parados com o motor ligado.
- Não corra, caminhe ou ande de bicicleta em ruas congestionadas, pois você inala maior quantidade de ar — e poluição — quando está ativa. Escolha uma rota com pouco tráfego e muitas árvores. As árvores, ao contrário das plantas de dentro de casa, ajudam a manter o ar limpo.
- Mantenha o ar limpo dentro de casa. A EPA recomenda trocar regularmente os filtros dos aparelhos de ar-condicionado. Outra dica: espalhe vasos pela casa, pois as pesquisas mostram que as plantas sugam substâncias químicas irritantes como o formaldeído, deixando o ar mais limpo. Ao fazer sua seleção, no entanto, evite plantas que são tóxicas quando ingeridas, como filodendros e hera. Você provavelmente não vai mastigar suas plantas, mas não pode dizer o mesmo do bebê quando começar a engatinhar pela casa.
- Assegure-se de que lareiras e fogões a gás e a lenha estejam em ambientes adequadamente ventilados. Também verifique se o duto de ventilação da lareira está aberto antes de acender o fogo.

TUDO SOBRE:
Medicina complementar e alternativa

Talvez você seja praticante regular da reflexologia. Ou um quiropata cuide de suas costas há anos. Talvez tenha experimentado acupuntura algumas vezes para lidar com a dor de cabeça ou feito hipnoterapia quando tentou parar de fumar. Talvez uma massagem terapêutica mensal seja sua opção para relaxar sem drogas (e, por falar em sem uso de drogas, talvez você passe regularmente pelo corredor de suplementos fitoterápicos). Ou talvez sempre tenha tido curiosidade sobre essas e outras terapias da medicina complementar e alternativa (MCA), mas temesse se tratar de uma fraude.

E talvez, agora que está grávida, você esteja se perguntando se a MCA tem lugar em sua vida. Afinal, a gestação não é uma doença, mas parte normal do ciclo da vida, fazendo com que a visão holística de saúde e bem-estar adotada pela MCA (que considera não somente as influências físicas, mas também as nutricionais, emocionais e espirituais) pareça se integrar a esse momento.

E, para cada vez mais gestantes — e médicos e parteiras tradicionais que cuidam delas —, ela se integra. Várias práticas de MCA vêm sendo usadas na gestação, com vários níveis de sucesso, incluindo as seguintes:

Acupuntura. A acupuntura é baseada na correção dos desequilíbrios e bloqueios que a medicina chinesa chama de *qi* ou *chi*, o fluxo de energia vital ao longo dos caminhos internos (conhecidos como meridianos) do corpo. Pode soar meio esotérico, mas a acupuntura vem realizando sua mágica médica há milhares de anos para aliviar vários sintomas e problemas da gestação.

Como isso é feito? O acupunturista insere dezenas de agulhas muito finas em pontos precisos (há mais de mil) ao longo dos meridianos invisíveis do corpo. Já desistiu só de ler "agulhas"? A maioria das pessoas diz que a acupuntura não dói, ou dói somente por um momento (não fique olhando se as agulhas a deixarem nervosa; feche os olhos e se entregue ao relaxamento tão necessário). Os pesquisadores descobriram que os pontos correspondem a nervos profundos, de modo que, quando as agulhas são giradas (ou eletricamente estimuladas, em um procedimento conhecido como eletroacupuntura), os nervos são ativados, levando à liberação de endorfina — e alívio do estresse, da depressão, da fadiga e de dores (na cabeça, nas costas, no nervo ciático e no túnel do carpo), como também, possivelmente, de outros sintomas da gestação, como azia e constipação. A acupuntura demonstrou ser particularmente boa para aliviar o enjoo matinal mesmo em sua forma mais severa, a hiperêmese gravídica, e pode ser usada durante o trabalho de parto para aliviar a dor e apressar o nascimento. Os acupunturistas dizem que uma única sessão ao mês durante a gestação pode ajudá-la a desestressar e a aproveitar mais plenamente essa época maravilhosa (embora, às vezes, desconfortável) de sua vida. Escolha um acupunturista experiente e que adote procedimentos sanitários (agulhas meticulosamente esterilizadas ou descartáveis, por exemplo). E ele deve evitar que você se deite de costas, sem apoio, após o quarto mês.

Acupressão. A acupressão — ou shiatsu — funciona com base no mesmo princípio da acupuntura, exceto que, em vez de espetá-la com agulhas, o terapeuta faz pressão com o polegar, com os outros dedos ou com bolinhas para estimular os pontos. A pressão em certo ponto logo acima do pulso pode aliviar a náusea (e é por isso que as faixas de shiatsu para os pulsos também funcionam: veja a p. 193). Diz-se que a acupressão no centro da planta do pé alivia a dor nas costas durante o parto. Na verdade, diz-se que a acupressão alivia as mesmas dores e sintomas que a acupuntura. Há vários pontos de acupressão (como aqueles no tornozelo) que supostamente induzem as contrações, e é por isso que devem ser evitados até o momento do parto (quando a gestante impaciente pode tentar pressioná-los).

Moxabustão. Essa terapia de MCA combina a acupuntura com a queima da erva artemísia. Além — ou em vez — de inserir agulhas em sua pele, o terapeuta queima longos bastões de artemísia perto de certos pontos. Embora a maioria das pesquisas científicas mostre baixa taxa de sucesso, muitos na comunidade da MCA dizem que a moxabustão do lado de fora do dedinho do pé pode virar um bebê em apresentação pélvica. Se você está pensando em tentar — ou seu médico sugeriu —, procure um acupunturista experiente na técnica. Geralmente, são necessárias várias sessões entre o fim do sétimo mês e o meio do oitavo.

Quiropraxia. Essa terapia usa a manipulação física da coluna e outras articulações para permitir que impulsos nervosos se movam livremente pelo corpo alinhado, encorajando a habilidade natural de cura do organismo. Durante a gestação, o corpo produz hormônios que relaxam os ligamentos — o que é uma coisa boa, dado que, de outro modo, a cabeça do bebê jamais passaria pela pelve. Mas esses hormônios, combinados à sua barriga espetacularmente grande, podem deixá-la excepcionalmente desajeitada, com as pernas moles e as costas tortas, em função da rápida modificação de seu centro de gravidade. Tudo isso é capaz de prejudicar a coluna. O quiropata pode desfazer muitos desses danos e alinhar a parte inferior de seu corpo para permitir um parto mais fácil. Alguns também afirmam que os ajustes podem reduzir a probabilidade de aborto espontâneo, controlar o enjoo matinal e diminuir o risco de parto prematuro. A habilidade do quiropata de realinhar e, em muitos casos, relaxar os ligamentos e músculos da pelve ocasionou o desenvolvimento da técnica Webster, como ficou conhecida, um método que supostamente ajuda bebês em apresentação pélvica a virarem sozinhos, naturalmente.

É muito importante que qualquer quiropata que você consulte tenha experiência no tratamento de gestantes. Você deve ser colocada em uma maca especial para não pressionar a barriga durante as sessões, e o quiropata não deve fazer com que se deite de costas, sem apoio, durante o último trimestre. Finalmente, como no caso de qualquer tratamento da MCA, converse primeiro com o obstetra, que pode ter alguma razão muito específica para você evitar o realinhamento da coluna.

Massagem. Ahhh... a massagem. Qualquer um que já tenha passado por um massagista profissional sabe que tanto o corpo quanto a mente se sentem melhores depois de uma boa massagem. E os estudos confirmam essa mensagem positiva, demonstrando que a massagem pode reduzir os hormônios do estresse e relaxar músculos tensos — benefícios bem-vindos quando você está grávida. Ela também pode aumentar o fluxo sanguíneo, favorecer a circulação — bom para você e para o bebê — e manter o sistema linfático trabalhando com eficiência máxima, eliminando toxinas do organismo. Mas a massagem é mais que somente um dia no spa (sobre o qual você pode ler na p. 210). A massagem feita por um terapeuta treinado pode aliviar dor nas articulações, pescoço, costas, quadris e nervo ciático, além de amenizar as câimbras nas pernas. Também reduz o inchaço nas mãos e nos pés (desde que o inchaço não seja resultado de pré-eclâmpsia) e a dor do túnel do carpo, a dor de cabeça e a congestão dos seios nasais, todos efeitos colaterais comuns da fabricação de bebês. Como os fisioterapeutas criam planos de tratamento individualizados para o alívio da dor, o seu pode ensinar alongamentos e exercícios que você consiga fazer em casa para aliviar quaisquer dores que esteja sentindo. Muitos desses alongamentos também foram projetados para aumentar a força, a flexibilidade e a estabilidade dos músculos. E, na maioria dos casos, a fisioterapia prescrita por um médico é coberta pelo plano de saúde.

Reflexologia. Similar à acupressão, a reflexologia é uma terapia baseada na noção de que certas áreas dos pés e das mãos estão ligadas a outras áreas e órgãos do corpo. A reflexologia é usada para tratar sintomas em muitas partes do corpo usando a pressão das pontas dos dedos em áreas específicas dos pés e, às vezes, das mãos. A ideia é que a pressão permite que a energia bloqueada flua livremente, o que aumenta o fluxo de sangue para a parte correspondente do corpo e promove a remoção de toxinas. Durante a gestação, a reflexologia pode ser usada para aliviar dores nas costas e nas articulações, que são pressionadas pelo aumento de peso. Mas isso não é tudo. Os reflexologistas dizem que essa massagem incrementada nos pés pode aliviar alguns de seus mais persistentes problemas, incluindo enjoo matinal, azia, inchaço leve, constipação, pressão arterial elevada (mas não pré-eclâmpsia), insônia, problemas na bexiga e até mesmo hemorroidas. Além disso, a reflexologia parece reduzir o estresse emocional e amenizar a depressão e a ansiedade brandas. Ela também pode ser útil após o parto:

alguns estudos mostram que estimula a produção de leite.

É importante saber que os reflexologistas frequentemente trabalham a área entre o tornozelo e o calcanhar para estimular o trabalho de parto e as contrações. A menos que tenha chegado ao fim da gravidez, cuide para que a terapia não estimule essa área por nenhum período de tempo.

Como no caso de qualquer terapia alternativa, converse com o médico antes de iniciar o tratamento de reflexologia e se certifique de que o terapeuta foi adequadamente treinado e tem experiência com mulheres grávidas. Também saiba que alguns reflexologistas preferem esperar até que a gestante passe do primeiro trimestre para começar as sessões, e há certas complicações para as quais a reflexologia é especialmente contraindicada.

Hidroterapia. O uso terapêutico da água morna é particularmente eficaz durante a gravidez, porque a resposta fisiológica do corpo à água ajuda a melhorar a circulação, aliviar dores nas costas (e nos pés e joelhos), diminuir a dor do trabalho de parto e, de modo geral, torná-la uma mamãe mais feliz. Há várias maneiras de usar o poder da água. Deitar-se em uma banheira quente é uma delas. Durante o trabalho de parto, espirrar água fria no rosto pode ajudá-la a se concentrar e a permanecer calma. Uma compressa fria no pescoço pode ajudá-la a respirar de modo mais constante e profundo, aumentando sua energia e diminuindo a exaustão. Uma compressa quente na região lombar ajuda os músculos pélvicos a relaxarem durante as contrações.

Certas mulheres acreditam tão profundamente no poder da hidroterapia que escolhem passar grande parte do trabalho de parto, e mesmo do parto, imersas na água. Uma das razões pelas quais isso funciona tão bem é que flutuar alivia a pressão na coluna, permitindo que a pelve se abra. Quando está na banheira (ou na piscina especial de parto), a mulher não precisa se concentrar na postura: o corpo se descomprime, o que ajuda a minimizar a dor das contrações.

Como é importante manter a temperatura corporal dentro de limites seguros, deixe a água relaxantemente morna, e não escaldante, ao usar a banheira. E, embora a hidroterapia seja segura (na verdade, excelente) para quase todas as gestantes e uma incrível ferramenta de gerenciamento da dor durante o trabalho de parto, o parto na água geralmente é reservado para gestações de baixo risco.

Técnicas de meditação, visualização e relaxamento. Técnicas de relaxamento profundo, meditação e visualização podem ajudá-la a lidar com os vários desgastes físicos e emocionais da gravidez (do sofrimento do enjoo matinal à dor das contrações e do parto), permitindo que você relaxe e foque na concentração, reduzindo o estresse, controlando a pressão arterial e aumentando a paz de espírito. Elas também são excelentes para combater a ansiedade das futuras mães. Veja na p. 208 um exercício de relaxamento que você pode experimentar, ou baixe um aplicativo de meditação para se transportar para seu lugar feliz quando for necessário.

Hipnoterapia. A hipnose — quando sua mente consciente (racional) cede lugar a sua mente subconsciente (sentimentos, memórias, emoções) por algum tempo — normalmente envolve música, imagens relaxantes e visualização guiada. A hipnoterapia pré-natal (aquela empregada durante a gravidez) usa o relaxamento profundo e o poder da sugestão para acessar a parte da mente responsável pelas funções corporais (batimentos cardíacos, produção de hormônios e sistema digestivo, além das emoções) e ajuda a lidar com a ansiedade natural da gestação. Muitas mulheres usam hipnose para aliviar (ou mesmo eliminar) a dor do parto (p. 442), mas os proponentes dizem que ela também é eficaz para melhorar os sintomas da gestação (da náusea às dores de cabeça), evitar o parto prematuro, diminuir o estresse e até mesmo ajudar a virar um bebê em apresentação pélvica.

A hipnose não é para todos. Cerca de 25% da população é altamente resistente à sugestão hipnótica, e muitas pessoas não são sugestionáveis o bastante para obter alívio da dor (embora, mesmo assim, possa haver benefícios de relaxamento). A hipnose também não é uma opção de última hora: você precisa aprender (e praticar) as técnicas antes do parto. E, é claro, assegure-se de que qualquer hipnoterapeuta que contrate seja certificado e tenha experiência em terapias para gestantes.

Biofeedback. O *biofeedback* é um método que ensina os pacientes a reconhecerem e controlarem suas respostas biológicas à dor física e ao estresse emocional. Como funciona? O terapeuta aplica sensores em seu corpo para obter *feedback* em fatores como tensão muscular, ondas cerebrais, respiração, pulso, pressão arterial e temperatura. Enquanto monitora o *feedback* fornecido por esses sensores, ele usa técnicas de relaxamento para acalmá-la, reduzir a tensão muscular e aliviar a dor ou estresse. Com o tempo, você se torna capaz de controlar as respostas de seu corpo através do relaxamento autoguiado, sem necessidade do terapeuta ou dos equipamentos de *biofeedback*.

RESSALVAS DA MEDICINA COMPLEMENTAR ALTERNATIVA (MCA)

Claramente, a MCA vem causando impacto nos cuidados para gestantes. Mesmo os obstetras mais tradicionais estão percebendo que é uma força holística considerável a ser incorporada à obstetrícia. Mas,

para torná-la parte de sua gravidez, é sensato proceder com cautela e com estas ressalvas em mente:
- O "C" significa complementar. Assim, converse com o médico tradicional antes de marcar uma consulta com um terapeuta de MCA. Melhor ainda, peça recomendações de terapeutas.
- O "M" significa medicina. Os medicamentos da MCA podem ser tão fortes quanto as prescrições tradicionais, mas com uma importante distinção. Como não são regulamentados ou aprovados pela FDA, sua segurança não foi clinicamente estabelecida. Isso não significa que não haja medicamentos de MCA seguros para gestantes, somente que não existe um sistema oficial para determinar quais são (ou quais são realmente eficazes). Por isso, evite remédios fitoterápicos ou homeopáticos, assim como suplementos e tratamentos de aromaterapia, a menos que tenham sido prescritos ou recomendados por seu obstetra ou parteira, do mesmo modo que faria com qualquer outro medicamento.
- As regras da MCA mudam durante a gravidez. Você frequenta o mesmo quiropata há anos? Ou faz uma massagem com a mesma terapeuta sempre que suas costas doem? Lembre-se: o que é seguro normalmente pode não ser seguro agora que você está grávida. É por isso que você deve escolher um terapeuta treinado e experiente em relação às precauções necessárias para gestantes.

O *biofeedback* pode ser usado seguramente para controlar a pressão arterial e combater a depressão, a ansiedade e o estresse, assim como aliviar vários sintomas da gestação, incluindo dor de cabeça, dor nas costas e outras dores, bem como insônia e, possivelmente, enjoo matinal. Ele também pode ser um tratamento eficaz para a incontinência urinária, tanto durante quanto após a gravidez.

Medicamentos fitoterápicos. As plantas medicinais são usadas desde que a humanidade começou a procurar alívio para seus males. Agora mais frequentemente fabricados que colhidos, os medicamentos fitoterápicos são apresentados por alguns como tratamento natural para vários dos piores sintomas da gestação, de câimbras nas pernas a hemorroidas. E, embora algumas plantas sejam provavelmente inofensivas e possivelmente eficazes (como chá de camomila para acalmar o estômago pela manhã ou chá de folhas de framboesa para estimular as contrações se o bebê não tiver nascido até a data provável do parto), a maioria dos especialistas não recomenda medicamentos fitoterápicos para mulheres grávidas porque não foram feitos estudos adequados sobre sua segurança.

Também é importante saber que o fato de ser um produto natural não significa que seja seguro. Na verdade, certas plantas medicinais são reconhecidamente perigosas durante a gestação (e podem estar na composição de medicamentos fitoterápicos sem que você saiba). Por exemplo: babosa, bérberis, cimicífuga preta e azul, angélica chinesa, tanaceto, hidraste, junípero e inhame selvagem são estimulantes uterinos e podem levar ao aborto espontâneo ou a contrações prematuras. Açafrão-do-prado, artemísia (que é usada na moxabustão, mas não deve ser ingerida), uva-de-rato e sassafrás foram relacionados a doenças congênitas. Confrei e visco podem ter efeitos tóxicos.

Outra razão para ter cuidado no corredor de ervas medicinais do supermercado: os suplementos fitoterápicos não são regulados pelo FDA da mesma maneira que os outros medicamentos. Embora os fabricados na Alemanha, Polônia, Áustria e Reino Unido sejam regulamentados, o que significa que passam por cuidadoso escrutínio, os de outros países (incluindo os EUA) não são. Isso significa que sua potência, qualidade e mesmo ingredientes podem variar de marca para marca e de uma embalagem a outra. Eles podem conter contaminantes (possivelmente incluindo chumbo, dependendo do país de origem), ingredientes não listados no rótulo, níveis de ingredientes ativos mais altos que os listados ou simplesmente nenhum ingrediente ativo. Assim, trate as plantas medicinais (incluindo os chás) como trataria qualquer medicamento durante a gravidez: não as use a menos que tenham sido aprovadas pelo médico.

No Brasil, os fitoterápicos industrializados devem ser regulados pela Anvisa antes de serem comercializados, já os fitoterápicos manipulados devem ser manipulados em farmácias de manipulação autorizadas pela vigilância sanitária e, apesar de não precisarem de registro sanitário, devem ser prescritos por profissionais habilitados.

Capítulo 4
Nove meses comendo bem

Há um ser minúsculo se desenvolvendo dentro de você: um bebê em formação. Adoráveis dedinhos estão brotando, olhos e orelhas se formando, células cerebrais crescendo rapidamente. E, antes que se dê conta, o feto dentro de você se parecerá com o bebê dos seus sonhos: completamente formado e pronto para ninar.

Claro, dá muito trabalho fazer um bebê. Felizmente para os bebês e para os pais que os amam, a natureza é incrivelmente boa no que faz. O que significa que as chances de seu bebê nascer fofinho e perfeitamente saudável são excelentes. Além disso, há algo que você pode fazer para melhorar ainda mais essas chances já excelentes ao mesmo tempo que consegue para si mesma uma gravidez mais saudável e confortável. E é algo relativamente fácil (exceto quando está enjoada) e que você provavelmente já faz três vezes ao dia. Sim, isso mesmo: comer. Mas o desafio durante a gravidez não é comer (embora possa ser um desafio durante os primeiros meses), mas comer o melhor que você puder. Pense nisso: comer bem enquanto está grávida é um dos primeiros e melhores presentes que você pode dar a sua trouxinha de alegria, um presente contínuo que proporciona mais saúde não somente na infância, mas durante a vida inteira.

A Dieta da Gravidez é um plano alimentar dedicado à saúde do bebê — e à sua. Quais são os benefícios para o bebê? São muitos e impressionantes, como uma chance melhor de peso saudável ao nascer, desenvolvimento cerebral melhorado, risco reduzido de certas doenças congênitas — e, como bônus, acredite ou não, hábitos alimentares melhores e possivelmente menos enjoados durante a infância (uma vantagem pela qual você será grata quando servir brócolis no jantar). Ela pode até mesmo aumentar a probabilidade de que seu bebê ainda por nascer seja um adulto mais saudável.

E seu bebê não é o único a se beneficiar. A Dieta da Gravidez também pode aumentar as chances de que você tenha uma gestação segura (algumas complicações, como anemia, diabetes gestacional e pré-eclâmpsia, são menos comuns entre mulheres que comem bem e evitam ganho excessivo de peso) e confortável (os alimentos certos podem minimizar o enjoo matinal, a fadiga, a azia, a constipação e muitos outros sintomas), emoções mais equilibradas (a boa nutrição ajuda a moderar as oscilações de humor), uma gravidez levada a termo (em geral, gestantes que comem bem e regularmente têm menos probabilidade de entrar prematuramente em trabalho de parto) e uma recuperação mais rápida (um corpo bem-nutrido se recupera com mais facilidade, e o peso ganho em uma taxa razoável é perdido mais rapidamente). Para saber mais sobre os muitos benefícios de uma dieta saudável durante a gravidez, leia *What to Expect: Eating Well When You're Expecting* [O que esperar: comendo bem quando você está esperando].

Por sorte, é muito fácil obter esses benefícios, especialmente se você já come bem, e mesmo que não o faça (você terá somente de ser um pouquinho mais seletiva antes de levar o garfo à boca). Isso porque a Dieta da Gravidez não é assim tão diferente de uma dieta saudável comum. Embora algumas modificações tenham sido feitas (claro, fabricar um bebê requer mais calorias e maior quantidade de certos nutrientes), a fundação é a mesma: uma mistura equilibrada de proteínas magras e cálcio, grãos integrais, um arco-íris de frutas e vegetais e gorduras saudáveis. Parece familiar? Deveria: afinal, essa é a receita da boa nutrição.

E as boas notícias não acabam aí. Mesmo que você tenha engravidado com hábitos alimentares não muito saudáveis, mudá-los para seguir a Dieta da Gravidez não será muito difícil, especialmente se você estiver comprometida com a mudança. Há alternativas saudáveis para quase todo alimento e bebida menos saudável que você já levou à boca (veja o quadro da p. 131), o que significa que existem maneiras nutritivas de saciar a vontade de comer bolo (e *cookies*, *chips* e até fast-food). Além disso, há várias maneiras de introduzir vitaminas e minerais cruciais em suas receitas e pratos favoritos, a fim de que você possa favorecer a nutrição sem abrir mão do paladar.

DA SUA MANEIRA

Não põe muita fé nas dietas? Não é fã de planos alimentares? Não gosta que lhe digam o que ou quanto comer? Sem problemas. A Dieta da Gravidez é uma maneira de se alimentar bem (e o bebê), mas definitivamente não é a única. Qualquer dieta equilibrada e saudável — que inclua muitas proteínas magras, alimentos ricos em cálcio, grãos integrais, um arco-íris de frutas e vegetais, gorduras saudáveis e cerca de 300 calorias a mais por dia — dará conta do recado. Se você prefere não seguir dietas, não siga. Coma bem, da sua maneira!

E agora o teste de realidade. O que apresentamos neste capítulo é o plano ideal, o melhor plano possível para comer bem quando você está grávida. Trata-se de algo que você deve almejar, mas não algo com que deva se estressar. Talvez você escolha seguir rigorosamente a dieta, ao menos na maior parte do tempo. Ou talvez não a siga de modo tão estrito. Ou talvez faça o melhor que puder, o que nem sempre será assim tão bom, especialmente quando você estiver muito enjoada... ou quando aquele desejo a levar correndo para o corredor de doces... ou quando o refluxo a impedir de comer.

Mas, mesmo que mantenha sua lealdade a hambúrgueres e batatas fritas, você encontrará nas páginas que se seguem dicas para que você e seu bebê se alimentem melhor durante os próximos nove meses (talvez uma saladinha com aquele hambúrguer?).

Nove princípios básicos para nove meses de alimentação saudável

Toda mordida conta. Pense nisto: você tem nove meses de refeições, lanches, petiscos e tira-gostos pela frente. Cada um deles é uma oportunidade de alimentar seu bebê antes mesmo de ele nascer e criar um futuro mais saudável para ele. Assim, coma à vontade, mas pense antes de comer. Tente tornar suas refeições mais saudáveis escolhendo-as (ao menos na maior parte do tempo) com o bebê em mente.

As calorias não são iguais. Escolha as calorias com cuidado, selecionando qualidade, e não quantidade, sempre que puder. Pode parecer óbvio — e inerentemente injusto —, mas as 200 calorias de um *donut* não são iguais às 200 calorias de um *muffin* integral. Assim como as 100 calorias de um punhado de batatas *chips* não são iguais às 100 calorias de um punhado de amêndoas. Seu bebê se beneficiará muito mais de 2 mil calorias diárias ricas em nutrientes do que de 2 mil calorias vazias. E seu corpo também receberá os benefícios no pós-parto.

Se você passa fome, o bebê também passa. O bebê precisa de nutrição regular em intervalos regulares e, como única responsável pela lanchonete uterina, só você pode fornecê-la. Mesmo que você não sinta fome, o bebê sente. Assim, tente não pular refeições. De fato, comer frequentemente pode ser a melhor maneira de nutrir bem o feto. As pesquisas mostram que gestantes que se alimentam ao menos cinco vezes por dia (três refeições e dois lanches ou seis minirrefeições, por exemplo) têm maior probabilidade de levarem a gestação a termo. É claro que é mais fácil falar que fazer, especialmente quando pensar em comida faz você abraçar o vaso sanitário. E se a azia transformar a alimentação em dor? Você encontrará muitas dicas sobre como superar os sintomas que destroem o apetite nas páginas 132 e 159.

MIL DIAS PARA UM FUTURO MAIS SAUDÁVEL

Quer saber como garantir um futuro mais saudável para seu bebê ainda na barriga? Os cientistas descobriram um dos fatores mais importantes: boa nutrição nos primeiros mil dias de vida, da gestação ao segundo aniversário. Esses primeiros mil dias são a fundação da boa saúde para a vida inteira, diminuindo o risco de o bebê ficar obeso e evitando inúmeras doenças crônicas (de diabetes tipo 2 a cardiopatias). Eles também podem impulsionar o desenvolvimento cerebral e melhorar as chances de sucesso na escola e além. Pense nesses próximos nove meses comendo bem como a primeira parte dos vitais primeiros mil dias de seu bebê. Para saber mais, acesse thousanddays.org.

A eficiência é eficaz. Você acha que será impossível consumir as Doze Diárias (p. 134) todos os dias (vejamos, seis grãos integrais significam uma porção de grãos a cada 4 horas...)? Temendo que, ainda que consiga comer tudo, termine parecendo um balão? Não tema. Em vez disso, torne-se especialista em eficiência. Consiga mais poder nutricional em cada mordida escolhendo alimentos leves em calorias, mas repletos de nutrientes. Precisa de um exemplo? Um sanduíche crocante (leia-se frito) de frango, com cerca de 700 calorias, é uma maneira consideravelmente menos eficiente de ingerir uma porção de proteína que um hambúrguer de peru (cerca de 300 calorias). Uma xícara e meia de sorvete (cerca de 500 calorias, e muitas mais, se escolher uma marca premium) é uma maneira divertida, mas menos eficiente de ingerir uma porção de cálcio que uma xícara de *frozen yogurt* desnatado (que ainda é divertido, mas com 200 calorias a menos). Usando o mesmo modelo de eficiência, escolha carnes magras no lugar das gordas, leite e derivados desnatados ou semidesnatados no lugar dos integrais e alimentos assados ou grelhados no lugar dos fritos e refogue usando uma colher de sopa de azeite de oliva, e não um quarto de xícara. Outro truque para comer de modo eficiente: selecione alimentos que pertençam a mais de uma categoria das Doze Diárias, assim você atende a dois ou mais requerimentos ao mesmo tempo.

A eficiência também é importante se você tem dificuldade para ganhar peso. Para começar a mover a balança na direção de um ganho de peso saudável, escolha alimentos densos em nutrientes e calorias — abacates, oleaginosas e frutas secas, por exemplo — que podem nutrir você e o bebê sem causar sensação de estufamento.

TENTE ESSAS SUBSTITUIÇÕES

Buscando alternativas mais saudáveis para seus alimentos favoritos e não tão saudáveis? Eis algumas ideias para começar:

Em vez de	Tente
Batata *chips*	Lentilha, soja, couve crespa ou *chips* de milho integral
Um pacote de M&M	Frutas secas (com alguns M&Ms)
Balas	Uvas congeladas
Pretzels antes do jantar	Edamame (ou soja verde) antes do jantar
Sundae com calda de chocolate	*Frozen yogurt* com frutas e oleaginosas
Doritos com molho de queijo	Legumes com molho de queijo
Batata frita	Batata-doce assada
Qualquer coisa no pão branco	Qualquer coisa no pão integral
Refrigerante	Água com gás e um pouquinho de suco
Uma fatia de torta de maçã	Uma maçã assada

Carboidratos, um assunto complexo. No que você pensa quando pensa em carboidratos? Se é em "quilos extras", não está sozinha. Os carboidratos há muito são criticados e ignorados por aqueles que cuidam do peso. E isso é ruim, especialmente quando se trata de gestantes que cuidam do peso e poderiam obter muitos nutrientes (sem ganhar muito peso) comendo o tipo certo de carboidratos: os complexos. Sim, os carboidratos refinados (arroz branco, massas e doces de trigo refinado, batatas) praticamente só acrescentam calorias, e pouco mais. Além disso, podem fazer com que o nível de glicose vá às alturas... e então despenque. Mas os carboidratos complexos (cereais e pães integrais, arroz integral, frutas, verduras e leguminosas) fornecem vitaminas do complexo B, microminerais, proteínas e fibras, contribuindo com muito mais que calorias. Eles são bons não somente para o bebê, mas também para você (e colaboram para combater a náusea e a constipação). Como produzem sensação de saciedade e são ricos em fibras, também ajudam a controlar o peso. As pesquisas sugerem outro bônus para as consumidoras de carboidratos complexos: ingerir muitas fibras reduz o risco de desenvolver diabetes gestacional.

Doces não servem para nada. Não há maneira gentil de dizer isso: as calorias do açúcar, tristemente, são calorias vazias. E calorias vazias não são o único defeito do açúcar. O consumo intenso foi relacionado a várias questões de saúde, da obesidade ao câncer de cólon, cardiopatias, diabetes e, é claro, cáries. Na gravidez, açúcar demais pode se transformar em quilos demais, e quilos demais podem aumentar o risco de diabetes gestacional. Açúcar demais também pode aumentar ainda mais as chances já altas (graças à gravidez) de cáries. Outro ponto contra o açúcar: grandes quantidades provavelmente estão presentes em alimentos e bebidas pouco nutritivos dos quais é melhor você se manter afastada (como doces e refrigerantes).

O açúcar refinado assume muitos nomes nas prateleiras dos supermercados, incluindo xarope de milho e sumo desidratado de cana-de-açúcar. O mel, que é um açúcar não refinado, apresenta uma vantagem nutricional porque contém antioxidantes que evitam doenças. Além disso, tem maior probabilidade de ser encontrado em alimentos mais nutritivos. Mesmo assim, é melhor limitar o consumo de açúcar em todas as formas.

Satisfaça seu desejo por doces de maneira sadia, substituindo o açúcar por frutas (frescas, secas ou liofilizadas), sucos concentrados e purês de frutas sempre que puder. Você também pode encontrar satisfação em substitutos com poucas ou nenhuma caloria que parecem ser seguros para gestantes (p. 162).

LIVRE-SE DA CULPA

A força de vontade tem seu papel, particularmente quando você tenta comer bem por dois. Mesmo assim, todo mundo precisa ceder à tentação de vez em quando sem sentir culpa. Ofereça a si mesma o agrado de que tem vontade sem acrescentar a ele uma porção de remorso.

Mas, ao se aventurar por caminhos menos nutritivos, tente compensar: acrescente nozes e morangos frescos ao *sundae* ou escolha uma barra de chocolate amargo com amêndoas.

Divida a porção de anéis de cebola com alguém ou coma uma fatia fina de torta de noz-pecã, em vez de um pedaço grande. E lembre-se de parar antes de exagerar — de outro modo, a culpa pode atacar quando você menos espera.

Os bons alimentos se lembram de onde vieram. A natureza sabe uma coisa ou outra sobre nutrição. Assim, não surpreende que os alimentos mais nutritivos frequentemente sejam os que não se afastam muito da receita original, formulada por ela. Escolha frutas e vegetais frescos quando estiverem na época, e congelados sem aditivos quando estiverem fora de estação ou você não tiver tempo para prepará--los. Alimentos liofilizados são outra alternativa nutritiva (e conveniente): o sabor é mais intenso, a textura é crocante e satisfatória e a contagem de calorias é mais baixa em comparação aos alimentos desidratados de maneira tradicional. E, quando se trata de preparação, menos é mais: nesse caso, mais nutrientes. Tente consumir frutas e vegetais crus todos os dias e, ao cozinhar, opte pelo vapor ou por um refogado ligeiro para reter maior quantidade de vitaminas e minerais.

COMENDO BEM COM O WIC

Com medo de não ter dinheiro para se alimentar bem durante a gestação? Se sua renda a qualifica, você pode ser candidata ao Women, Infants, and Children (WIC), um programa de suplementação alimentar e nutricional para gestantes, mães e crianças com menos de 5 anos. Através do programa WIC, gestantes e seus filhos pequenos recebem cheques ou vales que podem ser usados nas mercearias locais para comprar alimentos saudáveis, como ovos, leite, queijos, leguminosas, pães integrais, frutas e vegetais. O WIC também oferece educação e aconselhamento nutricional em suas clínicas, além de testes e encaminhamentos para outros serviços de saúde e bem-estar social. Para mais informações e descobrir se você se qualifica, acesse fns.usda.gov/wic.

Não é segredo que comida processada não cresce em árvores: ela é feita em linhas de produção, onde não somente recebe produtos químicos, gordura, açúcar e sal, mas também perde muito valor nutricional. Assim, fique com o modelo natural sempre que puder, e escolha peito de peru assado no lugar de peru processado, macarrão integral com queijo fresco no lugar de miojo, granola caseira no lugar das variedades industrializadas, com poucas fibras e muito açúcar.

Comer bem começa em casa. Sejamos honestas: não é fácil beliscar frutas frescas enquanto o amor de sua vida mergulha de cabeça em um pote de sorvete, bem a seu lado no sofá. Ou pegar uma fatiazinha de queijo quando ele encheu os armários de pacotes de batatinha frita. Assim, convoque-o — e a outros membros da família — para transformar sua casa em uma zona de alimentação saudável. Faça o pão integral pão da sua casa, encha o freezer de *frozen yogurt* e proíba lanches pouco saudáveis e irresistíveis para você quando estão ao alcance das mãos. E não mude de atitude após o parto. Comer bem está ligado não somente a uma gestação melhor, mas também a risco mais baixo de muitas doenças, incluindo diabetes tipo 2 e cardiopatias.

Hábitos ruins podem sabotar uma boa dieta. Comer bem é somente parte de um pré-natal saudável. Se você ainda não fez isso, modifique seus outros hábitos de vida para melhor.

A SOLUÇÃO DAS SEIS REFEIÇÕES

Está com azia, sentindo-se estufada, enjoada ou constipada (ou tudo junto) demais para pensar em uma refeição? Não importa que problemas digestivos esteja tendo, você achará mais fácil dividir suas Doze Porções Diárias (p. 134) em cinco ou seis minirrefeições do que nas três refeições tradicionais. A abordagem de *grazing* (ingestão de pequenas porções de alimento em intervalos regulares ao longo do dia) manterá seu nível de glicose estável, dando-lhe mais energia (e quem não precisa disso?). E você terá menos dores de cabeça e variações intensas de humor.

As Doze Porções Diárias da gestação

Calorias. Tecnicamente, uma mulher grávida come por dois (alegrem-se, amantes da comida). Mas é importante lembrar que um desses dois é um minúsculo feto em desenvolvimento cujas necessidades calóricas são significativamente menores que as da mãe: meras 300 calorias ao dia, em média (sinto muito, amantes da comida). Assim, em média, você só precisa de 300 calorias a mais do que costumava ingerir antes de engravidar: o equivalente a dois copos de leite desnatado e uma tigelinha de aveia (não exatamente o bufê de sobremesas que você estava imaginando). Elas são bem fáceis de queimar, considerando-se os requerimentos nutricionais adicionais da gravidez. Além disso, durante o primeiro trimestre, você provavelmente não precisará de calorias extras (o bebê que está gestando é do tamanho de uma ervilha), a menos que esteja tentando compensar o fato de estar abaixo do peso. Quando seu metabolismo acelerar durante o segundo trimestre, você pode pensar em 300 a 350 calorias a mais. Mais tarde (quando o bebê for bem maior), pode precisar de ainda mais, chegando a até 500 calorias extras ao dia.

Ingerir mais calorias do que você e o bebê precisam é não só desnecessário como pode levar a ganho excessivo de peso. Ingerir menos calorias que o necessário, em contrapartida, tampouco é saudável. Gestantes que não ingerem calorias suficientes durante o segundo e o terceiro trimestres podem desacelerar o crescimento de seus bebês.

Há quatro exceções para essa fórmula básica. Se qualquer uma delas se aplicar a seu caso, é importante conversar com o médico sobre sua ingestão diária de calorias. Se estiver acima do peso, você possivelmente precisará de menos calorias, desde que com a orientação nutricional correta (você terá de focar ainda mais na qualidade). Se estiver seriamente abaixo do peso, precisará de mais calorias para chegar a um peso equilibrado. Se for adolescente, você ainda está crescendo, o que significa que tem necessidades nutricionais únicas (embora, novamente, a ingestão diária de calorias dependa de estar acima do peso, abaixo do peso ou no peso certo). E, se estiver esperando múltiplos, você terá de acrescentar cerca de 300 calorias para cada bebê.

Mas, embora as calorias sejam importantes, elas não precisam ser contadas. Não é preciso fazer cálculos a cada refeição nem manter um diário do que comeu e a que horas. Então, como saber que está ingerindo o número certo de calorias? Simples: basta observar o ganho de peso. Se estiver dentro dos limites estabelecidos, você está ingerindo o número certo de calorias. Se estiver ganhando pouco peso ou muito lentamente, você está ingerindo menos calorias do que necessita e, se estiver ganhando muito peso ou muito rapidamente, está ingerindo calorias demais. Mantenha ou ajuste a ingestão de alimentos conforme for preciso, mas cuidado para não cortar os nutrientes necessários com as calorias: seja especialmente eficiente ao comer. Veja a p. 246 para saber mais sobre ganho de peso.

Proteínas: três porções diárias. Como seu bebê cresce? Usando, entre outros nutrientes, os aminoácidos (os blocos de construção das células humanas) das proteínas que você ingere todos os dias. Como as células do bebê se multiplicam rapidamente, as proteínas são um componente vital da Dieta da Gravidez. Se os 75 gramas recomendados parecem excessivos, tenha em mente que a maioria das mulheres (provavelmente incluindo você mesma) consome ao menos isso diariamente, e as que fazem dietas hiperproteicas consomem ainda mais. Ao calcular as porções, não se esqueça das proteínas encontradas em muitos alimentos ricos em cálcio, incluindo queijos e iogurtes (especialmente o grego), assim como grãos integrais e legumes.

Todos os dias, tente consumir três porções dos seguintes alimentos (cada um contém uma porção, ou cerca de 25 gramas, de proteína) ou uma combinação equivalente a três porções. A maioria dos laticínios também atende ao requerimento de cálcio, o que os torna escolhas especialmente eficientes (veja o quadro a seguir para uma lista de proteínas vegetais):

690 ml (três copos de 230 ml) de leite ou leitelho (leite de manteiga)

1 xícara de queijo cottage
2 xícaras de iogurte ou 1¼ xícara de iogurte grego
85 gramas de queijo (meia xícara de queijo ralado)
4 ovos inteiros grandes
7 claras grandes
100 gramas (drenados) de atum ou sardinha em lata
115 gramas (drenados) de salmão em lata

115 gramas de frutos do mar cozidos
115 gramas (antes do cozimento) de peixe fresco
115 gramas (antes do cozimento) de frango, peru, pato ou outra ave sem pele
115 gramas (antes do cozimento) de carne magra de boi, carneiro, veado, porco ou búfalo

PROTEÍNAS DE ORIGEM NÃO ANIMAL

A náusea e a repulsa do início da gravidez estão tirando a carne e outras proteínas animais do cardápio? Ou você é vegetariana ou vegana? Tenho boas notícias. Há muitas maneiras de atender aos requerimentos de proteínas sem se servir do reino animal. Quer notícias ainda melhores? Muitos desses alimentos atendem aos requerimentos de grãos integrais, além dos de proteínas, e alguns também contribuem com um pouquinho de cálcio.

LEGUMES
(meia porção de proteína)

¾ de xícara de feijão, lentilha, ervilha seca ou grão-de-bico cozido
½ xícara de edamame cozido
¾ de xícara de ervilha fresca
45 gramas de amendoim
3 colheres de sopa de pasta de amendoim ou de avelã
¼ de xícara de missô

115 gramas de tofu
85 gramas de tempeh
1½ xícara de leite de soja*
85 gramas de queijo de soja*
½ xícara de "carne moída" vegetal*
1 "salsicha" ou "hambúrguer" vegetal*
30 gramas (antes de cozinhar) de macarrão de soja hiperproteico

GRÃOS
(meia porção de proteína)
85 gramas (antes de cozinhar) de macarrão integral
⅓ de xícara de gérmen de trigo
¾ de xícara de farelo de aveia
1 xícara de aveia crua (2 xícaras cozidas)
2 xícaras (aproximadamente) de cereal integral pronto para consumo*
½ xícara de cuscuz de triguilho, trigo-sarraceno ou trigo integral crus (1½ xícara cozidos)
½ xícara de quinoa crua
4 fatias de pão integral**

2 pães pita integrais ou 2 *muffins* ingleses [queque, um pãozinho redondo feito na chapa]**

OLEAGINOSAS E SEMENTES
(meia porção de proteínas)
85 gramas de oleaginosas, como nozes, pecãs ou amêndoas
55 gramas de gergelim, sementes de girassol ou sementes de abóbora

* *O conteúdo proteico varia amplamente. Confira o rótulo e considere que meia porção equivale a 12 a 15 gramas de proteína.*

** *O macarrão ou pão hiperproteicos podem conter muito mais proteína. Confira o rótulo.*

WHEY

Com barras, pós e misturas para *milk-shake* de *whey* (proteína do soro de leite) tão populares atualmente, você pode estar se perguntando se essa é uma boa maneira de conseguir proteínas durante a gravidez. Embora não haja evidências científicas sobre o uso de *whey* durante a gestação ou amamentação, a maioria dos especialistas diz que provavelmente não há problema no uso moderado, desde que você tome certos cuidados.

Primeiro, como o *whey* é retirado do soro do leite bovino, você terá de evitá-lo se for alérgica ou intolerante à lactose. Segundo, confira todos os ingredientes, pois alguns preparados contêm adoçantes (artificiais e naturais), plantas medicinais, enzimas e outros componentes que podem não ser apropriados para a gestação. Terceiro, confira o conteúdo vitamínico e mineral dos produtos: alguns são muito fortificados e podem fazê-la ultrapassar os limites de certos nutrientes. E, finalmente, lembre-se de que o *whey* não deve ser sua única fonte de proteína: tente recorrer também a outras fontes.

Cálcio: quatro porções diárias. No ensino fundamental, você provavelmente aprendeu que crianças em fase de crescimento precisam de muito cálcio para terem ossos e dentes saudáveis. Bem, o mesmo acontece com fetos que estão a caminho de se tornarem crianças em fase de crescimento. O cálcio também é vital para o desenvolvimento dos músculos, do coração e dos nervos, para a coagulação sanguínea e para a atividade enzimática. Mas não é somente seu bebê que sai perdendo se você não ingere cálcio suficiente. Se o fornecimento não for adequado, sua fábrica de bebês usará o cálcio de seus ossos para cumprir a cota, criando as condições para que você tenha osteoporose mais tarde — outra boa razão para se abastecer de cálcio agora.

Não consegue se obrigar a tomar um copão de leite? Por sorte, o cálcio não está somente nos copões de leite. Pode ser uma xícara de iogurte ou um pedaço de queijo. Está presente também nos *smoothies*, sopas, nos ensopados, cereais, molhos, cremes, nas sobremesas e mais.

As intolerantes podem facilmente usar laticínios sem lactose (há leite, queijo cottage e até mesmo sorvete sem lactose). Para as que não consomem nenhum tipo de laticínio, há cálcio também em outros alimentos. Um copo de suco de laranja enriquecido com cálcio, por exemplo, fornece eficientemente uma porção (além de mais uma porção de vitamina C). Um copo de leite de amêndoas enriquecido com cálcio também fornece uma porção (e dá um sabor maravilhoso aos *smoothies*). Você encontrará mais fontes de cálcio não derivado de laticínios na lista da página a seguir.

Para as veganas e para aquelas que não sabem se estão ingerindo cálcio suficiente em suas dietas, um suplemento (que inclua vitamina D) pode ser recomendado.

CONTANDO EM DOBRO

Muitas de suas comidas favoritas oferecem mais que uma das Doze Porções Diárias em cada porção, dando-lhe duas pelo preço calórico de uma. Exemplo: uma fatia de melão oferece uma porção de vitamina A e uma porção de vitamina C em um único e delicioso pacote. Uma xícara de iogurte oferece uma porção de cálcio e meia porção de proteína (quase uma porção inteira se você escolher iogurte grego). Use essas sobreposições o mais frequentemente que puder para economizar calorias e espaço no estômago.

Tente consumir quatro porções de alimentos ricos em cálcio todos os dias, ou qualquer combinação equivalente a quatro porções (assim, não se esqueça de contar a meia xícara de iogurte e aquela pitada de queijo ralado). Cada porção listada a seguir contém cerca de 300 mg de cálcio (você precisa de cerca de 1.000 mg por dia) e também pode atender a seus requerimentos de proteínas:
¼ de xícara de queijo ralado
30 gramas de queijo duro
½ xícara de ricota pasteurizada

1 xícara de leite ou leitelho
150 ml de leite enriquecido com cálcio
1 xícara de iogurte ou iogurte grego
1½ xícara de *frozen yogurt*
1 xícara de suco ou leite de amêndoas enriquecido com cálcio
115 gramas de salmão em lata com ossos
85 gramas de sardinha em lata com ossos
3 colheres de sopa de gergelim
1 xícara de folhas cozidas, como couve crespa ou couve-galega
1½ xícara de couve-chinesa (acelga)
1½ xícara de edamame cozido
Você pode conseguir um bônus de cálcio comendo queijo cottage, tofu, figos secos, amêndoas, brócolis, espinafre e leguminosas secas.

Vitamina C: três porções diárias. Você e seu bebê precisam de vitamina C para a reparação de tecidos, cicatrização de feridas e vários outros processos metabólicos (que requerem nutrientes). Seu bebê também precisa dela para crescer adequadamente e desenvolver ossos e dentes fortes. Como a vitamina C é um nutriente que o corpo não consegue estocar, um suprimento fresco é necessário todos os dias. Felizmente para você, a vitamina C costuma ser encontrada em alimentos naturalmente gostosos, mesmo quando você está enjoada. Como você pode ver na lista a seguir, o bom e velho suco de laranja (por mais confiável que seja) está longe de ser a única, ou mesmo a melhor, fonte dessa vitamina essencial.

Tente consumir três porções de vitamina C todos os dias. Novamente, seu corpo precisa de uma dose diária, pois a vitamina C não pode ser estocada. (É fanática por frutas? Coma mais algumas.) Muitos alimentos que contêm vitamina C também atendem aos requerimentos de vitamina A:

½ toranja média
½ xícara de suco de toranja
½ laranja média
½ xícara de suco de laranja
2 colheres de sopa de suco concentrado
¼ de xícara de suco de limão siciliano
½ manga média
¼ de mamão papaia médio
⅛ de melão cantaloupe ou Honeydew (½ xícara de cubinhos)
⅓ de xícara de morangos
⅔ de xícara de amoras ou framboesas
½ kiwi médio
½ xícara de abacaxi picado fresco
2 xícaras de melancia picada
¼ de xícara de manga, morango ou outra fruta rica em vitamina C liofilizada
¼ de pimentão vermelho, amarelo ou alaranjado
½ pimentão verde médio
½ xícara de brócolis cozido ou cru
1 tomate médio
¾ de xícara de suco de tomate
½ xícara de suco de vegetais
½ xícara de couve-flor cozida ou crua
½ xícara de couve crespa cozida
¾ de xícara de *chips* de couve crespa
1 xícara bem cheia de espinafre cru ou ½ xícara de espinafre cozido
¾ de xícara de couve-galega, mostarda ou folhas de nabo cozidas

2 xícaras de alface-romana
¾ de xícara de repolho vermelho ralado cru
1 batata ou batata-doce assada com a pele
1 xícara de edamame cozido

Vitamina A: três a quatro porções diárias. Esses favoritos dos coelhos fornecem vitamina A na forma de betacaroteno, vital para o crescimento das células (e as células de seu coelhinho se multiplicam em uma velocidade fantástica) e para pele, ossos e olhos saudáveis. Essa colorida família de vegetais e frutas também oferece outros carotenoides e vitaminas essenciais (vitamina E, riboflavina, ácido fólico e vitaminas do complexo B), numerosos minerais (muitas folhas verdes fornecem bastante cálcio e microminerais), fitoquímicos que previnem doenças e fibras que previnem constipação. Uma generosa seleção de frutas e vegetais que oferecem vitamina A pode ser encontrada na lista a seguir. Você tem antigos problemas com vegetais (ou novos problemas, graças às aversões da gestação)? Talvez fique agradavelmente surpresa ao descobrir que o brócolis e o espinafre estão longe de serem as únicas fontes de vitamina A. Na verdade, o alaranjado é o novo verde quando se trata de vitamina A, que está presente em algumas das mais doces ofertas alaranjadas da natureza, incluindo damasco, manga, pêssego amarelo e melão cantaloupe, além de abóbora-menina, abóbora e batata-doce. E aquelas que gostam de beber seus vegetais podem contar com um copo de suco de vegetais, uma tigela de sopa de cenoura ou um *smoothie* de manga para chegar a seu objetivo diário de vitamina A.

Tente consumir entre três e quatro porções diárias — algumas cozidas e algumas cruas, algumas verdes e algumas amarelas (mas não insista nas verdes se elas a deixarem verde de enjoo; fique com as amarelas). Lembre-se de que muitos desses alimentos também oferecem uma porção de vitamina C:

⅛ de melão cantaloupe (½ xícara de cubinhos)
2 damascos grandes frescos ou 6 metades secas
½ manga média
¼ de mamão papaia médio
1 nectarina ou pêssego amarelo grandes
1 caqui pequeno
¼ de xícara de manga ou outra fruta rica em vitamina A liofilizada
¾ de xícara de suco de toranja cor-de-rosa
1 toranja cor-de-rosa ou vermelha
1 tangerina
½ cenoura (¼ de xícara de cenoura ralada)
½ de xícara de brócolis cru ou cozido
1 xícara de salada de repolho americana
¼ de xícara de couve-galega, acelga portuguesa ou couve crespa cozidas
1 xícara bem cheia de alface romana, alface vermelha ou rúcula
1 xícara bem cheia de espinafre cru ou ½ xícara de espinafre cozido

¼ de xícara de moranga cozida
½ batata-doce ou inhame pequenos cozidos
2 tomates médios
½ pimentão vermelho médio
¼ de xícara de salsinha picada

NÃO JULGUE O FRUTO PELA CASCA

Quando se trata de nutrição, quanto mais vibrante for a cor das frutas e vegetais, mais antioxidantes, vitaminas (especialmente vitamina A) e minerais você será capaz de colher. Explore a cor púrpura (repolho, batatas e até mesmo couve-flor existem nessa cor); uma multicolorida variedade de frutinhas selvagens, laranja, cenoura e manga; pimentão e tomate vermelhos, alaranjados e amarelos; e todos os verdes em que puder pensar, do brócolis e da couve crespa à acelga portuguesa. Mas é a cor interna — e não externa — que no geral assinala nutrição excepcionalmente boa. Assim, embora o pepino (de interior pálido) seja um peso-leve, o melão cantaloupe e o kiwi (de interior escuro) são campeões.

Outras frutas e vegetais: uma a duas porções diárias. Embora esses vegetais e frutas já tenham sido considerados de segunda linha, eles vêm recebendo um olhar mais atento. Ocorre que eles são ricos não somente em minerais, como potássio e magnésio, vitais para uma gestação saudável, mas também em vários outros microminerais. Muitos também possuem fitoquímicos e antioxidantes em abundância (particularmente os que têm as cores do arco-íris; assim, escolha vegetais com cores brilhantes para obter o maior retorno nutricional). De uma maçã ao dia aos mirtilos e romãs que foram parar nas manchetes, essas frutas e vegetais definitivamente merecem um lugar em sua dieta.

Complete sua lista de vegetais diários com um ou dois dos seguintes:
1 maçã média
½ xícara de suco ou purê de maçã
2 colheres de sopa de suco de maçã concentrado
1 banana média
½ xícara de mirtilo
½ xícara de cereja fresca sem caroço
1 xícara de uvas
1 pêssego médio
1 pera média ou 2 metades secas
½ xícara de suco de abacaxi não adoçado
2 ameixas pequenas
½ xícara de suco de romã
¼ de xícara de qualquer uma dessas frutas liofilizadas
½ abacate médio
½ xícara de vagem cozida
½ xícara de cogumelo fresco cru
½ xícara de quiabo cozido
½ xícara de cebola fatiada
½ xícara de cherovia cozida
½ xícara de abobrinha cozida
1 espiga pequena de milho verde cozido
1 xícara de alface-americana picada
½ xícara de ervilha ou ervilha-torta

TRIGO INTEGRAL BRANCO

Não é fã de trigo integral? Sente falta do conforto do trigo refinado durante os dias de náusea? Existe no mercado um novo pão que pode ser perfeito para você. Ele é feito com trigo integral branco, que tem um sabor mais doce e suave que o trigo integral vermelho. Será que o trigo integral branco é a melhor coisa a surgir desde a invenção do pão fatiado? Pode ser, se você for fã do trigo refinado, pois oferece os mesmos benefícios nutricionais do trigo integral regular — incluindo o farelo —, com o sabor e a textura do trigo refinado. Apenas preste atenção no rótulo, pois o pão branco não costuma ser feito de trigo integral branco, a menos que o rótulo diga isso. Você também pode comprar a farinha: use-a no lugar da farinha de trigo integral para obter pães e bolos mais leves e menos densos.

Grãos integrais: seis ou mais porções diárias. Há muitas razões para consumi-los. Grãos integrais estão repletos de nutrientes, particularmente vitaminas do complexo B (com exceção da vitamina B12, encontrada somente em alimentos de origem animal), necessárias em praticamente todas as partes do corpo do bebê. Esses carboidratos complexos também são ricos em ferro e microminerais como zinco, selênio e magnésio, todos muito importantes durante a gestação. Outra vantagem: os carboidratos podem acalmar o estômago agitado e combater a constipação. Embora tenham muitos nutrientes em comum, cada um deles tem seus próprios pontos fortes. Para conseguir os melhores benefícios, inclua uma grande variedade de grãos integrais e legumes em sua dieta. Seja aventureira: cubra o peixe ou frango com cubinhos tostados de pão integral, temperados com ervas e queijo parmesão. Use quinoa (um saboroso grão hiperproteico) ou cuscuz de trigo integral como acompanhamento, ou acrescente grãos de triguilho ou trigo integral a seu *pilaf* de arroz selvagem. Use aveia em sua receita favorita de *cookie*. Substitua o feijão-branco por feijão-de-lima na sopa. E, embora você provavelmente os consuma de vez em quando, lembre-se de que os grãos refinados não oferecem muitos nutrientes. Mesmo que sejam "enriquecidos", eles não contêm as mesmas fibras, proteínas e mais de uma dúzia de vitaminas e microminerais dos grãos integrais.

Tente consumir seis alimentos desta lista todos os dias. Não se esqueça que muitos também contribuem para sua ingestão de proteínas, frequentemente de modo significativo:

1 fatia de pão de trigo, aveia, arroz, centeio ou outro grão integral (ou trigo integral branco)

½ pão pita, pãozinho, *bagel*, *wrap*, tortilha ou *muffin* inglês de farinha integral

30 gramas de *chips* ou biscoitos de trigo integral, soja ou lentilha
1 xícara de cereal integral, como aveia, cozido
1 xícara de cereal integral instantâneo (as porções variam, então leia o rótulo)
½ xícara de granola
2 colheres de sopa de gérmen de trigo
½ xícara de arroz integral, negro ou selvagem, cozido
½ xícara de painço, triguilho, cuscuz, trigo-sarraceno, cevada, farro ou quinoa, cozido
30 gramas (antes do cozimento) de macarrão de trigo integral ou de soja
½ xícara de feijão, lentilha, ervilha seca ou edamame, cozidos
2 xícaras de pipoca
¼ de xícara de farinha integral ou de soja

Alimentos ricos em ferro: um pouco diariamente. Como grandes quantidades de ferro são essenciais para manter o fluxo sanguíneo em desenvolvimento do bebê e seu próprio fluxo sanguíneo em expansão, você precisará aumentar a ingestão de ferro durante esses nove meses.

E, como frequentemente é difícil atender às necessidades de ferro da gravidez somente com a dieta, o médico pode recomendar um suplemento diário, além das vitaminas pré-natais, a partir da 20ª semana ou no momento em que os testes demonstrarem deficiência. Para aumentar a absorção, tome o suplemento entre as refeições, com um suco rico em vitamina C (bebidas cafeinadas, antiácidos e alimentos ricos em fibras e cálcio podem interferir na absorção de ferro). Procure ingerir alimentos que oferecem tanto ferro quanto vitamina C.

Pequenas quantidades de ferro são encontradas na maioria das frutas, vegetais, grãos e carnes de consumo diário. Mas tente ingerir alguns dos seguintes alimentos diariamente. Como nos outros casos, alimentos ricos em ferro podem atender simultaneamente a outros requerimentos.

Carne bovina, de búfalo, pato e peru
Marisco, ostra, mexilhão e camarão cozidos
Sardinha
Espinafre, couve-galega, couve crespa e folhas de quiabo
Algas marinhas
Sementes de abóbora
Farelo de aveia
Cevada, triguilho, quinoa
Leguminosas e vagens
Edamame e derivados de soja
Frutas secas

Gorduras e alimentos ricos em gordura: cerca de quatro porções diárias. Eis um requerimento que é não somente fácil de atender, mas também de exagerar. E, embora não haja dano — e provavelmente algum benefício — em ingerir algumas porções extras de vitamina A ou C, o excesso de gordura pode se traduzir em excesso de peso. Mesmo assim, embora moderar a ingestão de gordura durante a gestação seja uma boa ideia, eliminá-la da dieta não é. A gordura é vital para o desenvolvimento do bebê. Os ácidos graxos essenciais contidos nelas são exatamente isso, essenciais. Especialmente benéficos no terceiro trimestre são os ácidos graxos do tipo ômega 3 (p. 145).

A GORDURA É IMPORTANTE

Você está tentando reduzir as calorias preparando salada sem molho e refogados sem azeite? Você merece nota 10 pela força de vontade, mas está obtendo menos vitamina A de seus vegetais. As pesquisas demonstram que muitos dos nutrientes encontrados nos vegetais não são bem absorvidos pelo organismo a menos que sejam acompanhados de gordura. Assim, inclua um pouco em seus vegetais: azeite no refogado, oleaginosas com o brócolis e molho na salada.

Registre a ingestão de gordura e cumpra a cota diária, mas não exagere. E, ao registrar, não se esqueça de que a gordura usada para cozinhar e preparar os pratos também conta, como a manteiga dos ovos mexidos e a maionese da salada de repolho. A boa notícia é que adicionar alguma gordura à preparação dos vegetais aumenta a capacidade de seu organismo de absorver os nutrientes (veja o quadro da p. 144).

Se você não está ganhando peso suficiente e aumentar a ingestão de alimentos nutritivos não bastou, tente ingerir uma porção extra de gordura todos os dias: as calorias concentradas podem ajudá-la a atingir o peso ideal. Se está ganhando peso muito rapidamente, corte uma ou duas porções diárias, mas, novamente, não remova totalmente as gorduras da dieta.

Os alimentos da lista a seguir são totalmente (ou quase) compostos de gordura. Eles certamente não serão a única fonte de gordura de sua dieta (queijos e iogurtes integrais, algumas carnes, oleaginosas e sementes também contêm muita gordura), mas essas "gorduras adicionais" são as únicas cujo consumo você precisa acompanhar. Se seu ganho de peso estiver dentro dos limites, consuma quatro porções integrais (14 gramas cada) ou oito meias porções (7 gramas cada) de gordura todos os dias. Se não estiver, ajuste a ingestão de gordura para cima ou para baixo.

1 colher de sopa de óleo vegetal, como oliva, canola, uva ou gergelim
1 colher de sopa de manteiga ou margarina
1 colher de sopa de maionese
2 colheres de sopa de molho para salada
2 colheres de sopa de creme de leite com 40% de gordura
¼ xícara de *half-and-half* [metade leite, metade creme de leite fresco]
¼ de xícara de chantili
¼ de xícara de creme azedo

2 colheres de sopa de *cream cheese*
2 colheres de sopa de pasta de amendoim, amêndoa ou castanha

Ácidos graxos ômega 3. Você tem fobia de gordura (especialmente depois que a gestação começou a fazê-la ganhar peso rapidamente)? Não as tema, só escolha as certas. Afinal, nem todas são iguais. Algumas são boas, e especialmente boas (na verdade, ótimas) quando você está grávida. Os ácidos graxos ômega 3, especialmente o ácido docosaexaenoico (DHA), são a melhor adição que você pode fazer à sua dieta quando está comendo por dois. Isso porque o DHA é essencial para o crescimento do cérebro e desenvolvimento dos olhos em fetos e bebês. De fato, os pesquisadores descobriram que crianças cujas mães consumiram bastante DHA durante a gravidez apresentam coordenação mão-olho melhor que seus pares, embora não esteja claro se isso se traduz em maior poder mental mais tarde na infância. Ingerir esse combustível vital para o cérebro do bebê é especialmente importante durante o terceiro trimestre (quando o cérebro cresce a uma velocidade fenomenal) e a amamentação (a quantidade de DHA no cérebro do bebê triplica durante os três primeiros meses de vida). Mais benefícios do ômega? Em média, bebês cujas mães mantêm uma dieta rica em ômega durante a gestação têm peso e altura melhores ao nascer e se saem melhor no teste Apgar, além de terem sono mais regular.

E o que é bom para o bebê esperado também é bom para quem o está esperando. Ingerir DHA suficiente pode moderar suas variações de humor. Por sorte, ele é encontrado em muitos alimentos que você provavelmente já consome — e gosta:

Salmão (selvagem, se possível) e outros peixes gordurosos, como sardinha
Atum em lata light
Nozes
Rúcula
Ovos ricos em DHA (frequentemente chamados de ovos ômega 3)
Boi e búfalo criados a pasto
Caranguejo e camarão
Frango (as galinhas criadas soltas, no geral, contêm mais DHA)

UM GRÃO DE SAL

Você está tentando reduzir o consumo de sal porque teme que ele provoque retenção de líquidos e inchaço? Bem, pode acontecer, mas isso não é assim tão ruim quando você está grávida. Na verdade, certo aumento dos fluidos corporais (aquele inchaço não tão agradável) é necessário e normal, e uma quantidade moderada de sal (sódio) é necessária para manter esses fluidos extras. Reduzir drasticamente o consumo de sódio pode ser prejudicial durante a gravidez.

Mesmo assim, a maioria dos americanos (incluindo as americanas grávidas) consome sódio em excesso. Ingerir grandes quantidades de sal e comidas muito salgadas frequentemente (como aqueles picles que você não consegue parar de comer, o shoyu extra em um refogado já salgado e os supersalgados pacotes de batatas *chips*) não é bom para ninguém. A alta ingestão de sódio está diretamente relacionada ao aumento da pressão arterial, um problema que pode causar complicações durante a gestação e o trabalho de parto. Como regra geral, use sal apenas com moderação — ou não use — ao cozinhar. Em vez disso, salgue a comida na hora de consumir. Coma um picles quando tiver vontade, mas pare em um ou dois em vez de comer metade do vidro. E, a menos que o médico diga o contrário (porque você sofre de hipertireoidismo, por exemplo), use sal iodado para garantir que está atendendo à necessidade aumentada de iodo durante a gestação. Na verdade, leia o rótulo do sal que usa para ter certeza de que é iodado (a maioria dos sais marinhos, por exemplo, não contém iodo). Cerca de um terço das gestantes apresenta deficiência de iodo, o que é um problema durante a gestação, pois o iodo é necessário para o desenvolvimento saudável do cérebro do feto.

Você também pode perguntar a seu médico sobre suplementos de DHA sem mercúrio, que são seguros durante a gestação (muitos suplementos pré-natais já contêm entre 200 e 300 mg de DHA). Não é fã do gosto residual de peixe que alguns suplementos de DHA deixam (e que podem fazê-la arrotar)? Há alternativas vegetarianas e veganas, produzidas sem peixes.

Líquidos: variável. Você está não somente comendo por dois, mas também bebendo por dois. O corpo de seu bebê, como o seu, é composto majoritariamente de líquidos. Conforme aquele corpinho cresce, o mesmo ocorre com a demanda por líquidos. Seu corpo precisa deles mais que nunca, uma vez que a gravidez aumenta o volume de líquidos significativamente. A água também ameniza a constipação, livra seu organismo (e o do bebê) de toxinas e dejetos e reduz o inchaço excessivo e o risco de infecções urinárias e parto prematuro. Assim, é importante ingerir líquidos suficientes quando você está grávida.

Mas quanto é "suficiente"? Como regra, os especialistas recomendam que você beba cerca de dez copos (de 230 ml cada) de líquidos ao dia. Essa quantidade, aliada aos líquidos dos alimentos que consome (e que serão significativos se você gostar de salada e melancia) deve corresponder facilmente à ingestão adequada para gestantes. A quantidade necessária de líquidos durante a gestação (ou qualquer outra época) é, bem... fluida. Ela depende do nível de atividade da mulher, de onde ela vive, do que come, de seu IMC, do clima e de muitas outras variáveis. E pode variar de um dia para o outro (se um dia for passado em uma praia ensolarada e o seguinte em um shopping com ar--condicionado, ou se um dia for ativo, e o seguinte, sedentário). Felizmente, seu corpo informa se está recebendo líquidos suficientes, então dê ouvidos a ele. Tome um golinho sempre que começar a sentir sede ou, preferencialmente, antes disso. Pegue a garrafinha de água quando estiver suando mais que o normal (como ao fazer exercícios ou quando estiver muito quente), quando estiver vomitando e quando estiver retendo líquidos (paradoxalmente, líquidos extras podem eliminar o excesso de líquidos). A melhor medida para a entrada de líquidos é a saída. Se sua urina tiver a cor pálida da palha e for abundante, você está bebendo o suficiente. Se for amarelo escuro e em pequena quantidade, você precisa beber mais.

QUAL É A COMPOSIÇÃO DE UM SUPLEMENTO?

Quais são os ingredientes da cápsula, pó ou goma pré-natal? Isso depende de qual você está tomando. E como não existem padrões para os suplementos pré-natais, as fórmulas variam. É provável que o médico prescreva ou recomende um suplemento, evitando que você tenha de escolher a fórmula. Se estiver encarando as prateleiras da farmácia sem recomendação, procure uma fórmula que contenha:

- Não mais de 4.000 UI (800 mcg) de vitamina A (quantidades acima de 10.000 UI podem ser tóxicas). Muitos fabricantes reduziram a quantidade de vitamina A em seus suplementos ou a substituíram pelo betacaroteno, que é uma fonte muito mais segura de vitamina A.
- Um mínimo entre 400 e 600 mcg de ácido fólico (folato).
- 250 mg de cálcio, embora, caso não obtenha cálcio suficiente na dieta, você precise de uma quantidade maior para chegar à dose diária de 1.000 mg.
- 30 mg de ferro.
- Entre 50 e 80 mg de vitamina C.
- 15 mg de zinco.
- 2 mg de cobre.
- 2 mg de vitamina B6.
- Ao menos 400 UI de vitamina D.
- Ao menos a dose diária recomendada de vitamina E (15 mg), tiamina (1,4 mg), riboflavina (1,4 mg), niacina (18 mg) e vitamina B12 (2,6 mg). A maioria dos suplementos pré-natais contém entre duas e três vezes a dose diária

> recomendada. Não existem efeitos danosos conhecidos em tais quantidades.
> - 150 mcg de iodo (nem todos os suplementos contêm iodo ou essa quantidade).
> - Algumas fórmulas podem conter magnésio, selênio, flúor, biotina, colina, fósforo, ácido pantotênico, uma quantidade maior de vitamina B6 (para combater a náusea), gengibre (idem) e/ou DHA para o cérebro do bebê.
>
> Também é importante ver se existem ingredientes que não deveriam estar em suplementos pré-natais, como ervas medicinais. Se tiver dúvida, fale com o médico. E, embora os suplementos manipulados contenham mais folato e vitamina C, os suplementos vendidos sem receita na farmácia quase sempre obedecem aos requerimentos mínimos, de modo que você não precisa pagar mais pela versão manipulada, a menos que o médico recomende.

É claro que nem todos os líquidos precisam vir da água. É possível obtê-los do leite (que é dois terços água), do leite de amêndoas, da água de coco, de sucos de frutas e vegetais e de sopas.

Frutas e vegetais também contam, especialmente os com muito suco, como a melancia.

Suplementos vitamínicos pré-natais: uma fórmula para gestantes a ser ingerida diariamente. Com todos os nutrientes incluídos nas Doze Porções Diárias (ou qualquer dieta saudável), por que você precisa de vitaminas pré-natais? Não seria possível atender aos outros requerimentos consumindo as comidas certas? Provavelmente, se você vivesse em um laboratório no qual sua comida fosse preparada e mensurada precisamente para calcular a ingestão diária adequada e você nunca comesse correndo, trabalhasse durante o almoço ou se sentisse enjoada demais para comer. No mundo real — aquele no qual você provavelmente vive —, o suplemento pré-natal fornece garantias extras para você e o bebê, atendendo a suas necessidades nutricionais básicas quando você não pode fazê-lo. E é por isso que sua ingestão diária é recomendada.

Mesmo assim, um suplemento é um suplemento. Nenhuma cápsula (ou pó), por mais completa que seja, pode substituir uma boa dieta. É melhor se a maior parte das vitaminas e minerais vier de alimentos, porque, dessa maneira, os nutrientes são utilizados com mais eficiência. Alimentos frescos contêm não somente os nutrientes que conhecemos e que podem ser sintetizados, mas provavelmente muitos outros que ainda não descobrimos. A comida também fornece fibras e água (frutas e vegetais são repletos de ambos) e importantes calorias e proteínas, nenhuma das quais é eficientemente incluída em uma cápsula.

Mas não pense que, já que um pouquinho é bom, bastante é melhor. Qualquer vitamina ou mineral além dos que já são encontrados no suplemento pré-natal só deve ser ingerido por recomendação médica, e o mesmo vale para os suplementos fitoterápicos.

Quanto às vitaminas e minerais obtidos através da dieta, não é possível ingerir quantidades excessivas ao encher o prato de salada, de modo que você não precisa se conter quando tiver vontade de se fartar de cenouras ou brócolis.

O que você pode estar se perguntando

Dieta sem leite
"Sou intolerante à lactose, e beber quatro copos de leite por dia me deixaria muito enjoada. Mas os bebês não precisam de leite?"

Seu bebê não precisa de leite, mas de cálcio. Como o leite é uma das melhores e mais convenientes fontes de cálcio da natureza, ele é o mais frequentemente recomendado para suprir o requerimento crescente durante a gestação. Mas, se o leite lhe dá mais que um gosto azedo na boca e um bigode branco sobre o lábio superior (você tem gases?), provavelmente você pensa duas vezes antes de tomar um copo. Felizmente, não precisa sofrer para que seu bebê tenha dentes e ossos saudáveis. Se for intolerante à lactose ou simplesmente não gostar de leite, há muitos substitutos disponíveis que atendem muito bem aos requerimentos nutricionais.

Mesmo que o leite comum revire seu estômago, você pode facilmente obter variedades sem lactose (o mesmo vale para os laticínios). Talvez seu estômago aceite queijos duros e iogurtes processados (as culturas ativas na verdade facilitam a digestão), assim como laticínios feitos de leite pasteurizado de cabra ou ovelha. Outra vantagem de produtos sem lactose: alguns são enriquecidos com cálcio (leia os rótulos e escolha os que forem). Tomar um comprimido de lactase antes de ingerir leite ou laticínios regulares ou adicionar gotas de lactase ao leite comum também pode minimizar ou eliminar os problemas digestivos causados pela lactose.

Mesmo que tenha sido intolerante à lactose durante anos, você pode ficar agradavelmente surpresa ao descobrir que seu estômago já não reclama dela no segundo ou terceiro trimestres, convenientemente no momento em que as necessidades de cálcio do bebê são maiores. Se for assim, vá em frente e consuma laticínios, mas saiba que seu estômago pode ter limites e você deve manter a opção sem lactose em aberto. Também lembre-se que seu passe livre para consumir laticínios provavelmente expirará com a chegada do bebê.

PASTEURIZADO, POR FAVOR

Quando foi inventada pelo cientista francês Louis Pasteur em meados da década de 1800, a pasteurização foi a melhor coisa a acontecer aos laticínios desde as vacas. E ainda é, particularmente no que diz respeito às mulheres grávidas. Para proteger a si mesma e ao bebê de bactérias prejudiciais, assegure-se de que o leite que bebe e os laticínios que consome sejam pasteurizados (laticínios "crus" não são pasteurizados). Seja especialmente cuidadosa no caso de queijos macios (muçarela fresca, feta, brie, queijos azuis, queijo estilo mexicano) feitos com leite cru, pois podem estar contaminados com listeria, uma bactéria particularmente perigosa (p. 171). Escolha as variedades pasteurizadas (os nacionais têm maior probabilidade de serem pasteurizados que os importados, mas sempre confira o rótulo) ou aqueça até borbulhar antes de consumir. A moda crua expandiu o número de produtos não pasteurizados no mercado, de modo que as consumidoras grávidas precisam ter cuidado.

E os laticínios não são os únicos a serem pasteurizados. Ovos também podem ser (eliminando o risco de salmonela), e constituem uma boa escolha se você for fazer um molho Caesar caseiro ou preferir gemas moles. Os sucos também podem ser pasteurizados (para eliminar E. coli e outras bactérias prejudiciais). A maioria dos sucos industrializados é pasteurizada (mas nem todos), mas sempre confira o rótulo antes de comprar. Não tem certeza de que um suco foi pasteurizado ou sabe que não foi (como os feitos na hora nas lanchonetes)? Não beba. O mesmo vale para *smoothies* feitos com suco, a menos que você tenha certeza de que o suco é pasteurizado. Cocos verdes abertos na sua frente e servidos com canudinho podem ser consumidos, pois a água de coco é estéril se ficar bem protegida no interior da casca dura.

Está se perguntando sobre a "pasteurização flash"? Trata-se de um processo mais rápido, mas igualmente efetivo, que mata as bactérias e preserva o sabor. E quanto ao suco que você faz em casa? Pode bebê-lo (é saboroso e nutritivo), desde que tenha lavado muito bem as frutas e vegetais.

Se não consegue tolerar laticínios ou é alérgica a eles, você pode obter o cálcio que o bebê requer bebendo sucos ou leite de amêndoas enriquecidos com cálcio ou consumindo alimentos que são fonte de cálcio, listados na p. 137.

Se seu problema com o leite não é fisiológico, mas somente uma questão de paladar, tente alternativas ricas em cálcio, derivadas ou não do leite. Você provavelmente gostará de muitas delas. Ou disfarce o leite em cereais, sopas e *smoothies*.

Se não conseguir obter cálcio suficiente através da dieta, peça que o médico recomende um suplemento (há muitas variedades mastigáveis que são uma doce vingança para as que detestam tomar comprimidos). Você também precisa ingerir suficiente vitamina D (que é adicionada ao leite de vaca). Muitos suplementos de cálcio incluem vitamina D (o que aumenta a absorção de cálcio), e também haverá uma dose baixa em seu suplemento pré-natal.

Dieta sem carne vermelha
"Eu como frango e peixe, mas não como carne vermelha. Sem ela, meu bebê obterá todos os nutrientes necessários?"

Seu bebê não terá o menor problema com sua dieta sem carne vermelha. Peixes e aves, aliás, fornecem mais proteínas formadoras de bebês e menos gordura por caloria que a maioria dos cortes de boi, porco e carneiro, tornando-se uma escolha mais eficiente durante a gravidez. E, assim como a carne vermelha, são ricas fontes de muitas das vitaminas do complexo B de que seu bebê necessita. O único nutriente no qual aves e peixes nem sempre podem competir com a carne vermelha é o ferro (pato, peru e moluscos são as exceções), mas há muitas outras fontes desse mineral essencial, que também é fácil de obter na forma de suplementos.

Dieta vegetariana
"Como vegetariana, eu me pergunto se preciso modificar minha dieta agora que estou esperando um bebê."

Vegetarianas de todos os tipos podem ter bebês saudáveis sem comprometer seus princípios dietéticos — basta que sejam um pouco mais cuidadosas no planejamento das dietas que as gestantes que comem carne. Ao escolher seus cardápios sem carne, assegure-se de incluir o seguinte:

Proteínas suficientes. Para as ovolactovegetarianas, que consomem ovos e laticínios, obter proteínas suficientes é somente uma questão de consumir a quantidade adequada desses produtos (particularmente as que gostam de iogurte grego, uma fonte especialmente rica em proteína). Se você é vegana (uma vegetariana que não consome nenhum produto animal nem mesmo ovos e laticínios), talvez precise se esforçar um pouco mais no quesito proteínas, ingerindo grandes quantidades de leguminosas secas, ervilhas, lentilhas, tofu e outros produtos de soja (veja p. 136 para mais fontes vegetais de proteína).

Cálcio suficiente. Isso não é problema para as vegetarianas que consomem laticínios, mas pode ser mais complicado para as que não consomem. Por sorte, os derivados do leite são as mais óbvias, mas não as únicas fontes de cálcio. Leite de amêndoas e sucos enriquecidos com cálcio oferecem tanto desse mineral quanto o leite (mas agite bem a embalagem antes de servir). Outras fontes de cálcio não derivadas do leite incluem vegetais folhosos de cor escura, sementes de gergelim, amêndoas e muitos produtos de soja (como leite, queijo, tofu e tempeh). Por precaução, as veganas também devem ingerir um suplemento de cálcio além das vitaminas pré-natais. Peça uma recomendação ao médico (preferencialmente uma que também inclua vitamina D; veja p. 152).

Vitamina B12. Embora a deficiência de B12 seja rara, as vegetarianas, sobretudo as veganas, frequentemente não obtêm o suficiente dessa vitamina, porque ela só é encontrada em alimentos de origem animal. Assim, assegure-se de fazer suplementação de B12, assim como de ácido fólico e ferro (pergunte ao médico se você precisa de mais B12 do que é fornecido por seu suplemento pré-natal). Outras fontes na dieta incluem leite de soja, cereais enriquecidos, levedura e substitutos da carne enriquecidos com vitamina B12.

Vitamina D. Todo mundo precisa de vitamina D na dieta, mas as veganas, que não bebem leite nem comem peixe, precisam ser especialmente cuidadosas para encontrar maneiras de obtê-la (veja o quadro a seguir).

NÃO SEJA D-EFICIENTE

Embora o organismo produza vitamina D quando exposto à luz do sol, produzir o suficiente pode ser um desafio, especialmente para as mulheres de pele escura, que vivem em climas menos ensolarados, não ficam muito tempo ao ar livre ou usam protetor solar. É possível comer (ou beber) vitamina D? Não com facilidade, pois ela não é encontrada em grande quantidade em nenhum alimento. Leites e sucos enriquecidos com vitamina D fornecem um pouco, assim como sardinha e gema de ovo, mas nem de longe o suficiente para prevenir uma deficiência. A melhor aposta é pedir que o médico teste seus níveis de vitamina D e prescreva um suplemento, se necessário.

Dieta *low-carb*

"Estou fazendo uma dieta com poucos carboidratos e muita proteína para perder peso. Agora que estou grávida, posso continuar comendo dessa maneira, para não ganhar muito peso?"

Eis o problema da dieta *low-carb*: quando você está grávida, não deve ser *low* em nada. Consumir baixas quantidades de qualquer nutriente essencial não é inteligente quando você está esperando um bebê. A prioridade da gestação é obter equilíbrio entre todos os melhores ingredientes formadores de bebês, incluindo o tipo certo de carboidratos (os complexos). Por mais populares que sejam, as dietas que limitam todos os carboidratos (incluindo frutas, vegetais e grãos integrais) limitam os nutrientes — especialmente o ácido fólico — de que o feto necessita para crescer. E o que é ruim para o bebê também pode ser ruim para a mãe: abrir mão dos carboidratos complexos significa abrir mão das fibras que evitam prisão de ventre, além de todas as vitaminas do complexo B que combatem o enjoo matinal e os problemas de pele causados pela gestação.

REGIME NÃO

A gravidez é uma época para comer de maneira saudável, não para fazer regime. Assim, deixe na estante os livros que ensinam como perder peso, desinstale os aplicativos de dieta, desista dos sucos desintoxicantes, livre-se da dieta sem glúten (a menos que seja celíaca ou tenha intolerância ao glúten), seja sensata ao consumir alimentos crus e mantenha o equilíbrio para gerar um bebê bem alimentado.

Está pensando em ser uma gestante paleolítica? A dieta paleolítica, que imita o cardápio de nossos ancestrais que moravam em cavernas, não atende às necessidades das mães modernas. Embora inclua muitas proteínas animais, vegetais e algumas frutas e oleaginosas, exclui laticínios, grãos integrais e leguminosas, todos boas fontes de nutrientes essenciais para a gestação. Grávidas que sofrem com enjoo também descobrem que eliminar as bolachas de água e sal (e também o pão e outros carboidratos que acalmam o estômago) de sua dieta pode ser desafiador.

Dieta crua

"Estou seguindo uma dieta crua, que faz com que eu me sinta espetacular, cheia de energia. Tenho de parar agora que estou grávida?"

Seguir uma dieta totalmente crua pode ser ruim para você e para o bebê, por certas razões. A mais importante: sempre há a possibilidade de que os alimentos crus estejam contaminados por bactérias que o cozimento ou a pasteurização teriam matado. Isso é verdadeiro não somente para os suspeitos óbvios (laticínios, carne e peixe), mas também para os alimentos "crus" prontos para consumo vendidos nas lojas de produtos naturais que não são preparados ou estocados de maneira segura. Outra consideração: é difícil conseguir todos os nutrientes de que você necessita durante a gestação se só consome alimentos crus: algumas vitaminas são mais bem absorvidas ao serem cozidas. Os mais notáveis nutrientes que você perderá são: vitamina

B12 (impossível de conseguir em vegetais crus), vitamina D, selênio, zinco, ferro e DHA. Além disso, se consumir tudo cru, você terá dificuldade para cumprir a cota de proteínas com segurança (algo que vegetarianos e veganos podem obter da quinoa e leguminosas cozidas, por exemplo).

UM PASSEIO PELOS CORREDORES DE ALIMENTOS SAUDÁVEIS

Talvez você seja cliente regular das lojas (ou corredores) de alimentos saudáveis, ou talvez esteja se perguntando se deveria visitá-las agora que está tentando ser saudável por dois. Mas os alimentos saudáveis são sempre a escolha mais saudável para futuras mães? Na maior parte do tempo, sim... com cautela. Veja os produtos à base de linhaça, por exemplo, elogiados por seus benefícios para a saúde, que são muitos. Alguns médicos recomendam limitar o consumo de linhaça (em forma de óleo, semente ou suplemento) durante a gestação, citando estudos em animais que demonstraram que grandes quantidades podem afetar o desenvolvimento do feto — embora não haja evidências claras de que o mesmo se aplique a seres humanos. Outros médicos dizem que quantidades moderadas podem ser consumidas durante a gestação, especialmente porque a linhaça é uma boa fonte de ácidos graxos ômega 3, que são excelentes para o bebê. Não sabe o que fazer? Pergunte a opinião do seu médico.

E quanto a outros astros da alimentação saudável? Sementes, produtos e óleo de cânhamo com moderação (uma ou duas porções diárias) provavelmente são seguros para gestantes, e uma boa fonte de proteínas, fibras e ácidos graxos. Mas, como o uso de cânhamo durante a gestação não foi bem estudado, faz sentido evitar grandes concentrações (como no caso de suplementos). Sementes de chia são uma excelente fonte de fibras, ácidos graxos ômega 3, proteínas, cálcio e ferro, mas, embora uma pitada na salada, iogurte, cereal ou *smoothie* provavelmente seja segura e nutritiva, converse com o médico antes de ingerir grandes quantidades, porque (surpresa!) a segurança da chia durante a gestação ainda não foi estudada. A segurança da espirulina (um pó de algas que contém muitas proteínas e cálcio e é uma boa fonte de antioxidantes, vitaminas do complexo B e outros nutrientes) durante a gestação também não foi estabelecida, levando alguns médicos a sugerirem que as futuras mães limitem ou evitem o uso desse pó cheio de nutrientes. Outra razão para não usar espirulina durante a gestação: às vezes, ela está contaminada por toxinas, incluindo metais pesados, e bactérias prejudiciais. O mesmo vale para os populares pós de "comida verde" que, às vezes, contêm ervas medicinais e suplementos que podem não ser seguros para gestantes. A grama de trigo também não está liberada, não somente porque não há provas de que seja segura durante a gravidez, mas também porque pode estar contaminada por bactérias.

Está pensando em usar um shake proteico? Primeiro mostre o rótulo para o médico, pois ele pode conter suplementos suspeitos ou níveis muito altos de vitaminas e minerais.

Tomou alguns *smoothies* de grama de trigo ou de vegetais em pó antes de falar com seu médico? Não se preocupe: apenas lembre-se de que é uma boa ideia obter a aprovação dele antes de esvaziar as prateleiras das lojas de produtos saudáveis.

Um bom compromisso quando você está esperando um bebê? Jogue-se de cabeça nos vegetais crus, sirva-se de saladas e coma uma maçã por dia (e um pêssego e uma manga) — mas lembre que certos alimentos foram feitos para serem cozidos (ou pasteurizados a quente), ao menos enquanto você tem um pãozinho no forno.

ATALHOS PARA UMA ALIMENTAÇÃO SAUDÁVEL

A comida saudável também pode ser rápida. Eis como:
- Se você está sempre correndo, lembre que o tempo necessário para fazer (ou pedir) um sanduíche de peru assado, queijo, alface e tomate para comer no trabalho é o mesmo de ficar na fila do fast-food.
- Se a ideia de preparar um jantar completo todas as noites for exaustiva, cozinhe o suficiente para dois ou três jantares de cada vez e dê a si mesma noites alternadas de folga.
- Mantenha as coisas simples quando estiver cozinhando de modo saudável. Para uma refeição ligeira, asse ou grelhe um filé de peixe e o cubra com seu molho favorito, um pouquinho de abacate picado e algumas gotas de limão tahiti. Alterne camadas de molho de tomate e queijo muçarela sobre o peito de frango sem osso e coloque na grelha. Ou prepare ovos mexidos e os use como recheio de uma tortilha de milho, juntamente com queijo cheddar ralado e alguns vegetais cozidos no micro-ondas.

- Quando não tiver tempo de fazer tudo do zero (e quem tem?), use sopas e grãos em lata, entradas saudáveis congeladas ou empacotadas a vácuo, vegetais congelados ou as saladas prontas e pré-lavadas vendidas nos supermercados.

Viciada em junk food

"Sou viciada em junk food, como biscoitos, salgadinhos e fast-food. Sei que devo me alimentar de modo saudável — e realmente quero fazer isso —, mas não tenho certeza de que consigo mudar meus hábitos."

Pronta para se livrar do vício? Ter motivação para mudar seus hábitos alimentares é o primeiro e mais importante passo — assim, congratule-se por já tê-lo dado. Implementar essas mudanças exigirá grande esforço, mas valerá muito a pena, para seu bebê e para você. Eis várias maneiras de tornar sua crise de abstinência quase tão indolor quanto válida:

Mude as refeições. Se o bolo a chama quando você toma o café da manhã na mesa de trabalho, prepare uma refeição melhor em casa (alimentos cheios de estabilizadores dos níveis de açúcar e que a saciam por muito tempo, como carboidratos complexos e proteínas, ajudarão a combater o desejo por junk food que a acometerá mais tarde). Se sabe que não consegue resistir às batatinhas fritas ao passar pelo McDonald's, não vá até lá — literalmente. Peça um sanduíche saudável de uma lanchonete local ou vá àquele restaurante que serve *wraps* sem nenhuma fritura.

Planeje, planeje, planeje. Planejar refeições e lanches antecipadamente (em vez de pegar o que está mais fácil ou mais perto, como aquele pacote de salgadinhos de queijo com embalagem alaranjada brilhante na máquina automática) manterá você comendo bem durante toda a gravidez. Assim, comece a usar sacolas de papel pardo e marmitas. Colecione cardápios de restaurantes com opções saudáveis ou instale um aplicativo de delivery, para que uma refeição nutritiva esteja sempre ao alcance da mão (e faça o pedido antes de a fome bater). Faça um estoque de lanches saudáveis, mas satisfatórios: frutas frescas, secas ou liofilizadas (tente congelar uvas para ter um lanchinho doce e gelado), oleaginosas, *chips* naturais (soja, lentilha, milho, couve crespa e outros vegetais), granola integral, barrinhas ou biscoitos de cereais, iogurtes ou *smoothies*, palitos ou bolinhas de queijo. Para que o refrigerante não a chame da próxima vez que sentir sede, mantenha uma garrafa de água sempre à mão.

Não dê mole para a tentação. Não tenha balas, salgadinhos, biscoitos e refrigerantes em casa, a fim de que eles não estejam à mão (mesmo que estejam em sua mente). Afaste-se da vitrine de doces antes que o *cupcake* faça contato visual. Use o caminho mais longo para chegar em casa se isso significar que não passará em frente àquele *drive-thru*.

Faça substituições. Está com vontade de um *donut* com o café? Coma um *muffin* de aveia integral. Sai procurando pelo pacote de Doritos no meio da noite? Fique com um salgadinho de milho integral assado (mergulhado em salsa para ter mais sabor e uma dose saudável de vitamina C). Está morrendo por um sorvetinho (misturado com biscoito moído)? Tente um *smoothie* de fruta, encorpado, cremoso e docinho.

Mantenha o bebê em mente. Seu bebê come o que você come, mas às vezes é difícil se lembrar disso (especialmente quando o cheiro das rosquinhas de canela tenta seduzi-la no shopping). Se achar que será útil, use fotografias de bebês fofinhos e saudáveis sempre que precisar de um pouquinho de inspiração (e muita força de vontade). Coloque uma na escrivaninha, na carteira, no carro (assim, quando estiver tentada a entrar no *drive-thru*, você passará direto). Ou deixe uma imagem do ultrassom de seu próprio bebê convencê-la a desistir das besteiras.

Conheça seus limites. Algumas viciadas em junk food conseguem adotar a abordagem de ceder de vez em quando, outras, não (e você se conhece). Se as besteirinhas nunca são suficientes — se um punhadinho leva a um montão, se um único *donut* acaba em uma caixa com seis, se você sabe que vai comer o pacote de salgadinho inteiro se o abrir —, pode ser mais fácil eliminar esse hábito completamente em vez de tentar moderá-lo.

Lembre-se de que bons hábitos também duram a vida inteira. Depois que fizer o esforço de desenvolver hábitos alimentares mais saudáveis, você pode pensar em mantê-los. Continuar a comer bem após o parto fará com que tenha mais energia para seu novo estilo de vida como mãe. Além disso, como seu pequeno adquirirá com você seus próprios hábitos alimentares (os bons, os maus e os terríveis), será mais provável que ele cresça gostando de coisas mais saudáveis.

Comer fora

"Eu me esforço muito para manter uma dieta saudável, mas como fora tantas vezes que isso parece impossível."

Para muitas futuras mães, o desafio não é substituir o martíni pela água mineral no restaurante, mas tentar fazer uma refeição que seja boa para o bebê, mas não hipercalórica. Com esse objetivo em mente, e as seguintes sugestões, será mais fácil comer fora e continuar na Dieta da Gravidez:

- Procure grãos integrais quando a cestinha de pão chegar. Se não houver nenhum, peça ao garçom. Se tampouco tiver sorte, tente não comer muitos pães de trigo refinado. Também não exagere na manteiga e no azeite de oliva. Provavelmente

haverá muitas outras fontes de gordura na refeição — molho na salada, manteiga ou azeite de oliva nos vegetais — e, como sempre, as porções se acumulam rapidamente.
- Escolha uma salada. Outras boas opções de entrada são coquetel de camarão, frutos do mar no vapor, vegetais grelhados ou sopa.

PREOCUPAÇÃO COM O COLESTEROL

Eis um fato feliz: o colesterol não precisa sair do prato quando você está grávida. Mulheres grávidas estão protegidas de seu efeito entupidor de artérias. Na verdade, o colesterol é necessário para o desenvolvimento fetal saudável, tanto que o corpo da mãe automaticamente acelera sua produção, aumentando seu nível sanguíneo entre 25% e 40%. Embora você não precise ter uma dieta rica em colesterol para ajudar seu organismo a acelerar a produção, tampouco precisa ter medo dele (a menos que seu médico diga o contrário). Vá em frente: coma queijo, ovos e hambúrguer sem se preocupar. Lembre-se somente de fazer escolhas saudáveis, em função dos benefícios nutricionais (claramente, um hambúrguer típico de fast-food é menos nutritivo que um hambúrguer de carne de boi criado a pasto no pão integral).

- Se pedir sopa, escolha as de base vegetal (como batata-doce, cenoura, moranga ou tomate). Sopas de lentilha ou feijão também contêm muita proteína. Na verdade, um prato grande pode servir como uma refeição, especialmente se você incluir queijo ralado. De modo geral, fique longe das sopas cremosas (a menos que obtenham sua cremosidade do iogurte ou leitelho) e, na hora de escolher uma sopa de amêijoas, prefira as com caldo claro, e não cremoso.
- Tire o máximo proveito do prato principal. Escolha proteínas — peixe, frutos do mar, peito de frango ou bife — magras (eis as palavras que são suas amigas: "grelhado", "no vapor" e "escaldado"). Se tudo vier com um molho pesado, peça o molho à parte. E não se envergonhe de fazer pedidos especiais (os chefs estão habituados a isso; além do mais, é difícil dizer não para uma mulher grávida). Pergunte se seu peito de frango pode ser grelhado, em vez de empanado, ou se o peixe pode ser assado, em vez de frito.
- Seja seletiva na hora de escolher os acompanhamentos, preferindo batata-doce, arroz integral ou selvagem, quinoa, leguminosas ou vegetais frescos.
- Troque a sobremesa por uma fruta. Só a fruta não satisfaz (ao menos, não sempre)? Acrescente creme batido, *sorbet* ou sorvete a seus morangos frescos.

Lendo os rótulos

"Estou tentando comer bem, mas é difícil descobrir quais são os ingredientes dos produtos que compro. Os rótulos são muito confusos."

Os rótulos foram projetados não para ajudar você, mas para ajudar as vendas. Saiba disso quando encher o carrinho no supermercado e aprenda a ler as letrinhas pequenas, especialmente a lista de ingredientes e o rótulo nutricional (que foram feitos para ajudá-la).

A lista de ingredientes diz, em ordem de predominância (com o primeiro ingrediente sendo o mais abundante e o último o menos abundante) exatamente o que está contido no produto. Uma olhada rápida dirá se o principal ingrediente de um cereal é integral (como "aveia integral") ou refinado (como "milho triturado"). Também dirá se o produto contém muito açúcar, sal, gordura ou aditivos. Por exemplo, quando o açúcar é listado perto do topo da lista de ingredientes ou quando aparece em diversas formas (xarope de milho, mel e açúcar), você pode suspeitar que o produto está repleto dele.

Conferir os gramas de açúcar no rótulo não será útil até que a FDA exija que os gramas de "açúcar adicionado" sejam separados dos gramas de "açúcar naturalmente presente" (aqueles encontrados nas passas do farelo de passas ou no leite do iogurte, por exemplo). Embora os gramas de açúcar nos rótulos atuais possam ser os mesmos em uma caixa de suco de laranja e uma caixa de bebida sabor laranja, eles não são equivalentes. É como comparar laranjas com xarope de milho: o suco contém açúcar naturalmente presente na fruta, ao passo que a bebida sabor laranja contém açúcar adicionado.

Os rótulos nutricionais, que estão presentes na maior parte dos produtos vendidos nos supermercados, podem ser particularmente úteis se você está controlando a ingestão de proteínas ou gorduras (listadas em gramas por porção) ou contando calorias (listadas em número por porção). Apenas tenha em mente que as porções podem ser muito menores do que você imagina, o que é outra razão para ler as letrinhas miúdas (aquele doce pode parecer uma barganha com suas 100 calorias, até você se dar conta de que ele contém 2,5 porções com 100 calorias cada). A lista de percentuais da ingestão diária recomendada não é muito útil, porque a ingestão diária recomendada para gestantes é diferente da do adulto médio. Mesmo assim, um alimento que tem percentuais altos em vários nutrientes é um bom produto para se colocar no carrinho.

Embora seja importante prestar atenção nas letrinhas miúdas, às vezes é igualmente importante ignorar as letras grandes. Quando uma caixa de *muffins* ingleses diz que eles foram feitos "com trigo integral, aveia e mel", ler as letrinhas miúdas pode revelar que o principal ingrediente (o primeiro da lista) é o trigo refinado, e não integral, que os *muffins* mal contêm aveia (ela está perto do fim da lista) e que há muito mais açúcar refinado (mais alto na lista) que mel (mais baixo). Lembre-se de que "trigo", assim como "aveia" ou "milho", refere-se a uma variedade de grãos, e não se eles são integrais ou não (se forem, isso estará informado no rótulo).

"Enriquecido" e "fortificado" também são palavras que merecem desconfiança. Acrescentar algumas vitaminas a um alimento não tão bom não o torna bom. Você se alimenta muito melhor com uma tigela de aveia, que contém nutrientes naturais, do que com um cereal refinado ao qual foram adicionados 12 gramas de açúcar e algumas vitaminas e minerais.

Segurança do sushi
"O sushi é minha comida favorita, mas ouvi dizer que não deve ser consumido durante a gestação. É verdade?"

Sinto muito, mas sashimi e sushi feitos com peixe cru não são uma boa ideia quando você está grávida, ao menos na opinião da maioria dos especialistas. O mesmo vale para outros alimentos crus, como ostras e mariscos, ceviche, bife tártaro ou carpaccio de peixe e moluscos. Isso porque, quando os frutos do mar não são cozidos, há uma pequena chance de que causem intoxicação alimentar (algo que você definitivamente não quer quando está grávida). Mas isso não significa que você não possa frequentar seu restaurante favorito. Sushis feitos com peixe e frutos do mar cozidos e/ou vegetais são opções saudáveis, especialmente se o restaurante oferecer a opção com arroz integral.

Preocupada com o peixe cru que você consumiu antes de ler isso? Não fique (afinal, você não ficou doente). Mas não o consuma de agora em diante.

Segurança dos peixes
"Devo comer peixe enquanto estou grávida ou devo me abster? Continuo ouvindo informações conflitantes."

Os peixes são uma excelente fonte de proteína magra, assim como de ácidos graxos ômega 3, necessários para a formação do cérebro do bebê. Essas são boas razões para mantê-los no cardápio — ou acrescentá-los, se você não é fã. As pesquisas demonstraram benefícios para o cérebro de bebês cujas mães consumiram peixe enquanto estavam grávidas. Assim, vá em frente, tentando incluir entre 250 e 600 gramas por semana (cerca de duas ou três porções semanais).

Mas, ao jogar sua rede, pesque de modo seletivo, escolhendo as variedades que contêm pouco mercúrio, uma substância que, em doses grandes e acumuladas, pode ser prejudicial para o desenvolvimento do sistema nervoso do bebê. Por sorte, muitos dos peixes mais consumidos contêm baixas doses de mercúrio. Escolha entre salmão (o selvagem é o melhor), solha, linguado, hadoque, truta, perca, escamudo, bacalhau, atum em lata light, bagre e outros peixes pequenos de água salgada (anchova, sardinha e manjuba são não somente seguros, como cheios de ômega 3).

É melhor evitar tubarão, peixe-espada, cavala-real e peixe-paleta (especialmente do golfo do México), já que esses tipos de peixe contêm altos níveis de mercúrio. Não se preocupe se já tiver consumido uma ou duas porções — os riscos se aplicam somente ao consumo regular —, mas evite-os de agora em diante.

Também limite seu consumo de peixes de água doce pescados por esporte a uma média de 170 gramas (peso cozido) por semana. Os peixes pescados comercialmente costumam conter níveis menores de contaminantes, então é seguro consumir mais. Fique longe de peixes de águas contaminadas (com esgoto ou dejetos industriais, por exemplo) e peixes tropicais, como garoupa, olho-de-boi e cabeçudo (que às vezes contêm toxinas).

E quanto ao atum, o peixe em lata favorito dos americanos? O EPA, a FDA e o ACOG concordam que o atum enlatado light é seguro porque não contém altos níveis de mercúrio. O atum-branco (geralmente albacora), inteiro ou em pedaços, contém três vezes mais mercúrio que as variedades light, e os especialistas recomendam limitar seu consumo a não mais que 170 gramas por semana. Como alguns especialistas acham que mesmo isso é demais para as gestantes, fale com o médico antes de abrir uma lata de atum. Ou passe para salmão ou sardinha em lata. E definitivamente evite os filés de atum-patudo.

Para as últimas informações sobre a segurança do consumo de peixes, acesse fda.gov (procure por "peixe").

Comida apimentada

"Adoro comida apimentada: quanto mais quente, melhor. É seguro consumir pimenta enquanto estou grávida?"

As amantes de pimenta podem continuar a testar suas papilas gustativas com *chillis*, salsas, molhos e *curries* apimentados. O único risco de consumir comida apimentada é a indigestão, principalmente perto do fim da gravidez (*chilli* hoje, azia amanhã... ou, sejamos francas, hoje à noite). Se esse risco é aceitável para você, vá em frente e apimente as coisas — só não se esqueça de ter um Estomazil (ou um copo de leite de amêndoas, conhecido por sua eficiência contra a azia) pronto para a sobremesa.

Um benefício inesperado da pimenta vermelha? Como todas as pimentas, ela está repleta de vitamina C.

Comida estragada

"Comi um pote de iogurte hoje de manhã sem perceber que estava vencido. Ele não tinha gosto de azedo, mas devo me preocupar?"

Não precisa chorar sobre o leite estragado... ou sobre o iogurte. Embora consumir laticínios vencidos jamais seja uma boa ideia, raramente é perigoso. Se não ficou doente (sintomas de intoxicação alimentar normalmente ocorrem em 8 horas), obviamente, não houve dano. Além disso, a intoxicação alimentar é pouco provável quando o iogurte é continuamente refrigerado. No futuro, no entanto, confira as datas com mais cuidado ao comprar ou consumir produtos perecíveis e, é claro, não ingira alimentos com cheiro ou gosto ruim, ou que pareçam mofados. Para saber mais sobre segurança alimentar, confira a p. 170.

"Acho que tive uma intoxicação alimentar em função de algo que comi na noite passada. Vomitei e tive diarreia. Isso vai prejudicar o bebê?"

É muito mais provável que você, e não o bebê, sofra em função da intoxicação alimentar. O maior risco — para você e para ele — é a desidratação decorrente do vômito e diarreia. Assim, ingira muitos líquidos (mais importantes no curto prazo que os sólidos) para substituir os que está perdendo. E entre em contato com o médico se a diarreia for severa e/ou as fezes contiverem sangue ou muco. Leia a p. 705 para saber mais sobre vírus alimentares.

Substitutos do açúcar

"Uso sucralose no café, bebo muitos refrigerantes diet e como iogurte sem açúcar. Os substitutos do açúcar são seguros durante a gravidez?"

Eles parecem uma boa ideia, mas a verdade é que são uma opção complicada para as gestantes. Embora a maioria geralmente seja considerada segura, algumas pesquisas sugerem que os adoçantes artificiais podem aumentar o risco de que o bebê se torne um adulto acima do peso ou obeso. Eis mais informações sobre os substitutos do açúcar:

Sucralose. É uma espécie de açúcar. Ao menos, começa a vida como açúcar, antes de adquirir quimicamente uma forma que seu organismo é incapaz de absorver, tornando-a essencialmente sem calorias. A sucralose, que quase não apresenta o gosto residual que fez os adoçantes ficarem malfalados, parece ser segura durante a gravidez e foi aprovada pela FDA para consumo de gestantes — assim, adoce seu dia (e seu café, chá, iogurte e *smoothie*) com ela ou com comidas e bebidas adoçadas com ela. Ela também é estável para cozinhar e assar (ao contrário do aspartame), tornando possível aquele bolo de chocolate sem açúcar. Mas transforme a moderação em seu lema.

Aspartame. Muitos especialistas acreditam que é inofensivo e outros acham que não é seguro, para gestantes ou não. Embora a FDA tenha aprovado o aspartame para mulheres grávidas, recomenda-se que elas limitem o consumo. Não há problemas em um pacotinho ou dois ou uma Coca diet de vez em quando. Mas evite o consumo em grandes quantidades enquanto estiver grávida e fique longe dele se tiver fenilcetonúria. Alguns refrigerantes são adoçados com sucralose, em vez de aspartame, e podem ser uma escolha melhor.

Sacarina. A FDA considerou a sacarina segura, mas alguns estudos sugerem que ela chega ao bebê através da placenta e sua metabolização é lenta. Por essa razão, prefira não usar sacarina ou usá-la apenas ocasionalmente (quando não tiver outra opção).

ALIMENTOS FERMENTADOS

Você é louca por chucrute, kimchi ou natto? Antigos favoritos em muitas culturas, alimentos fermentados como esses (e muitos outros, incluindo iogurte, quefir, tempeh e missô, para citar somente alguns) estão na moda novamente, e chegando às prateleiras com muitas alegações sobre serem saudáveis. Um de seus benefícios é conterem bactérias benéficas para o sistema digestivo (e que mulher grávida não quer um sistema digestivo melhor?).

Mas todos os alimentos fermentados são benéficos durante a gravidez? Provavelmente, não. Alguns contêm grandes quantidades de açúcar ou sódio adicionados, alguns não contêm nenhuma bactéria probiótica e outros podem causar dor de cabeça, dor de estômago e flatulência. Seja precavida e pergunte ao médico antes de consumir seus alimentos fermentados favoritos.

Está curiosa sobre o kombucha? Essa bebida fermentada, feita com chá, açúcar, bactérias e levedura, promete muitos benefícios (como estímulo da digestão, do fígado e do sistema imunológico), mas nenhum deles foi comprovado pela ciência até agora. Se você tem vontade de experimentar, fale com o médico primeiro, pois não está claro se o kombucha é seguro durante a gestação. Ele também pode causar dor de estômago ao ser bebido pela primeira vez. O kombucha não pasteurizado (particularmente do tipo caseiro) pode estar contaminado por bactérias prejudiciais e algumas variedades contêm álcool (claramente uma má ideia quando você está grávida).

Acesulfame K. Esse adoçante, duzentas vezes mais doce que o açúcar, foi aprovado para uso em pães, gelatinas, chicletes e refrigerantes. A FDA diz que ele pode ser usado com moderação durante a gravidez, mas, como poucos estudos foram feitos para comprovar sua segurança, pergunte a opinião do médico antes de consumi-lo.

Sorbitol. O sorbitol é um adoçante nutritivo, o que é bom durante a gestação. Mas, embora não prejudique o bebê, ele pode ter efeitos desagradáveis no sistema digestivo. Em grandes quantidades, pode causar inchaço, gases e diarreia, um trio de que nenhuma gestante precisa. O consumo moderado é seguro, mas saiba que o sorbitol possui mais calorias que os outros substitutos e é menos doce que o açúcar comum (fazendo com que você use mais e consuma mais calorias).

Manitol. Menos doce que o açúcar, o manitol é mal absorvido pelo organismo e, por isso, fornece menos calorias que o açúcar (mas mais calorias que os outros substitutos). Como o sorbitol, o consumo moderado é seguro, mas grandes quantidades podem causar desconfortos gastrintestinais (e a gestação já tem um excesso deles).

Xilitol. Um álcool de açúcar derivado de plantas (ele ocorre naturalmente em muitas frutas e vegetais), o xilitol pode ser encontrado em gomas de mascar, pastas de dente, doces e alguns alimentos. Considerado seguro durante a gestação em quantidades moderadas, ele tem 40% menos calorias que o açúcar e pode prevenir cáries — o que é uma boa razão para mascar um chiclete adoçado com xilitol após refeições e lanches, se não puder escovar os dentes.

Stevia. Derivada de um arbusto sul-americano, a stevia parece ser segura durante a gravidez, mas, como é relativamente nova, fale com o médico primeiro.

Agave. Por ser baixo em glucose, o agave não causa picos glicêmicos como o açúcar regular. Mas contém mais frutose que os adoçantes comuns, incluindo o xarope de milho, e os especialistas acreditam que a frutose se converta em gordura mais rapidamente que a glucose, o que significa que usar agave como substituto do açúcar não a ajudará a controlar o peso (ou a glicemia). O xarope de agave também é altamente processado. Ele provavelmente é seguro durante a gravidez, mas use com moderação.

Lactose. O açúcar do leite tem um sexto da doçura do açúcar comum e adoça levemente os alimentos. Para quem sofre de intolerância à lactose, pode causar sintomas desconfortáveis; caso contrário, é seguro.

Whey Low. A frutose (o açúcar das frutas), a sacarose (o açúcar comum) e a lactose (o açúcar do leite) são misturados para criar esse adoçante hipoglicêmico que, segundo os fabricantes, não é completamente absorvido pelo organismo, contendo somente um quarto das calorias do açúcar. Seu uso durante a gestação provavelmente é seguro, mas fale com o médico.

Mel. Fala-se muito do mel por seus altos níveis de antioxidantes (as variedades mais escuras, como o mel de trigo sarraceno, são as mais ricas em antioxidantes). Mas nem todas as notícias são doces. Embora seja um bom substituto para o açúcar, o mel definitivamente não é pobre em calorias: cada colher de sopa contém 19 calorias a mais que o açúcar.

Sucos concentrados. Sucos concentrados, como os de uva branca e maçã, são adoçantes seguros (embora calóricos) durante a gravidez. Você pode usá-los no lugar do açúcar em muitas receitas, e eles podem ser comprados congelados nos supermercados. Procure por eles também nos produtos industrializados, de gelatinas, geleias, *cookies*, *muffins*, cereais e barrinhas de granola integrais a biscoitos, iogurtes e refrigerantes. Ao contrário da maioria dos produtos adoçados com açúcar ou substitutos, muitos produtos adoçados com suco concentrado são feitos com ingredientes nutritivos, como farinha integral e gorduras saudáveis.

Chá de ervas
"Eu bebo muito chá de ervas. É seguro enquanto estou grávida?"

Será que você deve tomar chá (de ervas) por dois? Infelizmente, como o efeito das ervas medicinais durante a gestação não foi adequadamente pesquisado, ainda não existe resposta definitiva para essa pergunta. Alguns chás provavelmente são seguros em pequenas quantidades (como o de camomila, por exemplo), e outros provavelmente não. Outros ainda, como o de folhas de framboesa, se ingeridos em grande quantidade (mais de quatro xícaras de 230 ml ao dia), podem provocar contrações (o que é uma boa notícia se você chegou à 40ª semana e está impaciente, mas ruim se ainda não chegou a termo). Até que se saiba mais, a FDA pede cautela no uso da maioria das ervas medicinais durante a gestação e o aleitamento. E, embora muitas mulheres tenham bebido muitos chás durante a gravidez sem nenhum problema, provavelmente é mais seguro evitá-los ou ao menos limitar o consumo, a menos que tenham sido especificamente recomendados ou liberados pelo médico. Peça a ele uma lista de ervas permitidas e proibidas.

Para se assegurar de que não terá problemas nem consumirá ervas que não foram aprovadas, leia os rótulos cuidadosamente: algumas marcas que parecem conter somente frutas na verdade incluem várias ervas medicinais. Prefira o chá regular (preto) aromatizado ou faça sua própria mistura, acrescentando qualquer um dos seguintes ingredientes à água fervente ou ao chá preto: suco de laranja, maçã, abacaxi ou outra fruta; fatias de limão siciliano, limão tahiti, laranja, maçã, pera ou outra fruta; folhas de hortelã, pedacinhos de canela ou noz-moscada, cravos ou fatias de gengibre (que se acredita amenizar a náusea). A camomila também é considerada segura em pequenas quantidades e pode acalmar o estômago. Ainda não há consenso sobre o chá verde, que pode diminuir a efetividade do ácido fólico, uma vitamina essencial para a gestação — assim, se gosta de chá verde, beba com moderação. E nunca faça chá de uma planta que cresce em seu quintal, a menos que saiba com certeza de que planta se trata e ela seja segura durante a gestação.

Substâncias químicas nos alimentos

"Com pesticidas nos vegetais, PCBs e mercúrio nos peixes, antibióticos na carne e nitratos nos cachorros-quentes, há algo que seja seguro comer durante a gravidez?"

Comer por dois pode soar duas vezes mais arriscado, mas a verdade é que você não precisa ficar maluca (nem faminta ou falida) para proteger seu bebê das substâncias químicas nos alimentos. Isso porque poucas se provaram absolutamente prejudiciais durante a gravidez, especialmente no contexto de uma dieta majoritariamente saudável.

Mesmo assim, é sensato reduzir os riscos sempre que puder, particularmente ao reduzir os riscos para dois. E não é difícil fazer isso, especialmente hoje em dia. Para alimentar-se com a máxima segurança possível, use as seguintes dicas para escolher o que colocar no carrinho de compras:

- Escolha alimentos da Dieta da Gravidez. Como evita alimentos processados, esse plano alimentar a manterá afastada de muitas substâncias questionáveis ou inseguras. Ele também fornece frutas e vegetais ricos em vitamina A e betacarotenos, assim como outras frutas e vegetais ricos em fitoquímicos, que podem anular os efeitos das toxinas encontradas nos alimentos.
- Sempre que possível, faça tudo em casa, com ingredientes orgânicos frescos ou congelados e prontos para consumo. Você evitará muitos dos aditivos encontrados nos alimentos processados, e suas refeições serão mais nutritivas.
- Seja o mais natural que puder, sempre que puder. Quando tiver escolha (nem sempre terá), prefira alimentos sem aditivos artificiais (corantes, aromatizantes e conservantes). Leia os rótulos para selecionar alimentos sem aditivos ou com aditivos naturais (um biscoito de cheddar que obtenha sua cor alaranjada do colorau, em vez do corante vermelho n. 40, e seu sabor do queijo de verdade, em vez de um aromatizante artificial de queijo). Embora alguns aditivos artificiais sejam considerados seguros, há outros cuja segurança é questionável, e muitos são usados para melhorar o sabor e a aparência de alimentos que não são nem um pouco nutritivos. (Para uma lista de aditivos questionáveis e seguros, acesse cspinet.org.)

- De modo geral, evite alimentos conservados com nitratos e nitritos (ou nitrato de sódio), incluindo muitas variedades de salsichas, salames, linguiças e peixes e carnes defumados. Escolha marcas (você encontrará muitas no supermercado) que não incluam esses conservantes. Quaisquer carnes prontas para consumo ou peixes defumados devem ser aquecidos no vapor antes do consumo (não para evitar produtos químicos, mas para evitar a listeria; veja p. 171).
- Escolha cortes magros de carne e remova a gordura visível antes de cozinhar, uma vez que os produtos químicos que o gado ingere tendem a se concentrar na gordura. No caso de aves, remova a gordura e a pele para minimizar a ingestão. Pela mesma razão, não coma vísceras (como fígado e rins) com muita frequência, a menos que o animal seja de origem orgânica.
- Quando estiver disponível e seu orçamento permitir, compre carne de animais criados organicamente (ou a pasto), sem hormônios ou antibióticos (lembre-se: você come o que sua refeição comeu). Escolha laticínios e ovos orgânicos pela mesma razão. Galinhas e frangos criados soltos (e os ovos que elas produzem) têm menos probabilidade de estarem contaminados por produtos químicos e infecções como salmonela, pois não são mantidos em instalações lotadas e infestadas de doenças. E eis um benefício adicional do gado criado a pasto: é provável que a carne ofereça menos calorias e gorduras, tenha mais proteína e seja uma fonte melhor daqueles ácidos graxos ômega 3 tão bons para o bebê.

O QUE VOCÊ PRECISA SABER SOBRE OS OGMs

Como aqueles tomates e ameixas permanecem tão bonitos no caminho entre a fazenda e o supermercado, algumas vezes atravessando todo o país? Os produtores podem estar empregando OGMs. Alimentos e plantas geneticamente alterados (conhecidos no mercado de produtos alimentares como OGMs, organismos geneticamente modificados) têm seu DNA modificado para adquirir traços mais desejáveis, como permanecerem frescos por mais tempo ou serem capazes de crescer com uma dieta constante de herbicidas e pesticidas. Hoje em dia, tudo, do milho ao mamão papaia, das ameixas às batatas, do arroz aos grãos de soja e da moranga aos tomates, pode ser geneticamente alterado nos EUA. A FDA requer que os alimentos que contêm alterações genéticas digam isso no rótulo, e você certamente já viu muitos produtos rotulados como

"Não OGM" ou contendo o selo Não OGM.

Os OGMs são prejudiciais durante a gestação? A vasta maioria dos cientistas (incluindo, entre outros, os da Organização Mundial de Saúde e da Academia Nacional de Ciências) diz que esses avanços biotecnológicos são seguros e podem tornar os alimentos mais nutritivos e as plantações mais resistentes a insetos (reduzindo a necessidade de pesticidas) e toxinas. A despeito dessas garantias e do fato de que a modificação genética ocorre há décadas sem efeitos prejudiciais, os críticos dizem que há muitas perguntas sem resposta quando se trata de saber como essas modificações nos alimentos afetarão nossa saúde.

Se você está preocupada com os OGMs, leia os rótulos cuidadosamente e escolha alimentos que não foram geneticamente modificados.

ESCOLHA ORGÂNICOS

Embora o preço dos alimentos orgânicos esteja diminuindo com o aumento da demanda, o orçamento pode não permitir incluir no carrinho somente produtos e vegetais orgânicos. Eis o que você precisa saber para decidir quando é melhor comprar orgânicos e quando é seguro ficar com os convencionais:

É melhor comprar orgânicos (porque, mesmo após lavados, esses vegetais ainda contêm níveis mais altos de pesticidas que os outros): maçã, cereja, uva, pêssego, nectarina, pera, morango, aipo, tomate, espinafre e couve crespa.

Não é preciso comprar orgânicos (porque esses vegetais geralmente não contêm resíduos de pesticidas): kiwi, mamão papaia, abacaxi, abacate, aspargo, brócolis, couve-flor, milho, cebola, ervilha, berinjela, repolho, melão e cogumelos.

Pense em escolher orgânicos quando comprar leite, carne vermelha e aves porque eles não contêm antibióticos ou hormônios, embora custem mais. O gado criado a pasto normalmente é considerado orgânico, mas confira o rótulo. Não compre os assim chamados peixes orgânicos. Não existem padrões de certificação do Departamento de Agricultura dos Estados Unidos para frutos do mar (o que significa que os produtores estão fazendo suas próprias alegações sobre por que seus produtos são orgânicos). Em vez disso, escolha os peixes criteriosamente usando o guia da p. 160.

- Compre vegetais orgânicos sempre que for possível e prático. Um vegetal que recebeu certificação orgânica geralmente está o mais próximo possível de não ter quaisquer resíduos químicos. Produtos de "transição" (de fazendas que ainda não são completamente orgânicas, mas estão se movendo nessa direção) podem conter alguns resíduos em função da contaminação do solo, mas são mais seguros que os convencionais. Se um vegetal orgânico for produzido localmente e você puder pagar por ele, compre, mas saiba que ele permanecerá fresco por menos tempo (o mesmo vale para carnes vermelhas e aves orgânicas). Se o preço for um problema, escolha os orgânicos de forma criteriosa (veja o quadro na página anterior).

  Quer ser ainda mais meticulosa ao consumir orgânicos? Embora não sejam necessariamente mais nutritivos, os produtos "biodinâmicos" (você encontrará esse rótulo em algumas lojas de produtos naturais) são certificadamente produzidos, processados e levados ao mercado de maneira saudável para o planeta. E isso é bom para todos: saudável para você, para o bebê e para o mundo no qual ele nascerá. O senão é o preço, que pode ser alto (a demanda dos consumidores por produtos orgânicos e biodinâmicos ajudará a fazê-lo baixar).
- Dê um banho em todos os vegetais e frutas. Lavar os vegetais cuidadosamente é importante em qualquer circunstância (mesmo os orgânicos podem conter uma camada de bactérias), mas ainda mais importante para remover os pesticidas químicos que podem ter recolhido no campo. A água removerá uma parte, mas deixá-los de molho ou pulverizar com um produto específico removerá muito mais (enxague bem depois). Esfregue a casca sempre que for possível e prático, para remover os resíduos químicos da superfície, especialmente quando o vegetal tiver uma camada de cera (como pepinos e, às vezes, tomates, maçãs, pimentões e berinjelas). Descasque os que ainda parecerem "encerados" depois de lavar.
- Prefira os nacionais. Os vegetais importados (e os alimentos feitos com eles) às vezes contêm níveis mais altos de pesticidas que os equivalentes americanos, porque a regulamentação de pesticidas em alguns países é frouxa ou inexistente.
- Prefira os locais. Os vegetais produzidos localmente provavelmente contêm mais nutrientes (pois foram colhidos há menos tempo) e apresentam menos resíduos de pesticidas. Muitos produtores nas feiras locais não usam pesticidas (ou usam muito pouco), mesmo que seus produtos não sejam "orgânicos". Isso porque a certificação é cara demais para os pequenos produtores.
- Varie sua dieta. A variedade assegura não somente uma experiência gastronômica mais interessante e uma nutrição melhor, como também me-

lhores chances de evitar exposição excessiva a qualquer produto químico presente nos vegetais produzidos da maneira convencional.

PANELA NO FOGO

Você pode encontrar receitas que unem todas essas dicas em *What to Expect: Eating Well When You're Expecting* [O que esperar: comendo bem quando você está esperando].

- Vá às feiras e aos corredores de produtos saudáveis do supermercado, mas não fique neurótica (nem permita que a falta de acesso a produtos orgânicos a afaste de alimentos nutritivos, como frutas e verduras). Embora seja sensato evitar perigos potenciais nos alimentos, estressar-se (ou estourar o orçamento) na busca por uma refeição puramente natural não é necessário. Faça o melhor que puder e conseguir pagar — depois, sente-se à mesa, coma bem e relaxe.

TUDO SOBRE:
Alimentação segura para dois

Você está preocupada com os pesticidas de um pêssego colhido na América do Sul? Parece razoável, especialmente porque você está tentando comer com segurança por dois. Mas e quanto à esponja que você usou para lavar o pêssego (e que esteve sobre a pia durante as últimas três semanas)? Já pensou no que pode estar escondido nela? E quanto à tábua de corte onde você cortou o pêssego, foi a mesma em que fatiou aquele frango cru na noite passada, enquanto preparava o jantar? Eis um alerta sobre alimentação segura: uma ameaça mais imediata — e comprovada — que os produtos químicos na comida são os pequenos organismos, bactérias e parasitas que podem contaminá-la. Não é uma imagem agradável (ou visível sem um microscópio), mas esses bichinhos podem causar muitos problemas, de uma leve indigestão a doenças severas. Para garantir que o pior problema que você terá com a próxima refeição seja uma azia leve, compre, prepare e coma com cuidado.

- Se ficar em dúvida, jogue fora. Faça desse o seu mantra de segurança alimentar. Ele se aplica a qualquer comida que possa estar estragada. Sempre confira a data de validade nas embalagens.
- Quando fizer compras, evite peixes, carnes e ovos que não estejam refrigerados ou mantidos no gelo. Jogue fora os vidros que não fizerem um "estalinho" ao abrir e latas

enferrujadas, inchadas ou deformadas (qualquer coisa maior que um amassadinho). Lave as tampas antes de abrir as latas (e lave o abridor de latas frequentemente em água quente com sabão ou na lavadora de louça).

- Lave as mãos antes de tocar os alimentos e depois de manusear carne, peixes ou ovos crus. Se usar luvas, lembre-se que, a menos que elas sejam descartáveis, precisam ser lavadas tão frequentemente quanto suas mãos.

A VERDADE SOBRE A LISTERIA

O que foi mesmo aquilo que você ouviu sobre esquentar os frios e embutidos antes de consumir agora que está grávida? E retirar o queijo feta da salada grega? Essas restrições dietéticas podem parecer aleatórias — e injustas —, mas foram projetadas para proteger você e o bebê da listeria. Essa bactéria pode causar uma doença séria (a listeriose) em indivíduos de alto risco, incluindo crianças pequenas, idosos, imunocomprometidos e gestantes, cujo sistema imunológico está deprimido. Embora o risco geral de contrair listeriose seja extremamente baixo, mesmo durante a gravidez, o potencial de problemas causados pela listeria é mais alto. Ao contrário de muitos outros germes, ela entra diretamente na corrente sanguínea e pode chegar rapidamente ao bebê através da placenta (outros contaminantes alimentares geralmente permanecem no trato digestivo e só representam uma ameaça se penetrarem o líquido amniótico).

Claramente, é importante evitar a infecção ficando longe de alimentos que possam estar contaminados pela listeria. Entre eles, estão incluídos os frios, salsichas, peixe defumado servido frio (a menos que seja aquecido até produzir vapor), leite e queijos não pasteurizados (incluindo algumas muçarelas, queijos azuis, queijo mexicano, brie, camembert e feta, a menos que sejam aquecidos até formar bolhas), suco não pasteurizado, carne vermelha, peixes, moluscos, aves ou ovos crus ou malpassados e vegetais e saladas crus ou sem lavar.

- Mantenha a pia e os armários da cozinha bem limpos. O mesmo vale para tábuas de corte (lave com detergente e água quente ou coloque no lava-louças). Lave sempre os panos de pia e mantenha as esponjas limpas (substitua frequentemente, lave no lava-louças todas as noites

ou, periodicamente, coloque-as ainda úmidas por alguns minutos no micro-ondas), já que eles podem abrigar bactérias. Ou procure esponjas que possam ser lavadas em água quente na máquina.
- Use tábuas de corte separadas para vegetais, peixes e carnes.
- Sirva quente as comidas quentes e fria as frias. As sobras devem ser refrigeradas rapidamente e aquecidas até liberar vapor antes de serem consumidas. (Jogue no lixo os alimentos perecíveis que ficarem fora da geladeira por mais de 2 horas.) Não consuma alimentos que foram descongelados e então congelados novamente.
- Confira a temperatura do interior da geladeira usando um termômetro e garanta que seja de 5°C ou menos. Mantenha o freezer em 18°C negativos ou menos para preservar a qualidade dos alimentos congelados.
- Se tiver tempo, descongele os alimentos na geladeira. Se estiver com pressa, coloque dentro de um plástico selado e deixe de molho em água fria (mude a água a cada meia hora). Jamais descongele em temperatura ambiente. Ao descongelar no micro-ondas, selecione o botão "descongelar". Se seu micro-ondas não tiver um prato giratório, gire o alimento manualmente no meio do descongelamento. Cozinhe imediatamente após descongelar, porque algumas áreas do alimento podem ficar perigosamente quentes (permitindo que bactérias cresçam e se disseminem).
- Marine carnes, peixes e aves na geladeira, não sobre a pia. Não reutilize o molho de marinar.
- Não coma carnes, aves, peixes ou mariscos crus ou malcozidos enquanto estiver grávida. Sempre cozinhe carne e peixes ao ponto (até atingirem 70°C) e aves bem-passadas (até atingirem 75°C). Os peixes devem ser cozidos até a carne se desfazer facilmente usando um garfo, e as aves, até que seu suco esteja transparente (e a temperatura adequada for atingida).
- Coma ovos totalmente cozidos, com as gemas duras, e, se estiver preparando uma massa que leve ovos crus, resista à tentação de lamber a colher (ou os dedos). A exceção a essa regra são os ovos pasteurizados.
- Lave bem as frutas, verduras e legumes crus (especialmente se não for cozinhá-los antes de consumir). Mesmo o vegetal orgânico mais fresco pode conter uma capa de bactérias.
- Evite a alfafa e outros brotos, que podem estar contaminados por bactérias.
- Para obter as últimas informações sobre alimentação segura, acesse cdc.gov/foodsafety. Para receber alertas sobre segurança alimentar, acesse fda.gov/safety.

PARTE 2
Nove meses:
Da concepção ao parto

Capítulo 5
O primeiro mês
Aproximadamente 1 a 4 semanas

Parabéns, e bem-vinda à sua gravidez! Embora quase certamente ainda não pareça, você já pode ter começado a se sentir grávida. Talvez seus seios estejam sensíveis ou você sinta alguma fadiga; talvez esteja experimentando cada sintoma descrito neste livro. Mesmo que ainda não haja um único sinal de gestação à vista (que você tenha notado), seu organismo está se preparando para passar meses fabricando um bebê. Com o passar das semanas e meses, você notará cada vez mais mudanças em partes de seu corpo que já imaginava (como a barriga) e em outras nas quais jamais teria pensado (como pés e olhos). Também notará mudanças na maneira como vive — e contempla — sua vida. As informações que encontrará neste capítulo podem já se aplicar a você ou ainda estar a uma semana de distância (ou podem jamais se aplicar, já que toda mulher e toda gestação são diferentes). Tente não pensar (ou ler) muito à frente. Por enquanto, sente-se, relaxe e aproveite o início de uma das aventuras mais incríveis de sua vida.

Seu bebê este mês

1ª semana. A contagem regressiva para a chegada do bebê começa agora. Mas ainda não há bebê à vista — ou dentro de você. Então por que chamá-la de primeira semana de gestação se você ainda nem está grávida? Porque é extremamente difícil determinar o momento exato em que o espermatozoide fecunda o óvulo (os espermatozoides de seu parceiro podem permanecer no interior de seu corpo por vários dias antes que o óvulo apareça para saudá-los, e seu óvulo pode esperar pelo espermatozoide certo por até 24 horas).

O que não é difícil de determinar é o primeiro dia de sua última menstruação (DUM, data da última menstruação: marque no calendário), permitindo que o médico o use como linha de partida para as 40 semanas de gestação. O resultado desse método de datação (além de um grande potencial de confusão)? Você passa 2 das 40 semanas de gestação sem sequer estar grávida.

2ª semana. Não, ainda não há bebê. Mas seu corpo não está de folga. Ele trabalha duro na produção de um grande evento: a ovulação. O revestimento do útero está engrossando (preparando o ninho para a chegada do ovo fertilizado) e os folículos ovarianos estão amadurecendo, uns mais rapidamente que outros, até que um se torna dominante, estando destinado à ovulação. Esperando nesse folículo dominante, há um óvulo ansioso para usar o nome de seu bebê (ou, se você estiver prestes a conceber gêmeos bivitelinos, dois óvulos ansiosos esperando em dois folículos), pronto para sair e iniciar a jornada de transformação de uma única célula em uma criança animada. Mas, primeiro, ele precisa cumprir a jornada até a trompa de Falópio, em busca do espermatozoide certo.

3ª semana. Parabéns, você concebeu! O que significa que seu futuro filho iniciou a milagrosa transformação de uma única célula em um bebê totalmente formado. Horas depois de o espermatozoide fecundar o óvulo, a célula fertilizada (também chamada de zigoto) começa a se dividir (e se dividir ainda mais). Em alguns dias, o futuro bebê terá se transformado em uma microscópica bola de células, com mais ou menos um quinto do tamanho do ponto final desta frase.

O blastocisto, como agora é conhecido (embora você certamente vá usar um nome mais fofinho), começa sua jornada da trompa de Falópio até o útero. Só faltam (mais ou menos) oito meses e meio!

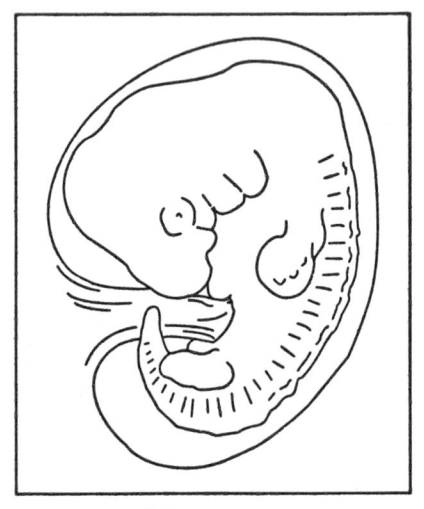

Seu bebê, primeiro mês

4ª semana. Está na hora da implantação! A bola de células que você em breve chamará de bebê — embora agora se chame embrião — chegou ao útero e está se aconchegando no revestimento uterino, onde permanecerá até o parto. Quando estiver presa firmemente, ela passará por uma grande divisão, partindo-se ao meio. Metade se tornará seu filho, e a outra metade, a placenta, a fonte de vida do bebê durante a estada uterina. E, mesmo que ele seja somente uma bola de células (do tamanho de uma semente de papoula), não subestime seu pequeno embrião: ele já percorreu um longo caminho desde seus dias como blastocisto. O âmnio — também conhecido como saco amniótico — está se formando, assim como a vesícula vitelina que, mais tarde, será incorporada ao trato digestivo do bebê. Cada camada do embrião — que agora possui três — começa a crescer e a se transformar em partes especializadas do corpo. A camada mais interna, conhecida como endoderme, formará o sistema digestivo, o fígado e os pulmões. A camada intermediária, chamada mesoderme, em breve formará o coração, órgãos sexuais, ossos, rins e músculos. E a camada externa, ou ectoderme, formará o sistema nervoso, cabelo, pele e olhos.

EM QUE SEMANA EU ESTOU, ALIÁS?

Embora este livro seja organizado mês a mês, as semanas correspondentes também são fornecidas. De modo aproximado, as semanas de 1 a 13 compõem o primeiro trimestre, do primeiro ao terceiro mês; as semanas de 14 a 27, o segundo trimestre, do quarto ao sexto mês; e as semanas de 28 a 40, o terceiro trimestre, do sétimo ao nono mês. Mas lembre-se de contar a partir do início da semana ou mês. Assim, você inicia o terceiro mês ao completar dois meses e a 24ª semana ao completar a 23ª.

Seu corpo este mês

Embora seja verdade que a gravidez propicie experiências e momentos maravilhosos, ela também traz consigo sintomas menos fabulosos. Alguns você esperava (como a sensação de náusea que já pode ter se instalado). Mas há outros com os quais você provavelmente jamais sonharia (como babar: quem esperaria por isso?). Muitos deles você provavelmente jamais discutirá em público (e dará o seu melhor para jamais demonstrar em público, como soltar gases), e outros, tentará com todas as forças esquecer (e pode esquecer mesmo, já que o esquecimento é um dos sintomas da gestação).

OS SINTOMAS COMEÇARÃO EM BREVE

A maior parte dos sintomas iniciais de gravidez surge por volta da 6ª semana, mas toda mulher e toda gestação são diferentes, de modo que eles podem surgir antes ou depois (ou nunca, se você tiver sorte). Se está experimentando algo que não consta deste capítulo, leia os capítulos seguintes ou procure no índice.

Eis algumas coisas para ter em mente sobre esses e outros sintomas. Primeira:

toda mulher e toda gestação são diferentes. Segunda: os sintomas que se seguem são uma boa amostra do que você pode esperar (embora, felizmente, não vá experimentar todos, ao menos não ao mesmo tempo), mas há muitos mais de onde esses vieram. É provável que toda sensação esquisita e maluca que você sinta durante os próximos nove meses (tanto físicas quanto emocionais) sejam normais durante a gravidez. Mas, se algum sintoma a deixar em dúvida ("Será que isso realmente é normal?"), sempre fale com o médico, só por precaução.

Embora você provavelmente só vá ter confirmação de que está grávida no fim do mês, já pode ter notado que algo está diferente, mesmo tão cedo. Ou talvez não tenha notado. Eis o que você pode esperar este mês:

Fisicamente
- Possível sangramento de escape quando o ovo fertilizado se implantar no útero, entre seis e doze dias após a concepção (p. 200)
- Alterações nos seios: eles podem ficar mais cheios, pesados, sensíveis. Pode haver formigamento e escurecimento das aréolas
- Inchaço e gases
- Fadiga, falta de energia, sono
- Frequência urinária maior que o normal
- Início de náusea, com ou sem vômito (embora isso tipicamente ocorra somente por volta da 6ª semana ou mesmo depois)
- Salivação em excesso
- Maior sensibilidade aos cheiros

Emocionalmente
- Altos e baixos emocionais (como uma TPM ampliada), que podem incluir oscilações de humor, irritabilidade, irracionalidade, choro sem razão aparente
- Ansiedade ao esperar pelo momento certo para fazer o teste de gravidez de farmácia

SEU CORPO ESTE MÊS

Definitivamente, ainda não dá para julgar este livro pela capa. Embora você possa reconhecer algumas mudanças físicas em si mesma — seus seios podem estar um pouco mais cheios e sua barriga um pouco mais redonda (embora isso se deva aos gases, não ao bebê) —, provavelmente ninguém mais notará. Dê uma boa olhada em sua cintura: pode ser a última vez que você irá vê-la durante muitos meses.

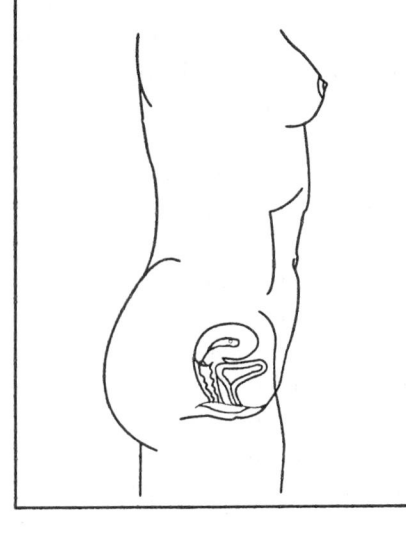

O que você pode esperar de sua primeira consulta pré-natal

> **CRIE CONEXÕES**
>
> Acesse whattoexpect.com ou o aplicativo What To Expect — seu companheiro interativo durante a gravidez — para obter informações semana a semana sobre o crescimento e o desenvolvimento do bebê e muito mais. Conecte-se nos fóruns com outras mães que estão passando pela mesma experiência (e a mesma náusea) ao mesmo tempo. Afinal, ninguém entende a gravidez tão bem quanto outra grávida!

Sua primeira consulta pré-natal provavelmente será a mais longa e, definitivamente, a mais abrangente. Não somente haverá mais testes, procedimentos (inclusive muitos que serão realizados somente uma vez) e coleta de informações (para formar um histórico médico completo), mas também mais perguntas (que você fará ao médico e ele a você) e respostas. Também haverá muitos conselhos: desde o que você deve comer (e não) e que suplementos deve tomar (e não) até se (e como) deve se exercitar. Assim, vá equipada com uma lista de perguntas e preocupações, assim como um bloco de notas e o *What to Expect Pregnancy Journal and Organizer* [O que esperar: diário da gravidez e lista de tarefas] ou seu smartphone com o aplicativo What To Expect.

A primeira consulta pré-natal provavelmente será agendada para algum momento de seu segundo mês (p. 26), não do primeiro — embora alguns consultórios ofereçam consultas pré-obstétricas.

A rotina pode variar ligeiramente de um médico para outro. Em geral, a consulta incluirá:

Confirmação da gravidez. Mesmo que você já tenha feito o teste de farmácia em casa, o médico muito provavelmente solicitará exames de urina e de sangue. Os seguintes itens serão analisados: os sintomas de gravidez que você está experimentando, a data de sua última menstruação para determinar a data provável do parto (DPP; ver p. 26) e o colo do útero e o próprio útero para determinar a idade gestacional aproximada. A maioria dos médicos faz um ultrassom precoce, que é a maneira mais precisa de datar a gestação (p. 235).

Histórico completo. Para lhe oferecer o melhor cuidado possível, o médico precisa saber muito sobre você. Vá preparada, conferindo seu histórico em casa ou telefonando para seu médico principal para refrescar a memória sobre o seguinte: seu histórico médico (vacinas, doenças crônicas, doenças e cirurgias importantes e alergias, inclusive a medicamentos), suplementos (vitaminas, minerais, ervas medicinais, homeopatia) ou medicamentos (prescritos ou não) que você tomou desde a concepção, seu histórico de saúde mental (qualquer histórico de depressão, ansiedade ou outro problema), seu histórico ginecológico (idade da primeira menstruação, detalhes sobre seu ciclo menstrual, problemas com TPM ou TDPM, cirurgias ginecológicas, esfregaços de Papanicolau anormais ou ISTs) e seu histórico obstétrico, se houver (incluindo complicações ou abortos e detalhes sobre os partos anteriores). O médico também fará perguntas sobre seus hábitos de vida (o que você come normalmente, se faz exercícios, bebe, fuma ou usa drogas recreativas) e outros fatores que podem afetar a gestação (informações sobre o pai do bebê e sobre a etnia de ambos).

Exame físico completo. Ele pode incluir um exame geral (coração, pulmões, seios, abdômen), aferição da pressão arterial para servir de base para futuras consultas, peso e altura, exame de braços e pernas em busca de veias varicosas e inchaço para referência futura, exame dos genitais externos e exame interno da vagina e do colo do útero (com um espéculo, como quando você faz o esfregaço de Papanicolau), exame bimanual dos órgãos pélvicos (com uma mão na vagina e outra no abdômen e, possivelmente, também através do reto e da vagina) e determinação do tamanho do útero e tamanho e formato da pelve (através da qual o bebê tentará sair).

Uma bateria de testes. Alguns testes são rotineiros para todas as gestantes, alguns são rotineiros em certas áreas do país (ou certos consultórios) e outros são realizados somente quando necessário. Os testes pré-natais mais comuns solicitados na primeira consulta incluem:

- Exame de urina para verificar a presença de glicose (açúcar), proteínas, leucócitos, sangue e bactérias.
- Exame de sangue para determinar o tipo sanguíneo e a tipagem Rh (p. 61), verificar a presença de anemia e mensurar os níveis de hCG. Também serão analisados os títulos (níveis) de anticorpos e sua imunidade a certas doenças (como rubéola e catapora) e, possivelmente, a deficiência de vitamina D.

O QUE É UM TÍTULO DE RUBÉOLA?

Um resultado a que o médico prestará atenção em seu primeiro exame de sangue são os títulos de rubéola, uma mensuração do nível de anticorpos que você possui contra essa doença. Títulos baixos significam que você precisa de revacinação (ou ser vacinada, se nunca foi), mas isso só será possível depois do parto. Felizmente, o CDC considera a rubéola erradicada nos EUA, o que significa que é quase impossível pegá-la aqui, mesmo que seus títulos estejam baixos. Veja a p. 710 para saber mais. No Brasil, a rubéola também é considerada erradicada desde 2015.

- Testes de sífilis, gonorreia, hepatite B, clamídia e HIV.
- Um esfregaço de Papanicolau (como você faz anualmente) em busca de células cervicais anormais.

Dependendo de sua situação particular, e caso seja apropriado, ele também pode pedir:
- Testes genéticos de fibrose cística (um teste oferecido a todas as gestantes), anemia falciforme, talassemia, doença de Tay-Sachs ou outras doenças genéticas, se você não tiver sido testada antes da gestação (veja a p. 80 para saber mais sobre testes genéticos).
- Possivelmente um exame de glicose se você for obesa ou tiver apresentado diabetes gestacional (e/ou um bebê muito grande) em gestações anteriores ou tiver fatores de risco para diabetes gestacional (veja a p. 397 para mais informações sobre testes para diabetes gestacional).

Uma oportunidade para conversar. Agora é a hora de tirar da bolsa aquela lista de perguntas e preocupações.

O que você pode estar se perguntando

Dar a notícia
"Acabo de descobrir que estou grávida, e mal posso esperar para contar a todo mundo. É cedo demais para dizer à família e aos amigos?"

Não consegue se segurar — mais ou menos como sua bexiga com o aumento da frequência urinária? Não surpreende que você esteja ansiosa para alertar as redes sociais (e sua família e outros amigos), especialmente se essa for sua primeira gestação. Mas quanto você deve esperar? Quando deve permitir que esse gatinho ainda minúsculo saia do balaio?

A decisão é sua. Alguns casais optam por postergar o anúncio até o fim do primeiro trimestre, e alguns mantêm a gestação em segredo o máximo que podem — até que a barriguinha (ou o fato de a gestante não beber mais vinho ou ter sempre um ar meio enjoado) torne a gestação óbvia. Outros correm para contar ao mundo (ou, ao menos, todo mundo da lista de contatos) antes mesmo de o xixi ter secado no teste de gravidez. Outros ainda contam seletivamente, começando com os mais próximos e queridos (ou aqueles que não sairão contando para todo mundo até serem autorizados). Como não existe maneira ou momento certos ou errados para contar, faça como for melhor para você. Conte agora, conte mais tarde, conte para alguns, conte para todos. Mantenha-os informados ou desconfiados.

Mas lembre-se que, quando der a boa notícia (ou ela ficar óbvia), os conhecidos (e mesmo os desconhecidos) ficarão ansiosos para lhe dar conselhos não solicitados, fazer comentários sobre seu peso, contar histórias de terror sobre partos e censurar sua xícara de café matinal — sem falar naqueles carinhos não autorizados em sua barriga. Essa é uma boa razão para não contar? Você decide.

Converse com seu parceiro e faça o que for mais confortável para vocês. Mas, ao espalhar a boa notícia, não se esqueça de separar um tempo para saboreá-la somente com ele.

Para dicas sobre como dar a notícia no trabalho, veja a p. 276.

Suplementos pré-natais

"Eu detesto tomar remédio. Preciso mesmo tomar o suplemento pré-natal, mesmo comendo bem?"

Praticamente ninguém consome uma dieta nutricionalmente perfeita todos os dias, especialmente no início da gravidez, quando o enjoo matinal suprime o apetite, a pouca nutrição que você consegue ingerir não para no estômago ou a aversão mata seu apetite por qualquer coisa remotamente saudável. Embora um suplemento pré-natal diário não substitua uma boa dieta pré-natal, ele serve como garantia de que o bebê não sofrerá carências se você não cumprir sua cota nutricional, especialmente durante os primeiros meses, quando ocorre uma parte tão crucial da formação.

E há outras boas razões para tomar o suplemento pré-natal. Os estudos mostram que ingerir um suplemento contendo ácido fólico e vitamina B12 durante o primeiro mês de gestação (especialmente se a ingestão tiver começado meses antes da concepção) reduz significativamente o risco de deficiências no tubo neural (como espinha bífida), cardiopatias congênitas e autismo, e ajuda a prevenir o nascimento pré-termo. Além disso, as pesquisas demonstram que tomar um suplemento contendo ao menos 10 mg de vitamina B6 antes e durante o início da gravidez pode minimizar o enjoo matinal. Mais uma razão: muitas mulheres apresentam deficiência de vitamina D (fale com seu médico sobre um teste), e tomar um suplemento pré-natal pode elevá-la até os níveis normais.

A DESVANTAGEM (E A CONTRAPARTIDA) DE CONTAR JÁ NO INÍCIO

Mesmo enquanto celebram o resultado positivo no teste de gravidez — e pensam em dar a notícia feliz a amigos, familiares e talvez o mundo todo —, praticamente todo casal se preocupa com o "e se".

> E se a notícia feliz se transformar em tristeza; e se a gravidez chegar ao fim logo após começar, com um aborto espontâneo? Mais que qualquer outra razão, é por isso que muitos casais esperam para anunciar a gravidez quando se sentem mais seguros, ao fim do primeiro trimestre. E é compreensível, especialmente se você já teve perdas anteriores. Mas eis a contrapartida de manter a gravidez somente entre vocês: se o impensável — e improvável — realmente acontecer, seja um aborto espontâneo ou um resultado devastador nos exames pré-natais, passar por isso sozinha não tornará a tristeza mais difícil de suportar? Você ficará aliviada por não ter contado a ninguém — afinal, agora não há necessidade de dizer o que aconteceu — ou sentirá falta do apoio de amigos e familiares quando mais precisar dele?
> É algo em que pensar, mas que somente você e seu parceiro podem decidir, juntos.

Que suplemento pré-natal você deve tomar? Como há um número esmagador de fórmulas no mercado (que podem ser compradas com ou sem receita), sempre é uma boa ideia pedir que o médico recomende ou prescreva uma. Se o tamanho é importante para você (se você acha o comprimido típico dos suplementos, que é enorme, difícil de engolir), peça um comprimido menor, um comprimido revestido ou uma cápsula de gel. Ou abandone inteiramente esse formato: as fórmulas são apresentadas em forma de pó, goma de mascar e tablete mastigável (mas pergunte antes, já que nem todos os suplementos são equivalentes). Uma fórmula de liberação lenta pode ser menos indigesta para o estômago sensibilizado pela gravidez, especialmente se você sofre com enjoo matinal, e a adição de vitamina B6 e/ou gengibre também pode aliviar a náusea. Tomar o suplemento com a comida ou no momento do dia em que você tem menos probabilidade de passar mal (talvez após o jantar e antes de ir para a cama) também pode ajudá-la a engolir essa pílula (sem vomitá-la).

Se decidir mudar de suplemento, abandonando o que o médico recomendou ou prescreveu e adotando um mais fácil de ingerir, peça que ele analise a fórmula antes. Qualquer suplemento que você escolha deve atender aos requerimentos pré-natais (veja a p. 147 para mais detalhes).

Em algumas futuras mães, o ferro das vitaminas pré-natais causa constipação ou diarreia. Novamente, trocar de fórmula pode resolver o problema. Tomar um suplemento sem ferro e adicionar ferro quando prescrito (você provavelmente só precisará de ferro extra no meio da gravidez) também pode ajudar. O médico pode sugerir um suplemento de ferro que seja menos indigesto.

"Como muitos cereais e pães enriquecidos. Como também estou tomando um suplemento pré-natal, será que não estou ingerindo vitaminas e minerais demais?"

É possível ter excesso de uma coisa boa, mas não costuma ser dessa maneira. Tomar as vitaminas pré-natais e consumir uma dieta padrão, que tipicamente inclui muitos produtos enriquecidos e fortificados, provavelmente não levará à ingestão excessiva de vitaminas e minerais. Para ingerir nutrientes demais, você teria de adicionar outros suplementos além do pré-natal — algo que gestantes jamais devem fazer sem aconselhamento médico. Mas é prudente ter cautela com qualquer alimento, bebida ou suplemento dietético enriquecido com mais do que a dose diária recomendada de vitaminas A, E e K, porque elas podem ser tóxicas em grandes quantidades. A maior parte das outras vitaminas e minerais é solúvel em água, significando que qualquer excesso que o organismo não possa usar será simplesmente excretado pela urina. E é por isso que — esse é um fato divertido — diz-se que os loucos por suplementos têm a urina mais cara do mundo (se xixi pudesse ser vendido, claro).

Fadiga

"Agora que estou grávida, sinto-me cansada o tempo todo. Às vezes, sinto que não serei capaz de aguentar o dia."

Não consegue erguer a cabeça do travesseiro pela manhã? Arrasta os pés o dia inteiro? Não consegue esperar para ir para a cama assim que chega em casa à noite? Se parece que sua disposição foi embora — e não tem planos de retornar em breve —, não fique surpresa. Afinal, você está grávida. E mesmo que ainda não haja evidências externas de que você está fabricando um bebê, muito trabalho exaustivo está sendo realizado do lado de dentro. De certas maneiras, seu corpo grávido trabalha mais quando você está em repouso (e mesmo quando está dormindo!) que um corpo não grávido ao correr uma maratona — você simplesmente não está consciente desse esforço.

E exatamente o que seu corpo está fazendo? Para começar, e isso é muito importante, está fabricando o sistema de suporte à vida do bebê, a placenta — um projeto gigantesco que só será completado ao fim do primeiro trimestre. Além disso, seus níveis hormonais aumentaram significativamente, você está produzindo mais sangue, seus batimentos cardíacos estão acelerados, sua glicose está mais baixa, seu metabolismo queima energia o tempo todo (mesmo quando você está deitada) e você está usando mais nutrientes e açúcar. E, se isso não for suficiente para cansá-la, acrescente a essa exaustiva equação todas as outras demandas físicas e emocionais da gravidez às quais seu organismo está se ajustando. Some tudo isso e não será surpreendente que você se sinta como se estivesse participando de um triatlo todos os dias — e chegando por último, morta de cansaço.

Felizmente, há alívio à vista — em algum momento futuro. Quando a hercúlea tarefa de fabricar a placenta for finalizada (por volta do quarto mês) e seu organismo tiver se ajustado às mudanças hormonais e emocionais da gravidez, você se sentirá um pouquinho melhor.

Entrementes, saiba que a fadiga é um sinal enviado pelo organismo alertando que você precisa desacelerar. Dê atenção a ele e obtenha o descanso de que necessita. Você também pode recapturar parte de sua disposição com as seguintes dicas:

Paparique a si mesma. Se essa é sua primeira gravidez, aproveite essa chance que, provavelmente, será a última durante muito tempo de focar em você mesma sem se sentir culpada. Se já tem crianças em casa, definitivamente terá de dividir o foco. Em ambos os casos, agora não é hora de tentar conquistar o título de supermãe. Descansar o suficiente é mais importante que manter a casa impecável ou preparar jantares quatro estrelas (ou de qualquer outro tipo: é para isso que as entregas foram criadas). Deixe a louça para mais tarde e vire para o outro lado quando vir poeira embaixo da mesa de jantar. Faça as compras (e tudo mais em que conseguir pensar) on-line, em vez de se arrastar até o supermercado. Se for financeiramente possível, torne-se cliente regular do iFood ou Rappi (ou outro serviço de entrega) e use o TaskRabbit (ou serviços similares) para terceirizar suas tarefas. Não agende atividades ou realize tarefas que não sejam essenciais. Nunca foi preguiçosa? Nunca houve época melhor para começar.

Deixe que outros a papariquem. Você fará muito esforço nos próximos meses, de modo que seu parceiro precisará fazer a parte dele (e será mais da metade!) das tarefas domésticas, incluindo lavar roupa e fazer compras. Aceite a oferta da sogra de fazer o jantar para você. Peça que uma amiga compre alguns itens essenciais quando for fazer as compras para a casa dela. Dessa maneira, você terá energia suficiente para dar uma caminhadinha... antes de se arrastar para a cama.

Relaxe mais. Você fica exausta ao fim do dia? Passe as noites relaxando (preferencialmente com os pés para cima) em vez de sair. E não espere até o cair da noite para relaxar. Se puder tirar um cochilo, faça isso. Se não conseguir dormir, deite-se e descanse. Se trabalhar fora, um cochilo no escritório pode não ser uma opção, a menos que você tenha um horário flexível e acesso a um sofá confortável, mas colocar os pés sobre a escrivaninha ou no sofá da sala de descanso durante os intervalos e na hora do almoço pode ser possível.

(Se escolher descansar na hora do almoço, reserve tempo para comer.)

Seja uma mãe preguiçosa. Você tem outros filhos? Então pode estar ainda mais cansada, por razões óbvias (você tem menos tempo para descansar e mais demandas são feitas a seu corpo). Ou a fadiga pode ser menos perceptível, já que você está acostumada à exaustão — ou ocupada demais para prestar atenção a ela. De todo modo, não é fácil cuidar de si mesma quando precisa cuidar de crianças pequenas (ou mais velhas). Mas tente. Explique a seus filhos que fabricar um bebê é um trabalho pesado e a está deixando exausta. Peça a ajuda deles nas tarefas de casa e para permitir que você descanse mais. Passe tempo com eles em atividades mais tranquilas: lendo, montando quebra-cabeças, sendo a paciente em uma brincadeira de médico (você terá a chance de ficar deitada) ou assistindo a filmes. Cochilar quando se é mãe em tempo integral é difícil, mas, se você conseguir sincronizar seu cochilo com o das crianças (se elas ainda cochilarem), pode ser possível.

Aumente seu tempo de sono. Pode parecer óbvio, mas vale repetir: dormir nem que seja 1 hora a mais vai aumentar sua disposição pela manhã. Mas não exagere: sono demais pode fazer com que você se sinta ainda mais cansada.

Coma bem. Para manter seu nível de energia, você precisa de um fornecimento constante de combustível premium. Obtenha calorias suficientes todos os dias e foque no combo que lhe fornecerá energia por mais tempo: proteínas e carboidratos complexos. Cafeína ou açúcar (ou ambos, ingeridos juntos) talvez pareçam a solução perfeita para a falta de energia, mas não são. Embora um doce ou uma bebida energética possam dar aquela despertada, esse pico de glicose será seguido por uma queda drástica, deixando-a ainda mais apática. (Além disso, muitos energéticos em lata contêm suplementos dietéticos que não são seguros durante a gravidez.)

Coma frequentemente. Como tantos outros sintomas da gravidez, a fadiga responde bem à solução das seis refeições (p. 134). Manter a glicose em um nível estável mantém sua energia estável, então não pule refeições e opte por porções menores e lanches.

Dê uma caminhada. Ou uma corrida lenta. Ou um passeio no supermercado. Ou faça yoga para gestantes. É verdade que o sofá nunca pareceu tão convidativo, mas, paradoxalmente, descanso demais e atividade de menos podem diminuir suas reservas de energia. Mesmo um pouquinho de exercício — uma caminhada de 10 minutos ou 5 minutos acompanhando o DVD *What to Expect When You're Expecting: The Workout* [O que esperar quando você está esperando: exercícios] — pode ser mais restaurador que uma pausa no sofá. Só não exagere — você quer terminar o exercício sentindo-se energizada, não exausta —, e siga as orientações a partir da p. 314.

Embora sua fadiga crescente provavelmente vá melhorar no quarto mês, ela vai retornar no terceiro trimestre. (Será que essa é a maneira que a natureza encontrou de prepará-la para as longas noites sem dormir depois que o bebê nascer?)

Enjoo matinal
"Não tive nenhum enjoo. Será que ainda estou grávida?"

O enjoo matinal, como o desejo por picles e sorvete, é um daqueles truísmos sobre a gravidez que não é necessariamente verdadeiro. Os estudos mostram que mais de três quartos das gestantes experimentam náusea e/ou vômitos associados ao enjoo matinal, o que significa que somente cerca de 25% das futuras mães não o experimentam. Se você está entre as que jamais passaram por um momento nauseado, ou só se sente ocasional ou levemente enjoada, considere-se não somente grávida, mas sortuda. Mas saiba que essa sorte pode acabar, uma vez que o enjoo matinal frequentemente só surge a partir da 6ª semana ou mesmo depois.

"Meu enjoo matinal dura o dia inteiro. Estou com medo de não estar mantendo comida suficiente no estômago para nutrir o bebê."

Bem-vinda ao clube da náusea, ao qual pertencem mais de 75% das mulheres grávidas. Felizmente, embora você e outros membros menos sortudos do clube definitivamente sintam os efeitos do enjoo matinal — que foi mal nomeado, como você já notou, pois pode surgir pela manhã, tarde, noite ou, mais provavelmente, o dia inteiro —, seu bebê definitivamente não sente. Isso porque as necessidades nutricionais dele são minúsculas nesse momento, assim como ele mesmo (que sequer chegou ao tamanho de uma ervilha). Mesmo mulheres que não conseguem manter nada no estômago e começam a perder peso durante o primeiro trimestre não estão prejudicando o bebê nem a gestação, desde que atinjam o peso necessário nos meses seguintes. O que, normalmente, é muito fácil, porque a náusea e o vômito não duram muito além da 12ª ou 14ª semanas.

O que causa o enjoo matinal? Ninguém sabe ao certo, mas há muitas teorias, entre elas a genética, o alto nível de hCG na corrente sanguínea durante o primeiro trimestre, o alto nível de estrogênio, refluxo gastroesofágico, o relaxamento dos músculos do trato digestivo em função dos hormônios (o que torna a digestão menos eficiente) e o superaguçado senso de olfato das gestantes.

Nem todas as mulheres grávidas sentem enjoo matinal da mesma maneira. Algumas têm somente momentos ocasionais de náusea; algumas se sentem nauseadas o tempo todo, mas nunca vomitam (embora às vezes desejem); outras vomitam de vez em quando; e outras ainda vomitam com frequência. Provavelmente, há várias razões para essas variações no enjoo matinal (ou enjoo diuturno):

Níveis hormonais. Níveis mais altos que o normal (como quando a gestante carrega múltiplos fetos) podem intensificar o enjoo matinal, ao passo que níveis mais baixos podem minimizá-lo ou eliminá-lo (embora mulheres com níveis normais de hormônios também possam experimentar pouco ou nenhum enjoo matinal).

Sensibilidade. Alguns cérebros possuem um centro de comando da náusea muito mais sensível que outros (às vezes por razões genéticas), o que significa que têm maior tendência de responder aos hormônios ou outros gatilhos. Se você tem um centro de comando sensível (se sempre fica enjoada em carros ou barcos, por exemplo), é mais provável que sofra com náusea severa e vômito durante a gravidez. Nunca se sentiu enjoada? É menos provável que se sinta quando estiver esperando.

Estresse. É sabido que o estresse emocional pode gerar problemas estomacais, de modo que não surpreende que o enjoo matinal piore sob estresse. Isso não significa que ele esteja "em sua cabeça" (na verdade, está em seus hormônios), mas o lugar emocional em que sua cabeça está (um lugar muito estressante) pode intensificá-lo.

Fadiga. A fadiga física ou mental também pode agravar os sintomas do enjoo matinal (inversamente, o enjoo matinal severo definitivamente pode agravar a fadiga física ou mental).

Primeira vez. O enjoo matinal é mais comum e tende a ser mais severo na primeira gestação, o que apoia a ideia de que tanto fatores físicos quanto emocionais estão envolvidos. Fisicamente, o organismo da primigesta (a gestante de primeira viagem) está menos preparado para o massacre de hormônios e outras mudanças que um organismo que já passou por isso. Emocionalmente, é mais provável que as novas mamães sintam uma ansiedade e um medo de virar o estômago, ao passo que as que estão na segunda gestação ou posterior podem ser distraídas da náusea pelas demandas de cuidar dos filhos mais velhos. (As generalizações nunca são verdadeiras para todas as gestantes, e algumas mulheres ficam mais enjoadas em gestações subsequentes do que ficaram na primeira.)

Uma coisa que provavelmente não contribui para a náusea é o sexo do bebê. Algumas mães juram que o enjoo matinal foi pior na gravidez da menina que na do menino. Mas há um número correspondente de mães que juram o oposto e dizem jamais ter tido um dia de enjoo ao esperarem meninas. Há evidências de que as gestantes que vomitam severamente têm um pouquinho mais de probabilidade de terem meninas, mas os especialistas dizem que essa descoberta não se aplica ao enjoo matinal comum.

Qualquer que seja a causa (e realmente importa quando você está botando tudo para fora pela terceira vez no dia?), a única cura para a náusea é o tempo. Por sorte, há maneiras de

minimizar seu sofrimento enquanto espera por dias menos nauseados:
* Coma cedo. O enjoo matinal não espera você se levantar. Na verdade, é mais provável que a náusea ataque quando você está de estômago vazio, como após uma longa noite de sono. Isso porque, quando você fica por um certo período sem comer, os ácidos no interior do estômago não têm nada para digerir, com exceção do revestimento do próprio estômago — o que, claro, intensifica a náusea. Para não vomitar, não saia da cama sem mordiscar o lanchinho (bolacha de água e sal, biscoito de arroz, cereal seco, um punhado de frutas secas) que guardou na mesinha de cabeceira na noite anterior. Manter lanchinhos perto da cama também significa que você não terá de se levantar quando acordar com fome no meio da noite. Também é uma boa ideia comer alguma coisinha ao se levantar para ir ao banheiro, a fim de que haja algo em seu estômago durante toda a noite.

PARA OS PAIS

AJUDANDO A ALIVIAR A NÁUSEA

O enjoo matinal é um sintoma da gravidez que definitivamente não faz jus ao nome. Trata-se de uma experiência constante que pode mandar sua esposa correndo para o banheiro de manhã, de tarde e de noite, fazendo com que ela abrace muito mais o vaso sanitário do que abraça você. Assim, dê alguns passos para ajudá-la a se sentir melhor — ou, ao menos, não se sentir pior. Deixe de usar a loção pós-barba que ela subitamente passou a achar repulsiva e coma seus anéis de cebola onde ela não possa sentir o cheiro (graças aos hormônios, o olfato dela está superaguçado). Encha o tanque do carro para que ela não precise sentir o cheiro de gasolina na bomba. Compre alimentos que aliviem a náusea e não provoquem outra corrida ao vaso sanitário. Boas escolhas são refrigerante de gengibre, *smoothies* e bolacha de água e sal (mas pergunte antes: o que se soletra a-l-í-v-i-o para uma mulher se soletra v-ô-m-i-t-o para outra). Encoraje-a a fazer pequenas refeições durante o dia, em vez de três grandes (dividir as porções e manter o estômago cheio costuma aliviar a náusea), mas não a censure por suas escolhas alimentares (agora não é hora de discutir com ela sobre a importância de comer brócolis). Dê apoio moral enquanto ela vomita: segure o cabelo dela, leve água gelada, faça uma massagem suave nas costas. E lembre-se de não fazer piadinhas. Se você vomitasse durante semanas, não acharia engraçado. Claro, nem ela.

- Coma tarde. Fazer um lanche leve, com bastante proteínas e carboidratos complexos (um *muffin* e um copo de leite, palitinhos de queijo e um punhado de manga liofilizada), pouco antes de dormir ajuda a garantir um estômago mais feliz ao acordar.
- Coma algo leve. Um estômago muito cheio tem tanta tendência de regurgitar quanto um vazio. Exagerar — mesmo quando você sente fome — pode causar vômito.
- Coma frequentemente. Uma das melhores maneiras de manter a náusea à distância é manter seu nível de glicose constante — e seu estômago ligeiramente cheio — o tempo todo. Para evitar o enjoo, coma o tempo todo. Faça refeições pequenas e frequentes — o ideal são seis minirrefeições ao dia —, em vez de três grandes. Não saia de casa sem vários lanches que seu estômago aceita (frutas secas ou liofilizadas, purê de maçã, oleaginosas, barrinhas de granola, cereal, bolacha de água e sal, *pretzels*, bolinhas de queijo).
- Coma bem. Uma dieta rica em proteínas e carboidratos complexos pode ajudar a combater a náusea. A boa nutrição em geral também pode ajudar, então coma o melhor que puder (dadas as circunstâncias, isso nem sempre será fácil).
- Coma o que conseguir. Comer bem não está funcionando assim tão bem? Nesse momento, colocar qualquer coisa no estômago — e mantê-la lá — é a prioridade. Haverá muito tempo, mais tarde na gestação, para comer bem. Quando estiver nauseada, coma o que puder para passar o dia (e a noite), nem que sejam picolés e biscoitos de gengibre. Se não conseguir, também não faz mal.
- Beba. No curto prazo, beber líquidos suficientes é mais importante que consumir sólidos suficientes, especialmente se você perde muito líquido ao vomitar. Se os líquidos são mais fáceis de ingerir quando você está enjoada, use-os para obter nutrientes. Beba vitaminas e minerais em *smoothies*, sopas e sucos. Se os líquidos a deixam ainda mais enjoada, escolha sólidos com alto teor de água, como frutas e vegetais frescos — particularmente melões (a melancia é a campeã) e frutas cítricas. Algumas gestantes enjoadas acham que comer e beber na mesma refeição exige demais de seu trato digestivo. Se esse for seu caso, tente beber entre as refeições. Tanto a água eletrolítica quanto a água de coco podem ser especialmente úteis se você estiver vomitando muito.
- Fique fria. Faça experimentos com a temperatura. Muitas mulheres acham que líquidos e alimentos gelados (uvas congeladas, por exemplo) são mais fáceis de ingerir. Outras favorecem os quentes (sanduíches com queijo derretido em vez de queijo frio).

- Troque. Frequentemente, o que começa como alimento que oferece conforto (a única coisa que você consegue manter no estômago, então você a consome o tempo todo) se associa à náusea e começa a gerá-la. Se você está tão cansada de bolacha de água e sal que elas a estão deixando enjoada, troque para outro carboidrato (talvez Cheerios).
- Se a deixa enjoada, não consuma. Ponto. Não se force a comer qualquer coisa que não a atraia ou, pior ainda, a deixe enjoada. Deixe suas papilas gustativas (e desejos e aversões) serem seu guia. Escolha somente alimentos doces se for tudo que conseguir tolerar (obtenha vitamina A e proteínas de pêssego e iogurte no jantar, em vez de brócolis e frango). Ou selecione somente alimentos salgados se eles forem o passaporte para um estômago menos tumultuado (coma pizza, e não cereal, no café da manhã).
- Afaste-se dos cheiros (e imagens) ruins. Graças a um olfato muito mais sensível, gestantes frequentemente descobrem que aromas outrora apetitosos agora são repugnantes — e os repugnantes agora a fazem vomitar. Fique longe de cheiros que podem deixá-la enjoada, seja a salsicha com ovos que seu parceiro gosta de fazer nos fins de semana ou a loção pós-barba que ele usa, e que costumava fazer sua cabeça girar (mas agora a faz correr para o banheiro). Também fique longe de alimentos para os quais não consegue nem olhar (o frango cru é uma ocorrência frequente).

O NARIZ SABE

Você já notou que, agora que está grávida, consegue sentir o cheiro do que está no cardápio antes mesmo de entrar no restaurante? Esse olfato aguçado é um efeito colateral muito real da gravidez, causado por hormônios (nesse caso, pelo estrogênio) que intensificam cada cheiro que cruza seu caminho. Ainda pior: essa síndrome de perdigueiro também pode piorar os sintomas do enjoo matinal. Está farejando problemas? Dê uma folga a seu nariz:

- Se não aguentar o cheiro, saia da cozinha. Ou do restaurante. Ou da loja de perfumes. Ou de qualquer lugar no qual os cheiros a enjoem.
- Seja amiga do forno de micro-ondas. Cozinhar nele geralmente produz menos cheiro.
- Tarde demais, já tem alguma coisa fedendo? Abra as janelas, quando possível, para dissipar os odores de comida ou mofo. Ou ligue o exaustor sobre o fogão.
- Lave as roupas frequentemente, já que as fibras tendem a reter odo-

res. Use sabão sem perfume, caso o sabão perfumado a incomode (o mesmo para todos os seus produtos de limpeza).
- Use produtos de higiene pessoal sem perfume ou com cheirinho suave (ou que não a deixem enjoada).
- Peça àqueles que estão regularmente ao alcance de seu nariz (e que você conhece bem o bastante para pedir) que demonstrem consideração por seu olfato sensível. Faça com que seu marido tome banho, troque de roupa e escove os dentes depois de comer um *cheeseburguer* com pimenta em algum lugar. Sugira que os amigos usem menos perfume quando estiverem com você.
- Tente se cercar de essências (se houver alguma) que a façam se sentir melhor. Menta, limão siciliano, gengibre e canela têm maior probabilidade de serem calmantes, especialmente se você estiver nauseada, embora algumas gestantes subitamente adotem essências que as fazem pensar em bebês, como talco.

- Suplemente. Tome um suplemento pré-natal para compensar os nutrientes que pode não estar obtendo. Está com medo de ter problemas para engolir o comprimido ou mantê-lo no estômago? Na verdade, um comprimido diário pode diminuir a náusea (especialmente se você tomar um suplemento de liberação lenta que for rico em vitamina B6, excelente contra o enjoo). Mas faça isso no momento do dia em que for menos provável vomitar, possivelmente com um lanche substancial antes de dormir. Você também pode pedir ao médico uma dose extra de vitamina B6 (com ou sem o anti-histamínico doxilamina) e/ou magnésio (em comprimido ou spray), que algumas pessoas dizem diminuir a náusea da gestação.
- Recorra ao gengibre. É verdade o que as mulheres (e parteiras) de antigamente diziam: ele combate a náusea da gestação. Use-o para cozinhar (sopa de gengibre e cenoura, *muffins* de gengibre) e fazer chá ou consuma biscoitos, fatias cristalizadas, balas ou pirulitos de gengibre. Uma bebida feita com gengibre de verdade (o refrigerante nem sempre é, então confira o rótulo) também pode aliviar o enjoo. Até mesmo o cheiro de gengibre fresco (corte uma fatia e cheire) pode funcionar. Ou tente outro truque: limão. Muitas mulheres acham reconfortantes o cheiro e o gosto de laranja e limão (quando a vida lhe der enjoo matinal, faça uma limonada?). Balas azedas ou de menta são um santo remédio para outras. Ou tente beber leite de amêndoas gelado, elogiado por seus benefícios contra a náusea (ele também funciona contra a azia).

- Descanse. Durma mais, pois a fadiga pode intensificar o enjoo.
- Vá devagar. Não pule da cama e corra para a porta: apressar as coisas tende a agravar a náusea. Em vez disso, fique na cama por alguns minutos, coma um lanchinho e então se levante lentamente para um café da manhã tranquilo. Pode parecer impossível se você tiver outros filhos, mas tente acordar antes deles para poder passar algum tempo em silêncio ou deixe que o papai se encarregue do turno do amanhecer.
- Aliviar o estresse pode aliviar a náusea. Veja a p. 204 para dicas sobre como lidar com o estresse.
- Trate sua boca com cuidado. Escove os dentes (com uma pasta que não aumente a náusea) ou enxague a boca sempre que vomitar e após cada refeição (peça que seu dentista recomende um bom enxaguante bucal). Isso não somente manterá sua boca fresca e reduzirá o enjoo como também diminuirá o risco de danos aos dentes ou gengivas em função das bactérias que se alimentam dos resíduos regurgitados em sua boca.
- Tente usar pulseiras antienjoo. Essas faixas elásticas de 2,5 centímetros, usadas em ambos os pulsos, pressionam pontos de acupuntura no punho e frequentemente aliviam a náusea. Elas não possuem efeitos colaterais e estão disponíveis em farmácias e lojas de produtos naturais. Ou seu médico pode recomendar uma forma mais sofisticada de acupressão: uma faixa para o pulso acoplada a uma bateria que usa estímulos elétricos, como Relief Bands ou Psi Bands (pulseiras antináusea).
- Considere a medicina complementar e alternativa. Muitas abordagens médicas complementares, como acupuntura, acupressão, *biofeedback*, meditação e hipnose, podem minimizar os sintomas do enjoo matinal — e todas elas valem a tentativa (p. 119).
- Peça medicação. Se as dicas do tipo faça-você-mesma não funcionarem, pergunte a seu médico se não é melhor passar para os remédios. Diclegis (Diclectin no Canadá) ou Bonjesta são ambos combinações seguras e efetivas do anti-histamínico doxilamina com a vitamina B6 (o mesmo combo frequentemente vendido sem receita nas farmácias), em uma fórmula de liberação lenta que pode aliviar os sintomas do enjoo matinal durante o dia e a noite, com menos sonolência. Se o enjoo matinal for realmente severo, medicação antináusea pode ser acrescentada (como Fenergan [prometazina], Reglan [metoclopramida] ou Scopolamine [escopolamina]). Mas não tome qualquer medicação (tradicional ou fitoterápica) para enjoo sem que ela seja prescrita pelo médico.

> **SAQUINHOS PARA VIAGEM**
>
> Nunca sabe quando vai vomitar? Os saquinhos para cocô de cachorro são uma opção conveniente quando você não está perto de um banheiro ou da saída mais próxima. Mantenha vários à mão sempre que sair.

Em menos de 5% das gestações, a náusea e o vômito se tornam tão severos que intervenção médica pode ser necessária. Se você vomita o tempo todo e/ou não consegue manter líquidos ou sólidos no estômago, fale com o médico e leia a p. 728.

Salivação excessiva

"Minha boca se enche de saliva, e engoli-la me faz ter engulhos. O que está acontecendo?"

Pode não ser legal babar (especialmente em público), mas, para muitas mulheres no primeiro trimestre, é um fato (nojentinho) da vida. A superprodução de saliva é um sintoma comum e desagradável da gravidez, especialmente entre as gestantes que sofrem de enjoo matinal. E, embora a saliva excessiva possa piorar a náusea — e causar engulhos ao comer —, é inofensiva e muito breve, na maioria dos casos desaparecendo após os primeiros meses.

Está irritada com todo esse cuspe? Escovar os dentes frequentemente com uma pasta mentolada, usar enxaguatório mentolado ou mascar chiclete sem açúcar pode resolver o problema.

Gosto metálico

"Tenho um gosto metálico na boca o tempo todo. Isso está relacionado à gravidez ou foi algo que eu comi?"

Você sente gosto de moeda na boca? Acredite ou não, esse gosto de metal é um efeito colateral bastante comum — embora pouco discutido — da gravidez, mais um que você pode atribuir aos hormônios. Os hormônios sempre desempenham um papel no controle do paladar. Quando eles enlouquecem (como fazem quando você fica menstruada e mais ainda quando está grávida), as papilas gustativas enlouquecem também. Como o enjoo matinal, esse gosto nojentinho deve diminuir — ou, se você tiver sorte, desaparecer totalmente — no segundo trimestre, quando os hormônios começarem a se estabilizar.

Até lá, você pode lutar contra o metal usando ácido. Foque em sucos cítricos, limonadas, balas azedas e — presumindo-se que seu estômago consiga lidar com eles — alimentos marinados em vinagre (que tal um picles com o sorvete?). Esses alimentos ácidos não somente têm o poder de dissolver o gosto metálico, como também aumentam a produção de saliva, o que ajuda a eliminá-lo (embora possa ser algo ruim se sua boca já estiver cheia de água). Outros truques: escovar a língua sempre que escovar os dentes ou enxaguar a boca com uma solução salina (uma colher de sopa de sal para 230 ml de água) ou uma solução de bicarbonato de sódio (¼ de colher de sopa de bicarbonato para 230 ml de água) algumas vezes ao dia, para neutralizar o pH da boca e se livrar do gosto metálico. Você também pode pedir que o médico altere a fórmula das vitaminas pré-natais, uma vez que algumas delas parecem causar mais gosto metálico que outras.

Micção frequente

"Vou ao banheiro a cada meia hora. É normal fazer xixi com tanta frequência?"

O vaso sanitário pode não ser o melhor assento da casa, mas, para a maioria das mulheres grávidas, é o mais frequentado. Não adianta segurar: quando dá vontade, você tem de ir — e, por esses dias (e noites), você tem vontade o tempo todo. Embora fazer xixi sem parar nem sempre seja conveniente, é absolutamente normal, particularmente no início da gravidez.

PARA OS PAIS

QUANDO ELA PRECISA IR AO BANHEIRO... O TEMPO TODO

Lá vai ela novamente. A micção frequente será a companheira constante de sua mulher durante o primeiro trimestre, e retornará ainda mais intensa durante o último. Para facilitar a vida dela, tente pôr em prática as melhores regras de etiqueta sanitária. Tente não ficar tempo demais no banheiro e sempre o deixe pronto para ela usar. Lembre-se de baixar o assento sempre que usar (especialmente à noite), e mantenha o corredor sem obstáculos (a mochila da academia, os chinelos) e iluminado, para que ela não tropece a caminho do banheiro. E seja o mais compreensivo que puder (leia-se: sem revirar os olhos) quando ela tiver de se levantar três vezes durante o filme ou parar seis vezes a caminho da casa de seus pais. Ela não tem controle (às vezes literalmente) sobre a frequência urinária e passar o tempo todo segurando o xixi pode levar a uma infecção do trato urinário.

O que causa a micção frequente? Primeiro, os hormônios geram aumento não somente do fluxo de sangue, mas também do fluxo de urina. Segundo, durante a gestação, a eficiência dos rins aumenta, ajudando o organismo a se livrar mais rapidamente dos resíduos (incluindo os do bebê, o que significa que você está urinando por dois). Finalmente, o útero em crescimento pressiona a bexiga, deixando menos espaço para a urina e gerando a vontade constante de fazer xixi. Essa pressão frequentemente é aliviada quando o útero sobe na cavidade abdominal durante o segundo trimestre e geralmente só retorna no terceiro trimestre ou quando a cabeça do bebê "encosta" na pelve no nono mês (gerando a "Micção frequente: o retorno"). Mas, como o arranjo dos órgãos internos varia ligeiramente de mulher para mulher, o grau de frequência urinária em gestantes também pode variar. Algumas mulheres mal notam, e outras passam por isso durante a maior parte dos nove meses.

Inclinar-se para a frente ao urinar ajuda a esvaziar completamente a bexiga, assim como o esvaziamento duplo (urinar e, ao terminar, fazer uma forcinha para urinar mais). Ambas as táticas podem reduzir o número de viagens ao banheiro — embora, realisticamente falando, não muito.

Não reduza os líquidos achando que isso a manterá fora do banheiro. Seu corpo e o corpo do bebê precisam de um fluxo constante de líquidos, e a desidratação pode levar a uma infecção urinária. Mas reduza a cafeína, pois grandes quantidades podem aumentar a necessidade de fazer xixi (e a sensação de "tem que ser agora!"). Se vai frequentemente ao banheiro durante a noite, tente limitar a ingestão de líquidos pouco antes de se deitar.

Se está sempre com vontade urgente de urinar (mesmo que tenha acabado de sair do banheiro), fale com o médico. Ele pode pedir um exame para verificar se você tem uma infecção urinária.

"Por que não urino frequentemente?"

Talvez você não tenha notado o aumento da micção porque já faz xixi com frequência — ou simplesmente não esteja prestando atenção. Mas assegure-se de ingerir líquidos suficientes. A baixa ingestão não causa apenas micção pouco frequente, mas também desidratação e infecção do trato urinário. Preste atenção não somente na frequência urinária, mas também na cor de sua urina (ela deve ser de um amarelo claro e pálido, não escuro).

Mudanças nos seios

"Já não reconheço meus seios: eles estão enormes. E sensíveis. Eles permanecerão assim — e vão ficar flácidos depois do parto?"

Parece que você descobriu a primeira grande coisa da gestação: seus seios. Embora a barriga geralmente não cresça muito até o segundo trimestre, os seios começam a se expandir semanas após a concepção, subindo na escala de tamanhos (você pode terminar com sutiãs três vezes maiores do que usava antes). O que alimenta esse crescimento são os hormônios, os mesmos que fazem os seios incharem durante a menstruação, mas agora em um nível muito superior. A gordura e o fluxo sanguíneo na região também aumentam. E há uma bela razão para todo esse crescimento: seus seios estão se preparando para alimentar o bebê.

Além do aumento de tamanho, você provavelmente também notou outras mudanças. As aréolas (as áreas pigmentadas em torno dos mamilos) escurecem e se expandem, e podem apresentar regiões ainda mais escuras.

O escurecimento pode diminuir, mas não desaparecer inteiramente, após o parto. As bolinhas que você pode ter notado nas aréolas são glândulas lubrificantes, que se tornam mais proeminentes durante a gestação e depois voltam ao normal. O complexo mapa de minúsculas veias azuis que se espalhou por seus seios — frequentemente vívido em mulheres de pele clara e imperceptível em mulheres de pele escura — representa o sistema de entrega mãe-bebê de nutrientes e líquidos. Após o parto — ou, se você amamentar, após o desmame — a aparência da pele retornará ao normal.

QUANDO TELEFONAR PARA O MÉDICO

Quando e para falar sobre o que você deve telefonar para seu médico? O que provavelmente é uma emergência e provavelmente não é? Use a lista de sintomas a seguir como guia geral, mas seu médico pode querer que você telefone por outras razões ou seguindo diferentes parâmetros. E por isso é uma boa ideia discutir com ele um protocolo (ou a lista da página seguinte) antes que surja um sintoma preocupante ou uma emergência (alguns médicos incluem um protocolo de emergência no pacote de informações da primeira consulta).

Se você não discutiu um protocolo com o médico e está experimentando um dos sintomas listados (ou outro que possa requerer atenção médica imediata), tente fazer o seguinte: primeiro, telefone para o consultório. Se o médico não estiver disponível, deixe uma mensagem detalhando os sintomas. Se ele não ligar de volta em alguns minutos, telefone novamente ou ligue para o pronto-socorro mais próximo e conte à enfermeira da triagem o que está acontecendo. Se ela lhe disser para ir ao hospital, vá até lá e deixe um recado informando seu médico. Ligue para 192 se ninguém puder levá-la ao pronto-socorro.

Ao relatar qualquer um dos sintomas a seguir ao médico ou à enfermeira da triagem, mencione qualquer outro sintoma que possa estar experimentando por mais que ele pareça não ter nenhuma ligação com o problema. Também seja específica, mencionando quando notou cada sintoma, o quanto ele é frequente, o que parece aliviá-lo ou piorá-lo e o quanto ele é severo.

TELEFONE IMEDIATAMENTE SE EXPERIMENTAR:
- Sangramento intenso ou sangramento com cólicas e dor severa no baixo-ventre
- Dor severa e persistente no baixo-ventre, no centro, em um ou em ambos os lados, mesmo que não seja acompanhada de sangramento
- Súbito aumento da sede, acompanhado de micção reduzida ou ausência de micção por um dia inteiro
- Micção dolorosa ou com sensação de ardência, acompanhada de calafrios e febre acima de 38,6°C e/ou dor nas costas
- Diarreia com sangue
- Febre acima de 38,3°C
- Súbito e severo inchaço das mãos, rosto e olhos, acompanhado de dor de cabeça ou dificuldade de visão
- Distúrbios de visão (visão borrada, escurecendo, dupla) que persistam por mais que alguns minutos
- Dor de cabeça severa ou que persista por mais de 2 ou 3 horas
- Dificuldade para respirar deitada ou tosse acompanhada de inchaço nas pernas e/ou palpitações

TELEFONE NO MESMO DIA (OU NA MANHÃ SEGUINTE, SE ESTIVER NO MEIO DA NOITE) SE EXPERIMENTAR:
- Sangue na urina
- Súbito inchaço das mãos, rosto ou olhos
- Micção dolorosa ou com sensação de ardência
- Fraqueza ou tontura mais que momentâneas
- Calafrios e febre acima de 37,5°C na ausência de sintomas de resfriado ou gripe (reduza imediatamente a febre acima de 37,5°C tomando paracetamol, como o Tylenol)
- Náusea severa e vômito; vômito mais frequente que duas a três vezes ao dia durante o primeiro trimestre; vômito mais tarde na gestação quando você não vomitou no início
- Coceira no corpo todo, com ou sem urina escura, fezes pálidas ou icterícia (amarelamento da pele e das escleras (os "brancos dos olhos")
- Diarreia frequente (mais de três vezes ao dia), especialmente se tiver aparência mucosa
- Você pode não apresentar nenhum dos sintomas listados, mas não se sentir "bem". Ou apresentar sintomas não listados aqui nem explicados no livro. É provável que o que quer que esteja sentindo seja normal. Mas, em caso de dúvida ou quando sua intuição lhe disser que algo não é normal (mesmo que tenham lhe dito que é), telefone para o médico.

Felizmente, o aumento de tamanho não continuará a ser acompanhado de dor (ou sensibilidade desconfortável). Embora seus seios provavelmente continuem a crescer durante os nove meses, é improvável que permaneçam hipersensíveis ao toque após o terceiro ou quarto mês. Em algumas mulheres, a sensibilidade diminui bem antes disso. Até lá, encontre alívio em compressas frias ou mornas (as que forem mais eficientes).

Quanto a se seus seios ficarão ou não flácidos, depende muito da genética (se os de sua mãe ficaram, os seus também podem ficar), mas certa parte depende de você. Os seios caídos resultam não somente da gestação em si, mas da falta de suporte durante a gestação. Por mais empinados que seus seios sejam agora, proteja-os de um futuro caído usando um sutiã de sustentação (embora, durante o sensível primeiro trimestre, talvez seja melhor evitar os aros metálicos). Se seus seios forem particularmente grandes ou tiverem tendência à flacidez, é uma boa ideia usar sutiã mesmo à noite. Você provavelmente achará os sutiãs de algodão mais confortáveis para dormir.

Nem todas as mulheres notam mudanças pronunciadas nos seios no início da gravidez, e em outras a expansão é tão gradual que se torna imperceptível. Como no caso de todas as coisas relacionadas à gestação, o normal é o que é normal para os seus seios. E não se preocupe: embora o crescimento mais lento ou menos substancial signifique que você não terá de substituir seus sutiãs tão frequentemente, isso não terá nenhum impacto em sua habilidade de amamentar.

"Meus seios ficaram muitos grandes na primeira gravidez, mas não mudaram nada na segunda. Isso é normal?"

Da primeira vez, seus seios eram novatos. Agora entraram na gestação com experiência prévia. Como resultado, podem não precisar de tanta preparação — ou reagir tão dramaticamente ao aumento dos níveis hormonais — quanto da primeira vez que você fabricou um bebê. Eles podem crescer gradualmente durante a gravidez ou só depois do parto, quando começar a produção de leite. De qualquer modo, o crescimento lento é normal, e somente mais uma indicação do quanto as gestações podem ser diferentes.

Pressão no baixo-ventre
"Tenho tido uma incômoda sensação de pressão na parte inferior do abdômen. Devo ficar preocupada?"

Você parece muito antenada a seu corpo — o que pode ser uma coisa boa (pois pode ajudá-la a reconhecer a ovulação) ou uma coisa não tão boa (quando faz com se preocupe com incômodos e dores inócuos da gestação).

Não se preocupe. A sensação de pressão ou mesmo cólica leve sem sangramento é muito comum, especialmente na primeira gravidez e, no geral, é um sinal de que tudo está dando certo e não de que algo está dando errado. É provável que seu sensível radar corporal tenha captado algumas das muitas e dramáticas mudanças que estão ocorrendo em seu baixo-ventre, onde o útero está localizado. O que você está sentindo pode ser a implantação, o aumento do fluxo sanguíneo, o espessamento do revestimento do útero ou simplesmente o útero começando a crescer: em outras palavras, suas primeiras dores do crescimento. Também podem ser gases ou espasmos intestinais resultantes da constipação (outro efeito colateral comum da gravidez).

Para ficar ainda mais tranquila, converse com o médico sobre essa sensação (se ainda a estiver sentindo) durante a próxima consulta.

Escape

"Eu estava no banheiro e notei uma manchinha de sangue quando me limpei. Estou tendo um aborto espontâneo?"

É definitivamente muito assustador ver sangue lá embaixo quando você está grávida. Mas sangramento definitivamente não é sinal de que algo está errado. Muitas gestantes — cerca de uma em cinco — experimentam algum sangramento, e a maioria tem uma gestação e um bebê perfeitamente saudáveis. Se você notou somente escapes muito leves — similares aos que você veria no início e no fim da menstruação —, pode respirar fundo e continuar lendo para uma provável (e provavelmente tranquilizadora) explicação. Esse escape em geral se deve a uma das seguintes razões:

Implantação do embrião. Afetando entre 20% e 30% das mulheres, esse escape (chamado de "sangramento de implantação" no jargão da obstetrícia) costuma ocorrer antes (ou, em alguns casos, por volta da mesma época) da menstruação esperada, entre seis e doze dias após a concepção. Menos intenso que a menstruação (e durando de algumas horas a alguns dias), o sangramento de implantação em geral é cor-de-rosa claro ou médio ou marrom claro. Ocorre quando a bolinha de células que um dia você chamará de filho abre um nicho para si mesma na parede uterina. O sangramento de implantação não é um sinal de que algo está errado.

Sexo recente, exame interno, esfregaço de Papanicolau. Durante a gravidez, o colo do útero fica sensível e intumescido em função dos vasos sanguíneos e, ocasionalmente, pode ficar irritado durante a relação sexual ou um exame interno, resultando em sangramento leve. Esse tipo de sangramento é comum, pode ocorrer a qualquer momento da gestação e, no geral, não indica um problema, mas fale com o médico sobre qualquer escape após o sexo ou um exame, para ficar mais tranquila.

Infecção da vagina ou do colo do útero. Um colo do útero ou uma vagina inflamados, irritados ou infeccionados podem causar escape (embora ele deva desaparecer quando você tratar a infecção).

NÃO SE PREOCUPE

Algumas gestantes (ou melhor, quase todas) sempre encontram algo com que se preocupar, especialmente no primeiro trimestre e particularmente na primeira gestação. No topo da lista, compreensivelmente, está o medo de perder o bebê.
Felizmente, a maior parte das preocupações termina se mostrando desnecessária. A maioria das gestações continua sem sobressaltos e alegremente até o termo. Praticamente toda gravidez normal inclui um pouco de cólicas, dores abdominais ou sangramento de escape — e muitas incluem os três. Embora qualquer um desses sintomas seja compreensivelmente enervante (e, quando se trata de uma mancha de sangue na calcinha, assustador), na maior parte do tempo eles são completamente inócuos, e não um sinal de que há algum problema com a gravidez. Embora você deva relatá-los ao médico na próxima consulta (ou antes, se precisar de uma opinião profissional para ficar mais tranquila), os seguintes sintomas não são causa de preocupação. Assim, não se preocupe se tiver:

Cólicas e dores leves ou sensação de pressão em um ou ambos os lados do baixo-ventre. No início, isso provavelmente está relacionado ao aumento do fluxo sanguíneo na região, ao espessamento do revestimento uterino ou ao crescimento do útero e dos ligamentos que o suportam. A menos que as cólicas sejam severas, constantes ou acompanhadas de sangramento significativo, não há razão para se preocupar.

Escape leve que não é acompanhado de cólicas ou dor no baixo-ventre. Há muitas razões para sangramento de escape em mulheres grávidas e, frequentemente, não têm nenhuma relação com um aborto espontâneo. Veja a página a seguir para saber mais sobre escape.

É claro que, no início da gravidez, as mulheres grávidas não se preocupam somente com sintomas, mas também com a falta deles. De fato, "não se sentir grávida" é uma das mais comumente relatadas preocupações do primeiro trimestre. E isso não surpreende. É difícil se sentir grávida tão cedo, mesmo que você esteja experimentando cada sintoma do livro, e é ainda mais difícil se você estiver relativamente sem sintomas. Sem provas tangíveis de que há um bebê dentro de você (a barriguinha crescendo, os primeiros movimentos), é muito fácil começar a se perguntar se está indo tudo bem com a gravidez — ou se você ainda está grávida.

Mais uma vez, não se preocupe. A falta de sintomas — como enjoo matinal ou sensibilidade nos seios —

normalmente não é sinal de que algo está errado. Considere-se com sorte por ser poupada desses e de outros sintomas desagradáveis do início da gestação — e também considere que você pode ter um início tardio. Afinal, como cada gestante experimenta os sintomas de maneiras e em momentos diferentes, eles podem estar prestes a chegar.

Sangramento subcoriônico. O sangramento subcoriônico ocorre quando há acúmulo de sangue sob o córion (a membrana fetal mais externa, perto da placenta) ou entre o útero e a placenta. Ele pode causar escapes leves ou intensos, mas nem sempre (às vezes, só é detectado durante um ultrassom de rotina). A maioria dos sangramentos subcoriônicos se resolve sozinha e não causa problemas para a gestação (veja a p. 725 para saber mais).

O escape é tão comum quanto variável durante a gravidez normal. Algumas mulheres têm pequenos sangramentos durante toda a gestação. Outras, somente por um ou dois dias. Outras ainda, por várias semanas. Algumas mulheres notam escapes marrons e mucosos e outras pequenas quantidades de sangue vermelho e brilhante. Mas, felizmente, a maioria das mulheres que experimenta qualquer tipo de escape continua a ter gestações completamente normais e tem bebês perfeitamente saudáveis. O que significa que provavelmente não há com o que se preocupar (embora, falando de modo realista, isso não signifique que você vá parar de se preocupar).

Para se sentir mais tranquila, telefone para o médico (não é preciso telefonar imediatamente ou fora do horário de atendimento, a menos que o escape seja acompanhado de cólicas ou seja um sangramento vermelho brilhante em quantidade suficiente para encharcar um absorvente). Ele provavelmente pedirá um exame de sangue para verificar os níveis de hCG (veja a pergunta seguinte) ou fará um ultrassom. Se você já passou da 6ª semana, provavelmente será capaz de ouvir os batimentos cardíacos do bebê durante o ultrassom, o que lhe mostrará que a gravidez está progredindo bem, mesmo com o escape.

E se o escape virar um sangramento intenso, similar à menstruação? Embora tal cenário seja mais preocupante (especialmente se acompanhado de cólicas ou dor no baixo-ventre) e requeira um telefonema imediato para o médico, não é um sinal inevitável de que você está tendo um aborto espontâneo. Algumas mulheres sangram — mesmo intensamente — por razões desconhecidas durante toda a gestação e, mesmo assim, têm bebês saudáveis. Se realmente for um aborto espontâneo, leia a p. 775.

Níveis de hCG

"Recebi o resultado de meu exame de sangue e lá está escrito que meu nível de hCG é de 412 mUI/L. O que isso significa?"

Significa que você está grávida. A gonadotrofina coriônica humana (hCG) é o hormônio exclusivo da gravidez fabricado pelas células da placenta no início de seu desenvolvimento, dias depois de o ovo fertilizado se implantar no revestimento uterino. A hCG é encontrada na urina (você ficou face a face com ela no dia em que recebeu resultado positivo no seu teste de gravidez de farmácia) e no sangue, o que explica por que o médico pediu um exame de sangue para saber com certeza o status de sua gestação. No começo do jogo (como você está agora), o nível de hCG no sangue é bem baixo (afinal, ela está apenas começando a surgir em seu organismo). Mas, dias depois, ele dispara, dobrando a cada 48 horas (mais ou menos). O rápido aumento chega ao auge em algum momento entre a 7ª e a 12ª semanas e então começa a diminuir.

Mas não comece a comparar seus números com colegas gestantes. Assim como duas gestações jamais são iguais, dois níveis de hCG jamais são exatamente similares. Eles variam dia a dia, de mãe para mãe, desde o primeiro dia de atraso da menstruação até o fim da gravidez.

hCG EM NÚMEROS

Você realmente quer jogar o jogo da hCG? Estes são os níveis "normais" de hCG em cada semana de gestação. Qualquer coisa no interior dessas amplas faixas de variação é normal — seu bebê não precisa estar batendo recordes para sua gestação estar progredindo à perfeição —, e o menor erro de cálculo nas datas pode alterar totalmente os números.

SEMANAS DE GESTAÇÃO	QUANTIDADE DE hCG EM mUI/L
3	5 a 50
4	5 a 426
5	19 a 7.340
6	1.080 a 56.500
7 a 8	7.650 a 229.000
9 a 12	25.700 a 288.000

O que é importante e relevante é que seu nível de hCG esteja dentro dos amplos parâmetros da normalidade (veja o quadro na página anterior) e continue a aumentar nas semanas seguintes (em outras palavras, preste atenção no padrão de aumento dos níveis, em vez de focar em níveis específicos). Mesmo que suas leituras estejam fora desses parâmetros, não se preocupe. Ainda é muito provável que tudo esteja bem. A data estimada de parto pode simplesmente estar errada — uma causa muito comum de confusão com os níveis de hCG — ou, menos provavelmente, você pode estar esperando gêmeos. Desde que a gestação esteja progredindo normalmente e seus níveis de hCG estejam subindo durante o primeiro trimestre, não é preciso ficar obcecada com esses números ou tentar saber quais são (além disso, se seu médico está feliz com os números, você também pode ficar). As descobertas do ultrassom após a 5ª ou 6ª semanas de gestação são muito melhores para prever o resultado da gestação que os níveis de hCG. Como sempre, se tiver uma dúvida ou preocupação, converse com o médico sobre o resultado dos exames.

Estresse

"Sou uma pessoa altamente estressada com um trabalho altamente estressante. Agora que estou grávida, fico estressada sobre me estressar demais. O estresse excessivo pode ser ruim para o bebê?"

A maioria das futuras mamães se estressa às vezes (ou mesmo frequentemente) durante seus nove meses. Mas eis algumas notícias que devem acalmá-la: as pesquisas mostram que a gravidez não é afetada por níveis típicos de estresse. Se você é capaz de lidar bem com o estresse cotidiano (mesmo que ele seja mais intenso do que a maioria das pessoas consegue suportar), seu bebê também é. Na verdade, certa quantidade de estresse — se você é boa em lidar com ele — pode ser benéfica. Pode mantê-la atenta e motivada para cuidar da melhor maneira possível de si mesma, da gestação e do bebê.

Isso dito, estresse demais — ou que não é bem administrado — pode cobrar um preço, particularmente se continuar presente no segundo e terceiro trimestres. O que significa que aprender a lidar com o estresse de maneira construtiva ou reduzi-lo, se necessário, deve ser sua prioridade. As seguintes dicas vão ajudar:

Livre-se da carga. Permitir que as ansiedades aflorem é a melhor maneira de garantir que elas não a sufoquem. Tenha alguém ou algum lugar para desabafar. Mantenha abertas as linhas de comunicação com seu cônjuge, passando algum tempo ao fim do dia (preferivelmente não perto demais da hora de dormir, que deve ser de menor estresse possível) dividindo preocupações e frustrações. Juntos, vocês podem ser capazes de sentir alívio e encontrar algumas soluções — e, idealmente, também dar uma boa risada. Ele está estressado demais para absorver seu estresse? Encontre outros que possam ouvi-la: um amigo, um familiar, colegas de trabalho (quem entenderia melhor o estresse do escritório?), conhecidos on-line ou seu médico (especialmente se você estiver preocupada com os efeitos físicos do estresse). Se precisa de mais que um ouvido amigo, pense na terapia como forma de ajudá-la a desenvolver estratégias para lidar melhor com o estresse.

PARA OS PAIS

ANSIEDADE EM RELAÇÃO ÀS MUDANÇAS

Você está preocupado em como será sua vida quando for pai? Não há dúvidas de que bebezinhos trazem consigo muitas mudanças, e todos os futuros pais se preocupam com elas. Pensar sobre elas — e mesmo se estressar um pouco — agora é uma coisa muito boa, pois lhe dá a chance de se preparar realisticamente para o impacto que a paternidade terá em sua vida. As preocupações mais comuns dos futuros pais incluem:

Nosso relacionamento vai mudar? Vamos cair na real: sim, o relacionamento de vocês vai mudar. No momento em que o bebê entrar em suas vidas, intimidade espontânea e privacidade completa serão coisas preciosas e frequentemente inatingíveis. O romance talvez precise ser planejado (durante os cochilos do bebê), em vez de impulsivo, e as interrupções podem ser a regra. Mas, desde que vocês se esforcem para ter tempo um para o outro — mesmo que isso signifique jantarem juntos depois que o bebê dormir, desistir de um jogo com os amigos para poder participar de um jogo completamente diferente com a parceira ou reservar uma noite da semana só para vocês —, seu relacionamento sobreviverá bem às mudanças. Muitos casais, aliás, descobrem que ser um trio aprofunda, fortalece e melhora o casal, aproximando-os mais que nunca.

Como o trabalho será afetado? Isso depende de seu cronograma. Se você trabalha muitas horas com pouco tempo livre, pode precisar (e querer) fazer algumas mudanças, para que a paternidade se torne a prioridade que você quer que seja em sua vida. E não espere até atingir oficialmente o status de pai. Pense sobre arrumar tempo agora, para as consultas pré-natais e para ajudar sua exausta esposa com as preparações necessárias para o bebê. Comece a se desacostumar daquelas 12 horas de trabalho ao dia e resista à tentação de continuar trabalhando depois que chegar em casa. Evite viagens e uma carga excessiva de trabalho durante dois meses antes e depois da chegada do bebê, se puder. E, se for possível, pense em tirar licença-paternidade nas primeiras semanas de vida do bebê.

Teremos de desistir de nosso estilo de vida? Você provavelmente não terá de dizer adeus a suas atividades usuais ou a sua vida social, mas terá de fazer alguns ajustes, ao menos no início. Um novo bebê assume o centro do palco (e é certo que o faça), empurrando os antigos estilos de vida temporariamente para os bastidores. Festas, filmes e esportes podem ser difíceis de encaixar entre as amamentações, e os jantares aconchegantes a dois em seu bistrô favorito podem se tornar refeições barulhentas para três em restaurantes de família que toleram crianças irrequietas. Seu círculo de amizade também pode mudar um pouco: você pode se encontrar subitamente gravitando na direção de outros carregadores de bebês e empurradores de carrinhos a fim de encontrar camaradagem e empatia. Isso não significa que não haverá lugar em sua nova vida com o bebê para os velhos amigos que não são pais — e passatempos de seu passado pré-paternidade —, mas suas prioridades provavelmente sofrerão alguns ajustes.

Podemos bancar uma família maior? Com o custo de ter e criar um bebê nas alturas, muitos futuros pais perdem o sono em função dessa questão muito legítima. Mas há muitas maneiras de cortar custos, incluindo optar pelo aleitamento (não há mamadeiras ou fórmulas a comprar) e aceitar todos os presentes usados que forem oferecidos (de qualquer modo, as roupinhas novas começam a parecer usadas depois de algumas babadas). Se um de vocês planeja se afastar do trabalho por um período mais longo (ou adiar os planos para a carreira por algum tempo) e isso o preocupa do ponto de vista financeiro, pense nos custos de ir e vir do trabalho e dos cuidados infantis de alta qualidade. Tudo somado, a perda dessa renda pode não ser tão desastrosa para o orçamento quanto parece.

O mais importante: em vez de pensar no que já não terá em sua vida (ou não terá tanta oportunidade de aproveitar), tente pensar no que terá: uma pessoinha muito especial para dividir a vida com você. Sua vida será diferente? Definitivamente, sim. Será melhor? Não há dúvida.

Faça algo a respeito. Identifique as fontes de estresse em sua vida e determine como podem ser modificadas. Se claramente está tentando fazer coisas demais, recue nas áreas que não sejam altamente prioritárias (o que você terá de fazer de qualquer modo quando tiver uma prioridade muito maior — um bebê — em sua agenda). Se assumiu responsabilidades demais no trabalho ou em casa, decida o que pode ser adiado ou delegado. Aprenda a dizer não para novos projetos e atividades antes de ficar sobrecarregada (outra habilidade que é sábio desenvolver antes da chegada do bebê).

Às vezes, fazer listas das centenas de coisas que você precisa fazer (em casa ou no trabalho) e a ordem em que planeja fazê-las pode ajudá-la a se sentir mais no controle do caos de sua vida. Para uma satisfatória sensação de realização, risque da lista os itens já resolvidos.

Durma. Dormir é o passaporte para a regeneração da mente e do corpo. Frequentemente, sentimentos de tensão e ansiedade são causados pela falta de sono — e, é claro, muita tensão e ansiedade também podem evitar que você durma bem. Tente romper esse ciclo de insônia-estresse-insônia. Se estiver tendo problemas para dormir, veja as dicas da p. 357.

Alimente-se. Estilos de vida agitados podem levar a estilos alimentares agitados. A nutrição inadequada durante a gestação pode ser um problema duplo, pois prejudica sua habilidade de lidar com o estresse e pode afetar o bem-estar do bebê. Assim, assegure-se de comer bem e regularmente (seis minirrefeições a manterão mais energizada nos momentos mais estressantes). Foque em carboidratos complexos e proteínas e fique longe do excesso de cafeína e açúcar, dois elementos básicos da vida estressante que, na verdade, podem diminuir sua capacidade de lidar com o estresse.

Tome banho. Um banho de banheira morninho é uma excelente maneira de aliviar a tensão. Tente fazer isso após um dia estressante: o banho também a ajudará a dormir melhor.

Corra. Ou nade. Ou faça yoga pré-natal. Você pode achar que a última coisa de que precisa em sua vida é de mais atividade, mas o exercício físico é um dos melhores remédios para o estresse — e para o humor. Encaixe alguns em seu dia ocupado.

ESPERE O MELHOR

Há muito se especula que pessoas otimistas têm vidas mais longas e saudáveis. Agora se sugere que uma gestante com mentalidade otimista pode melhorar também as perspectivas do bebê não nascido. Os pesquisadores descobriram que ver o lado bom das coisas reduz a chance de mulheres de alto risco terem partos prematuros ou bebês com baixo peso ao nascer.

O nível mais baixo de estresse das mulheres otimistas definitivamente desempenha um papel no risco mais baixo: afinal, os altos níveis de estresse têm sido relacionados a vários problemas de saúde antes e durante a gestação. Mas, aparentemente, apenas o estresse não responde por toda a história. Mulheres otimistas, claro, têm maior probabilidade de cuidarem bem de si mesmas: alimentarem-se bem, exercitarem-se corretamente, receberem acompanhamento pré-natal regular e fazerem boas escolhas de estilo de vida. E esses comportamentos positivos — impulsionados pelo poder do pensamento positivo — têm, naturalmente, um efeito muito positivo na gestação e no bem-estar do feto.

Os pesquisadores indicam que nunca é tarde demais para começar a ver o lado bom das coisas quando você está grávida. Aprender a esperar o melhor — em vez do pior — pode ajudar a transformar essas expectativas em realidade: uma boa razão para ver seu copo de leite meio cheio e não meio vazio.

RELAXAMENTO FÁCIL

Seu pacotinho de alegria a está transformando em um pacote de nervos? Agora é um excelente momento para aprender algumas técnicas de relaxamento, não somente porque elas podem ajudá-la a lidar com as preocupações da gravidez, mas também porque serão úteis em sua agitada vida como mãe. A yoga é um fabuloso desestressante se tiver tempo para fazer uma aula pré-natal ou praticar com um DVD ou vídeo on-line. Se não tiver, tente esta técnica simples de relaxamento, fácil de aprender e fazer em qualquer lugar, a qualquer hora. Se achá-la útil, pode empregá-la quando se sentir ansiosa e/ou regularmente, várias vezes ao dia.

Sente-se com os olhos fechados e imagine seu lugar ideal (o pôr do sol em sua praia favorita, com as ondas se quebrando gentilmente na praia, ou a serena vista das montanhas ao som de um riacho borbulhante) ou imagine o futuro bebê em seus braços, em um dia ensolarado no parque. Então, concentre-se em relaxar todos os músculos de seu corpo, partindo dos dedos dos pés em direção ao rosto. Respire lenta, profunda e silenciosamente, prestando atenção a cada inalação ou exalação ou escolha uma palavra simples (como "sim" ou "não) para repetir em voz alta sempre que exalar. Entre 10 e 20 minutos são suficientes, embora mesmo 1 ou 2 minutos sejam melhores que nada.

Recorra à medicina alternativa. Explore as muitas terapias complementares e alternativas que prometem calma interior, entre elas *biofeedback*, acupuntura, hipnoterapia, massagem (ou mesmo uns apertões nos ombros dados por seu parceiro). Meditação e visualização podem acabar com o estresse (veja o quadro a seguir). Na p. 119, você vai encontrar mais informações sobre as técnicas da medicina complementar e alternativa.

Afaste-se. Combata o estresse com qualquer atividade que ache relaxante. Desestresse lendo, vendo um bom filme, ouvindo música, tricotando (você pode relaxar enquanto trabalha naqueles sapatinhos), procurando roupinhas para o bebê nas lojas on-line, almoçando com uma amiga divertida, mantendo um diário (outra boa maneira de expressar seus sentimentos) ou montando um *scrapbook*. Ou saia para uma caminhada (mesmo um passeio breve pode ser relaxante e rejuvenescedor).

Reduza. Talvez o que esteja causando estresse não valha a pena. Se é seu trabalho que a deixa tão agitada, pense em tirar a licença-maternidade mais cedo, trabalhar meio período (se essas opções forem financeiramente viáveis) ou delegar parte das tarefas para reduzir o estresse a um nível que não a sobrecarregue. Mudar de emprego ou carreira não é muito prático nesse momento, mas talvez seja algo a considerar quando o bebê chegar.

Se seu estresse é do tipo que causa ansiedade, insônia ou depressão, gera sintomas físicos (como dor de cabeça crônica ou perda de apetite) ou leva a comportamentos insalubres (como fumar), converse com o médico.

TUDO SOBRE:
Paparicar-se durante a gravidez

Isso sim é uma reconstrução total! A gravidez é uma transformação radical de corpo inteiro que pode fazer com que você se sinta mais bonita que nunca (você está radiante!) ou menos atraente que nunca (espinhas! pelos no queixo!) — ou ambos no mesmo dia. Mas também é uma época na qual sua rotina de beleza vai precisar de mudanças. Antes de abrir o armário do banheiro e pegar o creme contra acne que usa desde os tempos do colégio ou ir a seu salão favorito para fazer depilação e um tratamento facial, você precisa saber o que pode — ou não — fazer em termos de beleza quando está esperando. Eis a verdade sobre como você pode se paparicar da cabeça (luzes) aos pés (pedicure) durante a gravidez, de maneira segura.

Seu cabelo

Quando você está grávida, seu cabelo pode melhorar (quando o cabelo fosco subitamente fica brilhante) ou piorar (quando o cabelo cheio de movimento fica escorrido). Uma coisa é certa: graças aos hormônios, você terá mais cabelo que nunca (e, sinto muito, mas provavelmente não será apenas na cabeça). Eis as principais informações sobre tratamentos capilares:

Tintura. Retocar as raízes pode ser um problema durante a gravidez. Embora nenhuma evidência sugira que a pequena quantidade de substâncias químicas absorvida pela pele durante a tintura seja prejudicial quando você está grávida, alguns especialistas recomendam esperar o fim do primeiro trimestre antes de voltar ao salão (ou comprar sua tintura favorita na farmácia). Outros defendem que é seguro pintar o cabelo durante a gestação. Fale com o médico: você provavelmente receberá sinal verde. Se ficar desconfortável com a tintura, pense em fazer luzes. Dessa maneira, as substâncias químicas não atingirão seu couro cabeludo e, além disso, as luzes tendem a durar mais que a tintura, o que significa que você precisará de menos retoques durante a gravidez. Você também pode perguntar ao cabeleireiro (ou vendedor) sobre processos menos agressivos, como uma tintura sem amônia ou de base vegetal. Mas saiba que as mudanças hormonais podem fazer com que seu cabelo reaja de maneira estranha e você pode não obter os resultados que esperava, mesmo usando a tinta que sempre usou. Teste em uma pequena área primeiro para não terminar com o cabelo púrpura, em vez do vermelho arrebatador que esperava.

UM DIA NO SPA

Ah, o spa. Ninguém merece — e precisa de — um dia de paparicação mais que uma futura mãe. E, felizmente, mais e mais spas e clínicas de beleza oferecem tratamentos especializados para gestantes. Mas, antes de partir para seu dia de mimos, pergunte ao médico se há alguma exceção específica à sua situação. Então, quando telefonar para marcar hora, diga à recepcionista que está grávida. Discuta quaisquer restrições, a fim de que o spa possa adaptar os tratamentos às suas necessidades. Também informe qualquer esteticista ou terapeuta que a atender sobre a gravidez, mesmo que já tenha mencionado isso ao marcar hora.

Relaxamentos e alisamentos. Está pensando em relaxar ou alisar os cachos? Embora não haja evidências de que o relaxamento seja perigoso durante a gravidez (a quantidade de substâncias químicas que penetram o couro cabeludo e chegam à corrente sanguínea provavelmente é mínima), também não há evidências de que seja completamente seguro. O mesmo vale para os tratamentos com queratina (muitos contêm formaldeído, que, provavelmente, não é seguro durante a gravidez e produz vapores intensos). Fale com o médico: você pode ouvir que é mais seguro deixar o cabelo natural, especialmente durante o primeiro trimestre. Se decidir alisar, é possível que seus cachos repletos de hormônios respondam de maneira estranha ao tratamento (você pode terminar com cabelo frisado em vez de liso). Além disso, seu cabelo crescerá mais rapidamente durante a gravidez, fazendo com que as raízes crespas apareçam mais cedo que o esperado. Os processos de recondicionamento térmico com substâncias diferentes — e frequentemente mais suaves — para diminuir o volume do cabelo crespo podem ser uma opção mais segura (novamente, pergunte antes). Ou compre uma chapinha e alise o próprio cabelo você mesma.

Permanentes. Seu cabelo não é tão volumoso quanto seus quadris estão ficando? Normalmente, um permanente seria a resposta para o cabelo escorrido, mas provavelmente não durante a gravidez. Não porque não seja seguro (provavelmente é, embora seja melhor falar com o médico), mas porque o cabelo responde de maneira imprevisível sob a influência dos hormônios da gestação. O permanente pode não pegar ou pode resultar em *frizz* em vez de cachos.

Remoção de pelos. Se a gravidez fez com que você ficasse parecida com uma figurante de *O planeta dos macacos*, fique calma: essa situação cabeluda é temporária. Suas axilas, virilha, lábio superior e mesmo barriga talvez estejam mais peludos que o habitual, em função daqueles hormônios furiosos (embora algumas gestantes sortudas descubram que o crescimento dos pelos nas pernas ficou mais lento). Prefere não usar esse casaco de pele? Não é preciso. Você pode recorrer a todos os confiáveis processos de remoção de pelos: com lâmina, pinça, fio ou cera. Até mesmo a depilação pubiana total está liberada, mas proceda com cautela, pois durante a gestação a pele costuma ficar supersensível e se irritar facilmente. Ao chegar, informe à esteticista que está grávida para que ela possa ser ainda mais gentil. Está se perguntando sobre outras opções de remoção de pelos? Como muitos procedimentos e produtos cosméticos, os *lasers* (incluindo os caseiros), a eletrólise, os cremes depilatórios e o clareamento não foram suficientemente estudados durante a gravidez para comprovar sua segurança. Assim, converse com o médico antes de se decidir. Alguns médicos aprovam certos procedimentos após o terceiro mês, ao passo que outros aconselham evitá-los durante os nove meses.

Tratamentos de cílios. Quanto aos pelos que todo mundo queria ter mais, você terá que se contentar com os que tem agora. O tratamento para crescimento dos cílios Latisse, assim como muitos outros produtos disponíveis nas farmácias, não é recomendado para gestantes e lactantes porque (como você já deve ter adivinhado) não foram estudados durante a gestação. Provavelmente, também é sensato evitar tingir cílios ou sobrancelhas. Do lado positivo, seus cílios podem ficar mais espessos que nunca agora que você está grávida.

Seu rosto

A gravidez pode ainda não estar aparente na barriga, mas quase certamente está aparente no rosto. Eis um resumo do que é bom, ruim e cheio de manchas em termos de tratamentos faciais agora que você está grávida.

Tratamentos faciais. Nem todas as gestantes são abençoadas com aquela radiância sobre a qual você sempre leu. Se seu brilho resolver não se manifestar, um tratamento facial pode ser a solução, fazendo maravilhas quando se trata de limpar poros entupidos pela oleosidade adicional (graças aos hormônios adicionais). A maioria dos tratamentos é segura durante a gestação, desde que não incorpore qualquer ingrediente que possa ser vetado (como ácidos retinoico e salicílico; veja a seguir). Algumas das esfoliações mais agressivas (como a microdermoabrasão e o *peeling*) podem ser especialmente irritantes para uma pele supersensível por causa dos hormônios da gestação, deixando-a menos radiante e mais vermelha e manchada. Tratamentos faciais que usam microcorrentes elétricas ou *lasers* estão proibidos durante a gravidez (assim como os *lasers* caseiros — é melhor adiar esses tratamentos para depois do parto). Discuta com a esteticista que produtos são mais relaxantes e com menor probabilidade de provocar reações. Se ficar insegura sobre a segurança de um tratamento particular, converse com o médico antes de fazê-lo.

Tratamentos antirrugas. Um bebê enrugado é fofinho... uma mamãe enrugada, nem tanto. Mas, antes de ir ao consultório do dermatologista para tratar aquelas linhas finas (ou fazer aquele preenchimento labial), considere o seguinte: a segurança dos preenchedores injetáveis (como colágeno, Restylane ou Juvéderm) durante a gestação ainda não foi determinada por estudos. O mesmo vale para o Botox, o que significa que é melhor permanecer não preenchida (e não injetada) por enquanto. Quanto aos cremes antirrugas, é melhor ler as letrinhas miúdas (e conversar com o médico). Você provavelmente será aconselhada a se despedir temporariamente de produtos que contenham vitamina A (em qualquer uma de suas muitas formas retinoides), vitamina K ou ácido salicílico (também chamado de beta-hidroxiácido). Fale com seu médico sobre outros ingredientes que a deixem insegura. A maioria deles libera produtos contendo alfa-hidroxiácidos ou ácidos cítricos, mas pergunte antes. Do lado positivo, você pode descobrir que a retenção de líquidos da gestação preenche o rosto, tornando as rugas menos visíveis — e os lábios mais cheios — sem a ajuda de procedimentos cosméticos.

MAQUIAGEM PARA GESTANTES

Entre espinhas, descoloração da pele e o inchaço normal da gravidez, seu rosto enfrentará alguns desafios durante os próximos nove meses. Por sorte, você será capaz de lidar com eles usando a maquiagem certa:

- Disfarce. O corretivo e a base podem disfarçar vários problemas de pele causados pela gravidez, incluindo o melasma e outras descolorações (p. 349). Para cobrir áreas escuras, procure marcas projetadas para hiperpigmentação, mas assegure-se de que toda sua maquiagem seja hipoalergênica. Combine corretivo e base com seu tom de pele, mas selecione um corretivo um tom mais claro. Aplique o corretivo nas áreas escurecidas, dando batidinhas nas bordas para mesclar. Então passe por cima uma camada leve de base. Menos é definitivamente mais quando se trata de produtos de alta cobertura. Assim, use o menos possível — você sempre pode adicionar mais uma camada. Finalize com pó.

  Mantenha a cobertura mais leve no caso das espinhas, para evitar chamar a atenção sobre elas (elas já chamam muita atenção sozinhas). Comece com a base e então aplique um corretivo no tom da pele diretamente sobre a espinha, mesclando com o dedo. Se for passar uma pomada secante antes da maquiagem, use uma que seja transparente e segura para gestantes.

- Jogue com as sombras. Afine a carinha de bolacha que você provavelmente está vendo no espelho: após aplicar a base, passe iluminador (um tom mais claro que a pele) no centro da testa, sob os olhos, no topo das bochechas e na ponta do queijo. Então faça o contorno (um tom mais escuro que a pele) nas laterais do rosto, a partir das têmporas, e sob os malares. Esfume e pronto: contorno instantâneo!

- Afine. Você espera que sua barriga cresça, e talvez até mesmo seus quadris, mas seu nariz? Não se preocupe: qualquer alargamento será temporário, resultado do inchaço da gravidez. Afine o nariz inchado aplicando iluminador (um tom mais claro que a base) no centro do nariz, e então contorne as laterais verticais com um tom mais escuro. Esfumace bem para mesclar.

Tratamentos para acne. Você está com mais espinhas que um grupo escolar de adolescentes? Pode culpar os hormônios da gravidez. Mas, antes de abrir o armário do banheiro e pegar seus secantes usuais, converse com o médico. Esfoliantes e produtos que contenham ácidos glicólico e cítrico provavelmente são seguros (mas preste atenção à irritação). O mesmo para os produtos com receita (ácido azelaico e antibióticos tópicos como a eritromicina), que podem ser especialmente úteis se você tem acne. Dois ingredientes ativos normalmente encontrados em medicamentos tópicos contra a acne, o beta-hidroxiácido e o ácido salicílico, são normalmente restritos durante a gestação. Pergunte ao médico sobre a segurança de produtos que contenham esses ingredientes e também peróxido de benzoíla (o ingrediente ativo de muitos remédios contra espinhas que frequentemente é restrito durante a gestação). O Roacutan [isotretinoína], que causa sérias doenças congênitas, está definitivamente proibido. O mesmo para o Retin-A [tretinoína]. E fale com o médico sobre produtos vendidos sem receita que contenham retinol. Os tratamentos a *laser* e os *peelings* químicos para acne provavelmente terão de esperar até o bebê nascer. Você pode tentar diminuir as erupções naturalmente com uma alimentação saudável (para algumas mulheres, reduzir o açúcar e os grãos refinados ajuda muito) e mantendo o rosto limpo, mas sem esfregar demais (e não se esqueça do hidratante sem óleo, pois pele seca demais pode ter ainda mais acne). E não cutuque nem esprema! Veja mais na p. 230.

Seus dentes

Você tem muitos motivos para sorrir agora que está esperando, mas seus dentes estão prontos para essa exposição? Os cosméticos odontológicos são populares, mas nem sempre aprovados para gestantes.

Produtos de clareamento. Está ansiosa para exibir dentes branquinhos como pérolas? Embora não haja riscos comprovados no clareamento dental durante a gravidez, o procedimento provavelmente se encaixa na categoria "melhor prevenir que remediar" (assim, é mais prudente esperar alguns meses para inaugurar aquele sorriso de 1 milhão de dólares). Mas escove bem os dentes e use fio dental. Suas gengivas, sensíveis por causa da gravidez, ficarão gratas pela atenção (e por não expô-las aos irritantes produtos de clareamento).

Facetas. Eis mais um procedimento que cai na categoria "melhor prevenir que remediar", embora não haja riscos comprovados de adicionar facetas a seus dentes durante a gravidez. Há outra razão para esperar até depois do parto antes de colocar facetas: suas gengivas ficam extrassensíveis quando você tem um bebê a bordo, tornando qualquer procedimento odontológico — incluindo facetas e clareamento — mais desconfortável que o normal.

Seu corpo

Seu corpo definitivamente paga pelo privilégio da gestação de maneiras que você provavelmente nunca imaginou. Assim, mais que qualquer outro corpo, ele merece ser paparicado. Eis como dar o que ele precisa — com segurança.

Massagem. Está louca por algum alívio daquela incômoda dor nas costas ou da ansiedade que a mantém acordada à noite? Nada como uma massagem para acabar com as dores da gravidez, assim como o estresse e a tensão. Mas, embora uma massagem possa ser exatamente o que o médico mandou, você precisa seguir algumas orientações para garantir que ela seja não somente relaxante, mas também segura:

- Seja massageada pelas mãos certas. Assegure-se de que o profissional é licenciado e versado no que é permitido e proibido na massagem pré--natal.
- Espere um pouco. Massagens durante os três primeiros meses de gravidez podem gerar tontura e aumentar o enjoo matinal. Assim, é melhor esperar até o segundo trimestre. Mas não se preocupe se já fez uma massagem durante o primeiro trimestre.
- Relaxe na posição certa. É melhor não passar muito tempo de costas após o quarto mês. Assim, peça que a massagista use uma maca equipada com um vão para a barriga, travesseiros especiais projetados para gestantes ou um colchonete de espuma que se adapte a seu corpo, ou, então, que ela a posicione de lado.
- Tente produtos sem perfume. Peça loções ou óleos sem perfume, não somente porque seu olfato aguçado pode não gostar de fragrâncias fortes, mas também porque os óleos da aromaterapia podem estimular as contrações (veja abaixo).
- Massageie os lugares certos (e fique longe dos errados). Pressão direta na área entre o osso do tornozelo e o calcanhar pode iniciar contrações. Assim, garanta que a terapeuta fique longe dessa área (outra boa razão para escolher um massagista com treinamento pré-natal). Outro local a ser evitado: o abdômen, tanto para seu conforto quanto para sua segurança (há um risco muito reduzido de que a massagem abdominal profunda estimule contrações ou leve a outras complicações). E, se o terapeuta estiver usando muita força ou a massagem for intensa demais, avise. Afinal, você está lá para se sentir bem.

Aromaterapia. Quando se trata de cheiros durante a gravidez, use bom senso. Como os efeitos de muitos óleos vegetais são desconhecidos e alguns podem ser prejudiciais, trate qualquer tipo de aromaterapia com cautela. Os seguintes óleos essenciais são considerados seguros para massagens pré-natais, embora os especialistas recomendem que sejam diluídos na metade da concentração usual: rosa, lavanda, camomila, jasmim, tangerina, néroli e ylang-ylang. Mulheres grávidas devem evitar os seguintes óleos, pois podem estimular as contrações uterinas: manjericão, zimbro, alecrim, sálvia, hortelã, poejo, orégano e tomilho. (As parteiras frequentemente usam esses óleos durante o trabalho de parto precisamente porque eles estimulam as contrações.) Se já fez uma massagem aromaterápica com esses óleos (ou usou em banhos ou tratamentos caseiros), não se preocupe. A absorção é muito baixa, especialmente porque a pele das costas é bastante espessa. Apenas se mantenha longe deles em tratamentos futuros. Loções ou produtos perfumados vendidos em lojas de beleza (como loção de hortelã para os pés, por exemplo) estão liberados, já que a essência não está concentrada.

Tratamentos corporais, esfoliações, *body wraps*, hidroterapia. De modo geral, esfoliações são seguras, desde que sejam suaves (algumas podem ser vigorosas demais para a pele sensível da gestante). Alguns *body wraps* são seguros, mas a maioria está proibida porque pode aumentar excessivamente sua temperatura corporal. Uma rápida imersão na banheira morna (a não mais que 37,5°C) como parte da hidroterapia é segura e relaxante, mas fique longe de saunas, câmaras de vapor e banheiras de hidromassagem.

Câmaras, sprays e loções de bronzeamento. Está procurando uma maneira de disfarçar a palidez? Sinto muito, mas as câmaras de bronzeamento não são uma opção. (No Brasil, as câmaras de bronzeamento artificial são proibidas pela Anvisa desde 2009.) Elas não somente são ruins para sua saúde (pois aumentam o risco de câncer de pele), como aceleram o envelhecimento e aumentam as chances de ter melasma (a descoloração de pele conhecida como "máscara da gravidez"). Pior ainda, elas podem levar sua temperatura corporal a um nível prejudicial para o bebê em desenvolvimento. Ainda quer ficar bronzeada? Antes de usar loções e sprays de bronzeamento sem sol, fale com o médico. E, mesmo que ele aprove, pense que os hormônios podem fazer com que sua pele reaja de maneira imprevisível (e fique terracota). Além disso, aplicar um bronzeador sem sol pode ser ainda mais complicado conforme a barriga se expande (especialmente quando você já não conseguir ver suas pernas, e mesmo que esteja fazendo bronzeamento profissional com spray ou aerógrafo).

Para obter informações sobre a segurança de tatuagens, hena e piercings durante a gestação, confira as páginas 169 e 191.

Suas mãos e pés

Sim, até mesmo suas mãos e pés mostram os efeitos da gestação (embora você vá deixar de ver os efeitos nos pés assim que chegar ao terceiro trimestre). Mas, mesmo quando você se sente inchada — pois dedos e tornozelos estão cheios de líquidos —, mãos e pés podem ter boa aparência.

Manicure e pedicure. É perfeitamente seguro usar esmalte durante a gravidez (e tire vantagem do fato de que suas unhas estão crescendo mais fortes e mais rapidamente que nunca). Se você faz as unhas no salão, tente ficar em um local arejado. Inalar aqueles cheiros químicos fortes nunca é boa ideia, mas especialmente não agora, enquanto você respira por dois (no mínimo, o cheiro pode deixá-la enjoada). Assegure-se de que a manicure não massageie a área entre o osso do tornozelo e o calcanhar quando estiver fazendo o pé (pois, teoricamente, isso pode estimular as contrações). E, se quiser que calos sejam removidos, peça que ela faça isso usando somente pedra-pomes, e não lâmina (mesmo que seja esterilizada e descartável), que pode causar infecções (aliás, quanto mais você remove os calos, mais eles crescem).

Se está preocupada com as substâncias tóxicas dos esmaltes comuns, escolha algum da oferta crescente de esmaltes e removedores não tóxicos. Quando se trata de esmaltes em gel, não há risco comprovado para a gestação, mas definitivamente pode haver risco para a pele se você não tomar cuidado. Isso porque as lâmpadas usadas para secar o esmalte em gel emitem luz UV, o tipo usado nas câmaras de bronzeamento e que está relacionada ao envelhecimento precoce e câncer de pele (e pode provocar manchas nas mãos durante a gravidez). Se você gosta de esmalte em gel, peça luvas especiais que cubram as mãos, expondo somente as unhas à luz UV (ou frequente um salão que use luzes de LED, que secam o esmalte ainda mais rapidamente). Também é prudente conversar com o médico antes de usar esmalte em gel, especialmente se estiver pensando em usá-lo regularmente durante a gravidez.

Quanto às unhas de acrílico, não há provas de que as substâncias presentes em sua composição sejam prejudiciais, mas talvez seja melhor optar pela cautela e adiar as unhas postiças até depois do parto — não somente porque o cheiro pode ser extremamente forte, mas porque podem virar um foco de infecção, algo a que você é mais suscetível agora que está grávida. E lembre-se de que talvez não precise do comprimento e da força das unhas de acrílico, pois com toda probabilidade as suas crescerão muito rapidamente e estarão mais fortes que nunca.

Capítulo 6
O segundo mês
Aproximadamente 5 a 8 semanas

Mesmo que ainda não tenha contado a ninguém (e mesmo que ainda não pareça grávida), seu bebê provavelmente já começou a dar a notícia. Não em palavras, mas em sintomas. Como aquela incômoda náusea que a segue aonde quer que vá ou o excesso de saliva se acumulando na boca (será que estou babando?). Como a vontade de fazer xixi o dia inteiro (e a noite inteira), os mamilos sensíveis ou o constante inchaço do qual você não consegue se livrar. Mesmo com as crescentes evidências de que está grávida, você provavelmente ainda está se habituando à ideia de uma nova vida crescendo em seu corpo. E às demandas da gravidez, das físicas (é por isso que estou tão cansada!) e logísticas (o caminho mais curto para o banheiro é...) às de estilo de vida (quero um *sea breeze* sem álcool). Será uma jornada e tanto, e ela está apenas começando. Segure firme!

Seu bebê este mês

5ª semana. Seu pequeno embrião, que a essa altura se parece mais com um girino que com um bebê (com rabinho e tudo), está crescendo furiosamente e agora tem o tamanho de uma semente de laranja — ainda pequeno, mas exponencialmente maior que antes. Esta semana, o coração começa a tomar forma. Na verdade, o sistema circulatório, paralelamente ao coração, é o primeiro a ficar operacional. O coração do bebê (mais ou menos do tamanho de uma semente de papoula) é composto de dois minúsculos canais chamados tubos endocárdicos e, embora ainda esteja longe de ser totalmente funcional, já está batendo — algo que você pode ver no ultrassom. Também em formação está o tubo neural, que, ao fim do processo, formará o cérebro e a medula espinhal. Nesse momento, o tubo neural está aberto, mas fechará na semana que vem.

6ª semana. A distância entre a cabeça e as nádegas é medida durante a primeira metade da gestação porque as minúsculas perninhas em formação do bebê estão dobradas, tornando difícil estimar o comprimento total do corpo. Como estão as medidas do bebê esta semana? O comprimento cabeça-nádega (CCN) chegou a algo entre 5 e 6,5 mm (do tamanho da cabeça de um prego). Nesta semana, também se inicia o desenvolvimento da mandíbula, das bochechas e do queixo. Pequenas depressões de ambos os lados da cabeça formarão os canais auditivos. Pontinhos pretos no rosto formarão os olhos e uma bolotinha na frente da cabeça será o nariz em algumas semanas. Também estão se formando esta semana: rins, fígado e pulmões. O coraçãozinho do bebê bate 110 vezes por minuto e acelera a cada dia — uma estatística que provavelmente fará disparar seu próprio coração.

7ª semana. Eis um fato incrível sobre seu bebê: ele está 10 mil vezes maior que no momento da concepção — mais ou menos do tamanho de um mirtilo. A maior parte desse crescimento se concentra na cabeça (novas células cerebrais são geradas a uma taxa de 100 por minuto). A boca e a língua se formam esta semana, assim como os brotos dos braços e pernas, que começam a surgir em apêndices parecidos com remos e então se dividem em segmentos que formarão mãos, braços e ombros — e pés, pernas e joelhos. Os rins também já estão no lugar, e prontos para iniciar sua importante tarefa de administrar resíduos (produção e excreção de urina). Ao menos você ainda não precisa se preocupar com fraldas sujas!

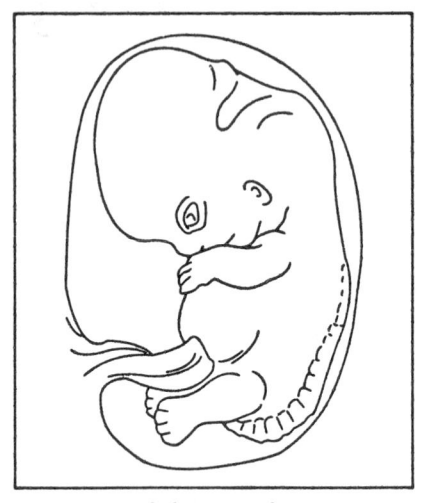

Seu bebê, segundo mês

8ª semana. Seu bebê cresce como um furacão, e nesta semana mede entre 12,5 e 17 mm, mais ou menos do tamanho de uma framboesa grande. E sua adorável framboesinha adquire uma aparência menos reptiliana e mais humana (felizmente!) conforme lábios, nariz, pálpebras, pernas e costas continuam a se formar. E, embora ainda seja cedo demais para dizer do lado de fora, o coração bate à incrível velocidade de 150 a 170 vezes por minuto (mais ou menos o dobro da velocidade de seu próprio coração). Outra coisa nova esta semana: o bebê está fazendo movimentos espontâneos, contrações do tronco e dos brotos que formarão as pernas, ainda minúsculos demais para que você consiga sentir.

Seu corpo este mês

Que sintomas você pode esperar ter este mês? Como cada gestação é diferente, você pode experimentar todos os sintomas descritos aqui, ou talvez só alguns. Não se surpreenda se ainda não se sentir grávida, quaisquer que sejam os sintomas (ou ausência deles):

Fisicamente
- Fadiga, falta de energia, sonolência
- Micção frequente
- Náusea, com ou sem vômito
- Salivação em excesso
- Constipação
- Azia, indigestão, flatulência, sensação de estômago estufado
- Aversão e desejo por certos alimentos
- Muitas mudanças nos seios (p. 196)
- Leve secreção vaginal de cor esbranquiçada
- Dores de cabeça ocasionais
- Vertigem ou tontura ocasionais
- Ligeiro arredondamento da barriga e roupas que parecem um pouquinho justas

Emocionalmente
- Altos e baixos (como uma TPM ampliada) que incluem variações de humor, irritabilidade, irracionalidade, choro sem razão aparente
- Alegria, excitação, apreensão, dúvidas — qualquer um deles ou todos juntos

- Sensação de irrealidade em relação à gravidez ("Realmente há um bebê lá dentro?")

SEU CORPO ESTE MÊS

Mesmo que ainda não pareça grávida para aqueles à sua volta, você pode ter notado que as roupas estão ficando meio apertadas na cintura. Também pode precisar de um sutiã maior. Ao fim deste mês, seu útero, que costuma ser do tamanho de um punho, terá crescido até ficar do tamanho de uma toranja grande.

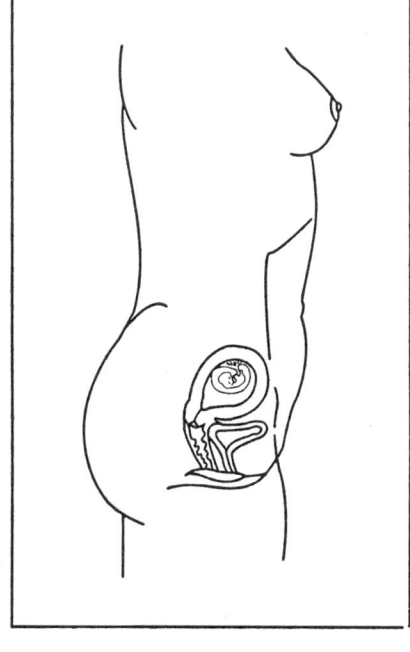

O que você pode esperar da consulta deste mês

Se essa é sua primeira consulta pré-natal, veja a p. 179. Se é a segunda, provavelmente será bem mais curta — a menos que você esteja fazendo um ultrassom de primeiro trimestre para datar a gestação (p. 235). E, se os testes iniciais já foram feitos, você provavelmente não passará por muitos apertões e cutucadas dessa vez. Você pode esperar que o médico verifique os seguintes quesitos, embora possa haver variações, dependendo de suas necessidades particulares e do estilo de seu médico:

- Peso e pressão arterial
- Exame de urina para verificar os níveis de glicose e proteína
- Mãos e pés para verificar inchaço e pernas em busca de veias varicosas
- Sintomas que você venha experimentando, especialmente os incomuns
- Questões ou problemas que queira discutir — deixe a lista pronta

O que você pode estar se perguntando

Azia (e outros tipos de indigestão)

"Tenho azia o tempo todo. Por quê, e o que posso fazer a respeito?"

Ninguém tem tanta azia quanto uma mulher grávida. E não somente isso, mas você continuará a tê-la — mais ou menos na mesma intensidade — durante toda a gestação (ao contrário de muitos sintomas iniciais, esse permanecerá).

Por que parece que você tem um lança-chamas no peito? No início da gestação, o organismo produz grandes quantidades dos hormônios progesterona e relaxina, que tendem a relaxar os tecidos musculares em todo o corpo, incluindo o trato gastrointestinal. Como resultado, os alimentos às vezes se movem mais lentamente, resultando em indigestão, sensação de estufamento, gases e azia. Pode ser desconfortável para você, mas é benéfico para o bebê. A desaceleração digestiva permite melhor absorção dos nutrientes na corrente sanguínea, subsequentemente atravessando a placenta e chegando até ele.

A azia ocorre quando o anel muscular que separa o esôfago do estômago relaxa (assim como todos os outros músculos do trato gastrointestinal), permitindo que alimentos e sucos digestivos ácidos retornem do estômago para o esôfago. Esses ácidos estomacais irritam o sensível revestimento do esôfago, causando sensação de ardência na altura do coração — donde o termo *heartburn* ["azia" em inglês, mas literalmente "queimação no coração"], embora o problema não tenha nenhuma relação com ele. Durante os últimos dois trimestres, a azia pode piorar por causa do útero em expansão, que pressiona o estômago e reduz o espaço do sistema digestivo.

O REFLUXO

Se você tem refluxo gastroesofágico, a azia não é nenhuma novidade, mas tratá-la durante a gravidez pode ser. Agora que está esperando, pergunte ao médico se pode continuar tomando os mesmos medicamentos. Alguns não são recomendados durante a gestação, mas a maioria é segura. Muitas das dicas para lidar com a azia também podem ajudar a controlar o refluxo.

É quase impossível passar os nove meses sem indigestão — os problemas digestivos fazem parte da gestação. Mas há maneiras eficazes de evitar a azia e outros tipos de indigestão na maior parte do tempo e minimizar o sofrimento quando elas atacam:
- Afaste-se dos gatilhos. Se um alimento ou bebida causa queimação (ou outros problemas), retire-o do cardápio por enquanto. Os mais comuns (e você saberá imediatamente os que se aplicam a você) são alimentos apimentados, muito temperados, fritos ou gordurosos, carnes processadas, chocolate, café, bebidas gaseificadas e menta.
- Diminua as porções. Para não sobrecarregar o sistema digestivo (e evitar o aumento dos sucos gástricos), opte por minirrefeições frequentes no lugar de três grandes refeições. A solução das seis refeições é ideal para gestantes que sofrem com azia e indigestão (veja a p. 134).

AZIA HOJE, CABELOS AMANHÃ?

Azia está muito intensa? Você talvez queira fazer um estoque de xampu infantil. As pesquisas apoiaram o que as mães dizem há gerações: em geral, quanto mais azia a gestante tem durante a gestação, mais cabeludo é o bebê. Por mais implausível que pareça, aparentemente os hormônios responsáveis pela azia são os mesmos que causam o crescimento de cabelo fetal. Assim, abasteça-se de pastilhas para azia e pentinhos para bebê.

- Coma lentamente. Quando come rápido demais, você tende a engolir ar, o que pode formar bolsões gasosos na barriga. E comer correndo significa que você não mastiga direito, obrigando seu estômago a trabalhar mais para digerir os alimentos e tornando a indigestão mais provável. Assim, mesmo que esteja morrendo de fome ou de pressa, esforce-se para comer lentamente, ingerindo pequenas quantidades e mastigando bem (do jeito que sua mãe ensinou).

- Não coma e beba ao mesmo tempo. Líquidos demais com a comida distendem o estômago, agravando a indigestão. Tente beber a maior parte dos líquidos entre as refeições.
- Fique sentada. É mais difícil para os sucos gástricos retornarem ao esôfago quando o corpo está na posição vertical. Para mantê-los no lugar a que pertencem (seu estômago), evite comer deitada, deitar-se logo depois de comer ou fazer uma grande refeição antes de dormir. Dormir com a cabeça elevada em cerca de 15 cm também faz com que a gravidade evite o retorno dos sucos gástricos. Outra dica: ao pegar algo no chão, dobre os joelhos, não as costas. Todas as vezes que você abaixa muito a cabeça, a azia tende a piorar.
- Controle o peso. Estamos falando do seu peso. Um ganho gradual e moderado minimizará a pressão no trato digestivo.
- Desaperte o cinto. Não use roupas justas na barriga ou na cintura. Uma barriga apertada pode aumentar a pressão sobre o sistema digestivo e, consequentemente, a azia.
- Chupe pastilhas. Sempre mantenha um estoque de pastilhas contra azia por perto (elas também fornecem uma saudável dose de cálcio enquanto aliviam a queimação), mas evite outros medicamentos contra a azia, a menos que tenham sido aprovados pelo médico.
- Masque chicletes. Mascar chicletes sem açúcar por meia hora após as refeições pode reduzir o excesso de ácidos (o aumento de saliva neutraliza a acidez do esôfago). Algumas pessoas acham que o chiclete sabor menta exacerba a azia. Se for seu caso, escolha outro sabor.
- Acrescente amêndoas. Coma algumas amêndoas após cada refeição, pois, além de serem gostosas, elas neutralizam os sucos estomacais, aliviando ou mesmo evitando a azia. Ou tome um copo pequeno de leite de amêndoas após cada refeição ou sempre que tiver azia (você ganhará um bônus de cálcio). Algumas gestantes acham que leite morno com uma colher de sopa de mel alivia a azia; para outras, ajuda comer mamão papaia fresco, seco ou liofilizado (que também fornece vitaminas A e C).
- Relaxe. O estresse intensifica todos os problemas gástricos. Aprender a relaxar pode aliviar a queimação (p. 208). Também tente algumas abordagens da medicina complementar e alternativa, como meditação, visualização, acupuntura, *biofeedback* ou hipnose (p. 119).

Desejos e aversões alimentares

"Algumas comidas que sempre adorei agora têm gosto estranho. E sinto vontade de comer outras das quais nunca gostei. O que está acontecendo?"

O clichê do marido que sai correndo no meio da noite, com um casaco sobre o pijama, para comprar sorvete e um vidro de picles para satisfazer o desejo da mulher definitivamente ocorre mais na imaginação dos autores de comédias antiquadas que na vida real. Os desejos nem sempre levam as mulheres grávidas — ou seus parceiros — tão longe.

PARA OS PAIS
AQUELES LOUCOS DESEJOS

Você já notou sua esposa nauseada com alimentos que costumava adorar ou adorando alimentos que nunca comeu antes (ao menos não em combinações tão peculiares)? Tente não zombar desses desejos e aversões: ela é tão incapaz de controlá-los quanto você de compreendê-los. Em vez disso, mantenha os alimentos ofensivos onde ela não consiga sentir o cheiro. (Você adora asinhas de frango? Adore-as em outro lugar.) Surpreenda-a com o sanduíche de picles, melão e queijo suíço sem o qual ela não pode mais viver. Esforce-se um pouquinho mais para conseguir aquela pizza de abacaxi, e vocês dois se sentirão melhores.

Mesmo assim, a maioria das gestantes descobre que o paladar se modificou durante a gestação — em alguns casos drasticamente. A maioria experimenta desejo por ao menos um alimento (com frequência, sorvete, embora geralmente sem o picles), e mais da metade tem ao menos uma aversão alimentar (as aves ficam no topo da lista, juntamente com vegetais de todas as variedades). Em certa extensão, esses hábitos meio excêntricos (e às vezes quase bizarros) podem ser atribuídos à tempestade hormonal, que provavelmente explica por que são mais comuns no primeiro trimestre da primeira gestação, quando a tempestade está no auge.

Mas os hormônios podem não ser responsáveis por tudo. A antiga teoria de que desejos e aversões são sinais enviados por nosso organismo — ou seja, quando desenvolvemos aversão por algo, geralmente esse algo é ruim para nós, e quando desejamos algo, normalmente é algo de que precisamos — parece se comprovar com frequência. Como quando você subitamente não consegue nem ver o café sem o qual anteriormente não conseguia começar o dia. Ou quando uma taça de seu vinho favorito tem gosto de vinagre. Ou quando sempre quer mais toranja. Em contrapartida, quando fica nauseada ao ver frango, seu amado brócolis se torna amargo ou você sente um desejo frenético por fudge, é complicado afirmar que seu organismo está enviando sinais razoáveis.

PARA OS PAIS

SINTOMAS EMPÁTICOS

Você está se sentindo curiosamente... grávido? As mulheres podem ter a exclusividade no mercado da gestação, mas não no mercado dos sintomas. Até metade, ou mesmo mais, dos futuros pais experimentam algum nível de síndrome de Couvade, ou "gravidez empática", quando suas parceiras estão grávidas. Os sintomas de couvade podem imitar praticamente todos os sintomas normais da gestação, incluindo náusea e vômito, dores abdominais, mudanças no apetite, inchaço, ganho de peso, desejos alimentares, constipação, câimbras, tontura, fadiga, dor nas costas e variações de humor. O que significa que sua parceira pode não ser a única a ter uma barriguinha, vomitar ao ver um hambúrguer ou correr para a geladeira para fazer uma orgia de azeitonas à meia-noite (ou tudo isso junto).

Todas as completamente normais (embora inesperadas) emoções que assaltaram sua psiquê nos últimos dias podem gerar esses sintomas: empatia (você gostaria de sentir a dor que ela sente e, então, sente), ansiedade (você está estressado sobre a gestação ou sobre ser pai), inveja (ela está no centro do palco, e você gostaria de estar também). Mas há mais nos sintomas empáticos que somente empatia (e outros sentimentos normais em futuros pais). Acredite ou não, a gestação faz com que os hormônios do pai também se alterem, aumentando seu nível de estrogênio (veja a p. 302 para saber mais).

O que você pode fazer sobre esses sintomas empáticos (além de comprar caixas e caixas de Cookies 'n Cream)? Tente canalizar seus sentimentos, às vezes desconfortáveis para ações produtivas (como limpar a garagem ou ir à academia), aplicando sua empatia ao fazer o jantar e limpar o banheiro e lidando com a ansiedade ao falar sobre ela com sua parceira... e com amigos que já são pais (ou se conectar com pais nas redes sociais). Você também se sentirá menos deixado de lado ao se envolver mais na gravidez e nas preparações para receber o bebê.

Fique tranquilo, todos os sintomas que não desaparecerem durante a gravidez vão sumir logo após o parto, embora outros possam surgir. E não se estresse se não tiver um único dia enjoado ou dolorido durante a gravidez de sua parceira. Não sentir enjoo matinal ou ganhar peso não significa que você não seja empático ou se identifique com ela ou que não esteja destinado a ser pai. Significa somente que você encontrou outras maneiras de expressar seus sentimentos. Todo futuro pai, assim como toda futura mãe, é diferente.

O problema é que os sinais corporais relacionados à comida são sempre difíceis de ler quando hormônios estão envolvidos — e podem ser especialmente difíceis agora que os seres humanos se afastaram tanto da cadeia alimentar (e a maioria das redes de restaurantes vende junk food). Antes de os doces serem inventados, por exemplo, o desejo por algo doce poderia levar uma gestante a procurar frutinhas. Agora, é mais provável que a leve a procurar M&M's.

Você precisa ignorar seus desejos e aversões em nome da alimentação saudável durante a gestação? Mesmo que isso fosse possível (as peculiaridades alimentares induzidas por hormônios são poderosas), não seria justo. Mesmo assim, é possível responder a eles e ao mesmo tempo prestar atenção às necessidades nutricionais do bebê. Se deseja algo saudável — uma caixinha inteira de queijo cottage ou 1 quilo de pêssegos —, não se segure. Coma com gosto, mesmo que signifique que a dieta ficará desequilibrada por algum tempo (você compensará a falta de variedade mais tarde, quando os desejos diminuírem).

Se deseja algo que provavelmente seria melhor não comer, procure um substituto que sacie a vontade sem ignorar totalmente a nutrição ou se entupir de calorias vazias (digamos, pedacinhos de queijo assados em vez das bolinhas industrializadas que deixam os dedos alaranjados). Se o substituto não a saciar totalmente, pode ser útil acrescentar sublimação à mistura. Quando tiver vontade de comer *cookies* recheados de *marshmallow*, tente fazer algo que a distraia: caminhe, converse com amigos nos fóruns, procure jeans para gestantes nas lojas *on-line*. E, é claro, não há problema em ceder totalmente às tentações menos nutritivas, desde que não substituam regularmente os alimentos nutritivos da dieta.

A maioria dos desejos e aversões desaparece no quarto mês. Os que permanecerem por mais tempo podem ser causados por necessidades emocionais — de um pouco mais de atenção, por exemplo. Se tanto você quanto seu parceiro estiverem cientes dessa necessidade, ela deve ser fácil de satisfazer. Em vez de pedir um sorvete Chunky Monkey (com picles) no meio da noite, você pode se satisfazer com um ou dois biscoitos de aveia, um pouco de carinho ou um banho de banheira romântico.

Algumas mulheres desejam, e até mesmo comem, substâncias não alimentares, como barro, cinzas e papel. Como esse hábito, conhecido como picamalácia, pode ser perigoso e um sinal de deficiência nutricional (particularmente de ferro), relate ao médico. O desejo por gelo também pode significar deficiência de ferro; assim, também relate qualquer compulsão de mastigar cubos de gelo.

Veias visíveis

"Tenho linhas feias azuis nos seios e na barriga. Elas são normais?"

Essas veias (que fazem o peito e barriga parecerem um mapa rodoviário) são não somente normais e nada com que se preocupar, como significam que seu corpo está fazendo o que deveria. Elas são parte de uma rede que se expandiu para transportar o fluxo sanguíneo aumentado da gravidez, que nutre o bebê. Elas podem surgir mais cedo e serem mais proeminentes em gestantes magras ou de pele clara. Nas outras, particularmente nas de pele escura ou acima do peso, costumam ser menos visíveis ou sequer perceptíveis, ou só se tornam óbvias mais tarde.

Angiomas estelares
"Desde que fiquei grávida, passei a ter horríveis linhas púrpuras nas coxas. São veias varicosas?"

Elas não são bonitas, mas não são varicoses. Provavelmente são *spider nevi*, comumente chamadas de "angiomas de aranha". O que faz com que esses angiomas de aranha espalhem suas teias púrpuras por suas pernas durante a gravidez? Primeiro, o maior volume de sangue que você carrega pode criar significativa pressão nos vasos sanguíneos, fazendo com que mesmo veias minúsculas inchem e se tornem visíveis. Segundo, os hormônios da gravidez podem alterar todos os vasos sanguíneos, pequenos e grandes. E terceiro, a genética pode predispô-la a apresentar essas veias em qualquer momento da vida, especialmente durante a gravidez (obrigada, mãe).

Se você está destinada a ter angiomas estelares, não há muito o que fazer para evitá-los, mas há maneiras de minimizar sua disseminação. Como suas veias são tão saudáveis quanto sua dieta, tente ingerir alimentos com vitamina C (o organismo usa essa vitamina para produzir colágeno e elastina, importantes tecidos conectivos que ajudam a reparar e a manter os vasos sanguíneos). Exercitar-se regularmente (para melhorar a circulação e a força nas pernas) e perder o hábito de cruzar as pernas (o que reduz o fluxo sanguíneo) também pode evitar o surgimento de angiomas estelares.

A prevenção não funcionou? Alguns angiomas, mas não todos, ficam mais claros e desaparecem após o parto. Se não desaparecerem, podem ser tratados por um dermatologista, seja com uma injeção de solução salina (escleroterapia) ou glicerina, seja com o uso de *laser*. Esses tratamentos destroem os vasos sanguíneos, fazendo com que encolham e desapareçam, mas não são baratos nem recomendados durante a gestação. Entrementes, você pode tentar camuflar os angiomas estelares com um corretivo na cor de sua pele ou maquiagem para pernas, aplicada com aerógrafo e destinada a cobrir todas as imperfeições.

Veias varicosas
"Tanto minha mãe quanto minha avó tiveram veias varicosas durante a gravidez. Há algo que eu possa fazer para evitá-las em minha própria gravidez?"

As veias varicosas são geneticamente determinadas, e parece que você foi sorteada. Mas ser geneticamente predisposta não significa que você precise se resignar, e por isso é inteligente tentar interromper essa tradição familiar com prevenção.

As veias varicosas frequentemente surgem na primeira gestação e tendem a piorar nas subsequentes. Isso porque o volume extra de sangue produzido durante a gravidez pressiona os vasos sanguíneos, especialmente os das pernas, que precisam trabalhar contra a gravidade para empurrar todo aquele sangue extra de volta ao coração. Acrescente a isso a pressão que o útero cada vez mais pesado exerce sobre os vasos sanguíneos da pelve e o efeito relaxador dos hormônios e você tem a receita perfeita para veias varicosas.

Os sintomas não são difíceis de reconhecer, mas variam em severidade. Podem incluir incômodo ou dor severa nas pernas, sensação de peso, inchaço ou nada disso. Um tênue contorno de veias azuladas pode ser visível, ou veias inchadas podem serpentear do tornozelo à coxa. Nos casos severos, a pele sobre as veias se torna inchada, seca e irritada. Ocasionalmente, tromboflebite superficial (a inflamação da superfície da veia, causada por um coágulo) pode se desenvolver no local da varicosidade. Assim, sempre informe ao médico sobre sintomas de veias varicosas.

Para proteger suas pernas das veias varicosas:
- Mantenha o sangue circulando. Ficar muito tempo sentada ou em pé compromete a circulação sanguínea. Assim, evite longos períodos em ambas as posições, se puder — e, se não puder, flexione periodicamente os tornozelos. Quando estiver sentada, evite cruzar as pernas e eleve-as, se possível. Ao se deitar, eleve as pernas colocando um travesseiro sob os pés. Ao descansar ou dormir, tente se deitar sobre o lado esquerdo, o melhor para uma circulação ótima (embora os dois lados sejam bons).
- Cuide do peso. Os quilos em excesso aumentam as demandas a seu já sobrecarregado sistema circulatório. Assim, mantenha o ganho de peso dentro dos limites recomendados.
- Evite erguer peso, o que pode fazer com que as veias inchem.
- Seja gentil ao "ajudar" os movimentos intestinais. Fazer muita força no vaso sanitário pode pressionar as veias profundas no interior das pernas; assim, tente evitar a constipação.
- Use meias-calças com compressão (as de suave compressão parecem funcionar bem sem serem desconfortáveis) ou meias elásticas. Coloque-as pela manhã (antes que o sangue se acumule nas pernas) e retire-as à noite, antes de se deitar. Embora usar meias de compressão provavelmente não contribua para deixá-la mais sexy, ajudará a contrapor a pressão para baixo exercida pela barriga e dará às veias das pernas um empurrãozinho para cima. Além disso, as meias-calças de compressão melhoraram muito em estilo e conforto desde os tempos da vovó.

- Fique longe de roupas que restrinjam a circulação: calças ou cintos apertados, meias com elástico na barra e sapatos justos. Também desista dos saltos altos, favorecendo as rasteiras (escolha as que tiverem um bom apoio para o arco dos pés), saltos grossos de altura média ou saltos baixos em forma de cunha.
- Exercite-se todos os dias (p. 311). Mas, se sentir dor, evite treino cardiovascular, correr, pedalar e musculação com peso.
- Assegure-se de que sua dieta inclua muitas frutas e vegetais ricos em vitamina C, que ajudam a manter os vasos sanguíneos saudáveis e elásticos.

A remoção cirúrgica das veias varicosas não é recomendada durante a gestação, embora certamente possa ser considerada alguns meses após o parto. Na maioria dos casos, no entanto, o problema melhora após o nascimento, normalmente quando se atinge o peso anterior à gestação.

Pelve dolorida e inchada

"Toda a minha área pélvica está dolorida e inchada, realmente desconfortável, e acho que consigo sentir uma saliência em minha vulva. O que é isso?"

As pernas têm uma boa quota de participação em termos de veias varicosas, mas definitivamente não têm o monopólio. Veias varicosas também podem surgir na área pélvica (na vulva e na vagina), nas nádegas e no reto, pela mesma razão que surgem nas pernas. Essas varicosidades vulvares podem provocar dor pélvica e/ou abdominal, sensação dolorosa e inchada na área pélvica e nos genitais e, às vezes, dor durante ou após a relação sexual (se ela se torna crônica, é chamada de síndrome de congestão pélvica). As dicas para minimizar as veias varicosas nas pernas também a ajudarão (ver pergunta anterior), mas converse com o médico para obter um diagnóstico e possíveis opções de tratamento (em geral, após o parto).

Espinhas

"Tenho espinhas como tinha no ensino médio — não é legal."

O brilho da gravidez que algumas mulheres têm a sorte de irradiar não é resultado somente da alegria, mas da secreção de óleos causada pelas mudanças hormonais. E dela também resultam, infelizmente, as nada radiantes espinhas experimentadas por futuras mamães não tão sortudas (particularmente aquelas que tinham espinhas regularmente antes da menstruação). Embora tais erupções sejam difíceis de eliminar totalmente, as seguintes sugestões podem ajudar a mantê-las no mínimo — e evitar que você se pareça com a sua imagem nas fotos da oitava série.

- Lave o rosto duas ou três vezes ao dia com um sabonete suave. Mas não seja excessivamente agressiva na hora de esfregar, não somente porque a pele se torna ultrassensível durante a gestação, mas também porque a pele excessivamente esfregada é mais suscetível a espinhas.
- Converse com o médico antes de usar qualquer medicamento contra acne, tópico ou oral (veja a p. 212).
- Use hidratante sem óleo para manter a pele hidratada. Pele ressecada pelos agressivos limpadores e tratamentos contra acne se torna mais propensa a espinhas.
- Escolha produtos e cosméticos sem óleo e "não comedogênicos", ou seja, que não obstruem os poros.
- Mantenha limpo tudo que toca sua face, incluindo os pincéis de blush no fundo da maleta de maquiagem.
- Não esprema (nem cutuque). Como sua mãe sempre disse, espremer ou cutucar espinhas não faz com que elas desapareçam — e pode fazer com que piorem em função da presença de bactérias. Além disso, quando está grávida, você tem maior tendência a infecções. Espinhas espremidas também podem deixar cicatrizes.
- Alimente seu rosto. Uma dieta baixa em açúcar, repleta de frutas e vegetais e que favoreça os grãos integrais e as gorduras saudáveis (pense na Dieta da Gravidez) pode minimizar as espinhas causadas pelos hormônios.

- Espinhas nas costas? Além de se manter fiel à higiene e aos hábitos alimentares saudáveis, pergunte ao obstetra ou dermatologista (que sabe que você está grávida) sobre cremes seguros para gestantes (a maioria dos obstetras libera o ácido azelaico). O médico também pode sugerir que você lave as costas (ou o peito, se for o caso) com um limpador contendo ácido glicólico ou cítrico para acalmar a inflamação das espinhas.

Pele seca
"Minha pele está muito seca. Isso também está relacionado à gravidez?"

Você está se sentindo meio reptiliana? Pode culpar os hormônios pela pele seca e pelas coceiras. As mudanças hormonais às vezes removem os óleos e a elasticidade da pele, dando-lhe aquela não tão graciosa aparência de mamãe crocodilo. Para manter a pele tão suave quanto o bumbum de seu bebê:

- Troque seu sabonete por um limpador sem sabão, como Cetaphil or Aquanil, e use-o somente uma vez ao dia (à noite, quando for remover a maquiagem). Lave somente com água no restante do tempo.
- Passe o hidratante com a pele ainda úmida (após o banho), e use hidratante com a maior frequência que puder — e definitivamente antes de se deitar.

- Reduza os banhos de banheira e seja rápida no chuveiro. Lavar demais o corpo pode ressecar a pele. Use água morna, e não quente. A água quente remove a oleosidade natural da pele, deixando-a seca e com coceira.
- Acrescente óleos sem perfume à banheira, mas cuidado com a superfície escorregadia que acabou de criar. (Lembre-se: conforme sua barriga cresce, cresce também sua falta de jeito.)
- Beba muitos líquidos durante o dia para permanecer hidratada, e inclua gorduras boas na dieta (os ômega 3 que são tão bons para o bebê também são bons para a pele).
- Mantenha a casa umidificada.
- Use protetor solar com FPS de no mínimo 30 todos os dias.

Eczema

"Sempre tive tendência a ter eczema, mas, agora que estou grávida, ficou muito pior. O que posso fazer?"

Infelizmente, a gestação (ou, mais acuradamente, os hormônios da gestação) frequentemente exacerba os sintomas de eczema e, para as portadoras dessa condição, a coceira e a descamação podem ser insuportáveis. (Algumas sortudas descobrem que a gravidez fez com que o eczema entrasse em remissão.)

Felizmente, cremes com baixas doses de hidrocortisona, em quantidades moderadas, são seguros durante a gestação — peça uma recomendação ao obstetra ou ginecologista. Os anti-histamínicos também podem ser úteis para lidar com a coceira, mas, novamente, pergunte ao médico primeiro. A maioria das outras opções está proibida enquanto você estiver esperando. A ciclosporina, por exemplo, há muito tempo usada em casos severos de eczema que não respondem a outros tratamentos, geralmente não é prescrita durante a gravidez. Os não esteroides Protopic e Elidel tampouco são recomendados, porque não foram estudados durante a gravidez e não podem ser considerados seguros até que se saiba mais. Finalmente, alguns antibióticos tópicos e sistêmicos devem ser evitados durante a gestação, então fale com o médico antes de usá-los.

Se você sofre de eczema, sabe que a prevenção costuma aliviar muito a coceira. Tente o seguinte:

- Use uma compressa fria — e não as unhas — para aliviar a coceira. Coçar piora o eczema e pode perfurar a pele, permitindo que bactérias entrem e causem infecções. Mantenha as unhas curtas e arredondadas para diminuir as chances de romper a pele ao se coçar.
- Limite o contato com irritantes potenciais, como produtos de limpeza domésticos, sabonetes, perfumes e sucos de frutas. Use luvas para proteger as mãos quando for cozinhar e fazer limpeza.

- Hidrate frequentemente e cedo (enquanto a pele ainda estiver úmida, assim que sair da água) para manter a umidade da pele.
- Limite seu tempo na água (especialmente água muito quente).
- Tente não ficar quente ou suada demais. É claro que é mais fácil falar que fazer quando você está grávida, quente e suada. Permaneça fresca usando roupas folgadas de algodão e evitando tecidos sintéticos, lã ou qualquer material que cause coceira. Evite o superaquecimento usando roupas em camadas — e removendo-as quando começar a esquentar.
- Também tente se manter fria no que diz respeito ao estresse, um gatilho comum do eczema. Quando sentir a ansiedade chegando, respire para relaxar (p. 208).
- Busque alternativas. A acupuntura pode diminuir a dor e moderar a coceira, além de aliviar o estresse.
- Analise sua dieta. Se for alérgica a certos alimentos (ou suspeitar ser), retire-os da dieta para ver se há alívio do eczema. Embora a dieta pareça ter menos efeito no eczema do que as lendas da internet fazem acreditar, vale a pena perguntar ao dermatologista se modificar o que você ingere pode ajudar. Pergunte também sobre os probióticos. Embora os estudos não tenham demonstrado que eles ajudam a diminuir o eczema da mãe, podem reduzir as chances de que o futuro bebê desenvolva a mesma condição mais tarde. A suplementação de vitamina D, embora ainda seja meio controversa, mostrou-se promissora como tratamento para o eczema, mas fale com seu médico antes.

Algo para refletir: embora o eczema seja hereditário (ou seja, seu bebê também tem chances de tê-lo), as pesquisas sugerem que o aleitamento materno pode evitar que ele se desenvolva na criança. É mais uma boa razão para amamentar, se você puder.

Barriga que vai e vem

"É muito estranho: em um dia, tenho barriguinha, mas, no dia seguinte, não tenho. O que está acontecendo?"

Seus intestinos estão acontecendo. A distensão dos intestinos (resultado da constipação e do excesso de gases, dois companheiros constantes do início da gestação) pode deixar redonda a barriguinha mais chata. E, tão rapidamente quanto surgiu, essa barriguinha desaparece — quando o intestino volta a funcionar. Pode ser um pouco inquietante ("Mas eu parecia grávida ontem!"), mas é completamente normal.

Não se preocupe. Em breve, você terá uma barriga que não vai e vem, e ela será mais bebê que intestinos. Entrementes, veja a p. 254 para dicas sobre como lutar contra a constipação.

UMA POSE GRÁVIDA

Talvez você esteja fugindo da câmera nos últimos tempos ("Não preciso de mais 5 quilos"). Mesmo assim, deve pensar em preservar a barriguinha para a posteridade. É verdade que você ainda não tem muito para mostrar. Mas fotografar a barriga desde o início significa que você terá muitas fotos para mostrar depois. Fotografe diária, semanal ou mensalmente, fazendo *selfies* no espelho ou pedindo a ajuda de uma amiga, com a barriga de fora ou usando roupas justas. Então compile as fotos em um álbum da gravidez, poste-as *on-line* para que sejam vistas facilmente pela família e pelos amigos ou as transforme em um vídeo para acompanhar sua maravilhosa gestação. Luzes, câmera... bebê!

PIERCINGS NO UMBIGO

É *cool*, está na moda, é sexy — e é uma das maneiras mais fofas de exibir uma barriguinha chata e tonificada. Mas, quando sua barriga começar a crescer, você terá de remover o piercing? Não, desde que ele tenha cicatrizado (leia-se: desde que sua visita à clínica de piercing não tenha sido no mês passado) e esteja saudável (em outras palavras, não esteja vermelho, úmido nem inflamado). Lembre-se: o umbigo marca a conexão com sua mãe no útero dela, não sua conexão com o bebê, o que significa que o piercing não será um caminho para que os patógenos cheguem até ele. Você também não precisa se preocupar com o piercing interferindo no parto, mesmo que seja cesariana.

É claro que, quando a gravidez progredir e sua barriga começar a crescer, o piercing talvez se torne desconfortável devido à pele muito esticada. Ele também pode causar atrito — e mesmo enroscar — com as roupas, especialmente quando o umbigo "saltar para fora" mais tarde. E esse atrito pode ser muito doloroso.

Se decidir remover inteiramente o piercing, coloque-o novamente no orifício a cada poucos dias, para evitar que ele se feche (a menos que o tenha há vários anos, caso em que a probabilidade de o orifício se fechar é muito pequena). Ou pense em substituir a barra ou anel por uma barra flexível feita de Teflon (politetrafluoroetileno).

Quanto a começar a usar piercing na barriga (ou em qualquer outro lugar do corpo) durante a gravidez, é melhor esperar até depois do parto. Nunca é boa ideia perfurar a pele desnecessariamente durante a gestação, porque aumenta as chances de infecção.

Agora é tarde demais e você já celebrou a gravidez com um piercing novinho em folha ou colocou um pouco antes de descobrir que estava grávida? Se a área ainda não tiver cicatrizada (ainda estiver vermelha), provavelmente é melhor retirar o piercing e colocá-lo de novo após o parto. Não somente por causa do risco aumentado de infecção, mas porque o crescimento da barriga pode esticar um orifício ainda não cicatrizado, deixando-o muito maior do que você gostaria.

Perdendo a forma
"Meu corpo algum dia será o mesmo depois que eu tiver o bebê?"

Bom, depende... de você. Os estudos mostram que 25% das mães de crianças entre 2 e 3 anos ainda mantêm até 5 quilos de seu peso gestacional. E a maioria das novas mães descobre que, mesmo que cheguem perto do peso anterior à gestação, a barriga (e quadris, e nádegas) não é exatamente a mesma. Mas agora não é hora de se preocupar com o que acontecerá após a gestação. Foque em ganhar a quantidade certa de peso, no ritmo certo, com a ingestão dos alimentos certos.

Isso não somente permitirá que você mantenha os olhos no prêmio — a nutrição saudável do bebê —, como também aumentará suas chances de recuperar a forma de antes (e mesmo uma forma melhor) depois que o bebê nascer. Quer aumentar ainda mais suas chances? Alie os esforços para comer bem com exercícios aprovados para gestantes e tente, da melhor maneira possível, manter esses hábitos depois que o bebê chegar. Mas lembre-se de que a recuperação não ocorrerá da noite para o dia (pense em três meses no melhor dos casos, seis meses como previsão mais realista e mais tempo ainda como possibilidade real).

ULTRASSOM DO PRIMEIRO TRIMESTRE

Você não será capaz de perceber nenhuma feição adorável do bebê (ou descobrir se é menino ou menina), mas, mesmo assim, provavelmente está muito excitada em saber que o ultrassom inicial (entre 6 e 9 semanas) se tornou parte rotineira do cuidado pré-natal, dando aos pais ansiosos o bem-vindo primeiro vislumbre de seu ainda minúsculo bebê. De fato, o ACOG recomenda que todas as futuras mães façam um ultrassom no início da gestação. A principal razão: combinada à DUM, a medida do embrião ou feto no início da gestação é a maneira mais precisa de datar a gravidez (após o primeiro trimestre, a medição do feto por ultrassom é menos precisa). O ultrassom também é usado para visualizar os batimentos cardíacos e confirmar que a gestação está ocorrendo onde deve, no útero (e descartar uma gestação ectópica ou tubular). E, se você estiver esperando gêmeos (ou mais), o ultrassom no início da gestação permitirá que fique sabendo mais cedo.

Como o ultrassom obtém um retrato da vida no interior de seu útero? Através de ondas de som, emitidas por um transdutor, que rebate nas estruturas (o bebê, o saco gestacional, e assim por diante) para produzir uma imagem que pode ser vista na tela. Se fizer um ultrassom antes da 6ª ou 7ª semanas, é provável que seja um transvaginal. No ultrassom transvaginal, um transdutor longo e estreito (recoberto por uma camisinha e com lubrificante estéril) é inserido na vagina. O médico o move gentilmente pelo canal vaginal para escanear o útero, permitindo uma visão muito precoce do bebê. Após a 6ª ou 7ª semanas, você provavelmente fará uma versão transabdominal. Para um ultrassom transabdominal precoce, sua bexiga precisa estar cheia (o que não é divertido), a fim de que o ainda pequeno útero possa ser visto mais facilmente. Gel (alguns médicos o aquecem primeiro; de outro modo, ele é gelado) será espalhado pelo abdômen e o transdutor será esfregado sobre ele.

Ambos os procedimentos podem durar entre 5 e 30 minutos e são indolores, com exceção do desconforto da bexiga cheia, necessária para o ultrassom transabdominal de primeiro trimestre e, possivelmente, o desconforto do transdutor vaginal. Você será capaz de observar com o médico (embora talvez precise de ajuda para entender o que está vendo), e provavelmente poderá levar para casa uma pequena impressão como lembrança.

Embora a maioria dos médicos espere até a 6ª semana para pedir um ultrassom, é possível ver o saco gestacional quatro semanas e meia após a última menstruação e os batimentos cardíacos já na 5ª ou 6ª semanas (embora nem sempre sejam detectados tão cedo).

Dificuldade para urinar

"Nos últimos dias, tem sido muito difícil urinar, embora minha bexiga sempre pareça cheia."

Parece que sua bexiga pode estar sob pressão — do útero. Cerca de uma em cada cinco mulheres tem o útero inclinado (também chamado de "derrubado") para trás, em vez de para a frente. Quando ele se recusa a se corrigir, o útero inclinado pode pressionar a uretra, o canal que sai da bexiga. A pressão dessa carga cada vez mais pesada pode tornar difícil fazer xixi. A urina também pode vazar quando a bexiga fica muito cheia.

Em quase todos os casos, o útero volta para a posição correta ao fim do primeiro trimestre, sem intervenção médica. Mas, se você estiver se sentindo realmente desconfortável — ou for especialmente difícil urinar —, telefone para o médico. Ele pode ser capaz de manipular seu útero com as mãos e afastá-lo da uretra, para que você consiga urinar com facilidade. Na maior parte das vezes, funciona. No improvável caso de não funcionar, a cateterização (a remoção da urina através de um tubo) talvez seja necessária.

Outra possibilidade se você está tendo dificuldade para fazer xixi (e outra boa razão para telefonar para o médico): uma infecção do trato urinário. Veja a p. 702 para saber mais.

O QUE É UM CISTO DE CORPO LÚTEO?

Se o médico disser que seu ultrassom mostrou que você tem um cisto de corpo lúteo, sua primeira pergunta provavelmente será "O que é isso?". Bem, eis o que você precisa saber. Em todos os meses de sua vida reprodutiva, um pequeno e amarelado corpo de células se forma depois que você ovula. Chamado corpo lúteo (do latim *corpus luteum*, literalmente "corpo amarelo"), ele ocupa no folículo o espaço que anteriormente era ocupado pelo óvulo. O corpo lúteo produz progesterona e um pouco de estrogênio, e foi programado pela natureza para se desintegrar em cerca de catorze dias. Quando se desintegra, a queda no nível de hormônios leva à menstruação. Quando você engravida, o corpo lúteo permanece, em vez de se desintegrar, continuando a crescer e produzindo hormônios suficientes para nutrir o futuro bebê até que a placenta assuma essa função. Na maioria das gestações, o corpo lúteo começa a encolher cerca de seis ou sete semanas após a data da última menstruação e para de funcionar totalmente por volta da décima semana, quando seu trabalho de nutrir o bebê está terminado. Mas, em cerca de 10% das gestações, o corpo lúteo não regride quando deveria. Em vez disso, transforma-se em um cisto.

Agora que sabe o que é um cisto de corpo lúteo, você provavelmente está se perguntando como isso afetará sua gravidez. A resposta é: provavelmente não afetará. O cisto normalmente não é causa de preocupação nem exige intervenção. É provável que desapareça sozinho no segundo trimestre. Mas, só para ter certeza, o médico acompanhará regularmente o tamanho e a condição do cisto através de ultrassons (o que significa que você dará espiadelas extras em seu bebê). Algumas gestantes relatam uma sensação de beliscão, parecida com a da ovulação, em um lado do baixo-ventre no início da gestação, e essa sensação pode estar relacionada ao corpo lúteo ou a um cisto de corpo lúteo. Novamente, não há nada com que se preocupar, mas mencione o fato ao médico para ter certeza.

Oscilações de humor

"Sei que deveria me sentir feliz sobre a gravidez e, às vezes, me sinto. Mas, em outras, sinto-me chorosa e triste."

Você está para cima... e então está para baixo. As inúmeras e normais oscilações de humor da gravidez podem levar suas emoções a lugares nunca antes visitados, tanto a picos estimulantes quanto a buracos deprimentes. Elas podem fazer com que você pise na lua em um momento e se arraste pela sarjeta no seguinte enquanto chora inexplicavelmente ao ver comerciais de seguro de vida. Você pode culpar os hormônios? Pode apostar que sim. Essas oscilações costumam ser mais pronunciadas no primeiro trimestre (quando a tempestade hormonal está no auge) e, em geral, em mulheres que comumente experimentam altos e baixos emocionais durante a menstruação (são como uma TPM anabolizada). Sentimentos de ambivalência são comuns mesmo quando a gravidez é planejada, e podem exacerbar ainda mais as oscilações. Sem mencionar todas as mudanças que você está experimentando (físicas, emocionais, logísticas, em seu relacionamento — todas com o potencial de desestabilizar suas emoções).

As oscilações de humor tendem a diminuir após o primeiro trimestre, quando os níveis hormonais se acalmam um pouco e você se ajusta a algumas das mudanças da gestação (você jamais se ajustará a todas). Nesse ínterim, embora não haja maneira garantida de descer dessa montanha-russa emocional, há várias maneiras de minimizar o massacre emocional:

- Mantenha alto seu nível de glicose. O que ele tem a ver com o estado emocional? Muito. Quedas do nível de glicose — causadas por longos intervalos entre as refeições — podem levar a alterações de humor. Mais uma razão atraente para abandonar as usuais três refeições (ou menos) ao dia e passar para a solução das seis refeições (p. 134). Mantenha os carboidratos complexos e as proteínas no papel principal das minirrefeições, para que seu nível de glicose e humor permaneçam estáveis.
- Mantenha baixo seu consumo de açúcar e cafeína. Aquela barra de chocolate, aquele *cookie* gigantesco, aquela Coca darão à sua glicose um pico rápido, seguido de uma espiral descendente que pode levar seu humor junto. A cafeína (especialmente quando combinada com açúcar, como naquele *frappuccino*) pode ter o mesmo efeito, aumentando a instabilidade emocional. Limite ambos para resultados melhores.

PARA OS PAIS

LIDANDO COM AS OSCILAÇÕES DE HUMOR

Bem-vindo ao maravilhoso — e às vezes maluco — mundo dos hormônios da gestação. Maravilhoso porque eles trabalham para nutrir a minúscula vida que se instalou no ventre de sua parceira (e que, em breve, você acolherá em seus braços). Maluco porque, além de assumirem o controle do corpo da parceira (e frequentemente a deixarem desolada), eles também assumem o controle da mente dela, tornando-a chorosa, excitadíssima, desproporcionalmente irritada, delirantemente feliz, estressada... e tudo isso antes do almoço.

Com certeza, as oscilações de humor das gestantes geralmente são mais pronunciadas durante o primeiro trimestre, quando os hormônios estão em estado de fluxo (e elas estão somente começando a se habituar a eles). Mas, mesmo depois que os hormônios se acalmarem no segundo e terceiro trimestres, você vai embarcar em uma montanha-russa de emoções com sua parceira, que continuará a ter altos e baixos emocionais (e ocasionais explosões) até o parto e além dele.

O que o futuro pai deve fazer? Eis algumas sugestões.

Seja paciente. A gravidez não dura para sempre (mas saiba que, no nono mês, haverá vezes em que vocês acharão que sim). Isso também passará, e passará de modo muito mais agradável se você for paciente. Nesse ínterim, tente manter a perspectiva — e faça o que puder para canalizar seu santo interior.

Não leve as explosões para o lado pessoal. E não as use contra ela. Afinal, sua parceira não tem controle sobre elas. Lembre-se: são os hormônios falando — e chorando sem razão aparente. Também evite mencionar as oscilações de humor. Embora não tenha o poder de controlá-las, provavelmente está bem ciente delas. É provável que esteja tão insatisfeita quanto você. Estar grávida não é fácil.

Ajude a diminuir as oscilações. Como o baixo nível de glicose pode fazer com que o humor de sua parceira oscile, ofereça um lanchinho quando ela começar a esmorecer (um prato de bolachas de água e sal com queijo, uma vitamina de iogurte com frutas). Os exercícios podem liberar as endorfinas de que ela necessita agora, então sugira uma caminhada antes ou depois do jantar (que também é uma boa oportunidade para que ela fale sobre os medos e ansiedades que a incomodam).

Vá um pouquinho além. Ou seja, ajude-a com a roupa na área de serviço, passe no delivery favorito dela em seu caminho do trabalho para casa, vá ao supermercado no sábado, lave a louça acumulada na pia... você entendeu. Ela apreciará o quanto você está se esforçando — sem ela ter de pedir — e você a apreciará em um humor melhor.

- Coma bem. Em geral, comer bem a ajudará a se sentir bem emocionalmente (e fisicamente). Assim, siga a Dieta da Gravidez o melhor que puder. Ingerir muitos ácidos graxos ômega 3 (de nozes, peixes, gado criado a pasto e ovos enriquecidos, para citar algumas fontes) também ajuda a moderar o humor — além disso, eles são superimportantes para o desenvolvimento cerebral do bebê. Os estudos demonstraram que uma dose diária de chocolate amargo também pode melhorar seu ânimo.
- Movimente-se. Quanto mais você se movimenta, melhor seu humor. O exercício libera endorfinas, que levantam o astral. Inclua exercícios aprovados pelo médico em seu dia, todos os dias.
- Namore. Se você estiver no clima para o amor (e não estiver ocupada demais vomitando), o sexo pode colocar um sorriso em seu rosto ao liberar hormônios da felicidade. Pode também aproximá-la de seu parceiro em um período no qual o relacionamento talvez esteja enfrentando desafios. Se o sexo não estiver no cardápio — ou você não estiver se sentindo sexy —, o poder do toque em qualquer forma (carinhos, abraços, mãos dadas) pode melhorar seu humor.
- Ilumine sua vida. As pesquisas demonstram que a luz do sol pode tornar seu ânimo mais leve. Quando o sol estiver brilhando, tente se expor a alguns raios diários (mas não se esqueça do protetor solar).
- Fale a respeito. Está preocupada? Ansiosa? Inquieta? A gravidez é uma época de emoções conflitantes, que contribuem para as oscilações do humor. Falar sobre elas — com seu cônjuge (que provavelmente está sentindo muitas das mesmas coisas), com amigos compreensivos ou com outras grávidas nos fóruns do site whattoexpect.com — fará com que você se sinta melhor ou, ao menos, veja que o que está sentindo é normal. Em contrapartida, se muitas conversas nos fóruns mexem com suas emoções (você está sempre com medo de ter ou não ter os sintomas das outras gestantes), considere fazer uma pausa.
- Descanse. A fadiga pode exacerbar as oscilações de humor naturais da gravidez. Assim, durma o suficiente (mas não demais, pois isso pode aumentar a instabilidade emocional).
- Aprenda a relaxar. O estresse definitivamente pode causar desânimo. Encontre maneiras de moderá-lo ou aprenda a lidar melhor com ele. Veja a p. 204 para obter dicas.

- Se existe uma pessoa em sua vida mais afetada — e confusa — com as oscilações de humor que você, provavelmente é seu parceiro. Será mais fácil se ele entender por que você age dessa maneira (os picos hormonais da gravidez estão afetando suas emoções), mas também será mais fácil se ele souber exatamente como pode ajudá-la. Diga a ele o que precisa (mais ajuda em casa? uma noite fora em seu restaurante favorito?) e o que não precisa (ouvir que seu traseiro está maior ou ver um rastro de meias e cuecas no corredor), o que a faz se sentir melhor e o que a faz se sentir pior. E seja específica: mesmo o mais amoroso dos maridos não sabe ler mentes.

Depressão durante a gravidez

"Eu esperava algumas oscilações de humor durante a gravidez, mas não estou só meio desanimada: estou deprimida o tempo todo."

Toda gestante tem altos e baixos, e isso é normal. Mas, se seus baixos são consistentes ou frequentes, você pode estar entre as 10 a 15% de mulheres que lutam contra a depressão amena a moderada durante a gestação — e não é algo que possa ser ignorado como parte do pacote da gravidez.

A verdadeira depressão se manifesta em vários sintomas, tanto emocionais quanto físicos, que vão além da instabilidade padrão das futuras mães. Incluem sentir-se triste, vazia, desesperançada e emocionalmente letárgica, ter distúrbios do sono (você quer dormir o tempo todo ou não consegue dormir), modificar os hábitos alimentares (você não quer comer ou come o tempo todo), sentir-se fatigada e sem energia (para além do que é normal durante a gravidez) e/ou sentir-se agitada ou inquieta, perder o interesse no trabalho, nos amigos, na família e em atividades que normalmente lhe interessam, perder a concentração e o foco, ter oscilações de humor exageradas (mais dramáticas que o normal durante a gravidez) e mesmo ter pensamentos autodestrutivos. Também pode haver dores inexplicáveis.

Ter tido distúrbios do humor no passado ou histórico familiar de distúrbios do humor pode aumentar as chances de depressão durante a gravidez. Outros fatores também podem contribuir, incluindo estresse (relacionado às finanças, relacionamento, trabalho ou família), falta de apoio emocional, ansiedade sobre sua saúde ou a saúde do bebê (especialmente se você teve complicações ou perdas em gestações passadas) ou apresentar sintomas ou complicações que exigem muita atenção médica, hospitalização ou repouso.

Se você tem certeza (ou só acha) que está deprimida, comece por tentar as dicas para lidar com oscilações de humor da pergunta anterior. Se sintomas leves ou moderados continuarem por mais de duas semanas, fale com o médico sobre opções de tratamento ou encaminhamento a um terapeuta. (Não espere para telefonar se os sintomas forem mais sérios; se, por exemplo, você for incapaz de cuidar de si mesma e do bebê ou estiver pensando em se machucar.) Como distúrbios da tireoide — que são bastante comuns e facilmente tratáveis — podem causar depressão, exames da tireoide podem ser feitos para eliminar essa possibilidade (peça, caso não seja oferecido).

ATAQUES DE PÂNICO

A gravidez pode ser uma época de grande ansiedade, especialmente para mulheres que estão grávidas pela primeira vez (e, consequentemente, não sabem o que esperar). E certa preocupação é normal e provavelmente inevitável. Mas e quando essa preocupação se transforma em pânico?

Se você já teve ataques de pânico no passado, provavelmente conhece os sintomas (e a maior parte das mulheres que têm ataques de pânico durante a gravidez já os teve antes). Eles são caracterizados por intenso medo ou desconforto, acompanhado de pulso acelerado, suor, tremor, falta de ar, sensação de sufocamento, dor no peito, náusea ou desconforto abdominal, tontura, amortecimento ou formigamento e frio ou calor intenso e sem motivo aparente. Eles podem ser incrivelmente angustiantes, particularmente quando surgem pela primeira vez durante a gravidez. Mas, felizmente, embora definitivamente a afetem, não há razão para acreditar que os ataques de pânico afetem o desenvolvimento do bebê.

Mesmo assim, se tiver um ataque de pânico, conte ao médico. A terapia é sempre a primeira opção durante a gravidez (e também nas outras ocasiões). Mas, se medicamentos forem necessários para assegurar seu bem-estar (e o bem-estar do bebê, se a ansiedade a estiver impedindo de comer, dormir ou cuidar de sua preciosa carga), o médico, juntamente com um terapeuta qualificado, pode ajudá-la a decidir qual deles oferece os maiores benefícios com os menores riscos (e qual a menor dose que ainda produz benefícios). Se você já tomava medicamentos para tratar ataques de pânico, ansiedade ou depressão antes da gravidez, uma mudança ou ajuste da dose podem ser necessários.

Embora a medicação seja uma solução para a ansiedade extrema, certamente não é a única. Há muitas alternativas não medicamentosas que podem ser usadas no lugar ou em conjunto com a terapia tradicional. Elas incluem comer bem e regularmente (incluir muitos ácidos graxos ômega 3 e algum chocolate amargo em sua dieta talvez seja especialmente útil), evitar açúcar e cafeína demais (a cafeína, em particular, pode gerar ansiedade), fazer exercícios regulares e aprender meditação e outras técnicas de relaxamento (a yoga pré-natal costuma ser incrivelmente calmante e vai ensinar a você o tipo de respiração profunda que diminui a ansiedade). Falar sobre suas ansiedades com seu parceiro e/ou outras gestantes também pode ajudar.

Obter a ajuda certa, e rapidamente, é importante, não somente para seu benefício, mas para o bem do bebê. A depressão pode impedir que você cuide da melhor maneira possível de si mesma e do bebê, agora e após o parto. Na verdade, a depressão durante a gravidez pode aumentar o risco de complicações, do mesmo modo como pode afetar sua saúde quando você não está grávida. O extremo e continuado estresse emocional também pode ter impacto negativo no crescimento e no desenvolvimento do bebê.

Felizmente, há muitas estratégias eficazes para tratar a depressão durante a gravidez. Encontrar o tratamento certo (ou a combinação de tratamentos) fará com que você se sinta melhor e aproveite a gravidez. As opções incluem:

- Terapia de apoio. Todo plano de tratamento para a depressão deve incluir visitas regulares a um terapeuta experiente, e essa é sempre a primeira linha de tratamento para depressão leve a moderada durante a gestação. O que quer que esteja causando a depressão, a terapia pode ajudar a lidar com seus sentimentos. Sob a Lei de Cuidado Acessível, a maioria dos planos de saúde é obrigada a oferecer algum nível de cobertura para as terapias de saúde mental, embora ele varie bastante, dependendo do estado e do plano de saúde. No Brasil, a Agência Nacional de Saúde (ANS), na Resolução Normativa nº 428 de 7 de novembro de 2017, estabelece que todos os planos privados de assistência à saúde são obrigados a oferecer algum nível de cobertura para as terapias de saúde mental. O SUS também oferece atendimento psicológico de forma gratuita nos Centros de Atenção Psicossocial (Caps).
- Medicação. Decidir se a terapia é suficiente ou se a medicação antidepressiva fará parte do tratamento (e qual usar) exige consultas tanto com o médico quanto com o terapeuta para pesar os possíveis riscos contra os possíveis benefícios (veja a p. 74).
- Terapias da medicina complementar e alternativa. Meditação (e outras técnicas de relaxamento), yoga, acupuntura e musicoterapia são apenas algumas das terapias que podem aliviar com segurança os sintomas da depressão. A terapia de luz brilhante

pode ser surpreendentemente efetiva na redução dos sintomas da depressão durante a gravidez ao aumentar os níveis de serotonina, o hormônio regulador do humor do cérebro, e é segura e simples: tudo que você faz é se sentar a cerca de 60 centímetros de uma luz branca e brilhante, vinte vezes mais clara que a iluminação normal, de 10 a 45 minutos ao dia, dependendo de sua resposta. Mas não se volte para os suplementos fitoterápicos que afirmam ter propriedades estimulantes do humor (como SAMe [S-adenosilmetionina] e erva-de-são-joão) sem aprovação do médico. Eles não foram suficientemente estudados para serem considerados seguros para gestantes.
- Exercícios. Além de serem bons para o corpo e a mente, os exercícios são um potente estimulante do humor, liberando endorfinas.
- Alimentação saudável. Essa provavelmente não será a primeira linha de tratamento para a depressão, mas consumir alimentos ricos em ácidos graxos ômega 3 (veja a lista na p. 145) ajuda a aliviar a depressão durante a gravidez e, possivelmente, a depressão pós-parto. E, como esses alimentos são bons para o bebê, não custa adicioná-los a seu pacote de bem-estar. Você também pode perguntar ao médico sobre a suplementação segura de ômega 3. Comer chocolate amargo (quanto mais cacau, melhor) também levanta o astral e reduz a ansiedade.

Estar deprimida durante a gravidez aumenta as chances de depressão pós-parto (DPP). Mas a notícia boa é que obter o tratamento certo durante a gravidez — e/ou logo após o parto — pode evitar a DPP. Demonstrou-se que terapia (como a comportamental cognitiva) durante a gestação reduz a DPP. Baixas doses de antidepressivos a partir do segundo trimestre ou logo após o parto em mulheres com histórico de depressão também podem funcionar. Converse com o médico sobre as opções de terapia e medicação.

PARA OS PAIS

SUAS OSCILAÇÕES DE HUMOR DURANTE A GRAVIDEZ

Os futuros pais partilham muito mais que o esperado pacotinho de alegria com suas parceiras. De fato, bem antes de o pacotinho chegar, você pode partilhar muitos sintomas, incluindo os altos e baixos da gravidez, que são surpreendentemente comuns em futuros pais. As flutuações de seus hormônios podem desempenhar um papel (sim, seus hormônios também estão falando), mas os sentimentos também contam. Praticamente todo futuro pai (como a maioria das futuras mães) experimenta uma variedade de sentimentos conflitantes (mas perfeitamente normais) nos meses que levam a uma das maiores mudanças de suas vidas, de ansiedade e medo à ambivalência e insegurança. Claro que seu humor pode ser afetado.

Mas você pode ajudar a melhorá-lo e talvez até prevenir o *baby blues* no pós-parto, que atinge cerca de 10% dos novos pais. Veja as sugestões da p. 238 e tente:
- Falar. Fale sobre seus sentimentos para que eles não o soterrem. Partilhe-os com sua parceira (e deixe que ela partilhe os dela), transformando a comunicação em ritual diário. Fale com um amigo que se tornou pai recentemente (ninguém entenderá melhor que ele). Ou encontre uma válvula de escape com os pais das redes sociais.
- Movimentar-se. Nada levanta o astral tanto quanto acelerar o pulso. Os exercícios o ajudarão a lidar com seus sentimentos e as endorfinas melhorarão seu humor.
- Ocupar-se do bebê. Prepare-se para a antecipada chegada colaborando na compra dos equipamentos e acessórios e nos outros preparativos que provavelmente estão em andamento. Entrar no espírito da paternidade pode levantar seu astral.
- Reduzir (ou eliminar). Beber muito pode deixá-lo ainda mais deprimido. Embora o álcool tenha a reputação de elevar o espírito, ele na verdade é um depressivo, e existe uma razão para a manhã seguinte nunca ser tão feliz quanto a noite anterior. Além disso, é um mecanismo que suprime os sentimentos com os quais você está tentando lidar. O mesmo vale para as drogas.
- Comer bem. Como a futura mamãe de sua vida, comer bem e manter constante o nível de glicose pode moderar suas oscilações de humor. Foque em proteínas magras e carboidratos complexos em vez de se entupir de açúcar e cafeína, que podem fazer com que seu nível de glicose caia, levando junto seu humor.

Lembre-se de que existe diferença entre as oscilações de humor da gravidez e a depressão durante a gravidez, e isso vale tanto para futuras mães quanto para futuros pais. A verdadeira depressão pode ser física e emocionalmente debilitante: afeta os relacionamentos, a alimentação, o sono, o funcionamento normal, o trabalho e a vida social e impede que você aproveite o que deveria ser (e pode ser!) uma mudança excitante e alegre. Mas as pesquisas mostram que a depressão do pai também pode afetar o bem-estar do bebê. Assim, não espere mais. Se está tendo sintomas de depressão (especialmente se está sentindo raiva ou tendo pensamentos violentos), busque ajuda profissional com um médico ou terapeuta imediatamente.

TUDO SOBRE:
Ganho de peso durante a gravidez

Talvez você esteja antecipando a possibilidade de ganhar quilos após anos de dieta para perdê-los (ou, ao menos, evitar que se acumulem). Talvez tenha medo de ver os números da balança subindo pela mesma razão. De qualquer maneira, para a maioria das gestantes, o ganho de peso não é somente uma realidade durante a gravidez, mas uma necessidade. Ganhar a quantidade certa de peso é vital quando você está fabricando um bebê.

Mas qual é a quantidade certa? Quantos quilos são demais? Quantos quilos são de menos? Com que rapidez você deve ganhá-los? E será capaz de perdê-los (ou a maior parte) após o parto? A resposta rápida para a última pergunta é sim, se você ganhar a quantidade certa de peso, na velocidade certa, a partir dos alimentos certos.

Quanto você deve ganhar?

Se já houve uma razão legítima para acumular quilos, é a gravidez. Afinal, quando está fazendo um bebê crescer, você também pode crescer um pouco. Mas acumular muitos quilos pode acarretar problemas para você, o bebê e a gestação. O mesmo se você acumular muito poucos.

Qual é a fórmula perfeita de ganho de peso durante a gestação? Na verdade, como cada gestante — e cada organismo — é diferente, a fórmula costuma variar muito. Quantos quilos você deve ganhar durante as 40 semanas de gestação depende de quantos quilos você tinha antes de ficar grávida.

Seu médico recomendará um objetivo de peso que será certo para você e seu perfil gestacional, e essa será a orientação a seguir, não importando o que você leia aqui. Mas, em geral, as recomendações de ganho de peso são baseadas em seu índice de massa corporal, ou IMC, antes de engravidar. Seu IMC (basicamente, seu nível de gordura) é calculado ao dividir seu peso (em quilos) por sua altura (em metros) ao quadrado — mas é muito mais fácil deixar a matemática para lá e usar uma calculadora de IMC. Você pode procurar "calculadora de IMC" em cdc. gov ou usar a tabela de *What to Expect: Eating Well When You're Expecting*:

- Se seu IMC é normal (entre 18,5 e 25), você provavelmente será aconselhada a ganhar entre 11 e 15 quilos, a recomendação padrão para gestantes de peso normal.
- Se iniciar a gravidez acima do peso (IMC entre 25 e 30), seu objetivo será mais baixo, entre 7 e 11 quilos.

POR QUE MAIS (OU MENOS) PESO NÃO É MELHOR

O que você perde quando ganha peso demais durante a gravidez? Quilos em excesso podem causar vários problemas. Mais gordura pode tornar difícil avaliar e mensurar o bebê e aumentar o desconforto da gestação (de dores nas costas a veias varicosas, fadiga e azia). Ganhar peso demais também pode aumentar o risco de ter parto prematuro, desenvolver diabetes ou hipertensão gestacional, terminar com um bebê muito grande que será difícil ou mesmo impossível de trazer ao mundo por parto normal, ter complicações após a cesariana, vários problemas para o recém-nascido e mais dificuldades durante a amamentação. E claro, esses quilos a mais também são mais difíceis de perder após o parto — e, de fato, muitas mulheres que ganham peso demais durante a gravidez nunca o perdem.

Ganhar pouco peso também pode ser má ideia. Bebês cujas mães ganharam menos de 9 quilos durante a gestação têm maior probabilidade de serem prematuros e pequenos para a idade gestacional e sofrerem restrições ao crescimento no útero. (A exceção são as mulheres obesas, que podem ganhar somente entre 5 e 9 quilos, com segurança.)

- Se for obesa (com IMC maior que 30), você pode ter um objetivo entre 5 e 9 quilos, ou menos.
- Você é supermagra (com IMC menor que 18,5)? É provável que seu objetivo seja mais alto que a média, entre 12 e 18 quilos.
- Está esperando múltiplos? Para mães fornecendo casa e comida para mais de um, cada bebê extra requer quilos extras; veja a p. 595.

Uma coisa é estabelecer o ganho ideal de peso... outra é cumpri-lo. Isso porque os ideais nem sempre são completamente compatíveis com a realidade. Ganhar o número certo de quilos não requer somente colocar a quantidade certa de alimentos no prato. Há outros fatores em ação. Seu metabolismo, seus genes, seu nível de atividade e seus sintomas (a azia e a náusea que podem dificultar a alimentação ou aquele desejo por alimentos ricos em calorias que engordam com facilidade) desempenham um papel no ganho de peso perfeito durante a gestação — ou na dificuldade que você pode ter para chegar lá. Com isso em mente, mantenha os olhos na balança para garantir que está atingindo seu objetivo em termos de ganho de peso.

DETALHANDO O GANHO DE PESO

Bebê	3,4 quilos
Placenta	0,7 quilo
Líquido amniótico	0,9 quilo
Crescimento do útero	0,9 quilo
Tecido mamário da mãe	0,9 quilo
Volume sanguíneo da mãe	1,8 quilos
Fluidos nos tecidos da mãe	1,8 quilos
Reservas de gordura da mãe	3,2 quilos
Total, em média	13,6 quilos de ganho total

(Todos os pesos são aproximados)

Em que velocidade você deve ganhar peso?

Um ritmo lento e constante é o melhor quando se trata de ganho de peso durante a gravidez. O ganho gradual é melhor para seu corpo e para o corpo do bebê. De fato, a taxa na qual se ganha peso é tão importante quanto o peso ganho. Isso porque o bebê necessita de um fornecimento constante de nutrientes e calorias durante a estada no útero, e entregas irregulares não funcionam quando seu pequeno começa a crescer de maneira significativa (como acontecerá durante o segundo e o terceiro trimestres). Um ganho de peso gradual também fará bem ao seu corpo, permitindo que ele se ajuste gradualmente aos quilos a mais (e ao estresse físico que vem com eles). Além disso, o ganho gradual permite o esticamento gradual da pele (menos estrias). Precisa de mais argumentos? Quilos ganhos de modo lento e constante também irão embora mais facilmente quando chegar a hora (após o parto, quando você estará ansiosa para retomar a forma — e entrar nos jeans — de antes da gravidez).

SINAIS DE ALERTA DO GANHO DE PESO

Se você experimentar ganho súbito e rápido de peso no segundo e terceiro trimestres, especialmente se acompanhado de inchaço nas pernas, pés, rosto e mãos, converse com o médico. Também fique atenta se não ganhar peso por mais de duas semanas seguidas do quarto ao oitavo meses (a menos que seja obesa e o médico tenha prescrito um ganho de peso mais lento).

Constante significa distribuir aqueles 14 quilos igualmente pelas 40 semanas? Não. Mesmo que esse plano fosse possível, não seria o melhor. Eis como ele se distribui trimestre a trimestre:

- Durante o primeiro trimestre, o bebê é minúsculo, o que significa que comer por dois não exige comer mais, e há somente ganho mínimo de peso, se algum. Um bom objetivo para o primeiro trimestre é entre 1 e 2 quilos, embora muitas mulheres não ganhem nenhum peso e até percam um pouco (graças à náusea e ao vômito) e algumas ganhem mais (frequentemente porque o enjoo só passa com alimentos calóricos à base de amido). Para as que começam de modo lento, é fácil ganhar esse peso nos seis meses seguintes (especialmente quando a comida começar a ter cheiro e gosto bons novamente). Para as que começam ganhando muito, prestar mais atenção na balança no segundo e no terceiro trimestres as manterá perto do objetivo.
- Durante o segundo trimestre, o bebê fica maior, o que significa que seu objetivo de ganho de peso aumenta em média de 500 a 600 gramas por semana do quarto ao sexto mês (em um total de 6 a 7,2 quilos).
- Durante o terceiro (e último!) trimestre, o ganho de peso do bebê aumenta, mas o seu deve diminuir para cerca de 450 gramas por semana (para um ganho de 3,5 a 4,5 quilos). O peso de algumas mulheres se mantém constante — ou mesmo diminui uns 500 ou 600 gramas — durante o nono mês, quando o espaço abdominal cada vez menor deixa pouco lugar para a comida. Alguns quilos podem ser perdidos quando se inicia o pré-parto.

O quanto você será capaz de seguir fielmente essa fórmula de ganho de peso? Realisticamente, não muito. Haverá semanas nas quais seu apetite será maior, e seu autocontrole, menor, e isso aumentará bastante o ganho total. E haverá semanas nas quais comer parecerá um esforço grande demais (especialmente quando os problemas estomacais enviarem de volta qualquer coisa que você comer). Não se preocupe ou se estresse com a balança. Desde que o ganho total fique dentro dos limites e a taxa de ganho média siga a fórmula (250 gramas em uma semana, 900 gramas na seguinte, 450 gramas na outra, e assim por diante), você estará bem.

Para os melhores resultados em termos de ganho de peso, mantenha o olho na balança, já que o que você não sabe pode afastá-la muito do objetivo. Pese-se (na mesma hora, usando a mesma quantidade de roupas, na mesma balança) uma vez por semana — mais que isso e você ficará maluca com as flutuações de líquidos de um dia para o outro. Se uma vez por semana for demais (porque você tem horror à balança), duas vezes por mês são suficientes. Esperar até a consulta mensal para verificar o peso também funciona, mas muita coisa pode acontecer em um mês (como 5 quilos) ou não acontecer (como nenhum ganho), tornando mais difícil permanecer na rota.

Se seu ganho de peso for maior e mais rápido do que planejou (se, por exemplo, você ganhou 6 quilos no primeiro trimestre, em vez de 1 ou 2, ou 9 quilos no segundo trimestre, em vez de 5), fale com o médico e discuta uma estratégia. Provavelmente fará sentido agir para que o ganho volte ao ritmo normal, mas não interrompê-lo totalmente. Fazer dieta para perder peso nunca é adequado quando você está grávida, nem usar bebidas ou pílulas supressoras do apetite (que podem ser muito perigosas). Em vez disso, com ajuda do médico, reajuste o objetivo para incluir o excesso que você já ganhou e acomodar o peso que ainda tem que ganhar.

Capítulo 7
O terceiro mês
Aproximadamente 9 a 13 semanas

Ao entrar no último mês do primeiro trimestre (algo a celebrar), muitos dos sintomas iniciais provavelmente ainda estão presentes (nada a celebrar). O que significa que provavelmente é difícil dizer se você está exausta por causa da fadiga do primeiro trimestre ou porque acordou três vezes na noite passada para ir ao banheiro (provavelmente um pouco de ambos). Mas erga a cabeça, se tiver forças para isso. Há dias melhores à frente. Se o enjoo matinal a mantive para baixo — juntamente com seu apetite —, um dia menos enjoado em breve vai raiar. Quando os níveis de energia aumentarem, você terá mais disposição e, quando a frequência urinária diminuir, precisará se levantar menos vezes para ir ao banheiro. Ainda melhor, poderá ouvir o incrível som dos batimentos cardíacos do bebê com um Doppler na consulta deste mês, o que fará com que todos os sintomas desconfortáveis valham a pena.

Seu bebê este mês

9ª semana. Seu bebê tem aproximadamente 2,5 centímetros e está do tamanho de uma azeitona média. A cabeça continua a se desenvolver e assume proporções mais parecidas com as de um bebê. Nesta semana, minúsculos músculos começam a se formar. Isso permitirá que o feto mova braços e pernas, embora ainda sejam necessários um ou dois meses até que você consiga sentir soquinhos e chutes. Embora seja cedo demais para sentir alguma coisa, não é cedo demais para ouvir (possivelmente). O incrível som dos batimentos cardíacos do bebê pode ser audível através de um dispositivo Doppler no consultório médico. Ouça com atenção: aquele tum-tum certamente fará seu coração bater mais depressa.

10ª semana. Com quase 4 centímetros de comprimento (mais ou menos do tamanho de uma ameixa), seu bebê — que se graduou oficialmente de embrião para feto — está crescendo aos saltos. E, preparando-se para os primeiros saltos (e passinhos), ossos e cartilagens estão se formando e pequenas indentações nas pernas estão se transformando em joelhos e tornozelos. Ainda mais inacreditável para alguém do tamanho de uma ameixa, os cotovelos já estão funcionando. Minúsculos brotos de dentes de leite estão se formando sob as gengivas. Mais abaixo, o estômago produz sucos digestivos, os rins produzem grandes quantidades de urina e, se o bebê for um menino, os testículos estão produzindo testosterona (meninos são meninos, mesmo tão cedo).

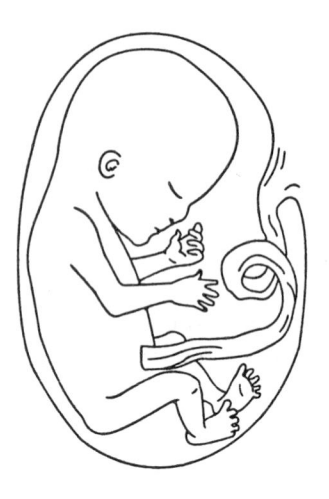

Seu bebê, terceiro mês

11ª semana. Seu bebê tem pouco mais de 4 centímetros e pesa cerca de 7 gramas. O corpinho está se fortalecendo e o torso está se alongando. Folículos capilares estão se formando e raízes de unhas começam a se desenvolver (as unhas começarão a crescer nas próximas semanas). Essas unhas se formam em dedos individuais, que se separaram das mãos e pés palmados há apenas algumas semanas. E, embora você ainda não consiga identificar o sexo visualmente (mesmo com ultrassom), se for menina, os ovários já estão se desenvolvendo. O que você conseguiria ver, se o útero fosse transparente, seria que o feto agora tem características distintamente humanas, com mãos e pés na frente do corpo, orelhas quase no formato final (embora não na localização final), passagens nasais abertas na ponta do nariz, língua e palato dentro da boca e mamilos visíveis.

12ª semana. O bebê mais que dobrou de tamanho durante as últimas três semanas, pesando agora 14 gramas e medindo entre 5 e 6 centímetros. Do tamanho de um limão tahiti, o corpo de seu bebê está trabalhando muito no departamento de desenvolvimento. Embora a maioria dos sistemas já esteja totalmente formada, ainda há muita maturação pela frente. O sistema digestivo começa a praticar os movimentos de contração (para que o bebê seja capaz de comer), a medula óssea produz glóbulos brancos (para que o bebê possa combater todos os germes que encontrar no parquinho) e a glândula pituitária na base do cérebro começa a produzir hormônios (para que o bebê um dia possa produzir bebês).

13ª semana. Com o primeiro trimestre chegando ao fim, o feto (que está progredindo na escala das frutas) chegou ao tamanho de um limão siciliano, com cerca de 7,5 centímetros. A cabeça agora tem a metade da distância cabeça-nádega, mas o corpinho fofo está se preparando e continuará a crescer (no momento do nascimento, o bebê será um quarto cabeça e três quartos corpo). Entrementes, os intestinos, que vêm crescendo dentro do cordão umbilical, começam a jornada até sua posição permanente no abdômen. O que também se desenvolve esta semana são as cordas vocais (para que ele possa chorar... em breve!).

Seu corpo este mês

Eis alguns sintomas que você pode experimentar este mês (ou não, já que cada gravidez é diferente). Alguns deles podem estar presentes desde o mês passado, ao passo que outros serão novinhos em folha:

Fisicamente
- Fadiga, falta de energia, sonolência
- Micção frequente
- Náusea, com ou sem vômito
- Salivação excessiva
- Constipação
- Azia, indigestão, flatulência, sensação de estômago estufado
- Aversões e desejos alimentares
- Aumento do apetite, especialmente se o enjoo matinal estiver passando
- Mudanças nos seios (p. 196)
- Veias visíveis no abdômen, pernas e em outros locais, em função do aumento do fluxo sanguíneo
- Ligeiro aumento da secreção vaginal
- Dor de cabeça ocasional
- Vertigem ou tontura ocasionais
- Barriga um pouco mais arredondada e roupas parecendo um pouco mais justas

SEU CORPO ESTE MÊS

Neste mês, seu útero está um pouco maior que uma toranja e sua cintura pode ter começado a engrossar. No fim do mês, seu útero poderá ser sentido logo acima do osso púbico, no baixo-ventre.

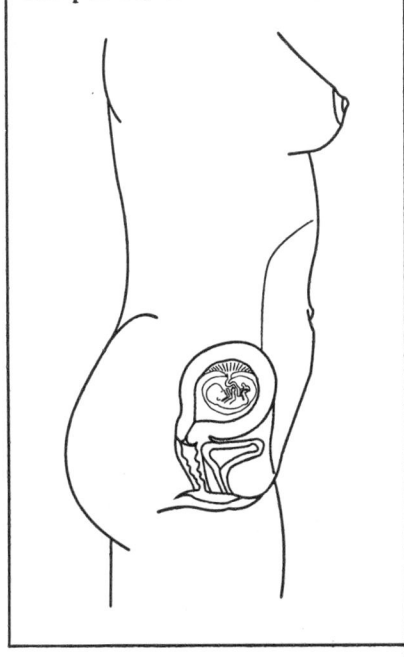

Emocionalmente
- Continuam os altos e baixos emocionais, que podem incluir oscilações de humor, irritabilidade, irracionalidade, choro sem razão aparente
- Alegria, excitação, apreensão, dúvidas — qualquer um ou todos
- Um novo sentimento de calma
- Permanece a sensação de irrealidade em relação à gravidez ("Realmente há um bebê lá dentro?")

O que você pode esperar da consulta deste mês

Este mês, você pode esperar que o médico verifique os seguintes quesitos, embora possa haver variações, dependendo de suas necessidades particulares e do estilo do médico:
- Peso e pressão arterial
- Urina, para açúcar e proteínas
- Batimentos cardíacos do feto
- Tamanho do útero, por palpação externa (sentido pelo lado de fora)
- Altura do fundo (o topo do útero)
- Mãos e pés para verificar inchaço e pernas em busca de veias varicosas
- Questões ou problemas que queira discutir — deixe a lista pronta

O que você pode estar se perguntando

Constipação
"Estou terrivelmente constipada nas últimas semanas. Isso é comum?"

A irregularidade intestinal — aquela sensação estufada, flatulenta, congestionada — é uma queixa muito regular durante a gravidez. E há boas razões para isso. Uma delas é que os altos níveis de progesterona circulando em seu organismo fazem com que os músculos lisos do intestino grosso relaxem, tornando-o preguiçoso e permitindo que a comida permaneça por mais tempo no trato digestivo. O lado bom: há mais tempo para os nutrientes serem absorvidos na corrente sanguínea, permitindo que mais deles cheguem ao bebê. O lado ruim: você termina com um engarrafamento de resíduos, e nenhum deles vai a lugar nenhum por enquanto. Outra razão para a sensação de congestão: o útero em crescimento pressiona o intestino, dificultando sua atividade normal. Isso impede o processo de eliminação, ao menos da maneira como costumava ser.

Mas você não precisa aceitar a constipação como inevitável somente porque está grávida. Tente estas medidas para combater a congestão do cólon (e evitar hemorroidas, companheiras comuns da constipação, especialmente durante a gravidez):

Responda com fibras. Você — e seu cólon — precisam de 25 a 35 gramas de fibras diariamente. Mas não precisa contar. Foque em seleções ricas em fibras, como frutas (mas não bananas, que causam constipação) e vegetais frescos (crus ou ligeiramente cozidos e com a casca, sempre que possível), grãos integrais, legumes (feijões e ervilhas) e frutas secas ou liofilizadas. O verde também pode ajudar seu intestino a funcionar, não somente na forma de vegetais verdes, mas no sumarento e doce kiwi, uma frutinha que tem potente efeito laxante. Se jamais foi fã das fibras, acrescente esses alimentos à dieta gradualmente, ou seu trato digestivo pode protestar ruidosamente. (Mas, como a flatulência é uma queixa comum durante a gravidez, assim como um efeito colateral frequente — ainda que, em geral, temporário — de uma dieta recém-enriquecida com fibras, seu trato digestivo pode reclamar de qualquer modo, ao menos por algum tempo.)

Está realmente entupida? Tente adicionar farelo ou psílio a sua dieta, começando com uma pitadinha e aumentando conforme necessário. Mas não exagere com essas verdadeiras usinas de fibras, pois, enquanto se movem rapidamente por seu organismo, elas podem levar embora importantes nutrientes, antes que tenham a chance de ser absorvidos.

OUTRA RAZÃO PARA ESTAR CANSADA, MAL-HUMORADA E CONSTIPADA

Você tem estado cansada, mal-humorada e constipada ultimamente? Bem-vinda ao clube da gravidez. A explosão de hormônios gera esses irritantes sintomas nas futuras mães. Mas você sabia que hormônios da tireoide descontrolados podem causar (ou intensificar) esses mesmos sintomas, assim como muitos outros comuns durante a gestação, incluindo ganho excessivo de peso, problemas de pele (muito seca ou acneica), dor muscular, dor de cabeça, diminuição da libido, problemas de memória e concentração (aquela sensação de "névoa"), depressão e inchaço de mãos e pés? Como vários sintomas do distúrbio da tireoide se sobrepõem aos sintomas da gestação, é comum não diagnosticá-lo em gestantes. (Outro sintoma comum, a sensibilidade maior ao frio, é mais claro durante a gravidez, já que gestantes tendem a se sentir encaloradas, e não friorentas.) Mas o hipotireoidismo (ter poucos hormônios por causa de uma glândula preguiçosa), que afeta entre 2% e 3% das gestantes, pode surgir pela primeira vez durante a gestação ou no período pós-parto. E, como pode (se não tratado) levar a problemas gestacionais (assim como à depressão pós-parto; veja a p. 661), o diagnóstico e o tratamento adequados são vitais.

O hipertireoidismo (quando um excesso de hormônios é produzido por uma glândula hiperativa) é visto com menos frequência durante a gravidez, mas também pode causar complicações se não for tratado. Os sintomas do hipertireoidismo — muitos dos quais também são difíceis de distinguir dos sintomas da gravidez — incluem fadiga, insônia, irritabilidade, pele quente e sensibilidade ao calor, pulso acelerado e perda de peso (ou dificuldade para ganhar peso).

Se estiver experimentando algum ou todos os sintomas de hipo ou hipertireoidismo (especialmente se tiver histórico familiar de distúrbio da tireoide), fale com o médico. Um simples exame de sangue consegue determinar se você tem um problema na tireoide que precisa ser tratado.

Para saber mais sobre os distúrbios da tireoide durante a gravidez, veja a p. 73.

Resista aos refinados. Ao passo que alimentos ricos em fibras mantêm as coisas se movimentando, alimentos refinados podem congestioná-las. Fique longe dos alimentos refinados, como pão branco e arroz branco.

Afogue seu oponente. A constipação não tem chance contra uma grande ingestão de líquidos. A maioria deles — particularmente água e suco — é eficaz em amolecer as fezes e manter os alimentos se movendo ao longo do trato digestivo. Outra maneira consagrada pelo tempo de fazer as coisas fluírem é usar líquidos mornos, incluindo aquele favorito das clínicas de beleza, a água quente com limão siciliano. Eles favorecem a peristalse, as contrações intestinais que a ajudam a ir ao banheiro. Casos realmente difíceis podem se beneficiar do queridinho geriátrico, o suco de ameixa.

Não segure. Interromper regularmente os movimentos intestinais pode enfraquecer os músculos que os controlam e levar à constipação. O *timing* pode evitar esse problema. Por exemplo, tome seu café da manhã rico em fibras um pouco mais cedo que o usual, para ter vontade de ir ao banheiro antes de sair de casa em vez de quando estiver presa no trânsito.

Não exagere durante as refeições. Refeições costumam sobrecarregar o trato digestivo, levando a mais congestão. Opte por seis minirrefeições ao dia, em vez de três refeições grandes: você terá menos gases e inchaço.

Verifique suplementos e medicamentos. Ironicamente, muitos suplementos que fazem bem ao organismo da gestante (vitaminas pré-natais, cálcio e suplementos de ferro) também podem contribuir para a constipação. O mesmo vale para o melhor amigo da mulher grávida, o antiácido. Fale com o médico sobre alternativas, ajustes nas doses ou adoção de uma fórmula de liberação lenta. Também fale com ele sobre tomar um suplemento de magnésio para combater a constipação (tomá-lo à noite também pode relaxar músculos doloridos e ajudá-la a dormir melhor).

Seja pro. Probióticos ("bactérias boas") podem estimular as bactérias intestinais a metabolizar melhor os alimentos, ajudando o trato digestivo em seus esforços para manter as coisas em movimento. Aproveite os probióticos dos iogurtes e bebidas com iogurte que contêm culturas ativas. Você também pode pedir que o médico recomende um bom suplemento probiótico, em cápsulas, tabletes mastigáveis ou um pó que possa ser adicionado aos *smoothies*.

Movimente-se. Um corpo ativo encoraja intestinos ativos (mesmo uma caminhada acelerada de 10 minutos pode fazer com que as coisas se movam). Assim, faça a quantidade recomendada de exercícios aprovados pelo médico (p. 320). Um exercício essencial para combater a constipação: Kegel. Esses exercícios do assoalho pélvico podem fazer seus intestinos funcionarem com regularidade, se praticados regularmente (p. 312 para saber mais sobre os exercícios de Kegel).

Se a campanha anticonstipação não fizer com que as coisas se movimentem, fale com o médico. Ele pode prescrever um medicamento que aumenta o bolo fecal, para uso ocasional. Não use qualquer laxante (incluindo fitoterápicos e óleo de rícino), a menos que o médico recomende especificamente.

Falta de constipação

"Todas as minhas amigas grávidas parecem ter problemas com constipação. Eu não tenho — na verdade, estou indo ao banheiro mais que nunca. Meu organismo está funcionando direito?"

Parece que seu organismo não poderia estar melhor. É provável que sua eficiência digestiva se deva à alimentação saudável e ao hábito de se exercitar — afinal, consumir muitos alimentos ricos em fibras (como frutas, vegetais, grãos integrais e feijões), tomar muita água e permanecer (ou se tornar) ativa podem se combinar para combater a lentidão digestiva natural da gravidez e manter as coisas se movendo suavemente.

Às vezes, a adoção de hábitos alimentares mais saudáveis costuma temporariamente produzir demais de uma coisa boa, em termos de movimentos intestinais. É possível que a produção desacelere um pouco quando você se acostumar às fibras — assim como os gases resultantes —, mas você continuará "regular".

Se suas evacuações são muito frequentes (mais de três ao dia) ou aguadas, sanguinolentas ou de aspecto mucoso, fale com o médico. Durante a gravidez, esse tipo de diarreia pode requerer intervenção imediata.

Gases

"Estou me sentindo muito estufada e soltando puns o tempo todo. Ficarei assim durante toda a gravidez?"

Você está perguntando se ficará sem gás — e sem a insuportável vontade de soltá-los? Provavelmente não, já que a gravidez causa gases em praticamente todas as gestantes. Felizmente, embora a flatulência infinita possa ser infinitamente constrangedora para você (especialmente quando não há nenhum cachorro por perto para levar a culpa), não é um problema para o bebê. Confortável e seguro em um casulo uterino protegido de todos os lados pelo líquido amniótico absorvedor de impactos, seu pequenino provavelmente é acalentado pelo borbulhar e gorgolejar da música ambiental gástrica.

Mas o bebê não ficará feliz se a sensação de estufamento — que frequentemente piora no fim do dia e, sim, geralmente persiste durante toda a gravidez — evitar que você coma regularmente e bem. Para reduzir os sons e cheiros lá de baixo e garantir que sua ingestão nutricional não seja prejudicada, siga as seguintes medidas:

Permaneça regular. A constipação é uma causa comum de gases e distensão abdominal. Veja dicas na p. 254.

Mordisque, não se empanturre. Refeições grandes aumentam a distensão abdominal. Elas também sobrecarregam o sistema digestivo, que já não está em sua melhor forma durante a gravidez. Em vez de duas ou três refeições gigantes, belisque seis minirrefeições.

Não coma correndo. Quando come muito depressa, você engole tanto ar quanto alimentos. Esse ar forma dolorosas bolsas de gás em seu intestino, que tentarão escapar da única maneira que podem.

Mantenha a calma. Particularmente durante as refeições. O estresse pode fazer com que você engula ar, o que lhe dará um tanque cheio de gás. Respirar profundamente antes das refeições ajuda a relaxar.

Fique longe dos produtores de gás. Seu estômago dirá quais são. Os suspeitos mais comuns, além dos notórios grãos, são cebola, repolho, frituras, doces e bebidas gaseificadas.

Pegue leve com os remédios. Converse com o médico antes de tomar a medicação habitual contra gases (algumas são seguras, outras não são recomendadas) ou qualquer remédio, vendido nas farmácias regulares ou fitoterápicas. Tomar chá de camomila, no entanto, pode aliviar com segurança todos os tipos de indigestão causada pela gravidez. O mesmo vale para a água quente com limão siciliano, que pode reduzir os gases tão bem quanto qualquer medicamento.

Dor de cabeça

"Tenho muito mais dor de cabeça que antes. Posso tomar um remédio?"

A gravidez pode ser uma dor de cabeça — ou muitas. Especialmente quando você descobre que alguns remédios confiáveis são proibidos quando você está esperando um bebê (e, ironicamente, quando está tendo mais dor de cabeça que nunca).

Por que o aumento da dor de cabeça durante a gravidez, mesmo em mulheres que não a tinham antes? Os principais culpados (como você já adivinhou) são os hormônios. Outros gatilhos para a dor de cabeça incluem fadiga (que você sente o tempo todo quando está esperando), tensão (idem), queda do nível de glicose (ibidem), estresse físico ou emocional (também), congestão nasal (gestantes estão sempre com o nariz trancado), calor excessivo (você já entendeu...) ou uma combinação de tudo.

Embora seja incômoda, na vasta maioria dos casos a dor de cabeça durante a gravidez não é motivo de preocupação. Há muitas maneiras de contorná-la (e algumas são surpreendentemente efetivas, sem serem cápsulas). Em muitos casos, você será capaz de combinar a causa provável com a possível cura:

EVITANDO A DOR DE CABEÇA

A dor de cabeça da gravidez está incomodando? Que tal se livrar dela antes mesmo que comece? Veja estas dicas:

- Relaxe. A gravidez pode ser uma época de grande ansiedade e muitas dores de cabeça tensionais. Reduza seu nível de estresse e reduzirá as dores de cabeça. Tente fazer meditação ou yoga pré-natal para reencontrar a paz interior, mamãe.
- Descanse. A gravidez também pode ser uma época de extrema fadiga, particularmente no primeiro e no último trimestres. Fazer um esforço consciente para descansar mais pode reduzir as dores de cabeça ao mínimo. Mas cuide para não dormir demais, o que também pode causar dores de cabeça.
- Busque paz e silêncio. O barulho pode causar dor de cabeça, especialmente se você for ultrassensível a ele, como muitas gestantes são. Evite locais barulhentos (shoppings, festas ruidosas, restaurantes com acústica ruim). Se seu trabalho for muito barulhento, fale com seu chefe sobre reduzir o nível de ruído ou peça transferência para uma área mais silenciosa,

se possível. Em casa, mantenha a TV e a música em volume baixo (no carro também).
- Coma regularmente. Para evitar a dor de cabeça da fome, gerada pelo baixo nível de glicose, evite ficar com o tanque vazio. Tenha lanches energéticos (como *chips* de lentilha, barras de granola, oleaginosas e frutas liofilizadas) na bolsa, no porta-luvas e em sua gaveta no escritório, e sempre os mantenha à mão em casa.
- Não fique sufocada. Um cômodo superaquecido ou sem ventilação pode dar dor de cabeça em qualquer um, mas especialmente em uma gestante, que já é quente demais. Assim, tente não ficar sufocada, mas, se não puder evitar (faltam dois dias para o Natal e você precisa ir a um shopping superlotado — ou você trabalha em um), saia para uma caminhada e um pouco de ar fresco sempre que puder. Vista-se em camadas quando estiver indo a um lugar abafado, e mantenha-se confortável (e, com sorte, sem dor de cabeça) removendo camadas quando necessário. Está presa do lado de dentro? Tente ao menos abrir uma janela.
- Mude a luz. Separe um tempo para examinar seu ambiente, particularmente a iluminação, sob uma nova, bem... luz. Trocar para iluminação CFL ou LED e/ou para um cômodo com janelas pode ajudar — embora, a menos que você seja a chefe (ou responsável pela decoração), isso provavelmente não seja possível. Se estiver presa sob o brilho incandescente, faça intervalos do lado de fora sempre que der. Também faça intervalos do computador, laptop e tablet, pois muito tempo em frente à tela pode ser um portal para a dor de cabeça.
- Endireite as costas. Ficar muito tempo curvada quando está ao computador ou usando o tablet, seja visitando sites de utensílios para o bebê ou fazendo qualquer outro trabalho, pode levar à dor de cabeça. Assim, cuide da postura.

Para dores de cabeça tensionais e enxaquecas. Tente se deitar em um cômodo escuro e silencioso, com os olhos fechados. Se estiver no trabalho, mesmo alguns minutos com os pés para cima e os olhos fechados podem ajudar. Ou coloque uma bolsa de gelo ou compressa gelada na nuca por 20 minutos enquanto relaxa. Algumas abordagens da medicina alternativa — incluindo acupuntura, acupressão, *biofeedback* e mesmo um suplemento de magnésio (fale com o médico) — podem trazer alívio.

Para dores de cabeça de sinusite. Para acabar com a congestão que está gerando a dor, tente fazer inalação, ligar um umidificador de névoa fria, beber muito líquido e irrigar as passagens nasais regularmente com spray ou gotas de soro fisiológico. Para aliviar a dor, aplique compressas quentes e frias nos locais doloridos (frequentemente logo acima ou em torno dos olhos, bochechas e testa), alternando 30 segundos de cada em um total de 10 minutos, quatro vezes ao dia. Se tiver febre e/ou a dor continuar, converse com o médico para ver se a dor de cabeça não se deve a uma sinusite (comum durante a gravidez).

Para todas as dores de cabeça. Primeiro a má notícia: o ibuprofeno (Advil, Motrin) está proibido quando você está grávida. Agora, a boa notícia: o paracetamol (Tylenol) alivia a dor, e é considerado seguro para uso ocasional durante a gravidez (converse com o médico sobre recomendação e dosagem). Nunca tome qualquer medicação para a dor — vendida livremente, com receita ou fitoterápica — sem primeiro receber a autorização do médico.

Frequentemente, a melhor maneira de tratar uma dor de cabeça é tentar preveni-la (ver quadro da p. 259). Se uma dor de cabeça inexplicável persistir por mais de algumas horas, retornar muito frequentemente, for resultado de febre ou estiver acompanhada de distúrbios visuais ou inchaço severo das mãos e da face, notifique o médico imediatamente. O mesmo se tiver pela primeira vez o que suspeita ser uma enxaqueca.

Leia o tópico a seguir e alerte o médico sobre seus sintomas.

"Tenho enxaquecas, e ouvi dizer que elas são mais comuns durante a gravidez. É verdade?"

É uma questão de sorte: algumas futuras mamães descobrem que as enxaquecas são mais frequentes durante os nove meses de gravidez, ao passo que outras (as sortudas) descobrem que a mãe de todas as dores de cabeça ataca menos frequentemente. Para algumas, a gravidez altera os sintomas da enxaqueca (por exemplo, elas veem auras sem ter dor) e, para outras, não há mudanças. Não se sabe por que isso acontece e nem mesmo por que algumas pessoas têm enxaquecas recorrentes e outras jamais as têm.

Como teve enxaqueca no passado, discuta com o médico que medicamentos são aprovados durante a gravidez, para que você esteja preparada para lidar com essa dor de cabeça monstro quando ela atacar. Também pense em termos de prevenção. Se sabe o que gera uma crise, tente evitar o gatilho. O estresse é um gatilho comum, assim como chocolate, queijo e café. Tente determinar o que pode evitar um ataque com força total quando os sinais de alerta surgirem. Coisas que podem ajudar: lavar o rosto com água fria ou aplicar uma compressa fria ou bolsa de gelo, deitar-se em um cômodo escuro e silencioso por 2 ou 3 horas, com os olhos cobertos (cochilando, meditando ou ouvindo música) ou tentar técnicas da medicina alternativa como *biofeedback*, acupuntura ou suplemento de magnésio (se recomendado pelo médico).

Estrias

"Estou com medo de ter estrias. Elas podem ser evitadas?"

Ninguém gosta de estrias, especialmente na estação de mostrar a pele. Mesmo assim, não é fácil escapar delas durante a gestação. A maioria das mulheres grávidas desenvolve essas marcas rosadas ou avermelhadas (às vezes purpúreas), ligeiramente indentadas e às vezes acompanhadas de coceira nos seios, quadris e/ou abdômen em algum momento da gestação.

Estrias são causadas por minúsculas rupturas nas camadas de tecido sob a pele, quando ela se estica até o limite. Gestantes cuja pele têm boa elasticidade (porque a herdaram e/ou porque a conquistaram comendo bem, exercitando-se regularmente e evitando o efeito sanfona) podem passar por várias gestações sem uma única estria reveladora. Aliás, sua mãe pode ser sua melhor bola de cristal quando se trata de prever se você terá estrias: se ela passou pela gestação com a pele intacta, é possível acontecer o mesmo com você. Se ela tem estrias, você provavelmente também terá.

BODY ART PARA DOIS?

Está indo fazer uma tatuagem do tipo "mamãe sexy"? Pense bem antes de ir. Embora a tinta não penetre na corrente sanguínea, há risco de infecção sempre que uma agulha perfura sua pele, e por que correr esse risco quando você tem um bebê a bordo?

Eis algo mais em que pensar antes de fazer uma tatuagem para dois. O que parece simétrico em sua pele de gestante pode ficar assimétrico ou distorcido quando você retomar a forma de antes da gravidez. Assim, mantenha a pele sem marcas por enquanto e espere até ter desmamado para se expressar através da tatuagem.

Se já tem uma tatuagem, sem problemas — sente-se e a veja esticar. E não se preocupe com a tatuagem no fim das costas e como ela pode afetar a epidural que você espera fazer no dia do parto. Desde que a tinta esteja completamente seca e a ferida esteja cicatrizada, inserir a agulha da epidural através da tatuagem não será arriscado. Eis outra coisa com a qual não se preocupar: uma tatuagem cicatrizada em seu seio, mesmo que seja perto da aréola, não afetará o leite nem o aleitamento.

E quanto a usar hena como *body art* durante a gravidez? Como a hena é vegetal — e temporária —, provavelmente é segura. Mesmo assim, é prudente ter certos cuidados: assegure-se de que o artista use hena natural (que fica marrom-avermelhada na pele), e não o tipo que contém a potencialmente irritante parafenilenodiamina (que fica preta na pele), e verifique as referências dele (ou seja, não faça tatuagem em uma barraquinha de rua). Para ser extracautelosa (a melhor maneira de agir), converse com o médico antes de usar hena.

Também tenha em mente que a pele da gestante é extrassensível e, desse modo, há uma chance de que você tenha uma reação alérgica à hena, mesmo que a tenha aplicado antes sem nenhum incidente. Para testar sua reação, aplique um pouco de hena na pele e espere 24 horas para ter certeza de que não haverá nenhum sinal de irritação.

Você pode ser capaz de minimizar, senão prevenir, as estrias mantendo o ganho de peso constante, gradual e moderado (quanto mais rapidamente a pele estica, mais provável é que fique marcada). Melhorar a elasticidade da pele nutrindo-a com uma boa dieta (especialmente com alimentos ricos em vitamina C) também pode ajudar, mas fique longe dos suplementos de colágeno, pois não se estudou sua segurança durante a gestação (e não há provas de que sejam eficazes). E, embora nenhum preparado tópico tenha comprovadamente impedido que estrias criassem um zigue-zague na pele, não custa passar hidratantes seguros para gestantes, como a manteiga de coco ou karité. Mesmo sem provas científicas para apoiá-las, muitas mães juram que funcionam — e, no mínimo, evitarão o ressecamento e a coceira associados à pele distendida da gravidez.

Se desenvolver estrias (frequentemente chamadas de emblemas vermelhos da maternidade, embora um emblema que a maioria das mulheres preferiria não usar), você pode se consolar sabendo que elas esmaecerão gradualmente até adquirirem uma cor prateada alguns meses após o parto. Você também pode discutir com um dermatologista a possibilidade de reduzir a visibilidade pós-parto com terapia de *laser* ou retinol. Entrementes, tente portá-las com orgulho — ou, ao menos, como lembrete da recompensa em seu interior.

Ganho de peso do primeiro trimestre

"Estou chegando ao fim do primeiro trimestre, e surpresa por não ter ganhado nenhum peso."

Muitas gestantes têm problemas para engordar nas primeiras semanas, e algumas até perdem peso, cortesia do enjoo matinal e das aversões alimentares. Felizmente, a natureza está do lado do bebê, oferecendo proteção mesmo que esteja enjoada demais para comer (ou manter a comida no estômago). Fetos minúsculos têm necessidades nutricionais minúsculas, o que significa que não ter ganhado peso não terá qualquer efeito no crescimento ou desenvolvimento do bebê.

Mas não é assim no segundo trimestre. Conforme o bebê cresce e sua fábrica de fazer bebês acelera a produção, aumenta a demanda por calorias e nutrientes, e você terá de correr atrás do prejuízo, acumulando quilos em um ritmo constante (a menos que o médico tenha dito outra coisa). Felizmente, o apetite geralmente aumenta junto com as necessidades do bebê, o que significa que será fácil ganhar peso, mesmo que você não exagere na ingestão de calorias.

Assim, não se preocupe: é provável que a espera pelo ganho de peso termine logo e, até lá, seu bebê peso pena não se importe. Do quarto mês em diante, no entanto, comece a observar seu peso para ter certeza de que aumente na taxa apropriada (p. 246). Se continuar a ter problemas para ganhar peso, tente ingerir mais calorias (preferencialmente densas em nutrientes) através de uma alimentação eficiente (p. 129). Tente também comer um pouquinho mais a cada dia, acrescentando lanches mais frequentes. Se não conseguir comer bastante em uma refeição (o que, de qualquer modo, não é bom para o sistema digestivo das gestantes), faça seis refeições pequenas em vez de três grandes. Deixe as bebidas para depois das refeições, para que elas não prejudiquem o apetite. Consuma alimentos ricos em gorduras boas para o bebê (oleaginosas, sementes, abacate, azeite de oliva). Mas não tente ganhar peso acrescentando junk food a sua dieta. O ganho de peso através de calorias vazias pode ajudá-la a atingir seu objetivo, mas não será benéfico para o bebê.

MENINOS SÃO ASSIM MESMO

Está com fome, mãe? Ao chegar perto do segundo trimestre, você provavelmente notará que seu apetite (que pode ter perdido por volta da 6ª semana) começa a voltar. Mas, se estiver abrindo a porta da geladeira com a regularidade de um adolescente, você pode estar esperando um (ou, ao menos, um feto do sexo masculino que será um adolescente). As pesquisas mostram que mães de meninos tendem a comer mais que mães de meninas — o que pode explicar por que eles tendem a ser mais pesados ao nascer que elas. Eis (mais) algo em que pensar.

"Estou grávida de 11 semanas e fiquei chocada ao descobrir que já ganhei quase 6 quilos. O que devo fazer?"

Em primeiro lugar, não entre em pânico Muitas mulheres têm momentos "ops", quando sobem na balança ao fim do primeiro trimestre e descobre que ganharam 3, 4, 5 quilos ou mais. Às vezes, é porque interpretaram o "comer por dois" literalmente demais (você está comendo por dois, mas um de vocês é muito, muito pequeno), adorando a liberação dos doces após uma vida inteira de dieta. Às vezes, é porque alimentos altamente calóricos (sorvete, macarrão ou muito pão) proporcionaram alívio para a náusea.

De qualquer modo, nem tudo está perdido se você ganhou peso demais no primeiro trimestre. É verdade que não dá para reverter a balança ou distribuir esses três meses de ganho de peso pelos próximos seis. Seu bebê precisa de um fornecimento constante de nutrientes (especialmente no segundo e terceiro trimestres, quando crescerá muito), de modo que reduzir calorias agora não é um plano inteligente. Mas você pode tentar manter seu ganho de peso dentro dos limites durante o restante da gravidez — reduzindo sem interromper —, observando a balança (e o que você come) com mais cuidado.

Fale com o médico e estabeleça um objetivo de ganho de peso que seja seguro e razoável para os próximos dois trimestres. Mesmo que continue a ganhar 450 gramas por semana até o oitavo mês (na maioria dos casos, o ganho de peso desacelera ou se interrompe no nono mês), você terminará com somente alguns quilos além do limite recomendado (16 quilos). Confira a Dieta da Gravidez (capítulo 4) para saber como comer de modo saudável por dois sem terminar pesando por dois. Ganhar peso de modo eficiente, através de alimentos de alta qualidade, não somente a manterá dentro dos limites, como tornará o peso que você ganhou mais fácil de perder após o parto.

Sinais precoces
"Por que já pareço grávida se ainda estou no primeiro trimestre?"

Você tem muito mais a mostrar do que esperaria nesse primeiro trimestre? Como cada barriga é diferente, algumas permanecem chatas até o segundo trimestre, ao passo que outras aparecem na 6ª semana. Uma barriguinha precoce pode ser desconcertante ("Se estou desse tamanho agora, como ficarei daqui a alguns meses?"), mas também pode ser uma prova tangível e bem-vinda de que realmente há um bebê lá dentro.

Várias possibilidades podem explicar por que você já parece grávida tão cedo:

- Distensão abdominal. Excesso de gases e estômago inchado frequentemente estão por trás de uma barriguinha prematura. A distensão dos intestinos também pode contribuir, se você tem estado muito constipada.
- Quilos extras. É claro que se você vem ingerindo calorias extras, pode estar carregando quilos extras — e centímetros extras na cintura.

- Constituição pequena. Se você era magra ao engravidar, seu útero em crescimento pode não ter onde se esconder, criando volume mesmo quando ainda está relativamente pequeno.
- Menos massa muscular. Uma gestante com músculos abdominais frouxos pode ter uma barriguinha pronunciada mais rapidamente que uma gestante com um torso teso e tonificado. É por isso que as mulheres na segunda gestação tendem a ter barriga mais cedo: seus abdomens já foram esticados.

Sua barriguinha pode ser causada por múltiplos bebês? Não é provável. Gêmeos normalmente são revelados por ultrassons precoces, não barrigas precoces.

Batimentos cardíacos do bebê

"Minha amiga ouviu os batimentos cardíacos do bebê com um Doppler na 10ª semana. Estou uma semana na frente dela, mas meu médico ainda não ouviu o bebê."

O tum-tum dos batimentos cardíacos do bebê definitivamente é música para os ouvidos dos futuros pais — quando eles conseguem ouvir. Mesmo que você já tenha ouvido esse belo som em um ultrassom anterior (no ultrassom, os batimentos podem ser audíveis já entre a 6ª e a 8ª semanas), não há nada como ouvi-lo regularmente — como você provavelmente fará durante suas consultas mensais, via Doppler (um dispositivo portátil de ultrassom que amplifica o som com a ajuda de um gel especial passado em sua barriga).

Alguns pais e mães sortudos têm a chance mensal de se deleitar com essa doce música já a partir da 10ª semana, ao passo que outros têm de esperar um pouco mais. A posição do bebê pode ser a causa dos batimentos cardíacos inaudíveis, ou talvez a localização da placenta esteja abafando o som (às vezes, gordura extra faz o mesmo). Um ligeiro erro de cálculo quanto à data provável do parto também pode explicar por que o Doppler ainda não está captando os batimentos cardíacos do bebê.

CORAÇÃO DE MENINA (OU DE MENINO)

Será que os batimentos cardíacos podem dar uma pista sobre se é menina ou menino? Embora as antigas parteiras — e alguns médicos — há tempos digam que sim (uma taxa de batimentos acima de 140 promete uma menina; abaixo de 140, um menino), os estudos não mostram correlação entre a taxa de batimentos cardíacos fetais e o sexo do bebê. Pode ser divertido fazer previsões (você estará certa 50% do tempo, de qualquer modo), mas não escolha as cores do enxoval com base nelas.

Na 14ª semana, o som miraculoso dos batimentos cardíacos do bebê certamente estará disponível para seu deleite auditivo via Doppler. Se não estiver ou você se sentir muito ansiosa, o médico provavelmente fará um ultrassom para ver e ouvir o que o Doppler ainda não conseguiu.

Quando ouvir os batimentos, preste atenção. Sua taxa normal de batimentos costuma ficar abaixo de 100 batidas por minuto, mas a de seu bebê estará entre 110 e 160 no início e entre 120 e 160 no meio da gravidez. Mas não compare batimentos cardíacos fetais com os de suas colegas grávidas: cada coraçãozinho bate em seu próprio ritmo, e a taxa normal varia muito.

Por volta da 18ª ou 20ª semana, os batimentos cardíacos poderão ser ouvidos sem amplificação Doppler, com um estetoscópio normal.

DOPPLERS CASEIROS

Está tentada a comprar um daqueles "auscultadores" pré-natais baratos para ficar ligada nos batimentos cardíacos do bebê entre as consultas médicas? Ser capaz de monitorar a frequência cardíaca do bebê pode ser divertido e até ajudá-la a dormir melhor se você é naturalmente estressada. Mas preste atenção: embora esses dispositivos (e aplicativos) sejam considerados seguros, eles não são tão sofisticados quanto os usados pelo médico, e a maioria não é sensível o bastante para captar os tons cardíacos do feto antes do quinto mês de gravidez. Se usar um deles antes disso, é provável que só ouça silêncio — ou outros estalos, assobios e sibilos (do ar se movendo através do trato gastrointestinal ou do sangue fluindo nas artérias) — em vez de um batimento constante, o que pode aumentar desnecessariamente sua preocupação, em vez de diminuí-la.

Mesmo mais tarde na gestação, os Dopplers domésticos nem sempre captam o que você está esperando (a posição do bebê ou o ângulo ruim do dispositivo podem facilmente prejudicar a eficácia do Doppler caseiro, ou você pode captar o som do sangue fluindo pela placenta e confundi-lo com um batimento). Isso é especialmente verdadeiro no caso dos aplicativos (nos quais você usa o microfone do celular para ouvir sons intrauterinos): eles são notoriamente pouco confiáveis, mesmo durante o terceiro trimestre. E, se você conseguir encontrar os batimentos cardíacos do bebê, a maneira como os interpretará talvez não seja precisa (você pode não ser capaz de reconhecer mudanças na taxa ou ritmo que podem indicar um problema, por exemplo), ou as leituras talvez sejam diferentes o bastante daquelas a que está acostumada a receber durante

as consultas para gerar preocupação indevida.
Não consegue resistir à ideia de ter um auscultador próprio? Fale com o médico antes de fazer o pedido, especialmente porque a FDA os considera dispositivos "sob prescrição" que só devem ser usados sob supervisão de um profissional da área médica. E tenha em mente que você recebe aquilo pelo que pagou, e pode conseguir menos do que esperava.

Desejo sexual

"Desde que engravidei, sinto-me excitada o tempo todo e sempre quero mais sexo. É normal?"

Está sentindo calor sob a blusa (e sob aqueles jeans muito justos)? Seu botão de ação está sempre ligado? Sorte sua. Ao passo que algumas mulheres experimentam uma pausa abrupta da vida sexual no primeiro trimestre (com todos os sintomas iniciais da gestação chutando a libido para fora da cama), outras — como você — descobrem que quanto mais, melhor. Agradeça aos hormônios circulando por seu corpo, assim como ao aumento do fluxo sanguíneo na região pélvica (fazendo com que seus genitais pareçam fabulosamente distendidos e formigantes), por aumentar seu termostato sexual. Paralelamente, há aquelas novas curvas que surgiram em seu corpo e seios que parecem enormes, fazendo com que você se sinta uma mamãe muito sexy. Além disso, pode ser a primeira vez de sua vida sexual na qual você é capaz de fazer amor quando tem vontade, sem ter de estragar o momento correndo até o banheiro para inserir o diafragma ou calcular sua fertilidade com um previsor de ovulação. Esse excelente estado de coisas no âmbito sensual pode ser mais pronunciado durante o primeiro trimestre, quando a tempestade hormonal está no auge, ou pode continuar até o dia do parto.

Como seu maior apetite sexual é perfeitamente normal (assim como a ausência de desejo sexual), não se preocupe ou se sinta culpada. E não fique surpresa ou preocupada se seus orgasmos forem mais frequentes ou mais intensos que nunca (e, se está tendo orgasmos pela primeira vez, há ainda mais razões para celebrar). Desde que o médico tenha autorizado todas as formas de sexo (como costuma ser o caso), desfrute o momento com seu parceiro. Explore diferentes posições antes que a barriga torne muitas delas fisicamente impossíveis. E, acima de tudo, deleite-se com a possibilidade de estar a sós com seu parceiro enquanto isso é possível (e antes que sua libido seja muito provavelmente reduzida no pós-parto). Em outras palavras, aproveite enquanto pode. Para saber mais sobre sexo durante a gravidez, veja a p. 369.

PARA OS PAIS

A LIBIDO AGORA

O desejo sexual — seu e de sua parceira — passará por altos e baixos durante a gravidez. Eis algumas coisas inesperadas que você pode esperar quando está esperando... sexo:

Ela está excitada o tempo todo. Os rumores são verdadeiros: algumas mulheres realmente não se cansam de sexo quando estão grávidas. E por uma boa razão. Os genitais dela estão intumescidos de hormônios e sangue, deixando os nervos da região muito sensíveis. Outras partes também estão intumescidas (como você deve ter notado), incluindo seios e quadris, que podem fazer uma mulher se sentir mais feminina e mais cheia de sensualidade que nunca. Assim, esteja disponível sempre que ela tiver vontade de agarrá-lo. Sinta-se com sorte por ela querer agarrá-lo tantas vezes. Mas sempre siga os sinais que ela transmite, especialmente agora. Passe para a sedução se ela estiver disposta, mas não vá em frente sem sinal verde.

Embora algumas mulheres estejam no clima durante os nove meses, outras descobrem que a festa só começa no segundo trimestre... ou que o desejo diminui no terceiro. Esteja pronto para se acomodar à agenda sexual quando ela passar de superinteressada a desinteressada em 60 segundos. Também saiba que haverá alguns desafios logísticos no meio da gravidez, quando o corpo dela se modificar.

Ela nunca está no clima. Muitos fatores, tanto físicos quanto emocionais, podem afetar o desejo sexual. Pode ser que os sintomas da gravidez tenham destruído a libido dela (não é fácil se entregar ao momento quando você está ocupada devolvendo o almoço, incomodada por dores nas costas, tornozelos inchados e mamilos supersensíveis ou mal tem energia para se levantar), particularmente no desconfortável primeiro trimestre. Ou que ela tenha ficado tão desanimada com suas novas curvas quanto você está excitado com elas (o que você vê como um traseiro deliciosamente arredondado ela pode ver como uma bunda gorda). Ou que ela esteja preocupada com todas as coisas relacionadas ao bebê e/ou tendo dificuldades para conciliar os papéis de mãe e amante. Ou que — e isso acontece com muitas gestantes, mesmo as que normalmente são mais libidinosas — ela simplesmente não queira ser tocada. De jeito nenhum. Nenhum mesmo.

Quando ela não estiver no clima (mesmo que ela nunca esteja no clima), não leve para o lado pessoal. Tente, tente novamente mais tarde, mas sempre leve na esportiva enquanto espera que ela responda. Aceite os "agora não" e os "não pegue aí" com um sorriso compreensivo e um abraço (se ela estiver aberta ao toque) que mostre que você a ama mesmo quando não pode demonstrar da maneira que gostaria. Lembre-se: tem muita coisa passando pela cabeça (e pelo corpo) dela nesse momento, e é seguro dizer que suas necessidades sexuais não estão em primeiro plano. Assim, não force a agenda sexual, mas intensifique o romance, a comunicação e o carinho. Essas coisas não somente os aproximarão como, sendo um poderoso afrodisíaco para muitas mulheres, podem lhe dar o que você deseja. E não se esqueça de dizer a sua parceira, frequentemente, o quanto ela está sexy e atraente agora que está grávida. As mulheres podem ser intuitivas, mas não sabem ler mentes.

Você não está mais interessado. Há muitas boas razões para seu desejo sexual estar adormecido. Talvez você e sua esposa tenham trabalhado tão diligentemente para garantir a concepção que o sexo agora se pareça demais com trabalho duro. Talvez você esteja tão focado no bebê e em ser pai que seu lado sexual tenha ficado em segundo plano. Ou talvez esteja demorando para se acostumar às mudanças no corpo de sua esposa. Ou tema que o sexo possa machucá-la ou ao bebê (não vai). Ou talvez seja um bloqueio, pois você jamais fez amor com uma mãe antes (mesmo que essa mãe seja uma mulher com a qual você sempre amou fazer amor). Ou pode ser constrangimento: aproximar-se de sua parceira grávida pode significar aproximar-se desconfortavelmente do bebê durante uma atividade decididamente adulta (mesmo que o bebê esteja completamente alheio a tudo). As mudanças hormonais normais experimentadas pelos futuros pais também podem diminuir seu apetite sexual.

A falta de comunicação pode estar confundindo ainda mais esses sentimentos conflitantes: você acha que ela não está interessada e, inconscientemente, coloca sua vontade no gelo. Ela acha que você não está interessado e, então, ignora o desejo.

Tente focar menos na quantidade de sexo em seu relacionamento e mais na qualidade da intimidade entre vocês. Menos pode não ser mais, mas ainda assim é gratificante. Você pode até mesmo descobrir que intensificar os outros tipos de intimidade — ficar de mãos dadas, dar abraços inesperados, confidenciar seus sentimentos — o deixa mais no clima para o sexo. Tampouco se surpreenda se sua libido tiver um impulso quando vocês dois tiverem se ajustado às mudanças emocionais e físicas da gravidez.

Também é possível que sua desaceleração sexual continue pelos nove meses — e além deles. Afinal, mesmo casais que não se desgrudam durante a gravidez descobrem que sua vida sexual pode ser subitamente interrompida quando há um bebê na casa, ao menos nos primeiros meses. Tudo isso é natural e temporário.

Até lá, não deixe que os cuidados com seu bebê interfiram nos cuidados e na manutenção de seu relacionamento. Coloque o romance na mesa regularmente (e, já que está aí, coloque velas na mesa também, além de um jantar que você preparou enquanto ela estava cochilando). Surpreenda-a com flores ou uma camisola sexy (elas existem também para gestantes). Sugira um passeio à luz da lua ou dividir um chocolate quente aninhados no sofá. Partilhe seus sentimentos e encoraje-a a partilhar os dela. Mantenha um fluxo constante de abraços e beijos. Vocês dois permanecerão juntinhos enquanto esperam as coisas esquentarem novamente.

E ainda mais importante, conte para sua parceira que sua falta de libido não tem nenhuma relação com ela, física ou emocionalmente. Gestantes podem perder toda a autoconfiança quando se trata de sua imagem corporal, particularmente quando os quilos começam a se acumular. Deixá-la saber (frequentemente, através de palavras e gestos) que ela está mais atraente que nunca pode evitar que ela leve sua falta de interesse sexual para o lado pessoal.

Para mais dicas sobre sexo durante a gravidez, veja a p. 273.

"Todas as minhas amigas dizem ter sentido aumento do desejo sexual no início da gravidez. Por que eu não me sinto nem um pouco sexy?"

A gravidez é uma época de mudanças em muitos aspectos da vida, incluindo o sexual. Os hormônios, que, como você indubitavelmente notou, desempenham um papel nos altos e baixos emocionais também desempenham papel importante na sexualidade. Mas esses hormônios afetam cada mulher de maneira diferente, aumentando a temperatura para algumas e jogando água gelada em outras. Algumas mulheres que nunca tiveram um orgasmo ou muito apetite pelo sexo subitamente experimentam ambos pela primeira vez. Outras, acostumadas a serem sexualmente insaciáveis e chegarem facilmente ao orgasmo, descobrem que já não têm nenhuma libido e são difíceis de excitar — ou sequer querem ser tocadas. E, mesmo que os hormônios tenham ligado seu botão da paixão, os sintomas da gravidez (náusea, fadiga, seios dolorosamente sensíveis) podem se interpor entre você e o prazer. Essas mudanças na sexualidade podem ser excitantes, desconcertantes, provocadoras de culpa ou uma confusa combinação dos três. E são todas perfeitamente normais.

O mais importante é reconhecer que seu desejo sexual durante a gravidez — assim como o de seu parceiro — pode ser mais errático que erótico. Você pode se sentir sexy em um dia e nada sexy no dia seguinte. O entendimento mútuo e a comunicação ajudarão vocês a passar por isso, assim como o senso de humor. E lembre-se (e lembre a seu parceiro) que muitas mulheres que perderam essa maravilhosa energia no primeiro trimestre a recuperaram no segundo, em dobro. Assim, não fique surpresa se uma frente de calor se aproximar de seu quarto em breve. Até lá, você pode tentar as dicas da p. 377 para ajudar a esquentar as coisas.

Cólicas após o orgasmo

"Tenho cólicas após o orgasmo. É normal ou significa que algo está errado?"

Não se preocupe nem deixe de aproveitar o sexo. As cólicas (às vezes acompanhadas por dores na região lombar) — tanto durante quanto após o orgasmo — são comuns e inofensivas durante uma gestação de baixo risco. Sua causa pode ser física: uma combinação do aumento normal do fluxo sanguíneo para a área pélvica durante a gravidez, da igualmente normal congestão dos órgãos sexuais durante a excitação e o orgasmo e das contrações normais do útero após o orgasmo. Ou pode ser psicológica, um resultado do comum, mas infundado medo de machucar o bebê durante a relação sexual. Ou pode ser uma combinação de fatores físicos e psicológicos, já que a conexão mente-corpo é mais forte quando se trata de sexo.

Em outras palavras, as cólicas não são um sinal de que você está machucando o bebê enquanto se diverte. De fato, a menos que o médico tenha dito o contrário, é perfeitamente seguro misturar o prazer do sexo com a fabricação de bebês. Se as cólicas incomodam, peça que seu parceiro faça uma leve massagem na área lombar. Isso pode aliviar tanto as cólicas quanto qualquer tensão que as esteja causando. Algumas mulheres também sentem câimbras nas pernas depois do sexo; veja na p. 394 dicas sobre como lidar com elas.

TUDO SOBRE:
Gravidez no trabalho

Se está grávida, você já tem um trabalho difícil pela frente. Acrescente o emprego em tempo integral ao emprego em tempo integral de fabricar um bebê e sua carga de trabalho duplica. Conciliar tudo — consultas médicas e reuniões com clientes, idas ao banheiro e idas à sala de conferências, enjoo matinal e almoços de negócios, contar a sua melhor amiga na contabilidade (que ficará excitada por você) e contar a seu chefe (que pode não ficar), permanecer saudável, motivada e bem-sucedida, preparar-se para a chegada do bebê e preparar-se para a licença-maternidade — pode ser um desafio das nove às cinco que a mantém fazendo hora extra. Esta seção pode ajudar a futura mamãe a navegar pelas turbulências à frente.

Quando contar ao chefe

Está se perguntando quando se aproximar da mesa do chefe e contar sobre a gravidez? Não existe um momento universalmente perfeito (embora seja seguro dizer que você deve fazer isso antes que a barriga se torne grande demais para passar despercebida). Isso dependerá muito da política da empresa em relação à família. E dependerá mais ainda de suas sensações (físicas e emocionais). Eis alguns fatores a se considerar:

Como você se sente e se a gravidez é aparente ou não. Se o enjoo matinal faz com que você passe mais tempo no vaso sanitário que em sua mesa, se a fadiga do primeiro trimestre faz com que mal consiga tirar a cabeça do travesseiro pela manhã ou se você já tem uma barriga grande demais para atribuir ao café da manhã, provavelmente não será capaz de manter o segredo por muito tempo. Nesse caso, faz mais sentido contar do que esperar que o chefe (e o restante do escritório) chegue às suas próprias conclusões. Se, em contrapartida, você se sente bem e ainda consegue fechar o zíper com facilidade, pode ser capaz de adiar o anúncio até mais tarde.

O tipo de trabalho que você faz. Se trabalha em condições ou com substâncias que podem ser danosas para a gravidez ou o bebê, você precisa dar a notícia — e pedir uma transferência ou mudança de tarefas, se for viável — o mais rapidamente possível.

Como vão as coisas no trabalho. Uma mulher anunciando sua gravidez no trabalho pode, infeliz e injustamente, acender muitas luzes vermelhas, incluindo "Ela ainda terá energia para produzir estando grávida?", "A cabeça dela estará no trabalho ou no bebê?" e "Ela vai nos deixar na mão?". Você pode eliminar algumas dessas preocupações dando a notícia logo após terminar um relatório, fechar um negócio, bater um recorde de vendas, apresentar uma grande ideia ou provar, de alguma outra maneira, que pode estar grávida e se manter produtiva.

Se há avaliações programadas. Se teme que a notícia possa influenciar o resultado de uma revisão de desempenho ou salário, espere pelo resultado antes de dá-la. Saiba que pode ser difícil provar que você foi preterida em uma promoção ou aumento com base somente no fato de que está grávida (e em breve será profissional e mãe, não necessariamente nessa ordem).

OS DIREITOS DA PROFISSIONAL GESTANTE

Há muito espaço para melhora no espaço de trabalho americano quando se trata de famílias e suas necessidades — aliás, os EUA são um dos pouquíssimos países do mundo sem licença-maternidade obrigatória. Embora as políticas individuais sobre os direitos da gestante ou mãe variem de uma empresa para outra, eis as leis federais:

• Lei contra a Discriminação da Gestação de 1978. Essa lei proíbe discriminação com base na gravidez, parto ou condições médicas relacionadas. Sob ela, os empregadores devem tratá-la como tratariam qualquer funcionário com incapacidade médica. Mas ela não a protege se você não for capaz de fazer o que foi contratada para fazer nem exige que seja transferida para uma posição fisicamente menos exigente enquanto está grávida.

É considerado discriminatório — e ilegal — preterir uma mulher para uma promoção ou cargo ou demiti-la unicamente com base na gravidez. Mas esse tipo de discriminação, como todos os outros tipos, pode ser difícil de provar. Queixas de discriminação contra gestantes podem ser feitas à Comissão de Iguais Oportunidades de Emprego (EEOC) em eeoc.gov.

• A Lei de Licença Médica e Familiar de 1993. Todas as agências públicas e empresas do setor privado que empregam ao menos cinquenta funcionários em um raio de 120 quilômetros uns dos outros estão sujeitas a essa lei. Se está empregada em uma empresa assim há ao menos um ano (tendo trabalhado ao menos 1.250 horas durante o ano), você tem direito a até doze semanas de licença-maternidade sem remuneração (a licença também pode ser usada para cuidar de filhos ou familiares doentes) a cada ano empregada. Com exceção de complicações imprevistas ou parto prematuro, você deve notificar o empregador trinta dias antes. Durante a licença, você continua a ter direito a todos os benefícios (incluindo seguro-saúde) e, ao retornar, deve ser colocada em uma posição equivalente, com o mesmo salário e os mesmos benefícios. Também tenha em mente que você tem direito a usar parte da licença durante a gravidez se não se sentir bem. Em alguns casos, as empresas conseguem excluir do escopo da lei as mulheres consideradas funcionárias-chave — aquelas das quais a empresa não pode se privar durante doze semanas e que estão na faixa superior de remuneração.

A Divisão de Salários e Horas do Departamento do trabalho pode oferecer mais informações sobre a lei. Para mais ajuda, contate-a em dol.gov.

- Leis estaduais e locais. Algumas leis estaduais e locais oferecem proteção adicional contra a discriminação. Alguns estados e empresas maiores também oferecem "seguro contra a incapacidade temporária", que permite o pagamento de parte do salário durante as incapacidades médicas, incluindo gestação. Três estados (Califórnia, Nova Jersey e Rhode Island) oferecem entre quatro e seis semanas de licença remunerada — embora não integralmente — para cuidar do novo bebê ou de um familiar seriamente doente.

Não gosta do que está lendo sobre seus direitos como profissional e gestante que está prestes a se tornar profissional e mãe? Use as redes sociais e seus votos para gerar mobilização sobre a questão. E pense em apoiar empresas que voluntariamente oferecem um período substancial de licença remunerada para seus funcionários, às vezes tanto para pais quanto para mães.

No Brasil, há leis que protegem as mulheres antes, durante e depois da gravidez. De acordo com a legislação trabalhista, a mulher está amparada antes mesmo de ser contratada por uma empresa, ficando vedadas as seguintes práticas discriminatórias: a exigência de teste, exame, perícia, laudo, atestado, declaração ou qualquer outro procedimento relativo à esterilização ou a estado de gravidez.

Durante a gravidez, a legislação garante a estabilidade provisória, vedando a dispensa arbitrária ou sem justa causa da empregada gestante, desde a confirmação da gravidez até cinco meses após o parto. Dependendo do estado de saúde da gestante, ela pode mudar de função dentro da empresa sem a alteração do salário e dos direitos garantidos; ao retornar da licença-maternidade, ela tem assegurada sua função anterior. Se a gravidez for de alto risco e exigir repouso absoluto por mais de quinze dias, a empregada gestante pode pedir afastamento e receber o auxílio-doença pelo INSS, se a condição de risco for comprovada por laudo médico. Além disso, a trabalhadora tem direito à dispensa do horário de trabalho, pelo tempo necessário, para consultas médicas, para pelo menos seis consultas médicas e exames complementares.

A legislação também garante a licença-maternidade de 120 dias, podendo ser requerida à empresa pela gestante 28 dias antes do parto. Se a empresa participar do Programa Empresa Cidadã, o período da licença-maternidade pode ser estendido para 180 dias. A licença-maternidade é garantida também para mães adotivas e funcionárias públicas. Vale ressaltar ainda que, durante a licença-maternidade, estão garantidos os salários e todos os direitos trabalhistas, como a contagem de tempo de serviço para cálculo de férias, décimo terceiro salário e fundo de garantia (FGTS).

O nível de fofocas. Se a fofoca é um dos principais produtos de sua empresa, seja especialmente cautelosa. Se os rumores chegarem ao chefe antes de seu anúncio, você terá de lidar com questões de confiança além de todas as questões relacionadas à gravidez. Assegure-se de que seu chefe seja o primeiro a saber — ou, ao menos, que aqueles a quem você contar primeiro sejam confiáveis.

Qual é o quociente de aceitação de famílias. Tente avaliar a atitude de seu empregador em relação à gravidez e à família se não souber qual é. Pergunte a colegas que já trilharam esse caminho, se houver algum (mas seja discreta). Confira as políticas de licença-maternidade. Ou faça uma reunião confidencial com alguém do departamento de recursos humanos ou a pessoa encarregada dos benefícios. Se a empresa tiver um histórico de apoiar mães e futuras mães, você talvez possa dar a notícia antes. De qualquer modo, saberá melhor o que está enfrentando.

Fazendo o anúncio

Quando decidir dar a notícia, você pode tomar alguns cuidados para garantir que ela será bem recebida:

Prepare-se. Antes de dar a notícia, faça uma pesquisa. Aprenda tudo que precisa saber sobre a política de licença-maternidade de seu empregador (ou a ausência de uma). Algumas empresas oferecem licença remunerada, outras, sem remuneração. Outras ainda permitem que você use seus dias de ausência por motivo de doença como parte da licença. No Brasil, a legislação garante a licença-maternidade para todas as mulheres empregadas.

Conheça seus direitos. Gestantes — e pais em geral — têm menos direitos nos EUA que em praticamente qualquer outro lugar do mundo. Mesmo assim, alguns passinhos foram dados em benefício das profissionais gestantes (veja o quadro da p. 274). Outros grandes passos — incluindo licença remunerada para mães e pais — foram dados voluntariamente por empresas que valorizam as famílias e possuem boa visão de futuro.

Faça um plano. A eficiência sempre é apreciada no trabalho, e estar preparada invariavelmente causa boa impressão. Antes de dar a notícia, prepare um plano detalhado que inclua quanto tempo você permanecerá trabalhando (caso não haja nenhuma complicação imprevista), o quanto vai durar sua licença-maternidade, como você terminará seus projetos antes de entrar de licença e como pretende que os projetos não terminados sejam encaminhados a colegas. Se, no início, gostaria de voltar a trabalhar somente em tempo parcial, diga isso agora. Detalhar o plano por escrito garantirá que você não se esqueça de nada e pode render pontos extras por sua eficiência.

Marque hora. Não tente falar com seu chefe quando vocês estiverem a caminho de uma reunião ou no fim do expediente na sexta-feira. Marque um horário para conversar, a fim de que ninguém esteja distraído ou com pressa. Tente marcar no dia e período menos estressantes do escritório. E adie se, subitamente, as coisas ficarem tensas.

O MALABARISMO

Mesmo que você ainda não tenha crianças em casa, continuar a trabalhar enquanto está grávida exigirá que você pratique a fina arte de equilibrar trabalho e família (ou, ao menos, futura família). Especialmente durante o primeiro e o último trimestres, quando os sintomas da gravidez podem sobrecarregá-la e as distrações da gravidez podem competir por sua atenção, esse malabarismo pode ser exaustivo e às vezes devastador — em outras palavras, uma boa preparação para os anos de emprego e maternidade que você tem pela frente. Essas dicas não tornarão mais fácil esses dois trabalhos simultâneos, mas podem ajudá-la a conciliar a vida profissional com a vida como gestante:

- Agenda esperta. Marque hora para consultas, ultrassons, exames de sangue, testes de glicose e outros procedimentos antes do horário de trabalho (você pode estar muito cansada ao fim do expediente) ou durante o almoço. Se precisar deixar o trabalho no meio do dia, explique ao chefe que você tem uma consulta e mantenha um registro delas (no caso de alguém a acusar de estar fazendo corpo mole). Se necessário, peça que o médico assine um atestado e o entregue a seu empregador ou alguém do departamento de recursos humanos.
- Lembre-se de não esquecer. Se seus neurônios parecem estar caindo como moscas, culpe os hormônios — e comece a tomar precauções para que sua memória prejudicada pela gravidez não cause problemas no trabalho. Para garantir que não se esquecerá de uma reunião, almoço ou telefonema com hora marcada, faça listas, programe lembretes, cole bilhetinhos adesivos por toda parte e mantenha seu smartphone ou tablet sempre à mão (se conseguir lembrar onde os deixou).

- Conheça seus limites e pare antes de chegar a eles. Agora não é hora de se oferecer para assumir projetos ou fazer horas extras, a menos que seja absolutamente necessário. Foque no que precisa — e pode, realisticamente — ser feito sem se exaurir. Para não se sentir sobrecarregada, complete uma tarefa de cada vez.
- Diga sim. Se seus colegas se oferecerem para ajudar quando você não estiver se sentindo bem, não hesite em aceitar essa gentileza (talvez você possa retribuir o favor algum dia). Caso seja uma microgerenciadora, chegou a hora de aprender a delegar.
- Recarregue quando necessário. Quando se sentir emocionalmente sobrecarregada, e você se sentirá (um grampeador que não funciona pode fazê-la chorar quando está grávida), dê uma caminhada rápida, vá ao banheiro ou respire fundo para clarear as ideias. Mantenha uma bolinha contra estresse por perto, para apertar quando necessário.
- Manifeste-se. Além de ser somente humana, você está grávida. O que significa que não pode fazer tudo ao mesmo tempo e bem — especialmente quando se sente um lixo, como às vezes se sentirá. Se mal consegue tirar a cabeça do travesseiro (ou sair do banheiro por mais de 5 minutos) e tem uma pilha de coisas em sua mesa ou um prazo importante, não entre em pânico. Diga a seu chefe que precisa de mais tempo ou mais ajuda. E não se recrimine nem permita que alguém a recrimine. Você não é preguiçosa nem incompetente; você está produzindo um bebê, e esse é o trabalho mais difícil de todos.

Enfatize o lado positivo. Não comece o anúncio com desculpas ou temores. Deixe que seu chefe perceba que você está feliz com a gravidez, confiante em sua habilidade e comprometida com seu plano de conciliar trabalho e família.

Seja flexível (mas não subserviente). Prepare seu plano e o apresente para discussão. E então esteja pronta para fazer concessões (assegure-se de haver espaço para negociação em seu plano), mas não para recuar completamente. Estabeleça um limite realista e se atenha a ele.

Escreva tudo. Depois de determinar os detalhes de seu protocolo de gestação e de sua licença-maternidade, confirme tudo por escrito, para que não haja confusão ou mal-entendidos mais tarde (como em "Eu nunca disse que...").

Nunca subestime o poder dos pais. Se sua empresa não é tão favorável às famílias quanto você gostaria, pense em unir forças e pedir mais benefícios parentais. Assegurar-se de que concessões similares sejam feitas a funcionários que precisam se afastar do trabalho para cuidar de cônjuges ou pais doentes pode reunir, em vez de dividir, a empresa em torno da causa. No Brasil, a legislação garante a licença-paternidade de cinco dias, a contar a partir do dia do nascimento do bebê. Se a empresa participar do Programa Empresa Cidadã, a licença pode ser estendida para quinze dias.

Confortável no trabalho

Entre a náusea e a fadiga, dores nas costas e na cabeça, tornozelos inchados e bexiga cheia, é difícil para qualquer gestante ter um dia completamente confortável. Coloque-a em uma mesa ou de pé o dia inteiro sobre seus pés inchados e você terá ainda mais desconforto. Para permanecer tão confortável quanto possível no trabalho quando está esperando, tente estas dicas:
- Vista-se para o sucesso e para o conforto. Evite roupas, meias e botas apertadas e restritivas que possam prejudicar a circulação, além de saltos altos ou finos demais (saltos grossos de 5 centímetros, plataformas baixas e rasteiras com apoio para o arco do pé funcionam melhor). O uso de meias-calças para gestantes evita ou minimiza vários sintomas, do inchaço às veias varicosas, e pode ser especialmente importante se você passa grande parte do dia em pé. Ao ficar maior e mais dolorida, você pode descobrir que o suporte ou cinta para gestante é seu acessório favorito.
- Preste atenção ao clima — dentro de você. Qualquer que seja o clima em sua cidade (ou escritório), quando está grávida, a previsão é de grande amplitude em sua temperatura corporal. Suando em um minuto e congelando no seguinte, você precisará adotar o *look* em camadas — e ter uma camada pronta para qualquer situação. Está pensando em usar uma blusa de lã de gola alta para enfrentar o dia enregelante? Não faça isso, a menos que tenha uma blusinha leve por baixo que possa retirar quando a onda de calor causada pelos hormônios começar a queimá-la por dentro. E, mesmo que sinta calor usando somente uma camiseta, guarde um suéter na gaveta ou no armário. Sua temperatura corporal irá variar muito, muito rapidamente, nesses dias.
- Poupe os pés — ao menos tanto quanto possível. Se seu trabalho exige que você fique em pé por longos períodos, faça pausas para se sentar ou caminhar. Se possível, mantenha um pé sobre um banquinho, com o joelho flexionado, enquanto está em pé, para tirar parte da pressão sobre as costas. Alterne os pés regularmente e os flexione de tempos em tempos.

TRABALHANDO COM A SÍNDROME DO TÚNEL DO CARPO

Se você passa o dia (e talvez a noite) metralhando um teclado, pode já estar familiarizada com os sintomas da síndrome do túnel do carpo (STC). Uma conhecida doença do trabalho, a STC causa dor, formigamento e amortecimento das mãos e atinge mais frequentemente os que passam muito tempo fazendo tarefas repetitivas (digitando, inserindo números, trabalhando com um smartphone). O que você pode não saber é que a STC afeta a maioria das gestantes. Mesmo futuras mamães que raramente tocam em um teclado são suscetíveis, graças aos tecidos corporais inchados que pressionam os nervos. A boa notícia é que a síndrome do túnel do carpo não é perigosa, somente desconfortável, especialmente para trabalhar. Ainda melhor, você pode tentar várias soluções até ver a luz no fim do túnel do carpo:

- Erga a cadeira do escritório para que seus punhos estejam retos, e suas mãos, mais baixas que os cotovelos ao digitar.
- Passe para um teclado ergonômico (com descanso para os punhos) e um mouse com apoio.
- Use munhequeira para digitação.
- Faça pausas frequentes do computador.
- Use dispositivos que liberem suas mãos se ficar muito tempo ao telefone.
- À noite, mergulhe as mãos em água fria para reduzir qualquer inchaço.
- Pergunte ao médico sobre outras soluções, incluindo suplemento de vitamina B6, acupuntura ou analgésicos.

Para mais dicas, veja a p. 394.

- Coloque os pés para cima. Encontre uma caixa, banquinho ou outro objeto estável sobre o qual apoiar discretamente seus pés exaustos sob a mesa (veja ilustração na p. 343).
- Faça pausas. Frequentemente. Levante-se e caminhe se estava sentada, sente-se com os pés para cima se estava em pé. Se houver um sofá e um espaço em sua agenda, deite-se por alguns minutos. Faça alongamento, especialmente para as costas, pernas e pescoço. Ao menos uma vez (ou mesmo duas vezes) por hora, faça este alongamento de 30 segundos: levante-se, erga os braços acima da cabeça, una os dedos com as palmas para cima e estique. Em seguida, coloque as mãos sobre a mesa, afaste-se um pouco e alongue as costas. Sen-

te-se e faça movimentos giratórios com os pés em ambas as direções. Se conseguir se inclinar e tocar os dedos dos pés — mesmo que sentada —, faça isso para relaxar a tensão no pescoço e nos ombros. (Procurando mais exercícios? O DVD *What to Expect When You're Expecting: The Workout* tem muitos deles.)
- Ajuste a cadeira. As costas doem? Acrescente uma almofada lombar para ter mais apoio. As nádegas doem? Coloque um travesseiro macio no assento. Os quadris incomodam? Levante-se e dê algumas voltas ao menos uma vez a cada hora, se não mais. Se sua cadeira é reclinável, considere reclinar o encosto para criar mais (e mais!) espaço entre sua barriga e a mesa. E, se precisar de mais apoio para a barriga, pense em uma faixa.
- Vá até o bebedouro. Não somente para saber as últimas fofocas do escritório, mas para encher frequentemente o copo. Ou mantenha uma garrafa na mesa. Beber água evita muitos sintomas incômodos da gravidez, incluindo inchaço excessivo, e previne infecções do trato urinário.
- Não segure. Esvaziar a bexiga sempre que necessário (mas ao menos a cada 2 horas) também ajuda a evitar infecções do trato urinário. Eis uma boa estratégia: planeje urinar mais ou menos a cada hora, quer precise ou não. Você se sentirá melhor se não chegar ao ponto de explodir.
- Reserve um tempo para o estômago. A descrição de cargo de toda gestante inclui alimentar o bebê regularmente, qualquer que seja sua agenda profissional. Assim, planeje para isso, abrindo espaço mesmo nos dias mais ocupados para três refeições e ao menos dois lanches (ou seis minirrefeições). Agendar almoços de trabalho pode ajudar. Assim como manter um estoque de lanches nutritivos em sua mesa e na geladeira do escritório, se houver uma. Volte a usar sacolas de papel pardo ou embale seu almoço e minirrefeições em vasilhames fáceis de carregar. Assim, você será capaz de manter o bebê alimentado mesmo quando o tempo não estiver do seu lado.
- Mantenha o olho na balança. Assegure-se de que o estresse profissional — ou a alimentação errática — não a impeça de ganhar peso suficiente ou contribua para que acumule quilos demais (como pode acontecer com as pessoas que comem para aliviar o estresse, especialmente se trabalharem perto de uma máquina automática).
- Carregue uma escova de dentes. Se estiver sofrendo com o enjoo matinal, escovar os dentes pode protegê-los entre as crises de vômito, além de refrescar seu hálito quando necessário. O enxaguante bucal também é uma adição bem-vinda à equipe de refrescamento do hálito, e ajuda a secar uma boca cheia de saliva excessiva (babar e engasgar são comuns no primeiro trimestre e podem ser ainda mais constrangedores no trabalho).

- Erga peso com cuidado. Se precisar carregar peso, faça isso da maneira adequada, sem forçar as costas (p. 344).
- Cuidado com o que respira. Fique longe de áreas cheias de fumaça, até mesmo áreas externas nas quais os fumantes fazem suas pausas. Fumar de maneira passiva é ruim para você e para o bebê e pode aumentar a fadiga.
- Relaxe, mamãe, relaxe. Estresse demais não é bom nem para você nem para o bebê. Tente usar as pausas para relaxar o máximo que puder: ouça música ou um aplicativo de sons da natureza, feche os olhos e medite, faça alongamentos ou dê um passeio de 5 minutos em volta do prédio.
- Ouça seu corpo. Tente diminuir o ritmo se estiver se sentindo cansada.

Segurança no trabalho

A maioria dos empregos é completamente compatível com a tarefa de fazer um bebê, o que é uma excelente notícia para os milhões de gestantes que precisam trabalhar em tempo integral em ambas as ocupações. Mesmo assim, alguns empregos obviamente são mais seguros e adequados que outros. A maioria dos problemas pode ser evitada com as precauções corretas ou modificações das tarefas (fale com o médico sobre outras recomendações profissionais em seu caso):

Trabalho de escritório. Qualquer um que trabalhe em escritório sabe a dor de pescoços duros, costas doloridas e dores de cabeça que podem fazem com que a mulher grávida se sinta ainda mais desconfortável. Nenhum dano é causado ao bebê, mas muito é exigido do corpo da gestante. Se você passa muito tempo sentada, levante-se, alongue-se e afaste-se da mesa frequentemente. Alongue braços, pescoço e ombros sentada na cadeira, coloque os pés para cima em uma caixa ou banquinho baixos para reduzir o inchaço e apoie as costas com uma almofada.

E quanto à segurança do computador? Felizmente, os monitores não são um risco para gestantes, nem os laptops. Mais preocupante é a variedade de desconfortos físicos, incluindo tensão nos punhos e braços, tontura e dor de cabeça, que podem resultar de muito tempo passado em frente ao computador. Para dores menores, use uma cadeira com ajuste de altura e um encosto que apoie a região lombar. Ajuste o monitor para uma altura confortável: o topo deve estar no nível dos olhos e a mais ou menos um braço de distância. Use um teclado ergonômico, projetado para reduzir o risco de síndrome do túnel do carpo (veja o quadro da p. 280), se possível, e/ou um descanso para os punhos. Ao colocar as mãos no teclado, elas devem estar mais baixas que os cotovelos e seus antebraços devem estar paralelos ao chão.

SILÊNCIO, POR FAVOR

Por volta das 24 semanas, os ouvidos externo, médio e interno do bebê estão bem desenvolvidos. Entre a 27ª e a 30ª semana, eles estão maduros o suficiente para começar a responder aos sons que chegam ao útero. Os sons são abafados, é claro, e não somente pela barreira física do líquido amniótico e de seu próprio corpo. Em sua casa cheia de fluidos, os tímpanos e os ouvidos médios do bebê não podem fazer seu trabalho normal de amplificar os sons. Assim, mesmo sons muito altos não o serão para ele.

Mesmo assim, como o ruído é um dos mais prevalentes riscos ocupacionais e pode causar perda da audição naqueles expostos a ele regularmente, seja cautelosa quando se tratar de ruídos excessivos durante a gravidez. Os estudos sugerem que a exposição prolongada e repetida a ruídos muito altos aumenta as chances de perda de audição por parte do bebê, especialmente em frequências mais baixas. Essa prolongada exposição aos ruídos — digamos, jornadas diárias de 8 horas em um ambiente industrial no qual o nível de ruído é maior que 90 ou 100 decibéis (mais ou menos o mesmo que ficar ao lado de um cortador de grama barulhento ou uma serra elétrica) — também pode aumentar o risco de parto prematuro ou baixo peso ao nascer. Exposição breve, mas repetida a sons extremamente intensos, de 150 ou 155 decibéis (como ficar ao lado da turbina de um avião) pode causar problemas similares. Em geral, é melhor evitar mais que 8 horas de exposição contínua a ruídos mais altos que 85 ou 90 decibéis (como um cortador de grama ou o tráfego de caminhões) ou mais que 2 horas diárias de exposição a ruídos mais altos que 100 decibéis (como uma serra elétrica ou uma britadeira).

Mais pesquisas precisam ser feitas, mas, entrementes, as gestantes que trabalham em ambientes extremamente ruidosos — como um clube no qual se toca música alta, no metrô ou em uma fábrica na qual protetores de ouvido são exigidos (você não pode usá-los no feto) — ou estão expostas a vibrações pesadas devem ser cautelosas e buscar uma transferência temporária ou um novo emprego. E tente evitar exposição prolongada a ruídos muito altos em sua vida cotidiana: não reserve os assentos da frente em um show, diminua o volume do som do carro e use fones de ouvido em vez de aumentar o volume da música quando estiver passando o aspirador.

Área de saúde. Permanecer saudável é a prioridade de todo profissional de saúde, mas é ainda mais importante quando você permanece saudável por dois. Entre os potenciais riscos dos quais precisará se proteger estão as substâncias químicas (como óxido de etileno e formaldeído) usadas para esterilizar equipamentos, alguns medicamentos contra o câncer, infecções (como hepatite B e HIV) e radiação ionizante. A maioria dos técnicos trabalhando com baixas doses de raios x para diagnósticos não se expõe a níveis perigosos de radiação. Mesmo assim, recomenda-se que mulheres em idade fértil trabalhando com altas doses de radiação usem um dispositivo especial que registra a exposição diária, para garantir que a exposição cumulativa anual não exceda os níveis de segurança (a maioria dos profissionais de saúde usa esses rastreadores de exposição, de qualquer modo).

Dependendo do risco particular a que você está exposta, talvez seja recomendável seguir as orientações de segurança do Instituto Nacional de Saúde e Segurança Ocupacional (ver quadro da p. 285) ou passar para tarefas mais seguras por enquanto, se possível. No Brasil, é de competência do Ministério do Trabalho classificar e aprovar as atividades consideradas insalubres, bem como estabelecer limites, meios de proteção da saúde do trabalhador e outras questões relativas à insalubridade.

Manufatura. Se você trabalha em uma fábrica e opera máquinas pesadas ou perigosas, fale com seu chefe sobre uma mudança de tarefas enquanto está grávida. Você também pode contatar o fabricante (peça para falar com o diretor médico corporativo) para ter mais informações sobre a segurança do maquinário. O quanto as condições em uma fábrica são seguras depende do que está sendo fabricado e, em certa extensão, do quanto as pessoas na direção são responsáveis. A Administração de Saúde e Segurança Ocupacional lista várias substâncias que gestantes devem evitar no ambiente de trabalho. Naqueles em que os protocolos de segurança adequados foram implementados, a exposição a tais toxinas pode ser evitada. Seu sindicato ou outra organização trabalhista pode ajudá-la a determinar se está adequadamente protegida. Você também pode obter informações úteis com o Instituto Nacional de Saúde e Segurança Operacional e a Administração de Saúde e Segurança Ocupacional.

Trabalho fisicamente extenuante. Trabalhos que envolvem carregar peso, fazer muito esforço físico, trabalhar por longas horas ou em turnos rotativos ou ficar muito tempo em pé podem aumentar o risco de parto prematuro. Se tem um trabalho assim, você deve solicitar transferência para uma posição menos extenuante entre a 20ª e a 28ª semanas até a recuperação pós-parto. (Veja a p. 285 para recomendações sobre por quanto tempo é seguro permanecer em vários trabalhos extenuantes durante a gravidez.)

Trabalho emocionalmente estressante. O estresse extremo em alguns locais de trabalho parece cobrar um preço dos trabalhadores em geral e das gestantes em particular. Assim, faz sentido reduzir o estresse tanto quanto possível, especialmente agora. Uma maneira óbvia (mas nem sempre viável) é mudar para um trabalho menos estressante ou sair de licença-maternidade mais cedo. Compreensivelmente, se o emprego for crítico em termos financeiros ou profissionais, você pode ficar ainda mais estressada se ficar sem ele.

Em vez disso, pode pensar em maneiras de reduzir o estresse, incluindo meditação e respiração profunda, exercícios regulares (para liberar endorfinas) e pausas sempre que possível. Se for autônoma, reduzir o estresse pode ser ainda mais difícil (você provavelmente é a chefe mais exigente que já teve), mas seria prudente pensar a respeito.

Outros trabalhos. Professores e assistentes sociais que trabalham com crianças pequenas podem entrar em contato com infecções que afetam a gestação, como catapora, eritema infeccioso e citomegalovírus. Cuidadoras de animais, açougueiras e inspetoras de carne e derivados podem ser expostas à toxoplasmose (embora, se já desenvolveram imunidade, seus bebês não estejam em risco). Se trabalha em um local onde há risco de infecção, assegure-se de estar imune e tome as precauções apropriadas, como lavar as mãos cuidadosa e frequentemente, usar luvas e máscara de proteção e assim por diante.

OBTENDO TODOS OS FATOS

Por lei, você tem o direito de saber a que substâncias químicas está exposta no trabalho, e o empregador é obrigado a revelar. A Administração de Saúde e Segurança Ocupacional é o corpo regulador que monitora essas leis. Entre em contato para obter mais informações sobre seus direitos em termos de segurança no ambiente de trabalho acessando osha.gov. Mais informações sobre os perigos do ambiente de trabalho podem ser obtidas com a Central de Informações da Administração de Saúde e Segurança Ocupacional em cdc.gov/niosh/topics/repro.

Se seu emprego a expõe a esses perigos, peça para ser temporariamente transferida para uma posição mais segura ou, se as finanças e a política da empresa permitirem, inicie a licença-maternidade mais cedo.

Aeromoças e pilotos podem ter risco ligeiramente mais alto de aborto espontâneo ou parto prematuro (embora os estudos sejam inconclusivos) devido à exposição à radiação solar durante voos em alta altitude, e podem querer mudar para rotas mais curtas (normalmente percorridas em altitudes menores) ou fazer trabalho de solo durante a gravidez.

Artistas, fotógrafas, cabeleireiras, maquiadoras, funcionárias de lavagem a seco e da indústria de couros, lavradoras, horticultoras e outras podem ser expostas a vários produtos químicos perigosos e, portanto, devem usar luvas e outros trajes de proteção. Se trabalha com qualquer substância suspeita, tome as medidas apropriadas, as quais, em alguns casos, podem incluir evitar a parte do trabalho que lida com o uso de substâncias químicas.

Continuando a trabalhar

Você planeja trabalhar até a primeira contração? Muitas mulheres têm sucesso ao conciliar os negócios com a fabricação de bebês até o nono mês sem comprometer o bem-estar em nenhuma das duas ocupações. Mesmo assim, no longo prazo (por assim dizer), alguns empregos são mais adequados que outros. E é provável que a decisão de continuar ou não trabalhando até a hora do parto seja impactada pelo tipo de trabalho que você faz. Se trabalha em escritório, é possível planejar ir de lá para a sala de parto. Na verdade, um trabalho sedentário que não seja particularmente estressante pode ser menos cansativo para você e o bebê que permanecer em casa. E caminhar um pouco — 1 ou 2 horas diariamente, a trabalho ou a lazer — não somente não é prejudicial, como é benéfico (presumindo que você não carregue objetos pesados enquanto caminha).

Empregos extenuantes, muito estressantes e/ou que envolvem muito tempo em pé, todavia, podem ser uma questão controversa. Pesquisas revelaram que gestantes que ficaram em pé durante 65 horas por semana não parecem ter tido mais complicações que gestantes que trabalharam por menos horas em tarefas menos extenuantes. Mas outra pesquisa sugere que as atividades constantemente extenuantes ou estressantes ou longas horas em pé após a 28ª semana — particularmente se a gestante também tem outros filhos para cuidar em casa — podem aumentar o risco de certas complicações, incluindo parto prematuro, hipertensão e bebês com baixo peso ao nascer.

As mulheres que trabalham em pé podem permanecer no emprego após a 28ª semana? A maioria dos médicos diz que sim, desde que se sintam bem e a gestação progrida normalmente. Mas ficar em pé o tempo todo até o parto não costuma ser uma boa ideia, menos por causa do risco teórico para a gravidez que pelo risco real de que desconfortos normais da gestação, como dor nas costas, veias varicosas e hemorroidas sejam agravados.

Provavelmente é uma boa ideia tirar licença mais cedo, se possível, de trabalhos que requeiram frequentes mudanças de turno (que podem alterar o apetite e a rotina de sono, piorando a fadiga); que pareçam exacerbar os problemas da gravidez, como dor de cabeça, dor nas costas e fadiga; e que aumentem o risco de quedas ou outros ferimentos acidentais. Mas o ponto principal é: toda gestação, toda mulher e todo emprego são diferentes. Juntamente com o médico, você pode tomar a decisão certa para sua situação profissional.

Mudando de emprego

Com todas as mudanças em sua vida (como a barriga crescendo e as responsabilidades que chegam com ela), pode parecer contraintuitivo adicionar mais uma à lista. Mas há dezenas de razões válidas para que uma gestante considere mudar de emprego. Talvez seu empregador não apoie famílias e você esteja preocupada em conciliar carreira e maternidade ao retornar da licença. Talvez o trajeto até o trabalho seja muito longo, as horas muito inflexíveis ou a tensão excessiva. Pode ser que você esteja entediada ou não realizada (e, ei!, a mudança está no ar de qualquer forma, então por que não aproveitar?). Ou, talvez, você tema que seu ambiente de trabalho atual seja perigoso para você e seu bebê em desenvolvimento. Qualquer que seja a razão, eis algumas questões a considerar antes de mudar de emprego:

- Procurar emprego exige tempo, energia e foco, três coisas que você pode não ter, pois está concentrada em ter uma gravidez saudável. Você terá energia para todas as entrevistas (especialmente se o enjoo matinal a fizer correr frequentemente para o banheiro mais próximo ou o esquecimento a fizer perder o fio da meada)? Mesmo que esteja confiante de que se sairá bem no processo de entrevistas, considere que começar em um novo emprego também exige muita concentração (todos os olhos estarão em você, e você terá de ser ainda mais cuidadosa para não cometer erros).

TRATAMENTO INJUSTO NO AMBIENTE DE TRABALHO

Você acha que está sendo tratada injustamente no trabalho por causa da gravidez? Não fique sentada aí, faça algo. Informe como se sente a alguém de confiança: seu supervisor ou alguém do departamento de recursos humanos. Se isso não resolver o problema, veja se existe um procedimento a ser seguido pelos funcionários em caso de discriminação contra gestantes (você provavelmente o encontrará no manual dos funcionários, se houver um). Se isso não resolver, entre em contato com a Comissão de Iguais Oportunidades de Emprego (eeoc.gov) para descobrir o telefone do escritório local. Eles serão capazes de determinar se sua queixa é legítima.

Lembre-se de manter registro de tudo que suporte sua alegação (cópias de e-mails, cartas, diário de eventos). Isso também será útil se você precisar contratar um advogado.

- Antes de abandonar o navio, você precisará se assegurar de que o novo emprego realmente é tudo que parece. A empresa com a qual está encantada oferece o dobro de férias, mas cobra o dobro pelo seguro-saúde? Permite que os funcionários trabalhem em casa, mas espera que estejam disponíveis de manhã, de tarde e de noite? Os salários são mais altos, mas também as demandas de viagem? O que parece um grande emprego agora pode não ser tão bom quando você o estiver conciliando com o bebê (sua vida doméstica será muito mais complicada e você pode não querer que a profissional também seja). Também considere que as empresas frequentemente oferecem menos dias de ausência por motivos de doença e pagam uma porcentagem menor do salário durante a licença se você estiver empregada há menos de um ano.
- Por lei, seu potencial empregador não tem o direito de perguntar se você está grávida (se já não for óbvio) e não pode negar a oferta se estiver, embora esse tipo de discriminação frequentemente seja difícil de provar. Considere que algumas empresas terão dificuldades para justificar sua contratação (por mais legalmente justificada que seja) e então a deixar tirar licença-maternidade tão cedo. E nem todos os empregadores apreciam o que consideram uma estratégia de "propaganda enganosa" (você aceita o emprego e então diz que precisa entrar em licença-maternidade). Assim, embora seja inteligente manter a gravidez em segredo durante as entrevistas, isso pode danificar seu relacionamento com a empresa. Em contrapartida, às vezes é melhor garantir a vaga e só discutir o futuro quando tiver certeza de que a empresa quer contratá-la — mas antes de aceitar a posição.
- E se começou no novo emprego antes de descobrir que estava grávida? Seja franca sobre a situação e faça seu trabalho da melhor maneira que puder. Apenas assegure-se de conhecer seus direitos sobre estabilidade no emprego se a situação se mostrar negativa.

Capítulo 8
O quarto mês
Aproximadamente 14 a 17 semanas

Finalmente, o início do segundo trimestre — que, para a maioria das gestantes, é o mais confortável dos três. Com a chegada desse importante marco (um já foi, faltam dois!), frequentemente ocorrem mudanças bem-vindas. A maioria dos irritantes sintomas iniciais da gravidez pode diminuir gradualmente ou mesmo desaparecer. A náusea pode passar (o que significa que a comida terá cheiro e gosto bons pela primeira vez em muito tempo). Seu nível de energia deve aumentar (o que significa que você finalmente será capaz de se levantar do sofá) e as visitas ao banheiro irão diminuir. E, embora seus seios ainda estejam maiores, eles provavelmente não estarão tão sensíveis. Outra mudança para melhor: ao fim deste mês, o volume em seu abdômen se parecerá menos com um exagero no almoço e mais com uma gravidez.

Seu bebê este mês

14ª semana. A partir do segundo trimestre, os fetos (assim como as crianças que serão) começam a crescer em ritmos diferentes, alguns mais rapidamente que outros. A despeito das diferenças nas taxas de crescimento, todos seguem o mesmo caminho de desenvolvimento no útero. Esta semana, esse caminho leva o bebê — que tem o tamanho de um punho cerrado — a uma posição mais reta, conforme o pescoço se torna mais comprido, e a cabeça, mais ereta. No alto da cabecinha fofa, pode já haver um pouquinho de cabelo. Os pelos das sobrancelhas também estão surgindo, assim como os pelos corporais, chamados de lanugo. Não se preocupe, eles não são permanentes. Essa felpuda capa de pelos está lá para manter o bebê quentinho, como um cobertor. Quando a gordura do bebê aumentar mais tarde, a maioria desses pelos irá cair — embora alguns bebês, especialmente os prematuros, ainda apresentem lanugo temporário ao nascer.

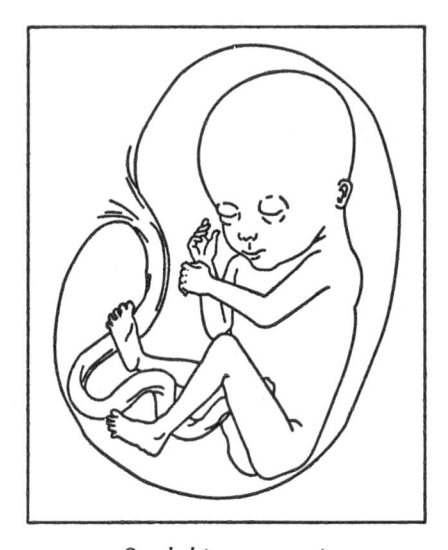

Seu bebê, quarto mês

15ª semana. O bebê, que mede aproximadamente 10 centímetros e pesa por volta de 70 gramas, está do tamanho de uma pera e se parece cada vez mais com o bebê que você imagina em seus sonhos: as orelhas estão posicionadas adequadamente nas laterais da cabeça (elas ficavam no pescoço) e os olhos estão se movendo das laterais da cabeça para a frente do rosto. A essa altura, o bebê tem coordenação, força e inteligência para flexionar os dedos e até chupar o polegar. Mas isso não é tudo. Ele também pode fazer movimentos respiratórios, sugar e engolir — tudo em preparação para a grande estreia e a vida fora do útero. E, embora seja improvável que você esteja sentindo qualquer movimento esta semana, o bebê certamente está se exercitando: chutando, contraindo e movendo braços e pernas.

16ª semana. Pesando entre 85 e 115 gramas e medindo entre 10 e 13 centímetros (cabeça-nádega), o bebê cresce rapidamente. Os músculos estão ficando mais fortes (você começará a sentir movimentos em algumas semanas), especialmente os das costas, permitindo que ele se endireite ainda mais. Ele também se parece mais com um bebê, com um rosto que possui olhos (com sobrancelhas e cílios) e orelhas no lugar certo. Além disso, os olhos finalmente estão funcionando! Sim, é verdade: os olhos do bebê fazem pequenos movimentos laterais e podem até perceber a luz, embora as pálpebras ainda estejam seladas. Ele também está se tornando mais sensível ao toque. De fato, irá se retorcer se você cutucar a barriga (embora você provavelmente ainda não seja capaz de sentir).

MAIS BEBÊ

Para vídeos semana a semana do incrível desenvolvimento de seu bebê, baixe o aplicativo What To Expect.

17ª semana. Dê uma boa olhada em sua mão aberta. Seu bebê tem aproximadamente o tamanho da palma, com uma distância cabeça-nádega de 13 centímetros e pesando aproximadamente 140 gramas (ou mais). A gordura corporal começa a se formar (a gordura do bebê, embora a sua provavelmente também esteja se formando rapidamente nesses dias), mas ele ainda é bem magrinho, com uma pele praticamente translúcida. Nesta semana, seu bebê está interessado em ensaiar, preparando-se para o nascimento. Eis importantes habilidades que ele está aprimorando: sugar e engolir, a fim de estar pronto para a primeira (e segunda... e terceira) refeição no peito ou na mamadeira. A frequência cardíaca agora é regulada pelo cérebro (não há mais batimentos espontâneos) e chega entre 140 e 150 batimentos por minuto (aproximadamente metade de sua frequência cardíaca).

Seu corpo este mês

Eis alguns sintomas que você pode experimentar este mês (ou não, já que cada gravidez é diferente). Alguns deles podem estar presentes desde o mês passado, ao passo que outros serão novinhos em folha. Com o início do segundo trimestre, alguns sintomas estarão diminuindo, e outros, se intensificando:

Fisicamente
- Fadiga
- Diminuição da frequência urinária
- Fim ou alívio da náusea e do vômito (para algumas mulheres, o enjoo matinal continuará; para muito poucas, estará apenas começando)
- Constipação

SEU CORPO ESTE MÊS

Seu útero, agora do tamanho de um melão pequeno, cresceu o suficiente para se projetar da cavidade pélvica e, no fim do mês, você será capaz de sentir o topo do útero cerca de 5 centímetros abaixo do umbigo (se não souber o que está procurando, peça ajuda do médico na próxima consulta). Suas roupas regulares provavelmente já não servem, embora algumas mulheres consigam fechar o zíper confortavelmente por cinco meses ou mais antes de comprar roupas para gestantes, o que também é normal.

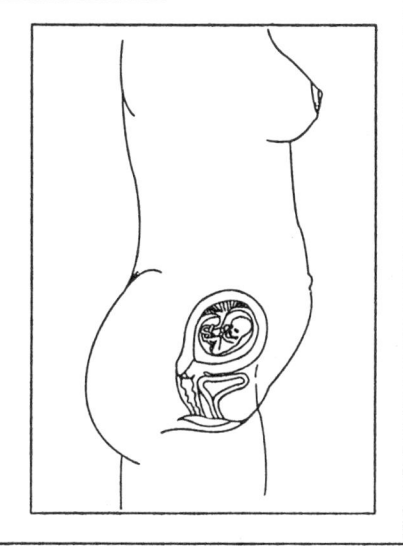

- Azia, indigestão, flatulência, sensação de estômago estufado
- Aumento dos seios, mas geralmente com diminuição da sensibilidade
- Dor de cabeça ocasional
- Vertigem e tontura ocasionais, particularmente com mudanças súbitas de posição
- Congestão nasal e sangramentos ocasionais; ouvidos entupidos
- Gengivas sensíveis que podem sangrar ao escovar os dentes
- Grande apetite
- Inchaço moderado dos tornozelos, dos pés e, ocasionalmente, das mãos e do rosto
- Veias varicosas nas pernas ou na vulva
- Hemorroidas
- Ligeiro aumento da secreção vaginal
- Movimentos fetais perto do fim do mês (mas não costumam aparecer tão cedo, a menos que essa seja sua segunda gestação ou mais)

Emocionalmente
- Oscilações de humor, que podem incluir irritabilidade, irracionalidade e choro sem razão aparente
- Excitação e/ou apreensão se finalmente tiver começado a se sentir e parecer grávida
- Frustração por estar "no meio do caminho": as roupas regulares já não servem, mas você não parece suficientemente grávida para usar roupas de gestante
- Sensação de não estar totalmente equilibrada: você está distraída, esquecida, derruba coisas, tem problemas para se concentrar

O que você pode esperar da consulta deste mês

Este mês, você pode esperar que o médico analise os seguintes aspectos, embora possa haver variações, dependendo de suas necessidades particulares e do estilo do médico:
- Peso e pressão arterial
- Urina, para açúcar e proteína
- Batimentos cardíacos do feto
- Altura do fundo (topo do útero)
- Tamanho do útero, por palpação externa (sentido pelo lado de fora)
- Mãos e pés para verificar inchaço e pernas em busca de veias varicosas
- Sintomas que você venha experimentando, especialmente os incomuns
- Questões ou problemas que queira discutir — deixe a lista pronta

O que você pode estar se perguntando

Problemas dentários

"Subitamente, minhas gengivas começaram a sangrar todas as vezes que escovo os dentes, e acho que tenho uma cárie. É seguro fazer restauração?"

Sorria, você está grávida! Mas, com sua atenção compreensivelmente centrada na barriga, é fácil ignorar a boca, até que ela comece a gritar. Para começo de conversa, os hormônios da gravidez não são gentis com as gengivas, que, como as outras membranas mucosas, ficam inchadas e inflamadas e tendem a sangrar facilmente. Esses mesmos hormônios também podem tornar as gengivas mais suscetíveis à placa e às bactérias, que rapidamente pioram as coisas para algumas gestantes, possivelmente levando a gengivite e cáries.

Para manter sua boca feliz:
- Use fio dental, escove os dentes regularmente com uma escova macia e use creme dental com flúor para se proteger das cáries. E cuidado com sua técnica, já que escovar com muita força pode ferir suas gengivas sensíveis, levando a sangramentos e retração. Escovar a língua (com um limpador ou escova separada) também ajuda a combater as bactérias e a manter o hálito fresco.

ESPERANDO RAIOS X?

Raios x dentários de rotina (e outros raios x ou tomografias de rotina) normalmente são adiados até depois do parto, por questões de segurança. Mas, se adiá-los durante a gravidez não for uma boa ideia (o risco de fazer um é menor que o risco de não fazer), a maioria dos médicos autoriza o procedimento. Isso porque os riscos dos raios x durante a gestação são muito baixos e podem ser reduzidos ainda mais. Os raios x dentários focam na boca, é claro, o que significa que ficam longe do útero. Além disso, raios x comuns para diagnóstico, de qualquer tipo, raramente produzem mais radiação que a que você receberia ficando alguns dias sob o sol na praia. O dano ao feto ocorre somente em doses muito altas, às quais é improvável que você seja exposta. Mesmo assim, se precisar de raios x durante a gravidez, mantenha as seguintes diretivas em mente:
- Sempre informe que está grávida ao médico ou dentista que pediu

o exame e ao técnico que o realiza, mesmo que esteja bastante segura de que eles sabem e mesmo que tenha preenchido formulários informando.
- Faça os exames necessários em um laboratório licenciado, com técnicos bem-treinados.
- Quando possível, o equipamento deve ser posicionado de modo que somente a mínima área necessária seja exposta à radiação. Um avental de chumbo será usado para proteger o útero e um colar será usado em torno do pescoço para proteger a tireoide.

Ainda mais importante, se você fez exames de raios x antes de descobrir que estava grávida, não se preocupe.

- Peça que o dentista recomende um enxaguatório para reduzir as bactérias e a placa, protegendo suas gengivas e dentes.
- Quando não puder escovar os dentes após as refeições, masque chiclete. Mascar chiclete sem açúcar aumenta a quantidade de saliva, o que enxagua os dentes. Se o chiclete for adoçado com xilitol, ele pode ajudar na prevenção de cáries. Ou mordisque um pedaço de queijo duro (que reduz a acidez da boca, que causa cáries).
- Cuide do que come, particularmente entre as refeições. Deixe os doces (especialmente os grudentos, e mesmo as frutas secas) para quando puder escovar os dentes. Abuse de frutas e vegetais ricos em vitamina C, que fortalecem as gengivas, reduzindo a possibilidade de sangramento. Também se assegure de atender aos requerimentos diários de cálcio. O cálcio é necessário durante toda a vida para manter os dentes fortes e saudáveis — além de impulsionar o crescimento dos dentes do bebê.
- Vá ao dentista. Mesmo que não esteja tendo nenhum desconforto dentário, marque uma consulta com o dentista para revisão e limpeza ao menos uma vez durante seus nove meses — preferencialmente mais cedo. A limpeza é importante para remover a placa bacteriana, que não somente aumenta o risco de cáries, mas também torna as gengivas mais vulneráveis. Você também pode precisar de uma visita ao periodontista se teve problemas nas gengivas no passado. Fique longe de qualquer selante ou procedimento cosmético (como o clareamento; veja a p. 214) até depois do parto (embora o tratamento tópico com flúor seja seguro). Está se perguntando sobre a segurança dos raios x rotineiros? Veja o quadro da p. 293.
- Não mantenha a gravidez em segredo. Mesmo que não tenha dado a notícia para todo mundo, o dentista

deve ser informado antes de você se sentar na cadeira. Não somente para que tome precauções em relação a raios x e tratamentos, mas também porque suas gengivas podem precisar de mais cuidados. Outra coisa a informar: se a gravidez aumentou seu reflexo da mordaça.

CALOMBOS NA GENGIVA

Se não é uma coisa afetando suas pobres gengivas de gestante, é outra. Para além da inflamação e da sensibilidade, aftas são mais comuns quando você está grávida. E as gengivas podem encontrar outros obstáculos. Se notar um calombo que sangra ao escovar, vá ao dentista. Provavelmente se trata de um granuloma piogênico (também conhecido como "tumor da gravidez", a despeito de ser perfeitamente inócuo, embora desconfortável). Esse calombo normalmente desincha sozinho, mas, se ele ficar muito incômodo, pode ser removido por um dentista ou médico.

Visitar o dentista ou periodontista é especialmente importante se você suspeitar de cáries ou outros problemas nos dentes ou gengivas. Gengivite não tratada pode se transformar em periodontite, uma condição mais séria associada a várias complicações da gestação, como pré-eclâmpsia. Cáries ou outros problemas dentários não tratados também podem se tornar um foco de infecção (o que não é bom para você nem para o bebê).

O que acontece se um grande tratamento for necessário durante a gravidez? Felizmente, na maioria dos procedimentos o anestésico local é suficiente, o que é seguro. Uma baixa dose de óxido nitroso (gás do riso) também é segura após o primeiro trimestre, mas sedação mais séria deve ser evitada. Em alguns casos, pode ser necessário tomar um antibiótico antes ou depois do tratamento; nesse caso, converse antes com o médico.

Falta de ar
"Às vezes fico meio ofegante. Isso é normal?"

Respire fundo (se conseguir!) e relaxe. A falta de ar leve é normal, e muitas gestantes a experimentam no início do segundo trimestre. E você pode culpar — quem mais? — os hormônios da gestação por roubarem seu fôlego. Eis o porquê: esses hormônios estimulam o centro respiratório para aumentar a frequência e a profundidade das inalações durante a gravidez, o que pode deixá-la sem ar após algo tão pouco cansativo quanto uma ida ao banheiro. Eles também incham os capilares — incluindo os do trato respiratório — e relaxam os músculos dos pulmões e dos brônquios, fazendo com que seja ainda mais difícil recuperar o fôlego. Seu útero em crescimento provavelmente também contribui para a falta de ar com o progresso da gravidez, pressionando o diafragma ao crescer, deixando pouco espaço para os pulmões e impedindo que eles se expandam totalmente (algo mais pelo que esperar!).

Felizmente, embora a falta de ar leve que você está experimentando seja desconfortável, ela não afeta o bebê — que ainda não respira, mas (não se preocupe) é mantido oxigenado pela placenta. Se, no entanto, você se sentir constantemente sem fôlego, mencione o fato ao médico, que talvez queira verificar seus níveis de ferro (p. 342). E, se estiver tendo muita dificuldade para respirar, seus lábios ou as pontas dos dedos ficarem azulados ou você tiver dor no peito e pulso acelerado, telefone para o médico imediatamente.

Nariz entupido e sangrando

"Meu nariz entope muito e, às vezes, começa a sangrar aleatoriamente. Isso está relacionado à gravidez?"

Sua barriga não é a única coisa inchando. Graças ao alto nível de estrogênio e progesterona circulando em seu organismo, trazendo com eles um fluxo sanguíneo aumentado, as membranas mucosas do nariz também incham e amolecem (mais ou menos como faz o colo do útero ao se preparar para o parto). Essas membranas também produzem mais muco, com a intenção de repelir germes e infecções. O resultado é aquele que seu nariz indubitavelmente já conhece: congestão e possivelmente sangramento. Outra notícia não muito boa: o entupimento pode piorar com o progresso da gravidez. Você pode desenvolver gotejamento pós-nasal, o qual, por sua vez, pode causar tosse ou engulhos (como se você já não tivesse o suficiente para mantê-la acordada ou já não sentisse náusea o bastante).

Você pode usar, com segurança, sprays ou gotas de soro fisiológico ou dormir com uma tira nasal (como Respire Melhor) para aliviar o entupimento durante a noite. Um umidificador de névoa fria no quarto também pode ajudar a superar a secura associada a qualquer congestão. Medicamentos ou sprays nasais anti-histamínicos não costumam ser prescritos durante a gestação, mas pergunte ao médico (alguns liberam descongestionantes ou sprays nasais com esteroides após o primeiro trimestre; veja a p. 715).

Tomar 250 mg a mais de vitamina C (com aprovação do médico) e comer muitas frutas e vegetais ricos em vitamina C pode ajudar a fortalecer seus capilares e reduzir as chances de sangramento. Às vezes, o sangramento nasal é resultado do excesso de força ao assoar (então pegue leve) ou vômito muito intenso.

Para interromper um sangramento nasal, sentada ou em pé, incline-se ligeiramente para a frente em vez de se deitar ou se inclinar para trás. Usando o polegar e o indicador, pressione a área logo acima das narinas e abaixo da ponte e segure por 5 minutos. Repita se o sangramento continuar. Se o sangramento não for controlado após três tentativas ou for frequente e abundante, telefone para o médico.

Ronco

"Meu marido disse que comecei a roncar. Esse é outro sintoma (espero que temporário!) da gravidez?"

Os homens são culpados pelo ronco na maioria dos lares — e por uma boa razão, já que eles têm duas vezes mais probabilidade de roncar que as mulheres. Até que os hormônios da gestação invadam o quarto, quando se cancelam todas as apostas sobre quem está atrapalhando o sono de quem.

Sim, é verdade: você pode adicionar ronco à lista de sintomas inesperados (e, felizmente, temporários) de estar grávida. No geral, o ronco da gravidez não é nada de tirar o sono (embora seu parceiro possa perder o dele). A ruidosa trilha sonora nasal que toca quando você dorme provavelmente é gerada pelo entupimento normal da gravidez, que aumenta quando você está deitada. Dormir com uma tira nasal ou um umidificador no quarto pode aliviar a congestão e ajudar todo mundo a dormir melhor — assim como manter a cabeça elevada com vários travesseiros (o que também alivia a azia). O peso extra também pode contribuir para o ronco, então evite engordar demais.

> ## INSÔNIA
>
> Os hormônios da gestação — ou a barriga cada vez maior — estão se interpondo entre você e uma boa noite de sono? Problemas para dormir são comuns durante a gravidez e, embora isso talvez seja uma boa preparação para as noites insones que passará quando o bebê chegar, você provavelmente está ansiosa para dormir enquanto pode. Antes de usar remédios, prescritos ou não, fale com o médico. Ele pode ter outras sugestões para ajudá-la a pregar os olhos. Você também pode encontrar dicas para vencer a insônia na p. 384.

Raramente, o ronco é um sinal de risco elevado de diabetes gestacional ou apneia do sono, uma condição na qual a respiração é brevemente interrompida durante o sono. Como você está respirando por dois, é uma boa ideia mencionar o ronco para o médico na próxima consulta.

Alergias

"Minhas alergias parecem ter piorado desde que engravidei. Meu nariz escorre o tempo todo."

Narizes grávidos são narizes entupidos, e é possível que você esteja confundindo a congestão normal (embora desconfortável) da gravidez com alergia. Mas também é possível que a gravidez tenha agravado suas alergias. Embora algumas alérgicas sortudas (cerca de um terço) encontrem alívio temporário durante a gravidez, as menos sortudas (também cerca de um terço) sofrem com sintomas piores, ao passo que o restante (o terço final) sente o mesmo que antes. Como parece que você está entre as menos sortudas, provavelmente está coçando o nariz (e arranhando e espirrando) para sentir alívio. Mas, antes de se unir às outras alérgicas no corredor de anti-histamínicos, pergunte ao médico se é seguro. Alguns anti-histamínicos e outras classes de medicamentos são seguros durante a gravidez, mas outros (que podem ou não incluir o seu) não são. Não se preocupe com nada que tenha tomado antes de descobrir que estava grávida ou antes de ler este livro.

RESPIRANDO MELHOR COM ASMA

Estar grávida pode deixá-la sem ar — literalmente, quando o útero em crescimento começar a pressionar o diafragma. E se você estiver grávida e sem ar e ainda por cima for asmática? Embora seja verdade que a asma severa não controlada aumenta o risco de complicações durante a gestação (como parto prematuro, baixo peso ao nascer, pré-eclâmpsia ou depressão pós-parto), esse risco pode ser quase totalmente eliminado. De fato, se você estiver sob supervisão médica especializada de uma equipe que inclua seu obstetra, seu clínico geral e/ou o médico da asma e a mantiver controlada, suas chances de ter uma gravidez normal e um bebê saudável são tão boas quanto as de qualquer outra mãe (o que significa que você pode respirar aliviada agora).

Você e os médicos podem precisar reavaliar a medicação para asma (em geral, medicamentos inaláveis, como budesonida, parecem ser mais seguros que medicamentos orais). Como você está respirando por dois, obter oxigênio suficiente é duplamente importante. Tratar o ataque de asma imediatamente com o medicamento prescrito — geralmente albuterol — garantirá que o bebê não seja privado de oxigênio. Como o ataque de asma pode gerar contrações uterinas precoces, telefone para o médico ou vá para o pronto--socorro mais próximo se o inalador não resolver. Felizmente, qualquer contração gerada pelo ataque costuma passar junto com ele — e por isso é importante interrompê-lo rapidamente.

Em se tratando de trabalho de parto, o seu provavelmente será como o das outras gestantes, embora, se a asma for séria o bastante para exigir esteroides orais ou corticoides, você possa precisar de esteroides intravenosos para ajudá-la a lidar com o estresse adicional do parto.

Embora a asma bem controlada tenha efeito mínimo sobre a gestação, a gestação pode ter efeito sobre a asma. Mas esse efeito varia de gestante para gestante. Para cerca de um terço das gestantes asmáticas, ele é positivo: a asma melhora. Para outro terço, as condições permanecem praticamente as mesmas. Para o terço restante (geralmente aquele com a forma mais severa da doença), a asma piora. Felizmente, não importando qual seja seu caso, as chances de ter uma gestação saudável com asma bem controlada são excelentes.

Injeções de imunoterapia são seguras para gestantes que já as tomavam antes de conceber. A maioria dos alergistas diz que não é boa ideia começar a tomar as injeções durante a gravidez, porque elas podem causar reações inesperadas.

Em geral, no entanto, a melhor abordagem para lidar com as alergias na gravidez é a prevenção — que pode valer por um quilo de lenços de papel. Ficar longe do que causa alergia também pode reduzir o risco de que o bebê desenvolva alergia aos mesmos gatilhos.

Para diminuir os espirros, teste estas dicas:
- Se o pólen e outros alérgenos externos a incomodam, permaneça do lado de dentro, em um ambiente com ar filtrado e condicionado, o máximo que puder durante a temporada em que estiver suscetível. Quando voltar para dentro, lave as mãos e o rosto e troque de roupa para remover o pólen. Do lado de fora, use óculos de sol grandes e curvos para evitar que o pólen flutue até seus olhos.

AMENDOINS PARA SEU FEIJÁOZINHO?

Ela é tão americana quanto o pão fatiado em que é passada — e constitui um lanche conveniente e saudável —, mas será que a pasta de amendoim é segura para o feijãozinho que você está alimentando em seu útero? Comê-la agora fará com que ele tenha alergia a amendoim mais tarde?

Boa notícia: as últimas pesquisas sugerem que comer amendoim durante a gravidez não somente não gera alergia nos futuros bebês, como pode até preveni-la. Assim, desde que você não seja alérgica, não há necessidade de desistir da pasta de amendoim — e talvez haja mais razões para consumi-la.

O mesmo vale para laticínios e outros alimentos altamente alergênicos. Se você não for alérgica (se for, claramente ficará longe deles), não há razão para evitar qualquer alimento alergênico durante a gravidez. Ingeri-los não causará alergia em seu pequeno.

Isso dito, se já teve alergias, fale com seu obstetra e um alergologista para saber se precisa restringir a dieta enquanto está grávida e/ou amamentando. As recomendações podem ser ligeiramente diferentes em seu caso.

- Se a poeira é a culpada, peça a outra pessoa para tirar o pó e passar o aspirador (que tal isso como boa desculpa para se livrar da faxina?). Um aspirador (especialmente um com filtro HEPA) ou um mop úmido levantam menos poeira que a vassoura comum, e um pano de microfibra fará um trabalho melhor que o tradicional espanador de penas. Fique longe de porões, sótãos e outros lugares empoeirados.
- Se os animais causam os ataques alérgicos, mantenha-se distante de cães e gatos. E, é claro, se seu bicho de estimação subitamente gerar uma resposta alérgica, tente impedir que ele entre em uma ou mais áreas da casa (particularmente seu quarto).

Secreção vaginal

"Notei uma leve secreção vaginal, líquida e esbranquiçada. Isso significa que tenho uma infecção?"

Uma secreção líquida, esbranquiçada e com cheiro de leite (conhecida na obstetrícia como leucorreia) é normal durante a gravidez. Seu propósito é nobre: proteger o canal de parto das infecções e manter um saudável equilíbrio das bactérias da vagina. Infelizmente, ao realizar seu nobre propósito, a leucorreia pode fazer uma bagunça na calcinha. Como ela aumenta com o progresso da gravidez e pode ficar bastante intensa, você talvez se sinta mais confortável usando protetor íntimo durante o último trimestre. Não use tampões, que podem introduzir germes indesejáveis na vagina.

Embora possa fazer com que você se sinta grudenta e com coceira (e possivelmente sem vontade de receber sexo oral), essa secreção não é motivo de preocupação. Apenas se mantenha limpa (duchas ou banhos de banheira diários) e seca (escolha calcinhas com fundo respirável de algodão). Uma coisa que você não precisa (e não deve) fazer são duchas íntimas. Elas perturbam o equilíbrio normal de micro-organismos na vagina e podem provocar vaginose bacteriana (p. 704). Você também não precisa de lenços umedecidos, já que a vagina faz um trabalho muito bom para se manter limpa. Se realmente não consegue viver sem aquela "sensação de frescor", escolha lenços com pH adequado e sem álcool e substâncias químicas (alterar o pH vaginal aumenta o risco de infecções). Se notar odor incomum (de peixe, por exemplo), secreção acinzentada ou esverdeada, irritação, queimação ou qualquer outro sinal de infecção (p. 703), fale com o médico.

Pressão arterial elevada
"Minha pressão estava meio alta na última consulta. Devo me preocupar?"

Relaxe. Preocupar-se com a pressão só vai fazer com que ela aumente. Além disso, um ligeiro aumento durante a consulta não é algo com que se preocupar e pode ter sido somente uma alteração passageira. Talvez você estivesse estressada por causa do trânsito a caminho da consulta ou porque teve um dia ruim no trabalho. Talvez estivesse nervosa: com medo de ter engordado demais ou não o bastante, com sintomas estranhos a relatar ou ansiosa para ouvir os batimentos cardíacos do bebê. Ou talvez seja somente um caso de "hipertensão do jaleco branco", como é conhecida essa síndrome, em que somente o fato de estar no consultório a deixa tensa, elevando sua pressão arterial. Para garantir que a ansiedade não faça sua pressão subir novamente, faça exercícios de relaxamento e respiração profunda (p. 208)

enquanto espera ser atendida — e, especialmente, quando a pressão estiver sendo aferida (tenha pensamentos felizes com o bebê).

Mesmo que a pressão arterial permaneça ligeiramente elevada durante a próxima consulta, esse estado transiente (que 1 a 2% das gestantes desenvolvem) é perfeitamente inofensivo e desaparece após o parto (portanto, pode relaxar).

A maioria das gestantes sofre ligeira queda da pressão arterial durante o segundo trimestre, quando o volume de sangue aumenta e o organismo começa a trabalhar por longas horas na fábrica de bebês. Mas, ao chegar ao terceiro trimestre, ela normalmente sobe de novo. Se subir demais (se a pressão sistólica, o número mais alto, for de 140 ou mais ou a pressão diastólica, o número mais baixo, for maior que 90) e permanecer assim por ao menos duas leituras, o médico irá acompanhar seu caso mais atentamente. Aferições altas (hipertensão gestacional) às vezes aumentam o risco cardiovascular durante a gravidez e mais tarde — e, o que é mais relevante agora, se forem acompanhadas de proteína na urina, inchaço excessivo das mãos, tornozelos e rosto e/ou dor de cabeça severa, podem se transformar em pré-eclâmpsia (p. 732).

Açúcar na urina
"Em minha última consulta, o médico disse que há açúcar em minha urina,

mas que eu não deveria me preocupar. Isso não é sinal de diabetes?"

Siga o conselho do médico e não se estresse. Seu corpo provavelmente está fazendo o que deve fazer: garantindo que seu feto, que depende de você para obter combustível, está obtendo glicose (açúcar) suficiente.

O hormônio insulina regula o nível de glicose no sangue e garante que uma quantidade suficiente seja absorvida para nutrição das células. A gravidez dispara mecanismos anti-insulina para garantir que glicose suficiente permaneça em circulação para nutrir o feto. É uma ideia perfeita que nem sempre funciona perfeitamente. Às vezes, o efeito anti-insulina é tão forte que deixa no sangue glicose mais que suficiente para as necessidades da mãe e do bebê — mais do que pode ser administrado pelos rins. Esse excesso "vaza" para a urina. Assim, "açúcar na urina" não é incomum durante a gravidez, especialmente no segundo trimestre, quando o efeito anti-insulina aumenta. De fato, quase metade das gestantes apresenta glicose na urina em algum momento da gestação.

PARA OS PAIS
SÃO SEUS HORMÔNIOS (SÉRIO)

Você acha que, só porque é homem, está imune às oscilações hormonais da gravidez? Não é bem assim. As pesquisas revelam que futuros e novos pais experimentam queda do famosamente masculino hormônio sexual testosterona e aumento do famosamente feminino hormônio sexual estrogênio. E essas flutuações hormonais, que são comuns em todo o reino animal, não são aleatórias nem sinal do senso de humor distorcido da Mãe Natureza. Especula-se que elas foram projetadas para aumentar a ternura dos machos, estimular o lado acolhedor do homem e despertar o pai que há nele. O que não somente o prepara para as trocas de fralda à frente, mas também o ajuda a lidar com as mudanças (inclusive na dinâmica do relacionamento) que o casal está enfrentando.

Essas oscilações hormonais também podem gerar estranhos e surpreendentes sintomas de gestação em futuros pais (p. 226). Além disso, podem diminuir a libido (o que é uma coisa boa, já que o desejo sexual descontrolado pode ser inconveniente durante a gravidez, e definitivamente quando há um novo bebê na casa). Os níveis hormonais tipicamente retornam ao normal entre três e seis meses após a chegada do bebê, trazendo com eles o fim dos pseudossintomas de gravidez e o retorno da libido usual (embora não necessariamente à vida sexual usual até que o bebê durma a noite inteira).

Na maioria das mulheres, o corpo responde ao aumento da glicose com um aumento da produção de insulina, que normalmente elimina o excesso. Esse pode muito bem ser seu caso. Mas algumas gestantes, especialmente as diabéticas ou com tendência a diabetes (por causa do histórico familiar, idade ou peso), podem ser incapazes de produzir insulina suficiente para lidar com o aumento da glicose ou de usar a insulina que produzem de modo eficiente. Se for seu caso, você continuará a apresentar altos níveis de glicose no sangue e na urina. Se não era diabética, isso significa que desenvolveu diabetes gestacional (p. 730).

Você — como toda gestante — fará um teste de glicose por volta da 28ª semana para verificar a presença de diabetes gestacional (as com risco mais alto, como mulheres obesas, podem ser testadas antes). Até lá, não pense novamente no assunto.

Movimentos fetais

"Ainda não senti o bebê se mexer. Será que há algo errado? Ou será que não estou reconhecendo os chutes quando os sinto?"

Esqueça o teste positivo, o ultrassom, a barriga crescendo e mesmo o tum-tum dos batimentos cardíacos do bebê. Nada diz que você está grávida tão claramente quanto os movimentos fetais.

Isso quando você finalmente conseguir senti-los. E tiver certeza de que sentiu. No entanto, poucas gestantes, particularmente as primigestas (as gestantes de primeira viagem), sentem o primeiro chute — ou mesmo o primeiro estremecimento — no quarto mês. Embora o embrião comece a fazer movimentos espontâneos na 7ª semana, esses movimentos, feitos por braços e pernas minúsculos, só se tornam aparentes para a mãe muito mais tarde. O primeiro tremor pode ser sentido em qualquer momento entre a 14ª e a 26ª semanas, mas a maioria o sente entre a 18ª e a 22ª. A mulher que espera o segundo filho provavelmente sente os tremores iniciais antes de uma mulher esperando o primeiro, não somente porque sabe qual é a sensação do chute, mas também porque seus músculos uterinos e abdominais mais frouxos tornam mais fácil senti-lo. Uma gestante mais magra pode notar os tremores iniciais, ao passo que uma que carrega bastante gordura em torno da barriga pode só perceber quando os movimentos forem mais enérgicos. A posição da placenta também desempenha um papel: se ela estiver virada para a frente (placenta anterior), pode abafar os movimentos e tornar mais longa a espera pelos chutinhos. Mesmo então, os movimentos podem parecer mais fracos.

Às vezes, os movimentos fetais não são notados quando esperado por causa de um erro de cálculo na data provável do parto. Em outras vezes, a mãe não reconhece os movimentos quando os sente — ela pode confundi-los com gases ou outros gorgolejos digestivos.

Então qual é a sensação dos movimentos iniciais? Eles são quase tão difíceis de descrever quanto de reconhecer. Talvez pareçam um estremecimento (mais ou menos como as "borboletas no estômago" que você tem quando está nervosa). Ou um espasmo. Ou uma cutucada. Ou mesmo aquele barulho do estômago quando você está com fome. Talvez se pareçam com uma bolha estourando, ou aquela sensação de cabeça para baixo, virada do avesso, que temos na montanha-russa. Não importa como sejam, colocarão um sorriso em seu rosto — ao menos quando você os reconhecer pelo que são.

Imagem corporal
"Sempre cuidei do peso, e agora, quando olho no espelho ou subo na balança, fico muito deprimida. Eu me sinto tão gorda..."

Depois de cuidar do peso por tantos anos, ver os números da balança subirem em questão de semanas pode ser angustiante e, talvez, um pouco deprimente. Mas não deveria. Se há uma época na qual a magreza não tem vez, é durante a gravidez. Você deve ganhar peso quando está grávida. E há uma diferença muito importante entre os quilos ganhos com o excesso de comida (como muitos lanchinhos no meio da noite) e os quilos ganhos ao se fabricar um bebê.

Aos olhos da maioria das pessoas, a silhueta arredondada da mulher grávida está entre as formas femininas mais sensuais, bela não somente do lado de dentro, mas também do lado de fora. Assim, em vez de sentir saudade de seus dias mais magros (que retornarão), tente aceitar seu corpo grávido. Aceite suas novas curvas (que ficarão ainda mais divertidas ao aumentarem). Celebre sua nova forma. Goste de ser arredondada. Aproveite os quilos que está ganhando, em vez de temê-los. Desde que esteja comendo bem e não exceda o peso indicado, não há razão para se sentir "gorda" — somente grávida. Os centímetros a mais são subprodutos legítimos da gravidez, e temporários. O bebê permanecerá para sempre, mas os centímetros extras, não.

Se está engordando demais e muito rapidamente, sentir-se para baixo provavelmente não impedirá seu peso de aumentar — e, se você é uma produtora típica de estrogênio, isso somente a mandará mais frequentemente para a geladeira, atrás daquele sorvete de baunilha. Mas analisar seus hábitos alimentares pode ajudar. Lembre-se, a ideia não é interromper o ganho de peso (o bebê precisa dele), mas somente freá-lo até o ritmo correto se estiver acelerado demais. Para fazer isso, torne-se mais eficiente ao comer: em vez de se entupir de sorvete para ingerir cálcio, tome um *smoothie* de morango (você obterá muito mais cálcio, menos calorias e um extra de vitamina C).

Cuidar do peso não é a única maneira de melhorar a autoimagem. Os exercícios também ajudam, ao garantir que o peso que você ganha termine nos lugares certos (mais barriga, menos quadris e coxas). Outra vantagem: eles melhoram o humor (é difícil sentir pena de si mesma quando há endorfinas produzidas pelos exercícios circulando em seu sangue).

Adotar o visual maternidade também pode ajudá-la a fazer as pazes com o espelho. Em vez de tentar se espremer nas roupas normais (não há nada lisonjeiro naqueles pneus por cima da cintura da calça, especialmente se os botões começarem a estourar), escolha um da vasta coleção de estilos criativos que acentuam a forma da gestante, em vez de tentar escondê-la. Você também gostará mais de sua imagem no espelho se adotar um corte de cabelo que emagreça e combine com seus traços e experimentar novas rotinas de maquiagem (as técnicas certas podem retirar quilos de seu rosto arredondado pela gravidez; veja a p. 209).

Acima de tudo, lembre-se de que o corpo refletido no espelho está trabalhando duro para fazer um bebê. O que poderia ser mais bonito que isso?

Moda gestante

"Já não consigo me espremer em minhas roupas normais, mas detesto as roupas para gestantes."

Nunca houve uma época mais elegante para estar grávida. Ficaram no passado os dias nos quais os guarda-roupas das gestantes estavam limitados a tendas de poliéster que tentavam encobrir a gestação. As roupas para gestantes de hoje, além de serem mais elegantes e práticas, foram desenhadas para abraçar (e destacar) a bela barriga que carrega um bebê. Visite uma loja para gestantes (ou compre on-line), e provavelmente ficará encantada.

Eis algumas coisas a considerar ao comprar roupas para dois:

- Você ainda vai engordar. Não gaste todo seu dinheiro da primeira vez que não conseguir fechar os botões da calça jeans. As roupas para gestantes podem ser caras, especialmente considerando-se o curto período em que serão usadas. Assim, compre somente o que precisa, conforme precisa. Embora os enchimentos nos provadores das lojas deem uma boa ideia de como as roupas ficarão mais tarde, eles não podem prever como ficará a sua barriga (alta, baixa, grande, pequena) e que roupas serão mais confortáveis.
- Você não está limitada às roupas para gestantes. Se servir, use. Comprar roupas normais para usar durante a gravidez (ou usar roupas que você já tem) é a melhor maneira de não gastar uma fortuna com trajes que só usará por um breve período. E, dependendo do que as vitrines estão expondo em determinada estação (com sorte, o *look* da moda será soltinho e drapeado), várias roupas podem ser adequadas, em-

bora você talvez precise comprar tamanhos maiores. Mesmo assim, não gaste demais. Embora você possa adorar as roupas agora, talvez as ame consideravelmente menos depois de usá-las durante toda a gravidez. Além disso, se comprar roupas maiores, elas podem não servir quando você perder o peso ganho na gestação.

TRUQUES QUE AFINAM

Ser grande é ser bela quando você está esperando um bebê, mas isso não significa que não possa usar alguns truques para parecer mais esbelta. Com as escolhas certas, você pode destacar a barriga enquanto afina a silhueta. Eis como destacar as partes certas:

O pretinho básico. E o azul-marinho, o chocolate, o púrpura escuro, o marrom e o cinza-carvão. Você já ouviu isso antes, mas cores escuras emagrecem, minimizando o volume do corpo e criando uma aparência mais esbelta, mesmo que esteja usando camiseta e *legging*.

Pense em monocromia. A cor única afina. Usar um único tom (ou vários tons próximos da mesma cor) da cabeça aos pés fará com que você pareça mais alta e magra. Um *look* de duas cores, em contrapartida, cria uma quebra na silhueta, fazendo com que os olhos parem exatamente no ponto da mudança de cor (e possivelmente bem onde seus quadris começam a se alargar).

Cuidado com os padrões. Está cansada da monocromia e quer adicionar alguns padrões a sua vida? Escolha um do tamanho certo. Se for pequeno demais, você parecerá grande; se for grande demais, você parecerá enorme. Escolha padrões de tamanho médio, mais ou menos do diâmetro de uma bola de golfe. E procure aqueles com somente duas ou três cores. Mais que isso produz, bom... mais.

Use longos. Esse é o truque mais velho dos livros de moda, mas por uma boa razão: funciona. Conforme você aumenta para os lados, escolha roupas com listras verticais (que criam altura e aparência mais fina), em vez de horizontais (que alargam ainda mais a silhueta). Procure roupas com listras, zíperes, costuras e botões verticais. Também seja vertical com joias e acessórios: colares compridos, brincos pendurados, echarpes longas.

Foque no *plus*. Como seus seios tamanho *plus* (nunca houve uma época melhor para usar decote). E minimize a atenção nos pontos que está menos inclinada a exibir, como tornozelos inchados (mantenha-os debaixo de calças, saias compridas ou botas confortáveis ou use *leggings* pretas, que emagrecem).

Cuide do tamanho. Escolha roupas do seu tamanho. Embora você definitivamente vá querer roupas que ainda sirvam quando seus seios e barriga crescerem, procure partes de cima — camisas, suéteres, jaquetas e vestidos — que sejam certas nos ombros (provavelmente a única parte de seu corpo que não aumentará). Roupas com ombros caídos lhe darão um ar descuidado (e volumoso). E embora roupas justas possam afinar, cuidado com as que parecem justas demais, como se já não servissem (o que provavelmente é o caso). O *look* salsicha estufada, afinal, nunca está na moda.

- Você tem, então mostre. As barrigas saíram do armário — e debaixo dos vestidões sem corte. A maioria das roupas para gestantes celebra a barriga (e o traseiro mais voluptuoso) com tecidos que se aderem ao corpo e estilos mais justos. E isso é digno de comemoração, já que os trajes que acentuam a barriga afinam a silhueta. Não gosta de roupas justas? Vestidos *maxi* compridos e soltinhos são confortáveis e gostosos de usar, especialmente quando a barriga crescer. Outra excelente opção são as calças de cintura baixa, que fecham sob a barriga. Elas também alongam a silhueta, porque não a dividem ao meio (e que gestante não precisa de uma alongada na silhueta?).

  Falando sobre exibir o que tem, escolha uma parte de seu corpo com a qual se sinta mais confortável (digamos, braços, pernas... ou decote) e compre roupas que a destaquem.
- Use as roupas dele. Elas estão lá para isso (embora provavelmente seja uma boa ideia pedir antes): camisas grandonas que ficam ótimas com calças justas ou *leggings*, calças de moletom que acomodam mais centímetros que as suas, shorts que acompanharão sua cintura por ao menos mais alguns meses, cintos com buracos a mais. Mas saiba que, lá pelo sexto mês (e provavelmente bem antes), por maior que seja a barriga de seu parceiro, você provavelmente ficará maior que ele e as roupas dele.
- Empreste e peça emprestado. Aceite todas as ofertas de roupas usadas, desde que sirvam. Em um aperto, qualquer vestido, saia ou jeans pode ajudar, e você pode personalizar os itens emprestados com seus próprios acessórios. Quando a gravidez chegar ao fim, ofereça-se para emprestar os trajes que comprou e não pode ou não quer usar para as amigas grávidas. Se juntarem tudo, vocês farão valer o dinheiro que gastaram.
- Alugue. Você tem um casamento ou evento formal para ir e não quer gastar comprando um traje de noite

para gestante que só será usado uma vez? Dê uma olhada no crescente número de lojas que alugam roupas para gestantes (algumas mulheres alugam todo o guarda-roupa!).
- Não ignore os acessórios que o público nunca vê. Um sutiã do tamanho certo e bem ajustado deve ser seu amigo do peito durante a gravidez, especialmente quando o peito crescer... e crescer. Ignore as liquidações e coloque-se nas mãos de uma vendedora experiente em uma loja de lingerie bem-abastecida. Com sorte, ela será capaz de dizer aproximadamente de quanto espaço e apoio extras você precisará e que tipo de sutiã pode fornecê-los. Mas não faça um estoque. Compre um ou dois e então volte quando seu número aumentar.

  Lingeries especiais para grávidas não costumam ser necessárias, mas, se você decidir seguir esse caminho, provavelmente ficará aliviada ao descobrir que elas são muito mais sexy do que costumavam ser (adeus para as calçolas da vovó, olá tangas e biquínis). Você também pode optar por calcinhas asa delta comuns — em tamanho maior, se necessário — usadas sob a barriga. Compre-as em suas cores favoritas e/ou tecidos sensuais para melhorar o humor (mas certifique-se de que o forro do fundo seja de algodão).
- O algodão é mais fresco. Tecidos quentes e que não respiram, como nylon e outras fibras sintéticas, não são assim tão bacanas quando você está grávida. Como sua taxa metabólica é mais alta que o normal, fazendo-a se sentir mais quente que de costume, você se sentirá mais confortável vestindo algodão. Também terá menos probabilidade de ter assaduras (uma queixa comum entre as gestantes). Meias três-quartos ou sete-oitavos também serão mais confortáveis que meias-calças, mas evite as que têm uma faixa elástica apertada no topo. Se usar meias-calças, opte pelas de algodão (sim, existem até mesmo meias de compressão feitas de algodão). Cores claras, tramas de malha e roupas mais largas ajudarão a mantê-la fresca no verão. Quando o tempo esfriar, vestir-se em camadas é o ideal, já que você pode retirá-las seletivamente ao sentir calor ou entrar em casa.

Conselhos não solicitados
"Agora que é óbvio que estou grávida, todo mundo — da minha sogra a estranhos no elevador — tem conselhos a oferecer. Isso está me deixando louca."

Há algo na barriga saliente que desperta o especialista escondido em todo mundo. Dê sua corrida matinal pelo parque e alguém certamente a repreenderá: "Você não deveria estar correndo na sua condição!" Carregue duas sacolas de compras no supermercado e alguém dirá: "Você tem certeza de que deveria estar carregando peso?" Exagere na sorveteria e espere os avisos: "A gordura da gravidez não vai ser fácil de perder, querida."

Entre a polícia da gravidez, os conselheiros e as inevitáveis predições sobre o sexo do bebê, o que uma gestante pode fazer? Primeiro de tudo, saiba que a maior parte do que você ouve provavelmente é besteira. As histórias das antigas parteiras que têm fundamento foram, em sua maioria, cientificamente comprovadas e se tornaram parte da prática médica padrão. As que não se tornaram talvez ainda estejam entremeadas à mitologia da gravidez, mas podem ser ignoradas com tranquilidade. As recomendações que a deixam em dúvida ("E se elas estiverem certas?") devem ser levadas ao médico, parteira ou instrutora de parto.

Mas, sejam eles possivelmente plausíveis ou obviamente ridículos, não deixe que os conselhos não solicitados a perturbem. Mantenha o senso de humor e tente uma das seguintes abordagens. Informe polidamente ao estranho, amigo ou familiar bem-intencionado que você tem um médico confiável que a orienta sobre a gravidez e, embora você aprecie a intenção, só pode aceitar conselhos dele. Ou, de maneira igualmente polida, sorria, diga obrigada e vá embora, deixando os comentários entrarem por uma orelha e saírem pela outra.

Como quer que escolha lidar com os conselhos não solicitados, acostume-se a eles. A única pessoa que atrai uma multidão de conselheiros mais rapidamente que uma mulher grávida é uma mulher com um bebê no colo.

Toques sem permissão

"Agora que minha barriga está aparecendo, todo mundo — mesmo pessoas que mal conheço — se aproxima e a toca, sem sequer perguntar. Eu acho isso repulsivo."

Elas são redondas, fofinhas e estão cheias de algo ainda mais fofinho. Vamos encarar os fatos: barrigas de grávida simplesmente imploram para serem tocadas e, frequentemente, são — geralmente sem permissão. E isso não incomoda certas gestantes, que gostam de ser o centro de tanta atenção. Mesmo assim, o ponto central é: sua barriga, suas regras. Pode ser necessário um vilarejo para criar uma criança, mas as barrigas não são propriedade comum, como algumas pessoas as veem, e podem (e devem) ter fronteiras. Se os toques sem permissão a estão incomodando, você tem todo o direito de afastar as mãos que se dirigem a sua barriga.

Você pode fazer isso de maneira direta (embora polida): "Sei que dá vontade de encostar na barriga, mas prefiro que você não faça isso." Ou de maneira divertida: "Por favor, não toque; o bebê está dormindo!" Ou pode tentar virar a mesa, tocando a barriga de quem queria tocar a sua (dar tapinhas na barriga de alguém pode fazer com que ele ou ela pense duas vezes antes de tocar em outra mulher grávida sem permissão). Ou deixe sua posição clara sem dizer uma palavra: cruze os braços protetoramente sobre a barriga ou coloque as mãos da pessoa em outro lugar (como a barriga dela).

Esquecimento
"Na semana passada, saí de casa sem o celular. Esta manhã, esqueci completamente de um compromisso importante. Não consigo focar em nada e começo a achar que estou perdendo a lucidez."

Você está em boa companhia. Muitas futuras mães sentem que estão ganhando quilos e perdendo neurônios. Mesmo mulheres que costumam conseguir microgerenciar tudo, permanecendo focadas e organizadas em meio ao caos e lidando com o que quer que aconteça em seu dia subitamente se veem esquecendo compromissos, perdendo reuniões e o fio da meada (e a calma, e a carteira, e o celular...). E esse esquecimento não está na cabeça, mas no cérebro. Os pesquisadores descobriram que o volume de neurônios diminui durante a gravidez (embora isso possa não ser algo ruim; ver o quadro na página seguinte). Felizmente, essa névoa cerebral (similar à que muitas mulheres experimentam durante a TPM, mas mais intensa) é temporária. Seu cérebro voltará ao normal alguns meses após o parto.

Como a maioria dos sintomas da gestação, o esquecimento (frequentemente chamado "cérebro de placenta" ou "cérebro de grávida") é provocado pelos hormônios. A privação de sono também pode desempenhar um papel (quanto menos você dorme, menos você lembra), assim como o fato de que você está constantemente sem energia — energia de que seu cérebro necessita para permanecer focado. O que também contribui é a sobrecarga mental da futura mãe, que mantém os circuitos do cérebro ocupados.

Estressar-se com essa névoa intelectual só piora as coisas. Reconhecer que é normal (e não imaginado) e mesmo aceitar com bom humor pode ajudar a melhorar o esquecimento e fazer com que você se sinta melhor. Pode não ser possível ser tão eficiente quanto você era antes de assumir a tarefa adicional de fazer um bebê. Manter listas em seu smartphone ajuda a limitar o caos mental — se você conseguir se lembrar de onde deixou o smartphone. Programe lembretes eletrônicos para datas e compromissos importantes e use o aplicativo What to Expect. Bilhetes autocolantes estrategicamente espalhados (na porta da frente para lembrá-la de pegar as chaves, por exemplo) também podem ajudar.

Embora o ginkgo biloba seja elogiado por sua capacidade de melhorar a memória, não é considerado seguro durante a gestação, então esqueça essa e outras plantas em sua batalha contra o esquecimento. Concentre-se em ingestões regulares de proteínas e carboidratos complexos, na forma de minirrefeições. A baixa no nível de glicose causada por períodos muito longos entre as refeições definitivamente pode contribuir para essa sensação de névoa.

E você pode muito bem se acostumar a trabalhar um pouco abaixo do máximo da eficiência. A névoa pode continuar após a chegada do bebê (por causa da fadiga, e não dos hormônios), e talvez só passe completamente quando o bebê (e você) começar a dormir a noite toda.

MUDANÇAS CEREBRAIS QUE A TORNAM MÃE

Embora seja verdade que as futuras mães perdem células cerebrais durante a gravidez (especificamente perdendo massa cinzenta em várias áreas do cérebro), os pesquisadores estão descobrindo que mudanças no tamanho e na estrutura do cérebro da gestante na verdade aumentam sua resposta materna. Em outras palavras, a perda de matéria cinzenta abre espaço para que outras partes do cérebro — as partes acolhedoras, interessadas, maternais — amadureçam e se especializem. Assim, a sua perda (cerebral) é o ganho do bebê!

TUDO SOBRE:
Exercitando-se quando você está esperando

Você está toda dolorida, não consegue dormir, suas costas a estão matando, seus tornozelos estão inchados, você está constipada, seu estômago está estufado e você está soltando mais puns que um ônibus cheio de jogadores de futebol do ensino médio que acabaram de parar na lanchonete. Em outras palavras, você está grávida. Ah, se houvesse algo que pudesse fazer para minimizar as dores e os efeitos colaterais desagradáveis da gravidez...

Na verdade, há, e só exige alguns minutos (talvez meia hora) de seu dia: exercícios. Achava que a gravidez era o momento de pegar leve? Não mais. Por sorte (ou azar, se você for membro do clube do sofá), o conselho oficial do ACOG parece conversa de *personal trainer*: mulheres com gestações normais devem fazer exercícios moderados por 30 minutos ou mais quase todos (senão todos) os dias.

DANDO UNS APERTOS

Está procurando um exercício que você pode fazer a qualquer hora, em qualquer lugar (no sofá, na escrivaninha, na fila do supermercado, no trânsito, almoçando, olhando sites de bebês e mesmo durante o sexo), sem frequentar a academia ou transpirar?

Diga olá para os exercícios de Kegel, que trabalham um dos mais importantes conjuntos de músculos de seu corpo: os do assoalho pélvico. Nunca pensou muito sobre esses músculos ou sequer sabia que os tinha? Está na hora de começar a prestar atenção. Eles são os músculos que suportam seu útero, bexiga e intestinos, e foram projetados para esticar para que o bebê possa sair. Também são os músculos que impedem que a urina vaze quando você tosse ou ri (uma habilidade que você provavelmente apreciará quando desaparecer, como tende a acontecer na incontinência pós-parto). Esses músculos multifuncionais também produzem uma experiência sexual muito mais satisfatória.

Por sorte, os exercícios de Kegel podem facilmente colocar esses músculos milagrosos em forma com mínimo investimento de tempo e esforço. Apenas 5 minutos de exercícios, três vezes ao dia, podem tonificá-los e gerar benefícios de curto e longo prazo. Músculos do assoalho pélvico tonificados podem aliviar vários sintomas da gravidez e do pós-parto, de hemorroidas a incontinência urinária e fecal. Eles podem evitar uma episiotomia e mesmo uma laceração durante o parto. Além disso, fazer os exercícios de Kegel regularmente durante a gravidez ajuda a vagina a se contrair mais graciosamente após a grande saída do bebê (mesmo que você termine fazendo uma cesariana).

Está pronta? Eis como começar: tensione os músculos em torno da vagina e do ânus e segure (como faria se estivesse tentando interromper o fluxo de urina) por 10 segundos. Relaxe lentamente e repita. Faça três séries de vinte exercícios ao dia. O foco devem ser os músculos pélvicos, e nenhum outro. Se sentir o estômago tenso ou as coxas ou nádegas se contraindo, seus músculos pélvicos não estão fazendo o exercício corretamente. Continue com esses apertões durante toda a gravidez e colherá por toda a vida os benefícios de músculos do assoalho pélvico mais fortes. Tente fazer os exercícios também durante o sexo: você e seu parceiro notarão a diferença (finalmente um exercício sobre o qual ficar excitada!).

E, com exceção das restrições estabelecidas pelo médico, você também pode. Não importa se vai começar como atleta no auge da forma física ou amante do sofá que não usou tênis desde a última aula de educação física (exceto para estar na moda). Há muitos benefícios em exercitar-se por dois.

Os benefícios dos exercícios

Quais são os benefícios para você? Os exercícios regulares podem melhorar:
- Sua estamina. Parece contraintuitivo, mas, às vezes, descansar demais pode fazer com que você se sinta mais cansada. Um pouco de exercício dará a seu nível de energia o impulso de que ele necessita.
- Seu sono. Muitas gestantes têm dificuldade para dormir (e continuar adormecidas), mas aquelas que se exercitam de modo consistente frequentemente dormem melhor e acordam se sentindo mais descansadas. Mas não faça exercícios pouco antes de se deitar.
- Sua saúde. Os exercícios, especialmente quando associados a um ganho de peso razoável e uma dieta saudável, podem evitar a diabetes gestacional, um problema crescente entre gestantes.
- Seu humor. Os exercícios fazem com que seu cérebro libere endorfinas, que aumentam o bem-estar, melhorando o humor e diminuindo o estresse e a ansiedade.
- Suas costas. Músculos abdominais fortes são a melhor defesa contra a dor nas costas que incomoda tantas gestantes. Mas mesmo exercícios que não focam diretamente no abdômen podem aliviar a dor e a pressão na coluna. Um exemplo: natação ou hidroginástica são a prescrição perfeita para aliviar a dor nas costas (e a dor no nervo ciático).
- Seus (tensos) músculos. Alongar-se faz bem ao corpo, especialmente ao corpo grávido, que é mais suscetível a câimbras nas pernas (e em outros lugares). O alongamento também ajuda a revelar pequenos pontos de tensão, evitando músculos doloridos. E você pode fazê-lo a qualquer hora, em qualquer lugar — mesmo que passe a maior parte do dia sentada —, sem nem precisar suar.
- Seus intestinos. Um corpo ativo encoraja intestinos ativos. Mesmo uma caminhada de 10 minutos ajuda a movimentar as coisas. Os exercícios de Kegel, também (ver quadro da p. 312).
- Seu trabalho de parto. Embora exercitar-se durante a gravidez não garanta que você passará correndo pela sala de parto, mães que se exercitam tendem a ter trabalhos de parto mais breves e com menos necessidade de intervenção (incluindo cesarianas).

- Sua recuperação pós-parto. Quanto mais em forma você estiver durante a gravidez, mais rapidamente se recuperará fisicamente após o parto (e mais rapidamente voltará a entrar nos jeans *skinny*).

E quais são os benefícios para o bebê? Muitos. Os pesquisadores teorizam que as mudanças na frequência cardíaca e nos níveis de oxigênio das gestantes durante os exercícios estimulam os bebês. Eles também são estimulados pelos sons e vibrações que experimentam no útero durante os exercícios. Exercite-se regularmente durante a gravidez e seu bebê poderá ser, em média:

- Mais em forma. Bebês de mães que se exercitam durante a gravidez nascem com pesos mais saudáveis, são mais capazes de suportar o parto (ficam menos estressados) e se recuperam mais rapidamente do estresse do nascimento. E, como a frequência cardíaca do bebê aumenta quando a da mãe aumenta, é como se o bebê também estivesse fazendo exercícios cardiovasculares, o que pode resultar em um coração mais saudável mais tarde na vida.

MISSÃO: EXERCÍCIOS

Sua missão quando se trata de exercícios durante a gravidez é chegar a 30 minutos ao dia de algum tipo de atividade física. E, se parece assustador, saiba que três caminhadas de 10 minutos ou mesmo cinco minissessões de exercícios de 5 minutos ao longo do dia são tão benéficas quanto meia hora na esteira. (Viu, não é tão difícil quanto parece.)

Ainda não está convencida de que tem tempo? Para tornar sua missão possível, tente pensar nos exercícios como parte de seu dia — como escovar os dentes e ir para o trabalho — e os insira na rotina (é assim que eles se tornam rotina, afinal).

Se não há espaço na agenda para aulas na academia, incorpore os exercícios nas atividades diárias: desça do ônibus duas paradas antes do escritório e caminhe o restante do trajeto. Estacione o carro em uma vaga mais distante no shopping em vez de procurar uma na porta (e, enquanto estiver no shopping, dê algumas voltas a mais: elas também contam). Caminhe energicamente até a lanchonete em vez de pedir o sanduíche pelo telefone. Use as escadas em vez do elevador. Suba pela escada rolante em vez de esperar que ela a leve. Use um banheiro que esteja mais longe em vez daquele no fim do corredor.

Tem tempo, mas não tem motivação? Encontre-a em uma turma de ginástica para gestantes (a camaradagem a deixará mais animada) ou se exercitando em grupo (forme um clube de caminhada no horário de almoço ou faça trilhas com suas amigas antes do *brunch* semanal aos sábados). Fica entediada com os exercícios? Mude: tente yoga para gestantes se estiver (literalmente) cansada de correr ou de natação (ou hidroginástica) se a bicicleta ergométrica não a estiver levando a lugar nenhum. Encontre animação em um vídeo de ginástica para gestantes.

Certamente haverá dias (especialmente nos fatigantes primeiro e terceiro trimestres) em que você estará exausta demais para tirar os pés da mesinha de centro, que dirá fazer elevação de pernas. Mas nunca houve uma época melhor, ou razões melhores, para começar a se mexer.

- Mais inteligente. Uma pesquisa mostrou que bebês de mães que se exercitaram durante a gravidez obtiveram notas mais altas em testes de QI realizados aos 5 anos (exercitar-se aumenta seu poder muscular e o poder cerebral do bebê!).
- Mais tranquilo. Bebês de gestantes que se exercitaram tendem a dormir a noite toda mais precocemente, são menos suscetíveis às cólicas e mais capazes de se acalmarem sozinhos.
- Mais coordenado. Bebês de mães que se exercitaram durante a gravidez tendem a ter notas mais altas em testes de habilidades motoras, reflexos, controle da cabeça e outros testes de coordenação física.

A MANEIRA INTELIGENTE DE SE EXERCITAR

Está se exercitando com um bebê a bordo? Lembre-se de fazer isso de maneira inteligente:

- Reponha os líquidos. Para cada meia hora de atividade moderada, você precisará de ao menos um copo a mais para compensar os líquidos que perdeu através da transpiração. Você precisará de mais que isso em clima quente ou se transpirar muito. Beba antes, durante e depois de se exercitar — mas não mais de 450 ml de cada vez. É uma boa ideia iniciar a ingestão de líquidos entre 30 e 45 minutos antes de iniciar os exercícios.
- Faça um lanche. Um lanche leve, mas nutritivo antes dos exercícios ajudará a manter seu nível de energia. Faça outro lanche leve depois de terminar, especialmente se queimou muitas calorias. Você terá de consumir entre 150 e 200 calorias adicionais para cada meia hora de exercício moderado.
- Fique fria. Qualquer exercício ou ambiente que aumente a tempera-

tura de uma gestante em mais de 1,5°C deve ser evitado (porque isso faz com que o sangue flua para a pele e se afaste do útero enquanto o corpo tenta esfriar). Assim, fique longe de saunas secas ou úmidas e banheiras de hidromassagem, e não se exercite ao ar livre se o clima estiver muito quente ou úmido, nem em salas abafadas ou muito quentes (não faça *hot yoga*). Se geralmente caminha ao ar livre, tente fazer um passeio por um shopping com ar-condicionado quando a temperatura estiver muito alta.
- Vista-se de maneira adequada. Use roupas folgadas, respiráveis e flexíveis. Escolha um sutiã esportivo que forneça muito apoio para seus seios provavelmente maiores, mas que não aperte quando estiver se movendo.
- Cuide dos pés. Se seu tênis está mostrando a idade, substitua-o agora para minimizar as chances de ferimento ou queda. E escolha tênis projetados para o esporte que vai praticar.
- Selecione a superfície correta. Do lado de dentro, madeira ou carpete são melhores que piso frio ou concreto. (Se a superfície for escorregadia, não se exercite de meias ou calças com pezinho.) Melhor ainda, invista em um tapete de yoga, que também poderá ser seu tapete de exercícios. Do lado de fora, correr em pistas macias ou trilhas de grama e terra é melhor que correr por ruas asfaltadas e calçadas, e superfícies niveladas são melhores que as irregulares.
- Fique longe das ladeiras. Como a barriga cada vez maior afetará seu senso de equilíbrio, o ACOG sugere que mulheres na última parte da gestação evitem esportes com alto risco de queda ou ferimento abdominal. Eles incluem ginástica olímpica, esqui ou snowboard em pistas inclinadas, patinação no gelo, esportes de raquete vigorosos (jogue em dupla, em vez de sozinha) e cavalgadas, assim como ciclismo e esportes de contato, como hóquei no gelo, futebol e basquete (veja a p. 320 para saber mais).
- Permaneça no nível do mar. A menos que viva em alta altitude, evite qualquer atividade que a leve para mais de 6 mil pés. No outro extremo, o mergulho com tanque, que apresenta risco de doença da descompressão para o bebê, também está proibido, e você terá de esperar até não ter um passageiro a bordo para fazer seu próximo mergulho.
- Não se deite de costas. Após o quarto mês, não se exercite deitada de costas. O peso do útero em expansão pode comprimir vasos sanguíneos importantes, restringindo a circulação.
- Evite certos movimentos. Algumas futuras mães descobrem que fazer

ponta (esticar os dedos dos pés) pode levar a câimbras nas panturrilhas. Se esse for seu caso (especialmente se você não se exercitar regularmente na barra), flexione os pés em vez de fazer ponta, esticando os dedos na direção do rosto. Abdominais e elevação das duas pernas comprimem o abdômen, e provavelmente não são uma boa ideia quando você tem um bebê a bordo. Também evite qualquer atividade que exija flexão para trás, contorcionismos, grande flexão ou extensão das articulações (como dobrar totalmente os joelhos), saltos, mudanças súbitas de direção ou movimentos abruptos.

Exercitando-se da maneira certa

Seu corpo grávido não somente já não cabe nas roupas de ginástica regulares como pode não caber nas rotinas de exercícios regulares. Agora que está se exercitando por dois, você precisará ter dupla certeza de que está se exercitando da maneira correta. Eis algumas dicas, seja você uma viciada em ginástica ou uma caminhante de fim de semana:

A linha de partida é o consultório médico. Antes de calçar o tênis e ir para a aula de cárdio, faça uma parada no consultório médico para obter permissão. Você quase certamente a receberá — a maioria das mulheres recebe. Mas, se tiver qualquer complicação médica ou relacionada à gestação, o médico pode limitar seu programa de exercícios, restringi-lo totalmente ou — se você já tiver ou estiver em risco de ter diabetes gestacional — encorajá-la a se exercitar mais. Assegure-se de entender claramente quais programas de exercícios são apropriados e se sua rotina normal (se você tiver uma) é segura durante a gravidez. Se estiver em boas condições de saúde, o médico provavelmente a encorajará a manter sua rotina regular enquanto se sentir capaz, com certas modificações (especialmente se ela incluir esportes proibidos durante a gravidez, como hóquei no gelo).

Respeite seu corpo conforme ele muda. Espere que sua rotina mude juntamente com seu corpo. Você precisará modificar seus exercícios quando seu centro de gravidade se alterar e provavelmente também terá de se mover mais devagar para evitar quedas (especialmente quando já não conseguir enxergar os pés). Também espere que os exercícios pareçam diferentes, mesmo que você pratique a mesma rotina há anos. Se caminha, por exemplo, sentirá mais pressão nos quadris e joelhos com o progresso da gestação e o consequente afrouxamento das articulações e ligamentos. Após o primeiro trimestre, também terá de acomodar seu corpo grávido evitando qualquer exercício que exija que se deite de costas ou permaneça imóvel (como algumas poses de yoga e tai chi). Ambos podem restringir o fluxo sanguíneo.

Comece devagar. Se é nova nisso, comece devagar. É tentador começar com tudo, correndo 5 quilômetros na primeira manhã ou fazendo o dobro dos exercícios na primeira tarde. Mas tal início entusiástico geralmente leva não à boa forma, mas a músculos doloridos, determinação diminuída e interrupção abrupta. Comece o primeiro dia com 10 minutos de aquecimento seguidos de 5 minutos de exercícios mais vigorosos (mas pare assim que começar a cansar) e 5 minutos para esfriar. Após alguns dias, se seu corpo se ajustar bem, aumente o período de exercícios vigorosos em certa de 5 minutos, até chegar a 30 ou mais, caso se sinta confortável.

Já é uma rata de academia? Lembre que, embora a gravidez seja uma excelente época para manter seu nível de condicionamento, provavelmente não é a melhor época para melhorá--lo (você pode quebrar novos recordes pessoais depois que o bebê chegar).

Comece devagar sempre que começar. O aquecimento pode ser chato quando você está ansiosa para começar — e terminar — a malhação. Mas, como todo atleta sabe, ele é parte essencial de qualquer programa de exercícios. O aquecimento assegura que o coração e a circulação não sejam subitamente sobrecarregados e reduz as chances de lesões nos músculos e articulações, que estão mais vulneráveis quando seu corpo está frio — e particularmente durante a gravidez. Então caminhe antes de correr e nade lentamente ou corra no lugar na piscina antes de começar a nadar.

Termine tão lentamente quanto começou. O colapso pode parecer a conclusão lógica de uma sessão de exercícios, mas não é fisiologicamente sadio. Parar abruptamente prende sangue nos músculos, reduzindo o fornecimento para outras partes de seu corpo e para o bebê. Tontura, fraqueza, arritmia ou náusea podem ser o resultado. Assim, termine os exercícios com exercícios: cerca de 5 minutos caminhando depois de correr, nadando cachorrinho bem devagar depois de nadar vigorosamente, alongando-se levemente depois de quase qualquer atividade. Encerre o alongamento com alguns minutos de relaxamento. Você vai evitar a tontura (e uma possível queda) levantando-se lentamente depois de se exercitar no chão ou em uma bicicleta ergométrica.

Cuide do relógio. Muito pouco exercício não será eficaz; exercício demais pode ser debilitante. Uma sessão completa, do aquecimento ao alongamento, pode durar entre 30 minutos e 1 hora. Mas mantenha o nível de esforço entre leve e moderado.

Seja regular. Exercitar-se erraticamente (quatro vezes em uma semana e nenhuma na seguinte) não a deixará nem a manterá em forma. Exercitar-se regularmente (ao menos quatro e preferencialmente entre cinco e sete vezes por semana, todas as semanas), sim. Se estiver cansada demais para uma sessão extenuante, não se force, mas tente fazer o aquecimento para que seus músculos permaneçam flexíveis e sua disciplina não se dissolva. Muitas mulheres se sentem melhor se fazem algum exercício — não necessariamente uma sessão completa — todos os dias. Além disso, o exercício diário (ou quase diário) é o que os médicos do ACOG recomendam.

Pense em fazer aulas. Para muitas futuras mães, fazer ginástica em grupo fornece camaradagem, apoio e *feedback*, sem mencionar um motivador chute no fundilho das calças de yoga se sua disciplina falhar. Qualquer aula que faça deve ser especialmente projetada para gestantes e ministrada por um instrutor com as credenciais apropriadas. Procure um programa que seja divertido, mantenha uma intensidade moderada, ofereça ao menos três aulas por semana e seja individualizado de acordo com suas capacidades. Se puder, tente fazer uma aula experimental antes de pagar a mensalidade. Não consegue se comprometer com aulas em horários regulares? Leve-as para sua própria casa, de acordo com sua própria conveniência, com o DVD *What to Expect When You're Expecting: The Workout*.

Divirta-se. Os exercícios corretos são aqueles que você realmente gosta de fazer, em vez de odiar. É mais fácil dar continuidade a exercícios divertidos (e não torturantes), particularmente nos dias em que você não tem energia, sente-se do tamanho de uma SUV ou ambos.

Faça tudo com moderação. Jamais se exercite até a exaustão quando estiver esperando (e, mesmo que seja uma atleta treinada, pergunte ao médico se é prudente se exercitar na capacidade máxima durante a gestação, quer isso a esgote ou não). Há várias maneiras de verificar se você está exagerando, e medir a pulsação não é uma delas, então abandone esse hábito. Primeiro, se você se sente bem, provavelmente está. Se houver dor ou tensão, provavelmente, não. Transpirar um pouco é bom, mas ficar encharcada de suor é um sinal para desacelerar. Assim como ser incapaz de conversar enquanto se exercita. Trabalhe duro o bastante para respirar com mais força, mas não a ponto de ficar tão sem fôlego que não consiga falar, cantar ou assobiar enquanto se exercita. Precisar de um cochilo ao completar uma sessão significa que você provavelmente se esforçou demais. Você deve se sentir energizada, e não esgotada, depois de se exercitar.

Saiba quando parar. Seu corpo assinalará quando for a hora, dizendo: "Ei, estou cansado." Entenda a dica imediatamente e jogue a toalha. Pequenas dores não são necessariamente perigosas (como dor nos ligamentos redondos; veja p. 346), mas o fato de surgirem toda vez que você se exercita é um sinal de que deve ir um pouco mais devagar (não corra tão rapidamente, por exemplo, ou ande em vez de correr). Sinais mais sérios sugerem um telefonema para o médico: dor incomum em qualquer lugar (quadris, costas, pelve, peito, cabeça e assim por diante), câimbras ou pontadas que não passam quando você para de se exercitar, contrações uterinas e dor no peito, vertigem ou tontura, batimentos cardíacos muito acelerados, falta de ar severa, dificuldade para andar ou perda do controle muscular, dor de cabeça súbita, vazamento do líquido amniótico ou sangramento vaginal ou, após a 28ª semana, diminuição ou ausência total de movimentos fetais.

Diminua gradualmente no último trimestre. A maioria das mulheres precisa diminuir um pouco o ritmo no terceiro trimestre, particularmente durante o nono mês, quando as rotinas de alongamento e as caminhadas vigorosas ou exercícios na água provavelmente são suficientes. Se você se sente capaz de manter um programa mais vigoroso (e está suficientemente em forma para isso), o médico pode dar luz verde para sua rotina usual até o momento do parto, mas definitivamente pergunte primeiro.

Não fique aí sentada. Ficar sentada por períodos prolongados, sem interrupção, faz com que o sangue se acumule nas veias das pernas e os pés inchem. Se seu trabalho envolve muito tempo sentada, você percorre um longo trajeto casa-trabalho-casa ou viaja longas distâncias frequentemente, caminhe por 5 ou 10 minutos a cada hora sentada. E, enquanto está sentada, faça exercícios periódicos para melhorar a circulação, como respirar profundamente, esticar as panturrilhas, flexionar os pés e movimentar os dedos. Também tente contrair os músculos do abdômen e das nádegas (uma espécie de inclinação pélvica sentada). Se suas mãos tendem a inchar, periodicamente estique os braços acima da cabeça, abrindo e fechando os punhos várias vezes.

Escolhendo os exercícios certos

Embora seja verdade que a gravidez não é o momento de aprender esqui aquático, snowboard ou salto a cavalo, você ainda será capaz de praticar a maioria das atividades físicas e usar muitos aparelhos da academia (com algumas modificações). Você também pode escolher entre o crescente número de programas de exercícios projetados especificamente para gestantes (hidroginástica, Pilates e yoga, por exemplo). Mas pergunte ao médico o que está liberado em termos de programas de exercícios ou esportes. Você provavelmente descobrirá que a maioria das atividades restritas quando você está grávida são aquelas que você teria dificuldade para executar direito com a barriga do tamanho de uma bola de basquete (como basquete... ou futebol, mergulho com cilindro, corrida em trilhas inclinadas e mountain bike). Eis o que fazer e não fazer em termos de exercícios durante a gestação:

Caminhadas. Praticamente qualquer um pode caminhar, e em praticamente qualquer hora e lugar. Não existe exercício mais fácil de inserir em uma agenda lotada (e não se esqueça de que toda caminhada conta, mesmo que sejam duas quadras até o mercado ou 10 minutos enquanto o cachorro faz xixi). E você pode continuar a caminhar até o dia do parto (ou no próprio dia do parto, se quiser que as contrações comecem de uma vez). O melhor de tudo é que nenhum equipamento é necessário, e tampouco há mensalidades a pagar. Tudo que precisa é de um bom par de tênis e roupas confortáveis e de tecidos respiráveis. Se está iniciando uma rotina de caminhadas, pegue leve (comece com um passeio antes de passar para um ritmo mais acelerado). O clima não está cooperando? Caminhe energicamente pelo shopping.

Correr. Corredoras experientes podem continuar durante a gravidez, mas devem limitar as distâncias e se manter em terreno nivelado ou usar esteira (se não corria antes de engravidar, limite-se a caminhadas enérgicas por enquanto). Ligamentos e articulações cada vez mais frouxos durante a gravidez podem doer, tornar a corrida mais difícil para os joelhos e deixá-la mais suscetível a lesões — todas boas razões para ouvir seu corpo grávido e ajustar as corridas de acordo.

Aparelhos. Esteiras, bicicletas elípticas e simuladores de escada são boas apostas durante a gravidez. Ajuste a velocidade, a inclinação e a tensão a um nível confortável (começando devagar se for novata). Perto do fim da gravidez, no entanto, os exercícios com aparelhos podem ser extenuantes demais (ou talvez não — como sempre, siga as dicas dadas por seu corpo). Você também precisará prestar mais atenção para evitar tropeços nas máquinas quando já não for capaz de enxergar seus pés.

MAIS 30 MINUTOS?

Mais (exercício) é melhor? Depende. Se você é realmente ambiciosa (ou está realmente em forma) e recebeu luz verde do médico (com base em seu nível de condicionamento físico), é seguro malhar por 1 hora ou mesmo mais, desde que ouça seu corpo. Gestantes tendem a se cansar mais rapidamente, e corpos cansados são mais suscetíveis a lesões. Além disso, o esforço excessivo pode levar a outros problemas, como desidratação se você não ingerir líquidos suficientes ou falta de oxigênio para o bebê se você ficar sem fôlego por longos períodos. Queimar mais calorias durante as maratonas de exercícios também significa que você precisará ingerir mais, então compense adequadamente (a melhor parte dos exercícios, não acha?).

Natação e hidroginástica. Considere o seguinte: na água, você pesa somente um décimo do que pesa em terra (com que frequência você teve a chance de pesar quase nada ultimamente?), tornando a hidroginástica a escolha perfeita para a mulher grávida. Exercitar-se na água aumenta a força e a flexibilidade, mas é gentil com as articulações — e há muito menos risco de superaquecimento (a menos que a piscina esteja muito quente). Além disso, a maioria das gestantes relata que a hidroginástica ajuda a diminuir o inchaço de pernas e pés e alivia a dor no nervo ciático. A maioria das academias com piscina oferece hidroginástica, e muitas têm aulas projetadas especificamente para gestantes. Só tome cuidado ao caminhar pelas laterais escorregadias da piscina, e não mergulhe.

Yoga. A yoga encoraja o relaxamento, o foco e a atenção à respiração, sendo praticamente perfeita para a gravidez (e uma grande preparação para o parto e a maternidade). Ela também aumenta a oxigenação (levando mais oxigênio para o bebê) e a flexibilidade, possivelmente tornando a gravidez e o parto mais fáceis. Selecione uma turma especificamente voltada para gestantes ou pergunte ao instrutor como modificar as posturas para que sejam seguras. Por exemplo, você provavelmente não deve se exercitar deitada de costas após o quarto mês e, conforme a gravidez progride e seu centro de gravidade muda, precisará ajustar suas posturas favoritas. E, a menos que seja experiente em inversões, deve evitar inversões totais (parada de mão, parada de ombro com apoio e parada de cabeça com apoio) após o terceiro mês — não somente porque seu equilíbrio estará prejudicado, mas também por causa de potenciais questões de pressão arterial. Alguns médicos e parteiras dizem que as meias inversões — como cachorro olhando para baixo — são seguras durante a gravidez.

Outra ressalva importante: evite a *hot yoga*. Ela é feita em uma sala muito quente (geralmente entre 32 e 38°C) e, durante a gravidez, você precisará evitar qualquer exercício que a esquente demais.

Pilates. O Pilates, similarmente à yoga, aumenta a flexibilidade, a força e o tônus muscular com pouco ou nenhum impacto. O foco é fortalecer o abdômen, que alivia a dor nas costas e melhora a postura (importante para evitar dores quando você carrega um bebê na barriga, mas também quando o carrega no colo). Procure uma aula voltada especificamente para gestantes ou informe à instrutora que está grávida, para evitar movimentos (incluindo os alongamentos excessivos) ou equipamentos inapropriados.

Dança/aeróbica. Quer dançar zumba, mamãe? Atletas experientes e em boa forma física podem continuar a praticar todos os tipos de dança (como dança do ventre, de salão, hip-hop, salsa, zumba e assim por diante) e ginástica aeróbica durante a gravidez. Mas dance com cuidado. Diminua a intensidade, evite saltos ou movimentos de alto impacto e jamais chegue ao ponto de exaustão. Se for iniciante, escolha aeróbica de baixo impacto ou considere a hidroginástica, muito adequada para gestantes.

Barra. Esses exercícios inspirados no balé são excelentes quando você está grávida porque incluem muitos movimentos de perna com pouquíssimos saltos. Os exercícios de equilíbrio e fortalecimento do abdômen também são perfeitos para a gravidez, especialmente porque a barriga em crescimento enfraquece a musculatura da região e prejudica o equilíbrio. Assim, corra para a barra, mas com ligeiras modificações: como alguns movimentos dos membros inferiores podem pressionar as costas, especialmente quando a barriga crescer, adapte-os (ficando sobre as mãos e os joelhos para certas posições, por exemplo) conforme necessário.

Step. Desde que esteja em boa forma e tenha experiência com as rotinas, normalmente não há problema em continuar praticando. Mas lembre-se de que as articulações ficam mais suscetíveis a lesões quando você está grávida, então alongue-se bem antes de começar e não se esforce demais. E, é claro, não use degraus muito altos. Conforme seu abdômen se expande, evite qualquer atividade que exija muito equilíbrio.

Spinning. O spinning está liberado quando você está esperando um bebê? Se vinha praticando há ao menos seis meses antes de engravidar, você deve ser capaz de continuar, mas diminua a intensidade (e informe ao instrutor que está grávida, para que ele não seja exigente demais). Lembre-se de desacelerar um pouco se começar a ofegar ou ficar sem ar. E, para máximo conforto, puxe o guidão para mais perto do corpo, permitindo que fique sentada corretamente, em vez de se inclinar para a frente, o que pode fazer a região lombar doer mais do que já dói. Permaneça sentada, já que pedalar em pé é um exercício intenso demais para gestantes. Se o spinning subitamente parecer exaustivo, faça uma pausa até o bebê nascer (e você se recuperar do parto).

Kickboxing. O *kickboxing* exige graça e velocidade: duas coisas que as mulheres grávidas tipicamente não possuem em abundância. Muitas lutadoras descobrem que já não conseguem chutar tão alto ou se mover tão rapidamente, mas, se você ainda está confortável com os chutes e possui muita experiência (nenhuma novata por aqui), é seguro continuar. Apenas evite quaisquer movimentos que sejam muito difíceis ou que exijam muito esforço. Mantenha uma distância segura dos outros lutadores (você não quer levar um chute acidental na barriga) de duas vezes o comprimento de suas pernas. Informe a todos que está grávida ou procure turmas específicas para gestantes (todas ao redor estão grávidas — e bem longe).

Musculação. A musculação aumenta o tônus muscular (e deixa seus bíceps prontos para erguer o bebê), mas é importante evitar muito peso ou exercícios que exijam grunhir e prender a respiração, que pode comprometer o fluxo de sangue para o útero. Prefira pouco peso e múltiplas repetições. Pergunte ao médico que modificações precisa fazer em sua rotina com a faixa elástica (ou se deveria evitá-la) e fique longe das rotinas de crossfit por enquanto (a menos que as pratique há anos e o médico tenha liberado).

Esportes ao ar livre (trilhas, patinação, ciclismo, esqui). A gravidez não é a época para aprender um novo esporte — especialmente um que exija muito equilíbrio —, mas atletas experientes devem ser capazes de continuar praticando, com aprovação do médico e algumas precauções razoáveis. Ao percorrer trilhas, evite terrenos irregulares (especialmente mais tarde, quando não será fácil ver aquela pedra no caminho), altas altitudes e pistas escorregadias — e as escaladas estão proibidas, claro. Ao andar de bicicleta, seja muito cautelosa: use capacete, não pedale em terreno molhado, trilhas assoladas pelo vento ou superfícies irregulares (cair nunca é uma boa ideia, mas especialmente não agora que você está grávida) e não se incline para a frente, na posição de corrida (isso pode forçar a região lombar, e agora não é hora de correr — devagar e sempre é seu lema por enquanto). Quanto à patinação no gelo, você pode fazer uma pirueta (e um oito) no início da gravidez, se for experiente e cuidadosa — mais tarde,

provavelmente terá problemas de equilíbrio, então pare assim que ficar mais corpulenta que graciosa. O mesmo vale para os patins em linha e as cavalgadas. Evite esquiar ou fazer snowboard em pistas inclinadas, mesmo que tenha anos de duplos diamantes negros no currículo: o risco de queda ou colisão séria é alto demais (mesmo os profissionais caem de vez em quando, e não há como avaliar a habilidade dos outros a sua volta). O esqui cross-country e as raquetes de neve estão liberados para as experientes, mas tenha o dobro do cuidado para não cair.

Tai chi. Sendo uma antiga forma de exercícios meditativos, os movimentos lentos do tai chi dão mesmo às menos ágeis a oportunidade de relaxar e fortalecer o corpo sem o risco de se machucar. Se você está confortável e tem experiência, pode continuar. Procure aulas específicas para gestantes ou se atenha aos movimentos que pode completar com facilidade — tome cuidado extra com as posições que exigem equilíbrio.

Exercícios básicos para gestantes

Nunca entrou em uma academia? Não sabe a diferença entre um afundo e um agachamento? Ou está insegura sobre como começar a se exercitar por dois? Eis alguns exercícios simples e seguros que você pode fazer quando está esperando um bebê:

Alongamento dos ombros. Para aliviar a tensão nos ombros (especialmente útil se você passa muito tempo no computador), tente este movimento simples: fique em pé com os pés afastados na largura dos ombros e os joelhos ligeiramente dobrados. Erga o braço esquerdo na altura do peito e o dobre ligeiramente. Coloque a mão direita no cotovelo esquerdo e puxe gentilmente na direção do ombro direito enquanto exala. Mantenha a posição por 5 a 10 segundos e troque de lado.

Alongamento das pernas. Dê às suas pernas uma folga muito necessária com este alongamento fácil: fique em pé e se apoie em um balcão, no encosto de uma cadeira pesada ou em outro objeto resistente. Dobre o joelho direito e levante o pé direito na direção da cabeça. Segure o pé com a mão direita e puxe o calcanhar na direção das nádegas enquanto flexiona a coxa para trás. Deixe as costas retas e mantenha a posição por 10 a 30 segundos. Repita com a perna esquerda.

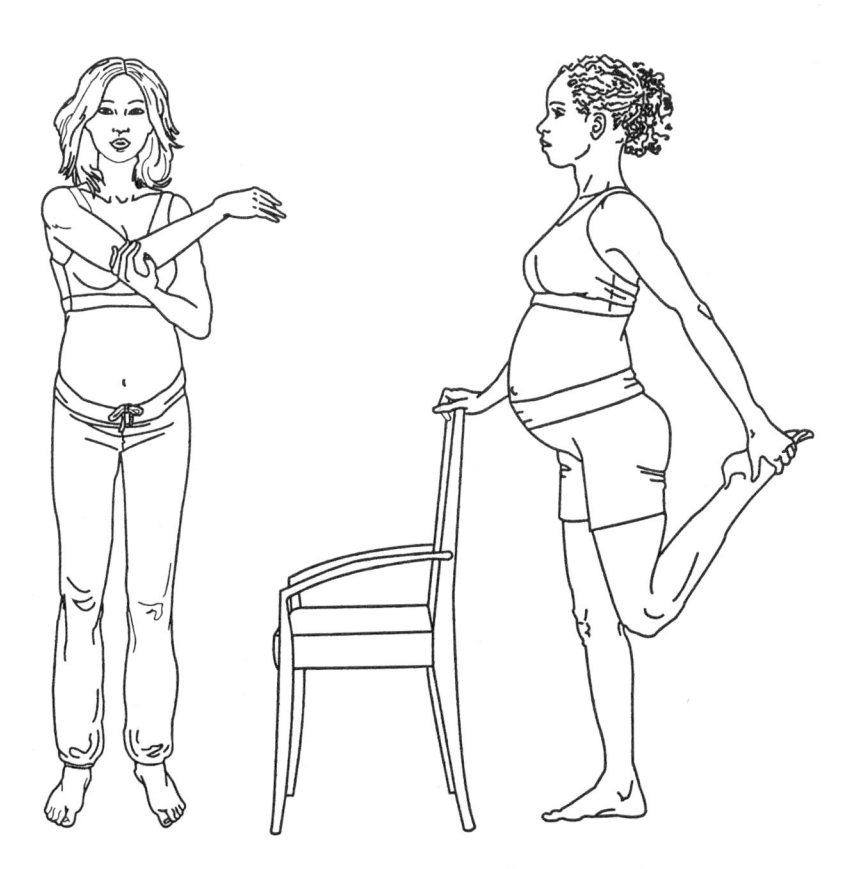

Alongamento dos ombros

Alongamento das pernas

Vaca e gato. Uma maneira excelente de aliviar a pressão nas costas é se apoiar nas mãos e joelhos e relaxar as costas, mantendo a cabeça reta e o pescoço alinhado com a coluna. Então arqueie as costas — você sentirá os músculos abdominais e as nádegas se contraírem. Deixe que a cabeça penda gentilmente. Retorne lentamente à posição original. Repita várias vezes, e faça esse alongamento o mais que puder ao longo do dia, especialmente se fica muito tempo sentada ou em pé no trabalho.

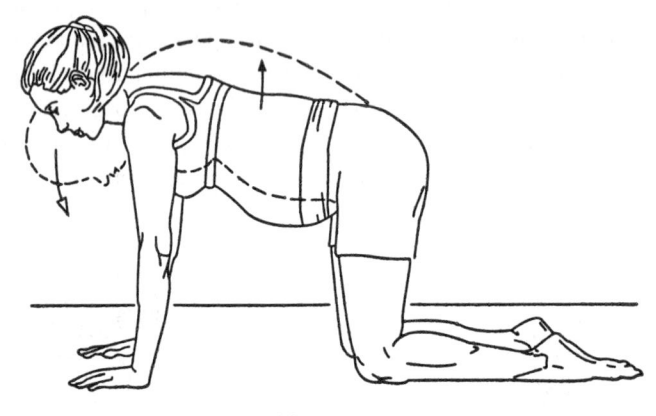

Vaca e gato

Relaxamento do pescoço. Esse exercício aliviará a tensão em seu pescoço. Sente-se com as costas eretas. Feche os olhos e respire profundamente, então incline gentilmente a cabeça para um lado e deixe-a cair na direção do ombro. Não erga o ombro para encontrar a cabeça e não force a cabeça para baixo. Mantenha a posição por 3 a 6 segundos e mude de lado. Repita três ou quatro vezes. Gentilmente, incline a cabeça para a frente, deixando o queixo relaxar sobre o peito. Deslize a bochecha para a direita, na direção do ombro (novamente, não force o movimento e não mova o ombro na

Relaxamento do pescoço

direção da cabeça), mantenha por 3 a 6 segundos e troque de lado. Repita três ou quatro vezes ao dia.

Inclinação pélvica. Essa rotina simples pode melhorar a postura, fortalecer os músculos abdominais, reduzir a dor nas costas e ajudá-la a se preparar para o parto. Para começar, fique em pé com as costas encostadas em uma parede e relaxe a coluna. Ao inalar, pressione a coluna lombar contra a parede. Exale e repita várias vezes. Para uma variação que também reduz a dor ciática, tente mover a pelve para a frente e para trás — mantendo as costas eretas —, apoiada sobre as mãos e os joelhos ou em pé. Faça inclinações pélvicas regularmente (faça o exercício por 5 minutos várias vezes ao dia).

Elevação de pernas. As elevações de pernas usam o peso do próprio corpo para tonificar os músculos das coxas (não é necessário nenhum daqueles equipamentos das propagandas de TV). Simplesmente deite-se do lado esquerdo com ombros, quadris e joelhos alinhados. Apoie a cabeça com a mão esquerda e coloque o braço direito à sua frente. Então erga lentamente a perna direita, o mais alto que puder sem sentir desconforto (lembre-se de respirar). Repita dez vezes e troque de lado.

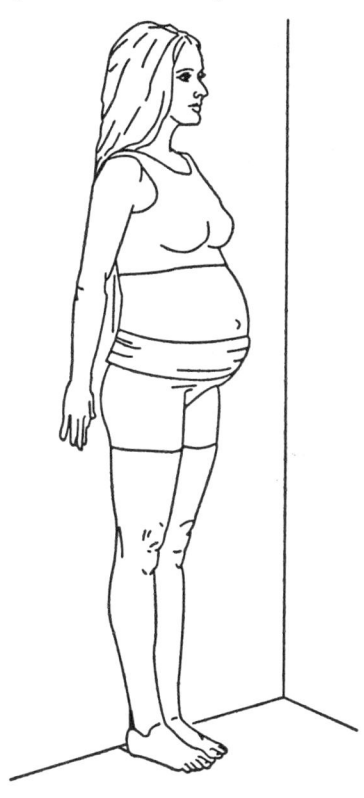

Inclinação pélvica

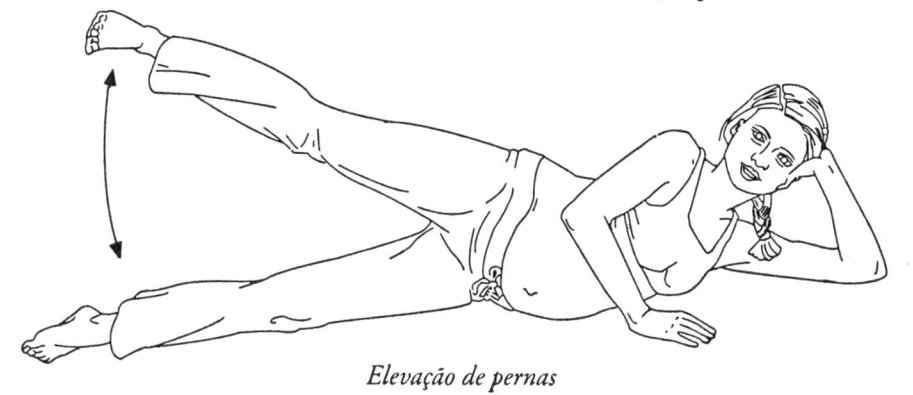

Elevação de pernas

Rosca bíceps. Comece selecionando pesos leves (entre 1,5 e 2,5 quilos, se você é iniciante, e nunca mais de 5,5 quilos, mesmo que seja profissional). Fique em pé com os pés afastados na largura dos ombros e os joelhos relaxados. Mantenha os cotovelos para dentro e as costas eretas. Lentamente erga os dois pesos na direção dos ombros, dobrando os cotovelos e mantendo os braços à sua frente (lembre-se de respirar), parando quando as mãos chegarem à altura dos ombros. Baixe lentamente e repita. Tente fazer oito a dez repetições, mas descanse se precisar e não exagere. Você sentirá os músculos queimarem, mas jamais deve forçar demais ou prender a respiração.

Borboleta. Sentar-se de pernas cruzadas e alongar-se a ajudará a relaxar e a entrar em contato com seu corpo (quanto mais familiarizada você estiver com seu corpo na hora do parto, melhor). Experimente diferentes alongamentos de braço enquanto estiver sentada — tente colocar as mãos nos ombros e em seguida esticar os braços acima da cabeça e alongar-se na direção do teto. Você também pode alongar alternadamente mais um braço que o outro ou se inclinar para um dos lados. (Não dê "soquinhos" ao se alongar.)

Concha. Deite-se do lado direito com as pernas ligeiramente para a frente e os joelhos um sobre o outro. Coloque um travesseiro sob a cabeça e um travesseiro mais fino sob a barriga. Alinhe os quadris e mantenha as costas eretas e os músculos abdominais contraídos (o melhor que puder). Mantendo os dedos dos pés encostados uns nos outros, gire o quadril para o lado esquerdo e erga o joelho esquerdo, separando os joelhos o máximo possível. Abaixe lentamente a perna e repita oito ou dez vezes antes de trocar de lado.

Rosca bíceps

Borboleta

Concha

Agachamento. Esse exercício fortalece e tonifica as coxas. Para começar, fique em pé com os pés afastados na largura dos ombros. Mantendo as costas eretas, dobre os joelhos (sem ultrapassar os dedos dos pés) e lentamente baixe o corpo para tão próximo do chão quanto conseguir de maneira confortável. Mantenha a posição por 10 a 30 segundos e lentamente volte a ficar em pé. Repita cinco vezes. (Nota: evite o afundo e dobrar totalmente os joelhos, já que suas articulações estão mais suscetíveis a lesões.)

Agachamento

Giro de cintura. Se ficou sentada por algum tempo ou se se sente tensa e desconfortável de modo geral, tente esse fácil exercício de ativação da circulação. Levante-se e afaste os pés na largura dos ombros. Gire gentilmente a cintura, virando-se lentamente de um lado para o outro. Mantenha as costas eretas e os braços soltos. Não consegue ficar em pé? Você pode fazer esse exercício sentada.

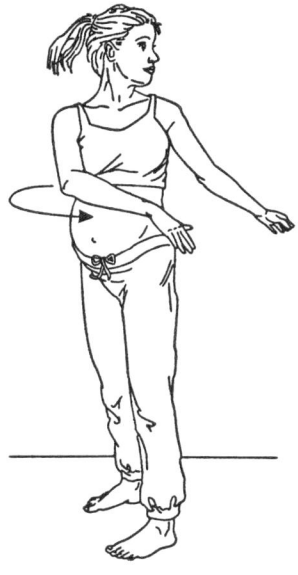

Giro de cintura

Flexão de quadris. Alongar os músculos flexores dos quadris periodicamente ajudará a mantê-la ágil e tornará mais fácil abrir as pernas na hora de o bebê sair. Para flexionar os flexores, posicione-se em frente a uma escada como se fosse subir. (Segure o corrimão com uma das mãos, se precisar.) Coloque um pé no primeiro ou segundo degraus (o que for mais confortável) e dobre o joelho. Mantenha a outra perna atrás do corpo, com o joelho reto e o pé totalmente apoiado no chão. Incline-se sobre a perna dobrada, mantendo as costas eretas. Você sentirá a perna apoiada no chão se alongar. Troque de lado e repita.

Flexão de quadris

Alongamento do peitoral

Alongamento do peitoral. Alongar gentilmente os músculos peitorais fará com que você se sinta mais confortável e melhorará sua circulação. Eis como: com os braços dobrados na altura dos ombros, apoie-se nas esquadrias da porta de ambos os lados. Incline-se para a frente, sentindo o alongamento no peito. Mantenha a posição por 10 a 20 segundos e solte. Repita cinco vezes.

Triângulo. Essa posição trabalha as pernas, alonga as laterais do corpo, energiza os quadris e endireita os ombros (que podem andar curvados ultimamente). Fique com os pés afastados em uma distância maior que a largura dos quadris, gire o pé direito 90° para fora e o pé esquerdo ligeiramente para dentro, de modo a ficar confortavelmente equilibrada. Erga os braços ao lado do corpo até a altura dos ombros, mantendo-os paralelos ao chão, com as palmas das mãos viradas para baixo. Resista à tentação de erguer os ombros na direção das orelhas. Inspire profundamente. Exale lentamente e dobre a cintura, o máximo que conseguir, para o lado direito. Estenda a mão direita para baixo, na direção do tornozelo direito. (Não precisa tocar o tornozelo se a barriga estiver enorme; chegar ao meio da panturrilha é suficiente.) Erga o braço esquerdo, alinhando-o ao braço direito abaixado. Tente manter braços e pernas esticados. Fique nessa posição enquanto se sentir confortável, respirando normalmente. Retorne à posição inicial e descanse um pouco antes de repetir do outro lado.

Prancha de antebraço. Apoie-se sobre as mãos e os joelhos e abaixe até ficar com os antebraços no chão. Entrelace os dedos, mantendo os cotovelos afastados. Estique uma perna de cada vez até que seu corpo forme uma linha reta da cabeça aos pés. Alongue o corpo da cabeça ao cóccix, mantendo os músculos abdominais contraídos o máximo possível (ilustração A). Se isso for muito difícil, mantenha os joelhos ligeiramente dobrados (ou os apoie novamente no chão; ilustração B). Respire profundamente e mantenha a posição de 5 a 10 segundos. Repita. Precisa de um descanso? Sente-se sobre os calcanhares com as costas eretas.

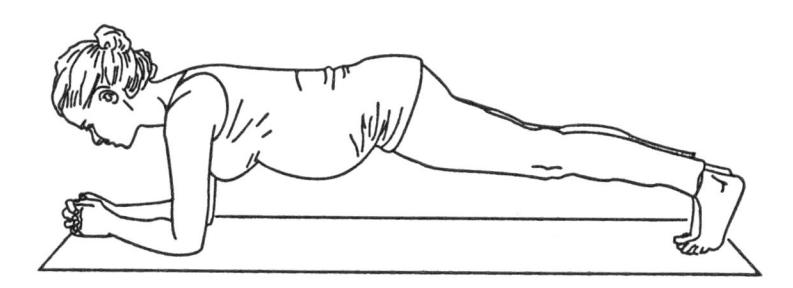

Triângulo

Prancha de antebraço A

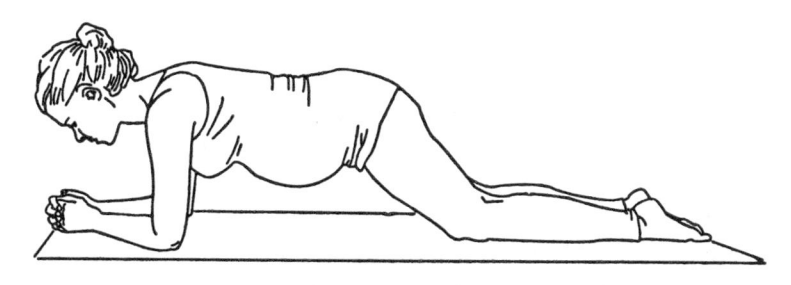

Prancha de antebraço B

Exercícios com bola. Exercitar-se com uma bola de ginástica não somente fortalece os músculos abdominais, como também ajuda a manter o equilíbrio e a estabilidade conforme a barriga cresce. Eis um exercício para tentar: sente-se na bola com as costas eretas, os braços relaxados ao lado do corpo e os pés apoiados no chão e a uma distância confortável da bola, afastados na largura dos quadris. Após se equilibrar por alguns segundos, erga os braços lateralmente até mais ou menos a altura dos ombros, estique a perna direita e a erga até a altura dos quadris (se esticar a perna for difícil, mantenha o joelho dobrado e tire o pé do chão). Baixe a perna e então os braços, equilibre-se sobre a bola novamente e repita com a perna esquerda. Faça entre seis e oito repetições, alternando as pernas.

A inclinação pélvica, o alongamento dos ombros e a prancha de antebraço podem ser modificados para a bola de ginástica.

Exercícios com bola

SEPARAÇÃO ABDOMINAL DURANTE A GRAVIDEZ

Os músculos retos do abdômen — o "tanquinho" que você já teve (ou desejava ter) — são, claro, esticados durante a gravidez conforme o útero cresce para cima e para fora da pelve. Os dois lados desses músculos verticais são unidos por um tecido conjuntivo fibroso, e a tensão nos músculos pode fazer com que o tecido conjuntivo se abra. Um pequeno afastamento ocorre normalmente em todas as gestações, mas, quando a separação dos músculos abdominais alcança uma largura de três dedos ou mais, ela é chamada de diástase abdominal.

A diástase é comum durante a gravidez: as estatísticas mostram que entre 30 e 60% das gestantes a experimentam. Futuras mães que carregam um bebê grande ou múltiplos, mulheres com pelve estreita, mais de 35 anos ou gestações muito próximas são mais suscetíveis à separação abdominal. Também há um fator genético: se sua mãe teve diástase, você tem chances ligeiramente maiores de também ter. Um sinal de que tem separação abdominal: dor na região lombar conforme seus músculos separados perdem a habilidade de sustentar o abdômen. Você também pode notar que sua barriga forma um domo ou assume forma cônica quando você se levanta ou se deita abruptamente (ou tenta fazer abdominais, o que não deveria).

Para descobrir se tem diástase, deite-se de costas, dobre os joelhos e apoie os pés no chão. Estique os dedos na direção dos joelhos e coloque-os sobre a barriga, 2,5 centímetros acima do umbigo. Encoste o queixo no peito e erga a cabeça e os ombros. Se conseguir colocar menos de três dedos lado a lado no espaço entre os dois lados dos músculos retos abdominais, a separação é considerada normal. Se ela for maior que três dedos, você tem diástase.

Felizmente, esse vão costuma se fechar sozinho, mais frequentemente um ou dois meses após o parto (veja a caixa de texto da p. 692 para saber mais sobre diástase no pós-parto). Entrementes, há exercícios que podem ajudar — ou evitar a piora —, como as inclinações pélvicas, que envolvem os músculos abdominais transversos, mais profundos (eles ficam sob os músculos retos e correm perpendicularmente de um quadril ao outro). O médico pode sugerir outros exercícios ou encaminhá-la a um fisioterapeuta. Evite exercícios de giro, abdominais, pranchas, flexões e os exercícios abdominais mais tradicionais, incluindo qualquer um que faça com que a barriga forme um "cone" no meio. Também evite posições de alongamento como o cachorro olhando para cima e a ponte, em que as costas ficam arqueadas, e os músculos abdominais, esticados, já que colocam tensão extra sobre os músculos. Não erga peso e pense em usar uma faixa elástica para ter apoio extra, especialmente quando a barriga crescer mais.

Quando os exercícios são proibidos

Exercitar-se durante a gravidez certamente faz bem ao corpo grávido (e ao bebê). Mas, às vezes, complicações exigem que a futura mamãe fique quietinha — e, nesse caso, pegar leve é a melhor prescrição. Se o médico restringiu os exercícios durante parte ou toda a gravidez, pergunte se há atividades que você ainda pode fazer — digamos, exercícios de braço ou alongamentos — para permanecer em forma enquanto fica no sofá ou mesmo na cama. Leia a p. 766 para saber mais

Capítulo 9
O quinto mês
Aproximadamente 18 a 22 semanas

O que já foi completamente abstrato está se tornando real... rapidamente. É provável que em algum momento deste mês ou no início do próximo você sinta os movimentos do bebê pela primeira vez. Essa sensação miraculosa, juntamente com o arredondamento pronunciado da barriga, finalmente farão com que a gravidez pareça real. Embora o bebê ainda esteja longe de estar pronto para ser pego em seus braços, é muito agradável saber com certeza que realmente há alguém lá dentro.

Seu bebê este mês

18ª semana. Com 14 centímetros de comprimento e entre 140 e 190 gramas de peso (mais ou menos do tamanho do peito de frango que você comerá no jantar, mas muito mais fofo), seu bebê já cresceu o bastante para que você talvez sinta os giros, chutes e socos que ele está aperfeiçoando. Outro conjunto de habilidades que o bebê está dominando: bocejar e soluçar (talvez você sinta os soluços em breve e consiga vê-los sacudir sua barriga!). E seu bebê único é realmente único agora, com digitais exclusivas nos minúsculos dedos dos pés e das mãos.

19ª semana. Esta semana seu bebê está batendo recordes de crescimento, medindo 15 centímetros e pesando 230 gramas. Que fruta ele é agora? Mais ou menos do tamanho de uma manga grande. Uma manga mergulhada em queijo gorduroso, na verdade. O vérnix caseoso — uma proteção branca e gordurosa que se parece com queijo — agora cobre a pele sensível do bebê, protegendo-a da longa imersão no banho amniótico. Sem essa proteção, ele seria muito enrugadinho ao nascer. Essa cobertura desaparece com a aproximação do parto, mas alguns bebês prematuros ainda estão cobertos pelo vérnix ao nascer.

20ª semana. Você tem um bebê do tamanho de uma batata-doce na barriga, com cerca de 185 gramas e 17 centímetros (cabeça-nádega). O ultrassom deste mês deve detectar — se você quiser saber — se é menino ou menina. E como esse menino — ou menina — esteve ocupado! Se está tendo uma menina, o útero já está totalmente formado, os ovários contêm cerca de 7 milhões de ovos primitivos (embora no nascimento esse número vá cair para perto de 2 milhões, mais do que o suficiente para os anos reprodutivos) e o canal vaginal começa a se desenvolver. Se está tendo um menino, os testículos começaram a descer do abdômen. Em alguns meses, eles descerão até o escroto (que ainda está sendo formado). Felizmente para o bebê, ainda há muito espaço no útero para girar, virar, chutar, socar e, ocasionalmente, dar cambalhotas. Se você ainda não sentiu essas acrobacias, quase certamente sentirá nas próximas semanas.

21ª semana. De que tamanho é o bebê esta semana? Mudando de cabeça-nádega para cabeça-tornozelo, ele mede cerca de 27 centímetros (pense em uma banana grande) e pesa entre 315 e 355 gramas. Falando em bananas, você pode comer algumas esta semana, se quiser que o bebê as experimente. Isso porque o sabor do líquido amniótico muda de um dia para o outro, dependendo do que você come (chilli apimentado em um dia, banana suave no outro), e, agora que o bebê engole líquido amniótico todos os dias (para se hidratar e nutrir e para praticar ingestão e digestão), ele receberá um gostinho do que quer que esteja no cardápio. Eis outra atualização: braços e pernas finalmente são proporcionais, os neurônios conectam cérebro e músculos e a cartilagem em todo o corpo começa a se transformar em ossos. O que significa que, quando o bebê faz movimentos (que você provavelmente já está sentindo), eles são muito mais coordenados — já não há tremores espasmódicos.

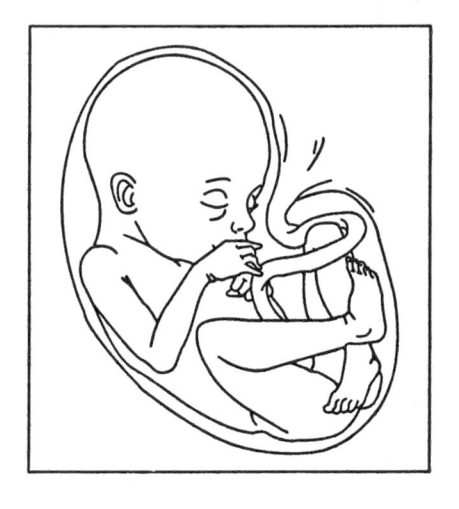

Seu bebê, quinto mês

22ª semana. Esta semana, o bebê pesa espantosos 450 gramas e mede aproximadamente 30 centímetros, sendo do tamanho de uma boneca pequena. Mas sua boneca está viva, com sentidos em desenvolvimento, incluindo tato, visão, audição e paladar. O que o bebê está tocando? Ele pode agarrar o cordão umbilical (não há muito que agarrar por lá) e praticar o forte aperto que em breve se fechará em torno de seus dedos (e arrancará seu cabelo). O que o bebê está vendo? Embora seja escuro no casulo uterino — e mesmo com as pálpebras coladas —, fetos dessa idade conseguem perceber luz e escuridão. Se você mirar uma lanterna em sua barriga, poderá sentir o bebê reagir, talvez tentando se virar para evitar a luz irritante. O que o bebê está ouvindo? O som de sua voz e da voz de seu parceiro, seu coração batendo, o som sibilante de seu sangue circulando, os gorgolejos gástricos produzidos por seu estômago e intestinos, o cachorro latindo, sirenes, uma TV alta. E o que o bebê está degustando? Praticamente tudo que você está degustando (então passe a salada).

Seu corpo este mês

Eis alguns sintomas que você pode experimentar este mês (ou não, já que cada gravidez é diferente). Alguns deles podem estar presentes desde o mês passado, ao passo que outros serão novinhos em folha. Alguns podem estar diminuindo, outros se intensificando:

Fisicamente
- Mais energia
- Movimentos fetais (provavelmente no fim do mês)
- Aumento da secreção vaginal
- Dor na parte inferior do abdômen ou em um ou ambos os lados (em função do esticamento dos ligamentos que suportam o útero)
- Constipação
- Azia, indigestão, flatulência, sensação de estômago estufado
- Dores de cabeça ocasionais
- Vertigem ou tontura ocasionais, especialmente ao se levantar rapidamente ou quando houver queda no nível de glicose
- Dor nas costas
- Congestão nasal e sangramentos ocasionais; ouvidos entupidos

SEU CORPO ESTE MÊS

Você está na metade da gestação, e o topo de seu útero chegará à altura do umbigo por volta da 20ª semana. No fim deste mês, ele estará cerca de 2,5 centímetros acima do umbigo. É provável que já não seja possível esconder que você está grávida (embora algumas mulheres ainda possam não exibir sinais tão evidentes).

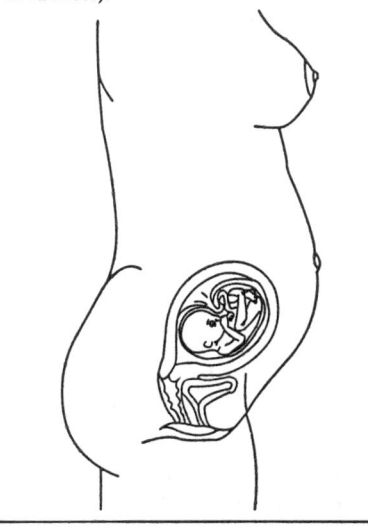

- Gengivas sensíveis que podem sangrar ao escovar os dentes
- Grande apetite
- Câimbras nas pernas
- Inchaço leve dos tornozelos e pés e, ocasionalmente, das mãos e do rosto
- Veias varicosas nas pernas e/ou na vulva
- Hemorroidas
- Mudanças na coloração da pele na barriga e/ou no rosto
- Umbigo protuberante (saltado)
- Pulso (frequência cardíaca) acelerado
- Orgasmos mais fáceis ou difíceis

Emocionalmente
- Crescente sensação de realidade em relação à gravidez
- Menos oscilações de humor, embora você ainda se sinta ocasionalmente chorosa e irritável
- Esquecimento e distração (também chamado "cérebro grávido")

O que você pode esperar da consulta deste mês

Este mês, você pode esperar que o médico verifique os seguintes aspectos, embora possa haver variações, dependendo de suas necessidades particulares e do estilo do médico:
- Peso e pressão sanguínea
- Urina, para açúcar e proteína
- Batimentos cardíacos do feto
- Tamanho e forma do útero, por palpação externa (sentidos do lado de fora)
- Altura do fundo (topo do útero)
- Mãos e pés para verificar inchaço e pernas em busca de veias varicosas
- Sintomas que você venha experimentando, especialmente os incomuns
- Questões ou problemas que queira discutir — deixe a lista pronta

O que você pode estar se perguntando

Calor

"Eu me sinto quente e suada o tempo todo ultimamente, mesmo quando todos estão com frio. O que é isso?"

Está se sentindo muito quente ultimamente? Pode agradecer aos hormônios, ao aumento do fluxo sanguíneo na pele e ao metabolismo acelerado pela gravidez essa sensação perpetuamente úmida. Acrescenta um clima quente, um verão com temperaturas recordes ou um escritório superaquecido no meio do inverno e

pronto, você está pegando fogo. Fogachos que atingem cabeça, pescoço e peito, durante segundos a minutos, podem fazer com que você sinta ainda mais calor. Felizmente, há muitas maneiras de permanecer confortável quando sua temperatura interna está lá no alto. Para ficar fria enquanto esquenta por dois:
- Use roupas folgadas e leves de algodão ou outros tecidos respiráveis e se vista em camadas, para poder removê-las.
- Seja esperta ao dormir. Além de diminuir a temperatura do aquecimento central enquanto dorme, pense em usar fibras naturais, dos pijamas aos travesseiros.
- Para esfriar rapidamente, coloque bolsas de gelo, compressas frias ou água gelada nos pulsos. Como se trata de um ponto de pulsação, a baixa temperatura ajudará a baixar a temperatura do sangue. Você também pode tentar compressas frias em outros pontos de pulsação quando estiver sentindo muito calor: pescoço, tornozelos e atrás dos joelhos.
- Coloque sua loção hidratante na geladeira por ao menos 30 minutos antes de usar. Ao esfregar a loção fria na pele, ela a ajudará a se sentir mais fresca.
- Não tem tempo para um banho frio? Molhe as mãos com água fria e passe-as pelo cabelo (presumindo que não se importe de ficar com o cabelo molhado). A cabeça mais fresca resfriará também o corpo. Ou mantenha uma garrafa spray cheia de água na geladeira (em casa e no trabalho) para uma névoa gelada.
- Coma uvas congeladas. Esse delicioso lanchinho gelado não somente ajudará a suprir suas necessidades de vitaminas C e K como baixará sua temperatura (e contém muito menos gordura que o sorvete). Não gosta de uvas? Você pode congelar qualquer tipo de fruta cortada em pedacinhos (mangas, bananas, framboesas e assim por diante) e mordiscar quando estiver sentindo calor. Ou se mantenha hidratada e fresca congelando uma garrafa de água e bebendo a água gelada conforme o gelo for derretendo.

Falando em mordiscar, lembre-se de que as seis refeições também solucionam o problema do calor excessivo. Comer menos e com mais frequência exige menos esforço durante a digestão. Comida apimentada pode esquentá-la no curto prazo, mas, como a fará transpirar, irá refrescá-la mais tarde.
- Um pouquinho de amido de milho pode absorver a umidade (e evitar assaduras). Salpique um pouco na pele enquanto ela ainda estiver seca.

O lado positivo é que, embora você transpire mais, ao menos não fica cheirando mal. Isso porque a produção de perspiração apócrina (o tipo fedido produzido pelas glândulas sob os braços e seios e na área dos genitais) diminui quando você está grávida.

Tontura

"Eu me sinto tonta ao me levantar quando estou sentada. E ontem, enquanto estava fazendo compras, achei que fosse desmaiar. Está tudo bem comigo?"

Sentir-se meio tonta definitivamente é perturbador quando você está grávida (especialmente porque você pode já estar tendo dificuldade para permanecer em pé ou manter o equilíbrio), mas não é perigoso. Na verdade, é um sintoma muito comum — e quase sempre normal — da gravidez. Eis o porquê:

- Durante a gestação, altos níveis de sua velha amiga, a progesterona, fazem com que os vasos sanguíneos relaxem e dilatem, aumentando o fluxo de sangue para o bebê (bom para o bebê), mas desacelerando seu retorno para o corpo da mãe (não tão bom para a mãe). Fluxo sanguíneo reduzido significa pressão arterial mais baixa e menos sangue no cérebro, o que pode contribuir para a sensação de vertigem e a tontura. No segundo trimestre, a sensação de desmaio pode ser causada pela pressão do útero em expansão sobre os vasos sanguíneos. Também pode ser sinal de anemia (veja a pergunta seguinte).
- Levantar-se muito rapidamente, que causa queda súbita da pressão arterial, pode gerar uma sensação especialmente intensa de vertigem. A cura para esse tipo de tontura (também conhecida como hipotensão postural) é simples: levante-se gradualmente. Levantar-se correndo para responder a uma mensagem de texto no telefone que você deixou do outro lado da sala é a receita certa para fazê-la cair de novo no sofá.
- O baixo nível de glicose — algo a que as gestantes são particularmente suscetíveis, já que estão abastecendo a fábrica de bebês — também pode fazer a sala girar. Para evitar isso, inclua proteínas e carboidratos complexos em todas as refeições (essa associação ajuda a manter os níveis de açúcar no sangue) e coma mais frequentemente (optando por minirrefeições ou fazendo lanches entre as refeições principais). Carregue frutas secas, liofilizadas, oleaginosas, barrinhas de granola ou *chips* integrais na bolsa para aumentar rapidamente o nível de glicose no sangue.
- A tontura pode ser sinal de desidratação, então ingira líquidos suficientes, especialmente se estiver transpirando.
- Ficar tonta também pode ser resultado de um ambiente abafado — loja, escritório ou ônibus lotados ou quentes demais —, especialmente se você estiver usando muita roupa. Nesse caso, tomar ar fresco lá fora ou abrir uma janela pode trazer alívio. Tirar o casaco e afrouxar as roupas — especialmente em torno do pescoço e da cintura — também deve ajudar.

A HORA DE PARAR

Você se sente ofegante ou exausta quando está correndo? E quando está fazendo limpeza pesada, o aspirador subitamente parece pesar uma tonelada? Pare antes de cair. Esforçar-se ao ponto da exaustão jamais é uma boa ideia. Durante a gravidez, é uma ideia particularmente ruim, porque o esforço excessivo cobra seu preço não somente de você, mas também do bebê. Em vez de maratonas de atividade, mantenha um ritmo lento e constante. Trabalhe ou se exercite um pouco e então descanse um pouco. No fim das contas, o trabalho ou o exercício será feito e você não se sentirá esgotada. Se, ocasionalmente, algo não for feito, será um bom treinamento para os dias nos quais as demandas da maternidade impedirão que você termine o que começou.

Se você se sentir tonta ou como se estivesse prestes a desmaiar, deite-se do lado esquerdo — com as pernas elevadas, se puder — ou sente-se com a cabeça entre os joelhos. Respire profundamente e afrouxe roupas apertadas (como os botões da calça jeans). Assim que se sentir um pouco melhor, coma e beba algo.

Conte ao médico sobre esses eventos. Ele pode querer verificar seu nível de ferro para descartar anemia. Os desmaios são raros, mas, se você desmaiar, não precisa se preocupar: isso não afetará o bebê. Mas telefone para o médico assim que puder.

Anemia

"Uma amiga minha ficou anêmica durante a gravidez. Isso é comum?"

Anemia por deficiência de ferro é comum durante a gravidez, mas também incrivelmente fácil de prevenir. E, quando se trata de prevenção, o médico quase certamente já cuidou de tudo. Você já foi testada para anemia durante a primeira consulta pré-natal, embora seja improvável que seu nível de ferro estivesse baixo na ocasião. Isso porque os estoques de ferro são rapidamente repostos ao fim de cada menstruação.

Conforme sua gravidez progride e você atinge a marca da metade do caminho (cerca de 20 semanas, chegando rápido), seu volume de sangue se expande significativamente e a quantidade de ferro necessária para produzir glóbulos vermelhos aumenta drasticamente, esgotando novamente os estoques. Felizmente, repor esses estoques — e prevenir efetivamente a anemia — é tão fácil quanto tomar um suplemento diário (além das vitaminas pré-natais), que o médico pode prescrever a partir do meio da gestação. Você também pode incluir na dieta alimentos ricos em ferro. Embora as fontes dietéticas, como as listadas na p. 143, não consigam fazer o trabalho sozinhas, elas representam um excelente backup para a suplementação de ferro. Para absorção extra, tome seu suplemento (e alimentos ricos em ferro) com suco de laranja (ou outro alimento ou bebida ricos em vitamina C), mas não com café, que reduz a quantidade de ferro absorvido. O suplemento de ferro está maltratando seu estômago (causando náusea ou constipação)? Peça ao médico uma fórmula de liberação retardada.

SINTOMAS DE ANEMIA

Gestantes com leve deficiência de ferro raramente apresentam sintomas perceptíveis ou facilmente distinguíveis dos sintomas da gravidez (a maioria delas se sente cansada, sendo anêmica ou não). Mas, quando os glóbulos vermelhos carregados de oxigênio diminuem ainda mais, a gestante anêmica fica pálida e extremamente fraca, e se cansa e sente falta de ar muito facilmente (além do que é normal na gravidez), podendo até desmaiar. Ela pode experimentar estranhos desejos por itens não comestíveis, como barro, ou a compulsão de mascar gelo. Também há a possibilidade de que a síndrome das pernas inquietas esteja ligada a baixos níveis de ferro. Esse pode ser um dos poucos casos nos quais as necessidades nutricionais do bebê são atendidas antes das necessidades da mãe, já que bebês raramente apresentam deficiência de ferro ao nascer.

Embora a demanda aumentada por sangue durante a gestação torne todas as gestantes suscetíveis à anemia por deficiência de ferro, algumas correm um risco particularmente alto: as que tiveram gestações sequenciais, as que vomitam muito ou comem pouco por causa do enjoo matinal e as que estavam subnutridas ao engravidar (possivelmente por causa de um transtorno alimentar) e/ou vêm comendo mal desde então. Suplementação diária de ferro, como prescrita pelo médico, pode prevenir (ou tratar) a anemia.

Dor nas costas

"Estou tendo muita dor nas costas. Estou com medo de não conseguir ficar em pé quando chegar ao nono mês."

As dores e desconfortos da gestação não foram projetados para fazê-la sofrer, embora esse seja um resultado frequente. São efeitos colaterais dos preparativos que seu corpo está fazendo para o grandioso momento do nascimento do bebê. A dor nas costas não é exceção. Durante a gravidez, as costumeiramente estáveis articulações da pelve começam a afrouxar para permitir uma passagem mais fácil do bebê durante o parto. Isso, juntamente com o abdômen avantajado, perturba seu equilíbrio. Para compensar, você tende a jogar os ombros para trás e arquear o pescoço. Ficar em pé com a barriga projetada para a frente — para que todos notem que você está grávida, não somente estufada — piora o problema. O resultado: região lombar profundamente curvada, músculos das costas tensos e dor.

Mas mesmo a dor que tem um propósito machuca. Mesmo sem prejudicar o propósito, você pode vencer (ou ao menos subjugar) a dor. As seguintes dicas devem ajudar:

Eleve os pés

- Sente-se de maneira inteligente. Sentar-se coloca mais pressão sobre a coluna que praticamente qualquer outra atividade, então vale a pena fazer isso direito. Em casa e no trabalho, use cadeiras que ofereçam apoio, preferencialmente com estofamento firme e braços. Um encosto reclinável também ajuda a aliviar a pressão. Use um apoio para elevar ligeiramente os pés (veja ilustração ao lado) e não cruze as pernas, o que pode inclinar a pelve para a frente, exacerbando a tensão nos músculos das costas.
- Não fique sentada por muito tempo. Ficar sentada por longos períodos costuma ser tão ruim para as costas quanto sentar-se da maneira errada. Tente não ficar mais de 1 hora sentada sem caminhar e se alongar — um limite de meia hora seria ainda melhor.
- Tampouco fique tempo demais em pé. Se trabalha assim, mantenha um dos pés sobre um banquinho baixo para tirar parte da pressão da região lombar. Quando estiver em pé sobre uma superfície dura — na cozinha, enquanto cozinha ou lava a louça, por exemplo —, calce sapatos com amortecimento ou use um tapete grosso e antiderrapante para aliviar a pressão.
- Erga pesos devagar. Evite levantar muito peso, mas, se precisar, faça isso lentamente. Primeiro, estabilize-se afastando os pés. Em seguida, dobre os joelhos, não a cintura. E, finalmente, erga com os braços e as pernas, não com as costas (veja ilustração da página seguinte). Se precisar carregar muito peso quando está

fazendo compras, divida os pacotes em duas sacolas e carregue uma em cada mão, em vez de carregar tudo na frente do corpo.

Dobre os joelhos ao erguer peso

CARREGANDO CRIANÇAS MAIS VELHAS

Está se perguntando se o táxi-mamãe deve suspender seus serviços até depois do parto? Carregar cargas moderadamente pesadas (mesmo os 15 ou 20 quilos de uma criança em idade pré-escolar) é seguro durante toda a gravidez, a menos que o médico tenha dito o contrário.

E quanto às costas doloridas? Poupe-as de parte da pressão fazendo os movimentos certos ao pegar seu pequeno no colo (p. 344).

- Tente manter o ganho de peso dentro dos parâmetros recomendados (p. 246). O excesso de peso só aumenta a carga que suas costas estão suportando.
- Use os sapatos certos. Saltos extremamente altos pioram a dor nas costas, assim como as rasteirinhas sem apoio. Os especialistas recomendam saltos grossos de 5 centímetros ou sapatos baixos com apoio para os arcos dos pés, para manter o corpo corretamente alinhado. Você também pode considerar as órteses, acessórios ortopédicos inseridos nos sapatos para apoiar a musculatura. Quanto aos sapatos que melhoram a postura, algumas mulheres os acham úteis, ao passo que outras sentem ainda mais dor nas costas. Usá-los também pode piorar seu equilíbrio.
- Durma direito. Uma posição confortável ao dormir ajuda a minimizar dores (p. 357). Ao acordar, gire as pernas para fora da cama e então até o chão, em vez de se retorcer para se levantar.
- Pense em apoios para a barriga. Eles são uma espécie de meia de compressão para a barriga, projetados para retirar o peso da região lombar e dos quadris, aliviando as dores. Podem vir na forma de faixas elásticas, cintos, tipoias, órteses, shorts de compressão e cintas. Escolha o que for mais confortável para você (e funcione melhor com o tipo de roupa que usa, já que alguns são fininhos e outros fazem certo volume). Qualquer

que seja o estilo, tente não usar o apoio direto. Isso porque, com o uso prolongado, o corpo começa a contar com o apoio (em vez dos músculos das costas e do abdômen) para sustentar a barriga, resultando em mais enfraquecimento muscular e piora das dores nas costas e nos quadris. Fortaleça os músculos das costas e do abdômen com exercícios seguros para gestantes (p. 324), a fim de que o apoio para a barriga não faça todo o trabalho todo o tempo.

- Não tente tocar as estrelas — nem aquele pote para salada na prateleira de cima. Minimize a tensão muscular usando um banco baixo e estável (ou um amigo alto) para pegar itens de lugares altos.
- Alterne frio e calor para aliviar temporariamente a dor muscular. Use uma bolsa de gelo enrolada em uma toalha por 15 minutos, seguida por uma bolsa de água quente, também enrolada em uma toalha, por outros 15. Fale com o médico antes de usar emplastros (como Salonpas ou Sabiá) diretamente na pele. Alguns recomendam que você os use sobre a roupa em vez de diretamente na pele porque eles podem esquentar muito e irritar a pele sensível das gestantes (definitivamente, não os aplique na barriga). Também fale com o médico antes de usar pomadas como Bengay, Icy Hot e BioFreeze. Nem todos os médicos dão luz verde para esses analgésicos tópicos, especialmente no último trimestre. Se o seu aprovar, vá em frente, mas preste atenção a sinais de irritação (e não os passe na barriga). Produtos à base de arnica não devem ser usados durante a gravidez.

GRAVIDEZ COM ESCOLIOSE

Se tem escoliose, você provavelmente já sente muita dor nas costas, mas a gravidez pode tornar essa dor ainda mais irritantemente familiar, especialmente se sua condição envolver quadris, pelve ou ombros. As dificuldades para erguer peso podem aumentar quando seu próprio peso aumentar. Embora potencialmente doloroso, isso raramente tem impacto sério sobre a gravidez.

Se a dor nas costas aumentar durante a gravidez, tente as dicas que começam na p. 342, incluindo o uso de apoio para a barriga. Você também pode pedir ao médico a indicação de um fisioterapeuta obstétrico que pode ajudá-la com exercícios específicos para a dor relacionada à escoliose. Também discuta que abordagens da medicina complementar e alternativa (p. 119) podem ser úteis. A hidroterapia e os exercícios na água (que têm zero impacto) costumam ser especialmente benéficos.

Está se perguntando como a escoliose afetará o parto? É provável que não afete — a maioria das mães com escoliose é capaz de fazer parto vaginal (fale com o médico). Está pensando sobre a epidural? Converse com o médico sobre encontrar um anestesiologista que tenha experiência com gestantes com escoliose. Embora a condição usualmente não interfira com a epidural, ela pode torná-la um pouco mais difícil. Mas um anestesiologista experiente não deve ter problemas para colocar a agulha onde ela precisa estar.

Também fale com o médico se tiver uma curvatura severa, que possa afetar sua respiração com o progresso da gravidez e exigir monitoramento extra.

- Tome um banho quente. Ou ligue a pulsação da ducha (se tiver essa opção) e aproveite a massagem nas costas.
- Faça massagem. Dê a si mesma uma massagem terapêutica de presente (com um massagista que saiba que você está grávida e tenha treinamento em massagem pré-natal).
- Aprenda a relaxar. Muitos problemas nas costas são agravados pelo estresse. Se você acha que é seu caso, tente alguns exercícios de relaxamento quando sentir dor. Também siga as sugestões a partir da p. 204 para lidar com o estresse.
- Faça exercícios simples que fortalecem o abdômen, como vaca e gato (p. 326) e inclinação pélvica (p. 327). Ou sente-se em uma bola de ginástica e role para a frente e para trás (ou se deite sobre ela para melhorar o desconforto e a dor nos quadris). Faça aulas de yoga para gestantes ou hidroginástica ou pense em hidroterapia se encontrar um terapeuta especializado em questões médicas e ligadas à gestação.
- Se a dor for significativa, peça que o médico prescreva fisioterapia ou recomende terapias alternativas, como acupuntura, quiropraxia ou *biofeedback*.

Dores abdominais (dores nos ligamentos redondos)

"O que é essa dor que sinto nas laterais inferiores do abdômen?"

Você provavelmente está sentindo o equivalente das dores do crescimento: o esticamento dos músculos e ligamentos que suportam seu útero em crescimento. Tecnicamente, ela é conhecida como dor nos ligamentos redondos, e a maioria das gestantes a sente. Mas há muitas variações dessa dor. Ela pode ser como uma câimbra, aguda e penetrante, ou surda e latejante e mais pronunciada quando você se exercita (ou apenas caminha), levanta-se da cama ou de uma cadeira, tosse ou espirra — na verdade, qualquer tipo de movimento súbito. Ela pode ser breve ou durar horas. E é completamente normal. Desde que seja ocasional e não esteja acompanhada de outros sintomas (como febre, calafrios, sangramento ou vertigem), esse tipo de dor não é nada com que se preocupar.

Erguer os pés e descansar em posição confortável deve fornecer alívio. Você também pode usar uma faixa elástica, cinto ou outro acessório de apoio para a barriga para diminuir a dor. Evitar movimentos súbitos pode prevenir seu surgimento (então levante-se da cama ou da cadeira mais lentamente da próxima vez), embora o que quer que faça, você vá senti-la ocasionalmente. Se ela realmente incomodar quando estiver se exercitando, provavelmente é melhor diminuir a intensidade dos exercícios (corra mais lentamente ou apenas caminhe, por exemplo). E, claro, mencione essa dor — como todas as outras — ao médico na próxima consulta, para ter certeza de que ela é somente uma parte normal, embora irritante, da gravidez.

Crescimento dos pés

"Todos os meus sapatos estão ficando apertados. Meus pés também estão crescendo?"

A barriga não é a única parte do corpo grávido que tende à expansão. Se for como muitas gestantes, você descobrirá que seus pés também cresceram. Essa é uma boa notícia se está pensando em renovar a coleção de sapatos, mas não tão boa se já não consegue usar seus favoritos e as compras para o bebê a deixaram sem dinheiro.

O que faz seus pés crescerem? Embora parte da expansão possa ser atribuída à retenção de líquidos e ao inchaço (ou à gordura nos pés se seu ganho de peso foi substancial ou muito rápido), há outra razão. A relaxina, o hormônio da gravidez que afrouxa os ligamentos e articulações em torno da pelve para que o bebê possa passar, não discrimina entre os ligamentos que você quer que sejam afrouxados (como os pélvicos) e aqueles que você preferiria deixar em paz (como os dos pés). O resultado: quando os ligamentos dos pés afrouxam, os ossos sob eles tendem a esticar ligeiramente, frequentemente resultando em aumento de meio ou mesmo um número de sapato. Embora as articulações se contraiam novamente após o parto, é possível que seus pés fiquem permanentemente maiores.

Entrementes, tente as dicas para reduzir o inchaço excessivo (p. 418), se esse for o problema, e compre um ou dois pares de sapatos que sirvam confortavelmente agora e atendam às suas necessidades "crescentes" (para que você não termine grávida e descalça). Quando comprar sapatos, coloque o conforto na frente do estilo, mesmo que somente por enquanto. Procure sapatos com saltos de até 5 centímetros e que tenham tanto sola antiderrapante quanto muito espaço para os pés se acomodarem (faça compras no fim do dia, quando os pés estiverem inchados). Os sapatos devem ser feitos de um material que deixe seus pés inchados e suados respirarem (nada sintético).

Seus pés e pernas estão doloridos, especialmente no fim do dia? Sapatos e órteses especialmente projetadas para corrigir o centro de gravidade distorcido da gravidez podem não somente deixar os pés mais confortáveis, como também reduzir a dor nas costas e pernas. Descansar os pés durante o dia também pode (obviamente) aliviar o inchaço e a dor, assim como erguê-los (e flexioná--los) sempre que puder. Você também pode usar sapatilhas com elástico quando estiver em casa. Usá-las por várias horas ao dia não vai deixá-la na última moda, mas deixará seus pés mais felizes e menos cansados e doloridos.

Crescimento rápido do cabelo e das unhas

"Parece que meu cabelo e minhas unhas nunca cresceram tão rápido."

Embora possa parecer que o objetivo dos hormônios da gestação é fazê--la sofrer durante nove meses (constipação, azia e náusea vêm à mente), esses mesmos hormônios são responsáveis por um benefício substancial: unhas e cabelos que crescem muito rapidamente (e, se você for realmente sortuda, cabelo mais grosso e brilhante que antes). Os hormônios da gestação provocam um aumento da circulação e uma aceleração do metabolismo que nutrem as células do cabelo e das unhas, tornando-os mais saudáveis.

COÇANDO A CABEÇA

Você anda coçando a cabeça? Pode ser, agora que está esperando. As flutuações hormonais da gravidez costumam levar à coceira e ao esfarelamento do couro cabeludo. O resultado de um couro cabeludo seco ou oleoso demais é a caspa. A candidíase cutânea (uma infecção fúngica comum entre as gestantes) também piora a situação. Como tratar a caspa durante a gravidez depende do que a está causando. Flocos secos (do tipo que chovem nos ombros) desaparecem se você esfregar óleo de coco ou azeite de oliva no couro cabeludo antes de lavar o cabelo. A caspa oleosa, em flocos maiores, e a caspa causada por candidíase cutânea devem ser tratadas com um xampu anticaspa aprovado para gestantes (como Head and Shoulders). Fale com o médico antes de usar outras marcas, pois as mais fortes podem não ser seguras durante a gravidez. Também fale com ele antes de usar xampus que contenham óleo de melaleuca, pois nem todos os médicos o aprovam.

Reduzir o açúcar e os grãos refinados e aumentar a ingestão de gorduras saudáveis (como abacate e oleaginosas) também ajuda a limpar seu couro cabeludo — e seus ombros.

É claro que todo benefício tem seu preço. Infelizmente, a nutrição extra pode ter efeitos menos agradáveis: fazer com que cresça cabelo em lugares onde você preferiria não tê-lo (e provavelmente não sabia que podia ter). As áreas faciais (lábios, bochechas e queixo) são os lugares mais comuns para o crescimento de pelos induzido pela gravidez, mas braços, pernas, peito, costas e barriga também podem ficar peludos. (Para saber quais tratamentos de remoção de pelos são seguros durante a gravidez, veja a p. 209.) E, embora suas unhas estejam mais compridas, elas também estão mais secas e quebradiças.

Lembre-se de que essas mudanças são apenas temporárias. Seus dias de cabelo luxuriante chegarão ao fim com o parto, quando a perda diária de fios, que foi suprimida durante a gravidez (por isso o cabelo mais grosso), retorna em dobro. E suas unhas também voltarão a crescer no ritmo normal (o que provavelmente não é uma coisa ruim, já que elas precisam ser curtas agora que você tem um bebê).

SUA NOVA PELE

Caso você ainda não tenha notado, a gravidez afeta praticamente cada centímetro de seu corpo, da cabeça (aquele esquecimento!) aos pés (aqueles dedos mais compridos!). Assim, não surpreende que sua pele também esteja sentindo os efeitos. Eis algumas mudanças que você pode esperar quando está esperando:

Linea nigra. Apareceu um zíper no meio da sua barriga? Além de hiperpigmentação, ou escurecimento, das aréolas, os hormônios da gravidez também são responsáveis pelo escurecimento da *linea alba*, uma linha branca que você provavelmente nunca notou correndo de seu umbigo até a área pélvica. Durante a gravidez, ela é chamada de *linea nigra*, ou linha preta, e costuma ser mais aparente em mulheres de pele escura. Ela geralmente surge durante o segundo trimestre e começa a desaparecer alguns meses após o parto (embora talvez nunca desapareça inteiramente). Está interessada em um palpite sobre o sexo do bebê? De acordo com as antigas parteiras (sem apoio da ciência), se a *linea nigra* chega somente ao umbigo, você terá uma menina. Se passa do umbigo e chega ao processo xifoide (perto das costelas), um menino.

Máscara da gravidez (melasma ou cloasma). Essas descolorações amarronzadas, azuladas e acinzentadas surgem em um padrão de confete em cerca de 50 a 75% das gestantes, particularmente aquelas com pele mais escura (já que possuem mais pigmentos na pele) e as que têm predisposição genética (se sua mãe teve, há uma boa chance de que você também tenha). Não é fã do visual manchado? Como o sol pode piorar o melasma, seja fiel ao protetor solar com um FPS de ao menos 30 e evite exposição direta ao sol sempre que possível. Abasteça-se de ácido fólico também, já que a deficiência de folatos pode estar relacionada à hiperpigmentação. Ainda está manchada? Algumas gestantes evitam a máscara da gravidez com máscaras caseiras de suco de limão siciliano, vinagre de maçã ou mesmo banana amassada. Não teve sorte? Não se preocupe: o melasma geralmente desaparece alguns meses depois do parto. Se não desaparecer, um dermatologista pode prescrever um creme clareador ou tretinoína (mas não enquanto você estiver amamentando) ou recomendar outro tratamento (como *laser* ou *peeling*). Como esses tratamentos estão proibidos por enquanto, lance mão do corretivo e da base.

Outras hiperpigmentações da pele. Muitas mulheres também descobrem que suas sardas e pintas ficaram mais escuras e aparentes e surgiram manchas escuras nas áreas de grande atrito, como entre as coxas. Toda essa hiperpigmentação deve desaparecer após o parto. O sol pode intensificá-la, então use protetor com FPS 30 ou maior e evite passar muitas horas ao sol (mesmo com protetor).

Palmas das mãos e solas dos pés avermelhadas. São os hormônios novamente (além do aumento do fluxo sanguíneo), e eles fazem com que as palmas das mãos (e, às vezes, as solas dos pés) cocem e fiquem vermelhas em mais de dois terços das mulheres brancas e um terço das mulheres negras. Não existe tratamento específico, mas algumas mulheres sentem alívio mergulhando as mãos e/ou os pés em água fria ou aplicando uma bolsa de gelo por alguns minutos, algumas vezes ao dia. Fique longe de qualquer coisa que aqueça pés e mãos (tomar banhos quentes, lavar a louça com água quente, usar luvas de lã). Esse problema desaparece logo após o parto.

Olheiras. Olheiras são comuns, especialmente mais tarde na gravidez. O culpado? Você pode culpar as mudanças hormonais e a retenção de fluidos por esse *look* do dia seguinte.

Pernas azuladas e manchadas. Em função do aumento da produção de progesterona, muitas gestantes experimentam uma descoloração sarapintada nas pernas (e às vezes nos braços) quando estão com frio. Ela vem e vai, é inofensiva e desaparece após o parto.

Fibromas. Um fibroma mole, que essencialmente é um pedacinho minúsculo de excesso de pele, é outra queixa inofensiva (embora irritante) muito comum em gestantes. Fibromas geralmente crescem nas áreas mais quentes e úmidas do corpo ou naquelas onde há atrito frequente, incluindo as dobras do pescoço, axilas, torso, a região sob os seios e os genitais. A (única) boa notícia:

fibromas moles são completamente benignos e a maioria desaparece após o parto. Se não desaparecerem, o médico poderá removê-los.

Assaduras. Você pensa em bebês quando pensa em assaduras? Pense também em mulheres esperando bebês. Causadas pela combinação entre um corpo já superaquecido, umidade por causa da transpiração excessiva e fricção entre duas áreas da pele ou entre a pele e as roupas, as assaduras são tanto supercomuns quanto superirritantes. Você as encontrará por toda parte, mas são mais comuns entre e embaixo dos seios, no vão entre a barriga e o topo da área pélvica e entre as coxas. Compressas úmidas e frias podem ajudar. Polvilhar um pouco de amido de milho após o banho, usar roupas largas e de tecidos respiráveis e se manter tão fresca quanto possível costuma minimizar o desconforto e a recorrência. A loção de calamina também acalma as assaduras e seu uso é seguro, mas fale com o médico antes de usar qualquer outra loção medicamentosa. Se as assaduras durarem mais que um ou dois dias, pergunte ao médico quais são os próximos passos.

Pitiríase versicolor (micose de praia). A pitiríase é uma infecção fúngica que causa pontinhos pequenos e achatados, ovais ou redondos, que coçam e descamam. O fungo que causa a infecção interfere com a pigmentação normal da pele, resultando em manchas claras que descamam. Normalmente, essas manchas surgem nas partes oleosas do corpo, como peito e costas, mas podem surgir em qualquer outra. Embora não seja tecnicamente uma condição dermatológica relacionada à gestação, ela pode aparecer pela primeira vez ou piorar quando você está grávida. O tratamento geralmente inclui xampus antifúngicos como Head and Shoulders (sim, no corpo!) ou cremes antifúngicos, mas peça uma recomendação ao médico agora que tem um bebê a bordo.

Irritação da pele. Frequentemente, a irritação é causada quando a pele sensibilizada reage a um produto que você usava sem problemas antes da gravidez. Trocar para um produto mais suave frequentemente alivia essa irritação de contato, mas informe ao médico se ela persistir.

Espere, há mais. Acredite ou não, você pode experimentar muitas outras alterações da pele. Para informações sobre estrias, veja a p. 262; acne, p. 230; erupções que coçam, p. 420; pele seca ou oleosa, p. 231; vasinhos nas pernas, p. 228.

Também saiba que, embora seu cabelo quase certamente esteja mais grosso, nem todas as mulheres passam pela parte assustadora dessa situação cabeluda durante a gravidez (a parte na qual encontram pelos nas partes erradas do corpo). Algumas gestantes descobrem que os pelos das pernas, axilas e mesmo sobrancelhas crescem especialmente devagar, dando-lhes uma folga bem-vinda da lâmina ou cera. Considere-se com sorte se estiver no campo das menos peludas.

Visão

"Minha visão parece estar piorando desde que engravidei. E minhas lentes de contato parecem não servir. Estou imaginando?"

Não, você não está vendo coisas — ou ao menos não as está vendo tão bem quanto antes. Os olhos são mais uma das aparentemente não relacionadas partes do corpo que podem ser vítimas dos hormônios da gravidez. Não somente sua visão pode parecer menos definida como suas lentes de contato, se as usa, podem ficar subitamente desconfortáveis. A secura ocular, causada pela diminuição da produção de lágrimas (que, por sua vez, é causada pelos hormônios), pode ser parcialmente culpada pela irritação e o desconforto. Outra causa são os líquidos extras (eles estão por toda parte!), que podem alterar a forma das lentes oculares, fazendo com que algumas gestantes sofram alteração da miopia ou hipermetropia. Sua visão deve melhorar e seus olhos devem retornar ao normal após o parto (então, não se dê ao trabalho de comprar lentes novas, a menos que a mudança seja tão pronunciada que você realmente já não consiga enxergar direito).

E, caso esteja pensando nisso, agora não é hora de pensar em cirurgia corretiva com *laser*. Embora o procedimento não prejudique o bebê, ele pode corrigir excessivamente a visão e levar mais tempo para cicatrizar, possivelmente exigindo uma segunda cirurgia mais tarde (além disso, colírios não são recomendados para gestantes). Os oftalmologistas recomendam evitar essa cirurgia durante a gravidez, seis meses antes da concepção e ao menos seis meses após o parto (e, se você estiver amamentando, seis meses depois de parar).

Embora uma leve deterioração da visão não seja incomum durante a gravidez, outros sintomas exigem um telefonema para o médico. Se tiver visão embaçada ou escurecida, ver frequentemente pontinhos pretos ou formas flutuantes ou tiver visão dupla que persista por mais de 2 ou 3 horas, não espere para ver se passa: telefone para o médico imediatamente. Ver pontinhos brevemente ao se levantar quando ficou sentada por bastante tempo ou se levantou subitamente é bastante comum e nada com que se preocupar, embora deva mencionar isso em sua próxima consulta.

Padrão dos movimentos fetais

"Senti movimentos leves todos os dias da semana passada, mas nada hoje. O que está errado?"

Sentir o bebê se mexer, girar, socar, chutar e soluçar é uma das coisas mais excitantes da gravidez (com certeza supera a azia e os pés inchados). Pode não haver prova melhor de que uma vida novinha em folha — e impressionantemente enérgica — está se desenvolvendo dentro de você. Mas os movimentos fetais também podem encher a futura mãe de perguntas e dúvidas: meu bebê está se movimentando o suficiente? Demais? Será que ele está mesmo se movimentando? Em um minuto, você está certa de que sentiu os chutes; no seguinte, está duvidando de si mesma (será que eram somente gases?). Um dia, você sente o bebê se mexer e girar sem parar. No seguinte, seu pequeno atleta parece ter sido colocado no banco de reservas, e você não sente quase nada.

Não se preocupe. Nesse estágio da gravidez, a preocupação com os movimentos do bebê, embora compreensível, é geralmente desnecessária. A frequência dos movimentos perceptíveis a essa altura varia muito, e os padrões de movimento são erráticos. Embora o bebê quase certamente se mova na maior parte do tempo, você provavelmente só o sentirá consistentemente quando ele ficar maiorzinho. Alguns movimentos podem não ser notados por causa da posição fetal (virado para dentro, por exemplo, em vez de para fora). Ou por causa de suas próprias atividades: quando você está andando ou se movimentando muito, o bebê pode ser embalado até dormir ou você pode estar ocupada demais para notar os movimentos dele. Também é possível que você durma durante o período mais ativo, que, para muitos fetos, é o meio da noite. (Mesmo nesse estágio, eles têm maior probabilidade de ficarem ativos quando as mães estão deitadas.)

Uma maneira de incentivar os movimentos fetais se você não os notou durante o dia inteiro é se deitar por 1 ou 2 horas à noite, preferencialmente após tomar um copo de leite ou suco de laranja ou fazer um lanchinho. A combinação entre sua inatividade e o aumento da energia alimentar pode fazer com que o bebê se mexa. Se não funcionar, tente de novo algumas horas depois, mas não se preocupe. Muitas gestantes ficam sem notar os movimentos por um ou dois dias de cada vez, ou mesmo três ou quatro, tão cedo na gestação. Se ainda estiver preocupada, telefone para o médico.

Após a 28ª semana, os movimentos fetais se tornam mais consistentes, e é uma boa ideia desenvolver o hábito de acompanhar diariamente a atividade do bebê (veja a p. 422).

Descobrindo o sexo do bebê

"Estou saindo agora para meu ultrassom da 20ª semana, e não conseguimos decidir se queremos ou não saber o sexo do bebê."

Time rosa? Time azul? Ou time espere para ver? É você quem decide quando se trata de saber o sexo do bebê, e não há escolha certa ou errada. Alguns pais optam por saber por razões práticas: torna a escolha do enxoval, da cor do quarto e do nome muito mais fácil. Outros decidem descobrir o mais cedo possível porque não aguentam o suspense. Mas uma minoria significante prefere não saber, e só descobrir da maneira antiga, quando ele (ou ela) finalmente abrir caminho até o mundo. A escolha é sua.

Se decidir ficar sabendo agora, leve em consideração que a determinação do sexo do bebê através de ultrassom não é uma ciência exata (ao contrário da amniocentese, que o determina através da análise cromossômica). Mais raramente, acontece de os pais serem informados de que terão uma menina e na hora do parto ouvem "É um menino!" (ou, com muito menos frequência, o inverso — afinal, é muito mais fácil não ver um pênis que ver um pênis onde não há um). Também ocasionalmente, o bebê não coopera, mantendo obstinadamente as partes privadas escondidas atrás das pernas cruzadas. Assim, se você escolher saber o sexo quando fizer o ultrassom, lembre-se de que se trata de um palpite muito bem-informado — mas ainda assim um palpite.

E se um de vocês quiser saber e o outro não? Não é fácil fazer esse arranjo funcionar (especialmente se aquele que sabe não souber manter o rosto impassível... não conseguir evitar dar dicas... ou não resistir e acabar contando para amigos e familiares), mas pode ser feito. Outra escolha que você terá de fazer se optar por saber: se (e como, e quando) contará para todo mundo. Alguns pais gostam de manter o segredinho o máximo possível. Outros escolhem transmitir o ultrassom ao vivo, fazendo a descoberta e o anúncio simultaneamente. Outros ainda decidem aproveitar o momento grandioso, celebrando com amigos e familiares durante um chá de revelação (veja o quadro da página a seguir).

ULTRASSOM DO SEGUNDO TRIMESTRE

Prepare-se para a grande revelação (ou ao menos as adoráveis feições do bebê). Gestantes rotineiramente fazem um ultrassom de nível 2 no segundo trimestre, em geral entre a 18ª e a 20ª semanas. Isso porque o ultrassom de segundo trimestre é uma excelente maneira de ver como o bebê está se desenvolvendo e obter garantias de que tudo está indo como deveria. Uma de suas funções mais excitantes no que diz respeito aos pais: ele pode revelar o sexo, desde que você queira saber (a menos que já tenha obtido essa informação com uma análise cromossômica anterior). Além disso, é divertido dar uma espiadinha em seu bebê, especialmente agora que ele realmente se parece com um!

Esse ultrassom mais detalhado dará ao médico valiosas informações sobre o que está acontecendo no interior de sua barriga. Por exemplo, ele pode medir o bebê e analisar todos os órgãos principais. Pode mensurar a quantidade de líquido amniótico e avaliar a localização da placenta. Em resumo, o ultrassom de segundo trimestre — além de ser divertido — dará a você e ao médico um retrato claro (literalmente) da saúde geral do bebê e da gestação. Está ansiosa para entender o que está vendo na tela? O coração batendo de seu fofinho será fácil de localizar, mas peça ao técnico para indicar o rosto, as mãos, os pés e mesmo alguns dos minúsculos, mas impressionantes órgãos, como o estômago e os rins.

Os ultrassons rotineiros de segundo trimestre costumam ser feitos em 2D, fornecendo somente um perfil bidimensional, embora muito fofo, das feições do bebê (mas que pode ser enquadrado ou postado nas redes sociais). A maioria dos médicos reserva os mais detalhados ultrassons em 3D (que une diversas imagens 2D para formar uma imagem 3D que revela toda a superfície, como uma fotografia) e 4D (que mostra o bebê se movendo em tempo real, como um vídeo) para um exame mais atento do feto em busca de anomalias, como lábio leporino e problemas na medula, ou para monitorar algo específico que tem de ser visto mais claramente. Atualmente, esses ultrassons mais sofisticados (e admitidamente mais divertidos) são oficialmente recomendados somente quando medicamente necessário. Isso porque os estudos que avaliam sua segurança exibiram resultados mistos e ainda não se sabe claramente quais são os riscos potenciais.

Está pensando em ter uma visão mais aprofundada da vida no interior do útero em um centro fotográfico pré-natal para dar uma boa olhada em seu bebê antes de ele nascer? Fale com o médico primeiro e leia a p. 431.

CHÁ DE REVELAÇÃO

Você quer descobrir o sexo de seu pequeno da maneira mais grandiosa possível (pense em uma mistura de festa do Oscar com jogos televisionados, muita excitação, celebração, diversão e fanfarra)? Una-se às fileiras de pais que transformam essa grande notícia em um evento ainda maior, descobrindo e anunciando o sexo do bebê durante uma revelação, seja em uma festa ou em uma *live* nas redes sociais.

Há muitas maneiras de revelar o sexo, e você pode ser tão criativa quanto quiser. Se estiver planejando descobrir o sexo do bebê no mesmo momento em que o revela para amigos, familiares e a estratosfera das redes sociais, não olhe para a tela durante o ultrassom. Peça que o técnico anote o sexo em um papel e o guarde em um envelope lacrado. Então deixe a imaginação voar. Algumas ideias: dê a notícia com um bolo na cor apropriada e cobertura neutra: quando você cortar o bolo, você e seus convidados verão se ele é azul ou rosa. Ou encha uma piñata com confetes ou doces azuis ou cor-de- -rosa para revelar a grande notícia, ou então uma caixa com balões de hélio da cor certa, que serão soltos quando todo mundo estiver reunido (e alguém estiver filmando, é claro). Precisa de mais inspiração? Você encontrará muitas ideias no Pinterest, Instagram e YouTube.

Não gosta dessa tendência? Prefere manter a notícia privada por enquanto em vez de viralizar? Não se sinta compelida a fazer um chá de revelação. Partilhe com o mundo inteiro ou não partilhe com ninguém (quer dizer, até o parto): seu bebê, suas regras.

Posição da placenta

"Segundo a médica, o ultrassom mostrou que a placenta estava baixa, perto do colo do útero. Ela disse que é cedo demais para se preocupar com isso, mas é claro que estou preocupada."

Você acha que o bebê é a única coisa se movendo em seu útero? Não é, não. Como o feto, a placenta pode se mover durante a gravidez. É claro que ela não se levanta e muda de lugar, mas parece migrar para cima conforme o segmento inferior do útero se alonga e cresce. Embora se estime que 10% das placentas estejam no segmento inferior durante o segundo trimestre (e uma porcentagem ainda maior antes da 14ª semana), a vasta maioria se move para o segmento superior com a aproximação do parto. Se isso não acontecer e a placenta permanecer baixa, cobrindo parcial ou totalmente o colo do útero, o diagnóstico é de placenta prévia. Essa complicação ocorre em muito poucas gestações a termo (cerca de 1 em 200). Em outras palavras, sua médica está certa. É cedo demais para se preocupar com a posição da placenta — e, estatisticamente falando, há poucas chances de que você tenha de se preocupar com isso algum dia. Outra razão para não se preocupar: se você for diagnosticada com placenta prévia, o bebê simplesmente nascerá por cesariana.

"Durante meu ultrassom, o técnico disse que tenho placenta anterior. O que isso quer dizer?"

Quer dizer que seu bebê está sentado atrás da placenta. Usualmente, o ovo se situa na parte posterior do útero, que é a parte mais perto de sua coluna vertebral, onde a placenta se desenvolverá. Mas, às vezes, ele se implanta do lado oposto, mais perto do umbigo. Quando a placenta se desenvolve, ela cresce do lado anterior (o lado da frente) do útero, com o bebê atrás dela. E foi isso, aparentemente, que aconteceu em seu caso.

Felizmente, o bebê não liga para o lado do útero em que está deitado, e a localização da placenta não faz nenhuma diferença para o desenvolvimento. A desvantagem é que você pode ser menos capaz de sentir os primeiros chutes e socos porque a placenta servirá como camada isolante entre o bebê e a barriga, e isso pode fazer com que você se preocupe desnecessariamente. Pela mesma razão, vai ser um pouco mais difícil para o médico ou parteira ouvir os batimentos cardíacos, especialmente no início (e a amniocentese, se você precisar de uma, pode ser um pouco mais desafiadora). Mas, além dessas pequenas inconveniências — que são realmente pequenas —, a placenta anterior não traz consequências. Além disso, é muito provável que ela se mova para a posição posterior mais tarde (como normalmente fazem).

Posição para dormir

"Sempre dormi de bruços. Agora tenho medo de dormir assim. Mas não consigo ficar confortável em nenhuma outra posição."

Infelizmente, duas posições favoritas muito comuns — de costas e de bruços — não são as melhores (e certamente não as mais confortáveis) durante a gravidez. Dormir de bruços é desconfortável por razões óbvias: quando a barriga crescer, será como dormir sobre uma melancia. Dormir de costas, embora seja mais confortável, coloca todo o peso do útero em crescimento sobre as costas, os intestinos e importantes vasos sanguíneos. Essa pressão pode agravar dores nas costas e hemorroidas, tornar a digestão menos eficiente, interferir com a circulação e possivelmente causar hipotensão (pressão baixa), o que pode deixá-la tonta. Uma circulação menos que ótima também reduz o fluxo sanguíneo para o feto, fornecendo-lhe menos oxigênio e nutrientes. Não será inseguro para o feto se você dormir de costas de vez em quando, mas fazer isso por semanas e meses pode ser problemático.

Isso não significa que você tenha de dormir em pé. Deitar-se de lado — preferivelmente do lado esquerdo, embora ambos sejam adequados —, com as pernas flexionadas ou esticadas, mas uma sobre a outra e um travesseiro entre elas (veja a ilustração da página seguinte), é a posição ideal para você e seu futuro bebê. Ela não somente permite o máximo fluxo de sangue e nutrientes para a placenta como também melhora o funcionamento dos rins, o que significa melhor eliminação de resíduos e líquidos e menos inchaço nos tornozelos, pés e mãos.

Dormindo de lado

Mas muito poucas pessoas conseguem permanecer na mesma posição durante toda a noite. Não se preocupe (repito: não se preocupe) se acordar de costas ou de bruços. Não houve dano (repito: não houve dano); simplesmente deite-se de lado novamente. Você pode se sentir desconfortável por algumas noites — ou mesmo algumas semanas —, mas seu corpo provavelmente se ajustará à nova posição. Um travesseiro corporal com ao menos 1,50 metro de comprimento ou um travesseiro com recortes oferecem apoio, tornando dormir e permanecer de lado muito mais confortável e mais fácil. Se não tiver nenhum deles, improvise com travesseiros comuns colocando-os contra seu corpo em diferentes posições até se sentir confortável. Só consegue dormir de bruços? Tente usar um travesseiro inflável para gestantes com recorte para a barriga. Ainda não está confortável? Tente dormir em posição semissentada em uma poltrona reclinável em vez de dormir na cama.

Aulas no útero?

"Já ouvi mulheres lendo e tocando música para suas barrigas a fim de darem aos bebês um impulso no aprendizado. Devo tentar estimular meu bebê?"

Preste atenção: embora seu bebê já consiga ouvir no fim do segundo trimestre — e mesmo aprender com o que ouve —, não há necessidade de preparar currículos durante a gestação. Promover um início tão precoce do aprendizado de música ou linguagem não somente não é necessário, como pode ser potencialmente prejudicial — especialmente se sinalizar o início de uma pressão parental extremamente prematura e a ênfase excessiva nas realizações em uma idade muito precoce (e antes do nascimento definitivamente é uma idade muito precoce). Os fetos (assim como os bebês e crianças que serão antes que você se dê conta) se desenvolvem — e, mais tarde, aprendem — melhor em seu próprio ritmo, sem necessidade de pressão. Também há a chance de que, ao tentarem transformar o útero em sala de aula, os pais sem querer interrompam os padrões naturais de sono do feto, prejudicando o desenvolvimento em vez de promovê-lo (assim como seria prejudicial acordar um recém-nascido para lhe ensinar o alfabeto).

Isso dito, não há nada errado — e muitos benefícios — em criar um ambiente uterino rico em linguagem e música e, muito mais importante, encontrar maneiras de se aproximar de seu pequeno bem antes de o pegar no colo pela primeira vez. Conversar, ler ou cantar para o bebê enquanto ele ainda está no útero (nenhuma amplificação é necessária) não garantirá notas 10 (ou um aprendizado mais rápido do ABC), mas permitirá que ele reconheça sua voz (e a do pai) ao nascer — e dará a vocês um empurrão inicial na formação de vínculos.

Tocar música agora pode significar que seu recém-nascido reconhecerá, gostará e mesmo será reconfortado por esses sons mais tarde. O mesmo para canções de ninar e versinhos. E não subestime o poder do tato. Como esse sentido começa a se desenvolver no útero, acariciar a barriga também pode fortalecer o laço entre você e seu bebê mais tarde. Além disso, é gostoso.

Assim, ligue o Mozart, ponha para tocar o Bach, tire o pó daquele livro de sonetos de Shakespeare (ou pesquise-os on-line) e leia para sua barriga, se quiser — e se conseguir fazer isso sem começar a rir. Mas faça isso para se sentir mais próxima do bebê, não para deixá-lo mais perto de um lugar na orquestra ou de uma bolsa de estudos.

É claro que, se você se sentir tola falando com sua própria barriga, não há razão para temer que o bebê não consiga reconhecê-la. Ele se habitua à sua voz e à voz de seu parceiro cada vez que vocês conversam um com o outro ou com outras pessoas. Assim, aproveite o contato com o bebê agora, mas definitivamente não se preocupe com aprendizado. Como você descobrirá, as crianças crescem muito rapidamente. Não é preciso apressar esse processo, especialmente antes do nascimento.

Aproximando-se da maternidade

"Eu fico me perguntando se me sentirei feliz com toda essa coisa de maternidade. Não tenho a menor ideia de como será."

A maioria das pessoas se aproxima de qualquer grande mudança — e não há mudança maior que se tornar mãe ou pai — perguntando-se se ficarão felizes com ela. As chances de que seja uma mudança feliz são sempre muito maiores quando você mantém expectativas realistas.

Assim, em primeiro lugar, faça um teste de realidade. E mais um. E outro. Se imagina levar para casa um bebê lindo, sorridente e balbuciante, talvez seja bom fazer uma pesquisa para saber como os recém-nascidos realmente são. Seu recém-nascido não somente não sorrirá nem balbuciará durante semanas, como mal será capaz de se comunicar, com exceção do choro — e isso invariavelmente quando você estiver se preparando para jantar, começando a namorar, morta de vontade de fazer xixi ou tão cansada que não consegue se mexer.

E, se sua ideia de maternidade consiste em tranquilas caminhadas matinais pelo parque, dias ensolarados no zoológico e horas coordenando o guarda-roupa do bebê, você provavelmente precisa de outro teste de realidade. Você terá suas caminhadas pelo parque (se houver um parque por perto), mas também haverá muitas manhãs que se transformarão em noite antes que você e o bebê tenham a chance de ver a luz do dia, muitos dias ensolarados passados na área de serviço lavando roupinhas e pouquíssimas roupinhas que não estarão manchadas de saliva, purê de batata-doce e vitaminas infantis.

PARA OS PAIS

SENTINDO-SE DEIXADO DE LADO

Vamos encarar os fatos. Por mais que os papéis de gênero tenham evoluído, a biologia ainda tem suas limitações. A gravidez é, e sempre será, trabalho de mulher, ao menos fisicamente. É a mãe que carrega o bebê, que está conectada ao bebê (e tem a barriga para provar), que nutre antes do parto e que sofre pelo bem do bebê. Ela também é a que recebe a maior parte da atenção (de amigos, familiares, médicos, parteiras e mesmo estranhos solícitos). E isso pode fazer com que você se sinta deixado de lado.

Não se preocupe. O fato de a gravidez não acontecer em seu corpo não significa que você não possa partilhá-la. E a melhor maneira de não se sentir excluído é se envolver. Eis como:

- Fale a respeito. Sua parceira pode não ter percebido que você está se sentindo excluído — ou pode até pensar que você está feliz nos bastidores. Diga a ela não somente que gostaria de participar, mas também que gostaria de participar de tudo.
- Seja um frequentador regular das consultas. Sempre que puder (se já não fizer isso), vá com ela às consultas pré-natais. Ela gostará do apoio moral e você gostará da chance de ouvir as recomendações do médico. Além disso, poderá sanar suas dúvidas. As consultas também lhe darão muitos *insights* necessários sobre as miraculosas mudanças ocorrendo no corpo de sua esposa. E, o melhor de tudo, você experimentará com ela todos

os grandiosos marcos da maternidade (ouvir o coração, ver os bracinhos minúsculos no ultrassom).
- Aja como grávido. Você não precisa usar uma camiseta Bebê a Bordo ou ter um bigode de leite. Mas pode ser um verdadeiro parceiro de gravidez. Exercite-se com ela. Pare de tomar bebidas alcoólicas e seja um colega de refrigerantes. Faça um esforço para comer bem (ao menos quando estiver perto dela). E, se fumar, pare.
- Eduque-se. Mesmo pais com mestrado (incluindo médicos) têm muito a aprender quando se trata de gestação, parto e cuidados com o bebê, assim como as mães de primeira viagem. Leia este livro e sua sequência, *O que esperar do primeiro ano*. Converse com blogueiros que falam sobre paternidade e participe de grupos de pais, locais e on-line. Baixe o aplicativo What To Expect para receber dicas e assistir aos vídeos semanais. Vá às aulas de parto com sua parceira e frequente as aulas para pais, se estiverem disponíveis localmente. Converse com amigos e colegas que acabaram de ser pais.
- Forme uma conexão com o bebê. A gestante tem uma vantagem no elo pré-natal porque o bebê vive dentro dela, mas o pai também pode se aproximar. Converse, leia e cante para seu bebê frequentemente: o feto pode ouvir do fim do sexto mês em diante, e ouvir sua voz agora o ajudará a reconhecê-la após o parto. Curta os chutes e movimentos do bebê encostando a mão, a bochecha ou o peito na barriga desnuda de sua parceira por alguns minutos, todas as noites. Essa é uma boa maneira de se aproximar também dela. E o bebê consegue sentir os carinhos na barriga e até mesmo ouvir as batidas de seu coração se você se aproximar o bastante.
- Trabalhe em equipe. Envolva-se na decoração do quarto do bebê. Faça listas de nomes. Pesquise pediatras e compareça à pré-consulta. Participe ativamente de todo aspecto do planejamento e da preparação para a chegada do bebê, se já não fizer isso.
- Tire um tempo. Comece a analisar a política de licença-paternidade de sua empresa, se houver uma. Assim, não perderá toda a diversão quando o bebê nascer. Se não houver, pense em mobilizar outros pais e futuros pais em torno da questão (essa é uma ideia, assim como a de licença-maternidade paga, cuja hora chegou nos EUA). No Brasil, a legislação garante a licença-paternidade de cinco dias, a contar a partir do dia do nascimento do bebê. Se a empresa participar do Programa Empresa Cidadã, a licença pode ser estendida para quinze dias.

O que você pode esperar realisticamente são alguns momentos mágicos e experiências épicas. A sensação de pegar no colo um bebezinho quentinho e adormecido (mesmo que esse anjinho estivesse se descabelando de chorar momentos antes) será diferente de tudo que já sentiu. Os barulhinhos que finalmente chegam, ofegantes e doces. Abraços grudentos, beijos molhados e aconchegos após o banho. A realidade é que eles compensarão todas as noites sem dormir, jantares adiados, montanhas de roupa para lavar e namoros frustrados com seu parceiro.

Feliz? Você não perde por esperar, mamãe.

Usando cinto de segurança
"É seguro usar cinto de segurança estando grávida? E quanto ao airbag?"

Não existe maneira mais segura de andar de carro para uma gestante — e seu bebê — que o cinto de segurança. Além disso, é uma exigência legal na maioria dos lugares. Para máxima segurança e mínimo desconforto, posicione a faixa inferior abaixo da barriga, atravessando a pelve e a parte superior das coxas. Posicione a faixa superior sobre o ombro (e não sob o braço), passando diagonalmente entre os seios e pela lateral da barriga. E não tema que a pressão de uma freada abrupta possa ferir o bebê: ele está protegido pelo líquido amniótico e pela musculatura uterina, dois dos melhores amortecedores do mundo. Não use posicionadores para gestantes: muitos (como os presos com velcro) não resistiriam a uma batida e outros não oferecem nenhuma segurança extra para a mãe e o bebê.

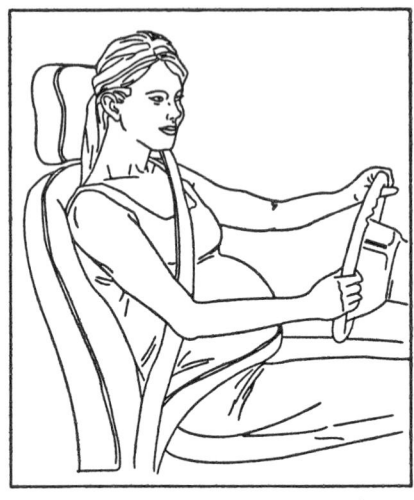

Usando cinto de segurança por dois

Quanto aos *airbags*, nem pense em desabilitá-los. Se sofrer um acidente, você estará muito mais segura com um *airbag* funcional que sem ele. Na verdade, os estudos demonstram que *airbags* não só salvam a vida de mulheres grávidas (e seus bebês), como também não as machucam: ao serem inflados durante um acidente, eles não aumentam o risco de sofrimento fetal, separação da placenta ou cesariana. Para ter certeza de que o *airbag* a manterá segura, mantenha distância. Se estiver sentada no banco do carona, afaste o banco o máximo que puder (suas pernas vão gostar do espaço extra). Se estiver dirigindo, incline o volante na direção do peito, para longe da barriga, e tente manter uma distância de ao menos 25 centímetros entre o volante e a barriga.

Viagens

"Agendamos uma viagem antes de engravidar; ainda é seguro viajar?"

Com um bebê, nunca mais será tão fácil sair de férias. Pense no ano que vem, quando você estará carregando uma cadeirinha, fraldas, brinquedos e kits de proteção e entenderá por quê.

Assim, não tenha reservas sobre sua reserva. Mas, antes de fazer as malas, informe ao médico. É provável que seus planos de viagem sejam aprovados, já que as viagens raramente são restritas durante a gravidez, a menos que haja complicações (ou você esteja muito próxima do parto).

Quando receber liberação para decolar, você precisará de algum planejamento para garantir uma viagem segura e confortável, seja ela uma rápida viagem de negócios ou um longo retiro de férias:

Escolha a época certa. Durante a gravidez, a época certa é muito importante, sendo o tranquilo segundo trimestre tipicamente o melhor. A essa altura, o enjoo e a fadiga do primeiro trimestre (companheiros muito ruins de viagem) devem ter melhorado, mas você ainda não estará tão grande que carregar seu peso será mais difícil que carregar as malas. Viajar perto da data provável do parto inclui o risco de entrar em trabalho de parto longe de seu obstetra e, dependendo de seu destino, longe de um hospital confiável. Está pensando em fazer um cruzeiro? A maioria das empresas não permitirá seu embarque a partir da 24ª semana.

OS MOSQUITOS ACHAM AS GRÁVIDAS DELICIOSAS

Se os mosquitos parecem gostar mais de seu sangue agora que está grávida, você não está imaginando coisas. Os cientistas descobriram que mulheres grávidas atraem duas vezes mais mosquitos que as não grávidas, possivelmente porque eles gostam de dióxido de carbono e as gestantes tendem a respirar com mais frequência, liberando mais desse gás. Outra razão é que os mosquitos são atraídos pelo calor, e gestantes geralmente têm temperaturas corporais mais altas em função de toda aquela fabricação de bebês. Na maior parte do tempo, toda essa atenção extra resulta meramente em coceiras irritantes. Mas, quando há transmissão de doenças em jogo, as picadas podem ser perigosas para você e o bebê (como o vírus Zika; veja a p. 712). Por isso, é importante tomar precauções se você pretende viajar para uma região (ou vive em uma) onde os mosquitos são um risco para a saúde (incluindo falar com o médico e verificar os alertas de saúde antes de viajar): fique dentro de casa o máximo possível em regiões infestadas, use telas nas janelas e portas, vista camisetas de manga longa e calças compridas, borrife as roupas com permetrina ou compre roupas já tratadas com ela, e aplique repelentes com DEET, icaridina, IR3535, óleo de eucalipto-limão ou mentoglicol na pele exposta. Quando usados da maneira indicada, repelentes de insetos registrados na Agência de Proteção Ambiental são seguros e efetivos, mesmo para gestantes e lactantes. Repelentes com formas purificadas de plantas como citronela e cedro podem afastar os mosquitos, mas, como não são tão eficazes quanto o DEET e a icaridina, não os use em áreas de alto risco.

Sempre passe o repelente por cima do protetor solar e esteja preparada para reaplicar o protetor mais frequentemente, já que o DEET diminui o FPS. Produtos que combinam repelente e protetor solar não são recomendados.

Escolha o destino certo. Um clima quente e úmido pode ser ruim para seu metabolismo acelerado, mas, se optar por um destino tropical, assegure-se de que o hotel e os transportes tenham ar-condicionado, mantenha-se hidratada e fique longe do sol. Informe o médico antes de agendar uma viagem para altas altitudes (p. 367). Também fale com ele antes de se aventurar por qualquer região que exija vacinação (algumas vacinas podem não ser seguras para gestantes), assim como áreas assoladas por infecções potencialmente perigosas (incluindo doenças transmitidas pela água, pela comida e por mosquitos, como o vírus Zika). Para mais informações de saúde para viajantes, visite cdc.gov/travel.

Planeje uma viagem relaxante. Um único destino é melhor que uma turnê que a levará para seis cidades em seis dias. Uma viagem que permita que você (e seu corpo grávido) dite o ritmo é melhor que uma excursão. Algumas horas de passeios e compras (ou reuniões) devem ser alternadas com descanso com os pés para cima.

Faça seguro. Contrate um seguro de viagem confiável, no caso de complicações da gravidez exigirem que você mude de planos. Pense em contratar um seguro para evacuação médica se viajar para o exterior (ou para longe de assistência médica confiável), no caso de precisar voltar rapidamente para casa sob supervisão médica. O seguro de viagem com cobertura médica também pode ser útil se seu plano de saúde não incluir cuidados médicos no exterior. Confira as cláusulas do plano antes de viajar.

LUA DE BEBÊ

É claro que você está deliciada porque, com o bebê, vocês serão três (ou mais). Mas talvez também esteja se perguntando como essa mudança afetará seu futuro a dois — especialmente no que diz respeito ao tempo somente para o casal que, em breve, será muito reduzido.

É para isso que existe a lua de bebê. Chame-a de última chance (por enquanto) de vocês dois fazerem o que quiserem, sozinhos, antes da chegada do bebê.

Seja uma semana na praia, um fim de semana no interior, uma noite em um hotel local ou um dia em um spa, mais e mais futuros pais estão planejando suas luas de bebê, ou seja, organizando tempo, cronograma, finanças e aprovação do médico. A melhor época para a lua de bebê? Claramente, quando você estiver se sentindo bem e cheia de energia — o que, para a maioria das gestantes, ocorre no relativamente confortável segundo trimestre.

Não tem tempo (ou dinheiro) para uma lua de bebê? Prefere gastar esse dinheiro extra em compras, e não em uma viagem? Sua gestação é de alto risco e você não pode sair da cidade? Pense em um programa local. Escolha um fim de semana e planeje só para vocês dois atividades que não poderão fazer por algum tempo depois que o bebê chegar: café da manhã na cama, jantarzinho seguido de cinema e depois... bom, você entendeu.

Tenha backup médico. Se vai viajar para longe, tenha em mãos o nome de um obstetra local, só para garantir. Se viajar para o exterior, contate a Associação Internacional de Assistência Médica para Viajantes em iamat.org, que lhe fornecerá um diretório de médicos falantes de inglês em todo o mundo. Algumas grandes cadeias hoteleiras também fornecem esse tipo de informação. Se precisar de um médico e seu hotel não puder encaminhá-la a um, telefone para a embaixada ou o consulado americano e peça uma recomendação. Ou simplesmente vá para o pronto-socorro mais próximo. Se tem seguro de viagem com cobertura médica, deve haver um número para o qual possa telefonar.

Prepare um kit de sobrevivência para gestantes. Coloque na bagagem vitaminas pré-natais suficientes para a viagem, lanchinhos saudáveis, pulseiras antienjoo se você fica mareada e o remédio para o estômago recomendado pelo médico. Algo que não deve entrar em seu kit: remédios para *jet lag* (incluindo melatonina) que não tenham sido aprovados pelo médico.

Leve seus hábitos saudáveis com você. Divirta-se com a comida enquanto estiver viajando (afinal, você está de férias), mas tente comer regularmente e bem, lanchando quando necessário — a energia fornecida pela associação de carboidratos complexos e proteínas será especialmente útil se você estiver sofrendo de *jet lag*. Tampouco esqueça de levar seus hábitos de hidratação. Ingerir líquidos suficientes é sempre essencial durante a gravidez, mas fundamental para quem sofre de *jet lag* (a desidratação piora sintomas como a fadiga).

Tente se manter regular. As mudanças de horário e dieta podem piorar a constipação. Assegure-se de se abastecer com os três remédios mais eficazes contra a constipação: fibras, líquidos e exercícios.

Não segure. Não encoraje uma infecção do trato urinário ou constipação adiando a ida ao banheiro. Vá assim que tiver vontade (e conseguir encontrar um banheiro).

Obtenha o apoio de que necessita. Fornecido por uma meia-calça de compressão, particularmente se você já tem veias varicosas. Mas, mesmo que só suspeite ter predisposição a elas, pense em usar meias de compressão se for passar muito tempo sentada (no carro, avião ou trem, por exemplo) ou em pé (em museus e filas de aeroporto). Elas ajudam a minimizar o inchaço de pés e tornozelos.

Não fique parada. Ficar sentada por horas — especialmente em um espaço apertado, como a poltrona do avião — pode restringir a circulação e até mesmo causar um coágulo, cujo risco em gestantes já é alto (p. 750). Assim, movimente-se frequentemente na poltrona, faça círculos com os pés e alongue, flexione e massageie as pernas frequentemente, além de evitar cruzá-las. Se possível, tire os sapatos e erga os pés. Levante-se ao menos a cada 1 ou 2 horas para caminhar pelo corredor do avião ou trem. Se viajar de carro, pare a cada 2 horas para esticar as pernas.

DESSA ÁGUA NÃO BEBEREI?

Sim, permanecer hidratada é importante para a viajante grávida. Mas, se a pureza da água for questionável, use água mineral para beber e escovar os dentes. Assegure-se de que o lacre da garrafa esteja intacto antes de abri-la. Também evite o gelo, a menos que tenha certeza de que foi feito com água purificada.

Em locais assim, você precise ter com a comida o mesmo cuidado que tem com a água. Evite frutas, vegetais e saladas cruas (a menos que saiba que foram lavados com água purificada). Se estiver com vontade de comer frutas frescas, lave-as com água mineral e descasque-as você mesma. Não importa aonde vá, fique longe de alimentos cozidos que estejam mornos ou em temperatura ambiente (como em um bufê) e de qualquer coisa vendida por ambulantes (mesmo que esteja quente). E, é claro, não beba suco ou consuma leite e laticínios se não tiver certeza de que foram pasteurizados.

Também tome cuidado ao entrar na água (e não somente bebê--la). Verifique com antecedência a segurança de lagos, rios e mares nos quais possa nadar (eles podem estar poluídos ou contaminados por bactérias perigosas). Toda piscina deve ser tratada com cloro ou purificada com ozônio, soro fisiológico ou ionização — pergunte antes de entrar.

Para mais informações sobre saúde e segurança alimentar ao viajar, visite cdc.gov/travel.

Viajar será menos divertido porque você está esperando? Provavelmente não, mas, para garantir que não se sentirá desconfortável:

- Se viajar de avião, pergunte à empresa se há regulamentos especiais relacionados a gestantes. Reserve uma poltrona no meio do avião (preferencialmente no corredor, para poder se levantar para alongar as pernas e usar o banheiro sempre que necessário) ou, se os lugares não forem marcados, peça para embarcar antes. A bordo, use o cinto de segurança confortavelmente sob a barriga.
- Cada vez mais frequentemente, os chamados céus amistosos são também os que fazem você passar fome. Mesmo que uma refeição esteja incluída na passagem ou você possa comprar uma a bordo, ela pode ser a) minúscula, b) intragável, c) demorada ou d) todas as alternativas anteriores. Assim, prepare-se com antecedência. Embale um sanduíche não perecível ou compre um sanduíche, uma salada ou um iogurte com frutas no aeroporto (mas consuma a refeição ainda fresca). Coloque alguns lanchinhos na bagagem de mão. Beba muita água para combater a desidratação causada pelas viagens aéreas (isso garantirá que você esticará as pernas muitas vezes durante as idas frequentes ao banheiro), mas não beba água da torneira do avião, já que ela frequentemente está contaminada por bactérias.

GRAVIDEZ NAS ALTURAS

Você está se perguntando se o ar rarefeito é seguro quando você está esperando um bebê? Provavelmente sim, se você vive em altas altitudes há muito tempo. Mas problemas induzidos pela altitude (como hipertensão, retenção de água e um bebê ligeiramente menor que a média) podem ocorrer em gestantes que acabaram de se mudar para áreas altas após passarem a vida no nível do mar. Por essa razão, muitos médicos sugerem adiar a mudança até depois do parto, se possível.

E quanto a morar em um local baixo e visitar um local alto durante a gravidez? Claramente, escalar o monte Rainier não é possível por enquanto, mas também pense duas vezes (e converse com o médico) antes de agendar uma viagem para um resort nas Montanhas. Se precisa viajar para uma região de alta altitude, tente fazer a ascensão gradualmente, para se ajustar ao ar rarefeito. Se estiver dirigindo e houver lugares para se hospedar ao longo do caminho, tente subir 600 metros ao dia em vez de 2 mil de uma vez só, ou voe para uma cidade a 1,5 mil, passe alguns dias se aclimatando e dirija o restante do caminho. Para minimizar o risco de desenvolver mal da montanha (dor de cabeça, náusea e fadiga, que podem acometer qualquer um em altitudes superiores a 2,4 mil metros, mas também produzir sintomas em altitudes mais baixas), pegue leve por alguns dias após a chegada, beba muita água, faça pequenas refeições frequentemente e, se possível, tente dormir em altitudes mais baixas.

- Se viajar de carro, mantenha lanches nutritivos e água à mão. Para viagens longas, assegure-se de que seu banco seja confortável. Se não for, pense em comprar ou emprestar uma almofada especial para apoiar as costas, disponível em lojas de acessórios automobilísticos ou online. Para mais dicas sobre segurança ao viajar de carro, veja a p. 362.
- Se viajar de trem, assegure-se de que haja vagão-restaurante com um cardápio completo. Se não houver, embale refeições e lanches suficientes para a viagem. Se for passar a noite viajando, reserve uma cabine no vagão-dormitório, se puder. Não vai ser bom começar a viagem já exausta.
- Se viajar de navio, converse com a empresa sobre restrições (há muitas para gestantes) e sobre as instalações médicas a bordo. Também informe ao médico que vai viajar, para saber se será necessário levar alguma medicação (a equipe médica a bordo pode não ter autorização para fornecer medicamentos a gestantes). E, é claro, leve em consideração que a junção de enjoo matinal com o enjoo marítimo pode estragar a viagem. Também esteja consciente de que surtos de infecções gastrointestinais não são incomuns em cruzeiros, e podem ser especialmente perigosos quando você está grávida.

A SEGURANÇA É SEGURA?

Passar pela segurança do aeroporto pode ser irritante, mas, felizmente, não é um risco de segurança quando você viaja por dois. As ondas eletromagnéticas emitidas pelos detectores de metal são perfeitamente seguras (você se expõe a elas o tempo todo quando está em casa, emitidas pelos eletrodomésticos). O mesmo vale para os *scanners* portáteis usados pelos agentes de segurança. E as varreduras de corpo inteiro? A Administração para a Segurança dos Transportes (TSA) diz que elas não apresentam risco, nem mesmo para gestantes e seus bebês não nascidos, com a radiação sendo igual a 2 minutos de voo em alta altitude. A revista manual pode ou não ser uma alternativa à varredura (você pode perguntar, se estiver preocupada).

Se você se qualificar para um TSA PreCheck (candidate-se em tsa.gov), pode evitar a varredura de corpo inteiro (assim como o incômodo de tirar os sapatos e a jaqueta e entregar a frasqueira com líquidos para inspeção), presumindo-se que ele esteja disponível no aeroporto do qual está partindo.

TUDO SOBRE:
Sexo e o casal grávido

Milagres médicos e religiosos à parte, toda gravidez começa com sexo. Então por que aquilo que provavelmente a trouxe até aqui se tornou tão complicado agora que já está aqui?

Quer você esteja fazendo mais ou menos, gostando mais, menos ou não gostando — ou sequer fazendo —, é provável que fazer um bebê tenha modificado sua maneira de fazer amor. De descobrir o que é ou não seguro na cama (no tapete da sala ou no balcão da cozinha) a determinar que posições acomodam a barriga cada vez maior, da falta de sincronia (você está com vontade, ele não; ele está com vontade, você não) a hormônios enlouquecidos (seus seios estão mais atraentes que nunca, mas sensíveis demais para serem tocados), o sexo está repleto de desafios para ambos os lados. Mas não se preocupe. Um pouquinho de criatividade, grande senso de humor, doses generosas de paciência (e prática) e muito amor conquistarão tudo quando se trata de sexo durante a gravidez.

O sexo durante os trimestres

Descendo, subindo, descendo. Embora possa soar como um novo movimento sexual, trata-se de uma boa descrição do padrão montanha-russa que muitos casais podem esperar de suas vidas sexuais durante os nove meses de gestação. No primeiro trimestre, muitas mulheres têm diminuição da libido, que desaba com o surgimento dos hormônios da gestação. E essa queda no interesse sexual não deveria ser um choque. Afinal, fadiga, náusea, vômito e mamilos dolorosamente sensíveis não são bons parceiros de cama. Mas, como em todas as coisas relacionadas à gravidez, nenhuma mulher é igual à outra, o que significa que suas libidos tampouco o são. Se você tiver sorte, pode descobrir que o primeiro trimestre a deixará mais animada que nunca, graças ao lado feliz das mudanças hormonais: genitais ultrassensíveis e sempre formigantes e seios que se tornaram extragrandes e extradivertidos.

O interesse frequentemente (mas não sempre) retorna no segundo trimestre, quando os sintomas iniciais da gravidez diminuem e há mais energia para o amor (e menos tempo no banheiro deixa mais tempo para o quarto). Nunca teve orgasmos múltiplos (ou qualquer orgasmo) antes? Essa pode ser sua chance — e de novo, e mais uma vez. Isso porque o fluxo extra de sangue para os pequenos e grandes lábios, o clitóris e a vagina costuma tornar o clímax mais fácil, mais forte e mais prolongado que antes. Mas, novamente, nada é garantido durante a gravidez. Algumas mulheres perdem essa deliciosa sensação no segundo trimestre ou jamais a encontram durante todos os nove meses, e isso também é normal.

Com a aproximação do parto, a libido geralmente diminui outra vez, às vezes mais drasticamente que no primeiro trimestre, por razões óbvias. Primeira: a barriga do tamanho de uma melancia torna o alvo mais difícil de atingir para seu parceiro, mesmo em posições criativas. Segunda: as dores e desconfortos da gravidez avançada podem esfriar mesmo a mais ardorosa das paixões. E terceira: no fim do trimestre, é difícil se concentrar em qualquer coisa que não o ansiosamente aguardado evento. Mesmo assim, alguns casais conseguem superar esses obstáculos e manter a ação até a primeira contração.

OS SINS E NÃOS DO SEXO DURANTE A GRAVIDEZ

Você está se perguntando o que é ou não seguro quando se trata de fazer amor durante a gravidez? Eis tudo que precisa saber:

Sexo oral. A cunilíngua (o sexo oral na mulher) é tão segura quanto potencialmente prazerosa durante a gravidez, então vá em frente. Só garanta que seu parceiro não sopre ar com força em sua vagina. A felação (sexo oral no homem) é sempre segura durante a gravidez — assim como engolir o sêmen, caso você esteja curiosa — e, para alguns casais, uma maneira agradável de permanecerem próximos quando o intercurso não é permitido.

Sexo anal. O sexo anal provavelmente é seguro durante a gravidez, mas use a porta dos fundos com cuidado. Primeiro, o sexo anal provavelmente não será confortável se você tiver hemorroidas — um risco ocupacional da gravidez — e pode fazê-las sangrar (o que realmente arruinará o momento). Segundo, é preciso se lembrar desta regra quer esteja grávida ou não, mas especialmente agora: jamais passe do sexo anal para o sexo vaginal sem se lavar antes. Fazer isso pode introduzir bactérias prejudiciais no canal vaginal, tornando-a suscetível a uma infecção e causando riscos para o bebê.

Masturbação. A menos que o orgasmo esteja proibido durante uma gravidez de alto risco, a masturbação (com ou sem vibrador) durante a gravidez é perfeitamente segura — e uma excelente maneira de aliviar toda a tensão que você está sentindo.

Brinquedos. Desde que o médico tenha liberado o sexo, os brinquedos (como próteses e vibradores) também estão liberados — afinal, são somente versões mecânicas da coisa real. Mas garanta que qualquer brinquedo que use esteja limpo e cuide para não penetrar a vagina profundamente demais com ele.

PARA OS PAIS

O MEDO DO SEXO

Você está com medo de que o sexo possa ferir sua parceira ou seu futuro bebê? Não tema. Desde que o médico ou a parteira tenham dado luz verde para as atividades sexuais durante a gravidez (e, na maior parte das vezes, é exatamente isso que acontece), elas são completamente seguras até o parto. O bebê está fora de alcance (mesmo que você seja particularmente bem-dotado), protegido e seguro no interior do útero, incapaz de assistir ou estar consciente da ação adulta — em resumo, totalmente inconsciente do que acontece quando vocês dois estão transando. Mesmo as suaves contrações que sua parceira pode sentir após o orgasmo não são motivo de preocupação, já que não causam parto prematuro em uma gravidez normal.

Na verdade, as pesquisas mostram que gestantes de baixo risco que permanecem sexualmente ativas durante a gestação têm menor probabilidade de entrar em trabalho de parto prematuro (então mãos à obra!). E fazer amor com sua esposa não somente não fará mal a ela, como pode fazer muito bem, satisfazendo sua crescente necessidade de proximidade emocional e física e deixando claro que ela é desejada em um período no qual talvez não esteja se sentindo muito atraente. Embora deva agir com cuidado (observe os sinais que ela dá e transforme as necessidades dela em suas prioridades), você certamente pode ir em frente — e se sentir bem a respeito.

Ainda está preocupado? Fale com ela. Lembre-se, a comunicação aberta e honesta sobre tudo, incluindo sexo, é a melhor política.

O que está acendendo (ou apagando) seu fogo?

Talvez a gravidez seja boa para sua vida sexual... talvez seja muito ruim. De qualquer maneira, todas as mudanças físicas que você está experimentando têm impacto no sexo — para melhor, para pior ou um pouco de ambos. Os sintomas que podem acender ou apagar seu fogo incluem:

Náusea e vômito. O enjoo matinal certamente pode se interpor entre você e uma experiência satisfatória. Afinal, é difícil ronronar de prazer quando está ocupada vomitando o jantar. Então use seu tempo com sabedoria. Se o enjoo matinal surge com o sol, aproveite as horas depois que ele se põe. Se suas noites são nauseantes, embarque no trem do amor matinal. Se o enjoo matinal fica com você durante o dia inteiro, você e seu marido podem ter de esperar que ele passe, o que tipicamente acontece no fim do primeiro trimestre. O que quer que faça, não se pressione a se sentir sexy quando está se sentindo doente — o resultado não será satisfatório para ninguém.

Fadiga. É difícil pensar em sexo quando você mal tem energia para tirar a roupa. Felizmente, o pior da fadiga deve passar lá pelo quarto mês (embora provavelmente retorne no último trimestre). Até lá, faça amor enquanto o sol brilhar (sempre que tiver oportunidade) em vez de se forçar a ficar acordada até tarde em nome do romance. Termine uma tarde de sábado fazendo amor com um cochilo, ou o inverso. Ou organize um tipo especial de café da manhã na cama.

EXERCÍCIOS SEXUAIS

Embora você possa fazê-los a qualquer momento, em qualquer lugar, não há melhor maneira de misturar negócios e prazer que fazer os exercícios de Kegel durante o sexo. Saiba tudo sobre o exercício favorito de todo mundo na p. 312.

Sua forma em modificação. Talvez o recente arredondamento de seu corpo a tenha feito se sentir mais sexy que nunca. Ou talvez você esteja tendo dificuldade para aceitar sua nova forma. Se for assim, usar uma ousada lingerie de renda (sim, elas também existem para gestantes) pode ajudá-la a gostar das novas curvas. Se são os desafios físicos do sexo durante a gravidez que a desanimam (conforme a gravidez progride, a ginástica exigida para escalar a Montanha Barriga começa a parecer difícil demais), você também pode conquistá-los. Continue lendo.

Seus genitais intumescidos. O aumento do fluxo sanguíneo para a área pélvica, causado pelas mudanças hormonais, pode tornar algumas sortudas mais sexualmente sensíveis e dispostas que nunca. Mas também pode tornar o sexo menos satisfatório (especialmente no fim da gravidez) se um intumescimento residual persistir após o orgasmo, deixando-a com a sensação de que não chegou lá. Para seu parceiro, o intumescimento da vagina pode aumentar o prazer (se ele se sentir confortavelmente apertado) ou diminuí-lo (se o encaixe for apertado demais). Se o intumescimento for acompanhado de dor durante o intercurso, pode ser um sinal de veias varicosas na região pélvica (elas podem ocorrer na vulva, na vagina e na área circundante). Converse com o médico e leia a p. 230.

Vazamento de colostro. Mais tarde na gravidez, algumas mulheres começam a produzir um pré-leite chamado colostro (p. 503), que pode vazar dos seios durante a estimulação sexual e se transformar em distração (e bagunça) no meio das preliminares. Não é nada com que se preocupar, claro, mas se incomodar você ou seu parceiro, concentre-se em outras partes do corpo (como seu possivelmente muito sensível clitóris).

Seios sensíveis. Para alguns casais, os seios grávidos (cheios, firmes e grandes) são favoritos que merecem toda atenção. Mas, para muitos, o inchaço do início da gravidez tem um preço alto — a sensibilidade dolorosa — e, com ele, uma política de olhe, mas não toque. Se seus seios estão causando mais dor que prazer, faça seu parceiro entender a mensagem e lembre-o de que a sensibilidade diminuirá no fim do primeiro trimestre, quando vocês dois serão capazes de apreciar as carícias.

Mudanças nas secreções vaginais. Estar lubrificada nem sempre é o que se espera quando você está grávida. As secreções vaginais aumentam durante a gravidez e também mudam de consistência, odor e gosto. Se você sempre esteve do lado mais seco ou apertado, a lubrificação extra pode tornar o sexo mais prazeroso. Mas, às vezes, o excesso de uma coisa boa pode tornar o canal vaginal tão molhado e escorregadio que embota as sensações para vocês dois e dificulta as coisas para seu parceiro na hora de manter a ereção e chegar ao orgasmo. (Preliminares um pouco mais longas podem ajudá-lo nesse departamento.) O cheiro e o

gosto mais intensos das secreções também podem desestimular o sexo oral.
Algumas gestantes experimentam secura vaginal durante o sexo, mesmo com todas essas secreções extras. Lubrificantes sem perfume e à base de água, como K-Y, são seguros se esse for seu problema.

PARA OS PAIS

SEXO DURANTE A GRAVIDEZ

É claro que você já fez isso antes. Mas já fez no estilo gestante? Embora as regras básicas do jogo continuem a se aplicar quando você está esperando um bebê, o sexo grávido exige alguns ajustes, um pouco de finesse e muita flexibilidade — literalmente. Eis algumas sugestões para conduzi-lo na direção certa:

- Espere pelo consentimento. Ela estava animadíssima ontem, mas hoje está indiferente a suas investidas? O desejo sexual da gestante oscila juntamente com seu humor. Você terá de aprender a oscilar com ela (e segurar firme).
- Cuide do aquecimento antes de ligar o motor. Isso vale sempre, mas é indispensável quando ela está esperando. Prossiga tão lentamente quanto ela precisar, garantindo que ela esteja completamente no controle das preliminares antes de dar a partida em seu motor.
- Pergunte o caminho. O mapa do que é ou não gostoso pode ter mudado (mesmo que desde a semana passada), então não confie em um GPS possivelmente ultrapassado. Sempre pergunte antes de prosseguir. Por exemplo, você pode precisar ser especialmente delicado com aqueles seios provavelmente maiores. Embora eles tenham chegado a proporções excitantes, podem estar sensíveis mesmo ao toque mais gentil, especialmente no primeiro trimestre. O que significa que, por algum tempo, você pode olhar, mas não tocar.
- Deixe-a no volante. Escolha posições com o conforto dela em mente. Uma posição favorita das gestantes é ficar por cima, já que dá à mulher maior controle sobre a profundidade e a velocidade da penetração. Outra é a colherinha (com ela de lado e de costas para você). E, quando a barriga começar a atrapalhar, seja criativo: tente transar por trás, com ela de joelhos, ou com você deitado e ela em seu colo.
- Prepare-se para mudar de rumo. Nem todas as estradas levam ao intercurso? Encontre caminhos alternativos para o prazer: masturbação, sexo oral, massagem mútua.

Sangramento causado pela sensibilidade do colo do útero. O colo do útero também fica intumescido durante a gravidez — sendo entrecruzado por muitos vasos sanguíneos adicionais para acomodar o aumento do fluxo sanguíneo — e muito mais macio que antes. Isso significa que o sexo (especialmente a penetração profunda) pode causar escape, particularmente perto do fim da gravidez, quando o colo do útero começa a se preparar para o parto (mas também em qualquer outro momento). Esse escape geralmente não é preocupante, embora você deva mencioná-lo ao médico para garantir.

Também há muitas questões psicológicas que podem se interpor entre você, seu parceiro e a vida sexual durante a gravidez. Elas também podem ser superadas:

Medo de que o sexo cause aborto espontâneo. Pare de se preocupar e comece a aproveitar. Em gestações normais, o sexo não é prejudicial. O médico dirá se houver uma razão para se abster durante a gestação. Se não houver, vá em frente.

Medo de que o orgasmo cause aborto espontâneo. Embora o útero se contraia após o orgasmo, às vezes bastante poderosamente e por até meia hora, essas contrações pós-clímax não são sinal de trabalho de parto nem prejudiciais em uma gestação normal. Novamente, se houver uma razão para evitar o orgasmo (alto risco de aborto espontâneo, de parto prematuro ou um problema com a placenta), o médico a informará. Se ainda não conversou com ele sobre isso e não tem certeza, pergunte.

A POSIÇÃO FAZ DIFERENÇA

Quando faz amor a essa altura da gestação (e também mais tarde), a posição faz diferença. Posições de lado (de frente um para o outro ou com você virada para o outro lado, também chamada de colherinha) frequentemente são mais confortáveis porque você não precisa ficar deitada de costas. O mesmo para você em cima (que lhe permite mais controle sobre a penetração). Penetração por trás também pode funcionar, com você de joelhos ou sentada no colo dele, mas virada para a frente (vaqueira invertida). Ele por cima funciona para rapidinhas (desde que ele não deposite o peso do corpo sobre você, apoiando-se nos braços), mas, após o quarto mês, não é uma boa ideia passar muito tempo deitada de costas.

Medo de que o bebê esteja "vendo". Isso não é possível. Embora o bebê possa gostar do balanço suave durante o sexo e o orgasmo, ele não consegue ver o que vocês estão fazendo, não faz ideia do que está acontecendo e certamente não se lembrará disso mais tarde. As reações fetais (movimentos mais lentos durante o sexo e muitos chutes e batimentos cardíacos acelerados após o orgasmo) são somente respostas naturais à atividade uterina.

Medo de "cutucar" o bebê. Embora seu parceiro talvez não goste de admitir, nenhum pênis é grande o bastante para cutucar diretamente o bebê. Mais tarde na gestação, quando a cabeça do bebê se aproximar da saída, é possível que o homem sinta "algo" durante a penetração profunda, mas não há nenhum contato direto e definitivamente nenhum dano. Seu pequeno está completamente isolado e perfeitamente protegido em seu aconchegante lar uterino.

Medo de que o sexo cause infecção. O saco amniótico isola o bebê seguramente do sêmen e dos organismos infecciosos. A menos que suas membranas se rompam (sua "bolsa estoure"), a vedação permanece intacta.

Ansiedade em relação à chegada do bebê. Vocês dois estão preocupados e talvez um pouco (ou muito) estressados. Também podem ter sentimentos dúbios sobre a chegada iminente do bebê. E, às vezes, é difícil ter pensamentos sensuais quando sua mente está tomada por preocupações com todas as futuras responsabilidades financeiras e mudanças de estilo de vida, sem mencionar todas aquelas listas de preparativos. A melhor coisa a fazer? Falar aberta e frequentemente sobre esses sentimentos — e não levá-los para a cama.

Mudanças em seu relacionamento. Talvez você esteja tendo dificuldades para se ajustar às mudanças em sua dinâmica familiar: a ideia de que vocês já não serão somente um casal, mas um casal de pais. Fale sobre isso e verá que as mudanças podem ser boas. Essa dimensão extra em seu relacionamento pode trazer mais intimidade — e mesmo maior satisfação sexual.

Ressentimento. Talvez ele esteja um pouco ressentido porque você parece mais interessada no bebê que nele. Talvez você esteja um pouco ressentida porque está fazendo todos os sacrifícios por um bebê que será de vocês dois. Tais sentimentos podem manter as coisas frias sob as cobertas, então fale sobre eles — novamente, antes das preliminares.

Preocupação de que o sexo durante a gravidez avançada cause parto prematuro. A menos que o colo do útero esteja pronto, o sexo não provoca trabalho de parto (como muitos pais de bebês pós-termo descobriram). De fato, estudos mostraram que casais com gestações de baixo risco que se mantêm sexualmente ativos durante a gestação têm maior probabilidade de chegarem a termo.

É claro que os fatores psicológicos também podem aumentar o prazer do sexo durante a gravidez (boa notícia!). Alguns casais que trabalharam duro para engravidar ficam felizes ao passar do sexo procriativo para o sexo recreativo. Em vez de serem escravos de previsores de ovulação, tabelas, calendários e da ansiedade mensal, eles podem aproveitar o sexo espontâneo apenas por prazer. Outros casais descobrem que criar um bebê os aproximou mais que nunca e acham a barriga um símbolo dessa proximidade, e não um obstáculo desajeitado.

Aproveite mais, mesmo que faça menos

Relacionamentos sexuais gratificantes e duradouros raramente são construídos em um dia (ou mesmo em uma noite incrível). Eles crescem com prática, paciência, entendimento e amor. Isso também é verdade para um relacionamento sexual já estabelecido que passa pelas mudanças emocionais e físicas da gravidez. Eis algumas maneiras de manter a chama acesa:

- Aproveite sua vida sexual em vez de analisar cada detalhe. Aproveite os momentos juntos. Não foque na frequência ou infrequência com que está transando (qualidade é melhor que quantidade, especialmente quando você está grávida) nem compare o sexo de antes com o de agora (as coisas mudaram muito, e vocês dois também).
- Enfatize o lado positivo. Pense no sexo como relaxante, e lembre-se que relaxar é bom para todos os envolvidos (inclusive o bebê). Pense na nova forma de seu corpo como sensual e sexy. Pense em cada abraço como uma chance de se aproximar de seu parceiro, e não somente uma chance de transar.
- Aventure-se. As antigas posições já não funcionam? Veja isso como oportunidade para tentar alguma coisa nova (ou muitas). Mas dê a vocês dois tempo para se ajustarem a cada posição que tentarem. Você pode até mesmo considerar um "ensaio", tentando a nova posição ainda vestida, para que ela seja mais familiar (e mais bem-sucedida) quando você tentar para valer.
- Mantenha os pés no chão. O sexo durante a gravidez traz muitos desafios, então dê uma folga para si mesma. Embora algumas mulheres cheguem ao orgasmo pela primeira vez durante a gravidez, outras o acham mais elusivo que nunca. O objetivo não é que vocês dois gozem juntos todas as vezes, de modo perfeitamente sincronizado. Lembre-se de que a proximidade às vezes é a melhor e mais gratificante parte do sexo.
- Não se esqueça do outro tipo de intercurso (estamos falando do diálogo). A comunicação é a fundação de todo relacionamento, particularmente um que passa por ajustes drásticos. Discuta quaisquer problemas que vocês estejam enfrentando abertamente, em vez de varrê-los para debaixo do tapete (ou levá-los

para a cama). Se os problemas parecerem grandes demais, pense em terapia de casal. Nunca houve uma época melhor para trabalhar nessa dupla antes que ela se transforme em um trio.

QUANDO O SEXO ESTÁ PROIBIDO

Claramente, há muitos benefícios no sexo durante a gravidez, para todos os envolvidos. Mas e se o sexo for restrito ou proibido durante parte ou toda a gestação? Se o médico disser que você precisa se abster (no chamado "repouso pélvico"), mas não for específico, peça detalhes. Trata-se de uma restrição temporária ou durante todos os nove meses? Preliminares são permitidas? Sexo oral é permitido, mas penetração proibida? Vale tudo, menos orgasmo para você? Ou vale tudo, desde que seja com camisinha? Saber precisamente o que é seguro é essencial, então não se esqueça de fazer uma lista.

O sexo provavelmente será restrito nas seguintes circunstâncias (e possivelmente outras):
- Se você tiver sintomas de parto prematuro ou, possivelmente, se tiver histórico de parto prematuro.
- Se for diagnosticada com insuficiência cervical ou placenta prévia.
- Possivelmente, se tiver sangramentos ou histórico de abortos espontâneos.
- Se seu parceiro vive ou trabalha em uma área infestada pelo Zika. O médico pode aconselhá-la a usar camisinha todas as vezes que tiver relações ou não ter relações durante a gravidez, mesmo que seu parceiro não tenha sintomas de Zika.

Se a penetração for restrita, mas o orgasmo permitido, considere a masturbação mútua. Se o orgasmo for tabu para você, você pode ter prazer dando prazer a seu parceiro dessa maneira (ele provavelmente não fará objeção). Se o intercurso for liberado, mas seu orgasmo proibido, você pode tentar fazer amor sem chegar ao clímax. Embora isso definitivamente não seja satisfatório (e pode ser mais fácil de falar que de fazer, se você costuma chegar facilmente ao orgasmo), você ainda obterá parte da intimidade que deseja e dará prazer a seu parceiro. Se todas as atividades sexuais forem proibidas durante a gravidez, tente não permitir que isso interfira no relacionamento. Foque em outras maneiras de manter a intimidade, aquelas maneiras românticas do início (como dar as mãos, ficar agarradinho no sofá ou dar um bom e velho amasso).

Boas, ruins ou indiferentes, lembre-se também de que todo casal tem suas próprias sensações em relação ao sexo durante a gravidez, tanto físicas quanto emocionais. O importante é que (não importa se você está por cima, por baixo, de lado ou de nenhum jeito), como em quase todas as outras situações quando você está grávida, o normal é aquilo que é normal para você e seu parceiro. Aceitem todas as mudanças, aceitem um ao outro e tentem não se preocupar com o resto.

Capítulo 10
O sexto mês
Aproximadamente 23 a 27 semanas

Já não há dúvidas sobre os movimentos em sua barriga: trata-se de um bebê, e não de gases (embora você tenha muitos desses também). E, conforme bracinhos e perninhas ficam mais fortes, os exercícios e, às vezes, os soluços se tornam visíveis do lado de fora (você agora tem uma central de entretenimento embutida!). Este é o último mês do segundo trimestre, o que significa que você já percorreu quase dois terços do caminho até a linha de chegada. Mesmo assim, ainda tem um caminho a percorrer, assim como o bebê, que, por enquanto, é um fardo relativamente leve comparado ao que você carregará em um mês ou dois. Tire vantagem disso e — enquanto ainda consegue ver seus pés (embora não tocá-los) — divirta-se.

Seu bebê este mês

23ª semana. Uma janela em seu útero revelaria que a pele de seu bebê é meio flácida, pendendo frouxamente do corpinho. Isso porque a pele se desenvolve mais rapidamente que a gordura, e ainda não há muita gordura presente. Mas não se preocupe, isso vai mudar. A partir desta semana, o bebê (que agora tem cerca de 28 centímetros e pesa pouco mais de 450 gramas) começa a ganhar peso (o que significa que você fará o mesmo!). De fato, no mês que vem o peso dele terá dobrado (felizmente, não o seu). Quando os depósitos de gordura forem formados, o bebê também será menos transparente. Neste momento, os órgãos e ossos ainda podem ser vistos através da pele, que tem uma tonalidade avermelhada graças às veias e artérias em desenvolvimento. Mas, no oitavo mês, o bebê já não será mais translúcido!

24ª semana. Pesando uns 600 gramas e medindo cerca de 30 centímetros, seu bebê é do tamanho de uma romã, com um ganho de peso semanal de mais ou menos 170 gramas — não tão rápido quanto o seu, mas chegando perto. Grande parte desse peso vem dos depósitos de gordura em formação, assim como de órgãos, ossos e músculos. A essa altura, o rostinho está quase totalmente formado e é absolutamente adorável, com cílios, sobrancelhas e um pouquinho de cabelo. Será que o cabelo dele é castanho, loiro ou ruivo? Neste momento, é branco como a neve, já que ainda não está pigmentado.

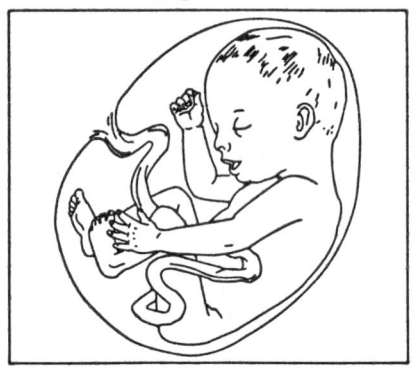

Seu bebê, sexto mês

25ª semana. O bebê está crescendo muito rapidamente, chegando a 33 centímetros e pesando 680 gramas ou mais. E há excitantes desenvolvimentos no horizonte. Capilares estão se formando sob a pele e se enchendo de sangue. No fim da semana, bolsas de ar entremeadas por capilares também se desenvolverão nos pulmões, preparando-os para a primeira inspiração. Os pulmões ainda não estão prontos para respirar, e precisarão amadurecer bastante antes disso. Embora já tenham começado a desenvolver surfactante, uma substância que os ajudará a se expandir após o nascimento, ainda não estão desenvolvidos o suficiente para enviar oxigênio para a corrente sanguínea e liberar o dióxido de carbono retirado do sangue (ou seja, respirar).

Falando em respirar, as narinas do bebê, fechadas até agora, começam a se abrir. Isso permitirá que seu pequeno comece a praticar a "respiração". As cordas vocais também já estão funcionando, levando a soluços ocasionais (que você certamente sentirá).

26ª semana. Da próxima vez que passar pelo açougue, pegue uma bandeja de carne de mais ou menos 900 gramas. Não para o jantar, mas para sentir o quanto seu bebê pesa nesta semana. Isso mesmo: ele agora pesa quase 1 quilo e mede 35 centímetros ou mais. Outro importante desenvolvimento desta semana: os olhos começam a se abrir. As pálpebras estiveram unidas nos últimos meses (para que as retinas, as partes dos olhos que permitem que as imagens entrem em foco, pudessem se desenvolver). A parte colorida dos olhos (a íris) ainda não tem muita pigmentação, então é cedo demais para tentar adivinhar de que cor eles serão. Mesmo assim, o bebê já é capaz de ver. É verdade que não há muito o que se ver na escuridão do útero. Mas, com o desenvolvimento dos sentidos, você pode notar aumento de atividade quando o bebê perceber uma luz brilhante ou ouvir um barulho alto. Na verdade, se um som alto e vibrante for aproximado de sua barriga, o bebê responderá piscando e levando um susto (o que é uma boa razão para não aumentar demais o volume).

27ª semana. Esta semana, seu bebê mede uns 37 centímetros da cabeça aos dedos dos pés e pesa aproximadamente 910 gramas. E eis um interessante fato fetal: seu pequeno tem mais papilas gustativas agora do que terá ao nascer (e depois disso). O que significa que não somente é capaz de sentir os diferentes gostos no líquido amniótico quando você come diferentes comidas, como também de reagir a eles. Por exemplo, algumas mães relatam que seus bebês respondem aos alimentos apimentados com soluços ou chutes. Será que o bebê nascerá gostando de tabasco? Só o tempo dirá!

Seu corpo este mês

Eis alguns sintomas que você pode experimentar este mês (ou não, já que cada gravidez é diferente). Alguns deles podem estar presentes desde o mês passado, ao passo que outros serão novinhos em folha. Alguns podem estar diminuindo, outros se intensificando:

Fisicamente
- Atividade fetal mais definida
- Secreção vaginal
- Dor surda na parte inferior e nas laterais do abdômen (em função do esticamento dos ligamentos que suportam o útero)
- Constipação
- Azia, indigestão, flatulência, sensação de estômago estufado
- Dor de cabeça ocasional
- Vertigem ou tontura ocasionais, especialmente ao se levantar rapidamente ou por queda do nível de glicose
- Congestão nasal e sangramentos ocasionais; ouvidos entupidos
- Gengivas sensíveis que podem sangrar ao escovar os dentes
- Grande apetite

SEU CORPO ESTE MÊS

No início deste mês, o topo do útero estará aproximadamente 4 centímetros acima do umbigo. No fim do mês, terá crescido cerca de 2,5 centímetros e o topo poderá ser sentido 6,5 centímetros acima do umbigo. Seu útero está do tamanho de uma bola de basquete agora, e pode parecer que é isso que você está carregando debaixo da blusa.

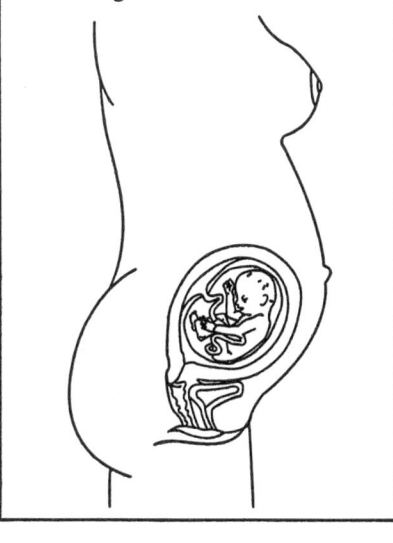

- Câimbras nas pernas
- Inchaço leve dos tornozelos e pés e, ocasionalmente, das mãos e do rosto
- Hemorroidas
- Veias varicosas nas pernas e/ou na vulva
- Coceira na barriga
- Umbigo protuberante (saltado)
- Dor nas costas
- Pontos descoloridos na barriga e/ou no rosto
- Estrias
- Seios maiores

Emocionalmente
- Menos oscilações de humor
- Esquecimento e distração (também chamados de "cérebro de grávida")
- Sensação de que a gravidez nunca termina
- Muita excitação sobre o futuro
- Alguma preocupação com o futuro

O que você pode esperar da consulta deste mês

A consulta deste mês provavelmente será muito parecida com a do mês passado. Ao chegar ao fim do segundo trimestre, você pode esperar que o médico analise os seguintes quesitos, embora possa haver variações, dependendo de suas necessidades particulares e do estilo do médico:
- Peso e pressão arterial
- Urina, para açúcar e proteína
- Batimentos cardíacos do feto
- Altura do fundo (topo do útero)
- Tamanho de útero e posição do feto, por palpação externa (sentidos do lado de fora)
- Mãos e pés para verificar inchaço e pernas em busca de veias varicosas
- Exame de glicose (geralmente feito entre a 24ª e a 28ª semanas)
- Sintomas que você venha experimentando, especialmente os incomuns
- Questões ou problemas que queira discutir — deixe a lista pronta

O que você pode estar se perguntando

Problemas para dormir
"Jamais tive problemas para dormir — até agora. Não consigo sossegar à noite."

Entre as corridas ao banheiro à meia-noite, cabeça a mil por hora, pernas inquietas ou com câimbras, azia que a impede de se deitar, metabolismo acelerado que a mantém com calor mesmo quando está frio e a impossibilidade de ficar confortável carregando uma bola de basquete na

barriga, não surpreende que você não consiga ter uma boa noite de sono. Embora essa insônia definitivamente seja uma boa preparação para as noites sem dormir que você terá como mãe, não significa que você precise aceitá-la passivamente. Tente as seguintes dicas para chamar o sono:
- Movimente o corpo durante o dia. Um corpo exercitado durante o dia estará sonolento à noite. Mas não se exercite muito perto da hora de dormir, já que a energia pós-exercício pode impedi-la de relaxar quando encostar a cabeça no travesseiro.
- Limpe a mente. Se vem perdendo o sono por causa de estresse no trabalho ou em casa, livre-se dele com seu cônjuge ou uma amiga mais cedo durante a noite, para que ele não a atrapalhe na hora de dormir. Se não tiver com quem conversar, escrever sobre as preocupações costuma ser terapêutico. Quando chegar a hora de dormir, coloque as preocupações de lado e tente pensar somente em coisas felizes. A meditação também pode ajudar.
- Jante cedo. Uma refeição completa (e uma barriga cheia) pode impedi-la de dormir e permanecer adormecida. Tente jantar mais cedo.
- Coma antes de se deitar. Uma barriga muito vazia também pode mantê-la acordada. Para impedir que o baixo nível de glicose (e a fominha da meia-noite) a acorde, inclua um lanche leve na rotina noturna. O tradicional copo de leite morno pode ser especialmente efetivo (mesmo que você já não durma com seu ursinho). Acrescente um *muffin* integral para que os carboidratos complexos mantenham a glicose constante e substitua o leite por leite de amêndoas se tiver azia à noite. Ou mordisque algumas bolachas de água e sal com queijo.

PARA OS PAIS

QUANDO ELA NÃO CONSEGUE DORMIR

Ela está fabricando um bebê, mas é provável que não esteja dormindo como um. Assim, em vez de continuar roncando da próxima vez que a insônia de gestante de sua parceira atacar, pense em fazer companhia enquanto ela espera o sono chegar. Compre um travesseiro para o corpo todo que a deixe confortável ou construa um forte de travesseiros para que ela tenha apoio. Relaxe-a com uma massagem nas costas, um banho de banheira ou um copo de leite morno e um *muffin*. Converse um pouquinho. Faça carinho conforme necessário e desejado. E, se uma coisa levar à outra — e ela estiver disposta a uma rapidinha —, vocês dois podem dormir melhor.

- Diminua o fluxo. Se idas frequentes ao banheiro estão se interpondo entre você e uma boa noite de sono, limite os líquidos após as 18 horas (mas ingira líquidos suficientes antes disso). Beba se estiver com sede, mas não esvazie uma garrafa de meio litro pouco antes de se deitar.
- Não fique acelerada. Evite cafeína à tarde e à noite (seus efeitos podem mantê-la acordada). O mesmo para o açúcar (especialmente combinado à cafeína, como em um mocha de chocolate branco), que lhe dará um pico de energia quando você menos deseja e manterá seu nível de glicose oscilando durante toda a noite.
- Crie uma rotina. Ela não serve somente para as crianças. A relaxante repetição dos rituais corretos também costuma ajudar adultos a terem uma boa noite de sono. Foque em atividades que a façam diminuir o ritmo, praticadas em uma ordem previsível. Eis algumas boas opções: leituras leves (mas nada que você não consiga largar), música relaxante, poses serenas de yoga, exercícios de relaxamento, banho morno, massagem nas costas e aquele outro petisco da hora de dormir, o sexo.
- Faça um download. Dormir? Existem muitos aplicativos para isso também. Explore alguns com as melhores avaliações, dos que se baseiam na meditação autoguiada aos que usam sons da natureza e outros ruídos brancos. E, agora que já tem o aplicativo, tente meditar para aliviar o estresse diário que pode estar impedindo você de dormir.
- Afaste-se das telas. Usar telefone, tablet, *e-reader*, laptop ou outro dispositivo eletrônico antes de dormir (a menos que seja um aplicativo para dormir ou produzir ruídos brancos) pode prejudicar seu sono. A luz da tela bagunça os estados de sonolência e alerta e suprime os níveis de melatonina, o hormônio que regula seu relógio interno e desempenha um papel em seu ciclo de sono. Os especialistas dizem que devemos desligar os dispositivos ao menos 1 hora antes de dormir.
- Fique confortável. Não existe excesso de travesseiros quando você está grávida. Use-os para se reclinar, para ter apoio quando precisar ou somente para se aconchegar. Também garanta que o quarto não esteja quente ou frio demais. Não consegue ficar confortável na cama? Tente dormir em uma poltrona reclinável, que permitirá que você durma de costas sem colocar todo o peso do corpo sobre as costas.
- Deixe o ar entrar. É difícil se sentir sonolenta quando o quarto está abafado. Se o clima permitir, entreabra uma janela. Se não, use um ventilador para fazer o ar circular. E não cubra a cabeça com as cobertas. Isso diminui o oxigênio e aumenta o dióxido de carbono que você respira, o que pode causar dor de cabeça.
- Pergunte antes de tomar remédio para dormir. Embora alguns sejam

seguros para uso ocasional durante a gravidez, não tome nenhum deles (seja prescrito, comprado livremente na farmácia ou fitoterápico), a menos que tenha sido recomendado ou liberado pelo médico. Se o médico receitou um suplemento de magnésio (ou de cálcio e magnésio) para combater a constipação e as câimbras nas pernas, faz sentido tomá-lo antes de se deitar, porque o magnésio — conhecido por ser um relaxante muscular natural — pode ajudá-la a dormir.
- Durma com um cheiro bom. Um travesseiro com essência de lavanda ou um sachê de lavanda entre a fronha e o travesseiro podem ajudá-la a relaxar e a adormecer mais rapidamente.
- Reserve a cama para dormir, namorar e transar. Não leve para ela atividades que você associa a estar desperta ou agitada (trabalhar, pagar contas ou mesmo fazer compras para o bebê).
- Não fique cuidando do relógio. Julgue se está dormindo o suficiente pela maneira como se sente, não por quantas horas passou na cama. Você está descansando o bastante se não estiver cronicamente cansada (para além da fadiga normal da gravidez). E, falando em horas, se aqueles números brilhantes (e as horas passando) a deixarem estressada, vire o relógio para não vê-los.
- Não fique aí deitada. Se não consegue dormir e já não tem mais ovelhas para contar, faça algo relaxante (ler, ouvir música, meditar) até se sentir sonolenta.
- Não perca o sono por perder o sono. Estressar-se com a falta de sono só o tornará ainda mais difícil. De fato, às vezes basta parar de se preocupar com a insônia para entrar no mundo dos sonhos.

HÉRNIA UMBILICAL

A maioria das gestantes espera que seu umbigo fique saltado quando a barriga cresce. Mas, para algumas, o umbigo protuberante é mais que um sinal de que há um bebê a bordo: trata-se de uma hérnia umbilical.

A hérnia umbilical ocorre quando um pequeno furo na parede abdominal permite que tecido abdominal (como partes do intestino delgado) fique saliente na área umbilical. A maioria das hérnias umbilicais é congênita (significando presente no nascimento). Aliás, elas são comuns em recém-nascidos (você pode ler tudo sobre esse assunto em *O que esperar do primeiro ano*), fechando sozinhas em pouco tempo. Mesmo quando um pequeno furo não se fecha, é pouco provável que cause problemas ou sequer seja perceptível

— até que um útero cada vez maior comece a fazer pressão, aumentando a hérnia e, às vezes, levando a uma dolorosa protuberância em torno do umbigo. Estar grávida de múltiplos pode multiplicar as chances de hérnia umbilical (afinal, o crescimento do útero é maior).

Como saber se você tem hérnia umbilical? Você pode sentir um caroço macio em torno do umbigo (ele costuma ser mais perceptível quando você se deita) e uma protuberância sob a pele. Também pode sentir uma dor surda na área do umbigo, que se torna mais perceptível quando está ativa, inclina o corpo, espirra, tosse ou gargalha.

Você pode usar uma faixa elástica para impedir que a hérnia fique saliente e cause dor. Algumas mulheres sentem alívio massageando gentilmente o inchaço até que a protuberância desapareça. Ou, se não a incomodar, você pode escolher não fazer nada a respeito.

Se, depois do parto, a hérnia não regredir sozinha (ou com a ajuda de exercícios especiais recomendados pelo médico), pode ser necessária uma cirurgia. Essa cirurgia não é recomendada durante a gravidez, a menos que uma alça do intestino passe pelo furo e fique presa, levando ao risco de falta de irrigação sanguínea na área. Nesse caso, o médico pode recomendar que você faça uma cirurgia simples para reparar a hérnia — geralmente durante o segundo trimestre.

O mesmo vale para a muito menos comum hérnia inguinal — quando tecido passa por uma parte frágil da musculatura da virilha, resultando em uma protuberância —, normalmente causada pela pressão exercida pelo crescimento do útero. Uma faixa elástica para a barriga costuma evitar que o abdômen em crescimento pressione a hérnia inguinal durante a gravidez e, se ela não regredir sozinha após o parto, uma cirurgia pode repará-la (embora ela talvez precise ser realizada durante o segundo trimestre se uma alça do intestino ficar presa).

Umbigo protuberante

"Meu umbigo costumava ser bem fundo. Agora está saltado para fora. Ele vai ficar assim mesmo após o parto?"

Seu umbigo pulou para fora e está criando saliência nas roupas? Assumiu vida própria? Não se preocupe: não há nada novo sobre umbigos que saltam durante a gravidez. Praticamente todos eles fazem isso em algum momento. Conforme o útero pressiona para fora, mesmo o umbigo mais fundo salta como o *timer* de um peru (exceto que, na maioria das mulheres, o umbigo salta muito antes de o bebê estar "pronto"). Ele deve voltar à posição normal alguns meses após o parto, embora possa ter a marca registrada da mãe: aquela aparência meio laceada e gasta. Até lá, olhe para o lado bom de seu umbigo protuberante: você terá a chance de limpar todas as sujeirinhas que se acumularam lá dentro. E, se o umbigo saltado não funcionar com as roupas justas que você gosta de usar — ou ficar irritado por causa da fricção —, você pode usar uma cobertura especialmente projetada para cobri-lo e protegê-lo. Acessórios de suporte (como faixas elásticas e outros modeladores) também escondem o umbigo protuberante. Ou simplesmente deixe-o à mostra, como outra medalha de honra da gravidez.

Algumas mulheres relatam dor ou sensibilidade no umbigo que não estão relacionadas à hérnia umbilical. Não está claro o que causa a dor (pode ser o esticamento ou somente irritação), mas não é nada com que se preocupar e vai passar em algum momento. Até lá, compressas mornas ou usar uma faixa elástica na barriga ajuda a aliviar a dor.

Está se perguntando sobre seu piercing no umbigo? Confira a p. 234.

Chutes do bebê

"Em alguns dias, o bebê chuta o tempo todo, em outros, parece quieto. Isso é normal?"

Fetos são seres humanos. Assim como nós, eles têm dias animados, nos quais gostam de mexer os pés (e cotovelos e joelhos), e dias desanimados, nos quais preferem ficar quietinhos. Na maior parte das vezes, as atividades estão relacionadas às suas. Assim como bebês fora do útero, os fetos são ninados pelo balanço. Quando você permanece ativa o dia todo, o bebê provavelmente é apaziguado pelo ritmo de sua rotina, e você não nota muitos chutes — parcialmente porque ele está mais quieto e parcialmente porque você está ocupada. Assim que desacelerar ou relaxar, seu pequeno deve começar a se mexer (um padrão que os bebês tendem a manter mesmo depois de nascerem). É por isso que você tende a sentir os movimentos fetais à noite, na cama, ou quando está descansando durante o dia. A atividade também pode aumentar depois que você come, talvez como reação ao aumento da glicose em seu sangue. Você também pode notar atividade fetal aumentada quando está excitada ou nervosa, possivelmente porque o bebê é estimulado por sua adrenalina. Ou quando ele recebe uma dose de cafeína de seu café matinal ou ouve uma canção já familiar.

Os bebês são mais ativos entre a 24ª e a 28ª semanas, quando ainda são pequenos o suficiente para fazerem dança do ventre, darem cambalhotas, lutarem *kickboxing* e encenarem uma aula de step em seu espaçoso lar uterino. Mas seus movimentos são erráticos e geralmente breves, e nem sempre são sentidos pela mãe, mesmo que sejam visíveis no ultrassom. A atividade fetal se torna mais organizada e consistente, com períodos mais claramente definidos de descanso e atividade, da 28ª à 32ª semanas. Ela definitivamente é sentida mais tarde e menos enfaticamente quando há uma placenta anterior no caminho (p. 356) e, às vezes, quando a mãe possui muita gordura abdominal amortecendo os chutes.

Não se sinta tentada a comparar os movimentos do bebê com outras gestantes. Cada feto, como cada recém-nascido, tem um padrão individual de atividade e desenvolvimento. Alguns sempre parecem ativos, outros são majoritariamente quietos. A atividade de alguns fetos é tão regular que as mães podem acertar o relógio por elas. Em outros, não há padrão discernível. Desde que os movimentos não desacelerem súbita e significativamente nem parem inteiramente, todas as variações são normais.

Manter um registro dos chutes do bebê não é necessário até a 28ª semana (p. 422), então não se preocupe se não sentir os movimentos por um dia ou dois a essa altura da gestação.

POSTANDO SOBRE A GRAVIDEZ

Se partilhar é cuidar, há muito cuidado acontecendo quando se trata de barriguinhas grávidas. As redes sociais estão lotadas de *selfies* da barriga, fotos de barriga de fora e imagens de ultrassom. E, conforme sua própria barriga cresce, talvez você esteja se perguntando se também deveria subir (cuidadosamente) no trem das *selfies* das gestantes — e clicar "compartilhar".

Capturar a barriga na câmera conforme ela cresce, cresce e cresce não tem preço: isso fará com que você tenha imagens para lembrar muito tempo depois de que o bebê tiver passado de sua barriga para seus braços. Como se diz, fotos duram. Mas será que você deveria compartilhar essas *selfies* muito especiais com o mundo das redes sociais ou mesmo com familiares e amigos no Facebook? Ou postar as primeiras imagens de ultrassom do bebê (incluindo a imagem que finalmente revelou o sexo)?

Publicá-las ou mantê-las privadas é uma escolha pessoal. Se optar por publicar fotos da barriga e do futuro bebê, lembre-se de que tudo que postar permanecerá on-line para sempre — e, nesse caso, você terá começado a construir as pegadas digitais de seu pequeno antes mesmo de ele nascer. Pergunte a si mesma se concorda com isso. Falando em perguntar, assegure-se de que seu cônjuge está feliz com o compartilhamento nas redes sociais. Preste atenção a quem pode ver as imagens que posta e tenha certeza de que vocês dois concordam sobre quais imagens podem ser vistas por todos.

"Às vezes, o bebê chuta com tanta força que dói."

Conforme os bebês amadurecem no útero, eles se tornam cada vez mais fortes, e aqueles movimentos fetais que já foram leves como as asas de uma borboleta começam a ficar vigorosos. E é por isso que você não deve ficar surpresa se levar um chute nas costelas ou um cutucão no abdômen tão forte que chegue a doer. Quando estiver sob um ataque particularmente agressivo, tente mudar de posição. Isso pode desequilibrar seu zagueiro e interromper temporariamente o ataque.

Grande ou pequeno

"De acordo com meu aplicativo de gestação e com a data provável do parto calculada pela parteira, estou na 26ª semana. Mas, durante a consulta, ela disse que meu útero tem as medidas da 24ª semana. Isso significa que há algo errado com o bebê?"

Seu útero (assim como o bebê) é único, assim como seu crescimento. Algumas mães têm medidas um pouco maiores, outras, um pouco menores, exatamente como os bebês dentro delas — com o tamanho médio do útero em certa data sendo somente isso, uma média. Além disso, medir o útero (ou o bebê), especialmente pelo lado de fora, não é uma ciência precisa, o que significa que as medidas da parteira nem sempre correspondem às semanas de gestação. E isso está perfeitamente certo.

QUANDO ALGO SIMPLESMENTE NÃO PARECE CERTO

Talvez seja uma pontada no abdômen que se pareça demais com uma cólica para ser ignorada, uma súbita alteração das secreções vaginais, uma dor surda na região lombar ou no assoalho pélvico — ou mesmo algo tão vago que você sequer consiga definir. É provável que se trate de algo normal, mas, para garantir, leia a p. 197 para ver se precisa telefonar para o médico. Se não encontrar seus sintomas na lista, provavelmente é uma boa ideia telefonar mesmo assim. Lembre-se: você conhece seu corpo melhor que ninguém. Ouça quando ele tentar dizer alguma coisa.

Em cada consulta pré-natal, a parteira medirá a altura do fundo — a distância entre o osso pélvico e o topo do útero — com uma fita métrica (está vendo por que a ciência não é tão precisa?). Esse número em centímetros é aproximadamente igual ao número de semanas de gestação, mas 1 ou 2 centímetros de diferença não são nada demais. De fato, uma discrepância de uma ou duas semanas (novamente, em qualquer direção) é bastante típica, porque o fundo pode ser afetado por muitos fatores além do tamanho do bebê, incluindo seu tipo físico, a posição do bebê, o volume de líquidos em um dia particular e assim por diante. Esse não é um processo de alta tecnologia. (E a verdade é que mesmo mensurações muito mais avançadas, feitas através de ultrassom, tampouco são muito acuradas após o primeiro trimestre.)

Se suas medidas mostrarem uma discrepância de três semanas ou mais, a parteira fará uma pequena investigação para tentar descobrir o motivo. Na maior parte do tempo, há uma explicação inofensiva: talvez seu bebê esteja geneticamente destinado a ser maior ou menor que a média ou sua DPP esteja errada em uma semana (a data provável do parto é somente uma estimativa, lembra?). Ou talvez haja algo que exija mais atenção, como um mioma uterino, líquido amniótico excessivo (ou escasso) ou um bebê que está crescendo menos (restrição do crescimento intrauterino, veja a p. 736) ou mais que o esperado (às vezes devido à diabetes gestacional).

Coceira na barriga
"Minha barriga coça constantemente. Isso está me deixando maluca."

Bem-vinda ao clube. Barrigas grávidas são barrigas com coceira, e ela pode aumentar progressivamente com o passar dos meses. Isso porque, quando a barriga cresce, a pele estica rapidamente, ficando cada vez mais privada de umidade — deixando-a desconfortável e com coceira. Tente não coçar, o que só piora as coisas e pode causar irritação. Hidratar ajuda, ao menos temporariamente, então massageie a barriga frequentemente com bastante creme, loção ou óleo (as manteigas de karité e coco são as favoritas, e as feitas com babosa também acalmam a pele). Tomar banho com aveia pode ajudar, mas, antes de usar loções específicas para coceira, fale com o médico.

Se tiver coceira no corpo todo que não pareça estar relacionada à pele seca ou sensível ou desenvolver uma erupção cutânea na barriga, informe ao médico.

Falta de jeito
"Ultimamente, derrubo tudo que pego. Por que estou tão desajeitada?"

Assim como os centímetros a mais na barriga, os dedos a mais nas mãos fazem parte do pacote. A falta de jeito (que, infelizmente, pode ser notada por todo mundo) induzida pela gravidez é causada pelo afrouxamento de articulações e ligamentos e pela retenção de água, que tornam a pegada menos firme e segura. A falta de concentração (resultado do esquecimento da gravidez; veja a p. 310) também contribui para a falta de jeito, assim como o cérebro sobrecarregado com preparativos e com devaneios sobre o bebê. O declínio da agilidade também pode ser causado por dedos inchados e síndrome do túnel do carpo (veja a pergunta seguinte).

Não há muito que você possa fazer para combater o aspecto desastrado da gravidez; aliás, pode esperar que ele piore nos próximos meses (particularmente no fim do dia, quando a mente está menos focada, e as mãos, mais inchadas). A melhor estratégia é não segurar coisas quebráveis por enquanto (especialmente as que não pertencem a você, como aquela delicada moldura de porcelana para o quarto do bebê que você viu na loja). Mantenha os cristais de sua avó seguramente guardados no armário, não se ofereça para tirar a mesa na casa de sua amiga se ela estiver usando a melhor louça e peça para que outra pessoa coloque e tire os pratos da máquina.

A gravidez também está fazendo você tropeçar? Veja a p. 426.

Amortecimento nas mãos

"Acordo no meio da noite porque alguns dedos da mão direita estão amortecidos. Isso tem algo a ver com a gravidez?"

Está formigando inteirinha ultimamente? É provável que não se trate de romance e nem mesmo de excitação com o bebê, mas do amortecimento e formigamento normais dos dedos dos pés e das mãos que muitas gestantes experimentam, provavelmente como resultado de tecidos inchados pressionando os nervos. Se o amortecimento e o formigamento estiverem confinados ao polegar, indicador, médio e metade do anular, você provavelmente tem síndrome do túnel do carpo. Embora seja mais comum em pessoas que realizam movimentos repetitivos com a mão ou o punho (como digitar ou tocar piano), ela também é extremamente comum em mulheres grávidas, mesmo nas que não fazem movimentos repetitivos. Isso porque o túnel do carpo, localizado no punho e através do qual passam os nervos que afetam os dedos, fica inchado durante a gravidez (como tantos outros tecidos do corpo, como você deve ter notado), com a resultante pressão causando amortecimento, formigamento, ardência e dor. Os sintomas também podem afetar a mão e o punho e se irradiarem para o braço.

Embora os sintomas possam surgir em qualquer momento do dia, é mais comum sentir mais dor no punho durante a noite. Isso porque os líquidos se acumulam nos pés e pernas durante o dia e são redistribuídos para o restante do corpo (incluindo as mãos) quando você se deita à noite. Dormir sobre as mãos pode piorar o problema, então tente deixá-las elevadas em um travesseiro separado.

Tipicamente, os sintomas de síndrome do túnel do carpo desaparecem após o parto, quando diminui o inchaço da gravidez. Entrementes, a acupuntura pode trazer alívio, assim como uma tala no punho (embora usar a tala talvez seja mais desconfortável que a própria síndrome). Quanto aos medicamentos não esteroides e esteroides frequentemente prescritos, fale com o médico: eles podem não ser recomendados durante a gravidez. Se você acha que a síndrome está relacionada também a seus hábitos de trabalho (ou outro uso do teclado), além da gravidez, veja a p. 280.

Câimbras nas pernas
"As câimbras nas pernas não me deixam dormir."

Entre a mente sobrecarregada e a barriga cada vez maior, você provavelmente já tem problemas suficientes para dormir, sem câimbras para piorar tudo. Infelizmente, esses dolorosos espasmos que se irradiam para cima e para baixo das panturrilhas e ocorrem mais frequentemente à noite são muito comuns entre as gestantes no segundo e terceiro trimestres.

Ninguém tem certeza sobre o que causa câimbra nas pernas. Várias teorias culpam a fadiga de carregar o peso da gravidez, a compressão dos vasos sanguíneos das pernas e, possivelmente, a dieta (excesso de fósforo e falta de cálcio ou magnésio). Você pode culpar os hormônios também (quais as chances de que a culpa não seja deles?). Mas, quaisquer que sejam as causas, há maneiras de prevenir e aliviar as câimbras:

• Quando sentir câimbra, estique a perna imediatamente e flexione o tornozelo e os dedos do pé lentamente na direção do rosto (não faça ponta de balé com os dedos). Você pode fazer isso deitada, mas sentirá alívio mais rapidamente se ficar em pé. Isso deve eliminar a dor. Fazer o mesmo movimento várias vezes com ambas as pernas antes de dormir talvez evite que tenha câimbras mais tarde.

Alongando-se para combater as câimbras

• Exercícios de alongamento também ajudam a evitar câimbras. Antes de se deitar, fique a 60 centímetros de uma

parede e coloque as palmas das mãos sobre ela. Incline-se para a frente, mantendo os calcanhares no chão. Mantenha a posição por 10 segundos e relaxe por 5. Repita três vezes. (Veja a ilustração da página anterior.)
- Para aliviar a carga diária sobre as pernas, coloque os pés para cima o mais frequentemente que puder, alterne períodos de atividade com períodos de descanso e use meias de compressão durante o dia. Flexione os pés periodicamente.
- Tente ficar em pé sobre uma superfície fria, o que às vezes interrompe os espasmos. Uma bolsa de gelo ou uma compressa fria também costumam ajudar.
- Você pode acrescentar uma massagem ou calor local para ter mais alívio se a dor tiver passado (não massageie ou aplique calor se a dor persistir).
- Ingira líquidos suficientes.
- Tenha uma dieta equilibrada que inclua muito cálcio e magnésio, mas também fale com o médico para ver se precisa tomar um suplemento de magnésio antes de se deitar.
- Câimbras muito fortes podem deixar os músculos doloridos por alguns dias. Não fique preocupada. Mas, se a dor for severa e persistente, entre em contato com o médico, porque existe a pequena possibilidade de que um coágulo tenha se formado em uma veia, tornando o tratamento médico necessário (p. 750).

SANGRANDO NO MEIO OU NO FIM DA GRAVIDEZ

É sempre inquietante ver cor-de-rosa ou vermelho na calcinha quando você está esperando um bebê, mas escape no segundo ou terceiro trimestres frequentemente não é motivo de preocupação. Às vezes, é resultado de uma leve lesão no cada vez mais sensível colo do útero durante um exame interno ou relação sexual, ou simplesmente causado por causas desconhecidas e inócuas.

Mesmo assim, é importante informar ao médico sobre qualquer escape ou sangramento, porque eles também podem ser sinais de parto prematuro, placenta abrupta ou outra condição séria. Se você estiver sangrando muito ou o escape for acompanhado de dor ou desconforto, telefone para o médico imediatamente. Ultrassom, exame físico, exame laboratorial e/ou monitoramento fetal podem determinar se há um problema e, se houver, como tratá-lo.

Hemorroidas

"Estou morrendo de medo de ter hemorroidas, porque ouvi dizer que elas são comuns durante a gravidez. Há algo que eu possa fazer para prevenir?"

Elas são um saco, mas mais de metade de todas as gestantes desenvolvem hemorroidas, que são somente veias no reto que incham (como tantas outras coisas durante a gravidez). A pressão do útero cada vez maior e o aumento do fluxo sanguíneo na região pélvica fazem com que essas veias não somente inchem, mas também formem protuberâncias e cocem (que ideia agradável, hein?). Como se parecem com uvas ou bolinhas de gude empilhadas, as hemorroidas também são apelidadas de "couve-flor".

Está pensando em prevenção? Sua melhor estratégia pode ser evitar os quilos a mais, pois o peso adicional aumenta a pressão nas veias do reto. A constipação (e a força para evacuar quando você está constipada) também pode contribuir para as hemorroidas, então faça seu melhor para regular o intestino (p. 254). Fazer os exercícios de Kegel (p. 312) também previne hemorroidas ao melhorar a circulação na área. Também vale reduzir a pressão dormindo de lado (e não de costas) e evitando ficar em pé ou sentada por longos períodos ou passar tempo demais no vaso sanitário. Sentar-se com os pés sobre um banquinho baixo quando estiver usando o vaso também pode ajudar, diminuindo a força necessária para evacuar.

A prevenção não funcionou? Para aliviar a ardência das hemorroidas, aplique compressa de hamamélis, compressa fria ou bolsa de gelo. Um banho morno (ou banho de assento, que você pode fazer com uma bacia que se encaixe no vaso sanitário) também costuma aliviar o desconforto, e limpar-se gentilmente com papel umedecido reduz a irritação. Se sentir dor ao se sentar, use uma almofada em forma de rosquinha para aliviar a pressão. Fale com o médico antes de usar qualquer medicação, tópica ou não.

As hemorroidas podem sangrar, especialmente quando você faz força durante a evacuação, embora fissuras anais (dolorosas fissuras na pele do ânus causadas pela força resultante da constipação) também possam ser a causa do sangramento retal. (Para descartar qualquer causa menos provável, fale com o médico sobre o sangramento retal.)

DIAGNOSTICANDO A PRÉ-ECLÂMPSIA

É provável que você tenha ouvido falar de alguém (ou conheça alguém) que desenvolveu pré-eclâmpsia durante a gravidez. Mas, na realidade, ela não é assim tão comum, ocorrendo somente em 3 a 8% das gestações, mesmo na forma mais branda. E, felizmente, em mulheres que recebem cuidados pré-natais regulares, pode ser diagnosticada e tratada precocemente, evitando complicações desnecessárias. Embora as visitas rotineiras ao consultório às vezes possam parecer perda de tempo em uma gravidez saudável ("Tenho de fazer xixi no copinho de novo?"), em geral é nelas que os primeiros sinais de pré-eclâmpsia são detectados.

Os sintomas iniciais incluem aumento da pressão arterial, proteínas na urina, inchaço severo das mãos e do rosto, dor de cabeça severa e persistente, dor no estômago ou no esôfago e/ou distúrbios da visão. Se você tiver qualquer um deles, telefone para o médico. De outro modo, desde que receba atenção médica regular, não há razão para se preocupar com a pré-eclâmpsia. (Veja as páginas 221 e 550 para mais informações e dicas para lidar com a hipertensão e a pré-eclâmpsia.)

Se existe uma boa notícia sobre as hemorroidas, é a de que não são perigosas, somente desconfortáveis. E geralmente desaparecem após o parto, embora possam ser agravadas ou mesmo surgir após o parto como resultado da força realizada.

Caroços no seio
"Estou preocupada com um carocinho pequeno e sensível na lateral do seio. O que pode ser?"

Embora ainda estejam a meses de serem capazes de alimentar o bebê, parece que seus seios já estão se preparando. O resultado? Um duto de leite entupido. Esses caroços vermelhos, sensíveis e duros são muito comuns nessa fase, especialmente na segunda gestação e subsequentes. Compressas mornas (ou deixar que água morna escorra sobre eles no banho) e massagens suaves provavelmente desentupirão o duto em alguns dias, como farão durante a lactação. Alguns especialistas sugerem evitar sutiãs com aro, mas obtenha boa sustentação de qualquer sutiã que usar.

O autoexame mensal dos seios não deve ser interrompido durante a gravidez. Embora procurar caroços seja mais difícil por causa das mudanças em seus seios (eles estão naturalmente mais encaroçados, firmes e pesados que antes), é importante tentar. Mostre qualquer caroço ao médico na consulta seguinte ou antes disso, se ficar preocupada.

Exame de glicose
"O médico disse que preciso fazer um exame de glicose. Por que preciso dele, e o que está envolvido?"

Não ache que ele está implicando com você. Quase todos os médicos fazem testes para detectar diabetes gestacional em quase todas as gestantes entre a 24ª e a 28ª semanas. As que apresentam risco mais elevado (incluindo mulheres mais velhas, obesas e as que possuem histórico familiar de diabetes) são examinadas ainda mais cedo. Assim, é provável que o exame seja somente rotina.

E ele é fácil, especialmente se gosta de doces. Você será convidada a beber uma solução muito doce de glicose 1 hora antes de retirar uma amostra de sangue (alguns médicos permitem que as pacientes a substituam por suco de uva). A solução não é exatamente deliciosa, mas a maioria das mulheres é capaz de engoli-la sem problemas nem efeitos colaterais. Dependendo da preferência do médico, você pode não precisar estar em jejum para o exame.

Se o resultado mostrar números elevados, o que sugere a possibilidade de você não estar produzindo insulina suficiente para processar a glicose extra em seu organismo, o exame seguinte é solicitado: tolerância à glicose. Esse exame de 3 horas, que consiste em jejum e então beber uma solução superconcentrada de glicose, é usado para diagnosticar diabetes gestacional.

Ela ocorre em 7 a 9% das gestantes, o que a torna uma das complicações mais comuns da gestação. Felizmente, também é uma das mais fáceis de tratar. Quando o açúcar no sangue é controlado cuidadosamente através de dieta, exercícios e, se necessário, medicação, mulheres com diabete gestacional têm gestações perfeitamente normais e bebês saudáveis. Veja a p. 730 para saber mais.

Banco de sangue do cordão umbilical

"Vi muitos anúncios sobre o banco de cordões umbilicais. Devo pensar em fazer isso?"

Como se você já não tivesse o bastante em que pensar, surgiu mais uma coisa: será que você deve guardar o sangue do cordão umbilical de seu bebê e, se o guardar, como?

A coleta do sangue do cordão umbilical é um procedimento simples e indolor que leva menos de 5 minutos e é realizado depois que o cordão foi clampeado e cortado. É completamente seguro tanto para a mãe quanto para o bebê (desde que o cordão não seja clampeado e cortado prematuramente). Por que coletar e estocar o sangue do cordão umbilical em vez de simplesmente descartá-lo, como geralmente é feito? Porque o sangue umbilical do recém-nascido contém muitos tipos de células-tronco (incluindo células com a incrível capacidade de se transformar em qualquer outro tipo de célula sanguínea e imunológica), que, em alguns casos, podem ser usadas para tratar distúrbios do sistema imunológico e doenças do sangue. As células-tronco do sangue do cordão umbilical já são consideradas um tratamento padrão para várias doenças, incluindo leucemia (câncer no sangue), câncer na medula, linfomas e neuroblastomas; anormalidades hereditárias nos glóbulos vermelhos, como anemia e anemia falciforme; doença de Gaucher e síndrome de Hurler; e distúrbios hereditários do sistema imunológico. Além disso, essas células-tronco estão sendo investigadas como possível tratamento para outras condições e doenças, indo de diabetes e paralisia cerebral a autismo e certas cardiopatias congênitas. Você também pode salvar tecido e sangue da placenta, que costumam conter ainda mais células-tronco.

Há duas maneiras de guardar o sangue: você pode pagar pelo armazenamento privado ou pode doar o sangue para um banco público. O armazenamento privado é caro; custa alguns milhares de dólares ou mais para a coleta, além da taxa anual de manutenção (mais a taxa do médico e do hospital, se fizerem a coleta). Alguns bancos privados oferecem armazenamento gratuito ou com desconto se houver uma necessidade médica familiar (como um membro da família que precise de transplante) ou histórico familiar de uma condição que qualifique o paciente a participar de testes (autismo, por exemplo). Descontos também são oferecidos a famílias de militares e prestadores de primeiros-socorros. E você pode verificar se seu plano de saúde oferece descontos ou reembolso parcial para o armazenamento privado.

Se sua família não tiver histórico de transtornos imunológicos tratáveis com células-tronco, os benefícios do banco privado não estão totalmente claros. Também não está claro por quantos anos as unidades congeladas permanecem viáveis (diferentes empresas fazem diferentes alegações sobre sua capacidade de armazenamento). Se puder pagar por um banco privado, não há desvantagens, embora, falando realisticamente, seja muito improvável que seu bebê ou outro membro da família termine apresentando uma condição que possa ser tratada com as células armazenadas.

NASCIMENTO EM CASA E BANCO DE SANGUE DO CORDÃO UMBILICAL

Se você decidiu guardar o sangue do cordão umbilical (em um banco público ou privado), mas vai fazer o parto em casa, terá de pensar na logística com bastante antecedência. Primeiro, precisa perguntar à parteira se ela está associada a algum banco. Em seguida, ter um kit de coleta pronto e à mão antes da primeira contração. Finalmente, estar consciente de como a coleta do sangue afetará o parto. Por exemplo, se planeja fazer um parto na água, precisará sair dela antes de expulsar a placenta para minimizar a perda desnecessária de cordão umbilical.

Notifique à empresa que armazenará o sangue do cordão umbilical que você fará o parto em casa, pode haver instruções especiais de armazenamento e envio.

Quais são as recomendações? O ACOG não tem uma posição oficial, mas recomenda que os médicos apresentem aos pais os prós e contras dos bancos públicos e privados. A Academia Americana de Pediatras não recomenda o armazenamento do sangue do cordão umbilical em bancos privados, a menos que um familiar tenha uma condição médica que possa ser melhorada por um transplante de células-tronco agora ou no futuro. Mas apoia a doação a bancos públicos, para benefício da população em geral.

Os estudos mostram que a probabilidade de uma criança usar seu próprio sangue é muito baixa (1 em 2.700 a 1 em 20 mil bebês, em algumas estimativas). De fato, os especialistas afirmam que as células do sangue do próprio bebê frequentemente são inadequadas para tratar uma condição que surja mais tarde (como leucemia), porque as mutações responsáveis pela condição estão presentes no nascimento e podem ser encontradas nas células. E quanto ao tratamento de um familiar adulto? A probabilidade também é baixa, já que a maioria das unidades armazenadas não possui células-tronco em quantidade suficiente para tratar alguém com mais de 40 quilos. As chances de usar o sangue armazenado para tratar um irmão mais novo que desenvolva certas doenças são mais altas.

Os bancos públicos estão abertos a qualquer família (desde que o hospital ofereça o serviço). A vantagem é que são gratuitos e podem salvar vidas (incluindo a de seu filho, já que, quanto mais doações houver, maiores serão as chances de encontrar um doador apropriado). De fato, as chances de encontrar uma unidade de sangue compatível, que tenha sido doada para uso público e não tenha relação familiar já são bastante altas, e continuam a aumentar com o crescimento dos estoques dos bancos públicos (uma boa razão para doar o sangue do cordão umbilical de seu bebê). A desvantagem é que você não terá acesso às células de seu próprio bebê depois que elas forem doadas.

Uma coisa é certa: não existe nenhum benefício em deixar o sangue do cordão umbilical ser descartado. Para garantir que essas preciosas células sanguíneas não sejam desperdiçadas, converse com o médico sobre as opções disponíveis. Talvez você decida que o banco privado faz sentido para sua família, seja por causa do histórico familiar ou porque você pode pagar. Talvez decida que o banco público é melhor. De qualquer maneira, lembre-se de que precisará tomar essa decisão bem antes das primeiras contrações e assegurar que todos os membros da equipe de parto saibam do plano e estejam prontos para implementá-lo. Pergunte também sobre o armazenamento de tecido placentário, algo que cada vez mais bancos de cordão umbilical estão oferecendo.

"Estou pensando em armazenar o sangue do cordão umbilical de meu bebê em um banco privado, mas não sei como fazer isso."

O primeiro passo é conversar com o médico. Você não somente saberá a opinião dele sobre o assunto, como também se ele está disposto a fazer a coleta. É raro que um médico ou parteira não saiba (ou queira) realizar esse procedimento simples e rápido, mas talvez tenha uma taxa.

Então, é hora de pesquisar para encontrar o banco certo. Qualquer banco em que você esteja pensando deve ser credenciado na Associação Americana de Bancos de Sangue. Quando tiver definido seus candidatos, vale a pena telefonar para cada um deles e saber mais sobre os serviços. Peça que o representante do banco explique os fatores-chave: como o banco coleta e armazena o sangue (existem diferentes métodos de coleta e armazenamento e você precisa se assegurar de que o banco segue padrões federais), o quanto as amostras são viáveis comparadas às de outros bancos (é recomendável que o banco tenha demonstrado boas chances de obter amostras utilizáveis), o quanto a empresa é estável (você não quer que o banco vá à falência, então explore os prós e contras de escolher um banco menor e menos conhecido *versus* um banco maior e mais conhecido que opera há mais tempo), e o que ele de fato armazena (alguns só armazenam sangue do cordão umbilical, ao passo que outros armazenam sangue e tecido do cordão e dos vasos sanguíneos em torno, que contêm diferentes tipos de células-tronco).

Depois de escolher, está na hora de contratar o banco escolhido. Assine o contrato no fim do segundo trimestre ou, ao menos, antes da 34ª semana. Depois de assinar o contrato, o banco lhe enviará um kit de coleta para o grande dia. O kit provavelmente conterá um formulário médico para preencher e suprimentos médicos lacrados que o médico usará para coletar o sangue do cordão umbilical. Preencha o formulário, assine e deixe junto com o kit (mas mantenha os suprimentos médicos lacrados). Guarde o kit em sua mala da maternidade, para não ter o trabalho de encontrá-lo quando as contrações chegarem.

Quando entrar em trabalho de parto, entregue o kit para o médico (ou a equipe). Isso o lembrará sobre sua decisão de armazenar o sangue do cordão umbilical e alertará a equipe médica de que será preciso coletar uma amostra de seu sangue antes do parto (o kit vem com os materiais necessários para que o médico colete e envie seu sangue). Logo após o parto (seja vaginal ou cesariana), o médico fará o clampeamento do cordão umbilical (ele pode e deve esperar até que o cordão pare de pulsar, fazendo um clampeamento tardio) e coletará o sangue do cordão com os suprimentos fornecidos no kit. Seu parceiro ainda pode cortar o cordão, pois isso não afeta o processo de coleta. Quando a coleta estiver completa, está na hora de você (ou mais provavelmente seu parceiro, já que você estará meio distraída), o médico ou a equipe médica telefonarem para o banco. O banco enviará um mensageiro para recolher o kit e o enviar para armazenamento no laboratório. O kit chegará ao laboratório em até 36 horas após o parto. O banco entrará em contato para informar que o sangue do cordão umbilical chegou com segurança e informar quanto foi capaz de coletar e processar. E, é claro, também enviará uma fatura anual pelo armazenamento.

Tenha em mente que você pode não ser capaz de coletar e armazenar uma quantidade suficiente de sangue do cordão umbilical se o beber nascer pré-termo (mesmo que de forma planejada) ou seus gêmeos compartilharem a placenta (para ter certeza, peça orientação do banco escolhido). Você também pode ter dificuldades se morar no exterior, mas quiser armazenar ou doar o sangue do bebê nos EUA.

"Eu gostaria de doar o sangue do cordão umbilical a um banco público. Qual é a melhor maneira de fazer isso?"

Primeiro, saiba que essa decisão pode salvar a vida de alguém. O sangue do cordão umbilical contém células-tronco que podem tratar várias doenças, e importantes organizações (incluindo a Academia Americana de Pediatras) encorajam a doação de células sanguíneas do cordão umbilical para que possam ser utilizadas em transplantes ou valiosas pesquisas médicas — uma opção muito melhor que permitir que esse material precioso seja descartado.

Então está na hora de partilhar sua decisão com o médico. Juntos, vocês podem determinar se você se qualifica para a doação pública (provavelmente, sim, a menos que seja HIV positiva ou tenha uma DST, hepatite ou câncer) e começar a fazer os arranjos necessários. Você também pode perguntar se o médico cobra alguma taxa para coletar o sangue do cordão umbilical, mesmo que ele esteja sendo doado para um banco público que aceite doações gratuitamente. Só vai ser possível doar se você fizer o parto em um hospital que participe do programa nacional de doação de sangue do cordão umbilical, administrado pelo Programa Nacional de Doadores de Medula Óssea (para verificar, acesse marrow.org/cord). Se seu hospital não participar do programa, descubra se há por perto um banco público que aceite sua doação ou encontre um que permita doações remotas, visitando parentsguidecordblood.org. Registre-se no banco escolhido antes da 34ª semana, já que você não será capaz de fazer esses arranjos no último minuto (digamos, quando já estiver fazendo força).

Lembre-se de manter o médico informado sobre os planos que fez para o sangue do cordão umbilical. O banco pedirá seu histórico médico, uma amostra de sangue (que será coletada pouco antes do parto) e um formulário de consentimento assinado. E também pode enviar um kit para você levar para o hospital ou trabalhar diretamente com o médico ou o hospital para a coleta. (Apenas confira se esse é o caso se não receber o kit.)

Se estiver trabalhando com um banco público que não está associado a seu hospital ou casa de parto, seu parceiro pode precisar telefonar para o banco quando você entrar em trabalho de parto e pedir que um mensageiro colete o sangue. Dependendo do banco, você poderá rastrear a doação e descobrir se ela foi aceita e armazenada.

No Brasil, há a Brasilcord, uma rede que reúne os bancos públicos de doação de sangue do cordão umbilical e placentário, vinculado ao Ministério da Saúde e administrado pelo Instituto Nacional do Câncer José Alencar Gomes da Silva (Inca). Para verificar, acesse o site do Registro Nacional de Doadores Voluntários de Medula Óssea (Redome): redome.inca.gov.br/o-redome).

Dor do parto

"Estou ansiosa para ser mãe, mas não tão ansiosa pelo parto. Minha maior preocupação é a dor."

Quase toda gestante aguarda ansiosamente o nascimento do filho, mas poucas ficam ansiosas pelo trabalho de parto — e menos ainda pela dor. E muitas, como você, passam bastante tempo nos meses que levam até esse grandioso momento se preocupando com isso. O que não surpreende. O medo da dor do parto — que, afinal, é uma dor desconhecida — é muito real e muito compreensível.

Mas é importante saber que o parto é um processo normal da vida, que as mulheres vêm experimentando desde que existem mulheres. Sim, ele é doloroso, mas essa dor tem um propósito positivo (embora não vá parecer assim quando você a estiver sentindo): afinar e abrir o colo do útero e trazer o bebê até seus braços. E também é uma dor com limite de tempo. Você pode não acreditar (especialmente quando estiver perto da marca de 5 centímetros), mas o trabalho de parto não dura para sempre. E não somente isso, como a dor do parto é opcional (a máxima "sem dor, sem ganho" não se aplica aqui). Uma epidural ou outra forma de alívio da dor estará sempre a seu alcance, se você quiser, precisar ou ambos. E, caso você tenha certeza de que quererá e precisará, pode até mesmo solicitar a epidural antecipadamente e tomá-la já no início do trabalho de parto, assim que chegar ao hospital.

Assim, não há por que temer a dor, mas há como se preparar para ela. Preparar-se agora (tanto no corpo quanto na mente, já que ambos estão envolvidos em como você a experimenta) pode reduzir a ansiedade que está sentindo e o desconforto (ok, a dor) que sentirá com as contrações.

Eduque-se. As aulas de parto podem diminuir sua ansiedade (e, no fim das contas, sua dor) ao aumentar seu conhecimento, preparando você e seu *coach*, estágio por estágio e fase por fase, para o trabalho de parto e o nascimento. Se não puder ou não quiser participar das aulas, leia o máximo possível. O que você não sabe pode preocupá-la mais que o necessário. Frequentar as aulas faz sentido mesmo que você esteja planejando fazer uma epidural ou já tenha marcado a cesariana. Apenas se assegure de que o currículo das aulas cubra todas as formas de parto.

Mexa-se. Você não pensaria em correr uma maratona sem o treinamento físico adequado, e tampouco deveria fazer isso com o parto. Pratique todos os exercícios de respiração, alongamento e tonificação que o médico ou parteira recomendarem, além de muitos exercícios de Kegel.

Trabalhe em equipe. Quer seu parceiro esteja lá para confortá-la e passar pedacinhos de gelo em seus lábios, uma doula (p. 439) para massagear suas costas ou uma amiga para enxugar sua testa — ou, se você gosta de companhia, todos os três —, um pouco de apoio pode valer muito na hora de aliviar seus medos. Mesmo que não tenha vontade de conversar durante o parto, será reconfortante saber que não está sozinha. E garanta que seu *coach* também seja treinado, não somente indo às aulas com você, mas lendo a seção sobre trabalho de parto, que começa na p. 558.

Tenha um plano — e um plano B — para lidar com a dor. Talvez você já tenha decidido fazer uma epidural. Talvez tenha a esperança de controlar a respiração durante as contrações ou usar hipnose para administrar a dor. Talvez esteja esperando para decidir quando souber quanta dor estará enfrentando. De qualquer modo, planeje com antecedência e então mantenha a mente aberta (porque o parto tem o hábito de não seguir os planos). Veja a p. 442 para saber mais sobre gerenciamento da dor.

Inibições durante o parto
"Estou com medo de fazer algo constrangedor durante o parto."

Isso porque sua hora ainda não chegou. É claro que a ideia de gritar, praguejar e urinar ou defecar involuntariamente na mesa de parto (o que você fará, porque todo mundo faz) parece constrangedora agora. Mas, durante o trabalho de parto, o constrangimento e as aparências serão a última coisa em sua mente. Além disso, nada do que você possa fazer ou dizer durante o parto chocará a equipe presente, que já viu e ouviu de tudo e mais um pouco. Assim, liberte-se das inibições quando der entrada no hospital ou casa de parto e sinta-se livre para fazer o que lhe vier naturalmente, assim como aquilo que a deixar mais confortável. Se você ordinariamente é uma pessoa que diz (ou grita) o que sente, não tente conter os gemidos e grunhidos — nem os gritos e uivos. Mas, se normalmente é discreta ou estoica e prefere soluçar baixinho no travesseiro, não se sinta obrigada a gritar mais alto que a gestante na sala ao lado.

PARA OS PAIS

PREOCUPAÇÕES COM O TRABALHO DE PARTO E O NASCIMENTO

Está ansioso para testemunhar o nascimento de seu filho, mas com medo de não conseguir se controlar? Poucos pais entram na sala de parto sem um pouco de ansiedade — ou muita. Mesmo obstetras, enfermeiros e outros profissionais da área médica que trabalharam em milhares de partos de outros bebês podem perder subitamente a autoconfiança quando confrontados com o parto do próprio filho.

No entanto, muito poucos desses medos — de congelarem, se descontrolarem, desmaiarem, vomitarem ou de qualquer outro modo humilharem a si mesmos ou decepcionarem suas parceiras — se mostram reais. De fato, a maioria lida com o nascimento com surpreendente facilidade, mantendo a compostura, a cabeça fria e o almoço no estômago (se conseguiram comer). Mas, como qualquer coisa nova e desconhecida, o parto se torna menos assustador e intimidador quando você sabe o que esperar. Assim, torne-se especialista no assunto. Leia a seção sobre trabalho de parto e parto a partir da p. 558. Pesquise on-line. Frequente aulas de parto, assistindo aos vídeos com os olhos bem abertos. Visite antecipadamente o hospital ou casa de parto para que seja terreno familiar no grande dia. Converse com amigos (ou colegas on-line) que estiveram presentes ao nascimento dos filhos — você provavelmente descobrirá que eles estavam estressados com o nascimento, mas passaram por ele como profissionais.

Embora seja importante se educar, lembre-se de que o parto não é o exame final da gravidez. Não se sinta pressionado a manter determinado padrão de desempenho. O médico, a parteira e as enfermeiras não avaliarão cada movimento seu, comparando-o ao *coach* da sala ao lado. Ainda mais importante, sua mulher não fará isso. Ela não se importará se você se esquecer de todas as técnicas que aprendeu nas aulas. Estar ao lado dela, segurando sua mão, urgindo-a a continuar e oferecendo o conforto de um rosto e um toque familiares é o que ela mais precisa — e aprecia. (Embora ela possa empurrá-lo em algum momento doloroso ou frustrante, então esteja preparado

> para isso também.) Ainda está tendo ansiedade de desempenho? Alguns casais acham que ter uma doula presente durante o parto ajuda ambos a se sentirem menos estressados e mais confortáveis (p. 439).

Tour pelo hospital

"Sempre associei hospitais a pessoas doentes. Como posso ficar mais confortável com a ideia de dar à luz em um?"

O andar da maternidade é de longe o mais feliz do hospital. Mesmo assim, se você não sabe o que esperar, pode chegar não somente com contrações, mas também apreensões. É por isso que a vasta maioria dos hospitais e casas de parto encoraja os casais a fazerem *tours* pelas instalações da maternidade. Pergunte a respeito quando fizer seu pré-registro e procure informações on-line. Alguns têm websites que oferecem *tours* virtuais.

É provável que você fique agradavelmente surpresa com o que vir durante a visita e isso a deixe mais confortável sobre o local onde dará à luz. As instalações variam, mas a variedade de comodidades e serviços oferecidos em muitos hospitais e casas de parto tem se tornado cada vez mais impressionante — e acolhedora para as famílias.

TUDO SOBRE:
Educação para o parto

A contagem regressiva foi iniciada e tudo que se interpõe entre você e a trouxinha de alegria que mal pode esperar para pegar no colo é um único trimestre. Isso e, é claro, o parto.

Então você não está tão excitada com o trabalho de parto quanto está com a chegada do bebê? Talvez sinta uma saudável dose de apreensão? Talvez até mesmo uma pilha de nervos?

Relaxe. É normal ficar nervosa sobre o parto, especialmente se esse é seu primeiro, mas mesmo que seja o segundo ou terceiro (afinal, cada parto é diferente). Felizmente, existe uma excelente maneira de acalmar esses temores e se sentir menos ansiosa e mais confiante quando a primeira contração chegar: educando-se.

Um pouco de conhecimento e muita preparação podem ajudá-la a se sentir mais confortável quando entrar na sala de parto. Ler tudo que encontrar definitivamente lhe dará uma ideia do que esperar (p. 558), mas uma boa aula de parto pode preencher ainda mais lacunas. Assim, está na hora de voltar para a escola.

> ## OUTRO CURSO A FAZER
>
> Além de estudar técnicas de parto, há outro curso que você deveria fazer: ressuscitação cardiopulmonar (RCP) e primeiros-socorros para bebês. Mesmo que ainda não tenha um bebê, não há época melhor para aprender como manter o seu sadio e seguro. Primeiro, porque você não precisa contratar uma babá para fazer o curso agora. E segundo — e mais importante —, porque será capaz de levar o bebê para casa sabendo que tem o expertise necessário em caso de emergências. Você pode encontrar um curso entrando em contato com a Cruz Vermelha americana (redcross.org), a Associação Americana do Coração (americanheart.org/cpr) ou o hospital local. Aulas particulares também podem ser contratadas, e são uma excelente opção se você puder pagar por elas, especialmente se houver avós, familiares, babás ou outros que você gostaria que aprendessem a cuidar de seu pequeno.

Benefícios de fazer aulas de parto

O que você e seu *coach* ganham fazendo aulas de parto? Isso depende do curso que você fizer, da instrutora que o ministrar, de você e de seu *coach* (quanto mais você se dedicar, mais tenderá a ganhar). Mas há sempre algo a ganhar para a equipe que em breve entrará em trabalho de parto. Alguns potenciais benefícios incluem:

- A chance de passar algum tempo com casais no mesmo estágio da gravidez e compartilhar experiências e dicas, comparar progressos e sintomas e trocar notas sobre equipamentos para o bebê, decoração do quarto, pediatras e cuidados infantis. Em outras palavras, uma chance de encontrar muita camaradagem e empatia. Também é uma chance de fazer amizade com casais que, como vocês, serão pais em breve (definitivamente um benefício se seus amigos atuais ainda não têm filhos). Mantenha-se em contato com esses colegas de curso após o parto e você terá um grupo de pais pronto, além de um grupo de amiguinhos para seu bebê. Muitos cursos fazem "reuniões" depois que todo mundo já deu à luz.

- Uma chance de participação para seu parceiro. Grande parte da gravidez gira em torno da mãe, o que às vezes deixa o pai se sentindo de lado. As aulas de educação para o parto são planejadas para mães e pais e ajudam os pais a se sentirem membros valorizados da equipe — o que é particularmente importante se ele não for capaz de comparecer a todas as consultas pré-natais. As aulas também instruem os pais sobre o trabalho de parto e o parto, para que eles sejam *coaches* mais eficientes quando as contrações chegarem. E talvez o melhor de tudo, ele conhecerá homens que conseguem entender — entre outras coisas — as oscilações de humor maternas e as dúvidas e inseguranças normais da paternidade. Alguns cursos incluem uma sessão especial somente para os pais, o que dá a eles a chance de falar sobre preocupações que não se sentem confortáveis para expressar.

- A chance de fazer perguntas surgidas entre as consultas pré-natais ou que você não se sente confortável fazendo ao médico (ou para as quais nunca têm tempo durante as rápidas consultas).
- A chance de aprender tudo sobre o trabalho de parto e o parto. Através de aulas, discussões, modelos e vídeos, você aprenderá tudo sobre pré-parto, coroação e corte do cordão umbilical. Quanto mais souber, mais confortável estará quando acontecer com você.
- A chance de aprender tudo sobre as opções para alívio da dor, da epidural à hipnose.
- A chance de receber instruções sobre respiração, relaxamento e outras abordagens alternativas para alívio da dor e obter *feedback* de um especialista enquanto aprende. Dominar essas estratégias pode ajudá-la a estar mais relaxada durante o trabalho de parto, diminuindo sua percepção da dor. Elas também são úteis se estiver planejando uma epidural.
- A chance de se familiarizar com as intervenções ocasionalmente realizadas durante o parto, incluindo monitoramento fetal, terapia intravenosa, extração a vácuo, parto com fórceps e cesariana. Você pode não sofrer nenhuma dessas intervenções, mas saber a respeito antecipadamente aumentará sua autoconfiança.
- A chance de ter um parto relativamente mais agradável — e relativamente menos estressante — graças a todos os itens acima. Casais que se prepararam para o parto geralmente consideram suas experiências mais satisfatórias que os que não se prepararam.

Escolhendo um curso

Então você decidiu ter aulas de parto. Mas onde procurar por elas? E como escolher?

Nas comunidades onde as opções são limitadas, a escolha de que curso fazer é relativamente simples. Em outras, a variedade de ofertas pode ser imensa e causar confusão. Os cursos são dados por hospitais, instrutores privados e médicos em seus consultórios. Há cursos pré-natais "precoces", feitos no primeiro ou segundo trimestre, que cobrem todas as coisas relacionadas à gravidez: nutrição, exercícios, desenvolvimento fetal e sexo. E há cursos de fim de gravidez, normalmente durando entre seis e dez semanas a partir do sétimo ou oitavo meses, que se concentram no trabalho de parto,

parto e cuidados com a mãe e o bebê no pós-parto. Há até mesmo cursos de fim de semana em hotéis, parecidos com miniférias. Não tem tempo para frequentar um curso presencial? Confira as ofertas de DVDs e aulas on-line.

Se há poucas opções disponíveis, qualquer curso de parto é provavelmente melhor que nenhum. Se houver várias opções onde você vive, considere o seguinte ao tomar a decisão:

Quem patrocina o curso? Um curso dirigido ou recomendado pelo médico frequentemente é o melhor. Também seria útil um curso fornecido pelo hospital ou casa de parto onde você dará à luz. Se a filosofia de seu professor for muito diferente da filosofia da equipe de parto, você tenderá a encontrar contradições e conflitos. Se diferenças de opinião surgirem, tire as dúvidas com o médico bem antes do parto.

Qual o tamanho das turmas? As pequenas são as melhores. Cinco ou seis gestantes e seus *coaches* é o número ideal; mais de dez ou doze pode ser grande demais. Não somente o professor pode oferecer tempo extra e atenção individual em um grupo mais íntimo — o que é particularmente importante durante as sessões de respiração e técnicas de relaxamento —, como a camaradagem em uma turma menor tende a ser maior.

Como é o currículo? Qualquer que seja o curso escolhido, você aprenderá a respeito dos estágios do parto normal e sobre as possíveis complicações e como são gerenciadas. Um curso abrangente também deve incluir cuidados no pós-parto, cuidados básicos com o recém-nascido e aleitamento. A maioria também esclarecerá suas dúvidas sobre planos de nascimento, doulas, parto no hospital, casa de parto ou em casa e intervenções médicas (como cesariana ou indução) que podem ser (mas provavelmente não serão) necessárias. Descubra se o curso ensina maneiras naturais de reduzir ou lidar com a dor (como massagem, acupressão, aromaterapia e bola de parto), além de fornecer uma visão geral das opções de alívio e supressão da dor.

Como são as aulas? Elas são interativas e participativas? Há vídeos de partos reais? Você conversará com pais e mães que passaram recentemente pelo parto? Haverá amplas oportunidades de fazer perguntas?

Opções de aulas de parto

As aulas de parto em sua área podem ser dadas por professores certificados, doulas, enfermeiras ou parteiras. As abordagens variam de curso para curso, mesmo entre aqueles treinados nos mesmos programas. Os cursos mais comuns incluem:

Lamaze. A abordagem Lamaze é provavelmente a mais amplamente usada nos Estados Unidos. Embora seja mais conhecida pelas técnicas de respiração e relaxamento, a filosofia cresceu e agora inclui mais que isso. No centro do método Lamaze estão as Seis Práticas Saudáveis para o Parto: deixar que o trabalho de parto comece sozinho, mover-se e mudar de posição durante o trabalho de parto, evitar intervenções que não sejam medicamente necessárias, não dar à luz deitada de costas, obedecer à vontade de fazer força e ficar junto do bebê após o nascimento. Embora defendam o parto mais saudável, seguro e natural possível, os professores do método Lamaze também falam sobre as opções relacionadas ao parto, incluindo alívio da dor, e sobre as intervenções mais comumente realizadas — e um bom professor não julgará essas opções e intervenções, nem suas escolhas. Em uma turma de Lamaze, você e seu *coach* aprenderão como usar técnicas de relaxamento e respiração ritmada que (juntamente com o apoio contínuo de seu *coach*) a ajudarão a entrar em um estado de "concentração ativa". Você também aprenderá a dirigir a atenção para um ponto focal a fim de aumentar sua concentração. Um curso tradicional do método Lamaze consiste em seis sessões com duração de 2 ou 2,5 horas e pode ser ministrado em grupo ou individualmente.

Bradley. O método Bradley ensina respiração abdominal profunda e outras técnicas de relaxamento que focam a atenção da gestante no interior de si mesma, e não em um "ponto focal" fora do corpo, como no Lamaze. O curso também foi projetado para ajudar a mãe a aceitar a dor como parte natural do nascimento — como resultado, a maioria das alunas do método Bradley não usa medicação para a dor durante o parto vaginal. Em uma turma do método Bradley, você aprenderá a imitar sua posição e respiração ao dormir (lenta e profunda) e usar técnicas de relaxamento para tornar o trabalho de parto mais confortável. Um curso típico dura doze semanas, começando no quinto mês, e a maioria é ministrada por casais. Turmas "precoces", que focam em vários tópicos da gestação, também estão disponíveis.

PARA MAIS INFORMAÇÕES A RESPEITO DE CURSOS SOBRE GRAVIDEZ E PREPARAÇÃO PARA O PARTO

Pergunte ao médico sobre cursos em sua área ou telefone para o hospital onde planeja dar à luz. As seguintes organizações também podem fornecer indicações de turmas locais:

Lamaze Internacional: lamaze.org
Método Bradley: bradleybirth.com
International Childbirth Education Association: icea.org
Hypnobirthing Internacional (Método Mongan): hypnobirthing.com
Técnica de Alexander: alexandertechnique.com
Birthing from Within: birthingfromwithin.com
Birthworks: birthworks.org

International Childbirth Education Association (ICEA). Essas turmas tendem a ter escopo mais amplo, cobrindo mais das muitas opções disponíveis para os pais de hoje em termos de maternidade e cuidados com o recém-nascido. Elas também reconhecem a importância da liberdade de escolha, de modo que as turmas focam em uma ampla variedade de possibilidades, em vez de em uma única abordagem do parto. Os professores são certificados pela ICEA.

Hypnobirthing [hipnose no parto]. Nada a ver com transes do tipo zumbi. O *hypnobirthing* (também conhecido como método Mongan) fornece técnicas que ajudam a mulher em trabalho de parto a entrar em um estado altamente relaxado. O objetivo: reduzir o desconforto, a dor e a ansiedade durante o parto (e outras situações estressantes). Para algumas mães, os resultados são incríveis. Para saber mais sobre o *hypnobirthing*, veja a p. 448.

Técnica de Alexander. Ela é frequentemente usada por atores para fazer com que mente e corpo trabalhem em sintonia, mas, quando se trata de trabalho de parto, a técnica de Alexander foca em combater a tendência natural do corpo de se contrair durante a dor. O instrutor enfatizará o enfrentamento da dor através do controle consciente da postura e dos movimentos. As alunas aprendem como se sentar e agachar confortavelmente para relaxar o assoalho pélvico e contar com a gravidade para ajudar o bebê a descer pelo canal de parto.

AULAS PARA A SEGUNDA VEZ

Já passou por tudo isso? Está grávida de seu segundo (ou terceiro ou mais)? Mesmo profissionais experientes podem se beneficiar de aulas de preparação para o parto. Em primeiro lugar, todos os partos são diferentes, e o que você experimentou da vez passada pode não ser o que experimentará dessa vez. Segundo, você pode querer fazer as coisas de maneira diferente — talvez tenha dado à luz com um obstetra em um hospital e agora queira tentar uma casa de parto com uma parteira (ou vice-versa). Ou queira tentar a respiração Lamaze para o parto deste bebê, porque o *hypnobirthing* não foi tudo que esperava — ou o contrário. Finalmente, as coisas podem mudar rapidamente nessa área, e elas mudaram muito, mesmo que tenham se passado somente um ou dois anos desde que você esteve na sala de parto. Pode haver opções diferentes em relação à última vez — como, digamos, parto na água. Certos procedimentos que eram rotineiros em sua última visita à sala de parto podem agora ser incomuns, ao passo que procedimentos que eram incomuns agora são rotineiros. Mas é provável que você não precise se sentar com as novatas. Cursos de "atualização" estão disponíveis na maioria das áreas.

Birthing from Within. Nessa preparação holística e espiritual da preparação para o parto, os futuros pais aprendem a lidar com a intensidade do nascimento enquanto focam na singularidade de sua jornada. As sessões focam no parto normal e no que esperar durante o processo natural de nascimento, mas os casais também aprendem maneiras de lidar com o inesperado e navegar pela medicina moderna sem serem traumatizados por ela. Os casais passam 2,5 horas todas as semanas concentrando-se em sua transição para a paternidade com uma abordagem multissensorial de autodescoberta que envolve a mente e o corpo.

BirthWorks. Esse método holístico promove o nascimento como um processo instintivo que não precisa ser aprendido. As técnicas visam a ajudar a gestante a se sentir empoderada pelo desenvolvimento de sua autoconfiança e sua habilidade de dar à luz.

Outras turmas de preparação para o parto. Também há turmas projetadas para preparar os pais para o parto em determinado hospital e aulas patrocinadas por grupos médicos, planos de saúde ou outros fornecedores de serviços médicos.

Estudos em casa. Se você não pode ou não quer participar de uma aula em grupo, pode procurar o programa Lamaze on-line. Também há outros cursos e aulas on-line; basta procurar.

Aulas particulares. Não está interessada em fazer parte de um grupo ou seu cronograma de trabalho é imprevisível demais para se comprometer com as aulas? Você pode procurar aulas particulares de preparação para o parto, que podem ser adequadas à sua agenda e suas preferências específicas, permitindo que faça todas as perguntas que desejar. Toda essa flexibilidade e individualização, é claro, custa mais caro.

Aulas de fins de semana em resorts. Elas oferecem o mesmo currículo dos cursos típicos em um único fim de semana. Além de promover camaradagem extra entre os casais, esses fins de semana também podem promover o romance — um agradável benefício adicional para duplas que estão prestes a se transformar em trios. Além disso, elas são uma grande oportunidade para receber alguns mimos se forem realizadas em um hotel que ofereça opções de tratamentos estéticos para gestantes.

Capítulo 11
O sétimo mês
Aproximadamente 28 a 31 semanas

Bem-vinda a seu terceiro — e último! — trimestre. Acredite ou não, você está a somente três meses de segurar (e beijar e ninar) seu precioso bebê. Com os olhos no prêmio nesse último trecho da gravidez (definitivamente o maior trecho, ao menos no que diz respeito à barriga), você provavelmente sentirá um aumento da excitação e da antecipação, juntamente com as dores, que tendem a se multiplicar conforme o fardo que você carrega fica mais pesado. Aproximar-se do fim da gravidez também significa aproximar-se do parto, um evento para o qual vem se preparando, no qual vem pensando e por causa do qual talvez venha se estressando um pouco. Agora é um excelente momento para entrar naquelas aulas de preparação para o parto, se ainda não o fez.

Seu bebê este mês

28ª semana. Esta semana, seu incrível bebê chegou a 1 quilo e uns 38 centímetros. Habilidade adquirida esta semana: piscar. Sim, juntamente com outros truques em um repertório crescente que já inclui tossir, sugar, soluçar e tentar respirar, o bebê agora pode piscar seus doces olhinhos. Está sonhando com ele? Ele também pode estar sonhando, cortesia do sono REM (*rapid eye movement*, movimento rápido dos olhos) que começou a ter. Mas esse pequeno sonhador ainda não está pronto para o parto. Embora os pulmões já estejam quase maduros (permitindo que o bebê — e você — conseguisse respirar mais facilmente se nascesse hoje), seu pacotinho ainda tem muito a crescer.

29ª semana. Seu bebê pode ter até 41 centímetros e pesar entre 1,1 e 1,4 quilo — quase tanto quanto a garrafa de água extragrande que você está bebendo. Mas ele ainda tem muito a crescer. De fato, nas próximas onze semanas, o peso dele irá mais que dobrar — e talvez quase triplicar. Muito desse peso virá da gordura se acumulando sob a pele. E, conforme o bebê engorda, o espaço no útero começa a ficar meio apertado, tornando menos provável que você sinta chutes e mais provável que sinta empurrões e cutucadas dos cotovelos e joelhos.

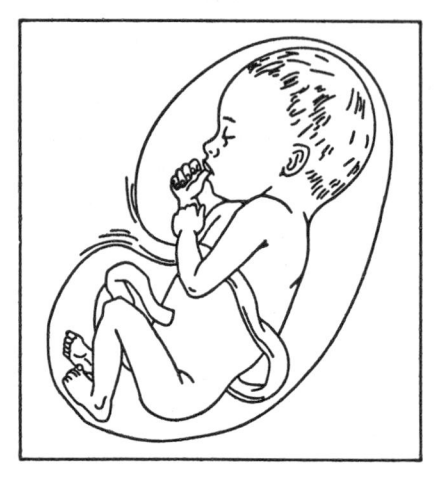

Seu bebê, sétimo mês

30ª semana. O que mede 41 centímetros, pesa 1,4 quilo e é todo fofinho? Seu bebê, que fica maior a cada dia (caso você ainda não tenha notado pelo tamanho de sua barriga). O que também cresce todos os dias é o cérebro do bebê, que está se preparando para a vida fora do útero e uma vida inteira de aprendizado. A partir desta semana, o cérebro dele começa a se parecer com um, assumindo os característicos sulcos e indentações. Esse enrugamento permitirá a futura expansão do tecido cerebral, o que será crucial quando seu filho passar de recém-nascido desamparado para bebê responsivo, criancinha falante, pré-escolar curioso e além. O cérebro maior e melhor também começa a assumir tarefas previamente delegadas a outras partes do corpo, como regulação da temperatura. Agora que o cérebro é capaz de regular o calor (com a ajuda do crescente estoque de gordura), seu pequeno começará a se livrar do lanugo, os pelinhos finos e macios que o mantiveram aquecido até agora. O que significa que, quando nascer, seu bebê provavelmente já não será peludinho.

COMIDA PARA O CÉREBRO DO BEBÊ

Você vem alimentando o cérebro de seu bebê? Obter o suficiente daquelas fabulosas gorduras ômega 3 é mais importante que nunca neste trimestre, quando o desenvolvimento do cérebro do bebê será acelerado. Veja a p. 143 para saber tudo sobre gorduras boas.

31ª semana. Embora seu bebê ainda tenha entre 1,5 e 2,5 quilos para ganhar antes do parto, ele já pesa mais de 1,5 quilo esta semana. E, com 41 centímetros (com 1 ou 2 centímetros para mais ou para menos, já que fetos dessa idade têm tamanhos muito variados), aproxima-se rapidamente do comprimento que terá ao nascer. O que também se desenvolve a uma velocidade impressionante: as conexões cerebrais (trilhões precisam ser feitas). Ele já é capaz de fazer bom uso dessa complexa teia de conexões cerebrais, processando informações, rastreando a luz e percebendo sinais dos cinco sentidos. Seu bebê cerebral também é um bebê sonolento, passando muito tempo adormecido, especialmente em sono REM — e provavelmente é por isso que você vem notando padrões mais definidos de períodos acordados (e chutando) e dormindo (quieto).

Seu corpo este mês

Eis alguns sintomas que você pode experimentar este mês (ou não, já que cada gravidez é diferente). Alguns deles podem estar presentes desde o mês passado, ao passo que outros serão novinhos em folha. Com o início do terceiro trimestre, sintomas que até agora foram somente levemente incômodos podem ser cada vez mais desconfortáveis:

Fisicamente
- Atividade fetal mais forte e mais regular
- Aumento da secreção vaginal
- Dor surda na parte inferior ou nas laterais do abdômen
- Constipação
- Azia, indigestão, flatulência, sensação de estômago estufado
- Dores de cabeça ocasionais
- Vertigem ou tontura ocasionais, especialmente ao se levantar rapidamente ou por causa da queda no nível de glicose
- Congestão nasal e sangramentos ocasionais; ouvidos entupidos
- Gengivas sensíveis que podem sangrar ao escovar os dentes
- Câimbras nas pernas

SEU CORPO ESTE MÊS

No início deste mês, o topo do útero estará a aproximadamente 28 centímetros do topo de seu osso pélvico. No fim do mês, o bebê terá crescido mais 2,5 centímetros e poderá ser sentido cerca de 12 centímetros acima do umbigo. Você pode achar que não há mais espaço para seu útero crescer (ele parece já ter preenchido seu abdômen), mas você ainda tem mais oito a dez semanas de crescimento pela frente!

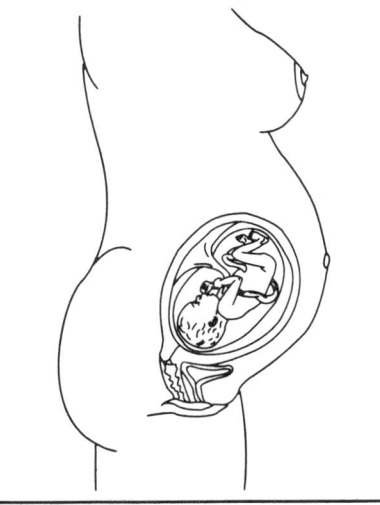

- Dor nas costas
- Inchaço moderado dos tornozelos e pés e, ocasionalmente, das mãos e da face
- Hemorroidas
- Veias varicosas nas pernas e/ou na vulva
- Coceira na barriga
- Umbigo protuberante (saltado)
- Estrias
- Falta de ar
- Dificuldade para dormir
- Contrações de Braxton-Hicks esparsas
- Sensações ocasionais, subitamente agudas ou parecidas com choques na área pélvica ("relâmpagos na virilha")
- Falta de jeito
- Seios maiores
- Colostro vazando dos mamilos (embora esse pré-leite possa surgir somente depois do parto)

Emocionalmente
- Excitação cada vez maior (o bebê chegará em breve!)
- Apreensão cada vez maior (o bebê chegara em breve!)
- Esquecimento e distração (também chamados de "cérebro grávido")
- Sonhos estranhos e vívidos
- Fadiga da gravidez (você está cansada de estar grávida) ou sensação de contentamento

O que você pode esperar da consulta deste mês

Ao entrar em seu último trimestre, alguns novos itens serão adicionados à agenda à qual você está acostumada:
- Peso e pressão arterial
- Urina, para proteínas
- Batimentos cardíacos do feto
- Altura do fundo
- Tamanho e posição do feto, por palpação (sentido do lado de fora)
- Mãos e pés para verificar inchaço e pernas em busca de veias varicosas
- Exame de glicose, se ainda não fez (p. 397)
- Exame de sangue para detectar anemia
- Vacina tríplice bacteriana (p. 441)
- Sintomas que você venha experimentando, especialmente os incomuns
- Questões ou problemas que queira discutir — deixe a lista pronta

O que você pode estar se perguntando

Fadiga revisitada

"Eu estava me sentindo cheia de energia nos últimos meses, e agora estou começando a me arrastar novamente. Será assim o terceiro trimestre inteiro?"

A gravidez é cheia de altos e baixos, não somente quando se trata do humor (e da libido), mas também quando se trata dos níveis de energia. A fadiga, que é marca registrada do primeiro trimestre, frequentemente é seguida por um alto nível de energia no segundo trimestre, tornando esses tipicamente confortáveis meses intermediários a época ideal para realizar praticamente qualquer atividade. (Exercícios! Sexo! Viagens! Todos no fim de semana!). Mas, no terceiro trimestre, muitas gestantes começam a se arrastar novamente — e a olhar com cobiça para o sofá.

E isso não surpreende. Embora algumas mulheres mantenham o ritmo ao se aproximarem da linha de chegada (lembre-se de que toda gravidez é diferente, mesmo quando se trata de níveis de energia), há muitas boas razões pelas quais você pode estar ficando para trás. A melhor delas está na sua barriga. Afinal, você está carregando muito mais peso nela (e em outros lugares) do que estava mais cedo, e carregar esses quilos a mais pode ser exaustivo. Outra razão: ultimamente, esse volume extra pode estar se interpondo (literalmente) entre você e uma boa noite de sono, deixando-a menos descansada a cada manhã. Sua mente sobrecarregada com o bebê (lista de compras, lista de tarefas, lista de nomes, lista de perguntas a fazer ao médico, lista de decisões a tomar) também pode estar prejudicando seu sono e seu nível de energia. Acrescente à mistura as outras responsabilidades da vida — emprego, cuidar dos outros filhos e assim por diante —, e os fatores causadores de fadiga aumentam exponencialmente.

PARA OS PAIS

DANDO UMA FORÇA

Se você acha que está cansado no fim do dia, pense no seguinte: a mãe de seu bebê gasta mais energia deitada no sofá fabricando um bebê do que você gasta fazendo musculação na academia. O que a deixa mais cansada do que você jamais a viu e muito mais cansada do que você

> pode imaginar. Assim, dê uma força. Junte roupas e sapatos espalhados. Passe o aspirador, coloque as roupas na máquina e limpe o banheiro — os vapores dos produtos de limpeza a deixariam ainda mais enjoada, de qualquer forma. Encoraje-a a assistir a sua rotina de limpeza deitada no sofá — mesmo que essa sempre tenha sido sua posição favorita.

Como sempre, a fadiga é um sinal enviado por seu corpo, então preste atenção. Se você vem usando a pista rápida da maternidade (muitos preparativos para o bebê, descanso insuficiente), reduza um pouco o ritmo. Remova as tarefas não essenciais de seu dia (não vale chamar todas elas de essenciais). Exercite-se, mas em menor intensidade e não perto demais da hora de dormir (que pode bagunçar seu sono). E como rodar sem combustível pode fazê-la parar no meio do caminho, aumente seus níveis de energia com lanchinhos saudáveis e frequentes. Acima de tudo, lembre-se de que a fadiga do terceiro trimestre é a natureza dizendo às gestantes para conservarem energia. Você precisará de toda sua força para o trabalho de parto, o nascimento e (é claro) o que vem depois. Para mais dicas sobre como manter suas reservas de energia, revisite a p. 184.

Se você der a seu corpo o descanso extra que ele está pedindo, mas ainda se sentir constantemente exausta, fale com o médico. Às vezes, fadiga extrema que não passa é causada por anemia do terceiro trimestre (p. 341), que é a razão pela qual a maioria dos médicos repete um exame de sangue de rotina para analisar os níveis de ferro no sétimo mês.

Inchaço

"Meus tornozelos e pés incham, especialmente no fim do dia. É assim mesmo?"

Sua barriga não é a única coisa inflando ultimamente. Aquele visual mamãe inchada frequentemente se estende para as extremidades. E, embora não seja agradável — especialmente quando sapatos e relógio ficam desconfortavelmente justos e os anéis são cada vez mais difíceis de tirar —, o inchaço leve (também chamado de edema) nos tornozelos, pés e mãos é completamente normal, relacionado ao necessário aumento dos líquidos corporais durante a gravidez. De fato, 75% das mulheres ficam inchadas em algum momento da gravidez, geralmente por volta dessa época (as outras 25% nunca notam qualquer inchaço, o que também é normal). Como você provavelmente já notou, o inchaço tende a ser mais pronunciado no fim do dia, em clima quente ou após passar muito tempo sentada ou em pé. Grande parte dele pode desaparecer da noite para o dia ou após várias horas deitada (outra boa razão para descansar).

> ## TIRE-OS ENQUANTO PODE
>
> Seus anéis estão ficando cada vez mais justos? Antes que fiquem apertados demais (e impossíveis de remover), é melhor tirá-los e guardá-los até que seus dedos desinchem no pós-parto. Já está tendo problemas? Tente tirá-los pela manhã e após resfriar as mãos em água gelada. Um pouco de sabonete líquido também vai torná-los escorregadios e mais fáceis de remover. (Mas cubra o ralo se tentar tirar os anéis sobre a pia.)

Geralmente, esse tipo de inchaço significa somente um pouco de desconforto — e algumas modificações em seu estilo, se já não conseguir fechar aquelas botas superfofas ou as sandálias de tirinhas. Mesmo assim, é bom encontrar maneiras de desinflar. Tenha essas dicas em mente:

- Dê um descanso para seus pés e para seu traseiro. Se longos períodos sentada ou em pé fazem parte de seu trabalho — em casa ou no escritório —, faça pausas periódicas. Sente-se se estava em pé e levante-se se estava sentada. Para melhores resultados, caminhe energicamente por 5 minutos para ativar a circulação (o que fará com que os líquidos acumulados voltem a circular).
- Pernas para o ar. Levante as pernas quando se sentar. Se alguém merece ficar de pés para cima, é você.
- Descanse de lado. Se ainda não adquiriu esse hábito, é hora de começar. Deitar-se de lado ajuda a manter os rins funcionando em níveis ótimos, melhorando a eliminação de resíduos e reduzindo o inchaço.
- Escolha o conforto. Agora é hora de seguir o conforto, não a moda. Favoreça sapatos que acomodem seus pés (aqueles elegantes *slingbacks* já não vão servir, de qualquer modo).
- Mexa-se. Praticar os exercícios aprovados pelo médico manterá o inchaço sob controle. Caminhar (como um pato, como você provavelmente dirá em breve) é excelente para pés inchados porque mantém o sangue circulando, em vez de se acumular. Nadar ou fazer hidroginástica é ainda melhor, porque a pressão da água empurra os fluidos dos tecidos de volta para as veias. De lá, eles vão para seus rins e são eliminados através da urina.
- Sal a gosto. Já se acreditou que a restrição de sal impedia o inchaço, mas agora se sabe que restringir o sal excessivamente pode aumentá-lo. Transforme a moderação em seu lema.
- Obtenha o apoio de que precisa. Você pode não achar as meias-calças para gestantes muito sexy, mas elas melhoraram muito em termos de estilo e inovação — e, o mais importante, são muito eficientes para

aliviar o inchaço. A compressão confortável vem na forma de meias-calças básicas, três quartos e sete oitavos (mas evite as com barras elásticas muito justas) e até mesmo modernosas meias sem pé e do tipo *legging*. Quando possível, opte por meias que contenham algodão, que é mais respirável. Colocar a meia-calça de compressão logo ao acordar, antes que o inchaço comece, pode impedir que os líquidos se acumulem.

A boa notícia sobre o edema, além de ser normal, é que ele é temporário. Seus tornozelos e dedos vão desinchar logo após o parto (embora algumas mães relatem que o inchaço pode levar cerca de um mês para desaparecer completamente). Até lá, veja o lado bom: em breve sua barriga estará tão grande que você não conseguirá mais ver seus pés inchados.

Se o inchaço parecer muito severo, informe ao médico. O inchaço severo é um dos sintomas da pré-eclâmpsia, embora não seja considerado um sintoma confiável. Assim, a menos que seja acompanhado de proteínas na urina e pressão arterial elevada ou outros sintomas (dor de cabeça severa, distúrbios da visão e falta de ar progressiva), provavelmente se trata apenas de parte normal da gravidez. Mas, se ficar em dúvida, vá ao médico. Também o alerte se houver inchaço das pernas acompanhado de sinais de miocardiopatia periparto (p. 762), incluindo dificuldade para respirar quando deitada, tosse, dor no peito, veias do pescoço dilatadas e palpitações.

Bolinhas estranhas na pele
"Como se ter estrias não fosse ruim o bastante, agora tenho bolinhas que coçam brotando sobre elas."

Anime-se. Você está a menos de três meses do parto, quando será capaz de dizer um grato adeus à maior parte dos efeitos colaterais desagradáveis da gravidez — entre eles, essas erupções. Até lá, talvez ajude saber que, embora sejam desconfortáveis (e feias), elas não são preocupantes. Conhecidas medicamente — e impronunciavelmente — como pápulas e placas urticariformes pruriginosas da gravidez (tente dizer isso três vezes bem rápido), também chamadas de PPPU ou EPG (erupção polimórfica da gestação), a condição geralmente desaparece após o parto e não ocorre em gestações subsequentes. Embora as PPPU se desenvolvam mais frequentemente sobre as estrias abdominais, elas às vezes aparecem também nas coxas, nádegas e braços. Mostre-as ao médico, que pode prescrever medicação tópica, um anti-histamínico ou injeções para aliviar o desconforto.

Várias outras irritações podem se desenvolver durante a gravidez (que sorte, hein!), tornando-a menos feliz por estar em sua pele. Embora você sempre deva mostrar qualquer erupção ao médico, saiba que elas raramente são motivo de preocupação. Leia a p. 349 para saber mais.

Dor na perna e na região lombar (ciática)

"Venho sentindo dor na lateral da região lombar, descendo até o quadril e a perna. O que é isso?"

Parece que seu doce bebezinho está lhe dando nos nervos — ou melhor, no nervo ciático. Entre o meio e o fim da gestação, o bebê começa a assumir a posição adequada para o nascimento (o que é muito bom). Ao fazer isso, no entanto, a cabeça dele — e o peso de seu útero cada vez maior — pode repousar sobre o nervo ciático, na parte inferior de sua coluna (o que é muito ruim). Com menos frequência, a assim chamada ciática pode ser causada por uma hérnia de disco ou um disco deslocado (também devido à pressão extra do útero em crescimento). De qualquer modo, a ciática pode resultar em dor aguda, parecida com uma pontada e às vezes muito intensa, e formigamento ou amortecimento que começa na nádega ou na região lombar e se irradia para a parte de trás da perna. Embora a ciática costume passar quando o bebê muda de posição, ela também pode durar até o parto — e às vezes por algum tempo depois dele.

Como você pode tirar o bebê de cima de seu nervo e aliviar a dor? Tente estas dicas.

- Sente-se. Sentar-se costuma aliviar a dor (mas evite se sentar no chão, que pode intensificar a dor). Deitar-se do lado que não dói alivia a pressão — e também é uma boa ideia dormir desse lado.
- Consiga apoio. Uma faixa elástica ou outro apoio para a barriga pode retirar a pressão do útero em crescimento da região lombar e dos quadris.
- Aqueça. Aplicar uma bolsa de água quente no local dolorido pode ajudar, assim como tomar um longo banho quente. Sua banheira tem hidromassagem? Mantenha os jatos virados para a dolorida região lombar e para as pernas.
- Exercite-se. O tipo certo de exercício costuma aliviar a dor da ciática (o médico e/ou fisioterapeuta pode recomendar outros):
- Inclinação pélvica (p. 327)
- Postura da criança. Ajoelhe-se no chão com as nádegas sobre os calcanhares e os hálux (dedões) se tocando. Afaste as coxas e se incline para a frente, apoiando-se sobre a barriga, os braços esticados e a testa. Permaneça nessa posição por 2 minutos e repita algumas vezes ao dia.
- Exercícios com bola. Sente-se (ou deite-se) na bola de ginástica e role para a frente e para trás para obter alívio.
- Exercícios na água. Natação e hidroginástica alongam e fortalecem os músculos das costas, ajudando a aliviar a sensação de queimação — além disso, estar na água a deixa

mais leve, um benefício adicional quando a pressão causa dor.
- Procure uma alternativa. Pergunte ao médico sobre terapias da medicina alternativa e complementar que possam aliviar a ciática, como fisioterapia, massagem terapêutica, acupuntura e quiropraxia.

CONTE OS CHUTES

Da 28ª semana em diante, talvez seja uma boa ideia testar os movimentos fetais duas vezes ao dia: uma pela manhã, quando a atividade tende a ser menor, e uma nas horas mais ativas. O médico pode recomendar um teste ou você pode usar este: anote o horário e comece a contar. Conte movimentos de qualquer tipo (chutes, estremecimentos, balanços, giros), mas não inclua soluços. Pare de contar quando chegar a dez e anote o horário. (Se quiser, você pode usar o rastreador de movimentos fetais do *What to Expect Pregnancy Journal and* Organizer, o aplicativo What To Expect ou o aplicativo do Apple Watch.) Frequentemente, você sentirá dez movimentos em 10 minutos — às vezes em um pouco mais de tempo.

Se não tiver contado dez movimentos ao fim de 1 hora, tome um suco ou faça um lanche, caminhe um pouco e até mesmo sacuda a barriga — então se deite, relaxe e continue contando. Se 2 horas se passarem sem que você perceba dez movimentos, telefone para o médico. Embora tal ausência de atividade não necessariamente signifique que algo está errado, ela pode ser uma bandeira vermelha que precisa de rápida avaliação.

Quanto mais próxima você estiver da data provável do parto, mais importante se torna a conferência regular dos movimentos fetais.

É uma boa ideia falar com o médico se você tiver sintomas de ciática, não somente para obter sugestões sobre terapias e tratamentos (incluindo medicação, se necessário), mas também para um diagnóstico correto. Outro problema com sintomas similares (dor na cintura pélvica) às vezes é confundido com ciática. Leia a p. 746 para saber mais.

Relâmpagos na virilha

"De vez em quando, sinto uma dor súbita e aguda na virilha, quase como se eu estivesse sendo esfaqueada lá embaixo. Ela não dura muito, mas é tão intensa que eu perco o ar. O que é isso?"

Parece que você foi atingida pelos relâmpagos na virilha, um sintoma surpreendentemente comum, porém muito pouco discutido, da gravidez adiantada. Essa dor costuma ser sentida profundamente na pelve ou na vagina, parecendo, às vezes, como um choque elétrico e, às vezes, como uma facada, talvez acrescida de ardência, sensação de queimadura ou formigamento. Ela tipicamente chega súbita e inesperadamente e com tal intensidade que você pode perder o equilíbrio e cair (e começar a gritar em público).

Não existem evidências médicas definitivas que expliquem por que os relâmpagos na virilha acontecem — não há nem mesmo um termo médico para eles —, mas há muitas teorias sobre o que causa essa sensação de ter sido socada lá embaixo. Alguns especialistas dizem que ela ocorre quando o bebê pressiona ou chuta um nervo que atravessa o colo do útero. Outros sugerem que seu pequeno pode estar usando o colo e a parte inferior do útero como saco de pancadas ou empurrando-os para baixo quando muda de posição. Ou que o supernormal esticamento dos ligamentos que cercam e suportam o útero conforme sua barriga cresce (e cresce) esteja causando esses choques elétricos em sua pelve. Uma coisa está clara: os relâmpagos na virilha não são resultado da dilatação do colo do útero, o que significa que, se você está tendo essa sensação de facada lá embaixo, não há razão para temer um parto prematuro. Os relâmpagos na virilha não são perigosos nem um sinal de que há problemas na gravidez.

Provavelmente, não há muito que você possa fazer quando eles ocorrem, a não ser mudar de posição para tentar retirar o bebê de cima de seus nervos (ou talvez aliviar o fardo sobre a pelve usando um acessório de apoio à barriga). Mesmo assim, é bom perguntar sobre essas dolorosas facadas na próxima consulta pré-natal. Às vezes, a dor pélvica também pode estar ligada a veias varicosas na vulva, infecção vaginal, ciática ou mesmo deficiência de magnésio, e é uma boa ideia perguntar a opinião do médico sobre o que está acontecendo lá embaixo.

Síndrome das pernas inquietas

"Por mais cansada que eu esteja à noite, não consigo relaxar porque minhas pernas parecem tão inquietas. Já tentei todas as dicas para câimbras nas pernas, mas elas não funcionam. O que mais posso fazer?"

Com tantas outras coisas se interpondo entre você e uma boa noite de sono no último trimestre, não parece justo que suas pernas também estejam. Mas, para mais ou menos 15% das gestantes que experimentam síndrome das pernas inquietas (SPI), é exatamente isso que acontece. O nome já diz tudo: uma sensação de agitação, formigamento, queimadura, comichão ou coceira no pé e/ou na perna, que impede o corpo de relaxar. Ela é mais comum à noite, mas também pode surgir no fim da tarde ou em qualquer momento no qual você esteja sentada ou deitada.

Os especialistas não têm certeza sobre o que a causa em algumas gestantes (embora pareça haver um componente genético), e menos certeza ainda sobre como tratá-la. Nenhum dos truques para câimbras nas pernas — incluindo massagear e flexionar — parece trazer alívio. Os medicamentos que a tratam não são seguros durante a gravidez (fale com o médico), então provavelmente também estão fora da jogada. E, falando em medicamentos, alguns (como os remédios para enjoo e os anti-histamínicos que as gestantes frequentemente usam para aliviar o enjoo matinal) podem piorar a SPI em algumas mulheres.

Como impedir que as pernas inquietas perturbem seu descanso? Embora não haja respostas definitivas, pode valer a pena tentar uma das seguintes dicas:

- Descubra os gatilhos. É possível que sua dieta e outros hábitos de seu estilo de vida estejam contribuindo para a SPI, então mantenha um diário com o que comeu, fez e sentiu a cada dia, para ver quais hábitos geram os sintomas. Por exemplo, para algumas mulheres ingerir carboidratos no fim do dia pode deixar as pernas inquietas, ao passo que para outras o gatilho é a cafeína. Analise também seus medicamentos, para ver se há conexão com a SPI.
- Volte-se para a medicina alternativa. A acupuntura pode aliviar a SPI, assim como yoga, meditação ou outras técnicas de relaxamento. Até mesmo a distração (fazer algo para tirar a mente do desconforto) pode ajudar.
- Faça um exame de sangue. A anemia por deficiência de ferro (comum no terceiro trimestre) às vezes provoca SPI, então fale com o médico e peça um exame. Se seus níveis estiverem baixos, tomar o suplemento de ferro certo pode aliviar os sintomas. Outros possíveis gatilhos revelados em um exame de sangue: deficiências de magnésio ou vitamina D, que podem ser solucionadas com suplementos. E, já que está no consultório, converse com o médico sobre outros possíveis tratamentos.
- Mexa-se. Para algumas gestantes, movimentar as pernas durante o dia evita que elas queiram se movimentar durante a noite. Tente exercícios cardiorrespiratórios de baixa intensidade e seguros para gestantes e musculação para as pernas, mas não perto da hora de dormir (já que isso pode exacerbar a SPI e causar insônia). Alongamentos também podem funcionar — tente o alongamento das panturrilhas e o alongamento das pernas em pé (p. 394).
- Outras soluções. Aplicar compressas quentes ou frias nas pernas ou

tomar uma ducha fria (ou mergulhar as pernas em água fria) antes de se deitar pode evitar a inquietação. Você também pode tentar usar meias de compressão durante o dia.

E, é claro, você pode tentar as dicas para dormir da p. 384. De fato, como a fadiga costuma piorar os sintomas da SPI, faça o que puder para obter o sono de que seu corpo necessita.

Com sorte, você vai sentir ao menos algum alívio da SPI com as estratégias listadas aqui. Infelizmente, para algumas gestantes nada funciona, e a única opção é esperar que o parto forneça alívio (embora não forneça uma boa noite de sono — afinal, um novo bebê raramente vem com elas). Se você já engravidou com essa síndrome, provavelmente terá de esperar até depois do parto (e possivelmente até parar de amamentar, se o fizer) para retomar qualquer tratamento medicamentoso.

Soluços fetais

"Às vezes sinto espasmos, leves e regulares, em meu abdômen. São chutes, movimentos ou o quê?"

Acredite ou não, seu bebê provavelmente está com soluço. Muitos fetos soluçam na última metade da gravidez, e alguns deles soluçam todos os dias e mesmo várias vezes ao dia. Outros parecem nunca soluçar. O mesmo padrão pode continuar após o nascimento.

ESTALOS

Você definitivamente esperava ver os movimentos do bebê, mas ouvi-los? Aparentemente, é possível. Algumas gestantes ouvem misteriosos cliques, estalidos ou estouros vindos de suas barrigas e, embora ninguém saiba ao certo, há várias teorias para explicá-los. Talvez eles estejam relacionados aos soluços ou ao líquido amniótico rumorejando quando seu bebê se movimenta. Talvez seja o clique das articulações do bebê quando ele se mexe, soca ou chuta. Ou talvez os sons não estejam vindo do bebê, mas de suas articulações mais frouxas que o normal, estalando e clicando quando atritam umas contra as outras ou se alongam.

Você provavelmente nunca saberá o que causa todos os cliques, estalidos e estouros, embora sempre possa pedir que o médico dê um palpite. Uma coisa é certa: não há nada com que se preocupar, somente algo mais a aproveitar (ou suportar) quando você está esperando um bebê.

Antes que você comece a prender a respiração ou tentar outros truques, saiba que soluços não causam desconforto aos bebês — dentro ou fora do útero —, mesmo quando duram 20 minutos ou mais. Assim, sente-se, relaxe e aproveite o show. Por mais divertidos que eles sejam, no entanto, as soluções fetais não contam quando você estiver contando os chutes (p. 422).

Orgasmo e chutes do bebê
"Depois que tenho um orgasmo, meu bebê costuma parar de chutar por mais ou menos meia hora. Isso significa que o sexo não é seguro a essa altura da gravidez?"

O que quer que você faça por esses dias, seu bebê pegará uma carona. E, quando se trata de fazer amor, a carona pode deixá-lo muito sonolento. O balanço do sexo e as contrações uterinas ritmadas que se seguem ao orgasmo frequentemente levam os fetos para o mundo dos sonhos. Alguns bebês, em contrapartida (porque todo bebê é um indivíduo) ficam mais ativos após o sexo. Ambas as reações são normais e saudáveis e de modo algum significam que o sexo não é seguro. Nem, caso você esteja se perguntando, que o bebê sabe o que está acontecendo entre os lençóis (o bebê está completamente no escuro, literalmente).

De fato, a menos que o médico tenha dito o contrário, você pode continuar praticando todas as variedades de sexo — com todas as intensidades de orgasmo — até o parto. E pode muito bem aproveitar enquanto pode. Vamos encarar os fatos: vai levar algum tempo para que seja conveniente fazer amor novamente (ao menos com o bebê na casa).

Quedas acidentais
"Tropecei no meio-fio enquanto estava caminhando e caí de barriga. A queda pode ter machucado o bebê?"

A gravidez está fazendo você tropeçar? Não surpreende: ao entrar no terceiro trimestre, há muitos fatores que se combinam para virá-la literalmente de cabeça para baixo. Um deles é o equilíbrio, prejudicado pelo fato de seu centro de gravidade continuar se deslocando para a frente, juntamente com a barriga. Outro são as articulações mais frouxas e menos estáveis, que a deixam sem jeito e a tornam propensa a pequenas quedas, especialmente de barriga. O que também contribui para a falta de jeito é a tendência de se cansar facilmente, a predisposição à distração e ao devaneio e a dificuldade que pode ter para enxergar seus pés, tornando os meios-fios e outros obstáculos difíceis de ver... e fáceis de tropeçar.

Mais uma vez, a natureza cuida do bebê (mesmo que não cuide de você). Seu pequeno está protegido por um dos mais sofisticados sistemas de absorção de choque do mundo, composto de líquido amniótico, membranas rígidas, um útero elástico e musculoso e uma forte cavidade abdominal, rodeada por músculos e ossos. Para que esse sistema fosse penetrado, e seu bebê, ferido, você teria de sofrer ferimentos muito graves, do tipo que a levariam ao hospital.

Ainda está preocupada? Telefone para o médico e pergunte se ele pode fazer uma rápida verificação dos batimentos cardíacos do bebê, para tranquilizá-la.

É claro que é sempre melhor evitar as quedas. Assim, conforme fica mais suscetível a tropeçar e escorregar, fique mais cuidadosa também. Evite caminhar de meias ou em superfícies escorregadias com sapatos que não tenham tração estabilizante (ou caminhar em qualquer lugar com sapatos que possam sair do pé, como chinelos e sandálias abertas atrás). Fique longe de locais precários. E tome cuidado extra com escadas e meios-fios.

Sonhos e fantasias
"Tenho tido sonhos tão vívidos e malucos ultimamente que começo a achar que estou enlouquecendo."

Parece que você está assistindo a algum filme bastante estranho da Netflix enquanto dorme? Os sonhos — e devaneios e fantasias — da gravidez podem ser superproduções, com muitos efeitos especiais (e às vezes assustadores), e tão vívidos e realistas que fazem você ter vontade de se beliscar pela manhã. Além disso, podem ser de todos os gêneros, do terror (como aquele sobre esquecer o bebê no ônibus) à comédia romântica (apertando bochechas gorduchas, empurrando carrinhos por um parque ensolarado), passando pela ficção científica (dar à luz um bebê alienígena com cauda ou uma ninhada de gatinhos ou cachorrinhos). E embora você possa achar que está enlouquecendo (foi realmente um salame gigante que a perseguiu pelo estacionamento do supermercado na noite passada?), eles são saudáveis, normais e, na verdade, ajudam a mantê-la sã. Esses sonhos (e pesadelos) são uma das muitas maneiras pelas quais seu subconsciente administra a sobrecarga mental de ansiedade, medos, esperanças e inseguranças relacionadas ao bebê, ajudando-a a lidar com a iminente revolução em sua vida. São uma válvula de escape para as mil emoções conflitantes (ambivalência, medo, excitação, imensa alegria) que você quase certamente está sentindo, mas não se sente confortável para expressar de outro modo. Pense nos sonhos como uma sessão de terapia na qual você pode dormir.

Os hormônios também contribuem para sonhos mais intensos e frequentes que o normal (para o que eles não contribuem?). O sono leve que você vem tendo também desempenha um papel em sua habilidade de se lembrar dos sonhos em alta definição. Como acorda mais frequentemente que antes, seja para usar o banheiro, chutar as cobertas ou se virar de um lado para o outro enquanto tenta ficar confortável, você tem mais oportunidades para acordar no meio de um ciclo de sonhos REM. Com os sonhos tão frescos em sua mente a cada vez que acorda, você é capaz de se lembrar deles com mais — e às vezes mais enervantes — detalhes.

PARA OS PAIS

SONHOS PATERNOS

Sua vida onírica tem sido mais interessante que sua vida real ultimamente? Você não está sozinho. Para praticamente todos os futuros pais e mães, a gravidez é uma época de sentimentos intensos que oscilam como uma montanha-russa, da alegre antecipação ao pânico e à ansiedade. Não surpreende que muitos desses sentimentos abram caminho até os sonhos, onde o subconsciente pode encená-los de maneira segura. Sonhos sobre sexo, por exemplo, podem ser seu subconsciente dizendo aquilo que você provavelmente já sabe: você está preocupado com a forma como a gravidez e o bebê afetam e continuarão a afetar sua vida sexual. Tais medos são normais e válidos. Reconhecer que seu relacionamento sofrerá mudanças quando o bebê chegar é o primeiro passo para se assegurar de que o casal permaneça bem. Outra grande possibilidade: você está sonhando mais com sexo porque está fazendo menos.

Sonhos eróticos são os mais comuns no início da gravidez. Mais tarde, você pode notar um tema familiar. Você pode sonhar sobre seus pais ou avós enquanto seu subconsciente tenta ligar as gerações passadas às futuras. Pode sonhar sobre ser criança novamente, expressando o compreensível medo das responsabilidades que virão e o desejo pelos anos despreocupados do passado. Pode até mesmo sonhar que está grávido, expressando simpatia pelo fardo que sua parceira carrega, inveja da atenção que ela recebe ou somente o desejo de se conectar com o bebê ainda não nascido. Sonhos sobre derrubar o bebê ou se esquecer de fechar o cinto da cadeirinha podem expressar suas inseguranças sobre ser pai (as mesmas que todos os futuros pais compartilham). Sonhos incomumente carregados de testosterona — fazer uma aterrissagem ou pilotar um carro de corrida, mesmo que jamais tenha se aproximado de um — podem comunicar o medo subconsciente de que acalentar o bebê diminua sua masculinidade. Sonhos sobre solidão e ser deixado de fora são extremamente comuns e representam o sentimento de exclusão que muitos futuros pais experimentam.

É claro que nem todos os sonhos expressarão ansiedade. O outro lado de seu subconsciente também pode se manifestar (às vezes na mesma noite): sonhar sobre cuidar do bebê ajuda a prepará-lo para seu novo papel como pai atencioso. Outros sonhos de acalanto — pegar ou encontrar um bebê, chás de bebê ou passeios em família pelo parque — mostram

o quanto você está animado com a chegada iminente.
Uma coisa é certa: você não está sonhando sozinho. A gestante em sua vida também está sujeita a sonhos estranhos (e pelas mesmas razões) — e o fardo mais pesado de hormônios que ela carrega torna esses sonhos ainda mais vívidos. Contar os sonhos um ao outro pela manhã pode ser um ritual íntimo, esclarecedor e terapêutico, desde que nenhum de vocês os leve demasiadamente a sério. Afinal, são apenas sonhos.

Eis alguns dos mais comumente relatados temas de sonhos e fantasias durante a gravidez. Alguns provavelmente soarão familiares.

- Sonhos "Ops!". Sonhar sobre perder coisas ou colocá-las no lugar errado (das chaves do carro ao bebê), esquecer de alimentar o bebê, deixá-lo sozinho em casa ou no carro, ou estar completamente despreparada para a chegada dele revelam o medo comum (e compreensível) de não estar à altura de ser mãe.
- Sonhos "Ai!". Ser atacada (por intrusos, ladrões, animais) ou ferida (caindo das escadas após um empurrão ou escorregão) podem representar um senso de vulnerabilidade — e que mulher grávida não se sente vulnerável às vezes?
- Sonhos "Socorro!". Sonhos sobre estar presa ou incapaz de fugir — em um túnel, carro ou quarto apertado, ou afogando-se em uma piscina, lago cheio de lama, ou um lava a jato — podem significar ter medo de ser amarrada pelo novo membro da família, de perder sua vida livre de preocupações para o exigente recém-nascido.
- Sonhos "Ah, não!". Sonhos sobre não conseguir ganhar peso, ganhar muito peso da noite para o dia ou comer e beber as coisas erradas (uma barca de sashimi de atum com uma fileira de taças de martíni) são comuns entre as mulheres que tentam seguir todas as restrições dietéticas impostas às gestantes.

PREPARANDO O THOR E O TOM

Você já é mãe de um bebê de quatro patas, pelos e rabo? Está com medo de que seu pet, acostumado a mandar na casa (e a deitar em sua cama e seu colo) sofra de um caso grave (e potencialmente perigoso) de inveja fraterna quando você aparecer com um novo bebê? Dar passos para preparar seu cão ou gato para a chegada do bebê é crucial. Em *O que esperar do primeiro ano* você encontrará dicas e recomendações para preparar o bicho de estimação da casa para a chegada do bebê. Você também encontrará um vídeo a respeito disso em whattoexpect.com.

- Sonhos "Eca!". Sonhar sobre ser pouco atraente ou mesmo repulsiva para seu parceiro ou sobre ele saindo com outra pessoa pode expressar o medo comum de que a gravidez destrua permanentemente sua aparência e a torne desinteressante para seu parceiro.
- Sonhos sexuais. Sonhos sobre sexo podem percorrer toda a gama erótica durante a gravidez, expressando tudo, da luxúria que você reprime e fantasias que não revela à culpa e ambivalência que vem sentindo. São os hormônios falando e, assim como fazem quando você está consciente, eles podem gerar intensa excitação sexual (às vezes incluindo orgasmo) quando você dorme ou mesmo devaneia.
- Sonhos de memória. Sonhar com morte e ressurreição — pais, avós ou outros familiares que ressurgem — pode ser a maneira da mente subconsciente de ligar as antigas às novas gerações.
- Sonhos sobre a vida com o bebê. Sonhar sobre se preparar para o bebê, sobre amá-lo e brincar com ele é treinar para a maternidade, uma maneira de seu subconsciente ligá-la ao bebê antes do parto.
- Sonhos sobre o bebê. Sonhar sobre como será o bebê pode revelar uma ampla variedade de sentimentos. Sonhos sobre ele ser deformado, grande ou pequeno demais expressam ansiedades que, lá no fundo, praticamente todos os pais sentem. Fantasias sobre o bebê ter habilidades incomuns (como falar ou caminhar ao nascer) podem indicar preocupação com a inteligência dele e ambições para seu futuro. Premonições sobre o bebê ser menino ou menina podem indicar que seu coração se decidiu por um ou outra. Assim como sonhos sobre a cor do cabelo e dos olhos ou semelhança com o pai ou a mãe. Pesadelos sobre o bebê nascer com o corpo de um adulto podem significar medo de lidar com um recém-nascido.
- Sonhos sobre o trabalho de parto. Sonhar com a dor — ou a ausência dela — ou sobre não conseguir fazer força para ajudar o bebê a nascer podem refletir ansiedades sobre o parto (e quem não as tem?).

A conclusão sobre seus sonhos e fantasias: não perca o sono por causa deles. Eles são completamente normais e tão comuns entre as gestantes quanto a azia e as estrias (pergunte a outras mães e ouvirá muitas histórias). Também tenha em mente que você pode não ser a única na cama sonhando com tempestades às vezes inquietantes. Os futuros pais também têm estranhos sonhos e fantasias enquanto tentam lidar com suas ansiedades conscientes e subconscientes sobre a paternidade iminente (também são os hormônios deles falando, embora com menos intensidade). Discutir os sonhos pela manhã pode ser divertido (você consegue superar esse?) e terapêutico, facilitando a transição para a paternidade na vida real e ajudando a uni-los. Iniciar um diário de sonhos para trabalhar seus sentimentos agora — e um dia olhar para trás e rir (ou analisar) — também pode ser uma boa terapia. De todo modo, continue sonhando!

Lidar com tudo
"Começo a achar que não serei capaz de administrar meu emprego, minha casa, meu casamento — e agora também o bebê."

Eis a primeira coisa que você deve saber: você não conseguirá fazer tudo. Ao menos, não conseguirá fazer tudo bem o tempo todo. Muitas novas mães tentaram vestir a capa da Supermulher, lidando com uma carga de trabalho integral no emprego, mantendo a casa impecável, o cesto de roupa suja vazio e as refeições caseiras na mesa, sendo uma parceira sexy e uma mãe exemplar e ocasionalmente pulando de um prédio para outro com um único salto —, mas a maioria percebeu, no meio do salto, que algo tinha de mudar.

O quanto sua nova vida será bem-administrada provavelmente dependerá da rapidez com que vai perceber isso. E agora é o melhor momento para começar, antes da chegada de seu mais novo (e fofo) desafio.

BEBÊ, O FILME EM 3D

Você provavelmente já fez um ultrassom de nível 2 e o adorável perfil de seu bebê já é o papel de parede de seu celular há semanas. Mas, faltando pouco mais de dois meses para que realmente possa segurar aquela doce trouxinha nos braços, talvez você esteja ansiosa para ver mais de perto o narizinho em forma de botão, a boquinha linda, o queixinho (para não mencionar os pezinhos e mãozinhas que a cutucam dia e noite). E talvez você esteja se perguntando se não está na hora de agendar um ultrassom 3D ou 4D no estúdio fotográfico pré-natal mais próximo.

Certamente é tentador, especialmente se você já viu esses incríveis retratos e vídeos on-line (com o bebê chupando o dedo, bocejando, piscando e puxando o cordão umbilical!). Mas fale com o médico antes de subir na mesa de exames do shopping. Especialistas (incluindo o ACOG) recomendam que as ecografias 3D e 4D (especialmente as longas e/ou múltiplas) sejam realizadas somente quando medicamente necessário, por técnicos qualificados ou médicos com equipamentos periodicamente revisados. A preocupação? Os ultrassons feitos somente por diversão (embora sejam definitivamente divertidos) frequentemente são feitos com máquinas muito potentes, mas não necessariamente operadas ou revisadas por uma equipe qualificada. Algumas das sessões duram muito mais que um exame médico — até 45 minutos —, o que significa mais exposição (desnecessária). Se você comprar múltiplas sessões para montar um álbum de imagens e vídeos pré-natais, como muitos estúdios oferecem, a exposição do bebê aumentará exponencialmente. Outra preocupação dos especialistas: sem um profissional qualificado para realizar o ultrassom e interpretar os resultados, muitos futuros pais podem ir embora convencidos de que há algo errado com o bebê. Ou pior ainda: operadores desqualificados do transdutor podem não notar problemas reais que um profissional detectaria. Além disso, uma sessão muito longa ou sessões repetidas podem ser intrusivas para o feto, que está usando seu tempo no útero para crescer, se desenvolver e dormir quando quiser — sem interrupções. Finalmente, embora não haja riscos comprovados em ecografias adicionais, definitivamente não há provas de que não existam riscos — riscos potenciais que podem ser evitados não fazendo ultrassons desnecessários.

Lembre-se: haverá muitas oportunidades para fotografar, filmar e construir memórias depois que seu bebê nascer. Até lá, mantenha os ultrassons no número e tipo prescritos pelo médico (atualmente, o ACOG recomenda um ou dois exames em gestações de baixo risco e sem complicações).

Já recebeu aprovação do médico e marcou a ecografia? Pense em limitar as sessões a uma ou duas, com cada uma delas durante no máximo 15 minutos. E prepare a carteira. As imagens podem ser inestimáveis, mas alguns estúdios cobram um preço muito alto por cada fotografia, CD e DVD de seu bebê.

Primeiro, você precisará decidir quais são suas prioridades e organizá-las por ordem de importância (e nem tudo pode ficar em primeiro lugar). Se bebê, marido e emprego são prioridades, talvez manter a casa limpa tenha de ficar para depois. Talvez as refeições caseiras às vezes tenham de dar lugar às marmitas e o cesto de roupa suja tenha de ser responsabilidade de outra pessoa. Se está pensando em maternidade em tempo integral e tem condições financeiras de ficar em casa por algum tempo, talvez possa fazer uma pausa na carreira. Ou trabalhar em tempo parcial, dividir seu trabalho com outra mãe ou trabalhar de casa, se possível. Ou talvez o papai fique em casa enquanto você trabalha.

Após estabelecer suas prioridades, você precisará desistir das expectativas pouco realistas (você sabe, aquelas sobre as quais devaneia diariamente). Converse com mães experientes e terá um choque de realidade. Como toda mãe descobre cedo ou tarde — e você evitará muito estresse se descobrir cedo —, ninguém é perfeito, nem mesmo as mães. Por mais que você queira fazer tudo certo, não conseguirá, e haverá dias nos quais parecerá que não fez nada direito. A despeito de seus melhores esforços, as camas podem ficar desarrumadas e a roupa por lavar, o delivery pode tomar conta de sua mesa de jantar e sentir-se "sexy" novamente pode significar finalmente lavar o cabelo. Crie padrões muito altos — mesmo que fosse capaz de mantê-los antes de ser mãe —, e se sujeitará a muitas decepções.

Como quer que decida rearranjar sua vida, será mais fácil se não tiver de fazer tudo sozinha. Ao lado das mães mais bem-sucedidas estão pais (ou outros parceiros), que não somente partilham igualmente as tarefas domésticas como também são parceiros integrais na criação dos filhos. Se o pai não está tão disponível quanto você gostaria (porque foi destacado ou saiu completamente de cena), consiga a ajuda que puder ter ou pagar, incluindo cooperativas de mães.

Um plano de parto
"Minha parteira sugeriu que eu faça um plano de parto, mas não sei ao certo o que isso significa."

Decisões, decisões. O nascimento do bebê envolve mais decisões que nunca, e as gestantes e seus parceiros estão envolvidos em tomar outras mais. Mas como você e o médico vão manter um registro de todas as decisões, desde como você lidará com a dor até em que posição ficará e quem pegará o bebê e cortará o cordão? Entra o plano de parto.

> ### PASSANDO O PLANO DE PARTO (PARA A EQUIPE DO NOVO TURNO)
>
> Depois que você entregar seu plano de parto para o médico, ele deve ser parte de seu prontuário e chegar à sala de parto. Mas, caso não chegue a tempo, imprima várias cópias e leve com você para o hospital ou casa de parto, para que não haja confusão sobre suas preferências. Seu *coach* ou doula podem garantir que cada novo turno (com sorte, você não ficará em trabalho de parto por muitos deles) tenha uma cópia para referência.

Um plano de parto é exatamente isso: um plano (ou, mais adequadamente, uma lista de desejos). Nele, os futuros pais criam o melhor cenário possível: como serão o trabalho de parto e o nascimento se tudo sair de acordo com o "plano". Além de listar preferências, o típico plano de parto leva em conta o que é prático, o que é exequível e o que o médico e o hospital ou casa de parto aceitarão (nem tudo é aceito por eles) ou terão disponível. Não se trata de um contrato, mas de um entendimento escrito entre a paciente e o médico e/ou hospital ou casa de parto. Um bom plano de parto pode não somente proporcionar uma experiência melhor, como também desfazer expectativas pouco realistas, minimizar decepções e eliminar conflitos e falhas de comunicação entre a mãe e a equipe de parto. Alguns médicos pedem rotineiramente que o casal preencha um plano, ao passo que outros ficam felizes em colaborar se um for solicitado. Um plano de parto também é uma oportunidade de diálogo entre paciente e médico. Você não sabe como o médico se sente sobre suas preferências? Agora, bem antes do início do trabalho de parto, é a hora de descobrir.

SINAIS DE TRABALHO DE PARTO PRÉ-TERMO

É uma boa ideia para toda gestante familiarizar-se com os sinais do trabalho de parto pré-termo, já que a detecção precoce pode ter imenso impacto no resultado. Pense nas seguintes informações como algo que você provavelmente nunca usará, mas deve conhecer por questões de segurança. Leia toda a lista e, se tiver qualquer um desses sintomas antes da 37ª semana (ou achar que está tendo, mas não tiver certeza), telefone para o médico imediatamente:

- Cólicas persistentes como a da menstruação, com ou sem diarreia, náusea ou indigestão
- Contrações regulares e dolorosas a cada 10 minutos (ou menos) que não diminuem quando você muda de posição ou bebe água (não confundir com as contrações de Braxton Hicks que você pode já estar sentindo e que não indicam trabalho de parto pré-termo; veja p. 454)
- Dor constante na região lombar, pressão ou mudança na natureza da dor na região lombar
- Mudança da secreção vaginal, particularmente se ela for aguada ou contiver manchas rosadas ou amarronzadas de sangue
- Dor ou sensação de pressão no assoalho pélvico, nas coxas ou na virilha
- Vazamento vaginal (um fiozinho ou um jorro)

Você pode ter alguns ou todos esses sintomas e não estar em trabalho de parto (a maioria das mulheres grávidas tem pressão pélvica ou dor na região lombar em algum momento). Aliás, a maioria das mulheres com sintomas de trabalho de parto pré-termo não passa por um parto prematuro. Mas somente o médico pode dizer com certeza, então pegue o telefone e ligue para ele. Afinal, é sempre melhor não arriscar.

> Para informações sobre os fatores de risco e a prevenção do trabalho de parto pré-termo, leia a p. 56. Para informações sobre a administração do trabalho de parto pré-termo, leia a p. 744.

Alguns planos de nascimento cobrem somente o básico, ao passo que outros são extremamente detalhados (incluindo música e iluminação na sala de parto e lista de convidados). E, como toda gestante é diferente — não somente no que gostaria de experimentar durante o parto, mas no que pode esperar, dado seu perfil e seu histórico gestacionais —, o plano de parto deve ser individualizado (então não preencha o seu com base no que viu no blog de outra mãe). Algumas questões que você talvez queira abordar em seu plano de parto, se decidir ter um, estão listadas abaixo. Você pode usá-las como guia geral e remover o que não for necessário. Para um exemplo de plano de parto, confira o *What to Expect Pregnancy Journal and Organizer*.

- Até que ponto do trabalho de parto você prefere permanecer em casa
- Comer e/ou beber durante o trabalho de parto ativo (p. 541)
- Ficar fora da cama (sentada ou caminhando) durante o trabalho de parto
- Ficar em uma banheira para o trabalho de parto e/ou o parto (p. 436)
- Personalização da atmosfera com música, iluminação, itens pessoais
- Quem você gostaria de ter a seu lado (além de seu parceiro) durante o trabalho de parto e/ou o parto, incluindo uma doula (p. 439), seus outros filhos, amigos, familiares
- Fotografias e vídeos
- Uso de um espelho para que você possa ver o nascimento
- Uso de intravenosa (p. 542)
- Uso de cateter
- Uso de medicação contra a dor e que tipo você prefere (p. 442) — ou seus desejos sobre alternativas à medicação contra a dor (p. 447)
- Ruptura artificial das membranas (p. 546) e/ou deixar as membranas intactas
- Monitoramento fetal externo (contínuo ou intermitente) ou interno (p. 543)
- Uso de ocitocina para induzir ou intensificar as contrações (p. 566)
- Posições de parto (p. 549), uso de barra de parto (p. 553) e assim por diante
- Uso de compressas mornas e massagem perineal (p. 538 e 512)

NÃO SEGURE

Você segura o xixi para não ter de ir novamente ao banheiro? Não ir quando tem vontade pode inflamar a bexiga, o que irrita o útero e causa contrações. Também pode provocar uma infecção do trato urinário, outra causa de contrações pré-termo. Então não segure. Quando tiver de ir, vá... imediatamente.

- Episiotomia (p. 543)
- A opção de "puxo tardio" (p. 572)
- Extração a vácuo ou uso de fórceps (p. 547)
- Cesariana, incluindo a opção de "cesariana natural" (p. 584)
- Solicitações especiais sobre a aspiração das vias nasais do bebê, como aspiração feita pelo pai
- Segurar o bebê imediatamente após o nascimento, dando-lhe tempo para se arrastar da barriga até o peito (p. 579)
- Planos para amamentar imediatamente e ter uma consultora de lactação para ajudar
- Clampeamento tardio do cordão umbilical (p. 555)
- Possibilidade de o pai pegar o bebê e/ou cortar o cordão umbilical (p. 579)
- Banco de sangue do cordão umbilical (p. 398)
- Adiar a pesagem do bebê e/ou a administração de colírio até que você e o bebê tenham se conhecido
- Solicitações especiais sobre a placenta (vê-la, preservá-la; veja a p. 483)
- Você também pode incluir alguns itens pós-parto em seu plano de parto, como:
- Sua presença (e/ou do pai) durante a pesagem, o exame pediátrico e o primeiro banho
- Alimentação do bebê no hospital (p. 636)
- Circuncisão (veja *O que esperar do primeiro ano*)
- Permanência do bebê no quarto (geralmente requerida pelo hospital quando mãe e bebê passam bem; ver a p. 631)
- Seus outros filhos visitarem você e/ou o bebê
- Medicação pós-parto ou tratamentos para você ou o bebê
- Arranjos para os exames do recém-nascido (p. 480)
- Duração da estada no hospital, caso não haja complicações (p. 622)

PARTO NA ÁGUA

Seu bebê passa nove meses abençoados fazendo balé aquático em uma piscina morna de líquido amniótico e então faz uma entrada súbita e dura em um mundo frio e seco. Os defensores do parto na água dizem que permitir que o bebê chegue em condições que imitam as do útero — mornas e molhadas — pode facilitar a transição e tornar a entrada mais pacífica, reduzindo o estresse do recém-nascido.

Se escolher o parto na água, você não somente passará o trabalho de parto em uma banheira ou piscina morna como também dará à luz ainda na água (o bebê será tirado gentilmente da água consoladora e lentamente erguido até seus braços). Seu parceiro pode ficar na água com você para apoiá-la e pegar o bebê no momento do nascimento. Durante o trabalho de parto, compressas frias, garrafas com spray e muita água a manterão revigorada (o máximo possível; afinal, você está tendo um bebê), enquanto a parteira ou outro profissional monitoram as condições do bebê com um dispositivo Doppler à prova d'água.

Os partos na água só são realmente uma opção para as gestações de baixo risco, mas estão disponíveis em cada vez mais locais. A maioria das casas de parto e alguns hospitais a oferecem e muitas casas de parto têm grandes banheiras ou jacuzzis nas salas de parto (ou banheiras portáteis sobre rodas que podem ser levadas até o quarto) que também podem ser usadas para relaxar ou fazer hidroterapia, mesmo que você decida não fazer o parto na água (ou se não for possível no seu caso). É menos provável que um hospital tenha uma banheira grande o bastante para acomodar o parto na água, então, se você o prefere, mas fará o parto em um hospital que não oferece a opção ou não tem banheira, pergunte se seria possível levar sua própria banheira de parto, que você pode alugar ou comprar (veja a seguir).

Você também pode escolher um parto na água em casa — desde que a parteira aprove e você tenha o equipamento certo à mão. A maioria das banheiras para parto na água se parece com uma piscina infantil mais profunda: elas são infláveis, grandes o bastante para que você se mova livremente, profundas o suficiente para que a barriga fique totalmente submersa e possuem laterais macias, permitindo que você se apoie confortavelmente. Você pode comprar ou alugar uma banheira de parto on-line ou com sua parteira (algumas emprestam a banheira sem custo ou você pode pegar emprestada de uma amiga que já passou por isso). Se estiver comprando, prepare-se para gastar algumas centenas de dólares com a banheira e todo o equipamento, incluindo forros, aquecedor, filtro e lona encerada. Seu orçamento está apertado? Você também pode usar sua própria banheira (desde que ela seja profunda o bastante para a barriga e tenha suficiente espaço em torno para que a parteira consiga alcançá-la durante o parto ou em caso de emergência). É claro que ela precisará estar limpa e esterilizada (com uma mistura de água e água sanitária) antes do grande dia. Você também terá de comprar um termômetro flutuante para monitorar a temperatura da água e mantê-la estável e aproximadamente igual à temperatura corporal (entre 35°C e 37,5°C, mas não mais que 38°C, porque sua temperatura pode subir, fazendo com que a frequência cardíaca do bebê aumente). As banheiras de parto já vêm com aquecedor, e essa é uma coisa a menos com a qual se preocupar se usar uma.

Como o bebê só começa a respirar quando sai da água para o ar (bebês não respiram no útero), o afogamento não é considerado um risco nos partos na água. Por várias razões, no entanto, o bebê só deve permanecer debaixo d'água por alguns instantes (10 segundos é a norma nos EUA). Primeiro, porque o cordão umbilical pode se romper, cortando inesperadamente a fonte de oxigênio do bebê. Segundo, porque quando a placenta se separa do útero — o que pode acontecer a qualquer momento após o parto —, ela já não fornece oxigênio suficiente para o bebê. E, finalmente, porque o líquido no qual o bebê nascerá não será estéril. Lembre-se de que o parto é uma bagunça. A maioria das mulheres defeca ao fazer força (a parteira retirará as fezes da banheira) e também haverá sangue e urina na água em que você estará sentada. Se o bebê aspirar (inalar) o líquido — o que é improvável, exceto em caso de sofrimento fetal durante o trabalho de parto —, correrá o risco de uma infecção séria.

Gostaria que seu bebê chegasse ao mundo debaixo d'água? Embora essa seja uma decisão pessoal (como tantas outras relacionadas ao parto), é melhor falar com o médico para confirmar que essa opção é segura para você e para o bebê. Para mais informações sobre os partos na água, acesse waterbirth.org.

É claro que a característica mais importante de um bom plano de parto é a flexibilidade. Já que o parto — como a maioria das forças da natureza — é imprevisível, os melhores planos nem sempre saem... bem, de acordo com os planos. Embora haja boas chances de o plano ser executado da maneira esperada, há sempre a possibilidade de isso não acontecer. Não há como prever precisamente o progresso do trabalho de parto e do parto até que estejam em curso — nem como você realmente se sentirá a respeito das contrações até que elas comecem. Um plano de parto criado com antecedência pode terminar não sendo medicamente recomendável — ou o que funciona melhor para você no momento — e pode precisar ser ajustado no último minuto para garantir seu bem-estar e o bem-estar do bebê. Mudar de ideia também pode levar a uma mudança no plano (você era totalmente contra a epidural, mas por volta dos 5 centímetros de dilatação, tornou-se totalmente a favor).

Conclusão: planos de nascimento, embora não sejam de modo algum necessários (você pode apenas seguir o fluxo), são uma grande opção, da qual cada vez mais pais estão tirando vantagem. Para descobrir se o plano de parto é uma boa ideia para você e o que deve estar contido nele, fale com o médico na próxima consulta.

DOULAS: O MELHOR REMÉDIO PARA O TRABALHO DE PARTO?

Você acha que três é multidão? Para muitos casais, não quando se trata do trabalho de parto. Muitos deles estão optando por partilhar sua experiência com uma doula, uma mulher treinada como companheira de parto. E por uma boa razão. Alguns estudos mostraram que mulheres assistidas por doulas têm menos probabilidade de precisarem de cesariana, indução e alívio da dor. Nascimentos auxiliados por elas também podem ser mais breves e ter taxas menores de complicações.

O termo "doula" vem da Grécia antiga, onde era usado para descrever a criada mais importante da casa, aquela que provavelmente ajudava a matriarca durante os nascimentos. O que, exatamente, uma doula pode fazer por você e sua experiência de parto? Isso depende da doula que você escolhe, do momento da gravidez em que a contrata e de suas preferências. Algumas se envolvem bem antes da primeira contração, ajudando a criar o plano de parto e acalmando temores. Muitas vão até a casa para ajudar o casal na parte inicial do trabalho de parto. No hospital ou casa de parto, a doula assume várias responsabilidades, novamente dependendo de suas necessidades e desejos. Tipicamente, seu papel primário é ser uma fonte contínua de conforto, encorajamento e apoio (tanto emocional quanto físico) durante o trabalho de parto. Ela será a reconfortante voz da experiência (o que é especialmente valioso se essa é sua primeira vez), ajudará com técnicas de relaxamento e exercícios respiratórios, oferecerá conselhos sobre as posições e passará um bom tempo fazendo massagem, segurando sua mão e ajeitando seus travesseiros e sua cama. Uma doula também pode agir como mediadora e advogada, pronta para falar em seu nome quando necessário, traduzir termos médicos, explicar procedimentos e interagir com o pessoal do hospital. Ela não assumirá o papel de seu *coach* (e uma boa doula não fará com que ele se sinta substituído) ou da enfermeira de plantão — em vez disso, intensificará o apoio e os serviços prestados por eles (o que será especialmente importante se a enfermeira designada para você tiver várias outras pacientes em trabalho de parto ao mesmo tempo ou seu trabalho de parto for longo e várias enfermeiras a acompanharem de acordo com as mudanças de turno). Ela provavelmente também será a única pessoa (além do *coach*) a ficar a seu lado durante todo o trabalho de parto e parto: uma face amiga e familiar do começo ao fim. E muitas doulas não param aí. Elas também oferecem apoio e conselhos pós-parto sobre amamentação e cuidados com o bebê.

Embora o pai possa temer que a doula o relegue a um papel secundário, esse não é o caso. Uma boa doula está lá para ajudar seu *coach* a relaxar, para que ele possa ajudar você a relaxar. Ela estará lá para responder perguntas que ele talvez não se sinta confortável em fazer para o médico ou as enfermeiras. Ela estará lá para fornecer um par extra de mãos quando suas pernas e costas precisarem ser massageadas ao mesmo tempo ou você precisar tanto de mais lasquinhas de gelo quanto de ajuda respirando durante uma contração. Ela será um membro flexível e cooperativo da equipe de parto, pronta para ajudar, mas não para deixar o pai (ou a equipe médica) de lado e assumir o controle. E, se o pai não estiver presente, uma doula pode ser uma presença especialmente útil a seu lado durante todo o trabalho de parto, parto e mesmo pós-parto.

Como localizar uma doula? Elas não precisam ser certificadas, mas muitas casas de parto e hospitais mantêm listas de doulas, assim como alguns médicos. Pergunte a amigas que contrataram uma doula recentemente ou procure on-line. Depois que tiver uma candidata, marque uma consulta antes de contratá-la. Pergunte a ela sobre sua experiência, treinamento, o que ela fará e não fará, quais são suas filosofias de parto (se está planejando pedir uma epidural, por exemplo, não é uma boa ideia contratar uma doula que desencoraja o uso de intervenção contra a dor), se ela estará disponível o tempo todo e quem a substituirá se não estiver. Pergunte se ela fornece serviços durante a gravidez e o pós-parto e peça um orçamento — algo a se levar em conta, já que as doulas não são cobertas pelo plano de saúde. Algumas oferecem descontos ou mesmo trabalham voluntariamente para mães que não podem pagar por seus serviços ou para famílias de militares (especialmente quando o parceiro foi mobilizado e não estará presente ao parto). Para mais informações ou localizar uma doula em sua área, contate Doulas da América do Norte em dona.org.

Uma alternativa à doula é uma amiga ou parente que já tenha passado pela gravidez e pelo parto e com a qual você se sinta totalmente confortável. A vantagem: os serviços dela definitivamente serão gratuitos. A desvantagem: ela provavelmente não terá tantos conhecimentos. Uma maneira de remediar isso é ter uma "doula leiga", uma amiga que passe pelas quatro horas de treinamento em técnicas de doulas (pergunte a seu hospital se eles oferecem esse treinamento). Os pesquisadores descobriram que uma doula leiga pode fornecer muitos dos mesmos benefícios de uma profissional.

Vacina tríplice bacteriana (dTpa)

"O médico disse que preciso tomar a vacina dTpa este mês. Mas já tomei essa vacina quando era criança."

Está na hora de enrolar a manga novamente, mamãe. O CDC recomenda que toda gestante receba a vacina dTpa (contra difteria, tétano e coqueluche) entre a 27ª e a 36ª semanas de cada gestação, independentemente de quando recebeu pela última vez as vacinas dTpa ou DT. Isso porque a imunidade à coqueluche (e ao tétano e à difteria) desaparece após vários anos. Se nunca foi vacinada contra tétano (seja com uma série de DTPs quando criança ou com uma DT ou dTpa quando adulta), precisará receber duas doses de DT no início da gestação, além da dTpa agendada para o terceiro trimestre.

Por que essa recomendação? Para proteger seu bebê quando ele nascer. Bebês muito jovens são vulneráveis à coqueluche (também chamada de pertússis), uma doença respiratória contagiosa que pode levar à pneumonia e mesmo à morte. Até que o bebê receba a série de vacinas DTP (a versão infantil da dTpa, aplicada a partir dos 2 meses), os anticorpos que seu corpo produzir após receber a dTpa passarão para ele, protegendo-o da doença. E os estudos comprovam isso. Pesquisas demonstraram que, quando a mãe recebe a dose de reforço da dTpa durante a gestação, o bebê tem 50% menos chances de pegar coqueluche que bebês cujas mães não foram vacinadas. E não é somente você que precisa se vacinar. É importante que qualquer um em contato próximo com o recém-nascido — pai, avós, babá — também receba a dose de reforço. Dessa maneira, eles não contrairão a doença e não a passarão para o bebê, mantendo seu pequeno protegido.

E eis uma excelente notícia para as ocupadas futuras mães: se o início de seu terceiro trimestre (quando você deve tomar a vacina dTpa) coincidir com a temporada de gripe (quando você deve tomar a vacina contra a gripe), você não precisará marcar duas consultas. As pesquisas mostram que é completamente seguro tomar ambas ao mesmo tempo, tornando muito mais fácil a tarefa de proteger a si mesma e ao bebê.

Falando de vacinas, agora é o momento perfeito para aprender sobre todas as vacinas que seu pequeno receberá durante os primeiros anos de vida. Não há maneira melhor ou mais segura de proteger seu precioso pacotinho de doenças infantis evitáveis e às vezes letais que garantindo que ele receba todas as vacinas na data certa, de acordo com o calendário recomendado. Leia *O que esperar do primeiro ano* para obter mais informações sobre vacinas, seus benefícios e sua segurança.

PARA OS PAIS

TOME UMA PELO TIME

Sua imunização está em dia? Receba o reforço da dTpa se ainda não o fez (e outros reforços de que necessite), assim como a vacina sazonal da gripe, para proteger o precioso bebê que está entrando na família. Setenta por cento dos bebês que pegam coqueluche são infectados por familiares próximos, incluindo pais. Boa notícia para os que têm medo de agulha: ao contrário das mães, os pais não precisam tomar um reforço da dTpa a cada gestação — uma vez basta.

TUDO SOBRE:
Aliviar a dor do parto

Vamos encarar os fatos. Aquelas quinze horas ou mais até o nascimento não são chamadas de trabalho de parto por serem um passeio no parque. O trabalho de parto e o parto são difíceis e podem doer muito. E, se você pensar no que está acontecendo lá embaixo, não surpreende que haja dor. Durante o parto, o útero se contrai repetidamente para espremer um bebê relativamente grande por um espaço relativamente pequeno (seu colo do útero) e outro ainda menor (sua vagina, a mesma abertura que você um dia já pensou ser pequena demais para um tampão). Como dizem, trata-se de dor com um propósito — um propósito realmente fofinho e apertável —, mas, ainda assim, dor.

Mas, embora talvez não seja possível evitar totalmente a dor do parto (a menos que você tenha programado uma cesariana, caso em que não passará pelo trabalho de parto nem sua dor), há muitas maneiras de torná-la mais suportável. Como mãe em trabalho de parto, você pode escolher em um amplo cardápio de gerenciamento da dor, com opções medicamentosas ou não (e pode até mesmo optar por uma associação entre as duas). Você pode escolher não ser medicada durante todo ou parte do trabalho de parto (como aqueles relativamente fáceis primeiros centímetros). Pode usar as técnicas de respiração e relaxamento que aprendeu nas aulas de parto (como Lamaze ou Bradley) ou usar abordagens alternativas (acupuntura, hipnose ou hidroterapia). Ou pode dar seu bebê à luz com uma ajudinha — ou muita ajuda — de um medicamento, como a superpopular epidural (que a deixa com pouca ou nenhuma dor durante o trabalho de parto, mas permite que você permaneça acordada durante todo o processo). Qual a opção certa para você? Para descobrir, informe-se sobre todas. Leia sobre gerenciamento da dor do parto (essa seção cobre todo o espectro). Fale com o médico. Obtenha dicas de amigas que tiveram bebê recentemente. Converse sobre o assunto on-line. E então reflita. Lembre-se de que a opção certa para você pode ser não uma, mas várias (reflexologia com epidural ou técnicas de relaxamento com acupuntura). Lembre-se também do mérito de permanecer flexível, e não somente para fazer uma daquelas posições de puxo parecidas com um pretzel que você aprendeu nas aulas de parto. Afinal, a opção ou opções que você escolher agora podem não parecer tão boas mais tarde, precisando ser ajustadas no meio do trabalho de parto (você estava planejando uma epidural, mas descobriu que consegue lidar com a dor — ou vice-versa). Acima de tudo, lembre-se de que a escolha é sua (presumindo-se que nenhuma circunstância médica interfira): seu parto, suas regras. Assim, continue lendo antes de escolher.

Gerenciando a dor com medicamentos

Eis os medicamentos mais comumente usados para aliviar a dor do trabalho de parto e do parto:

Epidural (peridural). Dois terços das mulheres que dão à luz em hospitais escolhem aliviar a dor do parto com uma epidural. Por que tantas gestantes a solicitam? Primeiro, trata-se de uma maneira extremamente segura de conseguir grande alívio da dor: somente uma pequena quantidade de medicação é necessária para obter o efeito desejado e ela mal chega à corrente sanguínea (ao contrário da anestesia geral e dos tranquilizantes), significando que seu bebê não é afetado. Segundo, ela é relativamente fácil de administrar (sendo injetada diretamente no espaço epidural, que fica entre o ligamento que cobre as vértebras e a membrana que cobre a medula óssea). O alívio é local, focado na parte inferior do corpo (onde a dor é maior), permitindo que você participe ativamente do parto e esteja completamente alerta quando chegar a hora de receber seu bebezinho. Além disso, a epidural pode ser aplicada assim que você pedir (e um anestesiologista estiver disponível), sem precisar esperar até que haja certa dilatação. Felizmente, os estudos mostram que a epidural precoce não aumenta as chances de cesariana.

Eis o que você pode esperar se fizer uma epidural:
- Primeiro, inicia-se a administração de líquidos intravenosos para evitar queda da pressão arterial.
- Em alguns hospitais (as políticas variam), um cateter (tubo) é inserido na bexiga pouco antes ou depois de

a epidural ser aplicada, para drenar a urina (pois você pode não sentir vontade de urinar). Em outros hospitais, a bexiga é drenada com um cateter, quando necessário.

> ## PUXO SEM DOR
>
> Fazer força tem de ser doloroso? Nem sempre. De fato, muitas mulheres o fazem muito eficientemente com a epidural, contando com seu *coach* ou uma enfermeira para lhes dizer quando a contração está chegando e elas devem começar a fazer força. Mas, se o puxo sem dor não está funcionando para você (ou seu bebê) — com a falta de sensação prejudicando seus esforços —, a epidural pode ser interrompida para que você sinta as contrações. A medicação pode ser facilmente reiniciada após o parto para anestesiar a reparação de uma laceração, se necessário.

- A parte média e inferior de suas costas será limpa com uma solução antisséptica e uma pequena área será amortecida com um anestésico local. A agulha será inserida na área amortecida, passando pelo espaço epidural da coluna, geralmente com você deitada de costas ou sentada e inclinada sobre a mesa, ou sendo apoiada por seu *coach* ou uma enfermeira. Você pode sentir uma ligeira pressão, formigamento ou dor momentânea quando a agulha for inserida. Se tiver sorte (muitas mulheres têm), não sentirá nada. Além disso, comparado à dor das contrações, qualquer desconforto causado pela agulha será mínimo.
- A agulha será removida, deixando um cateter fino e flexível. Ele será colado com esparadrapo à suas costas, para que você possa se mexer de um lado para o outro. Entre 3 e 5 minutos após a dose inicial, os nervos do útero começarão a amortecer. Normalmente após 10 minutos você sentirá o efeito integral. A medicação amortece os nervos de toda a parte inferior do corpo, tornando difícil sentir qualquer contração (e esse é o objetivo).
- Sua pressão arterial será verificada frequentemente para evitar que fique muito baixa. A administração intravenosa de fluidos e deitar-se de lado ajudarão a impedir essa queda.
- Como a epidural às vezes está associada à desaceleração dos batimentos cardíacos do bebê, o monitoramento fetal contínuo costuma ser requerido. Embora limite seus movimentos, permite que o médico monitore a frequência cardíaca do bebê e que você "veja" a frequência e intensidade das contrações (porque, idealmente, não as sentirá).

A epidural tem poucos efeitos colaterais, embora algumas mulheres sintam amortecimento somente de um lado do corpo (e não alívio integral da dor). Ela também pode não oferecer controle total da dor se você estiver tendo um parto "de costas" (com o feto em posição posterior, com a cabeça pressionando suas costas). E saiba que você não poderá fazer um parto na água se fizer epidural.

Anestesia combinada (duplo bloqueio). A anestesia combinada oferece o mesmo nível de alívio da dor que a epidural tradicional, mas usa uma quantidade menor de medicação para chegar a esse objetivo. Nem todos os anestesiologistas ou hospitais oferecem esse tipo de epidural (fale com o médico para ver se ela estará disponível para você). O anestesiologista começará com uma injeção de analgésico diretamente no líquor (o líquido da coluna) para aliviar um pouco a dor, mas, como a medicação é injetada somente no líquor, você ainda será capaz de sentir e usar os músculos das pernas, ao menos parcialmente. Quando precisar de mais alívio da dor, mais medicação será colocada no espaço epidural (através de um cateter inserido quando a medicação no líquor foi administrada).

O apelido dessa anestesia em inglês (*walking epidural*, "epidural na qual é possível caminhar") é enganoso. Embora você seja capaz de mover as pernas, elas provavelmente ficarão fracas e é improvável que você queira caminhar.

Raquidiana. Similar à epidural, a anestesia raquidiana geralmente é feita pouco antes do parto. Ela é mais rápida e forte que uma epidural, mas também dura menos. Embora seja primariamente reservada para cesarianas (se uma epidural ainda não foi iniciada e há menos tempo a perder), também pode ser usada no parto vaginal se a mãe quiser alívio rápido da dor perto do momento do parto. Como a epidural, essa anestesia local é administrada por um anestesiologista enquanto você está sentada ou deitada de lado, mas, ao contrário da epidural, nenhum cateter é inserido: a injeção é feita diretamente no fluido que cerca a medula espinhal.

Bloqueio do pudendo. Um bloqueio do pudendo geralmente é reservado para o parto vaginal. Administrado através de uma agulha inserida na área da vagina, o medicamento reduz a dor na região, mas não o desconforto uterino. É útil quando a extração com fórceps ou vácuo é usada, e seu efeito pode durar até a reparação de uma laceração ou episiotomia (se necessário). No Brasil, o bloqueio de pudendo é realizado em situações de emergência, quando não há tempo para anestesia convencional, o que é raro.

Anestesia geral. A anestesia geral raramente é usada, com exceção de casos específicos de parto cirúrgico emergencial. Um anestesiologista injeta drogas que a colocam para dormir em um acesso intravenoso.

O principal problema da anestesia geral (além de a mãe perder o nascimento) é que ela seda o bebê juntamente com a mãe. A equipe médica minimiza esses efeitos sedativos administrando a anestesia o mais próximo possível do parto. Dessa maneira, o bebê pode nascer antes que o anestésico o atinja em quantidades altas o bastante para ter efeitos. Quando volta a si, você pode estar grogue, desorientada e inquieta. Também pode ter tosse e a garganta irritada (devido ao tubo que é rotineiramente inserido na garganta) e ter náusea e vômitos (embora isso seja menos provável se receber medicação antienjoo por via intravenosa).

Demerol. Esse medicamento administrado por via intravenosa, que alivia a dor e induz a um estado relaxado, já não é usado com frequência, mas pode ser útil em certas circunstâncias, como quando a mãe precisa de uma breve ajuda para lidar com as contrações. O Demerol pode ser repetido a cada 2 ou 4 horas, conforme necessário. No entanto, caso queira estar "presente" durante o trabalho de parto, essa provavelmente não é a opção certa para você. Muitas mulheres não gostam da sensação drogada e sonolenta causada pelo Demerol, e algumas descobrem que são menos capazes de lidar com a dor do trabalho de parto após tomá-lo. Também pode haver efeitos colaterais, incluindo náusea, vômito e queda da pressão arterial. E, se o Demerol for administrado à mãe muito perto do parto, o bebê pode estar sonolento e incapaz de sugar ao nascer. Menos frequentemente, a respiração do bebê pode ficar deprimida e ele pode precisar de oxigênio suplementar. Quaisquer efeitos sentidos pelo bebê são geralmente de curto prazo e podem ser tratados.

Óxido nitroso. Frequente nos consultórios dos dentistas e mais conhecido como gás do riso, o óxido nitroso não elimina a dor (e definitivamente não a fará rir), mas alivia um pouco as contrações e pode ser uma boa alternativa para mulheres que escolherem não fazer epidural. Você será capaz de autoadministrar o gás durante o trabalho de parto, inalando algumas vezes quando precisar de um pouco de alívio e deixando-o de lado quando não precisar. Nem todos os médicos e hospitais oferecem gás do riso, então pergunte antes se estiver considerando essa opção.

MÃES EM RECUPERAÇÃO DE ADICÇÃO

Se você está se recuperando de um vício, discuta a melhor estratégia de alívio da dor durante o trabalho de parto, o parto e o pós-parto e garanta que a equipe do hospital esteja consciente de que medicamentos só devem ser administrados judiciosamente.

Tranquilizantes. Esses medicamentos (como prometazina e hidroxizina) são usados para acalmar e relaxar gestantes extremamente ansiosas para que possam participar ativamente do trabalho de parto em vez de lutar contra ele. Como os analgésicos, os tranquilizantes geralmente são administrados quando o trabalho de parto está bem estabelecido, mas bem antes do parto. Mas podem ser usados no início se a ansiedade da mãe impedir o progresso do trabalho de parto. Algumas mulheres gostam dessa leve sonolência, ao passo que outras acham que ela as impedem de se sentir no controle e embaçam as lembranças dessa memorável experiência. A dosagem definitivamente faz diferença. Uma pequena dose pode aliviar a ansiedade sem prejudicar o estado de alerta. Uma dose maior pode causar fala arrastada e cochilos entre as contrações, dificultando o uso das técnicas de respiração e relaxamento aprendidas nas aulas de parto. Embora os riscos para o feto ou recém-nascido sejam mínimos, a maioria dos médicos prefere não usar tranquilizantes, a menos que sejam realmente necessários. Se você acha que pode ficar extremamente ansiosa durante o trabalho de parto, talvez queira aprender algumas técnicas de relaxamento agora para não precisar desse tipo de medicação.

Gerenciando a dor com a medicina complementar e alternativa

Nem toda gestante quer a medicação tradicional para a dor, mas todas querem que seu trabalho de parto seja o mais confortável possível. E é aqui que as técnicas naturais de parto (p. 409) e as terapias da medicina complementar e alternativa (ou ambas!) podem ajudar, como alternativas ou complementos à medicação. Mesmo que tenha certeza de que há uma epidural com seu nome esperando no hospital, você pode querer explorar também o mundo da medicina alternativa. (E explorá-lo bem antes da data provável do parto, já que muitas técnicas exigem prática e mesmo aulas.) Mas lembre-se de procurar praticantes licenciados, certificados e com muita experiência em trabalho de parto e parto.

Acupuntura e acupressão. Essas técnicas podem ser formas efetivas de alívio da dor. Os pesquisadores descobriram que a acupuntura, através do uso de agulhas inseridas em locais específicos, estimula a liberação de várias substâncias da química cerebral, incluindo endorfinas, que bloqueiam os sinais dolorosos, aliviando a dor do trabalho de parto e talvez auxiliando seu progresso. A acupressão trabalha segundo o mesmo princípio que a acupuntura, mas, em vez de espetá-la com agulhas, o terapeuta usará os dedos para estimular os pontos. A acupressão no centro do calcanhar supostamente auxilia o trabalho de parto. Se está planejando usar qualquer uma das duas durante o trabalho de parto, informe ao médico pré-natal que o terapeuta estará presente (essas técnicas não são autoaplicáveis).

Reflexologia. Os reflexologistas acreditam que os órgãos internos podem ser acessados através de pontos nos pés. Ao massagear os pés da gestante, o reflexologista pode relaxar o útero e estimular a glândula pituitária, aparentemente reduzindo a dor e até mesmo o tempo de trabalho de parto. Alguns dos pontos de pressão são tão poderosos que você deve evitar estimulá-los, a menos que esteja em trabalho de parto (ou tenha passado da data provável do parto). Novamente, se for usar reflexologia, você precisará informar ao médico pré-natal que o terapeuta participará do parto.

Fisioterapia. De massagens e compressas quentes a bolsas de gelo e intensa pressão nos pontos doloridos, a fisioterapia durante o trabalho de parto pode aliviar grande parte da dor que você está sentindo. Massagem feita por um *coach* atencioso, uma doula ou um profissional habilidoso pode relaxar e aliviar a dor.

Hidroterapia. Essa é fácil: sente-se em uma banheira de hidromassagem para uma sessão de hidroterapia durante seu trabalho de parto para reduzir a dor e relaxar. Muitos hospitais e casas de parto fornecem banheiras para o trabalho de parto e até mesmo o parto. Não há nenhuma? Você pode tomar uma ducha morna. Para saber mais sobre partos na água, veja a p. 436.

Hypnobirthing [hipnose no parto]. Embora a hipnose não mascare a dor, você pode relaxar tão profundamente que fica inconsciente de qualquer desconforto. A hipnose não funciona para todos — para efeito máximo, você precisa ser altamente sugestionável.

Algumas dicas de que sua mente estará aberta à hipnose: você tem grande capacidade de atenção e imaginação, é capaz de se desligar de qualquer atividade ou barulho à sua volta e gosta de ficar sozinha. Mais e mais gestantes estão se matriculando em aulas de *hypnobirthing* para aprender as técnicas necessárias para hipnotizarem a si mesmas durante o trabalho de parto e o parto, embora você também possa contratar um hipnoterapeuta com treinamento médico para estar a seu lado durante o nascimento. No entanto, o *hypnobirthing* não é algo pelo que você possa optar quando sente a primeira contração. Você terá de praticar muito durante a gravidez para ser capaz de atingir relaxamento total, mesmo com orientação do terapeuta. Um grande benefício do *hypnobirthing*: embora esteja completamente relaxada, você também está totalmente consciente de cada momento do nascimento do bebê. Para mais informações, acesse hypnobirthing.com.

APENAS RESPIRE

Tem a esperança de não precisar de medicamentos, mas não pode — ou não quer — seguir a rota da medicina complementar e alternativa? O método Lamaze (ou outras técnicas naturais de parto) pode ser muito eficaz para gerenciar a dor das contrações. Veja a p. 409 para mais informações.

Distração. Se você fez aulas de parto com um método como o Lamaze, pode ter aprendido a dirigir a atenção para um ponto focal a fim de gerenciar a dor. A ideia é se concentrar em algo que não as contrações para não focar na dor. A distração funciona da mesma maneira. Qualquer coisa que tire sua mente da dor — assistir à televisão, jogar no celular, ouvir música, meditar — pode diminuir sua percepção dela. O mesmo vale para focar em um objeto (uma imagem de ultrassom do bebê, uma paisagem relaxante, uma foto de seu lugar favorito). Os exercícios de visualização também podem ajudar (imaginar o bebê sendo empurrado gentilmente pelas contrações, movendo-se pacificamente pelo canal de parto).

Estimulação nervosa elétrica transcutânea (TENS). Essa técnica usa eletrodos que transmitem pulsos de baixa voltagem para estimular os caminhos nervosos até o útero e o colo do útero, teoricamente bloqueando a dor. Os estudos não são claros sobre se a TENS é realmente eficaz para reduzir a dor do trabalho de parto, mas, se estiver interessada, pergunte ao médico se é uma boa opção para você.

DISPUTAS SOBRE O TRABALHO DE PARTO

Talvez, tecnicamente, você ainda não seja mãe — ou pai —, mas isso não significa que já não tenha ideias muito definidas sobre que tipo de mãe gostaria de ser quando chegar a hora (em breve!): peito ou mamadeira? Ficar em casa ou voltar a trabalhar? No colo ou no carrinho? Dormir separado ou na mesma cama? E provavelmente já notou que esses e outros tópicos quentes capturam muita atenção nas redes sociais. Às vezes, as assim chamadas guerras entre mães se estendem às escolhas sobre o trabalho de parto, jogando as mães do parto em casa contra as mães do parto no hospital, mães não medicadas contra mães com epidural, mães do parto vaginal após cesariana contra mães da segunda cesariana. Culpa? Há muita sendo distribuída ("Você nem mesmo *tentou* o parto natural primeiro?"), além de muita censura e recriminação ("O quê? Você deixou o médico induzir o parto?").

Mas a verdade — e essa verdade merece viralizar — é que há espaço para toda escolha segura na sala de parto, mas não deveria haver espaço para julgamento. Toda mãe e todo pai, todo trabalho de parto, toda situação é diferente, e o que funciona para um não necessariamente funciona para o seguinte. A conclusão, como sempre, é um resultado saudável para a mãe e o bebê, e qualquer escolha ou circunstância que produza um parto seguro é boa. Não há como brigar sobre isso.

Decidindo

Agora você tem todas as informações básicas sobre gerenciamento e redução da dor durante o trabalho de parto e o parto das quais precisará para tomar uma decisão informada. Mas, antes de decidir o que é melhor para você e o bebê, você deveria:

- Discutir as opções de gerenciamento e alívio da dor com o médico bem antes da primeira contração. Pergunte sobre as opções que está considerando, quais os efeitos colaterais das opções medicamentosas, sob que circunstâncias a medicação pode ser absolutamente necessária e quando a escolha é toda sua.
- Manter a mente aberta. Embora seja inteligente pensar com antecedência sobre o que será melhor para você em certas circunstâncias, é impossível prever que tipo de parto terá e se desejará ou precisará de medicação — ou mesmo se terá acesso ao tipo de alívio da dor que deseja. Mesmo que esteja absolutamente convencida de que quer uma epidural, não feche a porta para algumas abordagens da medicina alternativa. Afinal, seu trabalho de parto pode ser muito mais gerenciável (e curto) do que você esperava. E, mesmo que tenha se decidido por um parto sem medicação, pense sobre deixar essa porta aberta — mesmo que somente uma frestinha —, no caso de seu trabalho de parto ser muito mais difícil que o previsto.

O mais importante, ao analisar todas as opções, é manter os olhos no objetivo, e o objetivo é um bebê muito fofinho. Afinal, como quer que você termine gerenciando a dor do parto — e mesmo que não a gerencie da maneira que planejou ou gostaria —, você terá seu bebê. E que resultado poderia ser melhor que esse?

Capítulo 12
O oitavo mês
Aproximadamente 32 a 35 semanas

Neste penúltimo mês, você ainda pode estar adorando cada momento grávida ou estar cansada de ficar cada vez maior. De qualquer modo, certamente está muito excitada com a tão esperada chegada do bebê. É claro que, juntamente com a excitação, você e seu parceiro também têm certos temores, especialmente se estão sendo pais pela primeira vez. Conversar sobre esses sentimentos muito normais e ouvir as dicas de amigos e familiares que os precederam na paternidade os ajudará a perceber que todo mundo se sente dessa maneira, particularmente na primeira vez.

Seu bebê este mês

32ª semana. Esta semana, seu bebê tem entre 1,6 e 1,8 quilo (pense em um melão) e mede 41 a 43 centímetros. E crescer não é a única coisa na agenda dele. Enquanto você está ocupada preparando tudo, ele se prepara para o grande dia. Essas últimas semanas serão dedicadas a praticar as habilidades necessárias para sobreviver fora do útero: engolir, respirar, chutar e sugar. Falando em sugar, seu pequeno já é capaz de chupar o dedo. Outra mudança esta semana: a pele dele já não é transparente. Conforme mais e mais gordura se acumula sob a pele, ela finalmente se torna opaca.

33ª semana. O bebê ganha peso quase tão rapidamente quanto você (uma média de 230 gramas por semana), o que o leva ao grande total de mais ou menos 2 quilos. Mesmo assim, ainda tem muito para crescer, podendo esticar 2,5 centímetros somente nesta semana e quase dobrar de peso até o dia do parto. Com um bebê tão grande no interior do útero, o líquido amniótico chegou ao máximo (não há espaço para mais). O que explica por que todos aqueles cutucões e chutes às vezes são extremamente desconfortáveis: há menos para amortecê-los. Anticorpos continuam sendo passados de seu corpo para o corpo do bebê enquanto ele desenvolve um sistema imunológico próprio. Esses anticorpos definitivamente serão úteis do lado de fora e o protegerão de um mundo de germes.

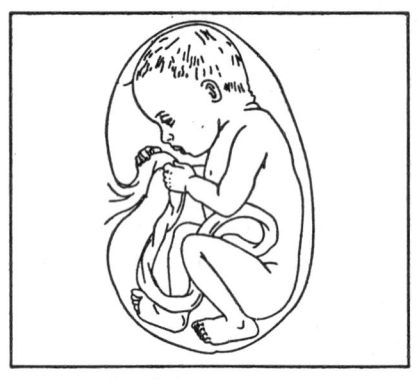

Seu bebê, oitavo mês

34ª semana. O bebê pode já ter entre 43 e 46 centímetros e pesar quase 2,5 quilos — meio pacote de açúcar, mas muito mais doce. É um menino? Se for, nesta semana os testículos descerão do abdômen até seu destino final: o saco escrotal. (Entre 3 e 4% dos meninos nascem com os testículos ainda no interior do abdômen, o que não é motivo de preocupação: eles geralmente descem antes do primeiro aniversário.) E mais uma notícia sobre o bebê: as minúsculas unhas provavelmente chegaram à ponta dos minúsculos dedos, então coloque um cortador infantil em sua lista de compras!

35ª semana. Seu bebê já é muito alto — ou seria, se pudesse ficar em pé —, com cerca de 46 centímetros, e continua a seguir o plano de 230 gramas por semana, chegando a 2,5 quilos ou mais. Embora o crescimento vá diminuir no que se refere à altura (os bebês a termo medem em média 51 centímetros), ele continuará a ganhar peso até o dia do parto. Outra coisa que ele acumulará nas poucas semanas que restam são células cerebrais. O desenvolvimento do cérebro continua em um ritmo inacreditável, tornando a cabeça do bebê um pouco mais pesada. E, falando em cabeça, é provável que seu bebê já esteja de cabeça para baixo. A essa altura, a maioria já se acomodou em uma posição de cabeça para baixo e nádegas para cima na pelve da mãe, ou fará isso em breve. O que é bom, já que será mais fácil se a cabeça do bebê (a parte maior do corpo) sair primeiro durante o parto. Eis outro benefício: a cabeça do bebê pode ser grande, mas ainda é macia (ao menos, o crânio é), permitindo que aquela passagem apertada pelo canal de parto seja um pouquinho mais fácil.

Seu corpo este mês

Eis alguns sintomas que você pode experimentar este mês (ou não, já que cada gravidez é diferente). Alguns podem estar presentes desde o mês passado, ao passo que outros serão novinhos em folha. É provável que, conforme o bebê cresce, os sintomas piorem, multiplicando os desconfortos do fim de gestação.

Fisicamente
- Atividade fetal forte e regular
- Aumento da secreção vaginal
- Constipação
- Azia, indigestão, flatulência, sensação de estômago estufado
- Dores de cabeça ocasionais
- Vertigem ou tontura ocasionais, especialmente ao se levantar rapidamente ou por causa de queda do nível de glicose
- Congestão nasal e sangramentos ocasionais; ouvidos entupidos
- Gengivas sensíveis que podem sangrar ao escovar os dentes
- Câimbras nas pernas
- Dor nas costas
- Dor na parte inferior do abdômen ou em um ou ambos os lados
- Sensações ocasionais, subitamente agudas ou parecidas com choques na área pélvica ("relâmpagos na virilha")
- Inchaço moderado dos tornozelos e dos pés e, ocasionalmente, das mãos e do rosto
- Veias varicosas nas pernas e/ou na vulva
- Hemorroidas
- Coceira na barriga
- Umbigo protuberante (saltado)
- Estrias
- Intensificação da falta de ar, conforme o útero pressiona os pulmões

SEU CORPO ESTE MÊS

Um fato interessante sobre a gravidez: a medida em centímetros entre o topo do osso púbico e o topo do útero corresponde aproximadamente ao número de semanas de gestação — assim, com 34 semanas, seu útero mede aproximadamente 34 centímetros a partir do osso púbico.

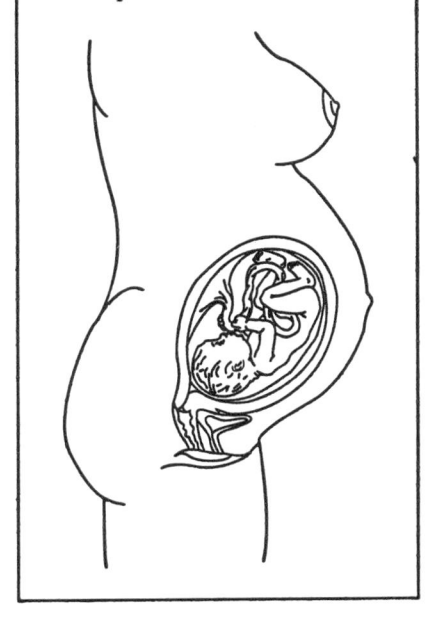

- Dificuldade para dormir
- Aumento das contrações de Braxton Hicks (ver pergunta da página seguinte)
- Falta de jeito
- Seios maiores
- Colostro vazando dos mamilos (embora esse pré-leite possa só aparecer depois do parto)

Emocionalmente
- Aumento da ansiedade para que a gravidez termine logo
- Apreensão sobre o trabalho de parto e o parto em si
- Aumento da distração
- Temores sobre ser mãe
- Empolgação ao perceber que agora não vai demorar muito

O que você pode esperar da consulta deste mês

Após a 32ª semana, o médico pode pedir que você vá ao consultório a cada duas semanas para acompanhar seu progresso. Você provavelmente pode esperar aferição de:
- Peso e pressão arterial
- Urina, para proteínas
- Batimentos cardíacos do feto
- Altura do fundo (topo do útero)
- Tamanho (aproximado) e posição do feto, por palpação (sentidos pelo lado de fora)
- Mãos e pés para verificar inchaço e pernas em busca de veias varicosas
- Cultura de estreptococos do grupo B entre a 35ª e 37ª semanas (p. 480)
- Sintomas que você venha experimentando, especialmente os incomuns
- Questões ou problemas que queira discutir — deixe a lista pronta

O que você pode estar se perguntando

Contrações de Braxton Hicks
"De vez em quando, meu útero parece se contrair e endurecer. O que está acontecendo?"

Ele está praticando. Com a aproximação do parto, seu corpo está se aquecendo para o grande dia flexionando os músculos — literalmente. A calistenia uterina que você está sentindo tem um nome: contrações de Braxton Hicks, contrações de treinamento que geralmente começam após a 20ª semana (embora sejam mais perceptíveis nos últimos meses de gravidez). Elas aumentam o fluxo sanguíneo para a placenta (em suas marcas), tonificam os músculos do útero (preparar) e amolecem o colo do útero (já... em breve). Esses ensaios (tipicamente experimentados mais cedo e com maior intensidade na segunda gestação e subsequentes) criam uma sensação de estreitamento que começa no topo do útero e se espalha para baixo, durando de 15 a 30 segundos, mas podendo chegar a 2 minutos ou mais. Se olhar para sua barriga ao sentir uma contração de Braxton Hicks, você talvez seja capaz de ver o que está sentindo: sua barriga normalmente redonda parecerá pontuda e estranhamente "amontoada". É estranho de ver, mas normal.

Embora as contrações de Braxton Hicks não sejam um verdadeiro trabalho de parto, elas podem ser difíceis de distinguir da coisa real, especialmente ao ficarem mais intensas no fim da gravidez. Você as notará mais frequentemente quando estiver de bexiga cheia, desidratada, após o sexo, quando você ou o bebê estiverem muito ativos e mesmo quando alguém tocar sua barriga. E, embora não sejam eficientes o bastante para provocar o parto (mesmo quando se tornam muito desconfortáveis), elas podem dar uma força ao iniciar o apagamento e a dilatação do colo do útero quando chegar o momento certo.

Para aliviar o desconforto durante as contrações de Braxton Hicks, tente mudar de posição: deitar se estava em pé ou caminhar se estava sentada. Um banho morno ou um copo d'água também podem ajudar. Você também pode usar esse treinamento do trabalho de parto para praticar os exercícios respiratórios e as várias técnicas que aprendeu, e que podem tornar as contrações reais mais fáceis quando chegar a hora.

Se as contrações não passarem com a mudança de atividade e ficarem progressivamente mais fortes e regulares (especialmente acompanhadas de pressão na área lombar), você pode estar em trabalho de parto e deve telefonar para o médico. Uma boa regra: se você tiver mais de quatro contrações de Braxton Hicks em uma hora, informe ao médico. Se não conseguir distinguir entre os dois tipos — especialmente se essa for sua primeira gestação e você nunca tiver experimentado uma contração —, telefone para o médico e descreva exatamente o que está sentindo.

Costelas doloridas

"Sinto dor no lado do corpo, perto das costelas, quase como se elas estivessem feridas. Isso acontece por causa dos chutes do bebê?"

Essa pode ser mais uma da longa lista de dores relacionadas à gravidez que você vem experimentando, mas a culpa não é do bebê. Não, as costelas doloridas são cortesia dos hormônios, que afrouxaram as articulações nessa área. Em algumas gestantes, o afrouxamento faz com que as costelas se abram para fora (subluxação das costelas), a fim de criar espaço para os pulmões expandidos (que precisam de mais oxigênio) e do sempre crescente útero. Você também pode sentir dor por causa de uma inflamação das cartilagens ligadas às costelas conforme elas afrouxam e se expandem (e possivelmente por causa da pressão feita pelo útero e pelos seios maiores que o normal) ou, mais raramente, por causa de uma costela deslocada (novamente, em função da expansão para acomodar a gestação).

Há algum alívio à vista: suas costelas podem doer menos durante as últimas semanas de gravidez, quando o bebê se move para baixo e assume a posição de nascimento — e, é claro, depois do parto. Até lá, use roupas largas para não pressionar ainda mais as costelas doloridas, especialmente ao dormir (ou tentar). Uma cinta elástica pode distribuir o peso da barriga, removendo a tensão dos músculos do abdômen, que pressionam as costelas e causam dor. Mudar de posição também diminui o desconforto, assim como um banho de banheira ou uma bolsa de água quente usada sobre as roupas. Nada funciona? O paracetamol (Tylenol) pode aliviar a dor. E evite erguer peso, o que piora as coisas (e é algo que você não deveria estar fazendo, de qualquer modo).

ESCOLHENDO UM PEDIATRA

Escolher um pediatra (ou um médico de família) é uma das mais importantes decisões que você tomará como mãe — e uma que você não deveria esperar para tomar somente quando for mãe. Fazer a escolha agora, antes de o bebê começar a chorar inexplicavelmente às três da manhã, garantirá que sua transição para a maternidade seja muito mais fácil. Também permitirá uma decisão informada, e não apressada.

Se você não sabe como iniciar a busca, peça uma indicação a seu médico (se, de modo geral, você está feliz com o cuidado que vem recebendo durante a gravidez) ou pergunte a amigos, vizinhos ou colegas de trabalho com filhos pequenos. Você também pode procurar on-line por pediatras locais (embora as listas on-line nem sempre sejam precisas) ou grupos de pais locais, para pedir recomendações. Ou contate o hospital ou casa de parto onde fará seu parto (você pode telefonar para a maternidade ou para a ala pediátrica e pedir à enfermeira algumas sugestões — ninguém conhece melhor os médicos que as enfermeiras). É claro que, se tem um plano de saúde que limita suas escolhas, terá de escolher na lista fornecida pelo plano.

Após escolher dois ou três nomes, telefone e marque uma consulta — a maioria dos pediatras e médicos de família a atenderá sem problemas. Leve uma lista de perguntas sobre questões importantes para você, como protocolo do consultório (por exemplo, se há um número para o qual telefonar fora do expediente ou quando você pode esperar um telefonema de resposta), apoio à amamentação, circuncisão, uso de antibióticos, se o médico atende o bebê em todas as consultas de rotina ou elas são tipicamente realizadas por uma enfermeira. Também é importante saber: o médico é certificado pelo conselho? A que hospital ele está afiliado, e será capaz de cuidar do recém-nascido nesse hospital? Para saber que outras perguntas fazer, confira *O que esperar do primeiro ano*.

"Às vezes, sinto que o bebê enfiou o pezinho entre minhas costelas, e isso dói."

Ocasionalmente, um bebê consegue enfiar o pé entre as costelas da mãe, e não é nem um pouco divertido. Você pode alterar a posição do bebê alterando a sua ou mexendo-se sobre uma bola de parto. Também pode tentar uma cutucadinha de leve ou fazer algumas inclinações pélvicas para deslocar o pezinho. Ou o seguinte movimento: sente-se com as costas eretas e inspire profundamente enquanto ergue um dos braços acima da cabeça. Exale enquanto baixa o braço e repita o movimento alternando os braços. O bebê não está se mexendo ou logo volta à posição anterior? Às vezes, esse pezinho nas costelas se torna crônico, durando até que o bebê desça para a pelve, o que geralmente acontece duas ou três semanas antes do parto na primeira gestação (embora frequentemente só ocorra no momento do parto em gestações subsequentes).

Falta de ar

"Às vezes, tenho dificuldade para respirar, mesmo quando estou sentada, sem fazer nada. Isso significa que meu bebê não está recebendo oxigênio suficiente?"

Não surpreende que você esteja se sentindo meio sem fôlego ultimamente. Seu útero sempre crescente está pressionando todos os seus órgãos internos em um esforço para fornecer acomodações suficientemente espaçosas para o bebê sempre maior. Entre esses órgãos estão os pulmões, que estão comprimidos pelo útero, limitando sua habilidade de se expandir totalmente quando você respira. Isso, aliado à progesterona extra que já a deixa sem ar há meses, explica por que subir as escadas pode fazer com que você se sinta como se tivesse corrido uma maratona. Felizmente, embora essa falta de ar possa ser desconfortável para você, ela não incomoda o bebê. Seu pequeno tem bastante estoque de ar, recebendo o oxigênio de que necessita através da placenta — respirar, fundo ou não, não é necessário para ele.

Um certo alívio da falta de ar costuma ocorrer perto do fim da gravidez, quando o bebê desce para a pelve em preparação para o parto (nas primeiras gestações, isso ocorre de duas a três semanas antes do parto; em gestações subsequentes, frequentemente só no momento do parto). Até lá, pegue leve e desacelere, diminuindo o trabalho de seus pulmões. Você pode achar mais fácil respirar se ficar sentada com as costas eretas, em vez de jogada no sofá, e dormir em uma posição quase sentada, encostada em dois ou três travesseiros. Quando se sentir especialmente sem ar, erga os braços acima da cabeça para remover a pressão da caixa torácica e poder inspirar mais fundo. Tente também alguns exercícios respiratórios: inspire lenta e profundamente, para que a caixa torácica — e não o abdômen — se expanda (coloque as mãos em ambos os lados da caixa torácica e sinta as costelas empurrando as mãos ao inspirar profundamente). Expire lenta e profundamente, sentindo a contração da caixa torácica.

Às vezes, a falta de ar pode ser um sinal de baixos níveis de ferro, então fale com o médico. Também o alerte se a falta de ar for acompanhada de dor no peito, tosse e/ou palpitações. Telefone para a emergência ou vá para o pronto-socorro se a falta de ar for severa e acompanhada de respiração acelerada, lábios ou pontas dos dedos azulados, sudorese, dor no peito e/ou pulso acelerado.

PALPITAÇÕES

Seu coração está batendo rápido por causa da excitação com a chegada do bebê? Em geral, as palpitações durante a gravidez são normais e inofensivas, provavelmente causadas pelo aumento do volume de sangue. Mas mencione-as ao médico para ter certeza de que não são sinal de algo mais sério.

Enjoo matinal, de novo

"Venho me sentindo nauseada novamente, mas achava que esse era um sintoma somente do primeiro trimestre."

Está se sentindo como se já tivesse visto esse filme — e não está com vontade de ver a sequência? Embora o enjoo matinal do primeiro trimestre definitivamente receba mais atenção (e mais vítimas), para algumas gestantes a variedade do terceiro trimestre pode ser igualmente sofrida. Especialmente desencorajador se você achou que já chegara ao fim da náusea e do vômito, ao menos nesta gravidez.

Lembra-se dos hormônios que você culpou pelo enjoo matinal do primeiro trimestre? Pode culpá-los novamente — juntamente com o útero em constante crescimento, que vem pressionando o trato digestivo, fazendo com que ácidos estomacais retornem para o esôfago, causando refluxo e o retorno da náusea. Com menos espaço para conter suas refeições e nenhuma maneira fácil de digeri-las, a comida extra frequentemente não tem para onde ir, a não ser para cima e para fora (outra razão para adotar o *grazing*, fazendo várias minirrefeições ao longo do dia). As contrações de Braxton Hicks também podem afetar o estômago, às vezes causando cólicas estomacais e mesmo vômito.

Tente combater essa náusea com as dicas para o enjoo matinal do início da gravidez (p. 187) e azia (p. 222). E mantenha-se hidratada, especialmente se estiver vomitando. A desidratação nunca é segura quando você está esperando um bebê, mas é especialmente insegura no fim da gravidez, já que pode levar a contrações pré-termo.

Também mencione a náusea para o médico. Ele pode sugerir antiácidos ou remédios contra náusea, se estiver muito forte. Ele também poderá eliminar causas menos prováveis para essa crise tardia de náusea e vômito, incluindo pré-eclâmpsia e parto prematuro.

Perda de controle sobre a bexiga

"Assisti a um filme engraçado ontem à noite e notei que soltei um xixizinho toda vez que ria. O que está acontecendo?"

Chama-se incontinência de estresse — e o nome é apropriado, já que ela realmente pode estressar uma gestante. Essa súbita, frequentemente inconveniente e constrangedora perda do controle sobre a bexiga — que pode causar um pequeno vazamento quando você tosse, espirra, ergue algo pesado ou mesmo ri (embora não haja nada engraçado a esse respeito) — é resultado da pressão crescente do útero sobre a bexiga. Algumas gestantes também experimentam incontinência de urgência, a insuportável e aparentemente sem motivo vontade de urinar ("Preciso ir *agora!*") durante o fim da gravidez. Tente estas dicas para evitar ou controlar a incontinência de estresse e a incontinência de urgência:

- Esvazie a bexiga o mais completamente possível inclinando-se para a frente todas as vezes que urinar.
- Faça os exercícios de Kegel. Praticá-los regularmente ajudará a evitar ou corrigir a maioria dos casos de incontinência induzida pela gravidez — além disso, pensando no futuro, isso também evitará a incontinência pós-parto das variedades urinária e fecal. Para saber como praticar os exercícios de Kegel, veja a p. 312.
- Faça os exercícios de Kegel ou cruze as pernas quando for tossir, espirrar ou rir ou quando sentir vontade de urinar.

- Use um absorvente se precisar ou temer precisar. Passe para um absorvente extragrande (ou absorvente para incontinência) quando a possibilidade de vazamento for especialmente inconveniente.
- Mantenha o intestino tão regular quanto puder, pois a impactação fecal pode pressionar a bexiga. Além disso, fazer força ao evacuar pode enfraquecer os músculos do assoalho pélvico. Para dicas sobre como combater a constipação, veja a p. 254.
- Se é a vontade de urinar que a está enlouquecendo (e sempre a mandando correndo para o banheiro), tente treinar sua bexiga. Urine com mais frequência — a cada ½ ou 1 hora — para não sentir aquela vontade incontrolável. Depois de uma semana, tente aumentar o tempo entre as visitas ao banheiro, acrescentando 15 minutos de cada vez.
- Continue bebendo líquidos suficientes, mesmo que experimente incontinência de estresse ou de urgência. Limitar a ingestão de líquidos não limitará os vazamentos e pode levá-la a uma infecção do trato urinário e/ou desidratação. Essas duas coisas não somente podem provocar muitos outros problemas (incluindo contrações pré-termo), como a infecção do trato urinário pode piorar a incontinência de estresse e a de urgência. Veja a p. 702 para dicas sobre como manter seu trato urinário saudável.

Para garantir que o vazamento foi de urina (o que quase certamente é o caso) e não líquido amniótico, dê uma cheiradinha. Se o líquido que vazou não tiver cheiro de urina (a urina tem um cheiro parecido com o do amoníaco, ao passo que o líquido amniótico tem um cheiro doce), informe ao médico o mais rapidamente possível.

Tamanho da barriga

"Todo mundo diz que minha barriga parece muito pequena para oito meses. Minha parteira diz que está tudo bem, mas é possível que meu bebê não esteja crescendo tão rapidamente quanto deveria?"

A verdade é que não se pode saber o tamanho do bebê pelo tamanho da barriga. O tamanho da sua barriga tem menos relação com o tamanho do bebê e muito mais com os seguintes fatores:
- Seu próprio tamanho, forma e estrutura corporal. As barrigas são de todos os tamanhos, assim como as gestantes. Uma mulher pequena pode ter uma barriga muito mais compacta (menor, mais baixa e mais projetada para a frente) que uma mulher maior — ou sua barriga pode parecer "maior" em função de sua pequena estrutura. Uma mulher com ossos grandes pode parecer ter uma barriga menor, simplesmente porque há mais espaço para o útero e o bebê se espalharem. O

mesmo vale para algumas mulheres muito obesas: com tanto espaço em um abdômen já muito amplo, elas parecem sequer ter barriga.
- Seu tônus muscular. Uma gestante com músculos muito firmes pode não ter barriga tão cedo nem tão grande quanto uma cujos músculos são mais frouxos. Por essa razão, e porque cada bebê tende a ser um pouco maior que o último, as mulheres na segunda gestação e subsequentes também têm barrigas um pouco maiores.
- A posição do bebê. A maneira como o feto está posicionado pode afetar o quanto a barriga parece pequena ou grande do lado de fora.
- Seu ganho de peso. Mais ganho de peso não necessariamente prediz um bebê maior, somente uma mãe maior. Se você manteve o ganho de peso dentro dos limites recomendados, sua barriga pode parecer menor porque você está carregando menos gordura, e não porque está carregando menos bebê.

DOR NOS OSSOS PÉLVICOS

Sua pelve às vezes parece que vai arrebentar, com uma dor lancinante na área púbica (ou no períneo ou na parte superior das coxas) que faz com que andar seja agonizante e subir escadas ou subir e descer do carro seja excruciante? Você pode ter a chamada dor na cintura pélvica ou disfunção da sínfise púbica — uma condição surpreendentemente comum e inesperadamente dolorosa que afeta até 25% das gestantes, em geral no fim do terceiro trimestre, quando os ligamentos que normalmente mantêm os ossos pélvicos alinhados se tornam extremamente relaxados e elásticos em preparação para o parto. Para descobrir como lidar com essa dor, que pode ser debilitante, veja a p. 561.

O JOGO DE ADIVINHAR O SEXO

Sua barriga é enorme e sua pele está ótima? Você terá um menino. Seus quadris e seu nariz estão crescendo e você está cheia de espinhas? Então terá uma menina. Se não revelou o sexo do bebê, você provavelmente gerou muitas predições com base inteiramente na forma e no tamanho da barriga, em como você está se sentindo e em qual é sua aparência geral. Lembre-se de que essas previsões têm cerca de 50% de chances de se revelarem verdadeiras. (Na verdade, um pouco mais se as previsões forem de um menino, já que nascem 105 meninos para cada 100 meninas.)

Em outras palavras, deixe que falem.

As únicas avaliações sobre o tamanho do bebê nas quais vale a pena prestar atenção são as recebidas do médico, não as de sua cunhada, suas colegas de trabalho, suas amigas das redes sociais comentando suas fotos nem de intrometidos e sabichões na fila do supermercado.

Em outras palavras, o que conta é o que está dentro — e, aparentemente, o que está dentro de sua barriga pequena é um bebê do tamanho que deveria ser.

Seu tamanho e o parto

"Eu sou baixinha, tenho somente 1,50 metro, e estou me perguntando se por isso será mais difícil fazer parto vaginal."

O tamanho importa durante o nascimento do bebê, mas o tamanho interno, não externo. São o tamanho e a forma de sua pelve em relação ao tamanho da cabeça do bebê que determinam o quanto será difícil (ou fácil) o trabalho de parto, não sua altura ou estrutura física. Uma mãe pequenina pode ter uma pelve mais espaçosa (ou configurada de maneira mais acomodatícia) que uma mãe grande — ou pode ter um bebê com uma cabeça mais fácil de encaixar.

Como você vai saber o tamanho de sua pelve (afinal, ela não vem com etiqueta)? O médico pode dar um palpite abalizado, no geral com as medidas feitas durante o primeiro exame pré-natal. O tamanho do bebê também será estabelecido por aproximação, mais perto da data provável do parto. Se houver o temor de que a cabeça do bebê seja grande demais para passar pela pelve, o ultrassom pode ser usado para obter uma visão (e mensuração) melhor.

É claro que o tamanho geral da pelve, assim como de todas as outras estruturas ósseas, é menor em pessoas mais baixas. Mas essa é a genialidade da genética: a natureza tipicamente não dá filhos gigantescos a mães minúsculas. Em vez disso, os bebês geralmente combinam com o tamanho da mãe e de sua pelve, mesmo que estejam destinados a coisas maiores mais tarde. E é provável que seu bebê seja do tamanho certo para você.

Seu ganho de peso e o tamanho do bebê

"Ganhei tanto peso que estou com medo de que o bebê seja muito grande, e o trabalho de parto, muito difícil."

Só porque você ganhou muito peso não significa que seu bebê também ganhou. O peso do bebê é determinado por algumas variáveis: genética, seu próprio peso ao nascer (se você nasceu grande, seu bebê provavelmente também nascerá), seu peso antes de engravidar (mulheres mais pesadas tendem a ter bebês mais pesados) e a qualidade de sua dieta durante a gestação. Dependendo dessas variáveis, um ganho de peso de 16 a 18 quilos pode gerar um bebê de 2,7 a 3,2 quilos e um ganho de peso de 12 quilos pode gerar um bebê de 3,6 quilos. Em média, no entanto, quanto mais substancial for o ganho de peso, maior será o bebê. Gestantes com diabetes gestacional não controlada também tendem a ter bebês muito grandes.

Ao apalpar seu abdômen e medir a altura do fundo (o topo do útero), o médico será capaz de lhe dar uma ideia do tamanho do bebê, embora tal estimativa possa estar errada em meio quilo ou mais. Um ultrassom pode avaliar o tamanho mais precisamente, mas também pode errar.

Mesmo que o bebê seja grande, isso não prediz automaticamente um parto difícil. Embora um bebê de 3 quilos frequentemente nasça mais rápido que um bebê de 4,5 quilos, a maioria das mulheres é capaz de ter um bebê grande (ou mesmo muito grande) por parto vaginal, sem complicações. O fator determinante, como em qualquer parto, é se a cabeça (a parte mais larga) consegue passar pela pelve.

Posição do bebê

"Como posso saber para que lado meu bebê está virado? Eu quero ter certeza de que ele está na posição correta para o parto."

Tentar descobrir em que parte da barriga estão os ombros, os cotovelos e as nádegas do bebê pode ser infinitamente divertido, mas não é a maneira mais precisa de descobrir a posição dele. O médico pode lhe dar uma ideia melhor apalpando seu abdômen e procurando partes reconhecíveis do corpinho do bebê. A localização dos batimentos cardíacos é outra pista da posição: se a apresentação for cefálica, o coração será ouvido na parte inferior do abdômen — e será mais alto se as costas do bebê estiverem viradas para a frente do seu corpo. Se ainda houver dúvidas, um ultrassom oferece a visão mais confiável da posição do bebê.

Não consegue resistir ao jogo de adivinhar as partes? Continue jogando e, para tornar o jogo mais interessante (e acurado), procure por esses marcos:

- As costas do bebê normalmente são um contorno suave e convexo do lado oposto a um grupo de irregularidades, que são as "pequenas partes": mãos, pés, cotovelos.
- Por volta do oitavo mês, a cabeça do bebê costuma se acomodar perto da pelve da mãe. Ela é redonda, firme e, quando pressionada, retorna à posição inicial sem que o restante do corpo se mexa.
- As nádegas do bebê têm uma forma menos regular e são mais macias que a cabeça.

Se tudo der certo, ele estará de bundinha para cima.

Bebê sentado

"Durante minha última consulta pré-natal, o médico disse ter sentido

a cabeça do bebê perto de minhas costelas. Isso significa que ele nascerá sentado?"

Mesmo que as acomodações estejam cada vez mais apertadas, seu bebê conseguirá fazer uma ginástica muito impressionante durante as últimas semanas de estada. De fato, quase todos os fetos se acomodam na posição de cabeça para baixo entre a 32ª e a 38ª semanas (a apresentação pélvica, com o bebê sentado, ocorre em menos de 5% das gestações a termo), mas alguns só revelam que posição escolherão alguns dias antes do parto. O que significa que só porque seu bebê está sentado agora, não significa que estará sentado na hora do parto.

Mas e se ele permanecer teimosamente sentado até o dia do parto? Continue lendo para descobrir.

VIRADO PARA A FRENTE

Para cima ou para baixo não são as únicas coisas importantes quando se trata da posição do bebê: também há para a frente ou para trás. Se o bebê estiver de frente para as suas costas (virado para trás), com o queixo encostado no peito (como faz a maioria), você deu sorte. Essa posição, chamada de occipital anterior, é ideal para o nascimento, porque a cabeça do bebê está alinhada para atravessar sua pelve da maneira mais fácil e confortável possível, com a parte menor da cabeça passando primeiro. Se o bebê estiver de frente para sua barriga (virado para a frente, na posição occipital posterior), é muito grande a probabilidade de você sentir dor nas costas durante o trabalho de parto (p. 536), porque o crânio do bebê pressionará sua coluna. Também significa que o nascimento pode demorar um pouco mais.

Com a aproximação do dia do parto, o médico tentará determinar para que lado (frente ou trás) a cabeça do bebê está virada, mas, se você estiver ansiosa para descobrir, procure por estas pistas: se o bebê estiver em posição occipital anterior (com o rosto virado para suas costas), sua barriga ficará dura e lisa (são as costas do bebê). Se ele estiver em posição occipital posterior, sua barriga parecerá menos protuberante e mais macia, porque os braços e pernas do bebê estão virados para a frente e não há superfície dura e lisa para sentir.

Você acha — ou lhe disseram — que seu bebê está na posição posterior? Não se preocupe com a dor nas costas ainda. A maioria dos bebês se vira para a posição anterior durante o trabalho de parto. Algumas parteiras recomendam dar uma cutucadinha no bebê antes de o trabalho de parto começar, ficando apoiada sobre as mãos e os joelhos e fazendo exercícios pélvicos. Outras sugerem colocar toalhas mornas nas costas da mãe e toalhas frias na barriga, porque os bebês se afastam naturalmente do frio. Essas táticas também podem ser tentadas durante o trabalho de parto. Não está claro se elas realmente funcionam para virar o bebê, mas não custa tentar. E, quem sabe, talvez possam aliviar qualquer dor nas costas que você sinta agora.

"Se meu bebê estiver sentado, há algo que possa ser feito para virá-lo?"

Existem várias maneiras de tentar convencer um bebê sentado a se virar. Usando soluções de baixa tecnologia, o médico pode recomendar alguns exercícios simples (como aqueles descritos no quadro da p. 466). Duas outras opções vêm do campo da medicina alternativa. Uma é a moxabustão (p. 121), que usa uma forma de acupuntura e a queima de ervas para ajudar a virar o feto (embora os estudos mostrem que essa técnica tem baixa taxa de sucesso). Outra é a técnica de Webster (além de outras manobras da quiropraxia; p. 121). Claramente, é importante contratar um profissional de medicina alternativa que tenha experiência e muito sucesso usando essas técnicas para virar bebês sentados, além de assegurar que o médico concorde com a terapia na qual você está pensando.

Se o bebê parece determinado a não se mexer, o médico pode sugerir uma abordagem de alta tecnologia, mas ainda assim manual: a versão cefálica externa (VCE). A VCE costuma ser realizada entre a 36ª e a 38ª semanas ou bem no início do trabalho de parto, quando o útero ainda está relativamente relaxado e antes que as membranas se rompam. Ela é sempre realizada em um hospital, no caso de uma cesariana de emergência ser necessária (raramente é). Como uma grande quantidade de líquido amniótico é necessária para facilitar uma VCE segura, os níveis são conferidos via ultrassom. O ultrassom também pode ser usado para guiar o médico durante a VCE, e a frequência cardíaca do bebê será acompanhada através de um monitor fetal eletrônico para verificar seu bem-estar antes e depois do procedimento. Medicamentos podem ser administrados para evitar contrações, a fim de que o útero permaneça relaxado, e você pode receber uma epidural (que evita que você sinta dor e mantém o útero relaxado, aumentando as chances de sucesso da VCE). O médico então colocará as mãos em seu abdômen, uma perto da cabeça e a outra perto das nádegas do bebê (você sentirá pressão e possivelmente desconforto, mas não se fizer uma epidural) e, gentilmente, tentará virar o bebê.

A VCE é bem-sucedida em quase dois terços das tentativas. A taxa de sucesso é ainda mais alta entre gestantes que recebem epidural e já passaram por um trabalho de parto (graças aos músculos uterinos e abdominais mais frouxos), mas é ligeiramente menor entre mulheres obesas, já que a gordura abdominal pode tornar a manobra mais desafiadora. Quanto mais experiência tiver o médico, maior a taxa de sucesso (alguns médicos chegam a 90%). E, felizmente, a taxa de complicações é baixa (menos de 1% de complicações sérias que possam levar a uma cesariana de emergência). Alguns bebês se recusam a virar (embora frequentemente o médico sugira múltiplas tentativas) e um pequeno número deles se vira e, logo depois, retorna à posição sentada (caso em que o médico também pode sugerir novas tentativas).

Você está tendo múltiplos? Provavelmente não é candidata a uma VCE. O mesmo se já fez cesariana antes.

"Se meu bebê permanecer sentado, ainda serei capaz de tentar o parto vaginal?"

Se você será capaz de fazer parto vaginal depende de vários fatores, incluindo a política do médico e sua situação. A maioria dos obstetras realiza uma cesariana quando o bebê se recusa a sair da posição sentada, porque muitos estudos sugerem que essa é a solução mais segura. Alguns médicos e parteiras, no entanto, acham que é razoável tentar o parto vaginal em certas circunstâncias, especialmente se possuem grande experiência com bebês sentados. O melhor cenário possível é quando o bebê está na posição pélvica, com as nádegas viradas para baixo, as pernas retas e viradas para cima, encostadas contra seu rosto, e a pelve da mãe tem espaço suficiente para acomodar um parto vaginal.

Conclusão: você precisará ser flexível em seus planos de parto. Mesmo que o médico autorize uma tentativa de trabalho de parto, será somente isso: uma tentativa. Se o bebê sentado não descer pelo canal de parto ou houver outras complicações, você provavelmente terminará fazendo uma cesariana. Converse sobre as opções com o médico agora para estar preparada para qualquer possibilidade no dia do parto.

VIRE, BEBÊ, VIRE

Alguns médicos recomendam exercícios simples para ajudar a colocar um bebê sentado em uma posição mais fácil para o parto, de cabeça para baixo. Embora não haja muitas evidências médicas provando que eles funcionam, provavelmente vale a pena tentar. Pergunte ao médico se você deveria fazer alguns destes exercícios em casa:

• Balance-se para a frente e para trás algumas vezes, apoiada sobre

as mãos e os joelhos, várias vezes ao dia, com as nádegas mais altas que a cabeça (veja ilustração).
- Inclinação invertida para a frente. Peça que alguém a ajude com essa posição. Ajoelhe-se na beira de um sofá e, cuidadosamente, abaixe o corpo até estar apoiada sobre os antebraços, com a cabeça entre as mãos ou pendendo livremente (ver ilustração). Respire três vezes e retorne à posição sentada. (Faça isso três ou quatro vezes ao dia.)

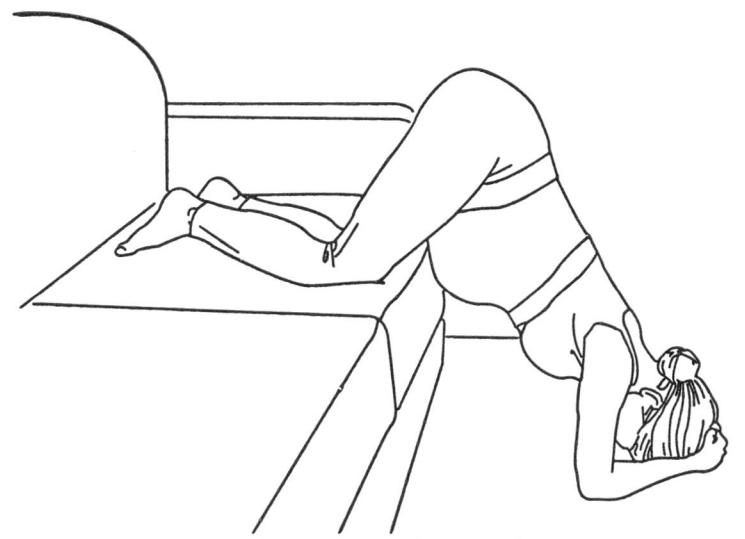

Inclinação invertida para a frente

- Posição dos joelhos no peito. Se estiver sozinha (sem ninguém para observá-la por questões de segurança), faça uma versão modificada da inclinação invertida para a frente: fique de joelhos (mantenha-os ligeiramente afastados) e então incline-se de modo que suas nádegas fiquem para cima e sua barriga quase encoste no chão (fique nessa posição por 20 minutos, três vezes ao dia, se puder). Ver ilustração na página seguinte.
- Inclinação pélvica de costas. Deite-se de costas em um tapete e erga os quadris do chão (use os calcanhares para erguer a parte inferior do corpo), mantendo mãos, braços e ombros encostados no chão. A ideia é que seus quadris fiquem mais altos que sua cabeça (veja a ilustração da página seguinte). Não acha que consegue? Para uma versão mais simples, deite-se de costas e erga os quadris com a ajuda de travesseiros.
- Quente e frio. Coloque uma bolsa de gelo (ou um pacote de vegetais congelados) no topo de sua barriga, onde está a cabeça do

bebê, e uma compressa morna na parte de baixo (ou mergulhe a parte inferior do corpo em uma banheira morna). Alguns dizem que isso encorajará o bebê a buscar o calor e afastar a cabeça da sensação fria.

- Música para os ouvidos do bebê. Tocar músicas tranquilas ou cantar perto da pelve da mãe pode convencer o bebê a se virar para ouvir melhor. Novamente, não há provas de que isso funcione, mas certamente não há mal em tentar.

Balance-se para a frente e para trás

Posição dos joelhos no peito

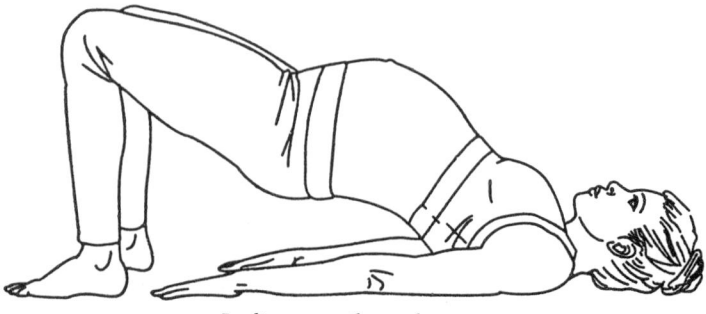

Inclinação pélvica de costas

QUAL É A APRESENTAÇÃO DE SEU BEBÊ?

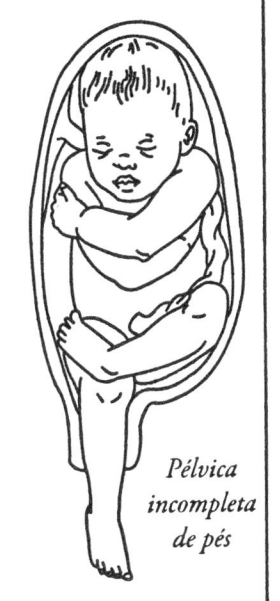

Cefálica *Pélvica incompleta* *Pélvica incompleta de pés*

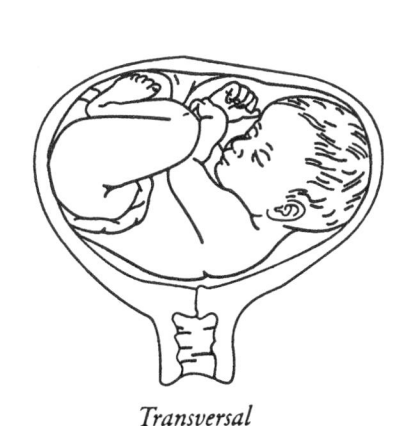

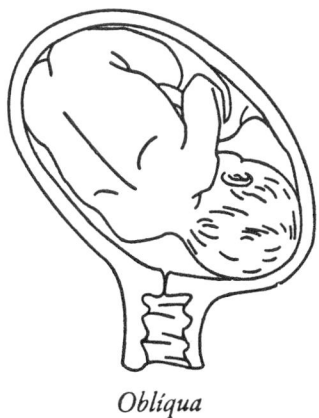

Transversal *Oblíqua*

Localização, localização, localização: quando se trata de parto, a localização do bebê é muito importante. A maioria dos bebês se apresenta com a cabeça primeiro, ou em apresentação cefálica. A apresentação pélvica tem muitas formas: a apresentação pélvica incompleta é quando o bebê se apresenta com as nádegas primeiro e as pernas esticadas para cima e pressionadas contra a face. A apresentação pélvica incompleta de pés ocorre quando uma ou ambas as pernas do bebê estão para baixo. Durante o trabalho de parto, as primeiras partes que surgem são o pé e a perna. A apresentação transversal ocorre quando o bebê está deitado na horizontal dentro do útero. A apresentação oblíqua ocorre quando a cabeça do bebê está apontada na direção de um dos quadris, e não na direção do colo do útero.

Outras apresentações incomuns

"O médico disse que meu bebê está em posição oblíqua. O que isso quer dizer, e o que significa para o parto?"

Os bebês podem se contorcer em várias posições incomuns, e a oblíqua é uma delas. Isso significa que a cabeça do bebê, embora esteja virada para baixo, está voltada para um de seus quadris, em vez de diretamente sobre sua pelve. A posição oblíqua costuma tornar o parto vaginal difícil, então o médico pode tentar uma VCE (veja a p. 619) ou sugerir outras técnicas para tentar colocar a cabeça do bebê na posição correta. Se nenhuma delas funcionar (mesmo após múltiplas tentativas), o médico provavelmente optará por uma cesariana.

Outro aperto em que o bebê pode se meter é a apresentação transversal. Ela ocorre quando o bebê está deitado na horizontal, atravessado em seu útero, em vez de na vertical. Novamente, a VCE e outras técnicas serão aplicadas para tentar virá-lo. Se não funcionarem, ele nascerá por cesariana.

Cesariana

"Eu esperava fazer parto vaginal, mas o médico acabou de dizer que provavelmente terei de fazer uma cesariana. Estou muito decepcionada."

Mesmo que ainda seja considerada uma cirurgia importante (e de longe a mais feliz), a cesariana é uma maneira muito segura de dar à luz e, em alguns casos, a mais segura. Ela também é muito comum — e, na opinião de muitos especialistas, comum demais. Cerca de 32% das mulheres fazem cesariana atualmente, o que significa que as chances de seu bebê chegar por via cirúrgica é de quase uma em três, mesmo que você não tenha fatores a predispondo a isso.

Isso dito, se você estava decidida a fazer parto vaginal, a notícia de que o bebê talvez precise chegar cirurgicamente pode ser compreensivelmente decepcionante. A imagem de você fazendo força para ajudar o bebê a nascer da maneira como a natureza planejou — e talvez da maneira como você sempre quis — pode ser substituída por preocupações com a cirurgia, com a estada mais longa no hospital, com a recuperação mais difícil e com a cicatriz padrão.

Primeiro, converse com o médico sobre por que a cesariana talvez seja necessária em seu caso (veja o quadro da p. 472 para conhecer as razões mais comuns). Pergunte se há opções que podem ser tentadas, como virar o bebê ou fazer uma prova de trabalho de parto para ver como as coisas acontecem. Se, ao fim da conversa, o médico determinar que a estratégia de saída mais segura para o bebê é através do abdômen, considere o seguinte: a maioria dos hospitais tenta transformar o parto cirúrgico no evento mais familiar possível, com a mãe acordada (mas adequadamente anestesiada), o pai a seu lado e a chance de conhecer, saudar, abraçar e possivelmente amamentar o bebê logo após o parto, se não houver objeção médica. De fato, um número crescente de hospitais agora oferece (ou está disposto a facilitar) a "cesariana natural". Na cesariana natural, o ruído é mantido no mínimo e campos cirúrgicos claros são erguidos, de modo que a mãe possa ver quando o bebê emerge (uma opção em alguns hospitais: um campo cirúrgico com uma janela, para que o bebê possa ser entregue diretamente à mãe, sem comprometer o ambiente cirúrgico esterilizado). Eletrodos de eletrocardiograma são colocados perto das costas da mãe, para que haja espaço para o bebê em seu peito, e um braço é deixado sem amarras, monitores e intravenosas para que ela possa segurar e mesmo amamentar o recém-nascido. O clampeamento do cordão umbilical é tardio, como ocorre idealmente no parto vaginal (p. 555). Você tem uma doula (ou uma parteira que cuidou de você durante a gravidez)? Talvez possa convidá-la para a sala de cirurgia.

Em outras palavras, o parto cirúrgico pode ser mais satisfatório (e menos decepcionante) do que você está imaginando. E, embora a recuperação seja mais longa (no hospital e em casa) e a cicatriz seja inevitável (embora geralmente discreta), você sairá do parto com o períneo intacto e sem esticar os músculos vaginais. Outra boa notícia: os estudos mostram que fazer uma cesariana não impacta negativamente sua fertilidade ou quantos bebês você pode ter (p. 476). E há um benefício puramente cosmético — e temporário — para o bebê. Como não haverá passagem estreita pelo canal de parto, ele terá uma vantagem inicial sobre os bebês que nasceram por parto vaginal (pense em uma cabeça redondinha, e não pontuda).

Mas, de longe, a coisa mais importante conforme se aproxima o nascimento de seu bebê é que o melhor parto é o mais seguro — e, quando é medicamente necessário, o parto cirúrgico definitivamente é o mais seguro. E, no fim das contas, qualquer parto que traga um bebê saudável para o mundo e o coloque em seus braços é um parto perfeito.

"Por que todo mundo parece estar fazendo cesariana ultimamente?"

Na verdade, tem havido bastante pressão para diminuir o número de partos cirúrgicos nos EUA. Os especialistas encorajam mais tentativas de parto vaginal após cesariana (p. 477) e uso mais disseminado da extração com vácuo e fórceps, para evitar partos cirúrgicos desnecessários. Eles também sugerem que as gestantes recebam mais tempo para o trabalho de parto e para fazer força e/ou que os médicos usem ocitocina conforme necessário para dar uma ajudinha para a natureza (considerando que tudo esteja correndo bem) antes de passarem para a cesariana. Finalmente, há crescente reconhecimento de que, embora as cesarianas sejam muito seguras, elas mesmo assim são cirurgias grandes, que acarretam grandes riscos (incluindo o de que a mãe termine precisando fazê-la novamente na próxima gestação). Em outras palavras, os especialistas concordam: a cesariana não deveria ser a principal opção de parto.

RAZÕES PARA UMA CESARIANA PROGRAMADA

Embora algumas mulheres só descubram que farão uma cesariana quando já estão em trabalho de parto, outras são avisadas com antecedência, unindo-se às fileiras de gestantes com cesarianas programadas. Embora os quesitos a seguir não signifiquem automaticamente que você precisará de uma cesariana, eles são as razões mais comuns para uma ser programada com antecedência:

- Uma cesariana anterior, quando o parto vaginal após cesariana não é uma opção (p. 477).
- Quando se estima que a cabeça do feto é grande demais para a pelve da mãe (desproporção cefalopélvica). Mas, como o tamanho do bebê talvez esteja superestimado, pode ser possível fazer uma prova de trabalho de parto (o bebê pode se encaixar mais facilmente que o previsto).
- Múltiplos. Quase todos os trigêmeos, quadrigêmeos e mais (e muitos gêmeos) nascem por cesariana.
- Apresentação pélvica ou outra apresentação incomum. Os estudos mostram que o parto cirúrgico é geralmente mais seguro quando os esforços para virar um bebê em apresentação pélvica não são bem-sucedidos. Muitas parteiras e alguns médicos tentam o parto vaginal em bebês com apresentação pélvica, em algumas circunstâncias (p. 469).
- Uma condição da mãe ou do bebê que torne o trabalho de parto e o parto vaginal arriscados.

- Obesidade da mãe. A obesidade aumenta a probabilidade de cesariana por várias razões. Primeira: mães obesas tendem a ter contrações ineficazes no início do trabalho de parto, o que significa que não progridem tão rapidamente. Segunda: a gordura abdominal torna mais difícil monitorar o bebê durante o parto vaginal. Terceira: tanto a VCE (para virar um bebê sentado para uma apresentação mais fácil para o parto vaginal) quanto o parto vaginal após cesariana têm menos chances de sucesso em mães obesas. E última: mães obesas frequentemente têm bebês maiores que a média, tornando a cesariana mais segura em muitos (mas não todos) casos.
- Infecção ativa por herpes, especialmente infecção primária, ou infecção mal controlada por HIV, que podem ser transmitidas para o bebê durante o parto vaginal.
- Placenta prévia (quando a placenta bloqueia parcial ou completamente a abertura cervical) ou placenta abrupta (quando a placenta se separa da parede uterina cedo demais).

Se o médico disse que você precisa agendar uma cesariana, peça uma explicação detalhada da razão (ou razões). Pergunte também se há alguma alternativa, como a prova de trabalho de parto.

Mesmo assim, embora as taxas de cesariana tenham declinado em cerca de 2% nos últimos anos, e mesmo um pouco mais entre gestantes de baixo risco, os números ainda são muito altos e, na mente de muitos (incluindo a maioria dos médicos), altos demais. Por quê? Por várias razões:

Bebês maiores. Com mais gestantes excedendo o ganho de peso recomendado, entre 11 e 16 quilos, e com a taxa de diabetes gestacional aumentando, mais bebês grandes, cujo nascimento por parto vaginal pode ser mais difícil, estão chegando. O porém: como as estimativas do peso ao nascer baseadas em mensurações por ultrassom são pouco confiáveis (em cerca de 20% dos casos, as estimativas são altas demais), um bebê que se previu ser grande demais para nascer por parto vaginal pode não ser assim tão grande. Esses exageros nas estimativas às vezes resultam em cesarianas programadas desnecessárias.

Mães maiores. A taxa de cesarianas também aumentou juntamente com a taxa de obesidade. Ser obesa (ou ganhar peso demais durante a gravidez) aumenta significativamente a chance de a gestante precisar de cesariana, parcialmente por causa dos fatores de risco que acompanham a obesidade (diabetes, por exemplo, ou hipertensão), parcialmente porque elas tendem a ter trabalhos de parto mais longos, e trabalhos de parto mais longos têm maior probabilidade de terminar na mesa de cirurgia.

Mães mais velhas. Mais e mais mulheres com quase 40 anos (e mesmo com mais de 40 anos) agora são capazes de ter gestações bem-sucedidas e, embora sua taxa de cesarianas venha diminuindo, as gestantes mais velhas ainda têm maior probabilidade de precisar de um parto cirúrgico. O mesmo se aplica a mulheres com problemas de saúde crônicos.

Múltiplos. Mais e mais múltiplos nascem ultimamente, e há uma chance maior de cesariana se você está tendo múltiplos (embora o parto vaginal de gêmeos frequentemente seja possível; ver a p. 607).

Repetidas cesarianas. Embora o parto vaginal após a cesariana ainda seja considerado uma opção viável em muitos casos, e embora mais e mais especialistas o encorajem, poucos médicos e hospitais permitem que as mães tentem, e mais deles programam cirurgias em vez de fazer a prova de trabalho de parto (veja a p. 476 para entender as razões).

Menos partos instrumentais. Menos bebês estão nascendo com a ajuda da extração a vácuo e menos ainda com a ajuda do fórceps. Isso porque o treinamento nesses partos instrumentais caiu quando a taxa de cesarianas aumentou — muitos médicos se sentiram mais confortáveis passando diretamente para a opção cirúrgica quando poderiam (na época) ter tentado um parto instrumental primeiro. Isso pode mudar, agora que o treinamento obstétrico começa a refletir as mudanças de atitude sobre o parto.

DECISÃO SOBRE A CESARIANA DURANTE O TRABALHO DE PARTO

Frequentemente, a decisão de realizar uma cesariana é tomada somente no meio do trabalho de parto, em geral para garantir a segurança da mãe e do bebê. Às vezes, porque o trabalho de parto não progride (o colo do útero não dilata, mesmo após a tentativa de estimular as contrações com ocitocina, ou está demorando demais para o bebê nascer e o parto com extrator a vácuo ou fórceps não deu certo ou não é apropriado). Às vezes, porque há sofrimento fetal (a frequência cardíaca do bebê caiu para um nível perigosamente baixo), o útero sofreu uma ruptura ou houve prolapso do cordão umbilical (o cordão saiu do canal vaginal antes do bebê, com o risco de ser comprimido e privar o bebê de oxigênio). Como sempre, a segurança da mãe e do bebê será a principal consideração na decisão de iniciar um parto cirúrgico.

Solicitações das mães. Como as cesarianas são seguras, podem evitar a dor do parto e mantêm o períneo intacto, algumas mulheres (particularmente as que já fizeram cesarianas antes) ainda as preferem aos partos vaginais e pedem antecipadamente por uma (p. 479). Mas esses números estão caindo, especialmente porque muitos médicos começaram a desencorajar as cesarianas medicamente desnecessárias. Isso porque elas vêm com riscos desnecessários, ao passo que os partos vaginais — quando são possíveis — são mais seguros, especialmente para as mães.

PARA OS PAIS

PREPARANDO-SE PARA UMA CESARIANA

Você está se perguntando se a cesariana programada de sua parceira significa que seus dias de *coach* terminaram antes mesmo de começar? De modo algum. Embora você não vá ser capaz de participar tão ativamente do parto cirúrgico quanto participaria do vaginal, sua presença será mais valiosa do que você pode imaginar. A reação do pai durante a cesariana impacta no nível de ansiedade da mãe, significando que um pai menos estressado contribui enormemente para uma mãe menos estressada. E não há maneira melhor de reduzir seu estresse do que saber o que esperar. Façam aulas de parto que incluam cesarianas, leia sobre partos cirúrgicos e recuperações (p. 584 e 629) e prepare-se o máximo que puder. Esteja preparado para ajudá-la com técnicas respiratórias e de relaxamento, para que ela fique calma durante a cesariana, e lembre-se de que você estará ao lado dela para apoiá-la enquanto vocês recebem seu bebê.

Qualquer tipo de cirurgia pode ser assustadora, mas as cesarianas são extremamente seguras para a mãe e o bebê. Além disso, a maioria dos hospitais agora tenta torná-las tão familiares quanto possível, permitindo que você assista, se quiser (abaixando os campos cirúrgicos ou usando campos transparentes), sente-se ao lado de sua esposa, segure a mão dela (que, na maioria dos hospitais, não estará presa por amarras) e segure e nine seu bebê assim que ele nascer — exatamente como os casais passando por partos vaginais nos outros quartos. Se o hospital não oferecer oficialmente uma "cesariana natural" (p. 471), não custa nada perguntar ao médico e à equipe hospitalar se algumas ou todas as medidas podem ser aplicadas ao nascimento do seu bebê.

Limites de tempo ao trabalho de parto. Alguns médicos impõem limites à duração do trabalho de parto: quanto tempo o colo do útero "deve" levar para dilatar, por exemplo, ou por quanto tempo a mãe "deve" fazer força. Quando limites artificiais são impostos à duração do trabalho de parto, os médicos podem realizar um parto cirúrgico antes de darem à gestante (e a seu bebê) uma chance de progredir. Veja o quadro da p. 566 para saber mais sobre esses limites. Felizmente, grandes esforços estão sendo feitos para mudar as recomendações sobre por quanto tempo a gestante deve permanecer em trabalho de parto e fazendo força antes de recorrer a uma cesariana (presumindo que tudo esteja ocorrendo com segurança) —, e esse "empurrão" pode ajudar a diminuir muito a taxa de cesarianas. Outra mudança que pode diminuí-la: permitir que as mães fiquem em casa por mais tempo. Mães que vão para o hospital logo no início do trabalho de parto têm uma probabilidade ligeiramente maior de fazer cesarianas.

As taxas de cesarianas são muito mais baixas para pacientes de parteiras, não somente porque elas atendem somente gestações de baixo risco, mas também porque tendem a deixar as mães levarem o tempo necessário para o trabalho de parto e o nascimento (novamente, presumindo que tudo esteja bem). Mas, mesmo com as altas taxas de cesariana para partos realizados por médicos, os partos cirúrgicos ainda são minoria. Afinal, duas em cada três mulheres podem esperar dar à luz através de parto vaginal. No Brasil, apesar da tendência de queda, a taxa de cesariana ainda é muito alta, chegando a cerca de 82% dos partos.

AULAS PROGRAMADAS PARA CESARIANAS PROGRAMADAS

Está achando que a cesariana programada significa que você não terá de agendar aulas de parto ou deve desistir das que já agendou? Não é bem assim. As aulas de parto ainda têm muito a oferecer a você e a seu parceiro (incluindo o que esperar de uma cesariana e da epidural). A maioria das aulas oferece conselhos valiosos sobre cuidar do recém-nascido (o que você terá de fazer, qualquer que seja a saída adotada pelo bebê), amamentação e, possivelmente, a retomada da forma física após o parto. E não ignore o que a professora está ensinando a outros casais sobre a rotina respiratória durante o trabalho de parto. Você pode achar essas habilidades úteis quando estiver tentando relaxar na sala de cirurgia — ou após o parto, quando for confrontada pela dor pós-operatória e as várias dores do pós-parto.

Cesarianas repetidas
"Fiz duas cesarianas e quero fazer a terceira — e talvez a quarta. Há

um limite para quantas cesarianas é possível fazer?"

Está pensando em ter muitos bebês, mas não sabe se poderá fazer múltiplas viagens à sala de cirurgia mais feliz do hospital? É provável que poderá. Não há limites arbitrários ao número de cesarianas que uma mulher pode fazer, e as cesarianas múltiplas geralmente são consideradas seguras. Quão seguras depende do tipo de incisão feita durante a cirurgia anterior, assim como da cicatriz que se forma, então discuta seu caso particular com o obstetra.

Dependendo de quantas incisões você sofreu, onde e como elas cicatrizaram, múltiplas cesarianas podem elevar o risco de certas complicações. Elas incluem ruptura uterina, placenta prévia (uma placenta baixa) e placenta acreta (uma placenta anormalmente ligada ao útero). Assim, você precisará estar particularmente alerta a qualquer sangramento vermelho vivo durante as gestações, bem como a sinais de trabalho de parto (contrações, secreção sanguinolenta, ruptura do saco amniótico). Se qualquer um deles ocorrer, notifique o médico imediatamente.

Parto vaginal após cesariana (PVAC)

"Meu primeiro bebê nasceu por parto cirúrgico. Devo tentar o parto vaginal com o bebê número 2?"

Se perguntar aos especialistas, a resposta provavelmente será sim. De fato, as orientações do ACOG dizem que tentar um PVAC é uma escolha segura e apropriada para a maioria das mulheres que fizeram cesariana no parto anterior (ou duas, em alguns casos). As pesquisas mostram que o baixo risco de ruptura uterina (menos de 1%) só se eleva durante o PVAC em circunstâncias pouco comuns (como fraqueza nos músculos uterinos; veja abaixo). Além disso, as tentativas de PVAC são bem-sucedidas em 60 a 80% dos casos, significando que uma gestante que tentar PVAC tem as mesmas probabilidades de parto vaginal que uma gestante que nunca fez cesariana. No Brasil, a Febrasgo indica tentar parto normal após a primeira cesárea e, após duas cesáreas, a indicação é de nova cesárea.

No entanto, apesar de todas as evidências — e todos os especialistas — apoiando o PVAC, muitos médicos e hospitais sequer consideram a possibilidade de parto vaginal para uma gestante que já fez cesariana. Mais de 90% das mulheres elegíveis para o PVAC acabam fazendo cesariana programada.

Por que as taxas de PVAC são tão baixas? A resposta está mais nas políticas hospitalares e nas altas franquias dos seguros por erro médico que na segurança do PVAC. Alguns hospitais pararam de oferecê-lo em função de preocupações com responsabilidade legal e falta de pessoal e recursos para lidar com as emergências.

Isso dito, ainda há muitos hospitais e médicos, algumas casas de parto e várias parteiras que estão abertas ao

PVAC e o encorajam entusiasticamente. Assim, o primeiro passo, caso você decida tentar, é encontrar um médico que esteja aberto a essa possibilidade. E então, levando em conta os muitos fatores que podem prever o sucesso do PVAC, você e o médico podem decidir se ele é a melhor escolha em seu caso. Eis alguns desses fatores:

O PVAC tem mais chances de sucesso se o trabalho de parto começar espontaneamente. Os médicos frequentemente permitem a tentativa de PVAC mesmo que o trabalho de parto seja induzido, mas as taxas de sucesso são ligeiramente menores nesses casos.

O PVAC só é recomendado se você tem uma cicatriz uterina transversal. Há mais de 90% de chances que você a tenha. As incisões uterinas verticais (que tendem a ser resultado de ruptura uterina e geralmente inviabilizam o PVAC) raramente são usadas.

O PVAC tem mais chances de sucesso se a razão para sua última cesariana já não existir. Por exemplo, se você fez cesariana por causa de algo que ocorreu exclusivamente na última gravidez e não está ocorrendo na atual — talvez o bebê estivesse sentado da última vez, mas está na posição correta agora —, um PVAC bem-sucedido se torna mais provável. Em contrapartida, se você precisou de uma cesariana porque o tamanho ou formato de sua pelve impediu o progresso do trabalho de parto, pode encontrar o mesmo problema da próxima vez que tentar fazer um parto vaginal, diminuindo as chances de sucesso do PVAC.

O PVAC é mais bem-sucedido se você começou a gravidez com um peso saudável e ganhou a quantidade apropriada de peso. As pesquisas mostram que o sucesso do PVAC é 40% menor entre mulheres que ganharam mais de 18 quilos durante a gravidez, comparadas às que ganharam menos. Mulheres acima do peso e obesas que tentam PVAC também têm menor probabilidade de parto vaginal bem-sucedido em geral, mesmo levando em conta o tamanho maior do bebê (bebês grandes são mais comuns em mulheres acima do peso).

O PVAC tem mais chances de sucesso se o bebê tiver tamanho médio. As pesquisas mostram que a chance de falha do PVAC é 50% maior quando os bebês pesam mais de 4 quilos ao nascer, comparados a bebês com menos de 3,5 quilos. Um bebê grande também pode aumentar o risco de ruptura uterina e laceração do períneo — uma das razões pelas quais os médicos não realizam PVAC em gestantes que já passaram uma semana da data provável do parto (bebês pós-termo podem ser bebês maiores). Segundos bebês e subsequentes são, em média, maiores que os primeiros — mesmo assim, ter tido um bebê grande demais no parto anterior não significa definitivamente que você terá um desta vez.

O PVAC será mais bem-sucedido se já se passaram mais de dezoito meses desde a cesariana.

O PVAC pode ser uma excelente escolha se você já passou por um parto vaginal antes. As pesquisas sugerem que, se você já deu à luz por parto vaginal antes de fazer uma ou mais cesarianas, a probabilidade de ter um PVAC seguro e bem-sucedido é maior que 90%.

Se, a despeito de seus esforços, você terminar repetindo a cesariana, não fique desapontada. Lembre que mesmo a gestante que jamais fez uma cesariana antes tem quase 1 chance em 3 de fazer uma. Tampouco lamente se decidir (em conjunto com o médico) que prefere repetir a cesariana programada em vez de tentar o PVAC. Novamente, o que importa é o que é melhor para o bebê e para você.

"Meu obstetra está me encorajando a tentar um PVAC, mas não sei por que deveria passar por todo o trabalho de parto e então precisar de uma cesariana de qualquer modo."

Seus sentimentos definitivamente contam na hora de decidir se tentará ou não o PVAC. Mesmo assim, seu obstetra tem um bom argumento. Os riscos do PVAC são muito baixos, ao passo que a cesariana é, afinal, uma cirurgia de grande porte. O parto vaginal significa estada mais breve no hospital, menor risco de infecção e recuperação mais rápida — todas boas razões para considerá-lo. Além disso, se você quer receber uma epidural durante o trabalho de parto, pode fazer isso mesmo se for tentar o PVAC. Há até mesmo benefícios para o bebê se você tentar o trabalho de parto (veja o quadro a seguir).

CESARIANAS ELETIVAS

Você está considerando uma cesariana programada que não é medicamente necessária (ou desistindo da prova de trabalho de parto)? Eis algo a considerar: a melhor hora para seu bebê chegar é quando estiver pronto. Quando um parto eletivo é planejado, há a possibilidade de que o bebê inadvertidamente nasça cedo demais (particularmente se as datas não estiverem corretas). Outro potencial benefício para o bebê em deixar que o trabalho de parto siga seu curso (ou tentar o PVAC em vez de agendar uma segunda cesariana); evidências sugerem que bebês que passaram por ao menos parte do trabalho de parto têm menos problemas de saúde que bebês que jamais o fizeram — mesmo que a mãe termine fazendo uma cesariana medicamente necessária.

A melhor estratégia: pese os prós e contras do PVAC, considere seus sentimentos e tome a decisão que parecer certa para você — seja tentar o trabalho de parto ou ir diretamente para a sala de cirurgia —, sem arrependimentos.

Estreptococos do grupo B
"O médico fará um exame para detectar infecção por estreptococos do grupo B. O que isso significa?"

Significa que o médico está sendo cauteloso e, quando se trata de estreptococos do grupo B, ser cauteloso é a melhor política.

Os estreptococos do grupo B são uma cepa de bactérias que vivem na vagina de 10 a 35% das mulheres — o que as torna "portadoras". Não há problema para elas, já que ser portadora não causa nenhum tipo de sintoma (e esses estreptococos não estão relacionados aos do grupo A, que causam infecções de garganta), mas pode haver problema para os bebês. Isso porque um bebê que contrai estreptococos do grupo B ao sair da vagina da mãe corre o risco de desenvolver uma infecção séria — o que ocorre com cerca de 1 em cada 200 bebês nascidos de mães portadoras.

TESTES QUE PODEM SALVAR A VIDA DO RECÉM-NASCIDO

A maioria dos bebês nasce saudável e permanece assim. Mas uma pequena porcentagem nasce aparentemente saudável e subitamente adoece em função de um distúrbio metabólico. Embora a maioria desses distúrbios seja extremamente rara, podem ameaçar a vida do bebê se não forem detectados e tratados. Fazer os testes para detectar distúrbios metabólicos não é caro e, no improvável caso de seu bebê testar positivo, o pediatra pode verificar os resultados e iniciar o tratamento imediatamente — o que pode fazer tremenda diferença no prognóstico.

Felizmente, há como testar a presença de tais distúrbios metabólicos. Gotas de sangue, retiradas rotineiramente do calcanhar do bebê após o nascimento — por isso é chamado de teste do pezinho —, são usadas para testar 21 (ou mais) distúrbios genéticos, metabólicos, hormonais e funcionais sérios, incluindo fenilcetonúria, hipotireoidismo, hiperplasia adrenal congênita, deficiência de biotinidase, doença da urina do xarope de bordo (leucinose), galactosemia, homocistinúria, deficiência de acil-CoA desidrogenase de cadeia média e anemia falciforme.

Todos os cinquenta estados e o distrito de Colúmbia exigem que o recém-nascido seja testado ao menos para esses 21 distúrbios, e mais de metade dos estados testa os 29 transtornos recomendados pelo Colégio Americano de Medicina Genética (ACMG). Fale com o médico e com o conselho de saúde local para descobrir quais testes são realizados em seu estado. Você também pode olhar os requerimentos de seu estado no website do Centro Nacional de Testagem de Recém-Nascidos & Recursos Genéticos (NNSGRC): genes-r-us.uthscsa.edu. Se o hospital não fornecer automaticamente os 29 testes, você pode fazê-los em um laboratório. Para mais informações sobre testagem de recém-nascidos, entre em contato com a March of Dimes: marchofdimes.com.

O CDC também recomenda, e alguns estados exigem, um exame logo após o nascimento para detectar cardiopatias congênitas. Essas anomalias no coração, que afetam 1 em cada 100 bebês, podem levar à invalidez e à morte se não forem tratadas desde o início. Felizmente, quando o bebê recebe o diagnóstico e é tratado precocemente, os riscos caem significativamente — e, na maioria dos casos, completamente. O teste é simples e indolor: um sensor é colocado na pele do bebê para medir o pulso e a quantidade de oxigênio no sangue. Se os resultados forem questionáveis, o médico pode fazer outros testes (como o ecocardiograma, um ultrassom do coração) para determinar se há algo errado. Se seu estado não requer esse teste, peça que o pediatra o faça, de qualquer forma.

No Brasil, além das seis doenças usuais (fenilcetonúria, hipotireoidismo congênito, anemia falciforme, hiperplasia adrenal congênita, fibrose cística e deficiência de biotinidase), o teste do pezinho passou a englobar, após a sanção da Lei nº 14.154/21, catorze grupos de doenças capazes de identificar outras enfermidades e condições especiais de saúde.

E é por isso que as gestantes são rotineiramente testadas, normalmente entre a 35ª e a 37ª semanas (testar antes da 35ª semana não prevê com precisão se a gestante será ou não portadora no momento do parto). Alguns hospitais e casas de parto oferecem um teste rápido durante o trabalho de parto, com resultados em uma hora, substituindo os exames rotineiros entre a 35ª e a 37ª semanas. Pergunte ao médico se essa é uma opção no local onde será realizado seu parto.

Como o teste é feito? Coletando-se amostras vaginais e retais com um cotonete. Se você testar positivo (significando que é portadora), receberá antibióticos intravenosos durante o trabalho de parto — e esse tratamento praticamente elimina qualquer risco para o bebê. (Os estreptococos do grupo B também podem ser detectados em uma cultura de urina, com uma amostra recolhida durante a consulta pré-natal. Se forem, serão tratados imediatamente com antibióticos orais e, novamente, com antibióticos intravenosos durante o trabalho de parto.)

Se o médico não solicitar um exame no fim da gravidez, você deve pedir que ele o faça. Mesmo que não seja testada, mas termine em trabalho de parto com certos fatores de risco que indicam estreptococos do grupo B (como parto prematuro, febre durante o trabalho de parto ou bolsa que estoura mais de dezoito horas antes do parto), o médico a tratará com antibióticos por via intravenosa para garantir que você não passe nenhuma infecção que possa afetar o bebê. Se você já deu à luz um bebê com estreptococos do grupo B, o médico também pode ignorar o exame e prosseguir diretamente para os antibióticos intravenosos durante o trabalho de parto.

Usar de cautela fazendo testes — e, se necessário, tratamentos — significa que seu bebê estará protegido contra a infecção precoce (para informações sobre a infecção tardia por estreptococos do grupo B, veja *O que esperar do primeiro ano*).

Banhos de banheira
"Posso tomar banho de banheira a essa altura da gravidez?"

Encha a banheira e mergulhe (cuidadosamente). Um banho morno não somente é seguro no fim da gravidez, como pode ser o remédio certo para as dores e estresses após um longo dia (e que dia não é longo quando você está grávida de oito meses?).

Se você teme que a água do banho entre em sua vagina (você pode ter ouvido isso entre outros boatos sobre a gravidez), não tema. A menos que seja forçada — (como no caso da ducha íntima, algo que você não deve fazer, de qualquer modo) —, a água não pode ir para onde não deve. E mesmo que um pouquinho de água entre na vagina, o tampão mucoso que veda a entrada do útero protege efetivamente seu precioso conteúdo da invasão de organismos infecciosos, se houver algum flutuando na banheira.

Mesmo que esteja em trabalho de parto e o tampão mucoso já tenha sido deslocado, você ainda pode passar tempo na banheira. Aliás, a hidroterapia durante o trabalho de parto pode fornecer um bem-vindo alívio da dor. Você pode até mesmo optar por ter o bebê na banheira (p. 436).

Um cuidado que você deve ter quando tomar banho de banheira por dois, especialmente no fim da gravidez: coloque um tapete ou outra superfície antiderrapante no fundo, para não cair — e preste atenção ao entrar e sair. E, como sempre, evite sais de banho que possam ser irritantes.

Dirigir agora
"Quase já não consigo entrar atrás do volante. Será que devo continuar a dirigir?"

Você pode ficar no banco do motorista enquanto couber — e, se as coisas ficarem apertadas, empurrar o banco para trás e inclinar o volante para cima deve ajudar. Se houver espaço — e você estiver disposta (e não muito distraída) —, é possível dirigir curtas distâncias até o dia do parto.

Mas as viagens de carro com mais de uma hora de duração podem ser difíceis nesse estágio — e restringir a circulação —, quem quer que esteja dirigindo. Se precisar dirigir longas distâncias, mova-se no banco frequentemente e pare a cada hora para sair do carro e caminhar. Alongar o pescoço e as costas também vai deixá-la mais confortável.

Mas não tente dirigir até o hospital se entrar em trabalho de parto (uma contração muito forte pode ser perigosa na direção). E não se esqueça da regra mais importante em qualquer situação, seja você motorista ou passageira (e mesmo que seja a passageira sendo levada para o hospital ou casa de parto): use cinto. Veja como usá-lo com segurança — assim como os *airbags* — na p. 362.

A INGESTÃO DA PLACENTA

Os animais comem. As mulheres tribais comem. A medicina chinesa defendeu a prática por centenas de anos. E agora parece que metade de Hollywood está comendo — além de muitas outras. Comer a placenta após o parto (a chamada placentofagia) pode não soar particularmente apetitoso, mas é uma opção que muitas mães estão incluindo em seus planos de nascimento. E talvez você esteja se perguntando se deveria fazer o mesmo.

A placenta, o incrível órgão que nutriu seu bebê durante os nove meses de estada uterina, costuma ser descartada logo após o parto. Mas os proponentes da placentofagia dizem que isso é um desperdício, e que consumi-la pode aumentar seu nível de energia, prevenir a anemia, equilibrar os hormônios e diminuir as chances de depressão pós-parto.

Não se acha capaz de engolir sua placenta em um *smoothie*? Não se preocupe, poucas mães conseguem. A maneira mais comum de comer a placenta — e indubitavelmente a mais fácil — é em forma de cápsulas. Em um processo chamado encapsulamento, a placenta é seca, moída e colocada em cápsulas do tamanho das cápsulas de vitamina. Há empresas que fazem isso para você, por um preço. Algumas mães optam por fazer isso sozinhas (kits faça-você-mesma e instruções estão disponíveis na internet). A placenta também pode ser destilada em uma solução à base de álcool e gotejada em *smoothies* e outras bebidas.

Não há testes clínicos ou pesquisas científicas que apoiem a efetividade desses preparados de placenta, e a maioria dos especialistas médicos é cética sobre os benefícios de ingeri--la após o parto. Eles indicam que os supostos benefícios podem ser resultado do efeito placebo (se você espera se sentir bem após comer a placenta, provavelmente se sentirá) e citam casos de mulheres que ficaram doentes após ingerir as cápsulas de placenta. Outro potencial aspecto negativo de ingerir a placenta: existe a possibilidade muito real de disseminar infecção ao lidar com um órgão cru e cheio de sangue, facilmente contaminável por bactérias. Outro ainda: consumir a placenta pode diminuir a produção de leite, já que o hormônio progesterona (encontrado na placenta) inibe a prolactina, o hormônio necessário para produzir leite.

Se você está pensando em usar sua placenta após o parto, descubra se seu hospital ou casa de parto permite que você a embale e leve para casa (ou a envie para processamento). Nem todos permitem. É claro que você não precisará se importar com os protocolos hospitalares se der à luz em casa.

Viajar agora

"Posso ter de viajar a trabalho esse mês. É seguro nesse estágio da gravidez, ou devo cancelar?"

Antes de agendar a viagem, agende um telefonema para o médico. Diferentes médicos têm diferentes pontos de vista sobre as viagens no terceiro trimestre. Se ele a encorajará ou não a pegar a estrada — ou os trilhos, ou os céus — nesse estágio da gravidez provavelmente dependerá do ponto de vista dele, além de vários outros fatores. O mais importante é o tipo de gravidez que você está tendo: você tem mais chances de receber luz verde se a sua não teve nenhuma complicação. Em que estágio você está (a maioria dos médicos aconselha a não voar após a 36ª semana) e se existe algum risco de parto prematuro também pesarão na recomendação. Também é muito importante a maneira como você está se sentindo. Sintomas de gravidez que se multiplicam com o passar dos meses também se multiplicam com o passar dos quilômetros, e viajar pode aumentar a dor nas costas, agravar as veias varicosas e as hemorroidas (se você viajar em uma apertada poltrona de avião) e restringir a circulação, aumentando o risco de coágulo. Outras considerações incluem que distância e por quanto tempo você viajará (e por quanto tempo estará em trânsito), qual será a exigência física da viagem e o quanto é necessária (viagens opcionais ou que podem ser facilmente adiadas não valem a pena nesse momento). Se for viajar pelo ar, você também precisará levar em consideração as restrições da empresa aérea. Algumas não a deixarão viajar no último ou dois últimos meses sem uma carta do médico declarando que você não tem risco iminente de entrar em trabalho de parto (ou seja, durante o voo). Outras são mais flexíveis. E algumas podem praticar uma política não oficial de não fazer perguntas (afinal, é difícil julgar em que mês da gestação está uma mulher ao vê-la passar pelo balcão de *check-in*).

Se o médico liberar, ainda há muitos outros preparativos que você terá de fazer além dos preparativos da viagem. Encontre na p. 363 dicas para viajar de modo mais seguro e confortável. Descansar muito e permanecer hidratada será especialmente importante. Mas a coisa mais importante da sua lista será ter o nome, telefone e endereço de um obstetra (e do hospital ou casa de parto onde ele trabalha) em seu destino — um, é claro, cujos serviços sejam cobertos por seu plano de saúde, se você precisar deles. Se viajar para muito longe, também deve considerar a possibilidade de convidar seu parceiro, para que, na remota possibilidade de entrar em trabalho de parto na cidade de destino, não precise realizar o parto sem ele. E também confira as condições do seguro de viagem, no caso de complicações inesperadas a forçarem a cancelar.

Sexo agora

"Ouço muitas opiniões conflitantes sobre se o sexo nas últimas semanas da gravidez é seguro e se provoca ou não o trabalho de parto."

Você ainda tem vontade e disposição para o sexo? Então vá em frente. As pesquisas realizadas (tanto por cientistas quanto por casais brincando de médico em casa) indicam que o sexo (e o orgasmo de um ou ambos os parceiros) não provoca trabalho de parto a menos que já esteja na hora — ou seja, que o colo do útero esteja pronto para a ação. Nesse caso, teoriza-se que as prostaglandinas contidas no sêmen (similar às prostaglandinas usadas para induzir o trabalho de parto) e talvez a ocitocina liberada durante o orgasmo possam iniciar as contrações. Mas, mesmo nas condições mais propícias, você não pode contar com o sexo para levá-la à sala de parto (como descobriram muitos casais que já haviam passado de sua data provável). Aliás, um estudo descobriu que gestantes de baixo risco que fizeram sexo nas semanas finais tiveram gestações um pouquinho mais longas que as que não fizeram.

PREPARANDO-SE PARA O INESPERADO

Plano de parto? Feito! Aulas de parto? Fazendo! Prontidão para desastres? Hum... o quê? Durante todos os preparativos para o bebê, você provavelmente não pensou muito na prontidão para desastres, mas os especialistas dizem que toda gestante deveria fazer isso. Desastres, sejam naturais ou causados pelo homem, felizmente são incomuns — mas quase sempre nos atingem de maneira inesperada. Com um pouquinho de planejamento, você e seu futuro bebê poderão enfrentar qualquer tempestade (talvez literalmente). Algumas coisas em que pensar:

- Tenha um plano de comunicação. As linhas fixas podem não funcionar e as redes sem fio podem ficar sobrecarregadas durante um desastre, impedindo que você se comunique por telefone com seu parceiro e outros familiares. Planeje antecipadamente para enviar SMS, postar nas redes sociais e usar aplicativos de mensagens para entrar em contato durante e após um desastre.
- Tenha um plano para emergências médicas e parto emergencial (leia a p. 533 para descobrir como). Fale com o médico sobre opções emergenciais no caso de você entrar em trabalho de parto, tiver hemorragia ou sintomas de complicações quando as linhas telefônicas não estiverem funcionando, o consultório não estiver aberto ou você não conseguir chegar ao hospital. E tenha uma cópia impressa de seu histórico médico eletrônico no caso de se ver nas mãos de um profissional de saúde desconhecido durante uma emergência.
- Prepare um kit e uma mala de emergência. Os especialistas recomendam ter um kit de emergência com ao menos três dias de alimentos não perecíveis (pense em oleaginosas, frutas liofilizadas, biscoitos integrais, manteiga de amendoim, barrinhas de granola, comida em latas com lacre, vitaminas pré-natais, medicamentos prescritos, bateria extra para o celular, rádio de pilha, cobertor, kit de primeiros-socorros, lanterna, pilhas, álcool gel e outras coisas das quais você possa precisar). Tenha outro kit de emergência no carro. Acesse ready.gov para receber mais dicas.

Também se lembre de como será importante cuidar de você mesma e do bebê durante um desastre: comer regularmente, permanecer hidratada e obter o descanso necessário, por mais difícil que seja em uma situação tão estressante. Falando em estresse, tente não permitir que ele a sobrecarregue, especialmente porque o estresse extremo às vezes está ligado ao parto prematuro. Use as suas técnicas de relaxamento para permanecer calma durante a gravidez (e, se não as estiver usando, preparar-se para desastres é outra boa razão para começar). Eis alguns números para ter à mão em caso de desastre (e for possível pedir ajuda externa): The National Disaster Distress Helpline, 1-800-985-5990, ou envie uma mensagem de texto dizendo TalkWithUs para o número 66746. Você também pode entrar em contato com o comitê local da Cruz Vermelha Americana ou com o Departamento de Saúde Pública para obter mais informações e ajuda. No Brasil, você pode ligar para o SAMU, para o número 192.

Em suma: com base no que se sabe, a maioria dos obstetras e parteiras permite que pacientes com gestações normais façam amor até o dia do parto. Fale com o médico para descobrir o que é seguro em sua situação. Se receber luz verde (é provável que receba), corra para a cama — se tiver vontade e energia (e as habilidades de ginasta que podem ser necessárias a essa altura). Se a luz for vermelha em seu caso (e provavelmente será se você tiver alto risco de parto prematuro, placenta prévia ou sangramentos inexplicáveis) — ou você simplesmente não estiver no clima —, tente criar intimidade de outras maneiras. Enquanto as noites ainda são só para vocês dois, aproveitem um jantar à luz de velas ou um passeio sob a lua. Fiquem juntinhos para ver TV ou ensaboem um ao outro no chuveiro. Ou usem a massagem como meio. Ou façam de tudo, menos o que está restrito (peça uma lista de restrições ao médico). Pode não ser tão satisfatório quanto a coisa real, mas tente se lembrar de que vocês têm uma vida inteira para fazer amor — embora as oportunidades possam ser poucas, ao menos até que o bebê durma a noite inteira.

O casal

"O bebê ainda nem nasceu e nosso relacionamento já mudou. Estamos totalmente envolvidos com o parto e o bebê, em vez de focados um no outro."

Bebês pequeninos trazem grandes mudanças ao chegar e, frequentemente, mesmo antes disso. Sem surpresa, o relacionamento com seu parceiro é uma instância na qual você notará essas mudanças, e parece que você já as entreviu. E isso é uma coisa boa. Quando o bebê chegar para formar um trio, sua dupla provavelmente passará por uma mudança em suas dinâmicas e prioridades. Mas essa revolução previsível costuma ser menos estressante — e mais fácil de se adaptar — quando o casal inicia a natural e inevitável evolução do relacionamento durante a gravidez. Em outras palavras, as mudanças em seu relacionamento têm mais chances de ser para melhor se começarem antes de o bebê chegar. Casais que não antecipam ao menos alguma alteração em seu romance usual — que não percebem que vinho e rosas frequentemente darão lugar a purés de cenoura cuspidos, que as maratonas de sexo ficarão (bem) atrás das maratonas de ninar o bebê, que um trio nem sempre é tão aconchegante quanto uma dupla, ao menos não da mesma maneira — frequentemente acham mais difícil se adaptar à realidade da vida com um bebê e tudo que ele requer.

Assim, pense e planeje com antecedência — e esteja pronta para a mudança. Mas, ao entrar no modo maternidade, lembre-se de que o bebê não será o único precisando de atenção. Por mais normal — e saudável — que seja estar totalmente envolvida com sua esperada entrega extraespecial, também é importante reservar energia emocional para o relacionamento que criou essa trouxinha de alegria. Agora é a hora de aprender a combinar o cuidado e a nutrição do bebê com o cuidado e a nutrição do casal. Enquanto preparam diligentemente o ninho, esforcem-se para reforçar regularmente o romance. Abracem-se desde cedo e muitas vezes durante o dia. Fiquem de mãos dadas ao navegar pela internet fazendo as compras de último minuto. Dê um apertão no traseiro dele, beije-o, faça um carinho sem razão especial. Aninhe-se com ele na cama, lembrando de seu primeiro encontro e sonhando com uma segunda lua de mel (mesmo que ela ainda esteja distante no futuro). Leve a massagem para a cama uma vez ou outra. Mesmo que não esteja no clima para sexo — ou ele pareça um esforço grande demais ultimamente —, qualquer tipo de toque pode mantê-los próximos e lembrá-los de que há mais na vida que Lamaze e enxovais.

Manter esse fato muito importante em mente agora tornará mais fácil manter o amor aceso mais tarde, quando vocês dois estiverem fazendo turnos às duas da manhã. E esse amor, afinal, é o que tornará feliz e seguro o ninho que você está preparando para seu bebê.

TUDO SOBRE:
Amamentação

Se você já pensou no que está acontecendo por trás dos bojos gigantescos dos novos sutiãs que provavelmente comprou nos últimos oito meses, é provável que suas conclusões sejam bastante claras: seus seios já estão se preparando para a amamentação. Quer o restante de você já tenha comprado a ideia ou ainda esteja analisando as opções em termos de alimentação do bebê, você provavelmente quer saber mais sobre esse maravilhoso processo que transforma seios (seus seios!) nos fornecedores perfeitos do alimento infantil mais perfeito do mundo. Você obterá valiosas dicas e informações aqui, mas, para saber tudo sobre amamentação (do porquê ao como), leia *O que esperar do primeiro ano*. Eis os pontos principais.

Por que os seios são melhores

Assim como o leite de cabra é a alimentação ideal para os bodinhos e o leite de vaca é a melhor refeição para bezerros recém-nascidos, o leite materno é perfeito para seu recém-nascido. Eis as razões:

Ele é personalizado. Criado para suprir as necessidades nutricionais de bebês humanos, o leite materno contém ao menos cem ingredientes que não são encontrados no leite de vaca e não podem ser replicados com precisão em fórmulas comerciais. E, ao contrário das fórmulas, a composição do leite materno muda constantemente para se adequar às novas necessidades do bebê: ele é diferente de manhã e no fim da tarde, no começo e no fim de cada mamada, no primeiro e no sétimo meses e para um bebê prematuro e um nascido a termo. Ele até mesmo tem gosto diferente, dependendo de sua alimentação (como acontece com o líquido amniótico quando você está grávida). Trata-se de um alimento único para seu bebê único.

Ele é fácil de digerir. O leite materno foi projetado para o sistema digestivo de um recém-nascido. Suas proteínas e gorduras são mais fáceis de digerir que as das fórmulas, e seus importantes micronutrientes são mais facilmente absorvidos.

Ele evita problemas digestivos. Bebês amamentados quase nunca ficam constipados, graças à alta digestibilidade do leite materno. E raramente têm diarreia, já que o leite materno parece reduzir o risco de problemas digestivos ao destruir micro-organismos prejudiciais e encorajar o crescimento de micro-organismos benéficos. Sabe aqueles muito divulgados pré- e probióticos acrescentados a algumas fórmulas? Eles ocorrem naturalmente no leite materno.

Ele não fede. Falando de modo puramente estético, o cocô de um bebê que mama no peito tem cheiro mais suave (ao menos até os sólidos serem introduzidos).

Ele evita infecções. A cada mamada, o bebê recebe uma saudável dose de anticorpos para aumentar sua imunidade a germes de todos os tipos (e é por isso que às vezes se diz que a amamentação é a primeira vacina do bebê). Em geral, bebês alimentados com leite materno têm menos resfriados, infecções de ouvido, infecções do trato respiratório inferior, infecções do trato urinário e outras doenças que bebês alimentados com fórmulas e, quando ficam doentes, geralmente se recuperam mais rápido e com menos complicações. A amamentação também melhora a resposta imune às vacinas contra a maioria das doenças (como tétano, difteria e pólio). Além disso, pode oferecer alguma proteção contra a síndrome de morte súbita infantil.

Ele controla a gordura. Bebês que mamam no peito têm menos probabilidade de serem gordinhos, em parte porque o aleitamento materno permite que o apetite do bebê controle a alimentação (e os quilos). O bebê amamentado tende a parar quando está saciado, ao passo que o bebê alimentado com fórmula pode ser estimulado a continuar até que a mamadeira esteja vazia. O leite anterior (no início de cada mamada), menos calórico, serve para matar a sede. O leite posterior (no fim de cada mamada), mais calórico, cria sensação de saciedade, indicando que é hora de parar. E as pesquisas sugerem que o controle da gordura fornecido pela amamentação segue o bebê até o ensino médio. Bebês amamentados têm menor probabilidade de lutar contra o excesso de peso na adolescência, e quanto mais tempo mamarem, menor o risco de serem obesos. Outro potencial benefício de longo prazo: a amamentação está ligada a níveis mais baixos de colesterol e pressão arterial na vida adulta.

Ele evita alergias. Bebês quase nunca são verdadeiramente alérgicos ao leite materno (embora, ocasionalmente, possam ser sensíveis a algo que a mãe comeu). E quanto à fórmula? Mais de 10% dos bebês são alérgicos às formulas que contêm leite de vaca (mudar para uma fórmula hidrolisada ou com leite de soja costuma resolver o problema, mas não é ideal, já que sua composição se afasta ainda mais do padrão ouro: o leite materno). E há mais boas notícias no quesito alergia: as evidências sugerem que bebês amamentados têm menos tendência de desenvolverem asma e eczema.

Ele estimula o cérebro. Amamentar, de acordo com algumas evidências, parece aumentar ligeiramente o QI da criança, ao menos até os 15 anos — e possivelmente além. Isso pode estar relacionado não somente aos ácidos graxos produtores de células cerebrais (DHA) presentes no leite materno, mas também à proximidade e à interação entre mãe e bebê durante a amamentação, que se acredita incentivar o desenvolvimento intelectual do recém-nascido.

PREPARANDO-SE PARA A AMAMENTAÇÃO

Por sorte, a natureza já cuidou de toda a mecânica, então não há muito que você precise fazer para deixar seus seios prontos para alimentar o bebê. Alguns especialistas em lactação recomendam que, durante os últimos meses de gravidez, você não passe sabonete nos mamilos e aréolas e os lave somente com água. O sabonete pode ressecar os mamilos, levando a rachaduras e dor no início da amamentação. Se seus mamilos estiverem ressecados, você pode aplicar um creme à base de lanolina — de outro modo, não é necessário.

A regra de não preparação se aplica até mesmo a mulheres com mamilos pequenos ou achatados. Mamilos achatados não precisam ser preparados para o aleitamento com conchas de amamentação, manipulação manual ou bombeamento manual durante a gravidez. Essas técnicas preparatórias não somente são frequentemente menos efetivas que nenhum tratamento como podem fazer mais mal que bem. As conchas, além de serem desconfortáveis e volumosas, podem causar transpiração excessiva e assaduras. A manipulação manual e o bombeamento prematuro podem estimular as contrações e, ocasionalmente, levar a infecções nos seios.

> ## TEM PIERCING?
>
> Você está preparada para amamentar seu futuro bebê, mas teme ter problemas porque usa piercing no mamilo? Não se preocupe. Não há evidências de que ele tenha qualquer efeito na habilidade de amamentação da mãe. Mesmo assim, remova a joia antes de inserir o mamilo na boquinha do bebê. Não somente devido ao potencial de infecção para você, mas também porque, durante a amamentação, a joia apresenta risco de sufocamento e de ferimentos na gengiva, língua ou palato do bebê, ainda muito sensíveis.

Ele é seguro. Você sempre pode ter a certeza de que o leite de seus seios foi preparado perfeitamente e nunca está estragado, contaminado ou vencido.

Ele foi projetado para sugadores. Leva mais tempo para esvaziar um seio que para esvaziar uma mamadeira, dando ao recém-nascido mais tempo do conforto oferecido pelo ato de sugar. Além disso, o bebê pode continuar sugando um seio quase vazio para se confortar — algo que não é possível com uma mamadeira vazia.

Ele gera boquinhas mais fortes. Os mamilos da mãe e a boca do bebê foram feitos um para o outro: uma combinação naturalmente perfeita. Mesmo o bico de mamadeira mais cientificamente projetado não chega à altura do mamilo, que oferece a ginástica ideal para a mandíbula, as gengivas, os dentes e o palato, uma ginástica que assegura um desenvolvimento oral ótimo e benefícios para a futura dentição (como melhor alinhamento). Outro benefício oral: bebês que mamam no peito têm menos tendência a ter cáries no futuro.

Ele estimula o desenvolvimento precoce das papilas gustativas. Quer criar um bebê que coma de tudo? Desenvolver as papilas gustativas do bebê com o leite materno, que assume o sabor do que quer que você coma, pode aclimatá-lo mais cedo a um mundo de sabores. Os pesquisadores descobriram que bebês que mamam no peito têm maior probabilidade de se aventurarem com novos sabores que bebês que usam mamadeira, o que significa que é mais provável que abram a boquinha para aquela colherada de batata-doce (ou frango com *curry*) quando passarem para a cadeirinha.

Amamentar também oferece muitos benefícios para a mãe (e o pai):

Conveniência. O leite materno é o alimento mais conveniente que existe: sempre em estoque, pronto para servir e consistentemente na temperatura perfeita. Ele também é fast-food: não há fórmula para preparar, comprar ou carregar, nenhuma mamadeira para limpar ou encher, nenhum pó para misturar ou aquecer (quando, digamos, você está em uma chamada de vídeo e o bebê está gritando ao fundo). Onde quer que você esteja — na cama, na estrada, no shopping, na praia —, toda a nutrição de que seu bebê necessita está sempre à mão, sem bagunça nem confusão. E, se você e o bebê não estão no mesmo lugar ao mesmo tempo — você está no trabalho, na faculdade, em um jantar ou mesmo passando o fim de semana fora —, seu leite pode ser servido em mamadeiras.

Dinheiro no banco. As melhores coisas da vida são gratuitas, incluindo o leite materno e sua administração (abra a boca do bebê e insira o mamilo da mãe). Em contrapartida, mamadeiras (incluindo fórmula, mamadeiras, bicos e produtos de limpeza) podem ser bem caras. Tampouco há desperdício na amamentação: o que o bebê não ingere em uma mamada permanece fresco para a seguinte. E, como bebês que mamam no peito geralmente são mais saudáveis, você provavelmente economizará dinheiro com assistência médica (e descontos no salário, já que terá menos probabilidade de faltar ao trabalho para cuidar do bebê doente).

PARA OS PAIS

OS SEIOS DE SUA PARCEIRA

Até agora, você pensou nos seios de sua parceira sexualmente. E isso é natural. Mais eis algo que também é natural e de que você provavelmente também já está consciente: os seios são como são para servir a um propósito realmente importante: alimentar o bebê. Não existe alimento mais perfeito para um bebê que o leite materno, e nenhum sistema de entrega mais perfeito que um seio (ou dois). Amamentar oferece uma quantidade esmagadora de benefícios para a saúde tanto do bebê (de evitar alergias, obesidade e doenças a promover o desenvolvimento cerebral) quanto da mãe (recuperação mais rápida no pós-parto e risco reduzido de diabetes e câncer de seios, ovários e útero mais tarde).

Sem dúvida, a decisão de preferir os seios à mamadeira faz diferença dramática na vida de seu bebê — e de sua parceira. E, talvez surpreendentemente, seu apoio a essa decisão pode fazer uma diferença dramática no sucesso da amamentação. Assim, se já não o fez, dê a ela seu voto de confiança, que é mais importante do que você imagina. Mesmo que ainda não saiba muito sobre aleitamento, saber que você está ao lado dela a cada passo do caminho (especialmente nos momentos difíceis, como eles são no início) terá enorme influência na decisão dela de continuar a amamentar (e, quanto mais ela fizer isso, mais benefícios para ela e o bebê). De fato, os pesquisadores descobriram que quando os pais apoiam o aleitamento materno, as mães tendem a tentar em 96% dos casos. Quando os pais são ambivalentes, somente 26% das mães tentam. Assim, leve sua própria influência a sério. Leia sobre amamentação, faça aulas junto com ela, fale com outros pais cujas parceiras amamentaram e pergunte se uma consultora de lactação (basicamente um *coach* de amamentação) estará disponível no hospital ou casa de parto quando o bebê estiver pronto para mamar pela primeira vez. (Lição um: o processo é natural, mas nem sempre ocorre naturalmente.) Se sua parceira estiver hesitante em pedir — ou cansada demais após o parto —, aja como advogado dela e assegure-se de que ela obtenha a ajuda necessária.

Ajude sua esposa a começar, incentive os esforços dela e então se sente e observe, maravilhado, enquanto os incríveis seios dela assumem uma das tarefas mais importantes (e incrivelmente especiais) da vida: alimentar o bebê. Claro, são necessários somente dois para amamentar, mas frequentemente são necessários três para que isso aconteça.

Recuperação mais rápida no pós-parto. É natural que a amamentação seja a melhor opção também para as mães: afinal, ela é a conclusão natural do ciclo gravidez-nascimento. A amamentação ajudará o útero a voltar ao tamanho normal mais rapidamente, o que, por sua vez, reduzirá o fluxo de lóquio (sangramento pós-parto), diminuindo a perda de sangue. E, ao queimar mais de 500 calorias por dia, a amamentação pode ajudá-la a se livrar mais rapidamente dos quilos ganhos durante a gravidez. Alguns desses quilos foram armazenados como reservas de gordura destinadas especificamente à produção de leite, e agora é sua chance de usá-las.

Certa proteção contra a gravidez. Não é nem de longe uma garantia, mas amamentar seu bebê pode suprimir a ovulação (e a menstruação) por vários meses. Será que você deveria apostar nisso como controle de natalidade, sem um *backup*? Provavelmente, não, a menos que gestações sequenciais sejam seu objetivo (veja a p. 52 para saber mais).

Benefícios para a saúde da mãe. Muitas vantagens aqui: mulheres que amamentam têm risco ligeiramente menor de desenvolver câncer no útero, nos ovários e nos seios (pré-menopausa). Elas também têm menor probabilidade de desenvolver diabetes tipo 2, artrite reumatoide e osteoporose que mulheres que não amamentam. Outro benefício: as pesquisas sugerem que mulheres que amamentam têm menos tendência de sofrer depressão pós-parto (embora ela possa atingir mães que amamentam e as que param de amamentar, devido a novas flutuações hormonais).

AMAMENTAÇÃO APÓS CIRURGIA NOS SEIOS

Como uma cirurgia nos seios feita no passado pode afetar a amamentação no futuro? Depende do tipo de cirurgia e como ela foi realizada. Eis uma visão geral:

Se você fez redução de seios ou lumpectomia, provavelmente será capaz de amamentar, mas pode não produzir leite suficiente para alimentar o bebê exclusivamente com ele. Converse com o cirurgião para ver se foram preservados os dutos de leite e as vias nervosas durante o procedimento — se sim, há boas chances de que você seja capaz de produzir ao menos um pouco de leite.

Se você fez aumento de seios, suas chances de amamentar com sucesso são boas, já que é menos provável que a cirurgia interfira com a amamentação. Mesmo assim, dependerá da técnica, da incisão e da razão pela qual foi feita. Embora muitas mulheres com implantes sejam capazes de alimentar seus bebês exclusivamente através da amamentação, uma minoria significativa não consegue produzir leite suficiente.

Não importa que tipo de cirurgia tenha feito, você pode aumentar suas chances de amamentar com sucesso lendo a respeito, frequentando aulas e trabalhando com uma consultora de lactação desde o início. Para saber (muito) mais, leia *O que esperar do primeiro ano*.

Mamada noturna (relativamente) mais fácil. Já ouviu um bebê faminto às duas da manhã? Você ouvirá. E, quando ouvir, ficará grata pela velocidade com que poderá alimentá-lo se estiver amamentando. Você não precisará tropeçar até a cozinha para preparar uma mamadeira no escuro. Bastará colocar um mamilo cálido naquela cálida boquinha.

Depois de algum tempo, multitarefas mais fácil. Inicialmente, amamentar seu recém-nascido exigirá seus dois braços e muito foco. Mas, quando você e o bebê se acostumarem à rotina, você será capaz de fazer praticamente qualquer outra coisa ao mesmo tempo, de jantar a brincar com seu filho mais velho.

Laços afetivos. O benefício da amamentação que você provavelmente mais apreciará será a intensificação do laço afetivo entre você e seu pequeno. Cada mamada traz consigo o contato pele a pele e olho no olho e a oportunidade de ninar e mimar seu bebê. É claro que mães (e pais) que usam mamadeiras podem ser igualmente próximos de seus bebês, mas essa proximidade exige um esforço mais consciente (existe sempre a compreensível tentação de apoiar a mamadeira em algum lugar quando você está ocupada ou cansada e deixar que ele mame sozinho).

Escolhendo amamentar

Para mais e mais futuras mães, a escolha é clara. Algumas sabem que optarão pelo aleitamento materno, e não pela mamadeira, muito antes de sequer decidirem engravidar. Outras escolhem amamentar quando leem sobre os muitos benefícios. Algumas permanecem indecisas durante toda a gravidez e mesmo o parto. E mesmo aquelas que estão convencidas de que amamentar não é para elas não conseguem se livrar da incômoda sensação de que deveriam.

Indecisa? Eis uma sugestão: tente — você pode gostar. Você sempre pode parar se não gostar, mas ao menos se livrará das incômodas dúvidas. E o melhor de tudo: você e o bebê terão colhido alguns dos mais importantes benefícios da amamentação, mesmo que apenas brevemente.

Apenas dê à amamentação uma chance justa. As primeiras semanas podem ser desafiadoras mesmo para as mais entusiásticas defensoras do aleitamento materno, e sempre há uma curva de aprendizado (embora obter apoio ao aleitamento facilite muito as coisas se você estiver tendo dificuldades). De modo geral, entre quatro e seis semanas de amamentação são necessárias para estabelecer um relacionamento alimentar bem-sucedido e dar à mãe a chance de descobrir se essa realmente é a melhor escolha.

QUANDO VOCÊ NÃO PODE (OU ESCOLHE NÃO) AMAMENTAR

Talvez você tenha decidido que amamentar definitivamente não é para você. Ou haja uma razão pela qual não será capaz (ou termine descobrindo não ser capaz). De qualquer modo, lembre-se de que você pode oferecer ao bebê o mesmo amor e cuidado ao alimentá-lo com a mamadeira. Assim, recorra à fórmula sem culpa ou arrependimento. Para aprender mais sobre combinar mamadeiras com amor, leia *O que esperar do primeiro ano*.

Também tenha em mente que amamentar não é uma questão de tudo ou nada. Para algumas mães, combinar o peito e a mamadeira é a melhor fórmula. Para mais sobre essa combinação, leia *O que esperar do primeiro ano*.

Capítulo 13
O nono mês
Aproximadamente 36 a 40 semanas

Finalmente. O mês pelo qual você esteve esperando, trabalhando e até se estressando chegou. É provável que você esteja ao mesmo tempo mais que pronta (para segurar o bebê... ver seus dedos do pé novamente... dormir de bruços!) e nada pronta. A despeito do inevitável turbilhão de atividades (mais consultas com o médico, últimos itens do enxoval para comprar, projetos para terminar no trabalho, cor de tinta a escolher para o quarto do bebê), o nono mês pode parecer o mais longo de todos. A não ser que você não dê à luz na data provável do parto. Nesse caso, o décimo mês será o mais longo.

Seu bebê este mês

36ª semana. Pesando algo em torno de 2,7 quilos e medindo entre 46 e 48 centímetros, seu bebê está quase pronto para se aninhar em seus braços. Nesse momento, a maioria dos sistemas (do circulatório ao musculoesquelético) já é capaz de enfrentar a vida do lado de fora. Embora o sistema digestivo também esteja terminado, ele ainda não foi usado. Até agora, a nutrição do bebê chegou via cordão umbilical, tornando a digestão desnecessária. Mas isso está prestes a mudar. Assim que o bebê sugar seu seio (ou a mamadeira) pela primeira vez, o sistema digestivo será iniciado — e as fraldas começarão a se encher.

37ª semana. Eis uma notícia excitante: se nascesse esta semana, seu bebê seria considerado a termo. Isso não significa que ele tenha terminado de crescer ou se preparar para a vida do lado de fora. Ainda ganhando mais ou menos 230 gramas por semana, o feto médio dessa idade pesa cerca de 3 quilos (embora o tamanho varie bastante de feto para feto, assim como de um recém-nascido para outro). A gordura continua a se acumular, formando covinhas beijáveis nos cotovelos, joelhos e ombros, e adoráveis dobrinhas no pescoço e nos pulsos. Para se manter ocupado até o grande dia, ele está praticando: inalando e exalando líquido amniótico (a fim de preparar os pulmões para a primeira respiração), chupando o dedo (a fim de se preparar para a primeira mamada), piscando e girando para um lado e para o outro (o que explica por que ontem você sentiu a bundinha fofa dele do lado esquerdo, e hoje, do lado direito).

38ª semana. Com 3,2 quilos e quase 51 centímetros (com uma margem de 5 centímetros para mais ou para menos), seu pequeno já não é tão pequeno. Na verdade, é grande o bastante para o grande dia. Com somente duas (no máximo quatro) semanas restantes no útero, todos os sistemas estão quase prontos. Para ficar bonito em todas aquelas fotos, ele ainda precisa cuidar de alguns detalhes de última hora, como se desfazer do vérnix (a substância branca e gordurosa que protege sua pele sensível) e o lanugo (os pelinhos macios e finos que o mantêm aquecido). Ele também está produzindo mais surfactante, o que evitará que as cavidades alveolares dos pulmões grudem umas nas outras quando a respiração começar. Seu pequeno estará aqui antes que você se dê conta!

39ª semana. Não há muito o que relatar esta semana, ao menos no departamento de altura e peso. Felizmente para você e sua pele superesticada (além de suas costas doloridas), o crescimento do bebê desacelerou ou mesmo entrou em uma pausa que durará até depois do parto. Em média, um bebê de 39 semanas ainda pesa entre 3,2 e 3,6 quilos (do tamanho de... um bebê!) e mede entre 48 e 53 centímetros (embora o seu possa ser um pouco maior ou menor). Mesmo assim, progresso está sendo feito em outras áreas, especialmente o cérebro, que está crescendo e se desenvolvendo (em um ritmo acelerado que continuará durante os três primeiros anos de vida). Além disso, a pele cor-de-rosa dele agora é esbranquiçada ou branco-acinzentada (qualquer que seja sua coloração futura, já que a pigmentação só ocorre após o parto). Algo que você talvez não tenha notado se essa é sua primeira gravidez: a cabeça do bebê pode ter descido para a pelve. Essa mudança na localização do bebê pode fazer com que respirar seja mais fácil (e que você sinta menos azia), mas também pode tornar mais difícil caminhar (ou gingar como um pato).

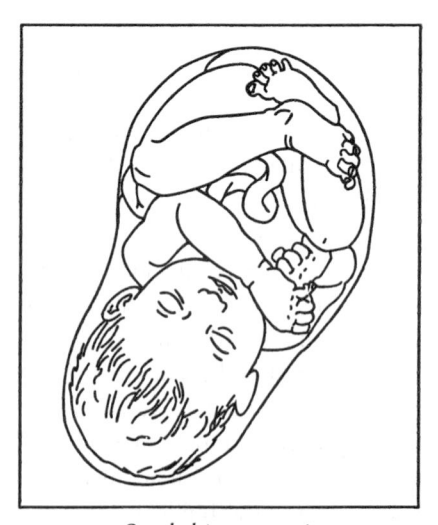

Seu bebê, nono mês

40ª semana. Parabéns! Você chegou ao fim oficial da gravidez (e talvez da paciência). O bebê chegou a termo e pode pesar entre 2,7 e 4 quilos e medir entre 48 e 56 centímetros, embora bebês perfeitamente saudáveis possam ser ligeiramente maiores ou menores. Quando o bebê nascer, você notará que ele ou ela (e você saberá com certeza nesse grandioso momento) ainda estará curvado na posição fetal, mesmo que seus dias fetais tenham chegado ao fim. Trata-se somente de hábito (depois de passar nove meses apertado no útero, ele ainda não percebeu que há espaço para se esticar) e conforto (a posição encolhidinha é reconfortante). Quando encontrar seu recém-chegado, diga olá — e mais. Embora seja a primeira vez que vocês se veem, o bebê reconhecerá sua voz e a voz do pai. E, se ele não chegar na data prevista (ignorando as previsões do aplicativo), você está em boa — embora impaciente — companhia. Cerca de 30% de todas as gestações passam da marca da 40ª semana, embora (felizmente) o médico provavelmente não vá permitir que a sua passe da 42ª.

41ª e 42ª semanas. Parece que o bebê optou pelo *late check-out*. Menos de 5% dos bebês nascem na data provável do parto, e cerca de 10% decidem ficar no Hotel Útero para além da 41ª semana, entrando gloriosamente no décimo mês (embora você tenha deixado de se sentir "gloriosa" há muito tempo). Lembre que, na maior parte do tempo, o bebê pós-termo não é realmente pós-termo; a data provável é que estava errada. Mais raramente, o bebê pode ser verdadeiramente pós-termo. Quando ele nasce, frequentemente é com a pele seca, rachada, descascando, solta e enrugada (tudo completamente temporário; uma pele nova e macia surgirá em breve). Isso porque o vérnix protetor foi eliminado semanas antes, antecipando a data do parto que chegou e passou. Um feto "mais velho" também tem unhas mais longas, cabelo possivelmente mais comprido e pouco ou nenhum lanugo. Em geral, os recém-nascidos pós-termo tendem a ser mais alertas e nascer com os olhos abertos (afinal, são mais velhos e sábios). Para se assegurar de que tudo está bem, o médico provavelmente monitorará o bebê pós-termo cuidadosamente através de testes de não estresse e verificações do líquido amniótico ou dos perfis biofísicos.

Seu corpo este mês

Em seu último mês de sintomas, alguns podem estar presentes desde o mês passado, ao passo que outros podem ser novinhos em folha. Alguns podem ser quase imperceptíveis, porque você está acostumada ou porque eles são eclipsados por novos e mais excitantes sinais indicando que o trabalho de parto está próximo:

Fisicamente
- Mudanças na atividade fetal (mais contorções e menos chutes conforme o bebê tem cada vez menos espaço para se mover)
- A secreção vaginal se torna mais espessa e contém mais muco, que pode estar estriado de sangue avermelhado, amarronzado ou rosado após sexo ou exame pélvico ou porque o colo do útero começou a dilatar
- Constipação ou fezes mais moles com a aproximação do trabalho de parto
- Azia, indigestão, flatulência, sensação de estômago estufado
- Dor de cabeça ocasional
- Vertigem ou tontura ocasionais, especialmente ao se levantar rapidamente ou em razão da queda do nível de glicose
- Congestão nasal e sangramentos ocasionais; ouvidos entupidos
- Gengivas sensíveis
- Câimbras nas pernas à noite
- Aumento da dor e da sensação de peso nas costas
- Desconforto e dor nas nádegas e na pelve
- Aumento do inchaço dos tornozelos e pés e, ocasionalmente, das mãos e do rosto
- Coceira na barriga
- Umbigo protuberante (saltado)
- Estrias
- Veias varicosas nas pernas e/ou na vulva
- Hemorroidas
- Maior facilidade para respirar depois que o bebê descer
- Micção mais frequente depois que o bebê descer, já que novamente há pressão sobre a bexiga
- Intensificação da dificuldade para dormir

SEU CORPO ESTE MÊS

Seu útero está logo abaixo das costelas, e suas medidas já não mudam muito de uma semana para a outra. O topo do útero está a 38 e 40 centímetros do topo do osso púbico. Seu ganho de peso deve desacelerar ou mesmo parar com a aproximação do Dia D. Você tem a impressão de que a pele de seu abdômen não tem mais como esticar e provavelmente está gingando mais que nunca, possivelmente porque o bebê desceu, em preparação para o parto.

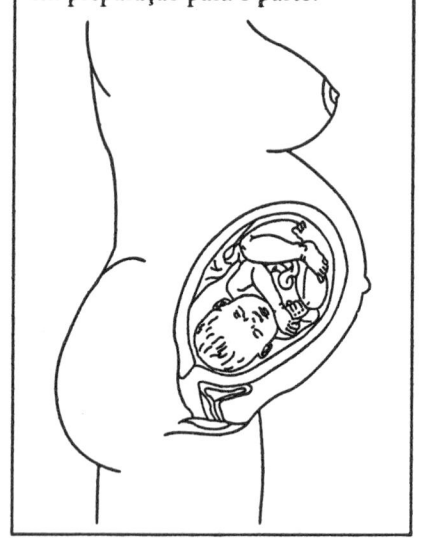

- Contrações de Braxton Hicks mais intensas e frequentes (algumas podem ser dolorosas)
- Intensificação da falta de jeito e dificuldade para se mover
- Colostro vazando dos mamilos (embora esse pré-leite possa só surgir após o parto)
- Fadiga extra, energia extra (comportamento de nidificação) ou períodos alternados de ambas
- Aumento ou perda do apetite

Emocionalmente
- Mais excitação, ansiedade, apreensão e distração
- Alívio por estar quase lá
- Irritabilidade e sensibilidade excessivas (especialmente com pessoas que insistem em perguntar "O bebê ainda não chegou?")
- Impaciência e inquietação
- Sonhos e fantasias com o bebê

O que você pode esperar das consultas deste mês

Com consultas semanais este mês, você passará mais tempo que nunca no consultório. Essas consultas serão mais interessantes — o médico estimará o tamanho do bebê e pode até mesmo tentar prever o quanto você está perto do parto —, com a excitação crescendo conforme você se aproxima do grande dia. Em geral, você pode esperar que o médico confira os seguintes quesitos:
- Seu peso (o ganho de peso geralmente desacelera ou para)
- Sua pressão arterial (ela pode estar ligeiramente mais alta que no meio da gravidez)
- Sua urina, para proteínas
- Seus pés e mãos para verificar inchaço e pernas em busca de veias varicosas
- Seu cérvix (o colo ou "pescoço" do útero), em exame interno, para ver se o apagamento (afinamento) e a dilatação (abertura) já se iniciaram
- A altura do fundo
- Os batimentos cardíacos do feto
- O tamanho do feto (você pode obter uma estimativa aproximada do peso), apresentação (cabeça ou nádegas primeiro) e sublimação (a parte que se apresentará primeiro já desceu para a pelve?) por palpação (sentindo com as mãos)
- Perguntas e preocupações que você queira discutir, particularmente as relacionadas ao parto e nascimento — deixe a lista pronta.

Você também receberá um protocolo de trabalho de parto e nascimento (quando telefonar se achar que está em trabalho de parto, quando ir para o hospital ou casa de parto). Se não receber, peça instruções — você precisará delas!

O que você pode estar se perguntando

Frequência urinária — de novo

"Nos últimos dias, pareço estar constantemente no banheiro. É normal fazer xixi com tanta frequência agora?"

Está tendo um *flashback* do primeiro trimestre? Isso acontece porque seu útero voltou ao lugar onde começou: na parte inferior da pelve, pressionando a bexiga. E, dessa vez, o peso do útero é significativamente maior, o que significa que a pressão sobre a bexiga também é maior — assim como a necessidade de urinar. Então vá ao banheiro, garota — de novo, e de novo, e de novo. Desde que o aumento da frequência urinária não seja acompanhado de sinais de infecção (p. 702), ele é completamente normal. Não se sinta tentada a reduzir a ingestão de líquidos na tentativa de reduzir as idas ao banheiro: seu corpo precisa desses líquidos mais que nunca. E, como sempre, vá assim que sentir vontade (e conseguir encontrar um banheiro).

SANGUE NOS MAMILOS

Você poderia esperar que um pouco de colostro vazasse de seus mamilos no fim da gravidez, mas sangue? E, no entanto, o vazamento sanguinolento dos mamilos (uma manchinha do lado de dentro do sutiã ou um fluido estriado de vermelho ao espremer os mamilos) não é incomum durante a gravidez (geralmente no fim, e mais comumente na primeira gestação), e normalmente não é motivo de preocupação. Por que ele ocorre? Seus seios passaram por muita coisa nos últimos nove meses enquanto se preparavam para a importantíssima tarefa de alimentar o bebê — incluindo muita expansão e aumento do fluxo sanguíneo. Talvez o sangue seja somente uma resposta muito normal ao aumento do fluxo sanguíneo ou esteja vindo de um vaso capilar que estourou quando seus seios cresceram. Ou pode ser que um duto de leite tenha inchado graças aos hormônios. Ou talvez se trate de um papiloma (um pequeno tumor benigno) em um duto irritado. Ou seus mamilos podem estar feridos (especialmente se você os vem torcendo para ver se o colostro aparece ou em um esforço para iniciar o trabalho de parto).

Mencione o sangramento para o médico. Em nome da cautela (sempre a melhor política) ou para tranquilizá-la, ele pode sugerir que você faça um ultrassom dos seios agora e uma mamografia após o parto — especialmente se o sangramento durar mais que uma semana e/ou você notar um caroço juntamente com o sangramento. Se tudo estiver bem, como quase certamente estará, evite espremer os mamilos para não aumentar a irritação que provavelmente levou ao sangramento (seus mamilos já serão muito espremidos quando o bebê chegar).

Na maior parte das vezes, o chamado sangramento mamilar desaparece após o parto. Se não desaparecer, não se preocupe: você pode continuar amamentando. A pequena quantidade de sangue que o bebê vai ingerir junto com o leite não será prejudicial.

Seios vazando (ou não)

"Minha amiga disse que o leite dela vazava no nono mês. O meu não vaza. Isso significa que não terei leite?"

O leite só é produzido quando o bebê está pronto para bebê-lo, e isso só acontece três ou quatro dias após o parto. Era colostro o que vazava dos seios da sua amiga, um líquido ralo e amarelado que é o precursor do leite materno. O colostro está repleto de anticorpos para proteger o recém-nascido e possui mais proteínas e menos gordura e açúcar (para ser mais facilmente digerido) que o leite que chegará mais tarde.

Algumas, mas de modo algum todas, futuras mães apresentam o vazamento desse líquido fenomenal perto do fim da gravidez, às vezes durante o sexo, às vezes espontaneamente. Mas mesmo as que não apresentam o vazamento estão produzindo o colostro.

Não está vazando, mas está curiosa? Apertar a aréola pode fazer com que algumas gotas apareçam (mas não aperte com força, ou seus mamilos ficarão doloridos). Ainda nada? Não se preocupe. Seu bebê conseguirá aquilo de que precisa quando chegar a hora. Não vazar definitivamente não é sinal de que sua oferta não corresponderá à demanda.

Se está vazando colostro dos seus seios, provavelmente são apenas algumas gotas. Se estiver vazando mais, pense em usar discos absorventes no sutiã para proteger as roupas (e evitar momentos potencialmente constrangedores). E vá se acostumando com o visual camiseta molhada, já que esse é apenas um vislumbre dos vazamentos — e sutiãs, blusas e camisolas molhadas — que virão.

Incidentalmente, não se preocupe em "desperdiçar" o colostro se ele estiver vazando. Você continuará a produzi-lo até que o leite verdadeiro apareça.

CAINDO?

Você pode ter uma surpresa — das boas — na pesagem deste mês. A maioria das gestantes que chegam ao fim da gravidez também chega ao fim do ganho de peso da gravidez. Em vez de ver os números subindo (e subindo) na balança, você pode vê-los se manterem estáveis — ou mesmo caírem — nas últimas semanas. O que está acontecendo? Afinal, o bebê não está perdendo peso e seus tornozelos ainda estão muito inchados. Na verdade, o que está acontecendo é perfeitamente normal.

Essa estabilização do peso (ou tendência de queda) é uma das maneiras pelas quais seu corpo se prepara para o parto. O líquido amniótico começa a diminuir (menos água equivale a menos peso), e o intestino solto (comum com a aproximação do parto) também pode reduzir os números da balança, assim como toda a sudorese que você vem tendo. E, se você considera essa perda de peso animadora, espere até o dia do parto — quando você terá a maior perda de peso em um único dia de toda a sua vida!

Escape agora
"Logo depois que eu e meu marido fizemos sexo esta manhã, comecei a sangrar um pouquinho. Isso significa que o trabalho de parto está começando?"

Não anuncie o nascimento ainda. Muco rosado ou estriado de vermelho surgindo logo após o sexo ou um exame vaginal, ou muco estriado de marrom ou escape amarronzado 48 horas depois costuma ser apenas o resultado normal de um colo do útero sensível sendo ferido ou manipulado, não um sinal de que o trabalho de parto está prestes a começar. Mas muco rosado, amarronzado ou sanguinolento acompanhado de contrações ou outros sinais, após o sexo ou não, pode assinalar seu início (p. 525).

Se notar sangramento vermelho vivo ou escape vermelho e persistente, em qualquer momento, telefone para o médico.

Bolsa estourando antes do trabalho de parto
"Qual é a probabilidade de minha bolsa estourar antes de eu entrar em trabalho de parto?"

Muitas gestantes temem gerar um lago de líquido amniótico no fim da gravidez, mas poucas passam por isso. Contrariamente à crença popular, sua "bolsa" (mais acuradamente, suas membranas) não deve "estourar" (mais acuradamente, romper-se) antes de o trabalho de parto começar.

De fato, mais de 85% das mulheres entram na sala de parto com as membranas intactas. Em outras palavras, é provável que a previsão para o restante da gravidez seja "predominantemente seca".

Se você terminar entre as 15% que geram um lago antes do trabalho de parto, provavelmente notará mais facilmente o revelador jorro ou gotejamento se estiver deitada. Isso porque, quando você está na vertical (em pé, caminhando ou mesmo sentada), a cabeça do bebê age como a rolha de uma garrafa, bloqueando a abertura do útero e mantendo a maior parte do líquido amniótico em seu interior.

O lado bom da bolsa que estoura antes é que ela costuma ser seguida pelo trabalho de parto, tipicamente dentro de 24 horas. Se o trabalho de parto não começar espontaneamente nesse período, o médico provavelmente o induzirá. O que significa que, de qualquer modo, a chegada de seu bebê será no dia seguinte.

Embora não seja realmente necessário, usar um protetor diário ou um absorvente (ou, se você estiver realmente estressada, um absorvente para incontinência urinária) nas últimas semanas pode lhe dar sensação de segurança, assim como mantê-la seca conforme as secreções vaginais aumentam. Você também pode colocar uma toalha grossa, um lençol de plástico ou um protetor hospitalar sobre o lençol nas últimas semanas, no caso de a bolsa estourar no meio da noite.

O BEBÊ JÁ ESTÁ CHORANDO?

O som mais feliz que a nova mãe pode ouvir é o primeiro choro do bebê. Mas você acreditaria se eu dissesse que seu bebê já está chorando dentro da barriga, embora silenciosamente? Isso é verdadeiro, de acordo com os pesquisadores, que descobriram que fetos no terceiro trimestre demonstram comportamentos de choro — queixo tremendo, boca aberta, profundas inalações e exalações — e respostas de alarme quando ruídos altos e vibrações ocorrem perto da barriga da mãe. Sabe-se que o reflexo do choro já está bem desenvolvido mesmo em bebês prematuros, então não surpreende que os bebês aperfeiçoem essa habilidade muito antes de estarem prontos para nascer (o que explica por que são tão bons nisso depois que nascem!).

Insinuação do bebê

"Já passei da 38ª semana e minha barriga ainda não desceu. Isso significa que o parto será tardio?"

Só porque o bebê ainda não parece estar se movendo para a saída não significa que ele chegará tarde. A insinuação é o que acontece quando o bebê desce para a cavidade pélvica da mãe, um sinal de que a parte que se apresentará primeiro (geralmente a cabeça) está encaixada na porção superior dos ossos pélvicos. Na primeira gestação, isso costuma ocorrer entre duas e quatro semanas antes do parto. Em gestantes que já tiveram filhos, ela usualmente só ocorre no início do trabalho de parto. Mas, como em quase todo aspecto da gravidez, as exceções à regra são a regra. Sua barriga pode baixar quatro semanas antes da data provável do parto e o bebê só nascer duas semanas depois, ou você pode entrar em trabalho de parto sem a barriga ter baixado. Ela pode até parecer baixar e então se erguer de novo: a cabeça do bebê pode parecer ter se encaixado e então flutuar para cima novamente (significando que ainda não estava realmente encaixada).

Frequentemente, a insinuação é óbvia. Você pode não somente ver a diferença (a barriga parece mais baixa — talvez muito mais baixa — e mais inclinada para a frente), mas também senti-la. Quando a pressão para cima exercida pelo útero sobre o diafragma diminui, você pode respirar mais facilmente. Com mais espaço para o estômago, também consegue comer mais facilmente e terminar as refeições sem azia ou indigestão. É claro que essas mudanças bem-vindas frequentemente são acompanhadas por um novo conjunto de desconfortos, incluindo a pressão na bexiga (que a enviará mais frequentemente ao banheiro, de novo), nas articulações pélvicas (que tornará mais difícil caminhar... ou gingar) e na área perineal (às vezes causando dor). Você também pode experimentar choques agudos ou pontadas no assoalho pélvico (similares aos relâmpagos na virilha que talvez tenha tido no meio da gravidez, mas, dessa vez, devidos à pressão exercida pela cabeça do bebê) e a sensação de estar desequilibrada (porque seu centro de gravidade mudou mais uma vez).

COMO VAI O BEBÊ?

Conforme a gravidez se aproxima do fim (sim, ela vai chegar ao fim), o médico estará mais atento à sua saúde e à saúde do bebê, especialmente depois que você ultrapassar a marca das 40 semanas. Isso porque 40 semanas é o período ótimo para o bebê permanecer no útero. Os que ficam muito mais tempo costumam enfrentar desafios potenciais (ficando grandes demais para nascer por parto vaginal ou experimentando declínio na função placentária ou no nível de líquido amniótico). Por sorte, o médico tem à sua disposição muitos testes e avaliações do bem-estar fetal para se assegurar de que tudo está bem e terminará bem... em algum momento:

Contagem dos chutes. Seu registro dos movimentos fetais (p. 422) pode fornecer uma indicação de como o bebê está se saindo. Dez movimentos em 1 ou 2 horas são bom sinal. Se você não notar atividade suficiente, outros testes serão realizados.

Teste de não estresse (NST). Você será ligada a um monitor fetal (o mesmo tipo usado durante o trabalho de parto) no consultório médico para mensurar a frequência cardíaca e a resposta aos movimentos do bebê. Você terá um contador para apertar a cada vez que sentir o bebê se mover. O monitoramento dura entre 20 e 40 minutos e é capaz de detectar se o feto está sob algum estresse.

Estimulação acústica ou estimulação vibro-acústica do feto. Seu bebê precisa de um empurrão? Se ele não se mostrar tão ativo quanto o médico gostaria durante o teste de não estresse, um instrumento que produz sons e vibrações será colocado sobre sua barriga para estimular o bebê e para que o médico possa mensurar com mais precisão os batimentos cardíacos e movimentos.

Teste de estresse de contrações ou teste de estresse à ocitocina. Se os resultados do teste de não estresse não forem satisfatórios, o médico pode pedir um teste de estresse. Esse teste, feito em um hospital, verifica como o bebê responde ao "estresse" das contrações uterinas, a fim de ter alguma ideia de como ele lidará com o trabalho de parto. Nesse teste mais complexo e demorado (que pode levar algumas horas), você é ligada a um monitor fetal. Se as contrações não ocorrerem sozinhas, você receberá uma baixa dose de ocitocina intravenosa (ou será solicitada a estimular seus mamilos) para iniciá-las. A maneira como o bebê responder a elas indicará a condição dele e da placenta. Essa simulação das condições do parto permite que o médico preveja se o bebê pode permanecer seguramente no útero e se conseguirá resistir às exigentes demandas do trabalho de parto verdadeiro.

Perfil biofísico fetal (PBF). Está na hora da foto, bebê. Usando ultrassom e um monitor de frequência cardíaca fetal, o PBF analisa cinco aspectos da vida no útero: as descobertas do teste de não estresse, respiração, movimentos e tônus fetal (a habilidade do bebê de flexionar e estender braços e pernas) e volume do líquido amniótico. Se todos eles forem normais, seu bebê provavelmente está bem. Se algum deles não ficar claro, mais testes (como teste de estresse ou estimulação vibro-acústica) serão feitos para fornecer um retrato mais preciso da condição do bebê.

Perfil biofísico fetal modificado. O perfil "modificado" combina o teste de não estresse com uma avaliação da quantidade de líquido amniótico. Baixo nível de líquido costuma indicar que o bebê não está produzindo urina suficiente e a placenta pode não estar funcionando como deveria. Se o bebê reagir apropriadamente ao teste de não estresse e o nível de líquido amniótico for adequado, está tudo bem, provavelmente.

Dopplervelocimetria da artéria umbilical. Esse teste é realizado quando há evidência de falta de crescimento fetal e usa um ultrassom especial para medir o fluxo de sangue pela artéria umbilical. Um fluxo fraco, ausente ou invertido durante a segunda metade do ciclo cardíaco (quando o coração está se enchendo de sangue, em vez de bombeá-lo para fora) indica que o bebê não está recebendo nutrição adequada e provavelmente não está crescendo como deveria.

Outros testes de bem-estar fetal. Eles incluem exames de ultrassom para documentar o crescimento fetal e estimulação do couro cabeludo (que testa como o feto reage à pressão ou ao cutucão no escalpo) durante um teste de não estresse.

Na maior parte do tempo, os bebês passam nos testes, o que significa que podem continuar no útero até estarem prontos para nascer. Mais raramente, o resultado do teste de não estresse pode ser "não reativo". Como esse teste produz muitos falsos positivos, um resultado não reativo não diagnostica definitivamente sofrimento fetal, mas significa que o médico continuará a testar o bebê e, se houver qualquer indicação de sofrimento, induzirá o trabalho de parto (p. 754) ou realizará uma cesariana.

Mas é possível que o bebê encaixe sem você notar. Por exemplo, se sua barriga sempre foi baixa, seu perfil gestacional pode não mudar perceptivelmente após o encaixe. Ou se você jamais experimentou dificuldade para respirar ou terminar as refeições ou sempre urinou com muita frequência, pode não detectar nenhuma diferença óbvia.

O médico se baseará em dois outros indicadores para descobrir se a cabeça do bebê está encaixada: primeiro, fará um exame interno para ver se a parte que se apresentará primeiro — idealmente, a cabeça — está na pelve. Em seguida, sentirá essa parte externamente (pressionando sua barriga) para determinar se ela está fixada na posição ou ainda está "flutuando" livremente.

O quanto a parte que se apresentará primeiro já passou pela pelve é medido em "estações", cada uma com 1 centímetro. Um bebê totalmente encaixado está na "estação zero", ou seja, a cabeça do feto desceu até o nível dos ossos proeminentes em ambos os lados da pelve. Um bebê que começou a descer pode estar na estação -4 ou -5. Quando o parto começar, a cabeça continuará a atravessar a pelve, passando pelas posições 0, +1, +2, e assim por diante, até "coroar" na abertura externa da vagina, que é a estação +5.

O QUE É CONSIDERADO TERMO?

Está confusa sobre quando seu bebê será considerado oficialmente a termo? Pós-termo? Bem, o ACOG vem ajudá-la com um útil glossário sobre a terminologia "termo":

- Pré-termo. Um bebê nascido entre a 20ª e a 37ª semanas é considerado pré-termo.
- Termo precoce. Um bebê nascido entre a 37ª semana e 0 dia e a 38ª semana e 6 dias é considerado de termo precoce.
- Termo. Bebês nascidos entre a 39ª semana e 0 dia e a 40ª semana e 6 dias são considerados a termo. (O termo na gestação de gêmeos é de 38 semanas.)
- Termo tardio. Significa uma chegada entre a 41ª semana e 0 dia e a 41ª semana e 6 dias.
- Pós-termo. Quem ficou mais tempo do que deveria? Bebês nascidos após a 42ª semana e 0 dia são considerados pós-termo.

Embora a cabeça encaixada sugira fortemente que o bebê pode passar pela pelve sem dificuldades, isso não é garantia. Inversamente, um feto que ainda está flutuando livremente no início do trabalho de parto não necessariamente terá problemas para sair. E, de fato, a maioria dos bebês que ainda não encaixaram no início do trabalho de parto passa tranquilamente pela pelve. Isso é particularmente verdadeiro para mulheres que já têm um ou mais filhos.

Mudança nos movimentos do bebê

"Meu bebê costumava chutar com muita força. Ainda o sinto se movimentar, mas ele parece menos ativo."

Quando você sentiu o bebê pela primeira vez, lá por volta do quinto mês, ainda havia muito espaço no útero para chutes, acrobacias e socos. Agora que as coisas estão ficando meio apertadas, a ginástica foi restrita. Nessa justa camisa de força uterina, há pouco espaço para qualquer coisa além de virar, girar e se contorcer e, provavelmente, é isso que você está sentindo. Quando a cabeça do bebê encaixa firmemente na pelve, os movimentos dele são ainda mais restritos. Mas, a essa altura do jogo, não é importante o tipo de movimento fetal que você sente (ou mesmo que seja somente de um lado), desde que você sinta. Se não sentir atividade (veja a pergunta seguinte) ou houver redução significativa, fale com o médico.

"Mal senti o bebê chutar esta tarde. O que isso significa?"

É provável que seu bebê esteja cochilando (fetos mais velhos, assim como recém-nascidos, têm períodos de sono profundo) ou você esteja ocupada ou ativa demais para notar quaisquer movimentos. Por segurança, confira a atividade usando o teste descrito na p. 422. É uma boa ideia repetir o teste rotineiramente duas vezes ao dia durante todo o último trimestre. Dez ou mais movimentos a cada 1 ou 2 horas (contorções e estremecimentos contam; soluços, não) significam que o nível de atividade de seu bebê é normal. Menos movimentos sugerem que é recomendável uma avaliação médica para determinar a causa da inatividade, então telefone para o médico. Embora um bebê relativamente inativo no útero possa ser perfeitamente saudável, a inatividade a essa altura às vezes indica sofrimento fetal. Notá-lo cedo e intervir pode evitar consequências mais sérias.

PARA OS PAIS

UM PRESENTE DE PARTO PARA A MÃE DO SEU BEBÊ?

Está pensando em surpreender a mãe de seu bebê com uma caixinha após o nascimento de sua trouxinha de alegria? Os presentes de parto (que os pais dão às mães para comemorar o nascimento do bebê) estão ganhando popularidade. É claro que o bebê é o maior presente que qualquer um de vocês poderia imaginar, mas, após toda aquela força para ajudá-lo a nascer, um tributo tangível é um bônus bem-vindo.

Não sabe o que comprar? Que tal um merecido mimo pós-parto, como um tratamento de pele ou uma massagem? Ou um mês de faxina profissional (na verdade, um grande presente para vocês dois)? Ela prefere algo ligado ao bebê? Pense em um colar com pingente com o nome ou as iniciais do bebê, um bracelete com a pedra zodiacal dele ou mesmo um anel para simbolizar como seu amor cresceu depois que ele nasceu.

Está com medo de que o presente possa fazer um buraco no orçamento? Ou preferiria colocar qualquer dinheiro extra na poupança para a faculdade de seu filho? Lembre-se de que alguns dos mais significativos presentes custam pouco. Surpreenda-a com um buquê de flores ou balões ou uma placa no gramado proclamando seu orgulho por ser pai. E não se esqueça do cartão, com algumas palavras sinceras (ou, se você estiver se sentindo particularmente inspirado, um poema ou canção) sobre o quanto seu amor cresceu nos últimos nove meses e o quanto você está feliz por passar a vida com ela.

Não é fã dessa tendência? Não se sinta pressionado a comprar nada que não faça seu estilo ou o dela. Afinal, as tendências vêm e vão, mas ter um parceiro comprometido em fazer sua parte é um presente que dura para sempre. Além disso, estar presente é o melhor presente, não somente no nascimento do bebê, mas nos dias, meses e anos como parceiros na paternidade e na vida. Isso é inestimável.

"Li que os movimentos fetais devem desacelerar perto do parto. Meu bebê parece ativo como sempre."

Todo bebê é diferente, mesmo antes de nascer, especialmente quando se trata de níveis de atividade, e particularmente com a aproximação do parto. Enquanto alguns bebês se movem um pouco menos ao se prepararem para nascer, outros mantêm um ritmo enérgico até o primeiro face a face. No fim da gravidez, geralmente há um declínio gradual do número de movimentos, provavelmente relacionado ao pouco espaço, diminuição do líquido amniótico e maior coordenação fetal. Mas, a menos que você esteja contando cada movimento, provavelmente não notará muita diferença.

Instinto de nidificação

"Ouvi falar sobre o instinto de nidificação. Trata-se de uma lenda da gravidez ou é real?"

A necessidade de preparar o ninho pode ser um instinto tão real e poderoso para alguns seres humanos quanto é para nossos amigos de penas e quatro patas. Se você já testemunhou o nascimento de uma ninhada, provavelmente notou o quanto a mãe fica inquieta pouco antes do parto, correndo freneticamente de um lado para o outro, rasgando papéis furiosamente em um canto e, finalmente, quando sente que tudo está em ordem, deitando-se no canto escolhido para o parto. Muitas gestantes também experimentam a necessidade incontrolável de preparar o ninho pouco antes do parto, embora seja pouco provável que realizem seus partos em uma pilha de papéis ou folhas e gravetos. Para algumas, é sutil. Subitamente, torna-se vitalmente importante limpar e reabastecer a geladeira e garantir que haja um estoque de seis meses de papel higiênico na casa. Para outras, esse surto incomum de energia maníaca se traduz em um comportamento dramático, às vezes irracional e frequentemente engraçado (ao menos para quem está assistindo): limpar cada cantinho do quarto do bebê com uma escova de dentes, organizar os armários da cozinha alfabeticamente, lavar tudo que não esteja amarrado ou sendo usado ou dobrar e redobrar as roupinhas do bebê durante horas.

Embora não seja uma previsora confiável do início do trabalho de parto, a nidificação costuma se intensificar com a aproximação do grande dia, talvez como resposta ao elevado nível de adrenalina no organismo da gestante. No entanto, nem todas as mulheres experimentam o instinto de nidificação, e as que não o têm são tão bem-sucedidas em cuidar de suas crias quanto todas as outras. A vontade de se jogar no sofá durante as últimas semanas de gravidez é tão comum quanto a vontade de limpar os armários, e igualmente compreensível. Talvez mais compreensível.

MASSAGEM LÁ EMBAIXO

Tem tempo de sobra enquanto espera pela chegada do bebê? Dê um bom uso para suas mãos (ou as mãos de alguém especial) e faça uma massagem em si mesma. A massagem perineal pode esticar gentilmente o períneo (aquela região da pele entre a vagina e o reto) da gestante de primeira viagem, o que, por sua vez, pode diminuir a "ardência" que ocorre quando a cabeça do bebê coroa durante o parto. Eis outro benefício: de acordo com alguns especialistas, a massagem também pode ajudar a evitar uma laceração ou episiotomia.

Eis como massagear corretamente o períneo: com as mãos limpas (e as unhas curtas), insira o polegar ou indicador (lubrificado com um pouco de KY ou azeite de oliva, se você quiser, mas não use óleo mineral nem vaselina) no interior da vagina. Pressione para baixo (na direção do reto) e deslize o dedo pelo fundo e pelos lados do períneo. Repita diariamente durante as últimas semanas de gestação, 5 minutos (ou mais) de cada vez. Não gostou muito desse conceito, que parece estranho demais ou toma muito tempo? Ele certamente não é obrigatório. Embora evidências anedóticas há muito apoiem sua eficiência, as pesquisas clínicas ainda não o fizeram. Mesmo sem a massagem, seu corpo esticará quando for a hora. E não se preocupe com a massagem perineal se você já teve um bebê ou mais. Seu períneo não precisa ser esticado e provavelmente não se beneficiará disso (embora a massagem perineal durante o trabalho de parto possa ajudar a esticar mesmo um períneo experiente quando a cabeça do bebê emergir).

Um conselho: se fizer a massagem, seja gentil. A última coisa que você quer pouco antes do parto é pressionar com muita força, arranhar-se ou irritar a pele sensível. Massageie com cuidado lá embaixo.

Se o instinto de nidificação se manifestar, que ele seja orientado pelo bom senso. Suprima a necessidade urgente de pintar sozinha o quarto do bebê e deixe que outra pessoa suba na escada com o balde e o rolo enquanto você supervisiona de uma poltrona confortável. Tampouco permita que a limpeza excessiva a deixe exausta: você precisará de suas reservas de energia tanto para o trabalho de parto quanto para o novo bebê. E, o mais importante de tudo, mantenha as limitações de sua espécie em mente. Embora você possa partilhar o instinto de nidificação com outros membros do reino animal, você ainda é somente humana, e não pode esperar ter tudo absolutamente pronto antes que sua trouxinha de alegria chegue ao ninho.

PARECE UM BOM PLANO

Quanto tempo depois do início do trabalho de parto você deve telefonar para o médico? Assim que a bolsa estourar? Como entrar em contato com ele se as contrações começarem fora do horário comercial? Você deve telefonar primeiro e então ir para a maternidade ou casa de parto ou deve fazer o contrário?

Não espere até o trabalho de parto começar para conseguir essas importantes respostas. Discuta essa e outras logísticas do parto com o médico em sua próxima consulta (se já não o fez) e anote todas as informações pertinentes que não forem fornecidas por escrito. De outro modo, você certamente se esquecerá delas quando as contrações começarem. Se tiver uma doula, saiba também com antecedência quando telefonar para ela.

Confira qual o melhor caminho até o local onde fará o parto, quanto tempo demora para chegar até lá em vários momentos do dia e que tipo de transporte estará disponível se você não tiver alguém para levá-la (não tente dirigir). E, se houver outras crianças, um idoso ou um animal de estimação em casa, faça planos antecipados sobre quem cuidará deles.

Quando será o parto?

"Acabei de fazer um exame interno e a médica disse que provavelmente entrarei em trabalho de parto em breve. Ela realmente pode prever isso?"

Sua médica pode fazer uma previsão sobre quando será a hora, mas trata-se somente de um bom palpite, assim como foi, lá no início, a data provável do parto. Há pistas de que o trabalho de parto está se aproximando, e os médicos procuram por elas no início do nono mês, tanto por palpação externa quanto por exames internos.

O bebê já encaixou? Em que nível ou estação está a parte que se apresentará primeiro? O apagamento (afinamento) e a dilatação (abertura) do colo do útero já começaram? O colo do útero já começou a amolecer e se mover para a frente da vagina (outro indicador de que o trabalho de parto está se aproximando) ou ainda está firme e posicionado na parte posterior?

Mas "em breve" pode significar qualquer coisa entre algumas horas e três semanas ou mais. A previsão médica de que "você entrará em trabalho de parto hoje à noite" pode ser seguida de mais duas semanas de gestação, e a afirmação de que "o trabalho de parto está a semanas de distância" pode resultar no nascimento do bebê no dia seguinte. O fato é que o encaixe, o apagamento e a dilatação costumam ocorrer gradualmente em um período de semanas ou mesmo um mês em certas gestantes — e em uma única noite em outras. O que significa que essas pistas estão longe de serem seguras quando se trata de prever o início do trabalho de parto.

Assim, deixe as malas prontas, mas não precisa ligar o carro ainda. Você ainda terá de esperar mais um pouco, sabendo com certeza que seu dia, ou noite, chegará — em algum momento.

INDUÇÃO DO PARTO FAÇA-VOCÊ-MESMA?

O que acontece se você já tiver passado da data provável do parto, estiver mais grávida que nunca e o bebê não der sinais de querer se mexer? Você deve deixar a natureza seguir seu curso, por mais que demore? Ou deve assumir o controle e tentar algumas técnicas caseiras de indução? E, se assumir o controle, vai funcionar?

Embora haja muitos métodos naturais que você pode usar para tentar iniciar o trabalho de parto (e em uma busca on-line você vai encontrar dezenas de outros), é difícil provar que qualquer um deles seja eficaz. Isso se deve parcialmente ao fato de que, quando parecem funcionar, é difícil estabelecer se realmente funcionaram ou se o trabalho de parto, coincidentemente, começou sozinho naquele momento.

Mesmo assim, se está farta de estar grávida (e quem não estaria, depois de 40 semanas?), mas sua gravidez ainda não acabou, você pode tentar um desses métodos: eles não serão prejudiciais, mesmo que não consigam induzir o trabalho de parto.

Caminhadas. Já se sugeriu que caminhar pode conduzir o bebê até a pelve, talvez graças à força da gravidade ou ao movimento de seus quadris. Quando o bebê começar a pressionar o colo do útero, o trabalho de parto estará prestes a começar. Se não funcionar, você não perdeu nada. Aliás, pode estar em melhor forma para o trabalho de parto quando ele começar.

Sexo. Bem, você está do tamanho de um hipopótamo pequeno (e tão ágil quanto um), mas ir para a cama com seu parceiro pode ser uma maneira eficaz de misturar negócios e prazer. Ou não. Algumas pesquisas mostram que o sêmen (que contém prostaglandinas) pode estimular as contrações se as condições forem adequadas (não antes), e outras sugerem (esperançosamente) que a liberação de ocitocina durante o orgasmo pode estimular o processo em uma mulher que chegou a termo. Mas a ciência não somente não conseguiu comprovar essa feliz teoria como outras pesquisas mostraram que mulheres que continuam a ter relações sexuais no fim da gravidez podem carregar seus bebês por mais tempo que aquelas que se abstêm. Está no clima para o amor ou tão desesperada que está disposta a tentar qualquer coisa? Vá em frente. Afinal, pode ser a última vez, em muito tempo, que você será capaz de (e estará disposta a) fazer amor. Se o sexo induzir o trabalho de parto, ótimo — se não induzir, ótimo mesmo assim.

Outros métodos naturais possuem desvantagens potenciais (mesmo que tenham sido passados das velhas avós para as parteiras e, em seguida, para as mulheres nos fóruns on-line). Assim, antes de tentar qualquer um deles, converse com o médico:

Estimulação dos mamilos. Interessada em beliscar os mamilos (ui!)? E quanto a torcê-los (duplo ui!)? Estimular os mamilos por algumas horas ao dia (sim, horas) pode liberar ocitocina e dar início às contrações. Eis o porém: a estimulação dos mamilos — por mais atraente que soe (ou não) — pode levar a contrações uterinas dolorosamente longas e fortes. Sem mencionar mamilos muito doloridos. Assim, a menos que o médico recomende e monitore seu progresso, você deve pensar quatro vezes — duas para cada mamilo — antes de você ou seu parceiro tentarem a estimulação.

Óleo de rícino. Tentando abrir caminho até o trabalho de parto com um coquetel de óleo de rícino? As mulheres vêm repassando essa tradição de gosto nojento há gerações, acreditando que esse poderoso laxante estimula os intestinos, os quais, por sua vez, estimulam o útero a se contrair. O porém: o óleo de rícino (mesmo quando misturado a uma bebida mais gostosa) pode causar diarreia, cólica severa e vômito. Antes de tentar, esteja certa de que está disposta a iniciar o trabalho de parto se sentindo assim.

Chás e remédios fitoterápicos. O chá de folha de framboesa, cimicífuga preta e até prímula pode ser exatamente o remédio recomendado por seus ancestrais (e suas colegas em fóruns on-line), e alguns estudos demonstram que esses remédios fitoterápicos realmente costumam iniciar ou acelerar as contrações. Se quiser tentar, pergunte ao médico qual (e quanto) desses remédios você deve tomar e como. E só os use quando já tiver chegado ao termo da gravidez.

E, enquanto reflete sobre a eficácia da abordagem faça-você-mesma, lembre que você entrará em trabalho de parto — sozinha ou com uma ajudinha do médico — no momento certo.

O bebê "atrasado"

"Passei uma semana da data provável do parto. É possível que eu não consiga entrar em trabalho de parto sozinha?"

Ah, a data mágica — aquela que você sincronizou em seus calendários no iCloud e entregou cheia de confiança a familiares e amigos, aquela para a qual seu aplicativo de gestação vem fazendo contagem regressiva há semanas — finalmente chegou. Mas, como em cerca de 30% das gestações, o bebê não chegou. A antecipação se transforma em desânimo. O carrinho e o berço permanecem vazios por mais um dia. E então uma semana. E então, em cerca de 10% das gestações, mais frequentemente primeiras gestações, duas semanas. Essa gravidez nunca vai terminar?

Embora as gestantes que chegaram à 42ª semana achem difícil de acreditar, os bebês são para sempre, mas as gestações, não. Os estudos mostram que 70% das gestações aparentemente pós-termo não o são. Acredita-se que sejam em função de um erro de cálculo sobre a data da concepção, geralmente graças à ovulação irregular ou à incerteza da mulher sobre a data exata da última menstruação. E, realmente, quando ultrassons precoces são usados para confirmar a data provável do parto, os diagnósticos de gestação pós-termo caem dramaticamente dos 10% estimados para cerca de 2%.

Mesmo que você termine entre os 2% de mulheres cujas gestações são realmente pós-termo, o médico não a deixará passar da 42ª semana. A maioria dos médicos, aliás, sequer permite que a gestação continue até a 42ª semana, escolhendo induzir o parto na 41ª. Falando nisso, induzir o trabalho de parto nesse momento não parece apresentar nenhum risco aumentado de cesariana e pode estar associado a uma perda de sangue significativamente menor para a mãe e a uma taxa significativamente menor de mecônio no líquido amniótico (p. 532) para o bebê — e significa que você o segurará antes. E, é claro, se em qualquer momento os testes mostrarem que a placenta já não está fazendo seu trabalho ou que o nível de líquido amniótico ficou muito baixo — ou se houver quaisquer outros sinais de que o bebê não está bem —, o médico entrará em ação e, dependendo da situação, induzirá o trabalho de parto ou fará uma cesariana. O que significa que, mesmo que você não entre em trabalho de parto sozinha, sua gravidez não vai durar para sempre.

O QUE LEVAR PARA O HOSPITAL OU CASA DE PARTO

É inteligente pensar com antecedência sobre o que você deseja levar para o hospital ou centro de parto (e fazer a mala com antecedência). Mas também é inteligente fazer uma mala pequena, levando apenas aquilo que você acha que vai precisar — e não tudo que está incluído nesta lista:

Para a sala de parto
- Este livro, *O que esperar no primeiro ano* e *The What to Expect Pregnancy Journal and Organizer*, que tem muito espaço para notas sobre o trabalho de parto e o primeiro encontro com o bebê. Além, claro, do seu telefone, o que significa que terá acesso ao aplicativo What To Expect.
- Várias cópias de seu plano de parto, se tiver feito um (p. 433)
- O kit de coleta de sangue do cordão umbilical, se planeja guardar o sangue do cordão umbilical do bebê em um banco
- Um relógio com ponteiro de segundos para cronometrar as contrações (ou você pode usar o cronômetro digital de seu telefone)
- Um dispositivo musical portátil (ou seu telefone) carregado com sua playlist favorita, caso a música a acalme e relaxe. Não se esqueça dos carregadores.
- Câmera e/ou equipamento de vídeo (mais carregadores), se você achar que a câmera do telefone não será suficiente
- Laptop ou tablet (mais carregadores)
- Loções ou óleos favoritos para massagens
- Uma bola de tênis ou massageador para as costas, para fazer contrapressão
- Seu próprio travesseiro, por uma questão de conforto
- Pirulitos ou balas sem açúcar para manter a boca úmida
- Escova e pasta de dentes, enxaguante bucal, lenços umedecidos para o rosto e para o corpo (você pode ficar desesperada para se refrescar)
- Um roupão, se não se sentir à vontade para andar pelos corredores durante o trabalho de parto apenas com a camisola do hospital
- Meias grossas, para o caso de seus pés ficarem frios
- Chinelos confortáveis com sola antiderrapante
- Um elástico, presilha ou faixa, se seu cabelo for comprido, para mantê-lo afastado do rosto e sem nós. Uma escova de cabelo e um pente para desembaraçar, se você achar que serão úteis.
- Lanches para seu *coach*, a fim de que ele não precise sair do seu lado quando o estômago começar a roncar. E lanches para você também, se o médico permitir que você coma durante o trabalho de parto.

Para o quarto no pós-parto
- Um roupão, pijamas confortáveis ou uma camisola (com fácil acesso aos seios, se você estiver amamentando), se preferir não usar as roupas do hospital

- Uma muda de roupa para seu *coach*, além de escova de dentes e qualquer outra coisa de que ele possa precisar para o alojamento conjunto
- Artigos de higiene pessoal, incluindo xampu e condicionador, sabonete líquido, desodorante e qualquer maquiagem sem a qual você não possa viver (ou tirar fotos)
- Sua marca preferida de absorventes grandes, embora o hospital forneça alguns
- Algumas calcinhas largas (as de cintura alta serão melhores após uma cesariana). Você receberá calcinhas descartáveis no hospital, mas é inteligente ter peças extras à mão.
- Um sutiã ou *top* de amamentação
- Uma faixa para a barriga, que será especialmente útil se você fizer cesariana
- Um estoque de lanchinhos saudáveis para complementar a alimentação hospitalar (*delivery* também é uma opção)
- Um traje completo para quando receber alta, tendo em mente que você ainda terá uma barriga considerável
- Um traje completo para o bebê, prático e adequado ao clima (você precisará acomodar as alças da cadeirinha veicular). Adicione um cobertor e um traje térmico ou cobertor pesado, se estiver frio. Fraldas provavelmente serão fornecidas pelo hospital, mas traga algumas extras, apenas por precaução.
- Cadeirinha veicular. A maioria dos hospitais só permite que você saia com o bebê se ele estiver preso com segurança em uma cadeirinha veicular aprovada e virada para trás. Essa é a única maneira segura de viajar com um bebê — e é lei. Para evitar problemas de última hora, prenda a base no carro (e pratique o encaixe da cadeirinha) bem antes da data prevista.

A lista de convidados para a sala de parto

"Eu adoraria partilhar o nascimento do bebê com minhas irmãs, minha melhor amiga e, é claro, minha mãe. Todas elas podem entrar na sala de parto comigo e com meu marido?"

Já está planejando a festa do parto? Se você é como cada vez mais gestantes, a lista de convidados será longa. Dar à luz cercada e apoiada por familiares e amigos é uma tendência muito popular ultimamente.

Por que mais é potencialmente melhor no dia do parto? Para muitas gestantes dando à luz em casa ou em uma casa de parto, parece natural ter a família presente, incluindo os irmãos mais velhos do bebê. E, para as mães dando à luz no hospital com uma epidural, há mais oportunidade para socializar com pouca ou nenhuma dor. As gestantes que planejam ter um parto não medicado também podem apreciar essa rede de apoio. Além disso, hospitais e casas de parto estão acomodando essa multidão, tornando as salas de parto maiores (e mais equipadas para lidar com o fluxo de convidados) e mais confortáveis (com sofás e cadeiras extras para os visitantes, enquanto esperam que o convidado de honra faça sua aparição). Ter sua gangue de amigas, sogro e sogra e talvez alguns outros familiares também pode ser bom para a equipe de parto. Muitos médicos afirmam que ter mais distração, mais apoio e mais mãos para massagear as costas deixa a gestante mais feliz e relaxada durante o trabalho de parto — sempre uma boa coisa, seja o parto medicado ou não.

Claramente, há muitas boas razões para querer uma *entourage* de apoio na sala de parto. Mesmo assim, há algumas questões a considerar antes de enviar os convites. A primeira é que você terá de conseguir a autorização do médico ou parteira (nem todos aceitam essa prática, e alguns hospitais e casas de parto limitam o número de convidados ou restringem a presença de crianças). Você também terá de garantir que seu marido concorda com a lista (lembre-se de que, embora você esteja fazendo a maior parte do trabalho, o nascimento pertence a vocês dois, e ele não vai gostar de ser relegado ao segundo plano). Também pense se realmente ficará confortável com tantos olhos sobre você nesse momento tão pessoal (haverá gemidos, grunhidos, xixi, um pouco de cocô — e você estará seminua). Outra coisa na qual pensar: seus convidados (seu irmão, seu sogro e seus outros filhos, por exemplo) ficarão confortáveis com o que serão convidados a ver? Se não ficarem, o desconforto visível deles poderá deixá-la tensa no momento em que mais precisa estar relaxada? Você vai querer que todo mundo fique conversando à sua volta quando tudo que você quer é paz e silêncio (e repouso)? Você se sentirá obrigada a entreter os convidados ou prestar atenção em seus filhos quando precisa estar focada no nascimento do bebê?

Se decidir que prefere ter companhia, não se esqueça de colocar flexibilidade na lista. Lembre-se (e lembre aos convidados) que há sempre a possibilidade de seu parto vaginal sem incidentes se transformar em uma cesariana inesperada, caso em que somente o futuro pai terá permissão para entrar na sala de cirurgia. Você também pode decidir — digamos, depois da segunda hora fazendo força — que já não quer tanta gente à sua volta e os convidados terão de esperar no corredor. (E, se terminar lamentando a decisão de convidar uma multidão, não se preocupe em ferir os sentimentos de ninguém pedindo que saiam — como mulher em trabalho de parto, seus sentimentos são os únicos que importam.)

Não se sente inclinada a convidar uma multidão? Não deixe que tendências — ou familiares insistentes — a levem a ter uma sala de parto cheia de gente. A decisão certa é aquela que parece certa para você e seu parceiro.

É POSSÍVEL INICIAR O TRABALHO DE PARTO COMENDO?

Está aflita para entrar em trabalho de parto de uma vez? Disposta a fazer — ou comer — qualquer coisa para sentir aquela primeira contração? Embora não se tenha nenhuma confirmação científica, muitas velhas avós (e novas mães) contam histórias sobre jantares que terminaram na sala de parto. Eis alguns dos conselhos mais frequentes: se seu estômago aguentar, coma algo apimentado. Ou alguma coisa que deixe seus intestinos — e, com sorte, seu útero — alvoroçados (uma caixa de *muffins* de aveia acompanhada de um balde de suco de ameixa, talvez?). Não quer algo tão estimulante? Algumas mulheres defendem a eficácia da berinjela, do tomate e do vinagre balsâmico (não necessariamente juntos, embora pareçam formar uma deliciosa salada italiana ou uma boa cobertura para pizza), ao passo que outras afirmam que o abacaxi é uma passagem garantida para o parto. O que quer que coma, lembre-se de que, a menos que seu bebê e seu corpo estejam prontos, é improvável que seu jantar consiga dar início ao trabalho de parto.

Sendo mãe

"Agora que o bebê está quase aqui, começo a me preocupar sobre como cuidarei dele. Não sei nada sobre bebês ou sobre ser mãe, sequer segurei um recém-nascido antes."

Eis a primeiríssima coisa que você precisa saber sobre ser mãe: os bebês nascem, mas as mães, não. Por mais promovidos e celebrados que sejam os instintos maternos, a verdade é que ficar confortável no papel de mãe exige mais que hormônios — exige tempo e prática... prática que só se adquire fazendo. O que significa que, por uma ou duas semanas, e frequentemente mais, a nova mãe (assim como o novo pai) pode não se sentir à altura da responsabilidade, especialmente se o bebê mais chora que dorme, as fraldas vazam e muitas lágrimas são derramadas em função do xampu "chega de lágrimas" (de ambos os lados do frasco).

Lentamente, mas certamente — uma fralda suja, uma maratona de alimentação e uma noite insone de cada vez —, toda nova mãe (mesmo a mais verde... mesmo você!) começa a se sentir como uma profissional experiente.

O receio dá lugar à confiança. O bebê que tinha medo de segurar (será que ele não vai quebrar?) agora está aninhado casualmente no braço esquerdo enquanto, com o direito, ela paga contas on-line ou passa o aspirador. Ela consegue administrar gotas de vitaminas, dar banhos e colocar braços e pernas agitados nos macaquinhos dormindo... às vezes literalmente. Quando ela se acomoda em um ritmo quase sempre previsível, cuidar do bebê se torna segunda natureza. Ela sente os instintos despertando e eliminando suas dúvidas — ao menos, a maioria delas. Ela começa a se sentir mãe, e — por mais difícil que seja de acreditar agora — você fará o mesmo.

PARA OS PAIS

NERVOSISMO DE NOVATO

Está delirante de alegria por ser pai pela primeira vez, mas também se sentindo meio sobrecarregado? Temendo que a paternidade não lhe ocorra tão naturalmente quanto para outros pais (que você vê carregando bebês e empurrando carrinhos e balanços por toda parte)? Não se preocupe: poucos homens nascem pais, assim como poucas mulheres nascem mães. Embora o amor paterno ocorra naturalmente, as habilidades paternas (as coisas com as quais você provavelmente está se estressando) têm de ser aprendidas. Como todo novo pai ou mãe, você passará de novato nervoso para profissional confiante em um desafio, um banho, uma noite inteira embalando o bebê, um carinho e arrulho de cada vez. Gradualmente, com prática, paciência, persistência e muito amor (essa será a parte fácil quando você olhar para aquele rostinho), o papel que parece assustador — aterrorizante — agora será segunda natureza.

Isso dito, embora vá aprender muita coisa na prática — e com seus erros, que todo novo pai comete em abundância —, você pode se sentir um pouco mais confortável com algum treinamento básico. Felizmente, aulas sobre cuidados básicos com o bebê, incluindo trocar fraldas, dar banho, alimentar e brincar, estão surgindo em comunidades de todo o país. Há cursos para o casal e cursos somente para os pais (incluindo muitos ministrados pelo Boot Camp for New Dads) em hospitais, centros comunitários e bases militares. Pergunte sobre opções locais na próxima consulta pré-natal, nas aulas de parto e no hospital ou casa de parto onde o bebê nascerá ou procure em bootcampfornewdads.org. Você também pode aprender o básico lendo *O que esperar do primeiro ano*. Se tem amigos ou colegas com recém-nascidos, peça dicas. Veja se eles deixam você segurar, trocar as fraldas e brincar com os bebês enquanto eles ensinam a maneira certa de fazer isso.

Enquanto está aprendendo esses cuidados básicos, saiba que algumas das habilidades mais importantes que você pode aprender como pai são aquelas que, com sorte, jamais usará: segurança infantil e ressuscitação cardiopulmonar. Faça uma aula com sua parceira antes da chegada do bebê.

E lembre também que, assim como mães têm técnicas diferentes, o mesmo acontece com os pais. Relaxe, confie em seus instintos (surpresa: pais também os têm) e sinta-se livre para encontrar o estilo que funciona para você e seu bebê. Antes de se dar conta, você será um pai profissional.

Embora nada possa tornar os primeiros dias com o bebê realmente fáceis, aprender o processo antes de o recém-nascido ser colocado em seu colo (e sob seus cuidados) pode torná-los um pouco menos estressantes. Qualquer uma dessas atividades pode ajudar futuras mães (e pais) a se sentirem mais confortáveis em seu novo papel: segurar, trocar as fraldas e ninar o bebê de um amigo ou familiar, ler sobre o assunto em *O que esperar do primeiro ano* e assistir a vídeos ou fazer aulas sobre cuidados infantis (e ressuscitação cardiopulmonar).

Para ficar ainda mais tranquila, converse com suas amigas — on-line ou da casa ao lado — que se tornaram mães recentemente (ninguém pode lhe ensinar mais sobre ser mãe que outra mãe). Você ficará surpresa — e aliviada — ao saber que praticamente todo mundo sente essa inquietação ao ser mãe (ou pai) pela primeira vez.

ABASTECENDO A COZINHA

Embora comprar carrinho, fraldas e roupinhas minúsculas compreensivelmente tenha sido sua prioridade nos últimos tempos, não se esqueça de passar no supermercado. Mesmo com tornozelos inchados e barriga enorme, fazer compras é mais fácil agora, aos nove meses de gravidez, do que será novamente em muito tempo, então aproveite e se abasteça agora para não ter de ir ao supermercado mais tarde com o bebê (e a cadeirinha para o carro e a bolsa de fraldas). Encha a despensa, a geladeira e o freezer com alimentos saudáveis e fáceis de servir: palitos de queijo, iogurte, frutas congeladas, cereais, barras de granola, sopas, frutas liofilizadas e oleaginosas. Não se esqueça dos descartáveis (você usará rolos e rolos de toalhas de papel e pratos e copos descartáveis serão úteis quando você não tiver tempo de colocar a louça na máquina). E, enquanto está na cozinha — e tem tempo —, cozinhe porções extras de seus pratos favoritos que podem ser congelados (lasanha, bolinhos de carne, panquecas, *muffins*) e os guarde em potinhos individuais etiquetados. Eles estarão prontos para colocar no micro-ondas quando você estiver exausta (e faminta) no pós-parto.

Está com mais vontade de dormir que de comprar? Agora é um excelente momento para explorar os supermercados on-line (se já não o fez), que podem ser muito práticos quando você estiver totalmente ocupada com o bebê.

TUDO SOBRE:
Pré-trabalho de parto, falso trabalho de parto, verdadeiro trabalho de parto

Sempre parece tão simples nos filmes. Por volta das três da manhã, a gestante se senta na cama, coloca a mão sobre a barriga (perfeitamente proporcional) e estica o braço para acordar o marido com um calmo (ou enlouquecido): "Querido, está na hora".

Mas, você se pergunta, como ela sabe que está na hora? Como pode reconhecer o trabalho de parto com essa confiança fria e clínica se nunca passou por ele antes? O que a deixa tão certa de que não chegará ao hospital, será examinada por um residente que descobrirá que ela não está nem perto da hora e então enviada de volta para casa, entre as risadinhas da equipe da noite, tão grávida quanto chegou? Por causa do roteiro, é claro.

Do seu lado da tela (sem roteiro nas mãos), você provavelmente acordará às três da manhã totalmente incerta. Essas dores são realmente as contrações do parto ou somente mais Braxton Hicks? Devo acender a luz e começar a cronometrar? Acordar meu marido? Tirar o médico da cama no meio da noite para relatar o que pode ser um falso trabalho de parto? Se fizer isso e não estiver na hora, serei a mãe que grita "parto" repetidamente e já não é mais levada a sério? Então irei para o hospital tarde demais, dando à luz no banco de trás do carro (e saindo nos jornais)? As perguntas se multiplicam mais rapidamente que as contrações.

O fato é que a maioria das mulheres, por mais que se preocupe com isso, não se engana com o início do trabalho de parto. A vasta maioria, graças ao instinto ou a contrações violentas que não deixam dúvidas, chega no hospital ou na casa de parto nem cedo nem tarde demais, mas na hora certa. Mesmo assim, não há razão para deixar a decisão ao acaso. Familiarizar-se antecipadamente com os sinais do pré, do falso e do verdadeiro trabalho de parto ajudará a diminuir suas preocupações e a evitar confusão quando as contrações começarem.

Sintomas do pré-trabalho de parto

Antes do parto, há o pré-parto, uma espécie de show antes do jogo principal. As mudanças físicas do pré-parto podem preceder o parto em um mês ou mais — ou em menos de uma hora. O pré-parto é caracterizado pelo início do apagamento e da dilatação do colo do útero, que o médico pode confirmar através de um exame, assim como por uma variedade de sinais relacionados que você consegue notar por si mesma (embora nem todas as mães apresentem todos os sinais):

Insinuação. Geralmente, duas a quatro semanas antes do início do trabalho de parto em primigestas (mães de primeira viagem), o feto começa a se encaixar na pelve. Da segunda gestação em diante, a insinuação raramente ocorre até que o trabalho de parto esteja prestes a começar.

Sensação de pressão crescente na pelve e no reto. Cólicas (similares às menstruais) e dores na virilha são comuns e particularmente prováveis da segunda gestação em diante. Dor persistente na região lombar também pode estar presente.

Perda ou nenhum ganho de peso. O ganho de peso costuma desacelerar no nono mês e, conforme o parto se aproxima, você pode até perder um pouco, entre 1 e 1,5 quilo.

PRONTA OU NÃO

Para garantir que estará pronta para o bebê quando ele decidir chegar, comece a ler sobre trabalho de parto e nascimento no próximo capítulo.

Mudança nos níveis de energia. No nono mês, algumas gestantes ficam cada vez mais exaustas. Outras experimentam picos de energia. A incontrolável necessidade de esfregar chãos e limpar armários foi ligada ao "instinto de nidificação", no qual a fêmea da espécie — isso é, você — prepara o ninho para a chegada iminente (p. 511).

Mudança nas secreções vaginais. Se está observando seu corpo com atenção, você vai notar que as secreções vaginais aumentaram e ficaram mais espessas.

Perda do tampão mucoso. Quando o colo do útero começa a se afinar e abrir, a "rolha" de muco que lacra a entrada do útero é desalojada (p. 529). Esse muco gelatinoso pode sair pela vagina uma ou duas semanas antes das primeiras contrações ou quando o trabalho de parto começar. Nem todo mundo nota essa passagem, mas, se você estiver observando atentamente o vaso sanitário e o papel higiênico, será difícil não ver.

Secreção rosada ou sanguinolenta. Conforme o colo do útero afina e se dilata, capilares frequentemente se rompem, tingindo o muco de cor-de--rosa ou vermelho (p. 530). Geralmente significa que o trabalho de parto começará dentro de 24 horas — embora possa só começar dias depois.

Intensificação das contrações de Braxton Hicks. Essas contrações de treinamento (p. 454) podem se tornar mais fortes e frequentes, e mesmo muito dolorosas.

Diarreia. Algumas mulheres têm diarreia pouco antes de o trabalho de parto começar.

Sintomas do falso trabalho de parto

É ou não é? O trabalho de parto real provavelmente não começou se:
- As contrações não forem regulares e não aumentarem em frequência ou severidade. As contrações reais não seguirão necessariamente um padrão constante, mas ficarão mais intensas e frequentes com o tempo.
- As contrações diminuem se você caminha ou muda de posição (embora isso também possa acontecer no início do trabalho de parto "real").
- A secreção mucosa, se houver alguma, é amarronzada. Esse tipo de secreção frequentemente resulta de um exame interno ou relação sexual nas últimas 48 horas.
- Os movimentos fetais se intensificam brevemente com as contrações.
- As contrações começam e param... começam e param. Essa frustrante forma de falso trabalho de parto — quando as contrações começam a ficar mais regulares (embora não muito próximas) por algum tempo, param, recomeçam, param novamente — também é conhecida como trabalho de parto prodrômico e pode durar dias.

Tenha em mente que o falso trabalho de parto não é perda de tempo, mesmo que você percorra todo o caminho até o hospital ou casa de parto somente para ir embora. Essa é a maneira de seu corpo se preparar a fim de que, quando a hora chegar, ele esteja pronto — esteja você ou não.

Sintomas do trabalho de parto verdadeiro

Ninguém sabe exatamente o que inicia o trabalho de parto verdadeiro (e cada vez mais gestantes prestes a dar à luz se questionam sobre o "quando" do que o "por quê"), mas acredita-se que uma combinação de fatores esteja envolvida. Esse intrincado processo começa com o feto, cujo cérebro envia várias mensagens químicas (que provavelmente se traduzem em algo como "Mãe, me deixa sair daqui!") que iniciam uma reação em cadeia nos hormônios da mãe. Essas mudanças hormonais abrem caminho para a ação das prostaglandinas e da ocitocina, substâncias que geram contrações quando todos os sistemas estão prontos para o trabalho de parto.

Você saberá que as contrações do pré-parto foram substituídas pelo trabalho de parto verdadeiro se:

- As contrações se intensificarem, em vez de aliviarem, com a atividade física e não passarem com mudanças de posição.
- As contrações ficarem progressivamente mais frequentes e dolorosas e, geralmente (mas não sempre), mais regulares. Cada contração não será necessariamente mais dolorosa ou prolongada (elas costumam durar entre 30 e 70 segundos) que a última, mas a intensidade aumentará com o progresso do trabalho de parto verdadeiro. Do mesmo modo, a frequência nem sempre aumentará em intervalos regulares e perfeitamente constantes, mas aumentará.
- As primeiras contrações parecem um distúrbio gastrointestinal, cólicas menstruais intensas ou pressão na parte inferior do abdômen. A dor pode ocorrer somente na parte inferior do abdômen ou também na região lombar, e pode irradiar para as pernas (particularmente o alto das coxas). Mas a localização não

é um indicador confiável, porque as contrações do falso trabalho de parto também podem ser sentidas nesses locais.

Em 15% dos casos, a bolsa estoura — em forma de jorro ou gotejamento — antes do início do trabalho de parto. Mas, em muitos outros, as membranas se rompem espontaneamente durante o trabalho de parto ou são rompidas artificialmente pelo médico ou parteira.

Quando ligar para o médico

O médico provavelmente lhe disse quando telefonar se achar que está em trabalho de parto (quando houver um intervalo de 5 a 7 minutos entre as contrações, por exemplo, embora ele possa ter fornecido parâmetros diferentes). Não espere por intervalos perfeitamente regulares: eles nunca são assim. Se você não tem certeza sobre estar em trabalho de parto, mas as contrações são bastante regulares, telefone. O médico provavelmente será capaz de dizer, pelo som de sua voz durante uma contração, se o trabalho de parto é verdadeiro — mas somente se você não tentar disfarçar a dor em nome das boas maneiras ao telefone. Mesmo que tenha conferido e reconferido a lista acima e mesmo assim não tenha certeza, telefone para o médico. Não se sinta culpada por acordá-lo no meio da noite (pessoas que fazem partos para ganhar a vida não esperam trabalhar das nove às cinco) ou constrangida se for um falso alarme (você não será a primeira nem a última gestante a interpretar mal os sintomas). Não presuma que não se trata de trabalho de parto verdadeiro somente porque você não tem certeza. Peque pelo excesso de cautela e telefone.

Também telefone imediatamente se as contrações ficarem cada vez mais fortes, mas a data provável do parto ainda estiver a semanas de distância, se notar sangue vermelho vivo, se a bolsa estourar com ou sem trabalho de parto, se a bolsa estourar e o líquido tiver uma cor marrom-esverdeada ou se você sentir algo escorregando para o colo do útero ou a vagina depois de a bolsa estourar (pode ser o cordão umbilical).

Capítulo 14
Trabalho de parto e parto

Você está contando os dias? Ansiosa para ver seus pés novamente? Desesperada para dormir de bruços — ou simplesmente dormir? Não se preocupe: o fim (da gravidez) está próximo. Enquanto reflete sobre o excitante momento em que o bebê finalmente estará em seus braços, e não em sua barriga, você provavelmente também pensa muito (e tem muitas perguntas) sobre o processo que tornará esse momento possível: o parto. Quando o trabalho de parto começará? Mais importante, quando terminará? Isso em minha calcinha é xixi ou minha bolsa estourou? Será que vou aguentar a dor? Precisarei de uma epidural (e poderei receber uma)? Um monitor fetal? Uma intravenosa? E se eu quiser fazer o parto na água? Sem qualquer medicação? E se eu não fizer nenhum progresso? E se o progresso for tão rápido que eu não consiga chegar ao hospital ou casa de parto a tempo?

Armada com respostas a essas (e outras) perguntas — além do suporte de seu parceiro e sua equipe de parto —, você estará preparada para qualquer coisa que aconteça durante o parto. Apenas lembre-se que a coisa mais importante do parto é o resultado (mesmo que nada saia de acordo com os planos): seu belo bebê.

O que você pode estar se perguntando

Tampão mucoso
"Acho que o tampão mucoso já saiu. Isso significa que o trabalho de parto vai começar?"

Pode ser um rito de passagem (e, diriam algumas, um rito meio nojentinho), mas a saída do tampão mucoso não é sinal de que o trabalho de parto está prestes a começar. Não é nem mesmo algo universalmente experimentado pelas gestantes. O tampão mucoso — a barreira transparente e gelatinosa que lacrou o colo do útero durante a gravidez — frequentemente é desalojado quando a dilatação e o apagamento do colo do útero começam. Algumas mulheres notam sua saída (o que é aquilo no vaso sanitário?), outras não (especialmente as do tipo que dão a descarga sem olhar). Embora a saída do tampão seja um sinal de que seu corpo está se preparando para o grande dia, não é um sinal confiável de que o grande dia já chegou — ou mesmo de que está próximo. A essa altura, o trabalho de parto pode estar a dias ou mesmo semanas de distância, com o colo do útero se abrindo gradualmente. Em outras palavras, não é preciso telefonar para o médico ou colocar freneticamente os últimos itens na mala. Também não é preciso se preocupar com a segurança do bebê agora que o tampão foi deslocado. O colo do útero continua a produzir muco para proteger a abertura cervical e evitar infecções, o que significa que o bebê ainda está protegido — e você pode ter relações sexuais, tomar banho de banheira e prosseguir com suas atividades normais.

Não viu nenhum tampão na calcinha ou no vaso sanitário? Não se preocupe. Em muitas mulheres, ele não se desloca antecipadamente, o que nada prediz sobre o eventual progresso do trabalho de parto.

Secreção sanguinolenta
"Notei uma secreção vaginal mucosa e rosada. Isso significa que o trabalho de parto vai começar?"

A secreção sanguinolenta é uma prévia do trabalho de parto, que deve começar muito em breve. Essa secreção mucosa e manchada de sangue (tendo cor rosada ou amarronzada) geralmente é um sinal de que os vasos sanguíneos do colo do útero estão se rompendo em função da dilatação e o processo que leva ao parto está bem adiantado (e isso é algo a comemorar!). Quando ela começar a aparecer na calcinha ou no papel higiênico, é provável que a chegada do bebê ocorra em um ou dois dias. Mas, como o cronograma do trabalho de parto é errático, você será mantida em suspense até a primeira contração verdadeira. Essa secreção é diferente da saída do tampão mucoso. Embora os dois definitivamente tenham o muco em comum, a secreção é contínua (e estriada de sangue), ao passo que o tampão mucoso é gelatinoso e só sai uma vez. A secreção significa que está quase na hora do show, ao passo que o tampão mucoso significa... talvez não tão rápido.

Se a secreção subitamente adquirir um tom vermelho vivo (em vez de somente manchada ou estriada de sangue), contate o médico imediatamente.

A bolsa estourou
"Acordei no meio da noite com a cama molhada. Perdi o controle da bexiga ou minha bolsa estourou?"

Uma cheiradinha nos lençóis lhe dará a resposta. Se a parte molhada tem cheiro adocicado (não como a urina, que tem um cheiro mais pungente de amônia), provavelmente se trata de líquido amniótico, e esse é um sinal de que as membranas se romperam (a bolsa estourou). Outro sinal: você continua vazando um fluido pálido cor de palha. Outro teste: tente interromper o fluxo contraindo os músculos pélvicos (exercícios de Kegel). Se o fluxo parar, é urina. Se não parar, é líquido amniótico.

Você tenderá a notar mais o vazamento quando estiver deitada. Ele geralmente para ou diminui quando você se levanta ou se senta, já que a cabeça do bebê age como uma rolha, bloqueando temporariamente o fluxo. O vazamento será mais intenso — esteja você sentada ou em pé — se as membranas tiverem se rompido mais embaixo, perto do colo do útero.

O médico provavelmente lhe deu um conjunto de instruções a seguir se a bolsa estourar. Se você não se lembra delas ou tem dúvidas sobre como proceder, telefone, dia ou noite.

"Minha bolsa acabou de estourar, mas não tive nenhuma contração. Quando o trabalho de parto vai começar, e o que devo fazer até lá?"

É provável que o trabalho de parto comece logo. A maioria das mulheres cujas membranas se rompem antes do trabalho de parto podem esperar as primeiras contrações dentro de 12 horas, ao passo que as outras podem esperá-las em 24 horas.

Para cerca de uma mulher em dez, no entanto, o trabalho de parto demora mais um pouco. Para evitar infecções através da bolsa amniótica rompida (quanto mais tempo demorar, maior o risco), a maior parte dos médicos induz o trabalho de parto até 24 horas depois da ruptura se a gestante estiver perto da data provável do parto, e alguns o induzem somente 6 horas depois. Muitas mulheres que têm a ruptura das membranas ficam felizes com a indução, achando-a preferível a esperar, molhadas, por 24 horas.

A primeira coisa que você deve fazer ao sentir o gotejamento ou fluxo de líquido saindo da vagina — depois de pegar uma toalha e uma caixa de absorventes — é telefonar para o médico (a menos que ele tenha dado instruções diferentes). Mantenha a área vaginal o mais limpa possível para evitar infecções: não tenha relações sexuais (não que exista muita chance de você estar no clima), use um absorvente (e não um tampão higiênico) para absorver o fluxo, não tente fazer um exame interno em si mesma e, como sempre, limpe da frente para trás quando usar o vaso sanitário.

Mais raramente, quando as membranas se rompem antes de o trabalho de parto começar e a parte do bebê que se apresentará primeiro ainda não está encaixada na pelve (provavelmente com um bebê em apresentação pélvica ou prematuro), o cordão umbilical pode se tornar "prolapso", ou seja, ser levado até o colo do útero, ou mesmo até a vagina, pelo jorro de líquido amniótico. Se você conseguir ver um pedaço do cordão umbilical na saída da vagina ou achar que sente algo no interior, telefone para 911. No Brasil, ligue para o SAMU, para o número 192. Para saber mais em caso de prolapso do cordão umbilical, veja a p. 755.

Líquido amniótico escurecido

"Minhas membranas se romperam e o fluido não é claro, ele é marrom esverdeado. O que isso significa?"

Seu líquido amniótico provavelmente está manchado de mecônio, uma substância marrom esverdeada que é a primeira evacuação do bebê. Normalmente, o mecônio é evacuado após o nascimento. Mas, às vezes — se o feto estava em sofrimento no útero ou, mais frequentemente, se a data provável do parto já passou —, o mecônio pode ser evacuado antes do nascimento, no líquido amniótico.

A mancha de mecônio não é um sinal definitivo de sofrimento fetal, mas, como sugere a possibilidade de sofrimento, informe ao médico imediatamente. Ele provavelmente induzirá o trabalho de parto (se as contrações ainda não tiverem começado) e monitorará o bebê atentamente até o nascimento.

Pouco líquido amniótico durante o trabalho de parto

"Minha médica disse que estou com pouco líquido amniótico e ela terá de suplementar. Preciso ficar preocupada?"

Normalmente, a natureza mantém o útero bem-abastecido com um suprimento autorregulador de líquido amniótico. Felizmente, mesmo quando os níveis caem durante o trabalho de parto, a medicina pode intervir e suplementar essa fonte natural com uma solução salina bombeada diretamente no saco amniótico através de um cateter muito fino e flexível que atravessa o colo do útero até chegar ao útero. Esse procedimento, chamado de amnioinfusão, pode reduzir significativamente a possibilidade de cesariana em caso de sofrimento fetal.

Contrações irregulares

"Nas aulas de parto, disseram para só ir para o hospital quando as contrações fossem regulares e em intervalos de 5 minutos. As minhas estão vindo com um intervalo menor, mas não são regulares. Não sei o que fazer."

Assim como nenhuma gestação é igual à outra, o mesmo se dá com o trabalho de parto. O que se descreve frequentemente em livros, textos on-line, aulas de parto e conversas com o médico são os eventos típicos, próximos do que toda gestante costuma esperar. Mas poucos trabalhos de parto seguem o manual, com contrações regularmente espaçadas e previsivelmente progressivas.

Se você está tendo contrações fortes, longas (20 a 60 segundos) e frequentes (mais ou menos 5 a 7 minutos entre uma e outra), mesmo que a duração e o intervalo variem consideravelmente, não espere elas ficarem regulares para telefonar para o médico ou ir para o hospital ou casa de parto

— não importando o que você ouviu ou leu. É possível que suas contrações não fiquem mais regulares que isso e você esteja na fase ativa do trabalho de parto. De qualquer modo, ser cautelosa é melhor que seguir o manual.

Telefonando para o médico durante o trabalho de parto

"Comecei a sentir as contrações a cada 3 ou 4 minutos. Eu me sinto tola por telefonar para o médico, que disse que eu deveria passar as primeiras horas do trabalho de parto em casa."

Antes tola que arrependida. É verdade que a maioria das primigestas (cujos trabalhos de parto costumam começar devagar, com um aumento gradual das contrações) pode passar as primeiras horas em casa, terminando a mala e os preparativos de última hora. Mas não parece que seu trabalho de parto esteja seguindo esse padrão. Se suas contrações já começaram fortes — durante ao menos 45 segundos e ocorrendo com menos de 5 minutos de intervalo —, as primeiras horas do trabalho de parto podem muito bem ser as últimas (e, se essa não é sua primeira gestação, as coisas podem andar ainda mais rápido). É provável que o primeiro estágio do trabalho de parto tenha ocorrido sem dor e o colo do útero tenha se dilatado significativamente durante esse período. Isso significa que não telefonar para o médico, deixando para correr dramaticamente para o hospital ou casa de parto no último minuto — ou não chegar lá em tempo —, seria muito mais tolo que pegar o telefone agora.

Portanto, telefone. Quando ele atender, seja clara e específica sobre a frequência, duração e força das contrações. Como os médicos estão acostumados a julgar a fase do trabalho de parto pela voz da mulher durante uma contração, não tente minimizar seu desconforto, ser corajosa ou manter um tom calmo ao descrever o que está experimentando. Deixe as contrações falarem tão alto quanto necessário. Pela mesma razão, não deixe que seu parceiro fale com o médico mesmo que você (compreensivelmente) não esteja com vontade de conversar.

PARTO EMERGENCIAL SE VOCÊ ESTIVER SOZINHA

É quase certeza que você nunca precisará seguir essas instruções. Mas, só por garantia, mantenha-as sempre à mão.

1. Tente permanecer calma. Você consegue.

2. Telefone para 911 para atendimento médico emergencial. Peça que contatem o médico. No Brasil, ligue para o SAMU, para o número 192.

3. Encontre alguém por perto para ajudar, se possível (telefone para

um vizinho, colega de trabalho ou amigo).

4. Comece a arfar para se impedir de fazer força.

5. Lave as mãos e a área vaginal com sabonete e água ou use um lenço umedecido ou higienizador para as mãos.

6. Espalhe toalhas ou lençóis limpos na cama, no sofá ou no chão e pegue outras toalhas ou cobertores no caso de o bebê chegar. Destranque a porta para que a ajuda possa entrar e deite, apoiada em travesseiros.

7. Se, a despeito de estar arfando, o bebê começar a chegar, ajude-o gentilmente fazendo força sempre que sentir vontade.

8. Quando o topo da cabeça do bebê começar a aparecer, arfe ou assopre (não faça força) e pressione gentilmente o períneo (a área logo abaixo de onde a cabeça está aparecendo) para evitar que a cabeça saia com um solavanco. Deixe-a emergir gradualmente; não puxe. Se houver uma volta do cordão umbilical em torno do pescoço, coloque um dedo sob ela e passe-a gentilmente por sobre a cabeça do bebê.

9. Em seguida, segure a cabeça do bebê gentilmente com ambas as mãos e, se conseguir, pressione-a levemente para baixo (não puxe), fazendo força ao mesmo tempo, para liberar o primeiro ombro. Quando o braço aparecer, levante a cabeça cuidadosamente, para sentir o segundo ombro. Quando os ombros estiverem livres, o restante do bebê deve escorregar para fora facilmente.

10. Coloque o bebê sobre sua barriga ou, se o cordão umbilical for comprido o suficiente (não puxe), sobre seu peito — o contato pele a pele o manterá aquecido. Rapidamente, coloque toalhas ou cobertores sobre ele.

11. Limpe a boca e o nariz do bebê com uma toalha ou pano limpo e passe os dedos dos cantos internos dos olhos até as laterais do nariz para ajudar a drenar o líquido amniótico. Se a ajuda não tiver chegado e o bebê não estiver respirando ou chorando, esfregue as costas dele, mantendo a cabeça mais baixa que os pés. Se mesmo assim ele não respirar, limpe a boquinha novamente com um dedo limpo e sopre duas vezes, de modo rápido e extremamente gentil, sobre o nariz e boca.

12. Não tente puxar a placenta. Mas, se ela emergir sozinha antes de a ajuda chegar, enrole-a em uma toalha e a mantenha elevada, acima do nível do bebê, se possível. Não é preciso cortar o cordão. Se a ajuda ainda for demorar a chegar, amarre o cordão umbilical com um fio ou cadarço de 2 a 3 minutos após o parto.

13. Mantenha você mesma e o bebê aquecidos e confortáveis até a ajuda chegar.

Se você sentir que está pronta, mas o médico achar que não, pergunte se pode ir ao hospital, casa de parto ou consultório para conferir seu progresso. Leve a mala junto, só por garantia, mas esteja pronta para dar meia-volta e retornar para casa se a dilatação tiver apenas começado — ou nada estiver acontecendo.

Não chegar ao hospital a tempo
"Estou com medo de não chegar ao hospital a tempo."

Felizmente, a maioria dos partos súbitos dos quais você ouviu falar aconteceu na televisão. Na vida real, os partos (especialmente de primigestas) raramente ocorrem sem muitos sinais de alerta e muito tempo para chegar ao hospital. Mas, muito de vez em quando, uma mulher que não teve nenhuma contração ou as teve somente de modo esporádico subitamente sente uma vontade irresistível de fazer força. Frequentemente, ela confunde isso com a necessidade de ir ao banheiro (entra o vídeo "Tive meu bebê no vaso sanitário").

Novamente, é muito improvável que isso aconteça com você. Mesmo assim, é uma boa ideia você e seu *coach* se familiarizarem com os aspectos básicos do parto emergencial (veja os quadros nas p. 536-538). Depois de fazer isso, relaxe, sabendo que se preparou para algo que é muito mais provável ver na televisão que experimentar na realidade.

Trabalho de parto breve
"Sempre ouvi falar de mulheres cujos partos foram muito breves. O quanto eles são comuns?"

Embora deem boas histórias, nem todos os trabalhos de parto breves sobre os quais você ouviu falar foram assim tão breves. Frequentemente, a gestante que parece ter um trabalho de parto muito rápido teve contrações indolores por horas, dias e mesmo semanas — contrações que gradualmente dilataram seu colo do útero. Quando ela finalmente sentiu uma contração, já estava no estágio final do trabalho de parto.

Isso dito, ocasionalmente o colo do útero dilata muito rapidamente, realizando em alguns minutos o que o colo do útero médio (sobretudo o de uma primigesta) leva horas para fazer. E, felizmente, mesmo com esse tipo abrupto ou "precipitado" (que leva três horas ou menos do início ao fim), no geral, não há risco para o bebê.

Se seu trabalho de parto parecer começar de roldão — com contrações fortes e cada vez mais próximas —, vá rapidamente para o hospital ou casa de parto (para que você e o bebê possam ser monitorados). Medicação pode ser útil para desacelerar as contrações e aliviar a pressão sobre o bebê, seu próprio corpo e seu estado emocional (às vezes, a gestante em um trabalho de parto muito rápido se torna compreensivelmente agitada, e desacelerar as contrações pode acalmá-la).

Trabalho de parto posterior

"Desde que as contrações começaram, sinto uma dor tão forte na região lombar que não sei como vou aguentar o trabalho de parto."

O que você provavelmente está sentindo é conhecido no ramo obstétrico como "trabalho de parto posterior" e, definitivamente, é doloroso. Muito doloroso. Tecnicamente, ele ocorre quando o feto está na posição posterior, com o rosto virado para cima e a parte de trás da cabeça pressionando o sacro, que é a parte de trás de sua pelve. Mas é possível sentir essa dor mesmo quando o bebê não está na posição posterior ou continuar a senti-la depois que ele virou ou foi virado de rosto para baixo — possivelmente porque a área já se tornou um foco de tensão.

PARA OS PAIS

DICAS DE PARTO EMERGENCIAL PARA O *COACH*

Em casa ou no escritório

1. Tente permanecer calmo e ao mesmo tempo reconfortar e tranquilizar a mãe. Lembre-se que, mesmo que você não saiba nada sobre o parto, o corpo da mãe e o bebê podem fazer a maior parte do trabalho sozinhos.

2. Telefone para 911 para obter serviço médico emergencial. Peça que liguem para o médico. No Brasil, ligue para o SAMU, para o número 192.

3. Faça com que a mãe comece a ofegar, a fim de impedir que ela faça força.

4. Lave suas mãos e a área vaginal da mãe com água e sabonete (ou use um lenço umedecido ou higienizador para as mãos).

5. Se houver tempo, coloque a mãe em uma cama ou um sofá (ou, como último recurso, uma mesa), com as nádegas na beirada e as mãos segurando as coxas para mantê-las elevadas. Se houver um pufe ou banquinho à disposição, use-o para que ela apoie os pés. Se possível, proteja as superfícies com toalhas ou lençóis. Se a cabeça do bebê já estiver aparecendo, coloque alguns travesseiros ou almofadas sob os ombros e a cabeça da mãe para que ela fique semissentada, o que pode ajudar o parto. Se a cabeça do bebê ainda não estiver aparecendo, fazer com que a mãe se deite de costas ou de lado pode adiar o parto até que chegue ajuda.

6. Quando o topo da cabeça começar a aparecer, peça que a mãe arfe ou assopre (para não fazer força) e pressione gentilmente o períneo (a área entre a vagina e o ânus) para que a cabeça não saia com um solavanco. Deixe que a cabeça emerja gradualmente — jamais puxe. Se houver uma volta do cordão umbilical em torno do pescoço, coloque um dedo sob ela e passe-a gentilmente sobre a cabeça do bebê.

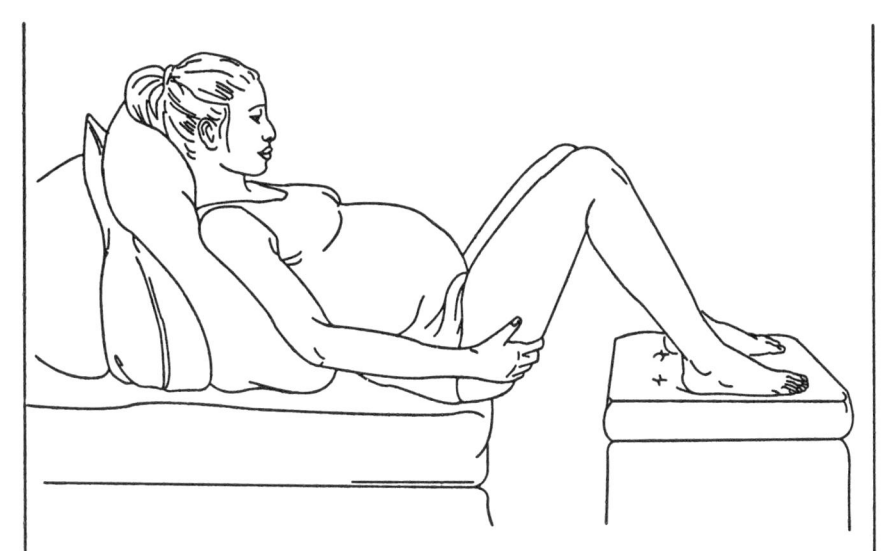

7. Em seguida, segure a cabeça gentilmente em ambas as mãos e pressione muito levemente para baixo (não puxe), pedindo que a mãe faça força até liberar o ombro da frente. Quando o braço aparecer, erga a cabeça cuidadosamente, esperando pelo ombro de trás. Quando os dois ombros estiverem livres, o restante do bebê deve deslizar facilmente.

8. Coloque o bebê na barriga da mãe ou, se o cordão for longo o bastante (não puxe), no peito. Rapidamente, enrole o bebê em cobertores, toalhas ou qualquer pano limpo.

9. Limpe a boca e o nariz do bebê com um pano limpo e deslize os dedos dos cantos internos dos olhos até as laterais do nariz, para ajudar a drenar os fluidos. Se a ajuda ainda não tiver chegado e o bebê não estiver respirando ou chorando, esfregue as costas dele, mantendo a cabeça mais baixa que os pés. Se mesmo assim ele não começar a respirar, limpe a boquinha novamente com um dedo limpo e sopre duas vezes, de forma rápida e extremamente gentil, sobre o nariz e a boca.

10. Não tente puxar a placenta. Mas, se ela emergir sozinha antes de a assistência emergencial chegar, enrole-a em toalhas e a mantenha elevada, se possível acima do nível do bebê. Não é preciso cortar o cordão, mas você deve amarrá-lo com um barbante ou cadarço 2 a 3 minutos após o nascimento, se a ajuda ainda não tiver chegado.

11. Mantenha mãe e bebê aquecidos e confortáveis até a ajuda chegar.

A caminho do hospital ou casa de parto

Se você estiver no carro e o parto for iminente, pare em uma área segura e ligue o pisca-alerta. Telefone para 911. Se alguém parar, peça ajuda para contatar 911 ou o serviço local de emergências médicas. Se estiver em um táxi, peça que o motorista acione ajuda pelo telefone ou rádio. No Brasil, ligue para o SAMU, para o número 192.

Se possível, ajude a mãe a passar para o banco de trás. Coloque um casaco, jaqueta ou cobertor sob ela. Então, se a ajuda ainda não tiver chegado, prossiga como no caso do parto em casa. Assim que o bebê nascer, vá rapidamente para o hospital mais próximo, a menos que o serviço de emergência tenha dito que a ajuda está a caminho.

Quando está tendo esse tipo de dor — que frequentemente não cede entre as contrações e pode ficar excruciante com elas —, a causa não importa muito. O que importa é como aliviá-la, mesmo que somente um pouco. Se optou por fazer uma epidural, agora é a hora (não é preciso esperar, especialmente se você estiver sentindo muita dor). É possível que você precise de uma dose mais alta que a usual para obter conforto, então informe ao anestesiologista. Outras opções (como narcóticos) também oferecem alívio. Se não quer usar medicamentos, várias medidas podem aliviar o desconforto, e todas valem a tentativa:

Remover a pressão. Tente mudar de posição. Caminhe (embora possa não ser possível se as contrações estiverem muito próximas), agache-se, fique de quatro, incline-se ou sente-se sobre a bola de parto — faça o que for mais confortável e menos doloroso. Se sentir que não consegue se mover ou preferir ficar deitada, deite-se de lado com as costas bem arqueadas, em uma espécie de posição fetal.

Calor ou frio. Peça que seu *coach* (ou doula ou enfermeira) use compressas quentes, uma almofada térmica, bolsas de gelo ou compressas frias — o que for melhor. Ou alterne frio e calor.

Contrapressão e massagem. Peça que seu *coach* faça pressão de maneiras diferentes na área mais dolorida ou nas áreas adjacentes para ver qual oferece mais alívio. Ele pode fazer pressão com os nós dos dedos, a palma da mão reforçada pela pressão da outra mão, uma bola de tênis ou um massageador, usando pressão direta ou movimentos circulares e firmes. Creme, óleo ou talco podem ser aplicados periodicamente para reduzir a irritação.

Reflexologia. No caso do trabalho de parto posterior, essa terapia consiste em aplicar forte pressão dos dedos logo abaixo do centro da bola do pé.

Outros tratamentos alternativos para a dor. A hidroterapia (chuveiro morno ou banheira com hidromassagem) pode aliviar um pouco a dor. Se você tem experiência, meditação, visualização ou auto-hipnose são alternativas válidas. Elas frequentemente funcionam, e não custa tentar.

Indução do trabalho de parto
"O médico quer induzir o trabalho de parto. Mas ainda não passei da data provável e achava que a indução era somente para bebês pós-termo."

À s vezes a Mãe Natureza precisa de uma ajudinha para transformar uma gestante em mãe. Esse é o caso em cerca de 20% das gestações e, embora em muitos casos a indução seja necessária porque o bebê está atrasado, há muitas outras razões pelas quais o médico pode sentir que a natureza precisa de um empurrão, como:
- As membranas se romperam, mas as contrações ainda não começaram 24 horas depois (embora alguns médicos induzam o trabalho de parto bem antes).
- Os testes sugerem que o útero já não é um lar saudável para o bebê, porque a placenta já não funciona de maneira ótima, o nível de líquido amniótico está baixo ou outra razão.
- Os testes sugerem que o bebê não está se desenvolvendo e já é maduro o suficiente para o parto.
- Você tem uma complicação, como pré-eclâmpsia ou diabetes gestacional, ou uma doença aguda ou crônica que torna arriscado continuar a gestação.
- Há o temor de que você não chegue ao hospital ou casa de parto a tempo quando o trabalho começar porque mora muito longe ou seu trabalho de parto anterior foi muito curto (ou ambos).

Se ainda não tem certeza sobre as razões do médico para induzir o trabalho de parto, peça uma explicação mais substancial e satisfatória. Para descobrir tudo o que precisa saber sobre o processo de indução, continue lendo.

"Como funciona a indução?"

A indução, do mesmo modo que o trabalho de parto iniciado naturalmente, é um processo — e um processo às vezes demorado. Mas, ao contrário do trabalho de parto iniciado naturalmente, seu corpo terá alguma ajuda. A indução normalmente envolve os seguintes passos (embora você não vá necessariamente passar por todos):
- Primeiro, o colo do útero precisará ser amolecido para que o trabalho de parto possa começar. Se você chegar com o colo do útero já macio, ótimo, provavelmente vai para o passo seguinte. Se o colo do útero não estiver dilatado, fino nem macio, o médico provavelmente administrará uma substância hormonal, como a prostaglandina E na forma de gel ou óvulo. Nesse procedimento indolor, uma seringa é usada para aplicar o gel no colo do útero ou o médico insere o óvulo na vagina até o colo do útero. Após algumas horas, haverá um novo exame para ver se o colo do útero está ficando mais macio e começando a afinar e

dilatar. Se não estiver, uma segunda dose pode ser administrada. Em muitos casos, o gel ou óvulo é suficiente para iniciar as contrações. Se o colo do útero estiver pronto, mas as contrações ainda não tiverem começado, o processo de indução continua. (Alguns médicos usam dispositivos projetados para preparar o colo do útero, como um cateter com um balão inflável, dilatadores ou mesmo uma alga — chamada *Laminaria japonica* —, que, quando inserida, gradualmente dilata o colo do útero conforme ele absorve líquidos e se expande.)

DESCOLAMENTO DAS MEMBRANAS

O descolamento das membranas é uma maneira de induzir o trabalho de parto, às vezes como parte do processo de indução no hospital, às vezes durante uma consulta pré-natal regular quando a gestante está no fim ou muito perto do fim da gestação. Ele é diferente do rompimento das membranas, embora possa levar a ele. Eis o que você precisa saber:

Como é feito? O médico usará o dedo para separar gentilmente o saco amniótico (também chamado de bolsa) da lateral do útero, perto do cérvix. Quando o saco estiver separado, seu organismo liberará hormônios (prostaglandinas) que, ao fim de algum tempo, darão início às contrações. O descolamento pode ser feito uma única vez ou, se a primeira tentativa não funcionar, o médico pode pedir que você retorne a cada poucos dias para repetir o processo. Mesmo que ele escolha descolar as membranas apenas uma vez, você provavelmente terá de retornar a cada poucos dias para avaliar seu progresso.

Qual é a sensação? Ter as membranas descoladas pode ser meio desconfortável, embora algumas mulheres não sintam nada. Você pode ter cólicas por 24 horas (que podem ou não levar às contrações que está esperando). Também pode notar um escape avermelhado, rosado ou amarronzado nos dias seguintes. Tudo isso é normal e não merece preocupação, mas, se tiver dor severa ou sangramento vermelho vivo, telefone imediatamente para o médico.

Funciona? Há algumas evidências de que o descolamento das membranas pode levá-la à sala de parto — mas talvez não muito rapidamente (podem ser necessários entre três e cinco dias para as contrações começarem). No entanto, como o processo não é garantido nem agradável para a gestante, muitos especialistas dizem que não deve ser realizado rotineiramente.

- Se o saco amniótico ainda estiver intacto, o médico pode descolar as membranas (ver quadro da página anterior). Ou pode rompê-las artificialmente (p. 546) para tentar iniciar o trabalho de parto.
- Se, mesmo assim, você não tiver contrações regulares, o médico administrará por via intravenosa uma forma sintética do hormônio ocitocina (que é produzido naturalmente pelo organismo durante toda a gestação e desempenha importante papel no trabalho de parto), até que elas se tornem regulares. O medicamento misoprostol em administração vaginal pode ser usado como alternativa.
- O bebê será continuamente monitorado para avaliar como está lidando com o estresse do trabalho de parto. Você também será monitorada para garantir que o medicamento não estimule excessivamente o útero, gerando contrações longas ou poderosas demais. Se isso acontecer, a taxa de infusão pode ser reduzida, ou o processo, interrompido. Quando as contrações forem constantes, a ocitocina será interrompida ou a dose diminuída, e o trabalho de parto progride exatamente como o não induzido. Você também pode receber uma epidural nesse momento, se desejar.
- Se, 8 a 12 horas após a administração de ocitocina, o trabalho de parto não tiver começado ou progredido, o médico pode interromper a indução para lhe dar a chance de descansar antes de tentar novamente ou, dependendo das circunstâncias, optar por uma cesariana.

Comer e beber durante o trabalho de parto

"Ouvi informações conflitantes sobre comer e beber durante o trabalho de parto."

Comer deveria estar no cardápio quando você está em trabalho de parto? Depende de quem faz o pedido. Alguns médicos proíbem alimentos e bebidas seguindo a teoria de que o alimento no trato digestivo pode ser aspirado no caso muito improvável de uma anestesia geral ser necessária. Esses médicos geralmente só autorizam lascas de gelo suplementadas por líquidos intravenosos.

A maioria dos outros médicos (e as orientações do ACOG), no entanto, permite líquidos e sólidos leves (leia-se: nada de pizza com borda recheada) durante um trabalho de parto de baixo risco. Pensando logicamente, eles consideram que a mãe, que faz todo o trabalho duro, precisa de líquidos e calorias para permanecer forte e eficiente. Além disso, o risco de aspiração (que, novamente, só existe em caso de anestesia geral, usada em situações emergenciais) é extremamente baixo: 7 em 10 bilhões de nascimentos. A posição desses médicos foi apoiada pelas pesquisas, que mostram que mães com permissão para comer e beber têm trabalhos de parto em média 90 minutos mais breves. Mães que não permanecem em jejum também têm menor probabilidade de precisar de ocitocina para apressar o trabalho de parto, requerem menos medicação contra a dor e têm bebês com resultados melhores no índice de Apgar que mães que são forçadas a jejuar. Fale com o médico para descobrir o que estará ou não no cardápio durante seu trabalho de parto.

Mesmo que o médico dê luz verde, é provável que você não queira uma grande refeição quando as contrações começarem para valer (além disso, você estará bastante distraída). Afinal, o trabalho de parto realmente pode destruir o apetite. Mesmo assim, um lanche ocasional e fácil de digerir durante as primeiras horas — picolé, gelatina, purê de maçã, fruta cozida, banana, macarrão sem molho, torrada com geleia e caldo claro são escolhas ideais — pode ajudá-la a manter a energia quando mais precisar dela (você provavelmente não será capaz nem terá vontade de comer durante o trabalho de parto ativo). Quando decidir — com a ajuda do médico — o que e quando comer, também leve em consideração que o trabalho de parto pode deixá-la muito enjoada. Algumas gestantes vomitam, mesmo quando não comem.

Quer você consiga ou não comer, seu *coach* definitivamente consegue, e deve (não é boa ideia ele estar fraco de fome ao ser necessário). Lembre-o de comer antes de irem para o hospital ou casa de parto (a mente dele provavelmente estará em sua barriga, não na dele) e de levar um punhado de lanches para não precisar deixá-la sozinha quando o estômago dele começar a roncar.

Intravenosa de rotina
"É verdade que terei de receber uma intravenosa quando entrar em trabalho de parto, mesmo tendo certeza de que não quero uma epidural?"

Isso depende muito da política do hospital. Em alguns, é rotina iniciar em todas as gestantes em trabalho de parto um acesso intravenoso, um cateter flexível colocado na veia (geralmente nas costas da mão ou no antebraço) para administrar líquidos e medicamentos. Isso é feito para evitar desidratação e poupar tempo mais tarde, se surgir uma emergência que exija medicação (já existe um acesso para administrá-la; não é necessário achar a veia). Outros hospitais e médicos omitem as intravenosas de rotina e esperam até que haja uma necessidade clara. Confira a política com antecedência e, se tiver fortes objeções à intravenosa, pergunte ao médico se ela pode ser evitada. Pode ser possível adiá-la até que haja necessidade.

Você definitivamente receberá uma intravenosa se a epidural estiver na agenda. Líquidos intravenosos são rotineiramente administrados antes e durante a epidural para reduzir a chance de queda da pressão arterial, um efeito colateral comum dessa técnica de alívio da dor. A intravenosa também facilita a administração de ocitocina se o trabalho de parto precisar de um empurrão.

Se terminar com uma intravenosa de rotina ou a epidural com intravenosa que gostaria de evitar, você provavelmente descobrirá que ela não é de modo algum intrusiva. A intravenosa é ligeiramente desconfortável quando a agulha é inserida — depois disso, você não deve mais senti-la (e, se sentir, diga à enfermeira). Quando é colocada no suporte móvel, você pode levá-la ao banheiro ou para caminhar pelo corredor. Se realmente não quiser uma intravenosa, mas a política do hospital ditar que deve receber uma, pergunte ao médico se a trava de heparina é uma opção. Nela, o cateter é colocado na veia, uma gota do medicamento heparina, que afina o sangue, é adicionado para evitar a coagulação e o cateter é coberto e fixado. Essa opção dá à equipe hospitalar acesso à veia se surgir uma emergência, mas não a prende desnecessariamente ao suporte de intravenosa — um bom acordo em certas ocasiões.

Monitoramento fetal

"Terei de ser ligada ao monitor fetal durante todo o trabalho de parto? Para que ele serve?"

Para alguém que passou nove meses flutuando pacificamente em uma banheira cálida e reconfortante de líquido amniótico, a viagem pela estreita passagem da pelve materna não é lá muito divertida. O bebê é espremido, comprimido, empurrado e moldado a cada contração. E, embora a maioria passe pelo canal de parto sem problema, outros acham o estresse de ser espremido, comprimido, empurrado e moldado difícil demais, e respondem com desaceleração da frequência cardíaca, movimentos acelerados ou desacelerados e outros sinais de sofrimento. O monitor fetal avalia como o bebê está lidando com o estresse do trabalho de parto ao analisar a resposta de seus batimentos cardíacos às contrações.

EPISIOTOMIA: NÃO MAIS UMA INCISÃO COMUM

Felizmente para a maioria das mães, a episiotomia — uma incisão cirúrgica no períneo para alargar a abertura vaginal pouco antes de a cabeça do bebê emergir — já não é realizada rotineiramente durante o parto. Atualmente, as parteiras e a maioria dos médicos raramente fazem a incisão sem uma boa razão, e somente cerca de 10% das gestantes recebem uma.

Nem sempre foi assim. Já se acreditou que a episiotomia evitava a laceração espontânea do períneo e a incontinência urinária e fecal no pós-parto e reduzia o risco de trauma de parto no recém-nascido (devido ao fato de a cabeça do bebê ser pressionada intensa e longamente contra o períneo). Mas agora se sabe que os bebês ficam bem sem a episiotomia e as mães parecem ficar melhor sem ela. Não realizar o procedimento não parece tornar o trabalho de parto mais longo e, sem ela, as mães frequentemente sofrem menos perda de sangue, menos infecções e menos dor no períneo depois do parto (embora ainda possa haver perda de sangue e infecção em função de uma laceração). Além disso, uma pesquisa mostrou que as episiotomias têm maior probabilidade que as lacerações espontâneas de se transformarem em lacerações sérias, de terceiro ou quarto graus (aquelas que se aproximam ou chegam ao reto, às vezes causando incontinência fecal, a inabilidade de controlar os movimentos intestinais). Fazer uma episiotomia no primeiro parto também torna mais provável que a mãe precise dela em partos subsequentes.

Mas, embora as episiotomias de rotina já não sejam recomendadas, ainda há lugar para elas em certos cenários. Elas podem ser indicadas quando o bebê é grande e precisa de uma rota de saída mais espaçosa, quando precisa nascer rapidamente, quando extração com fórceps ou vácuo precisa ser realizada ou para aliviar a distocia de ombro (quando um ombro fica preso no canal de parto).

Se precisar de uma episiotomia, você receberá uma injeção (se houver tempo) de um anestésico local antes da incisão, embora possa não precisar dele se já estiver anestesiada pela epidural ou seu períneo estiver muito fino ou já amortecido em função da pressão da cabeça do bebê durante a coroação. O médico usará a tesoura cirúrgica para fazer uma incisão mediana (um corte feito diretamente na direção do reto) ou médio-lateral (que se inclina para longe do reto). Após o nascimento do bebê e a expulsão da placenta, o médico fará a sutura da incisão (você receberá uma injeção de anestésico local se não o recebeu antes ou se o efeito da epidural já tiver passado).

Se ainda não fez isso, discuta a questão da episiotomia com o médico. É muito provável que ele concorde que o procedimento só deve ser realizado por uma boa razão. Se quiser, também documente sua posição a respeito no plano de parto. Mas tenha em mente que, muito ocasionalmente, a episiotomia se mostra necessária, e a decisão final só deve ser tomada na sala de parto, quando aquela cabecinha fofa estiver coroando.

Mas essa avaliação precisa ser contínua? A maioria dos especialistas diz que não, citando pesquisas que mostram que, para gestantes de baixo risco em partos não medicados, a verificação intermitente do coração usando Doppler ou monitor é uma maneira efetiva de avaliar a condição do bebê. Se você se encontra nessa categoria, provavelmente não ficará ligada ao monitor fetal durante todo o trabalho de parto (quase certamente não o será se estiver sendo assistida por uma parteira). Mas, se o parto for induzido, você fizer uma epidural ou apresentar certos fatores de risco (como mancha de mecônio), provavelmente será ligada ao monitor durante todo o procedimento.

Existem três tipos de monitoramento fetal contínuo:

Monitoramento externo. Nesse tipo de monitoramento, dois dispositivos são presos ao seu abdômen. Um, o transdutor de ultrassom, acompanha os batimentos cardíacos fetais. O outro, um medidor sensível à pressão, mede a intensidade e a duração das contrações uterinas. Ambos são conectados a um monitor e as medidas são registradas digitalmente e em papel. Quando estiver conectada a um monitor externo, você será capaz de se mexer na cama ou se sentar em uma cadeira por perto, mas não terá liberdade total de movimentos, a menos que o monitoramento por telemetria esteja sendo usado (ver a página seguinte).

Durante o segundo estágio do trabalho de parto (expulsão), quando as contrações costumam ser tão rápidas e intensas que é difícil saber quando fazer força e quando se conter, o monitor pode ser usado para assinalar com precisão o início e o fim de cada contração. Ou pode ser removido inteiramente enquanto você faz força, para não interferir com sua concentração. Nesse caso, a frequência cardíaca do bebê é verificada periodicamente com um Doppler.

Monitoramento interno. Quando resultados mais precisos são requeridos — quando há razões para suspeitar de sofrimento fetal —, um monitor interno pode ser usado. Nesse tipo de monitoramento, um minúsculo eletrodo é preso, através de sua vagina, no couro cabeludo do bebê, e um cateter é colocado em seu útero ou um medidor externo de pressão é preso a seu abdômen para mensurar a força das contrações. Embora o monitoramento interno forneça um registro ligeiramente mais preciso da frequência cardíaca do bebê e das contrações que um monitor externo, ele é usado somente quando necessário (já que acarreta leve risco de infecção). O bebê pode ter um pequeno arroxeado ou arranhado no local onde o eletrodo foi preso, que desaparecerá em alguns dias. Seus movimentos serão mais limitados com um monitor interno, mas você ainda será capaz de se mexer de um lado para o outro na cama.

Monitoramento por telemetria. Disponível somente em alguns hospitais, esse tipo de monitoramento usa um transmissor preso à sua coxa para transmitir os tons da frequência cardíaca do bebê (através de ondas de rádio) para a central de enfermagem, permitindo que você passeie pelo corredor e, mesmo assim, seja constantemente monitorada.

Esteja consciente de que, tanto no monitoramento interno quanto no externo, alarmes falsos são comuns. A máquina pode começar a bipar se o transdutor sair do lugar, o bebê mudar de posição, a mãe mudar de posição, o monitor não estiver funcionando direito ou as contrações se intensificarem de repente. O médico levará esses e outros fatores em consideração antes de concluir que o bebê está realmente com problemas. Se as leituras anormais continuarem, vários outros testes podem ser realizados (como estimulação do couro cabeludo do feto) para determinar a causa do sofrimento. Se o sofrimento fetal for confirmado, geralmente se recorre à cesariana.

Ruptura artificial das membranas

"Se minha bolsa não estourar sozinha, tenho medo de que o médico precise romper as membranas. Isso não vai doer?"

A maioria das gestantes não sente muita coisa quando as membranas são artificialmente rompidas, particularmente se o trabalho de parto já estiver em estágio avançado (quando há dores muito mais significativas com as quais lidar). O procedimento, feito com um gancho amniótico (um dispositivo longo e fino, feito de plástico e com um gancho na ponta, projetado para romper o saco amniótico), provavelmente não será mais desconfortável que todos aqueles exames internos que você receberá para avaliar seu progresso. É provável que você só note uma golfada de água, seguida rapidamente — ou, ao menos, é o que se espera — por contrações mais próximas e intensas que farão seu bebê se mexer.

A ruptura artificial das membranas não parece diminuir a necessidade de ocitocina, mas parece abreviar o trabalho de parto — ao menos em partos induzidos —, e muitos médicos a empregam na tentativa de incentivar um trabalho de parto muito lento. Se não houver uma razão convincente para rompê-las (o trabalho de parto está progredindo bem), você e o médico podem decidir esperar até que elas se rompam naturalmente. (Ocasionalmente, a ruptura artificial pode ser realizada para permitir outro procedimento, como o monitoramento interno.)

De vez em quando, as membranas permanecem teimosamente intactas durante todo o trabalho de parto (o bebê nasce ainda envolto pelo saco amniótico, que precisa ser rompido logo após o parto), e tampouco há problema nisso.

Extrator a vácuo

"Por que o médico usaria um extrator a vácuo durante o parto? A ideia de sugar a cabeça do bebê para fora parece dolorosa para ele e para mim."

O extrator a vácuo pode ajudar o bebê a sair de uma situação bem apertada durante o parto. Não pense em um aspirador: o extrator é simplesmente uma ventosa de plástico que é colocada na cabeça do bebê e usa sucção muito suave para guiá-lo para fora do canal de parto (veja a ilustração abaixo). A sucção evita que a cabeça do bebê recue para o canal de parto entre as contrações e pode ser usada para ajudar a mãe enquanto ela faz força durante as contrações. A extração a vácuo é usada em cerca de 5% dos partos e oferece uma boa alternativa tanto ao fórceps (que raramente é usado hoje em dia; veja a pergunta seguinte) quanto à cesariana, nas circunstâncias certas.

E quais são as circunstâncias certas? A extração a vácuo pode ser considerada quando o colo do útero está totalmente dilatado e as membranas se romperam, mas a mãe está exausta demais para empurrar o bebê efetivamente ou continuar fazendo força, ou tiver doença cardíaca ou pressão arterial muito elevada, tornando arriscado o esforço extenuante do trabalho de parto. O procedimento também pode ser usado se o bebê precisar nascer rapidamente em função de possível sofrimento (assumindo-se que ele esteja em uma posição favorável — por exemplo, prestes a coroar).

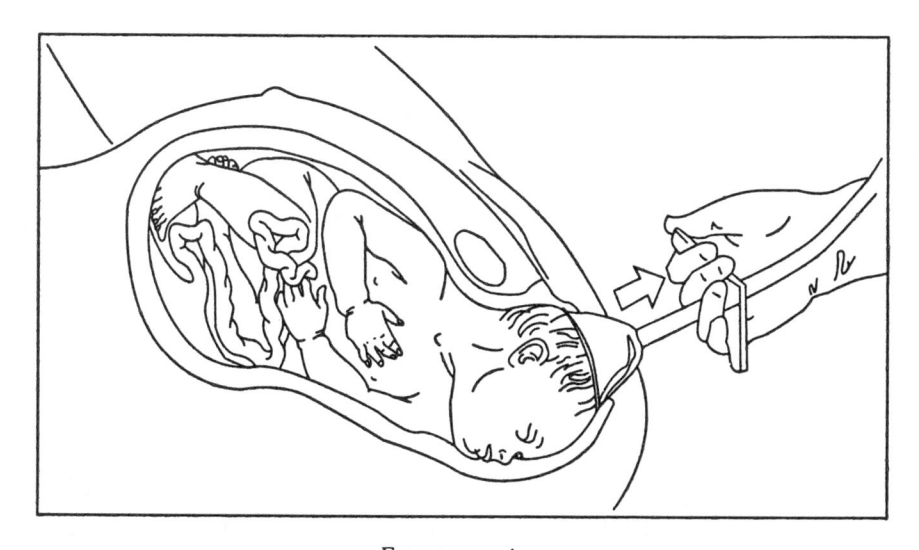

Extrator a vácuo

Bebês que nascem por extração a vácuo experimentam algum inchaço no couro cabeludo, mas geralmente não é nada sério, não requer tratamento e desaparece em alguns dias. Se o extrator a vácuo não conseguir ajudar o bebê a nascer, uma cesariana provavelmente será realizada.

Antes de decidir pela extração a vácuo, o médico pode sugerir (se o tempo permitir) que você descanse durante algumas contrações antes de fazer força novamente (às vezes mesmo um descanso breve pode lhe dar a energia necessária para empurrar o bebê de modo efetivo). Uma mudança de posição (ficar de quatro, agachar-se com ajuda da barra de parto, sentar-se sobre a bola de parto) também pode ajudar ao convocar a força da gravidade para mover a cabeça do bebê.

Faça ao médico quaisquer perguntas que tenha sobre o possível uso da extração a vácuo (ou do fórceps, veja a pergunta seguinte), incluindo se você precisará fazer uma episiotomia antes de tentá-la. Quanto mais souber, mais preparada estará para qualquer coisa que aconteça durante o parto.

Fórceps
"Qual é a probabilidade de eu precisar de fórceps durante o parto?"

M uito baixa atualmente. O fórceps — um dispositivo longo e curvo, parecido com uma pinça, projetado para ajudar o bebê a descer pelo canal de parto — é usado somente em uma pequena porcentagem dos partos (a extração a vácuo é mais comum; veja a pergunta anterior). Não porque não seja tão seguro quanto a extração a vácuo ou a cesariana (na verdade, é até mais seguro para o bebê quando usado corretamente), mas porque cada vez menos médicos recebem treinamento para usá-lo ou já o usaram o suficiente para se sentirem confortáveis. As possíveis razões para usar o fórceps são as mesmas do parto com extração a vácuo.

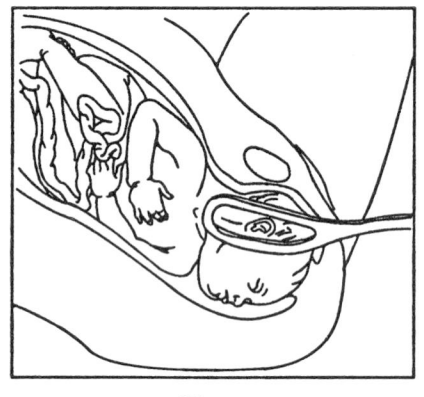

Fórceps

Para que o fórceps seja usado, o colo do útero precisa estar totalmente dilatado, a bexiga vazia e as membranas rompidas. Então será aplicado um anestésico local (a menos que você já tenha recebido a epidural). Você também provavelmente fará uma episiotomia para alargar a abertura vaginal e permitir a colocação do fórceps. Os braços curvos serão posicionados, um de cada vez, em torno da cabecinha já coroando, travados e usados para extrair gentilmente o bebê (veja a ilustração da página anterior). Pode haver equimose ou inchaço no couro cabeludo do bebê em função do uso do fórceps, que geralmente desaparecem alguns dias após o parto.

Se a tentativa de parto com fórceps não for bem-sucedida, você provavelmente fará uma cesariana.

As pesquisas sugerem que receber uma única dose injetável de antibióticos após o parto com fórceps ou extração a vácuo reduz o risco de infecção, então não se surpreenda se o médico recomendá-la.

Posições para o trabalho de parto
"Sei que não devo ficar deitada de costas durante o trabalho de parto. Mas qual posição é a melhor?"

Você não precisa passar o trabalho de parto deitada e, na verdade, ficar deitada de costas provavelmente é a maneira menos eficiente de ter o bebê, primeiro porque você não conta com a ajuda da gravidade e, segundo, porque há o risco de comprimir vasos sanguíneos importantes (e possivelmente interferir com o fluxo de sangue para o bebê). Gestantes são encorajadas a passar o trabalho de parto em qualquer outra posição na qual se sintam confortáveis e mudá-la o mais frequentemente que puderem (e quiserem). Movimentar-se durante o trabalho de parto e variar constantemente de posição não somente alivia o desconforto como também pode apressar o processo.

Você pode escolher qualquer uma das seguintes posições (ou variações delas):

Em pé ou caminhando. Ficar na vertical não somente alivia a dor das contrações, como também tira vantagem da gravidade, que pode fazer com que sua pelve se abra e o bebê desça pelo canal de parto. Embora seja improvável que consiga correr quando as contrações chegarem rápidas e furiosas, caminhar (ou simplesmente ficar em pé, apoiada em uma parede ou em seu *coach*) durante os estágios iniciais do trabalho de parto pode ser eficiente.

Em pé ou caminhando

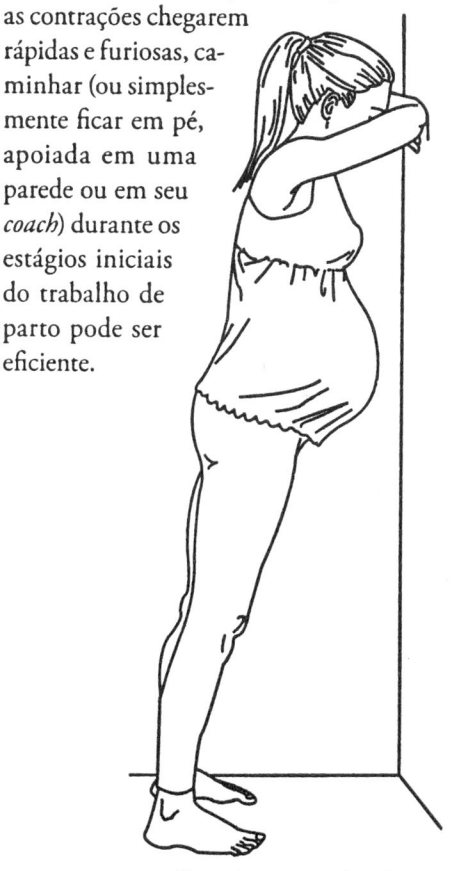

Balançando. Seu bebê ainda não nasceu, mas, mesmo assim, gostará de ser embalado — assim como você, especialmente quando as contrações começarem. Sente-se ou permaneça em pé, balançando-se de um lado para o outro, seja por si mesma ou nos braços de seu parceiro (ou se balance sobre uma bola de parto, veja a página seguinte). O balanço pode fazer com que a pelve se abra e encorajar o bebê a descer. E, mais uma vez, ficar em pé permite que você use a força da gravidade para auxiliar o processo.

Inclinada. Muitas gestantes em trabalho de parto acham relaxante inclinar-se para a frente durante as contrações — e essa é uma posição especialmente útil se você estiver tendo um trabalho de parto posterior. Empilhe travesseiros sobre uma cama ou mesa e incline-se sobre eles, descansando a cabeça e os braços nos travesseiros e relaxando o corpo.

Essa posição também é útil se você quiser se balançar, mas não tiver forças para manter o corpo ereto.

Inclinada

Sentada. Seja na cama (a cabeceira da cama de parto pode ser erguida até você ficar quase sentada), nos braços de seu parceiro ou sobre uma bola, sentar-se pode aliviar a dor das contrações e permitir que a gravidade ajude a fazer o bebê descer pelo canal de par-

Balançando

to. Outra opção, se estiver disponível, é a cadeira de parto, projetada especificamente para acomodar a mulher nesse momento. A mãe consegue ver mais detalhes do parto nessa posição.

se o trabalho de parto na posição que lhe parecer melhor.

Sentada

Sobre a bola de parto. Sentar-se em uma dessas grandes bolas de exercício pode ajudar a abrir a pelve — e é muito mais fácil que ficar agachada por longos períodos. A curvatura da bola oferece uma ligeira contrapressão ao períneo durante o trabalho de parto. Se você preferir se apoiar nas mãos e nos joelhos (veja a ilustração da página seguinte), tire vantagem da curvatura da bola para se balançar para a frente e para trás (ou de um lado para o outro ou mesmo em círculos suaves). Usar a bola para se apoiar dessa maneira pode ajudar em caso de trabalho de parto posterior e também remover a pressão dos punhos, permitindo que você pas-

Sobre a bola de parto

Ajoelhada. Está em trabalho de parto posterior? Ajoelhar apoiando-se sobre a bola de parto, uma cadeira ou os ombros de seu marido pode ser reconfortante e produtivo quando a parte de trás da cabeça do bebê estiver pressionando sua coluna. Isso encoraja o bebê a se mover para a frente, tirando a pressão de suas costas. Mesmo que o bebê não esteja nessa posição, ajoelhar-se pode ser uma posição boa para o parto, porque permite que você transfira parte da pressão para a parte inferior da coluna enquanto faz força para empurrar o bebê, reduzindo a dor ainda mais que na posição sentada.

Sobre as mãos e os joelhos. Ficar de quatro é outra maneira de obter algum conforto durante o trabalho de parto posterior e ajudar o bebê a nascer mais rapidamente. Essa posição permite que você faça algumas inclinações pélvicas para obter alívio e, ao mesmo tempo, dá acesso para que seu marido ou doula faça massagem e contrapressão em suas costas. Você pode até mesmo pensar em dar à luz nessa posição (mesmo que seu trabalho de parto não seja posterior), já que abre a pelve e usa a gravidade para incentivar o bebê a descer. (Você também pode usar uma bola de parto nessa posição; veja abaixo.)

Agachada. Você provavelmente não conseguirá ficar em pé e dar à luz, mas, quando se aproximar do estágio expulsivo do parto, talvez deva pensar em se agachar. Existe uma razão para as mulheres darem à luz de cócoras há séculos: funciona. Ficar de cócoras permite que a pelve se abra bastante, dando ao bebê mais espaço para descer. Você pode usar seu parceiro como apoio (você provavelmente estará meio vacilante e precisará de todo apoio que conseguir) ou usar a barra de parto, que frequentemente está presa à cama (apoiar-se na barra evitará que suas pernas fiquem cansadas — pergunte antecipadamente se uma estará disponível se acha que pode querer usá-la).

Ajoelhada

Agachada

Sobre as mãos e os joelhos

Deitada de lado. Está cansada demais para sentar ou se agachar? Precisa ficar deitada (por causa, digamos, da epidural)? Deitar-se de lado é melhor (evite deitar-se de costas, já que você pode comprimir veias importantes). Use um travesseiro ou bola de amendoim entre as pernas para ficar mais confortável. A bola de amendoim tem o bônus de abrir a linha pélvica, o que, segundo alguns, abrevia o trabalho de parto e diminui o risco de cesariana. Essa também é uma boa posição para dar à luz, especialmente se estiver cansada, já que permite que você descanse enquanto mantém uma posição de parto ótima.

Em uma banheira. Mesmo que não queira realizar o parto na água (ou essa opção não esteja disponível), passar o trabalho de parto em uma banheira pode aliviar a dor das contrações, aumentar o relaxamento e até mesmo acelerar o processo. Não há banheira na sala de parto? Uma ducha morna também vai aliviar a dor.

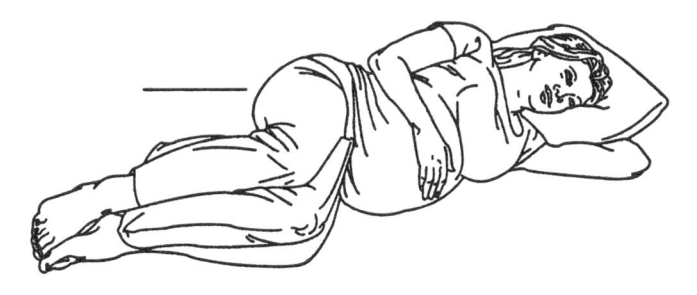

Deitada de lado

Em uma banheira

Lembre-se de que a melhor posição para o trabalho de parto é a que for melhor para você. E o que parece melhor nas fases iniciais do trabalho de parto pode deixá-la muito desconfortável mais tarde, então mude de posição tanto — ou tão pouco — quanto quiser. Se estiver sendo monitorada continuamente, suas posições serão um pouco mais limitadas. Será mais difícil caminhar, por exemplo, mas você não terá nenhum problema para se agachar, balançar, sentar, ficar de quatro ou deitar de lado. Mesmo que faça uma epidural, sentar-se, deitar-se de lado e balançar ainda serão opções disponíveis para você.

Alargamento causado pelo parto
"Estou preocupada com o alargamento durante o parto. Minha vagina algum dia será a mesma novamente?"

A Mãe Natureza definitivamente estava pensando nas mães quando criou a vagina. Sua incrível elasticidade e suas pregas sanfonadas permitem que esse órgão incrível se abra para o parto (e a passagem de um bebê de 3 a 4 quilos) e então — em um período de algumas semanas após o parto — retorne a um tamanho próximo do original. Em outras palavras, sua vagina definitivamente foi projetada para isso.

O períneo também é elástico, mas menos que a vagina. A massagem nos meses anteriores ao parto (e durante o parto) costuma aumentar sua elasticidade e reduzir o alargamento em uma primigesta (embora não seja obrigatória, veja a p. 512). Do mesmo modo, treinar os músculos pélvicos com os exercícios de Kegel durante esse período pode aumentar sua elasticidade, fortalecê-los e apressar seu retorno ao tônus normal.

Muitas mulheres descobrem que o ligeiro alargamento tipicamente experimentado no pós-parto é imperceptível e não interfere no prazer sexual. Para aquelas que, previamente, eram muito "apertadas", o espaço extra pode ser benéfico, tornando o sexo mais prazeroso e, em alguns casos, literalmente menos doloroso. Muito ocasionalmente, no entanto, em uma mulher que era "exatamente do tamanho certo" (ou em um casal que se encaixava perfeitamente), o parto pode estirar a vagina suficientemente para diminuir o prazer sexual. Normalmente, os músculos vaginais enrijecem novamente com o tempo. Fazer os exercícios de Kegel correta e frequentemente pode acelerar esse processo. Se seis meses após o parto você sentir que sua vagina ainda está frouxa demais, fale com o médico sobre outros possíveis tratamentos.

A visão do sangue
"Ver sangue faz com que eu tenha vontade de desmaiar. Não tenho certeza de que conseguirei observar meu parto."

Eis duas boas notícias para as que têm joelhos fracos. Primeira: não haverá tanto sangue assim — pouco mais que durante a menstruação. Segunda: você não será realmente uma observadora de seu parto, mas uma participante muito ativa, usando toda sua concentração e energia para empurrar o bebê por aqueles últimos centímetros. Envolvida em toda aquela excitação e expectativa (e, sejamos realistas, toda aquela dor e fadiga), é improvável que você note qualquer sangramento e muito menos se incomode com ele. Se perguntar às amigas que já passaram por isso, poucas serão capazes de dizer quanto sangue, se algum, houve em seus partos.

PARA OS PAIS
LIDANDO COM O SANGUE

A maioria dos futuros pais — e mães — se preocupa com a maneira como vai se sentir ao ver sangue durante o parto. Mas é provável que você sequer note, quem dirá se incomodar com ele, por duas razões. Primeira, tipicamente não há muito sangue para ver. Segunda, a excitação e o fascínio de ver o bebê chegar manterão vocês dois bastante ocupados (isso e os esforços do parto, é claro).

Se a visão do sangue o incomodar (e, realmente, isso é pouco provável), mantenha os olhos focados em sua esposa enquanto a ajuda durante as últimas contrações. Você provavelmente vai querer olhar de novo para o evento principal no importantíssimo momento do nascimento — e, a essa altura, sangue será a última coisa que notará.

Se ainda tem certeza de que não conseguirá aguentar a visão do sangue, simplesmente mantenha os olhos longe do espelho no momento do nascimento (e também desvie os olhos no improvável caso de uma episiotomia ser realizada). Simplesmente olhe para baixo, por cima da barriga, para ter uma boa visão do bebê quando ele emergir. Desse ponto de vista, praticamente nenhum sangue será visível. Mas, antes de decidir que não quer ver seu próprio parto, assista ao parto de outra mulher no YouTube. Você provavelmente ficará muito mais fascinada que horrorizada.

Clampeamento tardio do cordão umbilical
"O que foi isso que ouvi sobre não clampear o cordão umbilical assim que o bebê nasce?"

Essa é uma parte do nascimento que costumava não ser notada na sala de parto, ao menos não pelos pais, ocupados demais em curtir os primeiros momentos com o bebê — olhando para aqueles olhos que acabaram de se abrir, fazendo os primeiros carinhos, contando dedinhos e bênçãos — para perceber (ou se importar) que o médico clampeara o cordão umbilical momentos após o nascimento.

Embora parteiras em casas de parto e partos domésticos costumeiramente esperem para clampear o cordão umbilical e o façam com alguma cerimônia, nos hospitais isso tradicionalmente é feito sem fanfarra e sem espera. A razão? Acreditava-se que isso reduzia o risco de hemorragia (a mãe perder sangue após o parto).

Mas as pesquisas atuais mostram que mais rápido pode não ser melhor, e esperar para clampear o cordão umbilical não somente não aumenta o risco de hemorragia para a mãe, como pode oferecer reais benefícios para o bebê. O clampeamento tardio permite que a placenta envie algumas pulsadas a mais de sangue, e essa dose extra pode representar entre 30% e 40% do volume sanguíneo total do recém-nascido. Esse sangue extra também aumenta significativamente o nível de ferro e hemoglobinas, prevenindo anemia nos primeiros seis meses de vida. E que tal isso como possível (embora inesperado) benefício: adiar o clampeamento pode aumentar as futuras habilidades sociais e motoras do bebê.

LACERAÇÕES DURANTE O PARTO

Quando um bebezinho com uma cabeça bem grande tenta se espremer por uma abertura muito estreita, há uma boa chance de que a abertura não somente estique para acomodá-lo, como também possa rasgar um pouco. De fato, é comum, dada a pressão da cabeça do bebê, ocorrerem fissuras e lacerações no períneo (a área entre a vagina e o ânus) e, às vezes, no colo do útero. Até metade de todas as mulheres que fazem parto vaginal tem ao menos uma pequena laceração (embora as chances de acontecer o mesmo no segundo parto e posteriores seja menor). Lacerações de primeiro grau (nas quais somente a pele é lacerada) e segundo grau (nas quais a pele e o tecido vaginal são lacerados) são as mais comuns.

Na maior parte dos casos, a laceração requer pontos (se for maior que 2 centímetros). Depois que a laceração for suturada, a região provavelmente ficará sensível pelos próximos sete ou dez dias. Mas eis a boa notícia: recuperar-se de uma pequena laceração que ocorreu naturalmente é muito mais fácil que recuperar-se de uma episiotomia — um procedimento que, nos dias de hoje, raramente (felizmente!) é usado em partos sem complicações (veja o quadro da p. 543).

Para reduzir a possibilidade de laceração, alguns especialistas recomendam massagem perineal (p. 512) por algumas semanas antes da data provável do parto, se você for primigesta. (Se já passou pelo parto vaginal, seu períneo provavelmente já foi esticado, e a massagem prévia não produzirá muitos resultados.) Durante o trabalho de parto, as seguintes medidas também podem ajudar: compressas mornas no períneo para diminuir o desconforto, massagem perineal com óleos ou lubrificantes, ficar em pé ou agachada e exalar com força ou grunhir quando fizer força para facilitar o esticamento do períneo. Durante o estágio de expulsão, o médico provavelmente aplicará apoio perineal (uma contrapressão suave no períneo para que a cabeça do bebê não saia rapidamente demais e cause uma laceração desnecessária) e massagem perineal.

Quanto tempo é necessário esperar? Depende de para quem você pergunta. Muitas parteiras rotineiramente esperam até que o cordão pare de pulsar, o que pode levar vários minutos e frequentemente mais. De fato, o Colégio Americano de Enfermeiras Obstétricas recomenda realizar o clampeamento do cordão umbilical de bebês a termo e pré-termo entre 2 e 5 minutos após o nascimento. A Organização Mundial de Saúde (OMS) recomenda esperar entre 1 e 3 minutos. O ACOG e a AAP recomendam esperar no mínimo entre 30 e 60 segundos. Adiar o clampeamento é especialmente importante para bebês pré-termo, que podem se beneficiar significativamente do sangue extra e do risco diminuído de anemia. Estudos demonstram que bebês prematuros cujo clampeamento é adiado requerem menos transfusões de sangue e sofrem menos complicações na UTI neonatal. O ACOG também recomenda que, como há um aumento muito pequeno da incidência de icterícia entre bebês cujo cordão umbilical foi clampeado tardiamente, os médicos assegurem a presença de terapias para monitorar e tratar a icterícia neonatal (fototerapia). Está se perguntando qual é a política de clampeamento do médico? Agora, antes de o cordão ser expelido (juntamente com o bebê e a placenta), é a hora de perguntar e de especificar suas preferências no plano de parto. Para mães saudáveis com gestações normais, uma espera de 2 a 3 minutos pode ser ideal, e não interfere em seu primeiro contato com o bebê. Assumindo que tudo esteja bem, o bebê será colocado em sua barriga para o primeiro contato pele a pele, você será capaz de secá-lo e estimulá-lo para que chore e de olhar naqueles belos olhos. O clampeamento tardio também não interfere na coleta de sangue do cordão umbilical, embora os estudos demonstrem que o volume de sangue enviado para o banco pode ser menor comparado ao de um clampeamento rápido.

PARTO DE LÓTUS

Se retardar o clampeamento do cordão umbilical pode ser benéfico, e quanto a não cortá-lo? Essa é a teoria por trás da controversa prática do parto de lótus: em vez de cortar o cordão, os pais optam por deixar o cordão e a placenta ligados ao bebê até que o cordão seque e caia sozinho — um processo que pode levar de três a dez (ou mais) dias. Os defensores dizem que isso permite que o bebê colha os benefícios da transferência completa de sangue do cordão e da placenta.

O problema é que não há estudos científicos sobre a segurança dessa prática, e os especialistas não oferecem respostas reconfortantes. Eles dizem que, sem circulação sanguínea ativa, o cordão umbilical e a placenta são essencialmente tecido morto que irá apodrecer (e cheirar mal). Bactérias podem colonizar a placenta e, potencialmente, ser fonte de uma infecção que pode se disseminar para o recém-nascido. O que significa que o parto de lótus muito provavelmente não é uma boa tendência a seguir, e pode até mesmo ser perigoso.

Ainda está curiosa? Discuta a prática com o médico antes de tomar a decisão de tentar.

TUDO SOBRE:
Parto

Após nove meses — passando do enjoo e do inchaço para a azia e a dor nas costas —, você quase certamente já sabe o que esperar quando está esperando. Mas o que deve esperar em termos de trabalho de parto e nascimento?

Na verdade, é difícil (praticamente impossível) de prever. Assim como toda gravidez, todo trabalho de parto e todo parto são diferentes. Mas, do mesmo modo que foi reconfortante saber o que esperar durante os meses de crescimento do bebê, será reconfortante ter uma ideia geral do que pode esperá-la no parto. Mesmo que, no fim das contas, não seja nada do que você esperava (com exceção do muito feliz e muito fofinho final).

PRIMEIRO ESTÁGIO:
Trabalho de parto

Fase 1: Início

Essa fase costuma ser a mais longa — mas, felizmente, também a menos intensa. Durante algumas horas, dias ou semanas (frequentemente sem contrações perceptíveis ou incômodas), ou durante um período de 2 a

6 horas de contrações inconfundíveis, o colo do útero irá afinar e se dilatar, chegando entre 4 e 6 centímetros.

Nessa fase, as contrações geralmente duram entre 30 e 45 segundos, embora possam ser mais curtas. Elas vão de suaves a moderadamente fortes, podendo ser regulares ou irregulares. Podem começar com um intervalo de até 20 minutos, mas ficarão progressivamente mais próximas (cerca de 5 minutos entre uma e outra no fim da fase inicial), embora não necessariamente seguindo um padrão consistente.

ESTÁGIOS E FASES DO PARTO

O parto progride em três estágios: trabalho de parto, nascimento do bebê e expulsão da placenta. O primeiro (a menos que uma cesariana planejada elimine inteiramente esse estágio) é o trabalho de parto, que se divide em três fases: trabalho de parto inicial, trabalho de parto ativo e trabalho de parto transicional. Todas as mulheres que dão à luz por parto vaginal experimentam as três fases (embora algumas mal notem a primeira), mas as que acabam precisando de uma cesariana em algum ponto podem pular uma ou mais. Embora cada trabalho de parto seja diferente, a duração e a intensidade das contrações costumam ajudar a definir em que fase você está em qualquer momento dado, assim como os sintomas que está sentindo. Exames internos periódicos confirmarão seu progresso. (Tenha em mente que diferentes médicos definem as fases de diferentes modos, e é por isso que você notará um intervalo de centímetros dilatados em cada fase a seguir.)

Primeiro estágio: trabalho de parto
- **Fase 1: inicial (latente):** Afinamento (apagamento) e abertura (dilatação) do colo do útero entre 4 e 6 centímetros; contrações que duram entre 30 e 45 segundos a cada 20 minutos ou menos (chegando a intervalos de 5 minutos entre uma e outra no fim da fase inicial).
- **Fase 2: ativa:** Dilatação do colo do útero passa de 4 a 6 centímetros para 7 a 8 centímetros; as contrações duram entre 40 e 60 segundos, ocorrendo em intervalos de 3 ou 4 minutos.
- **Fase 3: transicional:** Dilatação do colo do útero passa de 7 a 8 centímetros para 10 centímetros (totalmente dilatado); as contrações duram entre 60 e 90 segundos a cada 2 ou 3 minutos.

Segundo estágio: puxo e parto do bebê

Terceiro estágio: expulsão da placenta

O que você pode estar sentindo. No início do trabalho de parto, você pode experimentar alguns ou todos os seguintes sintomas (ou nenhum deles):
- Dor nas costas (constante ou a cada contração)
- Cólicas parecidas com as menstruais
- Pressão na parte inferior do abdômen
- Indigestão
- Diarreia
- Sensação de calor no abdômen
- Perda do tampão mucoso; secreção sanguinolenta (muco tingido de sangue)
- Ruptura das membranas (a "bolsa estoura"), embora seja mais provável que elas se rompam (ou sejam rompidas) durante o trabalho de parto ativo.

Emocionalmente, você pode percorrer toda a gama de emoções, passando de relaxada, aliviada, excitada e falante a tensa, ansiosa e apreensiva. Também pode estar impaciente enquanto espera (e espera) que o trabalho de parto fique mais ativo.

O que você pode fazer. É claro que você está cheia de expectativas, mas é importante relaxar ou, ao menos, tentar relaxar. As coisas ainda podem demorar um pouco.
- Se as contrações começarem durante a noite, mas sua bolsa não tiver estourado, tente dormir (você pode não ser capaz de dormir mais tarde, quando as contrações ficarem intensas e rápidas). Se não conseguir — por causa de toda a adrenalina —, levante-se e faça algo para se distrair. Asse um bolo, prepare uma panela de carne moída ou cozinhe peitos de frango para acrescentar a seu estoque pós-parto no freezer, coloque as roupas na máquina ou entre na internet para ver se mais alguém da comunidade whattoexpect.com está acordado a essa hora.
- Se começarem durante o dia, prossiga em sua rotina usual, desde que não a afaste muito de casa (lembre--se de levar o celular). Se estiver no trabalho, talvez seja melhor ir para casa (não é como se conseguisse fazer alguma coisa, de qualquer modo). Se não tiver nada planejado, encontre algo relaxante para se manter ocupada. Dê uma volta, assista a TV, envie mensagens para amigos e familiares ou mantenha-os informados através do Facebook, termine de arrumar a mala. Quer se sentir limpa e fresca no início do trabalho de parto, mesmo que não vá terminar assim? Tome um banho e lave o cabelo.
- Alerte a mídia. Ok, talvez não a mídia (ainda), mas alerte seu parceiro, se ele não estiver com você. Ele provavelmente não precisa vir correndo se ainda estiver no trabalho — a menos que queira —, já que não há muito que possa fazer nessa fase inicial. Se contratou uma doula, alerte-a também. E, se tem filhos mais velhos que precisarão de alguém para cuidar deles durante o trabalho de parto, telefone para a babá.

- Faça uma refeição leve ou um lanche se estiver com fome (caldo, torrada com geleia, macarrão sem molho, arroz branco, gelatina, flan, picolé, banana, melancia ou alguma outra coisa que o médico tenha sugerido): agora é o melhor momento para estocar energia na forma de alimentos. Mas não coma muito e evite os pratos difíceis de digerir (hambúrguer, batata *chips*, pizza). Também é melhor evitar qualquer coisa ácida, como suco de laranja e limonada. E beba água: é importante se manter hidratada.
- Fique confortável. Se estiver dolorida, tome uma ducha quente ou coloque a almofada térmica na região que dói. Você também pode tomar paracetamol (Tylenol) se tiver sido aprovado pelo médico, mas não aspirina nem ibuprofeno (Advil, Motrin).
- Cronometre as contrações (do início de uma ao início da seguinte) por meia hora, se parecerem ocorrer com menos de 10 minutos de intervalo e, periodicamente, mesmo que não ocorram. Mas tente não ficar olhando constantemente para o relógio.

TELEFONE PARA O MÉDICO SE...

O médico provavelmente lhe disse para só telefonar ao entrar na fase mais ativa do trabalho de parto, mas pode ter sugerido que você telefonasse antes no caso de o trabalho de parto começar durante o dia ou suas membranas se romperem. No entanto, telefone imediatamente para ele se as membranas se romperem e o líquido amniótico for turvo ou esverdeado, se você tiver sangramento vaginal vermelho vivo, se não sentir atividade fetal (tente o teste da p. 422) ou se houver uma desaceleração extremamente pronunciada ou outras mudanças dramáticas nos movimentos fetais.

- Lembre-se de fazer xixi frequentemente, mesmo que não sinta vontade. A bexiga cheia pode desacelerar o progresso do trabalho de parto.
- Use técnicas de relaxamento se foram úteis, mas não comece os exercícios respiratórios ainda: deixe-os para quando realmente precisar.

PARA OS PAIS

O QUE VOCÊ PODE FAZER DURANTE A FASE INICIAL DO TRABALHO DE PARTO

Se estiver por perto durante essa fase, eis algumas coisas que você pode fazer para ajudar:

- Pratique cronometrar as contrações. O intervalo entre elas é medido do início de uma ao iní-

cio da seguinte. Cronometre-as periodicamente (vocês dois ficarão frustrados se fizerem isso com muita frequência) e mantenha um registro. Quando começarem a ocorrer em intervalos de menos de 10 minutos, cronometre mais frequentemente.
- Dissemine calma. Nesse momento, sua tarefa mais importante é manter sua parceira relaxada. E a melhor maneira de fazer isso é você mesmo se manter relaxado, por dentro e por fora. É possível disseminar estresse sem perceber, comunicando-o não somente através de palavras, mas também de toques e expressões (então não enrugue a testa, por favor). Fazer exercícios de relaxamento junto com ela ou uma massagem suave pode ajudar. Mas é cedo demais para os exercícios respiratórios — deixe-os para quando forem necessários, para que tenham máxima eficiência. Por enquanto, simplesmente respire.
- Ofereça conforto, segurança e apoio. Ela precisará deles de agora em diante.
- Mantenha o senso de humor e ajude-a a manter o dela — afinal, o tempo voa quando você está se divertindo. Será mais fácil rir agora que quando as contrações ficarem intensas e rápidas (ela provavelmente não achará nada engraçado então).
- Tente distraí-la. Sugira atividades que possam manter suas mentes afastadas do trabalho de parto: jogar no iPad, ver uma comédia boa ou um reality show, assar algo para o estoque pós-parto no freezer, dar passeios curtos.
- Mantenha suas forças para ser capaz de dar forças a ela. Coma periodicamente, mas de modo empático (não devore um Big Mac enquanto ela se limita a um flan). Prepare um sanduíche para levar para o hospital ou casa de parto, mas evite quaîquer coisa com cheiro forte. Ela provavelmente não estará no clima de cheirar salame ou cebolas em seu hálito.

Fase 2: Trabalho de parto ativo

A fase ativa do trabalho de parto geralmente é mais curta que a fase inicial, durando de 2 a 3,5 horas (com uma ampla variação sendo considerada normal). As contrações são mais concentradas, fazendo mais em menos tempo, e cada vez mais intensas (em outras palavras, dolorosas). Conforme se tornam mais fortes, mais demoradas (de 40 a 60 segundos, com um pico distinto mais ou menos na metade) e mais frequentes (geralmente a cada 3 ou 4 minutos, embora o padrão possa não ser regular), o colo do útero se dilata até 7 ou 8 centímetros. Com menos pausas, há menos oportunidade para descansar entre as contrações.

O que você pode estar sentindo. Você provavelmente estará no hospital ou casa de parto a essa altura, e pode esperar sentir todos ou alguns dos seguintes sintomas (embora não vá sentir dor se fizer uma epidural):
- Crescente dor e desconforto durante as contrações (talvez você não seja capaz de falar)
- Crescente dor nas costas
- Peso ou desconforto nas pernas (sensação dolorida nas pernas, coxas ou nádegas)
- Fadiga
- Aumento da secreção sanguinolenta
- Ruptura das membranas (se ainda não haviam se rompido)

Emocionalmente, você pode se sentir inquieta e achar mais difícil relaxar — ou sua concentração pode se intensificar e você ficar totalmente absorvida nos esforços do trabalho de parto. Sua confiança pode começar a desvanecer ("Como vou passar por isso?"), juntamente com sua paciência ("Isso nunca vai acabar?"), ou você pode se sentir excitada e encorajada pelo fato de as coisas finalmente estarem começando a acontecer. Quaisquer que sejam seus sentimentos, são normais — só se prepare para entrar na "ativa".

O que o médico ou enfermeira estará fazendo. Durante o trabalho de parto ativo, presumindo que tudo esteja progredindo normalmente e em segurança, a equipe de parto irá monitorá-la conforme necessário, mas também permitirá que você trabalhe com seu *coach* e seu pessoal de apoio, sem interferência. Você pode esperar que eles:
- Afiram sua pressão arterial
- Monitorem o bebê com Doppler ou monitor fetal
- Cronometrem e monitorem a força das contrações
- Analisem a secreção sanguinolenta
- Iniciem um acesso intravenoso se você for fazer uma epidural ou a política do hospital exigir
- Administrem a epidural (ou outra forma de alívio da dor) se você escolheu receber uma (o anestesiologista será chamado)
- Possivelmente, rompam as membranas se ainda estiverem intactas

NÃO HIPERVENTILE

Com toda a respiração durante o trabalho de parto, algumas mães começam a hiperventilar, causando uma queda no nível de dióxido de carbono no sangue. Se você se sentir tonta ou atordoada, com a visão borrada e os dedos adormecidos e formigando, informe à enfermeira ou doula. Você receberá um saquinho de papel no qual respirar (ou será instruída a respirar entre as mãos fechadas em concha). Algumas inalações e exalações farão com que rapidamente se sinta melhor.

A CAMINHO DO HOSPITAL OU SALA DE PARTO

Em algum momento, no fim da fase inicial ou no início da fase ativa (provavelmente quando as contrações ocorrerem a cada 5 minutos ou menos, mais cedo se você vive longe do hospital, se existe a possibilidade de enfrentar tráfego pesado ou esse não é seu primeiro bebê), o médico lhe dirá para pegar a mala e se pôr a caminho. A jornada será mais fácil se seu *coach* estiver acessível e puder chegar rapidamente (ou se você tiver um plano B no caso de ele não poder vir, como pegar um táxi ou pedir carona a um amigo — não tente dirigir). Também será mais fácil se você tiver planejado a rota com antecedência, estiver familiarizada com o estacionamento e souber que entrada a levará mais rapidamente à ala da maternidade. No caminho, fique o mais confortável que puder (abaixe o banco, se possível, e leve um cobertor se estiver com frio), mas não se esqueça de usar o cinto de segurança.

Ao chegar ao hospital ou casa de parto, você provavelmente pode esperar algo assim (como os protocolos variam, sua experiência talvez seja um pouco diferente):

- Se já estiver registrada (e é melhor estar), o processo de admissão será rápido e fácil. Se não estiver, você (ou, melhor ainda, seu *coach*) terá de enfrentar um processo mais demorado, então esteja preparada para preencher muitos formulários e responder a muitas perguntas.
- Quando chegar à ala da maternidade, uma enfermeira provavelmente a levará até seu quarto. Se não estiver claro que está em trabalho de parto ativo, você pode ser levada para a sala de triagem (essa é uma prática padrão em alguns hospitais).
- A enfermeira fará um histórico médico resumido, perguntando (entre outras coisas) quando as contrações começaram, qual o intervalo entre elas, se as membranas já se romperam e qual foi a última coisa que você comeu.
- Então pedirá sua assinatura (ou a assinatura de seu marido) em formulários rotineiros de consentimento.
- Depois ela lhe dará uma camisola do hospital para vestir e pode pedir uma amostra de urina. Ela fará a aferição de seu pulso, pressão arterial, respiração e temperatura, verificará se há vazamento de líquido amniótico, sangramento ou secreção sanguinolenta e ouvirá o coração do bebê com um Doppler ou ligará a um monitor fetal, se necessário. Ela também pode avaliar a posição do bebê.
- A enfermeira, seu médico ou o médico ou parteira de plantão fará um exame interno para ver o quanto o colo do útero está dilatado e apagado. Você tem per-

guntas? Agora é um excelente momento para fazê-las. Tem um plano de parto? Agora é um excelente momento para entregá-lo à enfermeira para que seja acrescentado a seu prontuário.

Se, a qualquer momento durante a admissão, determinar-se que você não está em trabalho de parto ativo, você pode ser enviada para casa (não se preocupe, você vai voltar!) ou convidada a esperar algumas horas antes de um novo exame. A maioria dos hospitais e casas de parto só fará a admissão quando você chegar a 4 ou 5 centímetros de dilatação (presumindo que tudo esteja bem), embora outros a adiem até os 6 centímetros.

- Induzam o trabalho de parto se estiver progredindo muito lentamente, administrando ocitocina
- Façam exames internos periódicos para verificar como o trabalho de parto está progredindo e o quanto o colo do útero está dilatado e apagado

Eles também serão capazes de responder a qualquer pergunta que você tenha (não seja tímida ao perguntar ou pedir que seu *coach* pergunte) e fornecer apoio adicional enquanto você passa pelo trabalho de parto.

O que você pode fazer. Agora é a hora de ficar confortável. Então:
- Não hesite em pedir a seu *coach* tudo aquilo de que precisa para ficar e permanecer tão confortável quanto possível, seja uma massagem nas costas para aliviar a dor, seja um pano úmido para refrescar o rosto. Falar é importante. Lembre-se, por mais que queira ajudar, ele terá dificuldade para antecipar suas necessidades, especialmente se essa for a primeira vez que atua como *coach* de parto.
- Inicie os exercícios respiratórios, se planeja usá-los, assim que as contrações ficarem fortes demais para falar durante elas. Não planejou nem praticou com antecedência? Peça que a enfermeira ou doula lhe ensine alguns exercícios simples. Lembre-se de fazer qualquer coisa que a relaxe e a deixe confortável. Se os exercícios respiratórios não estiverem funcionando, não se sinta obrigada a continuar. Ou peça que a enfermeira (ou doula) a ajude a redirecioná-los.
- Tente relaxar totalmente entre as contrações para preservar energia para mais tarde. Isso ficará cada vez mais difícil conforme elas se tornarem mais frequentes, mas também será cada vez mais importante conforme suas reservas de energia forem drenadas.
- Se você quer alívio para a dor, agora é a hora de pedir. A epidural pode ser aplicada assim que você sentir necessidade e o anestesiologista puder ser chamado.

QUANDO O TRABALHO DE PARTO DESACELERA

Está com vontade de se demorar no trabalho de parto? É claro que não, você quer que ele progrida. E um bom progresso — o que ocorre na maior parte do tempo — requer três componentes principais: fortes contrações uterinas que dilatem efetivamente o colo do útero, um bebê na posição para uma saída fácil e uma pelve espaçosa o bastante para permitir a passagem. Mas, em alguns casos, o trabalho de parto não progride como deveria, porque o colo do útero demora para dilatar, o bebê demora mais que o esperado para descer ou fazer força não leva você (ou o bebê) a lugar nenhum. As contrações também podem desacelerar depois da epidural — mas saiba que as expectativas para o progresso do trabalho de parto e do parto são diferentes para gestantes que recebem epidural (o primeiro e o segundo estágios podem demorar mais e, tipicamente, não é motivo de preocupação).

Para fazer um trabalho de parto parado voltar a progredir, há algumas medidas que o médico (e você) pode tomar:

- Se estiver na fase inicial do trabalho de parto e o colo do útero não estiver dilatando ou apagando, o médico pode sugerir alguma atividade (como caminhar) ou o oposto (dormir e descansar, possivelmente auxiliada por técnicas de relaxamento). Isso também ajudará a eliminar o falso trabalho de parto (cujas contrações costumam diminuir com a atividade física ou uma soneca).
- Se o colo do útero não estiver dilatando ou apagando tão rapidamente quanto esperado, o médico pode tentar acelerar as coisas com administração de ocitocina, prostaglandina e/ou outro estimulante do trabalho de parto. Ele pode até mesmo sugerir um incentivo que você é capaz de realizar com suas próprias mãos (ou as mãos de seu *coach*): estimulação dos mamilos.
- Se já está na fase ativa do trabalho de parto, mas o colo do útero está dilatando muito devagar (menos de 1 a 1,2 centímetro por hora no primeiro parto e 1,5 centímetro por hora nos seguintes) ou o bebê não está se movimentando rapidamente o bastante pelo canal de parto (a uma taxa de mais de 1 centímetro por hora se você for primigesta ou 2 centímetros por hora se não for), o médico pode romper as membranas e/ou começar (ou continuar) a administrar ocitocina. Alguns médicos (e especialmente as parteiras) a encorajarão a insistir no trabalho de parto por mais algum tempo antes de re-

correr a intervenções — desde que a frequência cardíaca do bebê seja boa e você não tenha febre.
- Se você é primigesta, provavelmente será incentivada a fazer força por 3 horas se não recebeu epidural e por 4 horas se recebeu. Se esse é seu segundo bebê ou posterior, 2 horas se não recebeu epidural e 3 horas se recebeu. Se essa fase se prolongar por tempo demais, o médico pode reavaliar a posição do bebê, ver como você está se sentindo, talvez tentar a extração a vácuo ou (menos provavelmente) o fórceps ou decidir por uma cesariana.

Para manter a bola (e o bebê) rolando durante o trabalho de parto, lembre-se de urinar periodicamente, porque a bexiga cheia pode interferir com a descida do bebê. (Se recebeu uma epidural, é provável que sua bexiga tenha sido esvaziada com um cateter.) Intestinos cheios podem fazer o mesmo, então, se não defecou nas últimas 24 horas, tente. Você também pode acelerar o trabalho de parto vagaroso usando a gravidade (sentando-se ereta, agachando-se, ficando em pé ou caminhando). Na hora de fazer força, a posição semissentada, semiagachada ou de quatro pode produzir resultados.

A maioria dos médicos recorrerá à cesariana após 24 horas de trabalho de parto ativo (às vezes antes), se não houver progresso suficiente. Alguns esperarão mais tempo, desde que a mãe e o bebê estejam bem.

- Permaneça hidratada. Com autorização do médico, beba líquidos claros frequentemente para repor fluidos e manter a boca úmida. Se estiver com fome e o médico autorizar, faça um lanche leve (como uma gelatina ou picolé). Se o médico não permitir ingestão de alimentos ou bebidas, sugar pedrinhas de gelo será refrescante.
- Movimente-se, se puder (você não conseguirá se mexer muito se recebeu uma epidural). Caminhe ou ao menos mude de posição quando necessário (veja na p. 549 posições para o trabalho de parto). Tomar uma ducha ou relaxar na banheira pode aliviar a dor caso você não tenha recebido uma epidural.
- Faça xixi periodicamente. Por causa da tremenda pressão na pelve, talvez você não note a necessidade de urinar, mas a bexiga cheia pode impedir o bebê de descer e você de fazer o progresso que definitivamente quer fazer. Não é preciso ir ao banheiro se recebeu uma epidural (não que seja possível, de qualquer modo), porque sua bexiga provavelmente foi esvaziada com um cateter.

PARA OS PAIS

O QUE VOCÊ PODE FAZER DURANTE O TRABALHO DE PARTO ATIVO

O trabalho de parto está ficando mais ativo, o que significa que você está ficando mais ocupado apoiando sua esposa. Eis algumas maneiras de ajudá-la:

- Entregue uma cópia do plano de parto à enfermeira, para que possa ser incluído no prontuário de sua parceira (se já não foi). Se o turno mudar, informe à nova enfermeira.
- Se a mãe quiser alívio para a dor, informe à enfermeira ou ao médico. Apoie qualquer decisão que ela tomar: continuar sem medicação ou obter alívio para a dor (mesmo que a decisão represente uma mudança de planos).
- Observe-a com atenção. O que a mamãe quiser, a mamãe deve ter. Tenha em mente que o que ela quer pode mudar de repente (a TV no volume máximo em um momento e desligada no momento seguinte). O mesmo vale para o humor e as reações dela a você. Não leve para o lado pessoal se ela não responder, não apreciar ou mesmo ficar irritada com suas tentativas de reconfortá-la. Pegue leve, mas esteja preparado para dar a ela toda a sua atenção 10 minutos depois, se ela quiser. Lembre-se de que seu papel é importante, mesmo que às vezes você se sinta desnecessário, indesejado ou mesmo atrapalhando. Ela lhe agradecerá pela manhã (ou no momento em que tudo isso terminar).
- Estabeleça o clima. Se possível, mantenha a porta do quarto fechada, as luzes fracas e o quarto quieto para promover uma atmosfera relaxada e relaxante. Música suave também pode ajudar (a menos que ela prefira assistir à TV — lembre-se: ela é quem manda agora). Continue encorajando técnicas de relaxamento entre as contrações e respire com sua parceira quando elas chegarem — mas não pressione se ela não quiser ou se a agenda de relaxamento começar a estressá-la. Se distrações parecerem ajudar, lance mão de jogos de cartas ou no celular, música suave ou TV. Mas a distraia somente na medida em que ela quiser ser distraída.
- Incentive-a. Reconforte-a e elogie seus esforços (a menos que suas garantias verbais a estejam deixando ainda mais irritada), e evite críticas de qualquer tipo (mesmo as construtivas). Seja o animador de torcida dela (mas seja sutil, já que ela provavelmente não

apreciará nenhuma exuberância). Particularmente se o progresso for lento, sugira que ela encare o trabalho de parto uma contração de cada vez, e lembre-a de que cada dor a aproxima mais de ver o bebê. Mas, se ela achar seu incentivo irritante, apenas a apoie gentilmente. Atenha-se à simpatia se parecer que é disso que ela precisa.
- Acompanhe as contrações. Se ela estiver ligada a um monitor, peça que o médico ou a enfermeira mostrem como ler as informações. Mais tarde, quando as contrações forem muito próximas, você poderá anunciar cada uma delas, já que o monitor pode detectar o tensionamento do útero antes da mãe e informá-la de que está tendo uma contração se ela não conseguir senti-las graças à epidural. Você também pode encorajá-la durante as difíceis contrações avisando quando cada pico está prestes a terminar. Se não houver monitor, peça que a enfermeira lhe mostre como reconhecer a chegada e a partida das contrações com a mão no abdômen de sua parceira (a menos que ela não a queira lá).
- Massageie o pescoço ou as costas dela, use contrapressão ou qualquer outra técnica que tenha aprendido para deixá-la mais confortável. Deixe que ela diga que tipo de carícia, toque ou massagem ajuda. Se ela preferir não ser tocada, conforte-a verbalmente. Lembre-se, o que é gostoso em um momento pode irritá-la no momento seguinte, e vice-versa.
- Lembre-a de ir ao banheiro ao menos a cada hora se ela não tiver um cateter. Ela pode não sentir vontade, mas a bexiga cheia costuma impedir o progresso do trabalho de parto.
- Sugira uma mudança de posição. Você encontrará várias posições a partir da p. 412. Ou sugira uma ducha ou banho de banheira para aliviar a dor.
- Seja o homem do gelo. Descubra onde está a máquina e mantenha o fluxo de pedrinhas. Se ela puder ingerir fluidos ou alimentos leves, ofereça-os periodicamente. Picolés podem ser especialmente refrescantes, então pergunte à enfermeira se há uma geladeira na qual você possa se servir.
- Mantenha sua parceira fresca. Use um pano umedecido em água fria para refrescar o corpo e o rosto dela. Molhe o pano frequentemente.
- Se os pés dela estiverem frios, ofereça-se para pegar um par de meias e calçá-las (ela não conseguirá alcançar os próprios pés com facilidade).
- Seja a voz e os ouvidos de sua parceira. Ela já está lidando com muita coisa, então alivie a carga. Sirva como intermediário entre ela e a equipe médica o máximo

possível. Intercepte as perguntas que sabe responder e peça explicações sobre procedimentos, equipamentos e medicamentos para ser capaz de dizer a ela o que está acontecendo. Por exemplo, agora pode ser o momento de descobrir se um espelho será fornecido para que ela possa ver o nascimento. Aja como defensor se ela estiver descontente com um procedimento ou política, mas permaneça calmo ao intervir, para que ela não fique ainda mais irritada.

Fase 3: Trabalho de parto transicional

A transição é a fase mais exigente do trabalho de parto, mas, felizmente, quase sempre a mais rápida. Subitamente, a intensidade das contrações aumenta. Elas se tornam muito fortes, ocorrendo a cada 2 ou 3 minutos e durando entre 60 e 90 segundos, com picos muito intensos e prolongados. Algumas gestantes, particularmente as que já tiveram filhos, experimentam múltiplos picos. Você pode sentir que a contração jamais desaparece totalmente e você não consegue relaxar entre elas. Os 2 a 3 centímetros finais de dilatação, até chegar aos 10 centímetros, provavelmente serão muito rápidos: em média, entre 15 minutos e 1 hora, embora possa levar até 3 horas.

O que você pode estar sentindo. Você sentirá muita coisa durante a transição (a menos, é claro, que tenha recebido uma epidural), e pode experimentar um ou todos os seguintes sintomas:
- Dor mais intensa durante as contrações
- Forte pressão na região lombar e/ou no períneo
- Pressão no reto
- Aumento da secreção sanguinolenta conforme mais capilares se rompem no colo do útero
- Sentir-se muito quente e suarenta ou muito fria e trêmula (ou alternar entre os dois estados)
- Câimbras nas pernas, que podem tremer incontrolavelmente
- Náusea e/ou vômito
- Tontura entre as contrações conforme o oxigênio é desviado de seu cérebro para a região do parto
- Sensação de aperto na garganta ou no peito
- Exaustão

Emocionalmente, você pode se sentir vulnerável e sobrecarregada, como se estivesse chegando ao fim de suas forças. Além da frustração de não poder fazer força, você pode se sentir desanimada, irritada, desorientada e inquieta, e ter dificuldade para se concentrar e relaxar (pode parecer impossível fazer qualquer uma dessas coisas). Você também pode sentir a excitação chegar a um nível frenético em meio a todo o estresse. O bebê está quase aqui!

O que você pode fazer. Aguentar. Ao fim dessa fase, que não está longe, o colo do útero estará totalmente dilatado e chegará o momento de empurrar o bebê para fora.

- Continue a usar as técnicas de respiração, se forem úteis. Se sentir vontade de fazer força, resista. Comece a ofegar ou assoprar, a menos que seja instruída a agir de outra forma. Fazer força contra o colo do útero quando ele ainda não está totalmente dilatado pode provocar seu inchamento, atrasando o parto.
- Se não recebeu uma epidural, mas gostaria de uma, peça.
- Se não quer que ninguém a toque desnecessariamente, se as mãos outrora reconfortantes de seu *coach* agora parecem irritá-la, não hesite em dizer isso a ele.
- Tente relaxar entre as contrações (na medida do possível), respirando de modo lento, profundo e ritmado.
- Mantenha os olhos no prêmio: aquela trouxinha de alegria que em breve estará em seus braços.

PARA OS PAIS

O QUE VOCÊ PODE FAZER DURANTE O TRABALHO DE PARTO TRANSICIONAL

As coisas estão ficando difíceis, mas eis como ajudar sua parceira:

- Se ela tiver recebido uma epidural ou outro tipo de alívio para a dor, pergunte se precisa de outra dose. A transição pode ser muito dolorosa e, se a epidural já estiver passando, ela não ficará feliz. Se estiver, informe às enfermeiras ou ao médico. Se ela decidir seguir em frente sem medicação, precisará de você mais que nunca (continue lendo).
- Esteja presente, mas dê espaço se parecer que é o que ela quer. Frequentemente, as mulheres em transição não gostam de ser tocadas — mas, como sempre, observe-a com atenção e siga as pistas. Permita que ela se apoie em você, se quiser. A massagem abdominal pode ser especialmente indesejável agora, embora contrapressão aplicada na região lombar forneça algum alívio para a dor nas costas. Esteja preparado para se afastar, se solicitado.
- Não desperdice palavras. Agora não é hora de jogar conversa fora nem de fazer piada. Ofereça conforto silencioso e a oriente com palavras breves e diretas.
- Ofereça encorajamento, a menos que ela prefira que você se mantenha em silêncio. Nesse momento,

o contato visual e o toque podem ser mais expressivos que as palavras.
- Respire com ela durante cada contração se parecer que ajuda.
- Ajude-a a descansar e relaxar entre as contrações, tocando seu abdômen levemente para mostrar quando uma contração tiver chegado ao fim. Lembre-a de respirar de modo lento e ritmado entre as contrações, se ela conseguir.
- Ofereça pedrinhas de gelo ou um gole de água frequentemente, e seque a testa dela com um pano úmido e frio com a mesma frequência. Se ela sentir frio, ofereça um cobertor ou um par de meias.
- Permaneça focado no prêmio que vocês dois estão prestes a receber. Não demorará muito para chegar a hora de fazer força — e aquela esperada trouxinha chegar a seus braços.

MOVIMENTOS DO BEBÊ DURANTE O TRABALHO DE PARTO

Você esteve contando (e curtindo) os chutes do bebê nos últimos meses, atenta a cada movimento. Mas e durante o trabalho de parto? O bebê ainda estará chutando — e você será capaz de sentir? A resposta é sim... e talvez. O bebê ainda se move durante o trabalho de parto — e pode dar alguns giros impressionantes para passar pelo canal de parto —, mas você talvez não sinta muita coisa. Primeiro, seu foco (compreensivelmente) provavelmente estará nas contrações, tornando fácil ignorar os movimentos. Segundo, se recebeu uma epidural, você estará anestesiada, o que significa que pode não sentir (incluindo os movimentos do bebê). Mas é aí que o monitor fetal ou Doppler se mostra útil: para acompanhar os batimentos cardíacos dele, garantindo que tudo está bem. Menos uma coisa com a qual se preocupar durante o trabalho de parto!

PUXO TARDIO OU IMEDIATO

Viva, você chegou à marca mágica dos 10 centímetros! Está totalmente dilatada e finalmente chegou a hora de fazer força... ou não? Alguns médicos e parteiras praticam a arte do "puxo tardio", que significa que você só começa a fazer força quando a cabeça do bebê está na estação +2 ou prestes a coroar (ou até que você sinta tremenda vontade), mesmo que já esteja totalmente dilatada. Esse processo de permitir que o útero empurre o bebê pelo canal de parto pode levar alguns minutos ou uma hora ou duas, durante as quais você só obedece às naturais e suaves vontades de fazer força (ou não fazer nenhuma). Por que alguns médicos e parteiras defendem o puxo tardio? Para que você possa conservar sua energia até que ela seja realmente necessária e descanse enquanto seu útero faz o trabalho pesado. Recebeu uma epidural? O puxo tardio continua a funcionar.

Mas o puxo tardio é tudo aquilo que dizem ser? Não necessariamente, ao menos de acordo com as últimas pesquisas. Os resultados dos estudos mostram que, para primigestas com epidural, ele pode aumentar o risco de complicações e até mesmo estender o tempo total do parto. Isso levou os principais especialistas a se manifestarem contra o puxo tardio, dizendo que ele não apresenta benefícios e que as mães devem começar a fazer força imediatamente. Não está certa sobre o que fazer quando chegar a hora? Converse com o médico antes de o grande momento chegar.

SEGUNDO ESTÁGIO:
Puxo e parto

Até agora, sua participação ativa no nascimento do bebê foi insignificante. Embora você definitivamente tenha sofrido a maior parte do abuso, o colo do útero e o útero (e o bebê) fizeram a maior parte do trabalho. Mas isso está prestes a mudar. Agora que a dilatação está completa, é sua vez de empurrar o bebê pelo restante do caminho, através do canal de parto e para fora (a menos que esteja praticando o puxo tardio, caso em que pode descansar um pouco antes de começar a fazer força; veja o quadro da p. 572). O puxo e o parto geralmente levam entre 30 minutos e 1 hora, mas às vezes podem ser realizados em breves 10 minutos (ou até menos) ou em longas 2, 3 ou mais horas.

As contrações do segundo estágio geralmente são mais regulares que as da transição. Elas ainda duram entre 60 e 90 segundos, mas são menos frequentes (normalmente com intervalos de 2 a 5 minutos) e possivelmente menos dolorosas, embora às vezes sejam mais intensas. Agora deve haver um período de descanso bem definido entre elas, embora você ainda talvez tenha dificuldade para sentir o início de cada uma.

O que você pode estar sentindo. São sintomas comuns no segundo estágio (embora você definitivamente vá senti-los muito menos — e talvez não senti-los — se receber uma epidural).
- Dor durante as contrações, embora possivelmente não tanto quanto antes
- Uma vontade irresistível de fazer força (embora nem toda gestante a sinta, especialmente com uma epidural)
- Tremenda pressão no reto (idem)
- Uma segunda onda de energia ou fadiga
- Contrações muito visíveis, com o útero se erguendo perceptivelmente em cada uma delas
- Aumento da secreção sanguinolenta
- Sensação de formigamento, esticamento, queimadura ou ardência na abertura vaginal quando a cabeça do bebê coroar (essa região é chamada de "anel de fogo" por uma boa razão)
- Sensação úmida e escorregadia quando o bebê nascer

Emocionalmente, você pode se sentir aliviada, exultante e excitada porque agora pode fazer força — ou, se esse período se estender por mais de uma hora, frustrada ou sobrecarregada. Em um segundo estágio prolongado, você pode descobrir que está menos preocupada em ver o bebê que em pôr fim a essa provação (e é perfeitamente compreensível). Algumas mães também se sentem inibidas ou inseguras quando começam a fazer força, especialmente se a princípio não entendem bem a dinâmica. Afinal, parir um bebê é um processo natural, mas nem sempre ocorre naturalmente.

O que você pode fazer. Está na hora de colocar esse bebê para fora. Assim, fique na posição de parto (que dependerá da cama, cadeira ou banheira de parto, no que é mais confortável e efetivo para você e nas preferências do médico). A posição semissentada ou semiagachada frequentemente é a melhor porque conta com a ajuda da gravidade no processo de nascimento e pode lhe dar mais forças na hora de empurrar. Encostar o queixo no peito quando estiver nessa posição também ajudará a focar a força onde ela precisa estar. Às vezes, se fazer força não estiver empurrando o bebê pelo canal de parto, pode ser útil mudar de posição. Se estava semissentada, por exemplo, fique de quatro ou deite de lado.

PARA OS PAIS

O QUE VOCÊ PODE FAZER DURANTE O PUXO E O PARTO

Está na hora de fazer força, e eis como você pode ajudar:
- Continue a oferecer conforto e apoio (um "Eu te amo" sussurrado pode ser mais valioso para ela durante esse estágio que qualquer outra coisa), mas não fique magoado se o objeto de seus esforços pa-

recer não notar que você está lá. As energias dela estão necessariamente focadas em outro lugar.

- Ajude-a a relaxar entre as contrações, com palavras tranquilizadoras, uma compressa fria aplicada na testa, no pescoço e nos ombros e, se possível, massagem ou contrapressão nas costas para aliviar a dor. Se ela estiver em trabalho de parto posterior (veja o quadro da p. 572), encoraje-a a descansar.
- Continue a fornecer lascas de gelo ou golinhos de água gelada para que ela umedeça a boca sempre que necessário: fazer força a deixará sedenta.
- Se necessário, apoie as costas de sua parceira enquanto ela estiver fazendo força. Segure a mão dela, enxugue sua testa ou faça qualquer outra coisa que pareça ajudá-la. Se ela escorregar e sair da posição, ajude-a gentilmente a retornar.
- Indique periodicamente o progresso que ela está fazendo. Quando o bebê começar a coroar, lembre-a de olhar no espelho para ter confirmação visual do que está realizando. Quando ela não estiver olhando ou caso não haja espelho, faça descrições detalhadas. Pegue a mão dela e, juntos, segurem a cabeça do bebê para obterem renovada inspiração.
- Se lhe for oferecida a oportunidade de pegar o bebê quando emergir ou, mais tarde, cortar o cordão umbilical, não fique com medo. As duas tarefas são relativamente fáceis, e você receberá orientações passo a passo e apoio da equipe de parto. Você deve saber, no entanto, que o cordão não pode ser arrebentado como um pedaço de barbante. Ele é mais forte do que você imagina.

Quando estiver pronta para fazer força, dê tudo que tiver. Quanto mais eficientemente você empurrar e quanto mais energia colocar nesse esforço, mais rapidamente o bebê fará a viagem pelo canal de parto. Esforços frenéticos e desorganizados desperdiçam energia e realizam muito pouco — além disso, podem cobrar um preço de seu organismo. Mantenha estas orientações em mente:

- Relaxe a parte superior do corpo e as coxas e faça força como se estivesse tentando fazer cocô (o maior cocô da sua vida). Foque a energia na vagina e no reto, não no peito (o que pode resultar em dor no peito após o parto) nem no rosto (fazer força tensionando o rosto pode causar hematomas nas bochechas e olhos estriados de vermelho, além de não ajudar o bebê a sair). Pode ser útil olhar para baixo, por cima da barriga, quando fizer força.
- Falando em cocô, como você está fazendo pressão em toda a área pe-

rineal, qualquer coisa que estiver em seu reto pode ser empurrada para fora, e tentar evitar isso enquanto faz força pode diminuir seu progresso. Não deixe que a inibição ou o constrangimento quebrem o ritmo. A evacuação (ou micção) involuntária é muito comum durante o parto. Ninguém na sala pensará duas vezes a respeito, e você tampouco deve pensar (é muito provável que nem note). Lenços imediatamente limparão qualquer sujeira.

- Respire profundamente algumas vezes enquanto a contração se intensifica, para se preparar para o momento de fazer força. Quando a contração chegar ao auge, inspire profundamente e empurre com toda a força, prendendo a respiração ou exalando enquanto empurra — faça o que parecer melhor. Se quer que a enfermeira ou seu *coach* contem até 10 enquanto você faz força, ótimo. Mas, se isso quebrar seu ritmo ou não for útil, peça que parem. Não existe fórmula mágica quando se trata de quanto tempo cada puxo deve durar ou quantos puxos devem ocorrer a cada contração. A coisa mais importante é fazer o que parece natural. Você pode sentir vontade de empurrar até cinco vezes por contração, e cada uma delas durante apenas alguns segundos, ou pode sentir vontade de empurrar somente duas vezes, mas fazer força por mais tempo de cada vez. Siga essa vontade e terá seu bebê. Na verdade, você terá seu bebê mesmo que não siga essa vontade ou não tenha nenhuma. O impulso de empurrar não ocorre naturalmente em todas as mulheres e, se não ocorrer com você, o médico, enfermeiro ou doula pode orientar seus esforços e ajudá-la se você perder a concentração.
- Não fique frustrada se a cabeça do bebê coroar e então desaparecer novamente. O parto é sempre dois passos para a frente, um passo para trás. Lembre-se de que o bebê está se movendo na direção certa.
- Descanse entre as contrações. Se estiver exausta, especialmente porque o estágio de puxo está durando muito tempo, o médico pode sugerir que você não faça força durante várias contrações, para se recuperar.
- Pare de empurrar se for instruída (como pode ser, para evitar que a cabeça do bebê emerja muito rapidamente). Se estiver sentindo vontade de empurrar, mas lhe disserem para parar de fazer força, ofegue ou assopre até a vontade passar.
- Lembre-se de olhar para o espelho (se estiver disponível) quando houver algo para ver. Ver a cabeça do bebê coroar (e se inclinar para baixo e tocá-la) pode lhe dar inspiração para continuar quando ficar muito difícil empurrar. Além disso, a menos que seu *coach* ou outra pessoa esteja filmando, não haverá reprise para você assistir.

O que o médico e a enfermeira estarão fazendo. Enquanto você faz força, a enfermeira e/ou o médico lhe darão apoio e orientação (e, se necessário, usarão as mãos para aplicar suave pressão em seu abdômen para guiar o bebê para baixo), continuarão a monitorar a frequência cardíaca do bebê com um Doppler ou um monitor fetal e se prepararão para o parto estendendo campos cirúrgicos estéreis e arranjando instrumentos, vestindo aventais e luvas cirúrgicas e limpando a área do períneo com um antisséptico (embora as parteiras geralmente só usem luvas e não empreguem campos cirúrgicos). A maioria dos médicos usará os dedos para esticar gentilmente o períneo (de modo muito parecido com a massagem perineal descrita na p. 512) antes de a cabeça do bebê emergir. Alguns usarão lubrificantes ou óleos (como óleo de oliva ou mineral) para tornar o períneo escorregadio, permitindo que a cabeça do bebê deslize mais facilmente para fora (e evitando lacerações). Se necessário (é pouco provável), será feita uma episiotomia ou extração a vácuo ou, ainda menos provavelmente, o fórceps será empregado.

NASCE UM BEBÊ

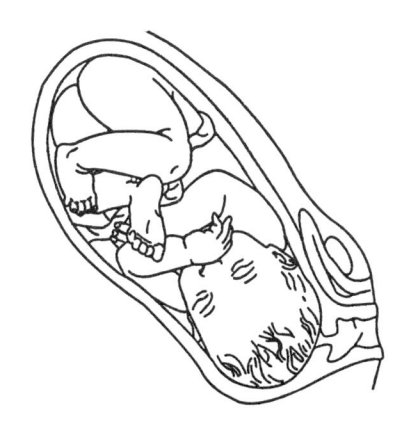

1. O colo do útero afinou (apagou) um pouco, mas ainda não começou a dilatar.

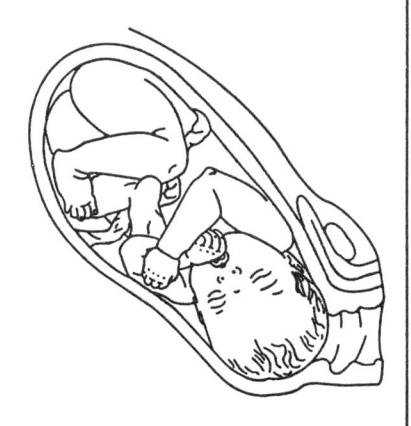

2. O colo do útero está totalmente dilatado e a cabeça do bebê começou a pressionar o canal de parto (a vagina).

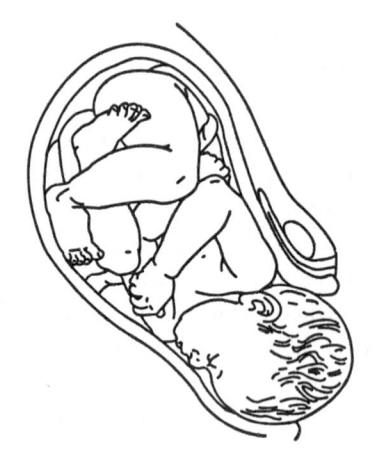

3. Para permitir que a parte mais estreita da cabeça passe pela pelve da mãe, o bebê normalmente se vira em algum momento do trabalho de parto. Aqui, a cabeça ligeiramente moldada já coroou.

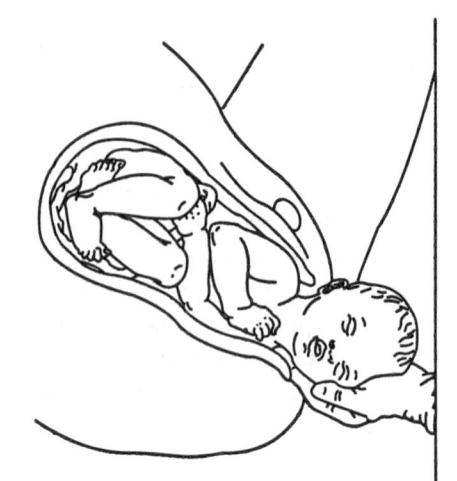

4. A cabeça, a parte mais larga do bebê, já saiu. O restante do parto deve ser rápido e sem complicações.

Quando a cabeça do bebê emergir, o médico irá aspirar o nariz e a boca para remover o excesso de muco e ajudar os ombros e o torso a saírem. Você provavelmente só terá de fazer força mais uma vez para ajudar: a cabeça era a parte mais difícil, e o restante desliza para fora facilmente.

O bebê será entregue em seus braços ou colocado em sua barriga, o cordão umbilical será clampeado (p. 555) e cortado — pelo médico ou por seu *coach* — e a parteira ou enfermeira fará uma massagem no bebê para ajudá-lo a respirar e chorar. (Se você fez arranjos para a coleta do sangue do cordão umbilical, ela será feita agora.) Esse é um excelente momento para acariciar e ter contato pele a pele com o bebê, então levante a camisola e o traga para mais perto. Caso precise de uma razão para fazer isso, os estudos mostram que bebês que têm contato pele a pele com as mães logo após o parto dormem mais e se mostram mais calmos horas depois. A amamentação pode ser iniciada agora ou, se necessário, após a avaliação inicial (veja a seguir). Eis um fato divertido: se seu bebê for colocado sobre sua barriga após o nascimento, mantendo contato pele a pele, ele instintivamente se arrastará (em um período de 20 minutos a 1 hora ou mais) na direção de seu seio, encontrará o mamilo (balançando aquela cabecinha fofa enquanto procura) e começará a mamar.

A PRIMEIRA VISÃO DO BEBÊ

Após 40 semanas esperando (e horas demais fazendo força), não há dúvida de que seu recém-nascido será um colírio para seus olhos cansados: para você, perfeitamente belo de todas as maneiras.

Isso dito, nove meses de molho no líquido amniótico, seguidos de compressão em um útero contraído e um estreito canal de parto podem cobrar um preço temporário da aparência. Bebês que são cirurgicamente removidos de seus lares uterinos (especialmente os que chegam por cesariana programada, que ocorre antes do início do trabalho de parto) têm uma vantagem inicial nesse quesito: eles são mais redondinhos e lisinhos. O que você pode esperar da aparência de seu recém-nascido, além de ser perfeita? Eis um resumo realista das características típicas, da cabeça aos pés:

Cabeça com formato estranho. Ao nascer, a cabeça do bebê é, proporcionalmente, a parte mais larga do corpo, com praticamente a mesma circunferência do peito. Conforme o bebê cresce, o restante do corpo a alcança. Frequentemente, a cabeça é moldada para se encaixar na pelve da mãe, dando-lhe um formato estranho e possivelmente pontudo de "cone". Se o bebê fez muita pressão contra o colo do útero antes que ele estivesse totalmente dilatado, também pode haver um calombo naquela cabecinha fofa. Ele desaparecerá em um ou dois dias, e o formato estranho, em duas semanas, momento em que a cabeça do bebê começará a assumir sua esfericidade de querubim.

Cabelo. Alguns recém-nascidos são praticamente carecas ou apresentam somente uma leve penugem, ao passo que outros nascem com uma cabeleira. Mas esse cabelo vai desaparecer em algum momento. Todos os bebês perdem o cabelo com que nascem (embora isso possa acontecer tão gradualmente que você sequer note), e ele será substituído por novos fios, possivelmente com cor e textura diferentes.

Vérnix. Lembra-se daquela cobertura gordurosa que manteve a pele do bebê protegida durante a imersão no líquido amniótico? Bebês prematuros mantêm grande parte dessa cobertura ao nascer, bebês a termo mantêm só um pouquinho e bebês pós-termo podem já não tê-la — com exceção, possivelmente, das dobrinhas e da pele sob as unhas.

Seios e genitais inchados. Os genitais podem parecer inchados ao nascer. Os seios de meninas e meninos recém-nascidos também podem estar inchados (e, às vezes, até mesmo ingurgitados, secretando uma substância branca ou cor-de-rosa apelidada de "leite de bruxa"), graças não a seus próprios hormônios, mas aos hormônios da mãe. Esses mesmos hormônios podem estimular uma secreção vaginal branca, às vezes manchada de sangue, nas meninas. Esses efeitos são normais e desaparecem entre sete e dez dias.

Olhos inchados. O inchaço em torno dos olhos, normal para alguém que passou nove meses imerso no líquido amniótico e depois foi espremido por um canal de parto estreito, pode ser exacerbado pela pomada usada para proteger os olhos dos bebês das infecções. A maior parte do inchaço desaparecerá em alguns dias.

Cor dos olhos a ser determinada. Castanhos? Verdes? Azuis? Na maior parte dos casos, é cedo demais para dizer. Bebês caucasianos geralmente (mas não sempre) nascem com olhos azuis acinzentados, qualquer que seja a cor que terão depois. Nos bebês não caucasianos, os olhos geralmente são castanhos ao nascer, mas o tom de castanho pode mudar mais tarde.

Surpresas na pele. A pele de seu bebê parecerá cor-de-rosa, branca ou mesmo acinzentada ao nascer (mesmo que mais tarde se torne morena ou negra). Isso porque a pigmentação só ocorre algumas horas após o parto. Vários exantemas, minúsculas "espinhas" e bolinhas brancas também podem marcar a pele do bebê graças aos hormônios maternos, mas são todos temporários. Você também pode notar pele seca e rachada, resultado do longo banho amniótico e da primeira exposição ao ar: isso também passará sem necessitar de tratamento.

Lanugo. Pelos fininhos e macios, chamados lanugo, podem cobrir os ombros, as costas, a testa e as têmporas de bebês nascidos a termo. Normalmente desaparecem ao fim da primeira semana. Esses pelos podem ser mais abundantes, e permanecer por mais tempo, em bebês prematuros e podem já ter desaparecido em bebês pós-termo.

Marcas de nascença. Uma mancha avermelhada na base do crânio, na pálpebra ou na testa, chamada de mancha salmão, é muito comum, especialmente em recém-nascidos caucasianos. Manchas mongólicas — pigmentações azul-acinzentadas na camada mais profunda da pele, que podem surgir nas costas, nas nádegas e, às vezes, nos braços e nas pernas — são mais comuns em asiáticos, europeus meridionais e afro-americanos. Essas marcas quase sempre desaparecem, normalmente por volta dos 4 anos. Hemangiomas, que são marcas de nascença salientes da cor de morango, podem ser minúsculas ou chegar ao tamanho de uma moeda (ou ainda maiores). Elas vão se desvanecendo, transformando-se em uma cor cinza perolada e muitas vezes desaparecem inteiramente. Manchas da cor do café com leite podem aparecer em qualquer lugar do corpo: geralmente, são imperceptíveis e não desaparecem.

Para saber muito mais sobre seu bebê, da cabeça aos pés, leia *O que esperar do primeiro ano*.

O que vem em seguida? A enfermeira e/ou o médico avaliarão a condição do bebê e o classificarão no índice de Apgar entre 1 e 5 minutos após o nascimento (veja *O que esperar do primeiro ano* para saber mais); farão uma vigorosa e estimulante massagem com uma toalha, que também servirá para secá-lo; possivelmente tirarão a impressão plantar dos pezinhos como lembrança; colocarão uma pulseira de identificação em seu pulso (e no pulso do pai) e no tornozelo do bebê; aplicarão uma pomada não irritante nos olhos dele para prevenir infecções (você pode pedir que isso seja feito depois que você tiver tido tempo de acariciá-lo); pesarão o bebê e então o enrolarão para evitar perda de calor. (Em alguns hospitais e na maior parte das casas de parto, alguns desses procedimentos podem ser omitidos — em outros, muitos serão feitos mais tarde, para que você tenha tempo de criar laços com o recém-nascido.)

Então você receberá o bebê de volta (presumindo que tudo esteja bem) e pode começar a amamentar, se já não o fez e gostaria de fazer (veja o tópico "Começando a amamentar" na p. 636). Algum tempo depois, o bebê fará um exame pediátrico mais completo e passará por procedimentos rotineiros de proteção (incluindo o teste do pezinho, uma injeção de vitamina K e vacina contra hepatite B). O primeiro banho provavelmente será adiado por 12 a 24 horas (ou mais, em caso de cesariana) para otimizar a formação de laços e a amamentação, evitar infecções, reduzir o risco de baixa glicemia e manter o bebê aquecido.

TERCEIRO ESTÁGIO:
Expulsão da placenta

O pior já passou e o melhor já chegou. Tudo que resta é amarrar as pontas soltas, por assim dizer. Durante esse estágio final do parto (que geralmente dura entre 5 e 30 minutos, ou mais), a placenta, que foi o suporte à vida do bebê dentro do útero, será expelida. Você continuará a ter contrações moderadas de aproximadamente 1 minuto de duração, embora possa não senti-las (afinal, está ocupada com seu recém-nascido!). As contrações separam a placenta da parede uterina e a empurram para o segmento inferior do útero ou para a vagina, para que ela possa ser expelida.

O médico ajudará a expelir a placenta puxando gentilmente o cordão umbilical com uma das mãos enquanto pressiona e massageia o útero com a outra, ou fazendo pressão para baixo no topo do útero, pedindo que você faça força no momento apropriado. Você pode receber ocitocina em uma injeção ou intravenosa para encorajar as contrações uterinas, que apressarão a expulsão da placenta, ajudarão a fazer com que o útero volte ao tamanho normal e minimizarão o sangramento. Quando a placenta tiver sido expelida, o médico a examinará para ver se está intacta. Se não estiver, ele inspecionará o útero manualmente em busca de fragmentos e os removerá. (Se você quer guardar a placenta, o médico precisará saber disso e ele e o hospital terão que concordar antecipadamente. Leia a p. 483 para saber mais.)

Agora que o trabalho de parto e o nascimento terminaram, você pode se sentir terrivelmente exausta ou, ao contrário, ter uma explosão de novas energias. Você provavelmente estará com muita sede e, especialmente se o trabalho de parto foi longo (e particularmente se você não teve permissão para comer), muita fome. Algumas mulheres têm tremores nesse estágio, e todas, uma secreção vaginal sanguinolenta (chamada lóquio), parecida com o sangramento intenso da menstruação.

PARA OS PAIS

O QUE VOCÊ PODE FAZER APÓS O PARTO

O bebê chegou! Enquanto aproveita esse momento, você também pode:
- Oferecer merecidos elogios à nova mamãe — e se parabenizar por um trabalho bem-feito.
- Criar vínculos com seu pequeno, pegando-o no colo, aconchegando, cantando ou falando baixinho. Lembre-se: o bebê já ouviu sua voz muitas vezes enquanto estava no útero e está familiarizado com ela. Ouvi-la novamente será reconfortante nesse ambiente novo e estranho.
- Não esqueça de aconchegar também a mamãe.

- Peça uma bolsa de gelo para a área perineal, se a enfermeira já não tiver providenciado uma.
- Peça um pouco de suco: a nova mamãe pode estar com muita sede. Depois que ela se reidratar, e se vocês estiverem no clima, abra o champanhe ou espumante que você trouxe de casa.
- Tire as primeiras fotos ou faça os primeiros vídeos do bebê.
- Você também terá a oportunidade de estar com ele durante o primeiro exame, o primeiro banho e outros procedimentos de rotina.

Como você se sentirá emocionalmente após o nascimento do bebê? Toda mãe reage de maneira um pouco diferente, e sua reação será o normal para você. Sua primeira resposta emocional pode ser alegria, mas é igualmente provável que seja alívio. Você pode estar exultante e falante, extasiada e excitada, meio impaciente por ter de expelir a placenta ou se submeter à sutura de uma laceração ou episiotomia, ou tão deslumbrada com o que está segurando em seus braços (ou tão exausta, ou ambos) que nem note. Você pode se sentir mais próxima de seu marido e ter uma ligação imediata com o bebê ou (e isso é igualmente normal) se sentir meio distante (quem é esse estranho cheirando meu seio?). Não importa qual seja sua resposta agora, você amará esse bebê intensamente. Essas coisas às vezes levam algum tempo. (Para saber mais sobre vínculos emocionais, veja a p. 626.)

O que você pode fazer

- Aconchegue seu bebê, pele a pele. E converse com ele. Como ele reconhecerá sua voz, fazer vocalizações amorosas, cantar ou sussurrar será especialmente reconfortante (esse é um estranho mundo novo, e você será capaz de ajudá-lo a se adaptar). Em algumas circunstâncias, o bebê pode ser mantido em uma incubadora ou permanecer no colo do *coach* enquanto a placenta é expelida — mas não se preocupe, haverá muito tempo para criar vínculos com ele.
- Passe algum tempo renovando vínculos com seu *coach*, também — e aproveitando seu novo e aconchegante trio.
- Ajude a expelir a placenta, se necessário, fazendo força quando solicitado. Algumas gestantes sequer precisam fazer força para que ela seja expelida. O médico lhe dirá o que fazer, se for preciso.
- Tenha paciência durante a sutura da episiotomia ou de qualquer laceração.
- Continue (ou comece) a amamentar se o bebê ainda estiver com você.
- Orgulhe-se de seu feito: você conseguiu, mamãe!

Tudo que resta a fazer é o médico suturar qualquer laceração (se não estiver anestesiada, receberá um anestésico local) e você ser limpa. Provavelmente, receberá uma bolsa de gelo para colocar no períneo e minimizar o inchaço — peça por uma se não for oferecida. A enfermeira também a ajudará a pôr um superabsorvente ou colocará alguns absorventes grossos sob suas nádegas (lembre-se, você estará sangrando bastante). Quando estiver em condições, você será transferida para o quarto pós-parto.

Parto por cesariana

Você não será capaz de participar tão ativamente da cesariana quanto participaria do parto vaginal, e algumas mulheres acham que isso definitivamente é um benefício. Em vez de assoprar, ofegar e empurrar o bebê até ele chegar ao mundo, você ficará deitada e deixará que outras pessoas façam o trabalho pesado. Na verdade, sua contribuição mais importante para o parto por cesariana será a preparação: quanto mais você souber, mais confortável se sentirá. E por isso é uma boa ideia ler esta seção antecipadamente, mesmo que não planeje fazer cesariana.

Graças às anestesias locais (como a epidural) e à liberalização do regulamento dos hospitais, muitas mulheres (e seus *coaches*) são capazes de observar todo o procedimento durante as cesarianas. Como não estão preocupados em fazer força ou lidar com a dor, eles frequentemente são capazes de relaxar (ao menos até certo grau) e se maravilhar com o nascimento. Eis o que você pode esperar de um parto por cesariana típico:

- Um acesso intravenoso será iniciado (se já não estiver no lugar) para fornecer acesso rápido se medicamentos adicionais ou líquidos forem necessários. A maioria dos médicos administra antibióticos intravenosos para evitar infecções.
- A anestesia será administrada: uma epidural ou uma raquidiana (ambas anestesiarão a parte inferior de seu corpo, mas permitirão que você permaneça acordada e alerta). Em raras situações de emergência, quando o bebê precisa ser retirado imediatamente, a anestesia geral (que faz você dormir) pode ser empregada.
- Seu abdômen será lavado com uma solução antisséptica. Um cateter (um tubo estreito) será inserido em sua bexiga para mantê-la vazia e fora do caminho do cirurgião.
- Campos cirúrgicos esterilizados serão colocados em torno de seu abdômen exposto. Uma cortina cirúrgica será posicionada na altura de seus ombros para que você não veja a incisão sendo feita, embora alguns hospitais tenham cortinas transparentes para que você possa ver o bebê emergir.

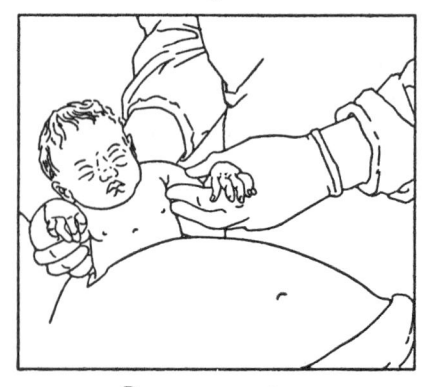

Parto por cesariana

- Se seu *coach* estiver presente (e provavelmente poderá estar), ele será vestido em um traje esterilizado, ficará sentado perto de sua cabeça, para oferecer apoio emocional e segurar sua mão, e pode ter a opção de assistir à cirurgia. Se você planejou ter uma doula durante o parto, ela também pode ficar com você durante a cesariana.
- Se sua cesariana for emergencial, as coisas podem acontecer muito rapidamente. Tente permanecer calma diante de toda essa atividade e não permita que ela a preocupe: essa é somente a maneira como as coisas às vezes funcionam nos hospitais.
- Quando o médico estiver certo de que a anestesia está fazendo efeito, uma incisão (em geral, um corte horizontal na altura do biquíni) será feita em seu baixo-ventre, logo acima da linha pubiana. Você pode sentir uma sensação de "zíper abrindo", mas não sentirá nenhuma dor.
- Uma segunda incisão (geralmente horizontal e baixa) será feita no útero. O saco amniótico será aberto e, se as membranas ainda não tiverem se rompido, o fluido será sugado — você pode ouvir um som gorgolejado ou murmurejado.
- O bebê será retirado, geralmente enquanto uma assistente pressiona o útero. Com a epidural (embora talvez não com a raquidiana), você sentirá como se alguém a estivesse empurrando ou cutucando, além de alguma pressão. Se estiver ansiosa para ver a chegada do bebê e o campo cirúrgico estiver bloqueando a visão, peça para o médico baixar ligeiramente a cortina cirúrgica.

LIGANDO AS TROMPAS APÓS O PARTO

Está pensando em encerrar sua carreira como fazedora de bebês e contemplando uma forma permanente de contraceptivo? Embora seja muito mais fácil para o pai dar esse passo (a vasectomia, a versão masculina da esterilização, é muito menos invasiva), mães que escolhem ligar as tropas podem optar por acrescentar o procedimento ao plano de parto. Esteja fazendo parto vaginal ou cesariana, fazer laqueadura logo após o nascimento do bebê definitivamente poupa tempo e dinheiro e, certamente, tornará o sexo pós-parto (quando você finalmente chegar a ele) mais conveniente. Não tem certeza de que quer realmente fechar a fábrica? Saiba mais sobre controle de natalidade na p. 679.

Se o parto for por cesariana. Como uma incisão já foi feita para retirar o bebê — e você já está anestesiada —, há pouco mais a fazer. O médico simplesmente grampeará (ou clampeará) suas trompas de Falópio antes de suturar a incisão.

> **Se o parto for vaginal.** O médico fará uma pequena incisão sob seu umbigo. O benefício de fazer esse procedimento logo após o parto é o fato de seu útero ainda estar distendido, fornecendo fácil acesso às trompas de Falópio. A maioria dos médicos faz a laqueadura logo após o parto vaginal somente se a mãe recebeu epidural durante o trabalho de parto e ela ainda é efetiva. Você provavelmente não precisará de tempo extra de recuperação nem sentirá qualquer dor adicional em função do procedimento — além da que sentiria de qualquer modo após o parto (e, se sentisse, seria difícil diferenciar uma dor da outra). Você provavelmente tampouco precisará de qualquer medicação adicional para a dor (além da que pode tomar para a dor pós-parto).

- O nariz e a boca do bebê serão aspirados e você ouvirá o primeiro choro, o cordão será rapidamente clampeado e cortado e você poderá dar uma olhada rápida nele. Em hospitais que oferecem "cesarianas gentis", o bebê será colocado em seu peito e você poderá segurá-lo (e até amamentá-lo) imediatamente.
- Enquanto o bebê está recebendo a mesma atenção rotineira recebida por um bebê que nasce por parto vaginal, o médico removerá a placenta.
- Agora o médico fará um rápido exame de rotina de seus órgãos reprodutivos e fechará as incisões. A incisão uterina será fechada com suturas absorvíveis, que não precisam ser removidas. A incisão abdominal pode ser fechada com suturas (que podem ou não ser absorvíveis) ou grampos cirúrgicos.
- Uma injeção de ocitocina pode ser aplicada intramuscularmente ou em sua intravenosa para ajudar o útero a se contrair e controlar o sangramento.

NÃO SE ESQUEÇA DE COBRIR O BEBÊ

Um dos muitos telefonemas que você terá de dar agora (ou nas próximas semanas) será para sua seguradora, para que o bebê possa ser adicionado na cobertura de seu plano de saúde. Não tem plano ou quer mudar seu plano sob a Lei de Cuidado Acessível? Como ter um bebê a qualifica para uma afiliação especial, você pode se afiliar ou mudar de cobertura, mesmo que não seja época de afiliação, por sessenta dias após o nascimento. Acesse healthcare.gov para obter mais informações. No Brasil, os planos de saúde têm até trinta dias para realizar a inclusão do bebê na cobertura do plano.

Você pode ter algum tempo para ninar o bebê e mesmo ter contato pele a pele na sala de cirurgia, mas dependerá muito de sua condição e da condição do bebê, assim como das regras do hospital. Muitos permitem contato pele a pele logo após a cesariana, desde que o bebê seja medicamente estável (simplesmente peça à enfermeira para lhe entregar o bebê) e especialmente se "cesarianas naturais" forem oferecidas.

Se não puder segurar o bebê, talvez seu marido possa. Se o bebê tiver de ser levado para a UTI neonatal ou para o berçário, não fique desanimada. Esse é o padrão em alguns hospitais e é mais provável que se trate de uma precaução que de um problema. Quanto aos vínculos, mais tarde será tão bom quanto mais cedo, então não se preocupe se o aconchego tiver de esperar um pouco mais.

SEMEADURA VAGINAL APÓS PARTO POR CESARIANA

Bebês que nascem por parto vaginal passam por (e saem cobertos de) fluidos vaginais repletos de bactérias. Os estudos mostram que esses micróbios vaginais são benéficos, ajudando a modelar o sistema imunológico do recém-nascido e possivelmente reduzindo o risco de doenças autoimunes (como asma) mais tarde. Mas bebês nascidos via cesariana não fazem a viagem pelo canal de parto e, consequentemente, não recebem esses micróbios vaginais. Os bebês que nascem por cesariana são expostos a micróbios da pele, que algumas pesquisas sugerem aumentar o risco de distúrbios metabólicos e autoimunes. E é por isso que a prática da semeadura vaginal — quando médicos ou parteiras passam uma gaze pela vagina da mãe e esfregam os fluidos na boca, no nariz, no rosto e no corpo do recém-nascido após o parto por cesariana — se tornou uma tendência. Mas os especialistas, incluindo o ACOG, avisam que há dados insuficientes para demonstrar que a semeadura vaginal (também conhecida como *microbirthing*) seja benéfica. O estudo que sugeria benefícios dessa prática foi realizado com somente quatro bebês. Além disso (e mais arriscado), há uma chance significativa de que prejudique o bebê ao aumentar o risco de infecções. E é por isso que a semeadura vaginal não é recomendada, e você deve retirá-la da lista de desejos de seu plano de parto. Quer que seu bebê nascido via cesariana receba todos os benefícios imunológicos que você pode oferecer? Não há maneira melhor que a amamentação, já que o colostro e o leite materno passam importantes nutrientes construtores de anticorpos para seu pequeno a cada mamada.

Capítulo 15
Esperando múltiplos

Tem dois (ou mais) passageiros a bordo da nave-mãe? Então, é provável que tenha ao menos o dobro da alegria e da excitação — e de perguntas. Os bebês serão saudáveis? Eu serei saudável? Tenho maior probabilidade de ter complicações? Serei capaz de continuar com meu obstetra ou precisarei procurar um especialista? Quanto terei de comer e quanto peso terei de ganhar? Haverá espaço suficiente dentro de mim para dois bebês? Serei capaz de levá-los a termo? Terei de fazer repouso? O parto será duas vezes mais difícil?

Carregar um bebê tem sua parcela de desafios e mudanças. Carregar mais de um... bem, você provavelmente já fez as contas. Mas, não se preocupe. Você está à altura do desafio — ou estará, depois que se armar com as informações deste capítulo e o apoio de seu parceiro e seu médico. Então recoste-se (confortavelmente, enquanto pode) e se prepare para a incrível gestação de múltiplos.

O que você pode estar se perguntando

Escolhendo um médico

"Acabamos de descobrir que teremos gêmeos. Posso continuar com meu obstetra regular ou preciso procurar um especialista?"

Ter gêmeos definitivamente é especial, mas não necessariamente requer o cuidado de um especialista. Apenas se assegure de que realmente gosta de seu obstetra antes de se comprometer: como a gestação de gêmeos sempre envolve mais visitas ao consultório, vocês se verão com muita frequência.

Gosta de seu obstetra, mas também da ideia de cuidados extras? Muitos consultórios de obstetrícia geral encaminham gestantes de múltiplos a um especialista, para consultas periódicas ou para cuidado integral mais tarde na gestação (ou em qualquer momento, se as coisas se complicarem), o que é um bom acordo se você quer combinar o conforto familiar de seu obstetra com a perícia de um especialista. Gestantes de múltiplos que apresentem outros fatores de risco (são mais velhas, têm histórico de aborto espontâneo ou são portadoras de uma condição crônica) podem querer mudar para um especialista em medicina materno-fetal (também conhecido como perinatologista). Fale sobre essa possibilidade com seu obstetra se sua gravidez entrar na categoria de alto risco. Se estiver esperando trigêmeos ou mais, a melhor decisão é receber os cuidados pré-natais de um perinatologista desde o início.

Ao escolher um profissional de saúde (provavelmente um médico, já que a maioria das parteiras não oferece cuidados para gestantes de múltiplos; veja quadro da página seguinte), pense também a que hospital ele está afiliado. Idealmente, é melhor fazer o parto em um local com a habilidade de cuidar de bebês prematuros (ou seja, que tenha uma UTI neonatal), no caso de seus pacotinhos chegarem mais cedo, como os múltiplos frequentemente fazem.

Também pergunte sobre a política do médico em relação aos tópicos específicos do parto de múltiplos: o parto será automaticamente induzido na 37ª ou 38ª semana ou você terá a opção de esperar se tudo estiver correndo bem? O parto vaginal será possível em certas circunstâncias (ou ao menos a prova de trabalho de parto) ou o médico rotineiramente agenda cesarianas para mães de gêmeos? Você será capaz de fazer o parto vaginal em uma sala de parto ou é rotina fazer o parto de múltiplos em uma sala de cirurgia?

Para mais informações gerais sobre escolher um médico, veja a p. 35.

FRATERNOS OU IDÊNTICOS?

Gêmeos fraternos (esquerda), que resultam de dois ovos fertilizados ao mesmo tempo, possuem uma placenta para cada um. Gêmeos idênticos (direita), que resultam de um ovo fertilizado que se divide e então se transforma em dois embriões separados, podem partilhar a placenta e o saco amniótico ou — dependendo de quando o ovo se dividiu — terem placentas e sacos amnióticos separados.

PARTEIRA PARA MÚLTIPLOS?

Mesmo que seu profissional de saúde regular seja uma parteira, é possível que você consiga continuar com ela, ao menos por parte da gestação, desde que permaneça de baixo risco — e presumindo que ela tenha as credenciais, a licença e a experiência para acompanhar e fazer o parto de gêmeos.

Infelizmente, muitas parteiras não atendem a esse conjunto de critérios, o que significa que, embora seja possível, é pouco provável que você encontre uma que acompanhe e faça o parto de gêmeos. Embora algumas parteiras forneçam cuidados pré-natais para a gestação de múltiplos de baixo risco, outras o fazem somente até certa idade gestacional, e outras ainda não a aceitam, devido ao potencial de ela se transformar em gestação de alto risco. Além disso, alguns estados não permitem que parteiras acompanhem ou façam o parto de múltiplos — e muitas casas de parto tampouco as aceitam.

Mas isso não significa que você tenha de desistir inteiramente dos cuidados de uma parteira. Parteiras que têm acordos de colaboração com obstetras que possam agir como *backup* em caso de complicações têm maior probabilidade de aceitarem uma gestante de gêmeos. E, mesmo que o pré-natal tenha de ser transferido para um obstetra ou perinatologista em algum momento, a parteira pode ser capaz de permanecer envolvida na gravidez e até mesmo estar presente durante o parto.

Decidiu fazer o parto em casa? Você terá dificuldade para achar uma parteira que faça o parto de gêmeos em casa, especialmente se vive em uma área rural onde o apoio de um obstetra (e de um hospital) pode estar longe demais.

Se decidir contratar uma parteira para os cuidados pré-natais, ao menos inicialmente — e especialmente se quiser que ela faça o parto —, escolha alguém com muita experiência em gestação de gêmeos. No Brasil, as parteiras ainda fazem partos em pequenas comunidades ou em casas de parto. Cada uma tem sua política, mas, geralmente, encaminham partos de alto risco para hospitais de referência.

Sintomas da gravidez

"Ouvi dizer que os sintomas da gravidez são muito piores quando você está tendo múltiplos. Isso é verdade?"

O dobro de bebês às vezes significa o dobro (ou mais) de desconforto, mas nem sempre. Toda gravidez múltipla, assim como toda gravidez única, é diferente. A mulher que espera somente um bebê pode ter enjoo matinal suficiente para dois, ao passo que a futura mãe de múltiplos pode passar pela gravidez sem um único dia de náusea. O mesmo vale para os outros sintomas.

Mas, embora não deva dar como certa a dose dupla de enjoo matinal (ou azia, câimbras nas pernas e veias varicosas), você tampouco pode excluir a possibilidade. Em média, os sofrimentos realmente se multiplicam em uma gestação múltipla, dado o peso extra que estará carregando e os hormônios extras que já está gerando. Entre os sintomas que podem ser — mas não necessariamente são — exponencialmente exacerbados quando você está esperando gêmeos ou mais, estão:

- Enjoo matinal. Náusea e vômito podem ser piores na gestação de múltiplos, graças — entre outras coisas — aos níveis mais altos de hormônios circulando pelo organismo da mãe. O enjoo matinal também pode começar mais cedo e durar mais tempo. E a náusea severa com vômito (hiperêmese gravídica, veja a p. 728) é mais comum entre gestantes de múltiplos.
- Outros problemas digestivos. Mais pressão sobre o estômago (e mais produção de ácidos, já que as mães de múltiplos comem por três ou mais) podem levar ao aumento do tipo de desconforto digestivo pelo qual a gravidez é conhecida, como azia, indigestão e constipação.
- Fadiga. Não precisa nem pensar: quanto mais peso você carrega, mais cansada fica. A fadiga também pode aumentar com a energia extra que a gestante de múltiplos despende (o organismo dela tem de trabalhar duas vezes mais para fabricar dois bebês). A privação de sono também pode deixá-la cansada (já é difícil se acomodar com uma barriga do tamanho de uma melancia, imagine com uma que é do tamanho de duas). E, falando em não pensar, esperar gêmeos pode espessar a névoa cerebral que é normal durante a gravidez.
- Todos os outros desconfortos físicos. Toda gravidez tem sua parcela de incômodos e dores, e a gravidez de gêmeos pode vir com uma parcela maior. Carregar aquele bebê extra pode se traduzir em dor extra nas costas, quadris e pelve (e ligamentos redondos), câimbras, tornozelos inchados, veias varicosas, pode escolher. Respirar por uma multidão também pode parecer um esforço extra, especialmente se seu útero cheio de bebês ficar grande o bastante para pressionar seus pulmões.
- Movimentos fetais. Embora toda mulher grávida possa sentir, em algum momento, que está esperando um polvo, os oito membros que você estará carregando realmente parecerão um soco no estômago. Na verdade, muitos socos no estômago. E chutes.

Quer sua gravidez múltipla termine duplicando os desconfortos ou não, uma coisa é certa: ela também a presenteará com o dobro de recompensas. Nada mal para nove meses de trabalho.

VENDO DOBRADO — POR TODA PARTE?

Se parece que os múltiplos estão se multiplicando, é porque estão. De fato, quase 4% dos bebês nos Estados Unidos agora nascem em conjuntos de dois, três ou mais, com a maioria (cerca de 95%) sendo composta de gêmeos. E, no que é quase duas vezes tão incrível, o número de gêmeos aumentou mais de 50% em anos recentes. As taxas de múltiplos de ordens superiores (trigêmeos ou mais) estão começando a declinar, mas mesmo assim subiram 300%.

Qual é a causa desse *baby boom* de múltiplos? Embora gêmeos idênticos quase sempre ocorram por acaso, as chances de ter gêmeos fraternos (o tipo mais comum) aumentam com base nos seguintes fatores (alguns dos quais também influenciam as chances de ter múltiplos fraternos de ordens superiores):

Idade. Quanto mais velha você for, maiores as chances de ter gêmeos fraternos. Mães acima dos 35 anos são naturalmente mais propensas a liberar mais de um óvulo a cada ovulação (graças aos níveis mais elevados de FSH, ou hormônio folículo-estimulante), aumentando as chances de ter gêmeos.

Tratamentos de fertilidade. Conforme as técnicas de fertilização assistida se tornam mais sofisticadas, elas apresentam menor probabilidade de produzir múltiplos, especialmente de ordens superiores. Mesmo assim, fazer qualquer tipo de tratamento de fertilidade (particularmente o tipo que estimula a ovulação ou implanta mais de um embrião) multiplica as chances de ter gravidez múltipla.

Obesidade. Mulheres que estão obesas ao conceber (com IMC superior a 30) são significativamente mais propensas a ter gêmeos fraternos que mulheres com IMCs mais baixos.

Tamanho. Há algumas evidências de que mulheres maiores e mais altas têm probabilidade ligeiramente aumentada de conceber gêmeos quando comparadas a mulheres menores — mas a conexão parece fraca (significando que o tamanho não importa muito).

Raça. Gêmeos são ligeiramente mais comuns entre afro-americanos e ligeiramente menos comuns entre hispânicos e asiáticos.

Histórico familiar. Há muitos gêmeos fraternos em sua família? Ou você mesma é gêmea fraterna? Suas chances de ter múltiplos são maiores que a média. E, se já teve um par de gêmeos fraternos, tem duas vezes mais probabilidade de ter outro par em uma gestação futura. Isso, sim, é dobrar as chances!

Comendo bem com múltiplos

"Estou decidida a comer bem agora que estou grávida de trigêmeos, mas não sei ao certo o que isso significa: comer três vezes mais?"

Vá para a fila do bufê, mamãe: alimentar quatro pessoas significa que sempre está na hora de comer. Embora não vá literalmente quadruplicar sua ingestão diária (assim como uma mulher esperando um único bebê não precisa dobrá-la), você terá de comer para valer nos próximos meses. Gestantes de múltiplos devem ingerir 150 a 300 calorias extras por dia por feto, por ordem médica (o que é uma boa notícia se você estava querendo uma licença para comer, mas não tão boa se a náusea ou a barriga lotada tiverem acabado com seu apetite). O que se traduz em 300 a 600 calorias extras se está esperando gêmeos e 450 a 900 calorias extras para trigêmeos (se seu peso estava na média antes da gravidez). Mas, antes de encarar essas calorias extras como um passe livre para a Terra dos Burritos (uma porção adicional de guacamole para o bebê A, de creme azedo para o bebê B e de feijões fritos para o bebê C), considere o seguinte: a qualidade do que você come é tão importante quanto a quantidade. De fato, a boa nutrição durante a gravidez múltipla pode ter impacto ainda maior no peso ao nascer que durante a gravidez única.

Como comer bem quando está esperando mais de um? Confira a Dieta da Gravidez (capítulo 4) e:

Pense pequeno. Quanto maior sua barriga, menores devem ser as refeições. Consumir cinco ou seis minirrefeições ou lanches saudáveis ao dia diminuirá a sobrecarga digestiva e manterá seu nível de energia, fornecendo a mesma nutrição de três refeições grandes. Quando o espaço ficar ainda mais apertado, você pode comer ainda menos, com mais frequência e, provavelmente, será uma boa ideia manter alguns lanchinhos na mesa de cabeceira, caso sinta fome durante a noite.

Faça com que as calorias contem. Escolha alimentos que ofereçam muitos nutrientes em pequenas porções. Os estudos mostram que uma dieta calórica e altamente nutritiva aumenta significativamente as chances de ter bebês sadios e a termo. Desperdiçar aquele espaço premium com junk food significa que você terá menos espaço para os alimentos nutritivos dos quais seu bando de fofinhos precisa.

Ingira mais nutrientes. É claro que sua necessidade de nutrientes se multiplica a cada bebê, o que significa que você terá de incluir porções extras nas Doze Diárias (p. 134). Frequentemente se recomenda que as mães de múltiplos ingiram uma porção extra de proteínas, cálcio e grãos integrais. Pergunte ao médico se há recomendações específicas para seu caso.

Aumente o ferro. Outro nutriente cuja ingestão você precisará aumentar é o ferro, que ajuda o organismo a produzir glóbulos vermelhos (você precisará de muitos deles para o sangue extra que sua fábrica de múltiplos estará usando) e a impede de ficar anêmica, o que acontece frequentemente nas gestações múltiplas. Assim, escolha seus favoritos na lista de alimentos ricos em ferro (p. 143). As vitaminas pré-natais e possivelmente um suplemento de ferro separado darão conta do restante, mas peça recomendações específicas ao médico.

Mantenha a água fluindo. A desidratação pode levar a trabalho de parto pré-termo (um risco que as futuras mães de múltiplos já correm), então beba para valer.

Para mais informações sobre como comer bem quando está esperando múltiplos, leia *What to Expect: Eating Well When You're Expecting*.

Ganho de peso

"Sei que devo ganhar mais peso com gêmeos, mas quanto mais?"

Prepare-se para ganhar. Os especialistas recomendam que uma mulher de peso normal esperando gêmeos ganhe entre 17 e 25 quilos. Por que uma variação tão grande? Porque as recomendações diferem consideravelmente com base em seu perfil particular e nas recomendações de seu médico. Está esperando trigêmeos? Como não há diretrizes oficiais, você precisará estabelecer com o médico um limite específico de ganho de peso total, que provavelmente passará dos 23 quilos (um pouco menos, se você estava acima do peso antes de engravidar; um pouco mais, se estava abaixo).

Parece fácil, não parece? Mas a realidade é que ganhar peso suficiente nem sempre é assim tão fácil quando você tem dois — ou mais — bebês a bordo. A variedade de desafios que você talvez vá enfrentar durante a gravidez pode impedir que os números da balança subam tão rapidamente quanto necessário.

Entre você e o ganho de peso no primeiro trimestre pode estar a náusea, que torna difícil comer e manter a comida no estômago. Ingerir minúsculas quantidades de alimentos reconfortantes (e, com sorte, nutritivos) durante o dia pode ajudá-la a passar por esses meses enjoados. Tente ganhar meio quilo por semana no primeiro trimestre, mas, se não conseguir, relaxe. Você pode se divertir ganhando esses quilos mais tarde. Apenas tome as vitaminas pré-natais e se mantenha hidratada.

QUANTO GANHAR ESPERANDO MÚLTIPLOS

STATUS DA GRAVIDEZ	GANHO DE PESO TOTAL
Peso normal com gêmeos	17 a 25 quilos
Sobrepeso com gêmeos	14 a 23 quilos
Trigêmeos	Peça recomendações ao médico

Use o segundo trimestre (que provavelmente será o mais confortável e o mais fácil de comer bem) para se abastecer dos nutrientes dos quais os bebês precisam para crescer. Se não ganhou peso durante o primeiro trimestre (ou perdeu peso por causa da náusea severa e do vômito), o médico pode querer que você ganhe uma média de 680 a 900 gramas por semana. Se ganhou peso de modo constante durante o primeiro trimestre, pode ganhar um pouco menos agora. De qualquer modo, parece muito peso em pouco tempo, e você está certa, é mesmo. Mas é importante ganhá-lo. Turbine seu plano alimentar com porções adicionais de proteínas, cálcio e grãos integrais. A azia e a indigestão estão atrapalhando? Divida seus nutrientes por seis (ou mais) minirrefeições.

Ao se encaminhar para o terceiro trimestre, você precisará manter o ganho constante de peso. Com 32 semanas, os bebês podem pesar 1,8 quilo cada, o que não deixará muito espaço para a comida em sua barriga superlotada. Mas, mesmo que você se sinta enorme, os bebês ainda precisam crescer — e ficarão felizes com a nutrição fornecida por uma dieta saudável. Assim, foque na qualidade, e não na quantidade, e espere baixar para um ganho de 450 gramas por semana ou menos no oitavo mês e somente meio quilo de ganho total no nono mês. (Isso faz mais sentido quando você lembra que a maioria das gestações múltiplas não chega à 40ª semana.)

CRONOLOGIA MÚLTIPLA

Já está fazendo a contagem regressiva das 40 semanas? Talvez não precise chegar a tanto. A gestação de gêmeos é considerada a termo duas semanas antes, na 38ª — o que certamente é uma razão para celebrar (duas semanas a menos de inchaço, azia... e espera!). Mas, assim como a maioria dos bebês únicos não chega na data provável do parto, os múltiplos também mantêm mães e pais (e médicos) na expectativa. Eles podem ficar quietinhos até a 38ª semana (ou mais) ou fazer sua entrada antes de completarem a 37ª. Na verdade, a maioria faz isso.

Se os bebês decidirem passar da 38ª semana, o médico provavelmente induzirá o parto, levando em conta como você e eles estão se sentindo. A recomendação do ACOG, em gestações de baixo risco, para que o parto de gêmeos seja realizado ao fim da 38ª semana também pode ser um fator de decisão (e essa é uma razão significativa para poucas gestações de gêmeos durarem mais que 38 semanas completas). Discuta o assunto com o médico bem antes da data provável do parto, porque muitos diferem na maneira como tipicamente lidam com os últimos estágios de uma gravidez múltipla.

Exercícios

"Sou corredora. Agora que estou grávida de gêmeos, é seguro continuar treinando?"

Os exercícios podem ser benéficos para a maioria das gestações, mas, quando está ficando em forma por três, você tem de exercitar também a cautela. Primeiro, fale com o médico. Mesmo que os exercícios sejam liberados durante o primeiro e o segundo trimestres, ele provavelmente a orientará a escolher opções mais brandas e ficar longe de qualquer exercício que coloque pressão descendente sobre o colo do útero (como correr) ou aumente significativamente sua temperatura corporal (correr também pode fazer isso). A maioria dos especialistas recomenda que gestantes de múltiplos não façam exercícios aeróbicos de alto impacto (novamente, como correr) após a 20ª semana se qualquer encurtamento cervical tiver sido detectado no ultrassom (porque isso aumenta o risco de trabalho de parto prematuro) e que parem de correr na 28ª semana, mesmo sem encurtamento cervical.

Infelizmente, essas diretrizes servem também para corredoras experientes como você.

Está procurando uma rotina de preparo físico mais adequada para vocês três? As boas escolhas incluem natação e hidroginástica para gestantes, alongamento, yoga pré-natal, musculação com pouco peso e bicicleta ergométrica, todos exercícios que não exigem que você permaneça em pé (embora deva perguntar ao médico se caminhar é seguro em seu caso — normalmente é). E não se esqueça dos exercícios de Kegel (p. 312), que podem ser feitos a qualquer hora e lugar e foram projetados para fortalecer o assoalho pélvico (que precisa de reforço extra quando há mais bebês do lado de dentro).

O que quer que você esteja fazendo em termos de exercícios, se o esforço causar contrações de Braxton Hicks ou disparar qualquer alarme listado na p. 197, pare imediatamente, descanse, beba água e telefone para o médico se não passarem em mais ou menos 20 minutos.

EXTRA, EXTRA!

Obviamente, bebês extras vêm com precauções extras — e essa é uma boa coisa. Com precauções extras há chances excelentes de que seus múltiplos se desenvolvam bem e nasçam saudáveis e em segurança.

Eis alguns dos extras que você pode esperar quando está esperando gêmeos ou mais:
- Visitas extras ao médico. Um bom cuidado pré-natal é a chave para uma boa gravidez e bebês saudá-

veis — e isso é ao menos duas vezes mais verdadeiro quando você está esperando múltiplos. Assim, espere consultas pré-natais mais frequentes: você provavelmente terá uma a cada duas ou três semanas (em vez de a cada quatro) até o sétimo mês, e ainda mais frequentemente depois disso. E as consultas podem se tornar mais aprofundadas com o progresso da gravidez. Você fará todos os testes que as mães de filhos únicos fazem, mas também pode fazer ultrassons transvaginais para observar o comprimento do colo do útero (para detectar sinais de trabalho de parto pré-termo), assim como mais testes de não estresse e perfis biofísicos no terceiro trimestre (p. 506). Também é provável que faça o exame de diabetes gestacional mais cedo.

- Fotografias extras. Dos bebês, claro. Você fará mais ultrassons para monitorar os bebês e garantir que estão crescendo e se desenvolvendo como devem. Isso significará tranquilidade extra, além de espiadas extras nesse precioso par (ou trio) — e fotos extras para o álbum (ou álbuns!).
- Atenção extra. O médico observará sua saúde muito atentamente para reduzir o risco das complicações mais comuns em gestações de múltiplos (p. 601). Com toda essa atenção, qualquer problema provavelmente será detectado e tratado rapidamente.

Sentimentos ambíguos

"Todo mundo acha tão excitante saber que teremos gêmeos, exceto nós dois. Estamos com medo e até decepcionados. O que há de errado conosco?"

Absolutamente nada. Os devaneios pré-natais normalmente não incluem dois bebês. Você se preparou psicológica, física e financeiramente para a chegada de um bebê — e quando descobriu que teria dois, a decepção que sentiu não tem nada de incomum. Nem seus receios. A responsabilidade de cuidar de um único bebê já é bastante assustadora, que dirá de dois.

Alguns pais ficam felizes desde o início ao ouvir que terão múltiplos, mas muitos outros levam algum tempo para se habituar à notícia. O choque inicial e a alegria inicial são igualmente comuns — sentir que vocês estão sendo privados do aconchegante vínculo que sempre imaginaram criar com um único bebê, mas que ainda não conseguem ver criando com dois. A culpa por questionar essa dupla bênção (especialmente se engravidar foi difícil) pode piorar os sentimentos conflitantes. Todos eles (e outros que vocês estejam experimentando) são uma reação completamente normal à notícia de que a gravidez e suas vidas tomaram um rumo inesperado.

MÚLTIPLAS CONEXÕES

Como futura mãe de múltiplos, você está prestes a fazer parte de um clube especial que já conta com milhares de mulheres como você — mulheres que também estão esperando o dobro das delícias e, provavelmente, o dobro das dúvidas. Nunca gostou de clubes? A afiliação a esse clube particular oferece muitos benefícios. Ao conversar com outras futuras mães de múltiplos, você será capaz de partilhar sua alegria, seus medos, seus sintomas e suas histórias engraçadas (aquelas que ninguém mais entende) com mulheres que sabem exatamente como você está se sentindo. Também poderá receber conselhos tranquilizadores de gestantes que também têm múltiplos a caminho (assim como daquelas que já os tiveram). Participe de um grupo de discussão on-line (acesse o fórum de múltiplos em whattoexpect.com) ou peça que o médico a coloque em contato com outras gestantes de múltiplos do consultório e inicie seu próprio clube. Também há organizações nacionais que podem fornecer informações sobre clubes locais, incluindo a Organização Nacional de Clubes de Mães de Gêmeos, nomotc.org. Você também pode usar um motor de busca para encontrar um grupo local. Ou acessar sites dirigidos especificamente a pais de múltiplos, incluindo mothersofmultiples.com e twinstuff.com.

Assim, aceitem o fato de que se sentem ambivalentes em relação à chegada dupla e não se entreguem à culpa (como seus sentimentos são normais e compreensíveis, não há absolutamente nada sobre o que se sentirem culpados). Em vez disso, usem os meses até o parto para se acostumarem à ideia de que terão gêmeos (vocês terão!). Conversem aberta e honestamente um com o outro (quanto mais expressarem seus sentimentos, mais rapidamente lidarão com eles). Conversem também com conhecidos que tenham gêmeos e, se não conhecerem nenhum pai ou mãe de múltiplos, procurem fóruns on-line. Partilhar seus sentimentos com pessoas que já os sentiram e reconhecer que não são os primeiros a experimentá-los os ajudará a aceitarem e, com o tempo, ficarem excitados com a gravidez e os dois belos bebês que em breve terão nos braços. Você descobrirá que gêmeos podem representar o dobro do trabalho no início, mas também dobram a diversão ao longo do caminho.

Comentários insensíveis

"Quando disse a minha amiga que teria gêmeos, ela respondeu: 'Antes

você que eu.' Por que ela faria um comentário tão rude?"

Esse pode ter sido o primeiro comentário insensível que você ouviu durante a gravidez de múltiplos, mas provavelmente não será o último. De colegas de trabalho, familiares, amigos e aqueles perfeitos (não tão perfeitos, afinal) estranhos no supermercado, você ficará pasma com as coisas rudes que as pessoas se sentem completamente confortáveis em dizer a mulheres que esperam múltiplos.

Qual é a causa dessa falta de tato? A verdade é que muitas pessoas não sabem como reagir à notícia de que você está esperando múltiplos. É claro que um simples "Parabéns!" seria adequado, mas a maioria presume que gêmeos são especiais (e são) e, consequentemente, precisam ser saudados com um comentário "especial". Curiosos sobre como é estar grávida de gêmeos e estarrecidos com o que você enfrentará depois que nascerem, eles não sabem qual é a resposta correta — e simplesmente dão a resposta errada. As intenções são boas, mas a execução é terrível.

A melhor maneira de reagir? Não leve para o lado pessoal nem muito a sério. Entenda que, mesmo que sua amiga tenha dito besteira, ela quase certamente tinha boas intenções (e provavelmente não faz ideia de que a ofendeu, então tente não se sentir ofendida). Lembre-se também de que você pode ser a melhor porta-voz das mães de gêmeos por toda parte — e terá muitas chances de disseminar as maravilhosas informações sobre múltiplos.

"As pessoas ficam me perguntando se há muitos gêmeos em minha família ou se fiz tratamento de fertilidade. Não tenho vergonha de ter feito FIV, mas não é algo que eu queira partilhar com todo mundo."

Uma mulher grávida desperta o lado intrometido de muita gente, mas uma mulher grávida de múltiplos é da conta de todo mundo. Subitamente, a gravidez se torna pública, com pessoas que você mal conhece (ou não conhece) se intrometendo em sua vida pessoal (e seus hábitos no quarto) e fazendo perguntas pessoais sem pensar duas vezes. Mas esse é justamente o ponto: essas pessoas realmente não pensam duas vezes — ou uma. Elas não estão fazendo perguntas para serem invasivas, mas porque estão curiosas (múltiplos são fascinantes, afinal), e não foram educadas na etiqueta dos gêmeos. Se está disposta a partilhar detalhes, faça exatamente isso ("Bem, primeiro tentamos o Clomid, e quando não funcionou tentamos FIV, o que significa que eu e meu marido fomos até a clínica de fertilidade e..."). Quando estiver no meio da história, a pessoa que fez a pergunta provavelmente estará morta de tédio e desesperada por uma saída. Ou

você pode tentar uma destas respostas da próxima vez que alguém perguntar sobre a concepção dos gêmeos:
- "Foi uma grande surpresa." Isso pode ser verdadeiro tenha você concebido com ou sem tratamento de fertilidade.
- "Há gêmeos em minha família — agora." Isso fará com que as pessoas parem de perguntar, ao mesmo tempo que continuam sem saber a resposta.
- "Fizemos sexo duas vezes na mesma noite." Quem não fez? Mesmo que a última vez tenha sido na lua de mel, não é mentira — e será o fim das perguntas.
- "Eles foram concebidos com amor." Bom, é claro que foram — e o que aconteceu depois?
- "Por que vocês querem saber?" Se eles também estiverem tentando conceber, talvez essa pergunta inicie uma conversa que pode ajudá-los (a infertilidade pode ser uma estrada solitária, como você provavelmente já sabe). Se não, pode fazer com que tirem o narizinho intrometido de sua vida.

Não está com vontade de dar uma resposta espirituosa ou sequer de responder (especialmente depois de lhe fazerem a mesma pergunta cinco vezes em um dia)? Não há nada errado em informar à pessoa que perguntou que a resposta não é da conta dela. "Essa é uma questão pessoal" é tudo que você precisa dizer.

Segurança nos números

"Mal havíamos nos ajustado ao fato de que eu estava grávida quando descobrimos que são gêmeos. Há riscos extras para eles ou para mim?"

Bebês a mais vêm com alguns riscos a mais, mas não tantos quanto você pensa. De fato, nem todas as gestações de gêmeos são classificadas como de "alto risco" (embora múltiplos de ordens superiores definitivamente entrem nessa categoria), e a maioria das futuras mães pode esperar uma gestação relativamente tranquila, ao menos em termos de complicações. Além disso, iniciar a gestação de gêmeos com um pouco de conhecimento sobre os riscos e complicações potenciais vai ajudar a evitar muitos deles e fazer com que você esteja preparada se encontrar algum. Assim, relaxe (gestações de gêmeos são realmente seguras), mas continue a ler.

Para os bebês, os riscos potenciais incluem:

Parto precoce. Múltiplos tendem a chegar antes que únicos. Mais da metade dos gêmeos, a maioria dos trigêmeos e praticamente todos os quadrigêmeos são prematuros. Embora filhos únicos nasçam, em média, na 39ª semana, o parto dos gêmeos ocorre, em média, entre a 35ª e a 37ª. Os trigêmeos costumam nascer (novamente, em média) na 32ª semana, e os quadrigêmeos, na 30ª. (Para gêmeos, o termo é de 38 semanas, não de 40.) Afinal, por mais aconchegante que seja o útero, ele também fica bastante apertado conforme os bebês crescem. Conheça os sinais de trabalho de parto prematuro e não hesite em telefonar para o médico imediatamente se tiver qualquer um deles (p. 744).

Baixo peso ao nascer. Como muitas gestações de múltiplos terminam mais cedo, o bebê médio (repito: médio) nasce com 2,5 quilos, um peso considerado baixo. A maioria dos que nascem com esse peso termina tendo boa saúde, graças aos avanços nos cuidados com os recém-nascidos, mas os que nascem com menos de 1,3 quilo têm risco aumentado de complicações ao nascer e de deficiências de longo prazo. Assegurar-se de que sua saúde se mantenha excelente durante o pré-natal e sua dieta contenha muitos nutrientes (incluindo a quantidade certa de calorias) pode ajudar os bebês a nascerem com o peso certo. Leia *O que esperar do primeiro ano* para saber mais sobre bebês com baixo peso ao nascer.

Síndrome de transfusão feto-fetal (STFF). Essa condição, que ocorre em 9 a 15% das gestações de gêmeos nas quais a placenta é partilhada, surge quando uma ou mais artérias placentárias de um gêmeo depositam sangue na placenta, e esse sangue retorna para o outro gêmeo através de uma veia placentária. Se não houver outros vasos comuns para equalizar a entrega de sangue para ambos os fetos, o resultado pode ser um bebê receber sangue demais, e o outro, de menos. (Gêmeos fraternos quase nunca são afetados porque jamais partilham a placenta.) Essa condição é perigosa para os bebês, embora não para a mãe. Se ela for detectada, o médico provavelmente a encaminhará a um perinatologista, que pode sugerir terapia com *laser* (usando um dispositivo especial colocado no útero) para interromper a transfusão. Alternativamente, embora seja menos eficaz, o médico pode optar por usar a amniocentese para drenar o excesso de líquido amniótico a cada uma ou duas semanas, melhorando o fluxo de sangue na placenta e reduzindo o risco de trabalho de parto prematuro. Se estiver lidando com STFF, acesse fetalhope.org para obter mais informações e recursos.

REDUÇÃO DE FETOS

Às vezes, o ultrassom revela que um dos fetos (ou mais) em uma gravidez múltipla não conseguirá sobreviver ou é tão malformado que suas chances de sobrevivência fora do útero são mínimas — e, pior ainda, que pode pôr em risco o feto saudável. Ou pode haver tantos fetos que exista risco significativo para a mãe e os bebês. Em tais casos, o médico pode recomendar a redução de fetos. Contemplar esse procedimento é agonizante — pode parecer que você está sacrificando um bebê para proteger o outro — e deixá-la tomada pela culpa, pela confusão ou por sentimentos conflitantes. Você pode tomar a decisão facilmente ou passar por momentos excruciantes para chegar a ela.

Não vai haver respostas fáceis e, definitivamente, não há opções perfeitas, mas faça o que puder para ficar em paz com a decisão que tomar. Revise a situação com o médico e procure uma segunda opinião, e uma terceira e uma quarta, até se sentir tão confiante quanto possível sobre sua escolha. Você também pode pedir que o médico a coloque em contato com alguém da equipe de bioética do hospital (se houver uma). Pode partilhar seus sentimentos com amigos íntimos ou manter a decisão privada. Se a religião tem papel importante em sua vida, você provavelmente buscará orientação espiritual. Depois de tomar a decisão, tente não ficar se questionando: aceite que é a melhor decisão que pôde tomar em circunstâncias tão difíceis. E também tente não afundar na culpa, o que quer que escolha. Como nada disso é sua responsabilidade, não há razão para se sentir culpada.

Se terminar fazendo a redução de fetos, você pode esperar o mesmo luto de qualquer mãe que perdeu um ou mais bebês. Leia a p. 792 para encontrar maneiras de lidar com isso.

Outras complicações. Há outras complicações fetais com maior probabilidade de ocorrer em gestações múltiplas, mas ainda assim incomuns. Pergunte ao médico sobre riscos adicionais para os bebês e como você pode diminuí-los.

A gravidez múltipla também pode impactar a saúde da gestante:

Pré-eclâmpsia. Quanto mais bebês você estiver esperando, mais placenta terá. Essa placenta adicional (juntamente com os hormônios adicionais) pode causar hipertensão arterial e, às vezes, pré-eclâmpsia. Ela afeta uma em cada quatro mães de gêmeos e geralmente é descoberta cedo, graças ao monitoramento cuidadoso. Para saber mais sobre a condição e opções de tratamento, veja a p. 732.

Diabetes gestacional. Gestantes de múltiplos são ligeiramente mais suscetíveis à DG que gestantes de únicos. Provavelmente porque os níveis mais altos de hormônios podem interferir com sua capacidade de processar insulina. A dieta normalmente controla (ou mesmo previne) a DG, mas, às vezes, insulina extra é necessária (p. 730).

Problemas placentários. Grávidas de múltiplos apresentam risco ligeiramente aumentado de complicações como placenta prévia (placenta baixa, p. 738) ou placenta abrupta (separação prematura da placenta, p. 740). Felizmente, o monitoramento cuidadoso (que você receberá) detecta a placenta prévia muito antes de ela apresentar risco significativo. A placenta abrupta não pode ser detectada antes de acontecer, mas, como a gestação está sendo cuidadosamente monitorada, há passos que podem ser dados para prevenir complicações.

Repouso
"Terei de ficar na cama somente porque estou esperando gêmeos?"

Repousar ou não repousar? Essa é a pergunta que muitas futuras mães de múltiplos fazem, e os médicos nem sempre têm uma resposta fácil. Realmente, não existe resposta fácil. O júri obstétrico ainda não decidiu se o repouso evita as complicações às vezes associadas à gravidez múltipla (como trabalho de parto prematuro e pré-eclâmpsia). E, mesmo que a maioria das pesquisas mostre que não há benefícios, muitos médicos continuam a prescrever alguma versão do repouso, especialmente sob certas circunstâncias (por exemplo, se o colo do útero tiver encurtado, a gestante for hipertensa ou um ou ambos os bebês não estiverem crescendo como esperado). Como o risco de complicações aumenta com cada bebê, o repouso tem ainda maior probabilidade de ser prescrito em gestações de múltiplos de ordens superiores.

Pergunte ao médico, já no início da gravidez, qual é a filosofia dele em relação ao repouso. Alguns o prescrevem rotineiramente para todas as gestantes de múltiplos (frequentemente a partir da 24ª ou 28ª semana), ao passo que a maioria faz uma análise caso a caso, assumindo a abordagem de esperar para ver.

Se precisar ficar em repouso, encontre na p. 762 dicas para lidar com ele. E tenha em mente que, mesmo que não seja mandada para a cama, o médico provavelmente a aconselhará a pegar leve, diminuir a carga de trabalho (ou parar de trabalhar) e ficar sentada ou deitada o máximo possível durante a segunda metade da gestação — então prepare-se para descansar.

Síndrome do gêmeo desaparecido
"Ouvi falar da síndrome do gêmeo desaparecido. O que é isso?"

Detectar gestações múltiplas precocemente usando tecnologia de ultrassom tem muitos benefícios, porque, quanto mais cedo você e o médico souberem que está esperando dois (ou mais) bebês, melhor será o cuidado que você receberá. Mas, às vezes, há um lado negativo em saber cedo demais. Identificar gestações de gêmeos muito cedo também revela perdas que não seriam detectadas antes do ultrassom.

A perda de um gêmeo durante a gestação pode ocorrer no primeiro trimestre (frequentemente antes mesmo de a mãe saber que está esperando gêmeos) ou, menos comumente, mais tarde na gestação. Durante a perda no primeiro trimestre, o tecido do gêmeo abortado costuma ser reabsorvido pelo corpo da mãe. Esse fenômeno, chamado de síndrome do gêmeo desaparecido, ocorre em 20 a 30% das gestações de múltiplos. A documentação da síndrome aumentou significativamente nas últimas décadas, quando os ultrassons precoces — a única maneira de saber com certeza, já no início da gestação, que você está esperando gêmeos — ficaram rotineiros (e são usados ainda mais cedo e mais frequentemente nas gestações por FIV). Os pesquisadores relatam mais casos da síndrome em gestantes com mais de 30 anos, embora isso possa se dever ao fato de mães mais velhas terem taxas mais altas de gestações de múltiplos, especialmente com o uso de tratamentos de fertilidade.

Raramente há qualquer sintoma da perda de um gêmeo, embora algumas mulheres tenham cólicas leves, sangramento ou dor na pelve similares aos de um aborto espontâneo (embora nenhum desses sintomas seja sinal definitivo de perda). A diminuição — não extinção — dos níveis hormonais (detectada por exames de sangue) também pode indicar que um feto foi perdido.

A boa notícia é que, quando a síndrome do gêmeo perdido ocorre no primeiro trimestre, a mãe geralmente tem uma gravidez normal e dá à luz um único bebê saudável, sem complicações ou intervenção. No muito menos provável caso de um gêmeo morrer no segundo ou terceiro trimestres, o bebê remanescente pode ter risco aumentado de restrição do crescimento intrauterino, e a mãe pode estar em risco de trabalho de parto prematuro, infecção ou hemorragia. O bebê remanescente é observado cuidadosamente e o restante da gravidez é monitorada para evitar complicações.

A fim de obter ajuda para lidar com a perda de um gêmeo no útero, leia a p. 797.

TUDO SOBRE:
Parto de múltiplos

Todo parto é inesquecível, mas, se está esperando gêmeos (ou mais), o seu provavelmente não será o parto típico das histórias contadas pelas mães de filhos únicos. Obviamente, as coisas podem ser um pouco mais complicadas — e muito mais interessantes — quando você tem dois bebês ou mais se encaminhando para a saída.

Seu parto exigirá duas vezes mais esforço? Qual é a maneira ideal de ter múltiplos? As respostas dependem de muitos fatores, como posição fetal, sua saúde, a segurança dos bebês e assim por diante. O parto de múltiplos tem mais variáveis — e surpresas — que o parto de únicos. Mas, como você receberá dois (ou mais) bebês pelo preço de um trabalho de parto, será um bom negócio, como quer que as coisas terminem. E lembre-se de que qualquer que seja a rota que seus bebês adotem para passar de seu útero apertado para seu abraço ainda mais apertado, a melhor maneira é aquela que for mais segura e saudável para eles — e para você.

Trabalho de parto de gêmeos ou mais

Como seu trabalho de parto será diferente do trabalho de parto da mãe de um único bebê? Eis algumas diferenças:

- Ele pode ser mais rápido. Você terá de suportar o dobro da dor para receber o dobro do prazer? Não. Na verdade, em se tratando de trabalho de parto, você provavelmente terá sorte. Ele frequentemente é mais rápido no caso de múltiplos, o que significa que, se fizer parto vaginal, você pode levar menos tempo para chegar ao momento de fazer força. A contrapartida? Você chegará mais cedo à parte mais difícil.
- Ou ele pode ser mais demorado. Como o útero da mãe de múltiplos está excessivamente esticado, as contrações são mais fracas. E contrações mais fracas podem fazer com que o colo do útero leve mais tempo para dilatar totalmente.
- Ele será observado com mais atenção. Como a equipe médica terá de ser duplamente cuidadosa, você será monitorada mais atentamente que a maioria das gestantes. Durante o trabalho de parto (se for dar à luz em um hospital, o que é o cenário mais comum), você provavelmente será ligada a dois (ou mais) monitores fetais para que o médico possa ver como cada bebê está respondendo às contrações. No início, os batimentos cardíacos dos bebês podem ser acompanhados em monitores externos em forma de cinto, o que permitirá que você se desligue deles periodicamente para dar uma caminhada ou tomar um banho de banheira (se quiser). Nos estágios mais avançados, o bebê A (o mais perto da saída) pode ser monitorado internamente com um eletrodo no couro cabeludo, enquanto o bebê B continua a ser monitorado externamente. Isso porá fim a sua mobilidade, porque você estará ligada a uma máquina. Se fizer o parto em casa, com uma parteira, os bebês serão monitorados mais frequentemente com um Doppler.
- Você provavelmente receberá uma epidural (novamente, presumindo que fará o parto em um hospital). Se já se decidiu por uma, ficará feliz em saber que elas são fortemente encorajadas — ou mesmo requeri-

das — nos partos de múltiplos, no caso de uma cesariana de emergência ser necessária para retirar um ou todos os bebês. Se quer evitar a epidural, converse com o médico com antecedência.
- Você provavelmente dará à luz em uma sala de cirurgia. É provável que possa passar o trabalho de parto em uma sala aconchegante, mas, quando chegar a hora de empurrar, será levada até a sala de cirurgia. A maioria dos hospitais requer isso por medida de segurança (no caso de uma cesariana de emergência ser necessária), então se informe antes.

O parto de gêmeos

Eis o que você precisa saber sobre o parto de seus gêmeos:

Parto vaginal. Cerca de metade dos gêmeos nascidos atualmente vem ao mundo por parto vaginal, mas isso não significa que a experiência seja a mesma do parto de únicos. Quando o colo do útero estiver totalmente dilatado, o parto do bebê A pode ser muito rápido (você terá de fazer força três vezes) ou muito demorado (você terá de fazer força por horas). Embora esse último cenário não seja garantido, algumas pesquisas mostram que a duração do puxo geralmente é mais longa no parto de gêmeos que no parto de únicos. O segundo gêmeo em um parto vaginal costuma nascer de 10 a 30 minutos depois do primeiro, e a maioria das mães de múltiplos relata que o parto do bebê B é muito rápido, em comparação com o bebê A. Dependendo da posição do bebê B, ele pode precisar de ajuda do médico, que pode tentar a versão externa ou interna (ver quadro da p. 608) para movê-lo até o canal de parto ou usar extração a vácuo para apressar o nascimento.

Parto misto. Em casos (muito) raros, o bebê B precisa ser retirado por cesariana depois que o bebê A nasceu por via vaginal. Isso normalmente só é feito quando uma situação emergencial coloca o bebê B em risco, como placenta abrupta ou prolapso do cordão umbilical. (Os importantíssimos monitores fetais dirão ao médico como o bebê B está se saindo após a chegada do bebê A.) O parto misto definitivamente não é divertido para a mãe. Na hora, claro, ele é muito assustador e, depois que os bebês nascem, significa recuperação tanto do parto vaginal quanto do parto cirúrgico — um grande e duplo "Ai!". Mas, quando necessário, ele pode salvar a vida do bebê, e o tempo adicional de recuperação vale a pena.

Cesariana planejada. Possíveis razões incluem parto cirúrgico anterior (o parto vaginal após cesariana não é uma prática comum no caso de múltiplos), placenta prévia ou outras complicações ou posições fetais que tornem o parto vaginal inseguro. Na maior parte das cesarianas planejadas, seu marido, parceiro ou *coach* pode acompanhá-la até a sala de cirurgia, onde você provavelmente receberá uma epidural ou raquidiana. Você pode ficar surpresa com o quanto tudo acontecerá rapidamente depois que estiver anestesiada: o intervalo entre o nascimento do bebê A e o bebê B será de alguns segundos a 1 ou 2 minutos. Quer segurá-los e amamentá-los logo depois do parto? As chamadas cesarianas gentis também são uma opção para gêmeos, presumindo que tudo esteja bem. Leia a p. 584 para saber mais.

Cesariana não planejada. Essa é outra maneira pela qual seus bebês podem chegar ao mundo. Nesse caso, você pode comparecer à consulta pré-natal de rotina e descobrir que os conhecerá naquele mesmo dia. É melhor estar preparada; então, nas últimas semanas de gestação, deixe a mala sempre pronta. Razões para uma cesariana-surpresa incluem condições como restrição ao crescimento intrauterino (quando os bebês já não têm espaço para crescer) ou aumento acentuado de sua pressão arterial (pré-eclâmpsia). O cenário de cesariana não planejada também pode ocorrer durante o trabalho de parto, se houver quaisquer sinais de sofrimento fetal ou se o trabalho de parto já estiver ocorrendo há muito tempo e não exibir progresso. Um útero contendo 5 quilos ou mais de bebês pode estar esticado demais para se contrair eficientemente, e a cesariana pode ser a única saída.

POSIÇÃO, POSIÇÃO, POSIÇÃO

Jogue uma moeda para cima. Cara (para cima) ou coroa (para baixo)? Ou mesmo um (ou mais) de cada? Ninguém sabe como os múltiplos nascerão. Eis algumas apresentações que seus gêmeos podem assumir e os prováveis cenários de parto para cada situação:

Cefálica/cefálica. Essa é a posição mais cooperativa que os gêmeos podem assumir no dia do parto, e é assim que se apresentam em 40% das vezes. Se ambos estiverem em posição cefálica (de cabeça para baixo), você provavelmente entrará em trabalho de parto naturalmente e pode tentar o parto vaginal. No entanto, mesmo únicos perfeitamente posicionados às vezes precisam nascer por cesariana. Isso vale duas vezes para os gêmeos. Se você deseja que uma parteira esteja presente ao parto (ou quer fazer o parto em casa), a posição cefálica/cefálica é o melhor cenário.

Cefálica/pélvica. O segundo melhor cenário para o parto vaginal é a posição cefálica/pélvica. Isso significa que, se o bebê A estiver de cabeça para baixo e bem-posicionado para o parto, o médico pode manipular o bebê B e passá-lo da posição pélvica para a cefálica depois que o bebê A tiver nascido. Isso pode ser feito com pressão manual no abdômen (versão externa) ou inserção no interior do útero para virar o bebê B (versão interna). A versão interna soa muito mais complicada do que realmente é, porque, como o bebê A já preparou e alargou o canal de parto, o procedimento ocorre muito rapidamente. (Mesmo assim, um braço que chega até seu útero para retirar um bebê não é uma boa ideia sem medicação para a dor, o que é outra razão para muitos médicos recomendarem fortemente a epidural para gestantes de múltiplos.) Se o bebê B permanecer teimosamente na posição pélvica, o médico pode fazer uma extração pélvica, na qual o bebê é puxado pelo pé.

Pélvica/cefálica ou pélvica/pélvica. Se o bebê A ou ambos os bebês estiverem em posição pélvica, o médico quase certamente recomendará uma cesariana. Embora a versão externa seja comum no caso de um único bebê (e possa funcionar na posição cefálica/pélvica descrita na página anterior), ela é considerada arriscada demais nesse cenário.

O bebê A está oblíquo. Quem poderia saber que os bebês ficam em tantas posições? Quando o bebê A está oblíquo, significa que a cabeça está virada para baixo, mas voltada para os seus quadris, e não para o colo do útero. No caso de um bebê único em apresentação oblíqua, o médico provavelmente tentaria a versão externa para colocar a cabeça onde precisa estar (voltada para a saída), mas isso é arriscado com gêmeos. Nesse caso, duas coisas podem acontecer: a apresentação oblíqua pode se corrigir sozinha durante as contrações, resultando em parto vaginal, ou, o que é mais provável, o médico pode recomendar uma cesariana para evitar um trabalho de parto longo e demorado que pode ou não resultar em parto vaginal.

Transversa/transversa. Nessa apresentação, ambos os bebês estão atravessados no útero. Uma dupla transversa quase sempre resulta em cesariana.

Tem trigêmeos (ou mais) aí dentro? Os bebês podem assumir qualquer posição (e talvez mantê-la adivinhando até o momento do parto).

Leia a seguir para saber mais sobre o parto de trigêmeos.

O parto de trigêmeos (ou mais)

Está se perguntando se seus múltiplos de ordem superior estão destinados a tomar a rota abdominal? A cesariana é mais frequentemente agendada para trigêmeos e quadrigêmeos, não somente porque é mais segura, mas porque cesarianas são mais comuns em partos de alto risco (uma categoria na qual os múltiplos de ordens superiores sempre estão incluídos) e entre mães mais velhas (que dão à luz a maioria dos trigêmeos e quadrigêmeos). Mas alguns médicos dizem que o parto vaginal pode ser uma opção se o bebê A (o mais perto da "saída") estiver em apresentação cefálica e não houver outras complicações (como pré-eclâmpsia ou sofrimento de um ou mais fetos). Em alguns raros casos, o primeiro bebê ou o primeiro e o segundo podem nascer pela via vaginal e o último bebê (ou últimos) pode precisar de uma cesariana. É claro que mais importante que ter todos os bebês por parto vaginal é ter todos os bebês em boas condições, e qualquer rota que leve a esse resultado será uma rota bem-sucedida.

RECUPERAÇÃO MÚLTIPLA

Além de ter as mãos (e, se estiver amamentando, os seios) duas vezes mais ocupadas, a recuperação de um parto de múltiplos será muito similar à recuperação do parto de um único bebê (sobre a qual você pode ler nos capítulos 16 e 17). Você também pode esperar estas diferenças pós-parto:

- Você sangrará mais. Seu lóquio (sangramento pós-parto) pode ser mais intenso e durar mais tempo. Isso porque mais sangue foi estocado em seu útero durante a gravidez e agora precisa ir embora. Leia a p. 614 para saber mais.
- Você pode sentir mais dores. Seu útero foi esticado ao extremo pela carga múltipla, e precisará se contrair mais para voltar ao tamanho normal — e essas contrações podem ser mais dolorosas. Veja a p. 615 para saber mais.
- Suas costas não terão descanso. Todo o peso extra que você carregou enfraqueceu seus músculos abdominais, que não poderão fornecer muito apoio às suas pobres e doloridas costas, ao menos enquanto não se retesarem novamente. Ligamentos mais frouxos causarão o mesmo e doloroso problema. Entrementes, uma faixa elástica para a barriga pode dar uma ajuda. Saiba mais na p. 656.
- Sua barriga levará mais tempo para desaparecer. Uma barriga que generosamente forneceu casa e comida para múltiplos bebês levará mais tempo para retornar ao tamanho normal — como seria de se esperar, pelas seguintes razões: um útero ainda muito grande, líquidos extras que precisam ser escoados, as reservas de gordura que seu organismo produziu para os bebês e a pele bastante flácida que a envolve. Dê a ela (e a você mesma) mais tempo. Leia a p. 670 para saber mais.
- Sua recuperação será mais lenta. Em geral, ter corrido uma maratona dupla (ou tripla) fará com que você leve mais tempo para se recuperar. Especialmente se precisou fazer repouso ou restringir suas atividades, você precisará reconstruir lentamente sua força e estamina.

PARTE 3
Depois que o bebê nasceu

Capítulo 16
Pós-parto: a primeira semana

Parabéns! O momento pelo qual você esperou (mais ou menos) 40 semanas finalmente chegou. Você deixou longos meses de gravidez e longas horas de parto para trás e agora é oficialmente mãe, com uma trouxinha de alegria para carregar nos braços, em vez de na barriga. Mas a transição da gestação para o pós-parto vem com mais que somente um bebê — e nenhuma outra parte é igualmente fofa. Ela também vem com uma variedade de sintomas (adeus dores da gestação, olá dores do pós-parto) e perguntas: Por que estou suando tanto? Por que tenho contrações se o bebê já nasceu? Algum dia serei capaz de me sentar novamente? Por que ainda pareço grávida de seis meses? E que seios são esses? Com sorte, você terá a chance de ler sobre esses e muitos outros tópicos pertinentes com antecedência. Quando for mãe em tempo integral, encontrar tempo para ler alguma coisa (e para usar o vaso sanitário ou tomar banho) não será fácil.

O que você pode estar sentindo

Durante a primeira semana, dependendo do tipo de parto (fácil ou difícil, vaginal ou cesariana), você pode experimentar todos ou alguns dos seguintes sintomas:

Fisicamente
- Sangramento vaginal (lóquio) similar, mas possivelmente mais intenso, que o da menstruação
- Cólicas abdominais conforme seu útero se contrai, especialmente ao amamentar
- Exaustão
- Desconforto, dor e amortecimento do períneo se fez parto vaginal (especialmente se levou pontos)
- Algum desconforto no períneo se fez cesariana (especialmente se passou pelo trabalho de parto primeiro)
- Dor em torno da incisão e, mais tarde, amortecimento da área, se fez cesariana (especialmente se foi a primeira)
- Desconforto para sentar e caminhar se precisou suturar uma laceração, passou por uma episiotomia ou fez cesariana

- Dificuldade para urinar por um ou dois dias
- Constipação e muito desconforto ao evacuar
- Hemorroidas, que podem ter surgido durante a gravidez e/ou serem resultado de fazer força durante o parto
- Músculos doloridos por todo o corpo, especialmente se você fez muita força
- Olhos vermelhos e/ou marcas pretas e vermelhas em torno dos olhos, nas bochechas ou em outros locais, como resultado de ter feito tanta força
- Suor, especialmente à noite
- Fogacho
- Inchaço dos pés, tornozelos, pernas e mãos, que persistem da gravidez, além de possível inchaço extra por causa do soro
- Desconforto e ingurgitamento dos seios a partir do terceiro ou quarto dia após o parto
- Estrias (possivelmente incluindo algumas que você nunca notou antes)

Emocionalmente
- Euforia, melancolia ou alternância entre os dois
- Nervosismo de mãe nova: medo de não saber cuidar do bebê, especialmente se for seu primeiro
- Excitação sobre iniciar uma nova vida com o novo bebê
- Sensação de estar sobrecarregada pelos desafios atuais e futuros
- Frustração, se está tendo dificuldades para começar a amamentar

O que você pode estar se perguntando

Sangramento

"Eu esperava algum sangramento após o parto, mas, quando saí da cama pela primeira vez e vi o sangue escorrendo pelas pernas, fiquei meio perturbada."

Pegue uma pilha de absorventes e relaxe. Essa descarga de sangue, muco e tecido uterino, conhecida como lóquio, normalmente é tão intensa quanto (e frequentemente mais intensa que) a menstruação e dura de três a dez dias após o parto. O sangramento pode chegar a duas xícaras antes de começar a diminuir (não que você vá medir) e, às vezes, pode parecer bastante profuso. Nos primeiros dias, um jorro súbito quando você se levanta é normal: trata-se somente do fluxo que se acumulou enquanto você estava deitada ou sentada. Como o sangue e um ocasional coágulo são os ingredientes predominantes do lóquio no período imediatamente após o parto, o sangramento poder ser vermelho vivo de cinco dias a três semanas, gradualmente se transformando em um cor-de-rosa aguado, depois marrom e, finalmente, branco amarelado. Absorventes maxi, e não tampões, devem ser usados para absorver o fluxo, que pode continuar de modo intermitente por duas a seis semanas. Em algumas mulheres, o sangramento leve pode continuar por até três meses.

Amamentar — e/ou ocitocina, rotineiramente receitada por alguns médicos (seja no soro ou através de injeção) após o parto — pode reduzir o fluxo de lóquio ao encorajar as contrações uterinas. Essas contrações pós-parto (também chamadas de dores pós-parto, veja a pergunta seguinte) ajudam o útero a voltar ao tamanho normal mais rapidamente, ao mesmo tempo que estancam os vasos sanguíneos no local onde a placenta se separou do útero.

Se você estiver no hospital ou casa de parto e achar que o sangramento é excessivo, informe à enfermeira. Se já estiver em casa e experimentar um sangramento anormalmente intenso (p. 760), telefone para o médico. Se não conseguir falar com ele, vá para o pronto-socorro (se possível, do hospital onde fez o parto). Também telefone para o médico se não notar sangramento quando chegar em casa.

Dores pós-parto

"Tenho cólicas abdominais, especialmente quando amamento. O que está acontecendo?"

Achou que tinha deixado as contrações para trás? Infelizmente, elas não terminam com o parto — nem o desconforto (ok, a dor) que causam. As chamadas dores pós-parto são causadas por contrações do útero ao encolher (de mais ou menos 1 quilo para somente alguns gramas) e retornar à sua posição normal na pelve. Você pode acompanhar o tamanho cada vez menor do útero pressionando a barriga logo abaixo do umbigo. Ao fim de seis semanas, provavelmente já não o sentirá.

MAMÃE INCHADA, PARTE 2

Já não está grávida, mas ainda está inchada (talvez mais que antes)? Os líquidos se acumulam durante a gravidez, é claro, mas o soro intravenoso durante o trabalho de parto aumenta ainda mais o inchaço. Assim, se recebeu soro, você pode ter inchaço adicional das pernas e dos tornozelos (e talvez das mãos e do rosto). Levará algum tempo para drenar esses fluidos acumulados, mas você pode acelerar o processo fazendo movimentos circulares com os tornozelos (dez no sentido horário e dez no sentido anti-horário), levantando-se e começando a se mexer assim que conseguir e bebendo muita água. Inchaço das pernas acompanhado de dor no peito, dificuldade para respirar ou tosse sem explicação deve ser relatado imediatamente ao médico.

Dores pós-parto podem ser definitivamente incômodas, mas fazem um trabalho importante. Além de ajudarem o útero a retornar a seu tamanho e localização normais, elas desaceleram o sangramento pós-parto. As contrações provavelmente serão mais incômodas em mulheres cujos músculos uterinos estejam sem tônus em razão de partos anteriores ou esticamento excessivo (como na gravidez múltipla). As dores pós-parto podem ser muito mais intensas durante a amamentação, quando é liberada ocitocina, que estimula as contrações (o que é uma boa coisa, já que significa que seu útero está encolhendo mais depressa) e/ou se você tomou ocitocina depois do parto.

Elas devem passar naturalmente em quatro a sete dias. Até lá, a boa notícia é que, depois do parto, você pode voltar a usar ibuprofeno (Advil ou Motrin) para a dor, embora o paracetamol (Tylenol) também funcione. Se não funcionar ou a dor persistir por mais de uma semana, fale com o médico para eliminar a possibilidade de outros problemas pós-parto, incluindo infecção.

Dor perineal
"Não fiz episiotomia e não tive lacerações. Por que estou tão dolorida lá embaixo?"

Não se pode esperar que a passagem de um bebê de 3,5 quilos não deixe lembranças. Mesmo que o períneo tenha sido mantido intacto durante o parto, ele foi esticado, ferido e traumatizado, e o desconforto, indo de ameno a não tão ameno, é um resultado muito normal. É comum a dor piorar quando você tosse ou espirra, e pode ser doloroso se sentar. Você pode tentar as mesmas dicas dadas como resposta à pergunta seguinte sobre a dor das lacerações.

Também é possível que, ao fazer força para empurrar o bebê, você tenha desenvolvido hemorroidas e, possivelmente, fissuras anais, que podem ir de desconfortáveis a extremamente dolorosas (p. 395). Ou talvez uma veia varicosa vulvar ou vaginal que surgiu durante a gravidez tenha sido ainda mais irritada durante o parto, causando mais dor agora. Felizmente, essas veias varicosas costumam desaparecer algumas semanas após o parto (e, no improvável caso de não desaparecerem após alguns meses, o médico pode tratá-las e removê-las com facilidade).

"Tive uma laceração e agora estou incrivelmente dolorida. Será que os pontos estão infeccionados?"

Toda mulher que faz parto vaginal (e, às vezes, aquelas que passam por um longo trabalho de parto antes de fazerem cesariana) pode esperar alguma dor perineal. Mas, claro, a dor é pior se o períneo foi lacerado ou cirurgicamente cortado (episiotomia). Como qualquer ferimento recentemente suturado, o local da laceração ou episiotomia precisará de algum tempo para curar, normalmente entre sete e dez dias. Dor durante esse período, a menos que seja muito severa, não é sinal de que você desenvolveu uma infecção.

> **BEM-VINDO DE VOLTA, IBUPROFENO**
>
> Você ficou com saudades de seu velho amigo, o ibuprofeno (Advil, Motrin), durante a gravidez? Depois do parto (e a menos que o médico diga o contrário), é seguro tirar o ibuprofeno do armário de remédios e aproveitar um alívio mais potente para todos os seus desconfortos pós-parto. Ele também é seguro durante a amamentação.

Além disso, uma infecção (embora possível) será muito improvável se você cuidar direito da área. Enquanto permanecer no hospital ou casa de parto, uma enfermeira verificará o períneo ao menos uma vez por dia em busca de sinais de infecção, como inflamação. Ela também a instruirá sobre a higiene perineal no pós-parto, que é importante para evitar infecção não somente do local suturado, mas também do trato genital como um todo (os germes se movem). Por essa razão, as mesmas precauções se aplicam a mães que não tiveram lacerações. Eis o plano de cuidados pessoais para um períneo saudável no pós-parto:

- Troque o absorvente sempre que necessário, mas ao menos a cada 4 a 6 horas.
- Derrame água morna (ou uma solução antisséptica, se recomendada pelo médico ou enfermeira) sobre o períneo ao urinar, para aliviar a ardência, e depois de urinar, para manter a área limpa. Seque (com as mãos limpas) dando batidinhas com gaze ou com os lenços de papel que às vezes acompanham os absorventes fornecidos pelos hospitais, sempre da frente para trás. Não esfregue.
- Mantenha as mãos longe dessa área até que esteja completamente curada.

Embora o desconforto provavelmente seja maior se você fez sutura (com a coceira em torno dos pontos possivelmente acompanhando a dor), as dicas a seguir fornecerão alívio, independente de como tenha sido o parto. Para aliviar a dor perineal:

Esfrie. Para reduzir o inchaço e sentir alívio, use compressas frias de hamamélis, bolsa de gelo, luva descartável cheia de gelo picado ou absorventes e shorts de compressão que já vêm com compressas frias, aplicados no local a cada duas horas durante as primeiras 24 horas após o parto.

Esquente. Compressas mornas ou banhos de assento mornos (nos quais somente seu quadril e suas nádegas ficam submersos) por 20 minutos, algumas vezes ao dia, aliviam o desconforto. Pergunte se pode acrescentar sal de Epsom, hamamélis, óleo de lavanda ou óleo de camomila para obter alívio extra.

Anestesie. Use anestésicos locais, recomendados pelo médico, na forma de sprays, cremes, pomadas ou compressas. Tomar ibuprofeno (Advil, Motrin) ou paracetamol (Tylenol) também pode ajudar.

Não faça pressão. Para remover a pressão de seu períneo dolorido, deite-se de lado sempre que possível e evite ficar longos períodos sentada ou em pé. Sentar-se sobre um travesseiro (especialmente um que tenha uma abertura no meio) ou uma almofada em forma de rosquinha inflável ou de espuma viscoelástica também pode ajudar. Você também pode tentar contrair as nádegas antes de se sentar.

Não aperte. Roupas apertadas podem causar atrito e irritar a área, além de retardar a recuperação. Deixe o períneo respirar tanto quanto possível (por enquanto, prefira calças de moletom largas a *leggings* de elastano).

Exercite. Os exercícios de Kegel, feitos tão frequentemente quanto possível após o parto e durante todo o pós-parto, estimularão a circulação na área e melhorarão o tônus muscular. Não se preocupe se não conseguir sentir os exercícios, já que inicialmente a área estará amortecida. A sensação retornará ao períneo gradualmente nas próximas semanas. Até lá, o trabalho está sendo feito mesmo que você não consiga sentir.

Se o períneo ficar muito avermelhado, dolorido e inchado ou tiver um odor desagradável, você pode ter desenvolvido uma infecção. Telefone para o médico.

Hematomas do parto

"Parece que saí de um ringue de boxe, e não de uma sala de parto. O que aconteceu?"

Você tem a aparência (e as dores) de alguém que levou uma surra? Isso é normal no pós-parto. Afinal, você provavelmente trabalhou mais duro no parto de seu filho que muitos boxeadores no ringue, mesmo que só tenha enfrentado um peso-pena de 3,5 quilos. Graças às poderosas contrações e a toda força que fez (especialmente se fez força contraindo o rosto e o peito, em vez da parte inferior do corpo), você pode ter vários suvenires indesejados do parto. Eles podem incluir áreas roxas em torno dos olhos e olhos vermelhos (compressas frias por 10 minutos várias vezes ao dia podem acelerar a recuperação) e hematomas, indo de pequenos pontos nas bochechas a marcas pretas e azuladas no rosto ou no peito. Você também pode sentir dor no peito e/ou ter dificuldade para respirar fundo, por causa de músculos estirados (banhos de banheira e duchas quentes ou uma bolsa de água quente podem ajudar), dor e sensibilidade na região do cóccix (calor e massagem podem ajudar) e/ou dor generalizada por todo o corpo (novamente, calor sobre a área dolorida pode ajudar).

QUANDO TELEFONAR PARA O MÉDICO

Poucas mães se sentem no auge da forma física (ou emocional) após o parto. Especialmente nas primeiras seis semanas, sentir várias dores e outros sintomas desconfortáveis (ou desagradáveis) é comum. Felizmente, o que não é comum é ter uma complicação séria. Mesmo assim, é bom conhecê-las. E é por isso que as mães de primeira viagem devem saber dos sintomas que podem indicar um problema pós-parto. Telefone para o médico sem demora se tiver qualquer um dos seguintes sintomas (ou se seus instintos disserem que há algo errado):

- Sangramento que sature mais de um absorvente por hora por mais que algumas horas. Se não conseguir falar imediatamente com o médico, telefone para o pronto-socorro ou para a ala de maternidade do hospital onde fez o parto. Peça que a enfermeira da triagem a avalie pelo telefone e diga se você deve ou não ir para o pronto-socorro.
- Sangramento vermelho vivo e muito intenso que ocorra uma ou duas semanas após o parto (chamado de hemorragia tardia ou hemorragia secundária pós-parto). Mas não se preocupe com o sangramento leve, parecido com a menstruação, por até seis semanas (ou mesmo três meses) ou um fluxo que aumenta quando você está ativa ou amamentando.
- Sangramento com cheiro ruim. Ele deve ter o mesmo cheiro da menstruação.
- Coágulos numerosos ou muito grandes (do tamanho de um limão siciliano ou maiores) no sangramento vaginal. Coágulos pequenos e ocasionais nos primeiros dias são normais.
- Ausência total de sangramento nos primeiros dias após o parto.
- Dor ou desconforto, com ou sem inchaço, no baixo-ventre, que dure mais que alguns dias após o parto.
- Dor persistente na área perineal que dure mais que alguns dias, especialmente se não passar com medicamentos.
- Após as primeiras 24 horas, temperatura acima de 37,8°C por mais de um dia.
- Tontura severa ao se levantar.
- Náusea e vômito.
- Dor de cabeça severa que persista por mais de alguns minutos.
- Dor localizada, inchaço, vermelhidão, calor e sensibilidade em um seio depois que o ingurgitamento tiver passado, o que pode indicar mastite.
- Inchaço e/ou vermelhidão, calor e gotejamento no local da cicatriz da cesariana.

- Após as primeiras 24 horas, dificuldade para urinar, dor ou ardência excessiva ao urinar e/ou vontade frequente de urinar que resulta em pouca urina e/ou urina escura. Beba muita água enquanto tenta falar com o médico.
- Dor aguda no peito (não uma dor difusa, que normalmente resulta de fazer muita força); tosse sem explicação; respiração ou batimentos cardíacos acelerados; lábios ou pontas dos dedos azulados.
- Dor localizada, sensibilidade e calor na panturrilha ou na coxa, com ou sem vermelhidão, inchaço e dor ao flexionar o pé. Mantenha a perna elevada enquanto tenta falar com o médico. Não faça massagem na perna ou na área sensível.
- Dificuldade para respirar quando está deitada, tosse, dor no peito, inchaço da panturrilha ou da coxa e palpitações.
- Depressão ou ansiedade que afetem sua capacidade de lidar com a situação; sentimentos de raiva em relação ao bebê, particularmente se acompanhados de desejos violentos. Leia a p. 661 para saber mais sobre depressão pós-parto.

Dificuldade para urinar

"O bebê nasceu há algumas horas e ainda não consegui urinar."

Urinar não é fácil para a maioria das mães nas primeiras 24 horas do pós-parto. Algumas não sentem vontade e outras sentem, mas são incapazes de satisfazê-la. Outras ainda conseguem urinar, mas com dor e ardência. Há várias razões para a função básica da bexiga se tornar tão difícil após o parto:

- A capacidade da bexiga aumenta subitamente porque, subitamente, ela tem mais espaço para se expandir, então você precisa urinar menos frequentemente que durante a gravidez.
- A bexiga pode ter sido traumatizada ou machucada durante o parto. Temporariamente paralisada, ela pode não enviar os sinais necessários quando está cheia.
- Ter feito uma epidural e/ou usado cateter pode diminuir a sensibilidade da bexiga ou sua atenção aos sinais.
- A dor perineal pode causar espasmos reflexos na uretra, dificultando a micção. O inchaço do períneo também pode se interpor entre você e o xixi.
- A sensibilidade no local de uma laceração ou episiotomia pode causar ardência e/ou dor durante a micção. A ardência pode ser aliviada sentando-se ao contrário no vaso sanitário, de modo que o fluxo jorre em linha reta, sem tocar os locais doloridos. Derramar água morna na área enquanto urina também pode diminuir o desconforto (use a

garrafinha que você provavelmente recebeu e foi ensinada a usar).
- Você pode estar desidratada, especialmente se não ingeriu líquidos durante o trabalho de parto e não recebeu soro intravenoso.
- Vários fatores psicológicos podem impedi-la de seguir o fluxo: medo da dor, falta de privacidade, constrangimento de usar a comadre ou precisar de ajuda no vaso sanitário.

Por mais difícil que seja urinar, é essencial que você esvazie a bexiga entre 6 e 8 horas após o parto (ou após a remoção do cateter) para evitar infecção do trato urinário, perda de tônus muscular da bexiga em função da distensão e sangramento excessivo (por causa de uma bexiga muito cheia que fica no caminho do útero enquanto ele tenta iniciar as contrações pós-parto que estancam o sangramento). Com isso em mente, após o parto a enfermeira perguntará frequentemente se você atingiu esse importante objetivo. Você pode até mesmo ser instruída a fazer o primeiro xixi do pós-parto em um potinho ou comadre, para que a quantidade possa ser medida. A enfermeira pode apalpar sua bexiga para se assegurar de que não está distendida. Para ajudar as coisas a fluírem:
- Ingira muitos líquidos: o que entra tende a sair.
- Caminhe. Sair da cama e caminhar lentamente assim que puder ajudará sua bexiga (e seus intestinos) a se movimentarem.

- Se estiver desconfortável com a plateia (quem não está?), peça que a enfermeira espere do lado de fora enquanto você faz xixi.
- Se tiver de usar a comadre, tente se sentar, em vez de se deitar, sobre ela.
- Derrame água morna sobre a área do períneo para induzir a micção. Você também pode tentar aquecer o períneo em um banho de assento ou resfriá-lo com uma bolsa de gelo.
- Deixe a água correr. Ouvir a água correndo na pia pode encorajar sua própria torneira a fluir.

Se todos os esforços falharem e você não tiver urinado 8 horas após o parto, o médico pode ordenar que a bexiga seja esvaziada com um cateter — outro bom incentivo para tentar os métodos acima.

Após 24 horas, o problema de fazer muito pouco geralmente se transforma em fazer demais. A maioria das novas mães começa a urinar frequente e abundantemente conforme o excesso de fluidos da gravidez é excretado. Se você ainda tiver problemas para urinar ou fizer pouco xixi durante os dias seguintes, possivelmente tem uma infecção do trato urinário (p. 702).

"Não consigo controlar a urina. Ela simplesmente vaza."

O estresse físico do parto pode deixar muitas coisas temporariamente fora de funcionamento, incluindo a bexiga. Ou ela não libera a urina ou a libera facilmente demais, como em seu caso. Tais vazamentos (chamados incontinência urinária) ocorrem por causa da perda de tônus muscular na área do períneo. Os exercícios de Kegel restauram esse tônus e ajudam a recuperar o controle sobre o fluxo de urina. Leia a p. 654 para saber mais.

A primeira evacuação
"Tive o bebê há dois dias e ainda não fui ao banheiro. Senti vontade, mas estou com medo de estourar os pontos e não quis tentar."

A primeira evacuação é um marco que toda mulher que acabou de passar pelo parto está ávida para deixar para trás. E, quanto mais demorar para ultrapassar esse marco, mais ansiosa e desconfortável você ficará.

Vários fatores físicos podem interferir no retorno dos movimentos intestinais normais após o parto. Os músculos abdominais que ajudam na evacuação podem ter sido esticados, deixando-os flácidos e temporariamente incapazes de ajudar. O próprio intestino pode ter sofrido durante o parto e ficado mais lento. E, é claro, ele pode ter sido esvaziado antes ou durante o nascimento (lembra-se da diarreia pré-trabalho de parto? Do cocô que escapou enquanto você fazia força?) e permanecido vazio porque você não ingeriu nada sólido durante o trabalho de parto.

Mas são os fatores psicológicos que mais inibem a evacuação pós-parto: o medo de doer, de estourar os pontos ou piorar as hemorroidas; o constrangimento natural causado pela falta de privacidade no hospital ou casa de parto; e a pressão para "fazer de uma vez". Em outras palavras, é mais mental que fecal.

Eis alguns passos para fazer as coisas se movimentarem de novo:

Não se preocupe. Nada a impedirá mais de evacuar que a preocupação com a evacuação. Não se estresse sobre estourar os pontos: isso não vai acontecer. Finalmente, não se preocupe se levar alguns dias para as coisas se movimentarem — está tudo bem.

Peça fibras. Se ainda está no hospital ou casa de parto, selecione no cardápio tantos grãos integrais (flocos ou *muffins* de floco de aveia), feijões, frutas frescas (mas não bananas) e saladas quanto puder. Se estiver em casa, coma regularmente e bem — e ingira sua cota de fibras. Abstenha-se o máximo possível de alimentos que prendem o intestino, como arroz e pão brancos.

DEVO IR OU DEVO FICAR?

Está se perguntando se poderá levar o bebê para casa? Quanto tempo você e o bebê permanecem no hospital depende do tipo de parto, de sua condição e da condição do bebê. Por lei federal, você tem o direito de esperar que o plano de saúde pague pela internação de 48 horas após um parto vaginal normal e de 96 horas após uma cesariana. Se tanto você quanto o bebê estiverem bem e você estiver ansiosa para ir para casa, provavelmente poderá fazer isso 24 horas após o parto vaginal e de dois a três dias após a cesariana (ou antes, se o médico lhe der uma alta antecipada). No Brasil, as internações oscilam entre 48 e 72 horas, nunca menos que isso.

Se optar por ir embora mais cedo, o bebê precisará de uma consulta antecipada, para garantir que não houve problemas após a alta. A opção mais conveniente é a visita da enfermeira (já que você não poderá sair de casa para levar o bebê à consulta). O plano de saúde pode pagar a visita da enfermeira, e todas as primigestas de baixa renda têm direito a uma sob o programa de Visita Doméstica Materna e da Primeira Infância da Lei de Cuidado Acessível. Se a consulta em casa não for uma opção, leve o recém-nascido ao consultório do pediatra em alguns dias. A enfermeira ou o médico irão avaliar o peso e a condição geral do bebê (incluindo icterícia), assim como a alimentação. Manter e levar consigo um diário alimentar (e uma contagem de fraldas molhadas e sujas de cocô) será útil.

Se permanecer pelas 48 ou 96 horas, aproveite ao máximo a oportunidade de descansar. Você precisará dessa energia quando chegar em casa.

No Brasil, geralmente a alta ocorre entre 48 e 72 horas. No SUS, assim que o recém-nascido e a mãe saem da maternidade, a Unidade Básica de Saúde (UBS) agenda a consulta de retorno para acompanhamento do bebê de três a cinco dias. Já no serviço privado, a alta também ocorre entre 48 e 72 horas e, caso o recém-nascido necessite ficar em alojamento conjunto para fototerapia, a mãe poderá permanecer com o bebê como acompanhante. Após a alta é recomendada uma consulta com o pediatra em três dias para reavaliação do peso e amamentação.

Mantenha os líquidos fluindo. Você precisa não somente compensar os líquidos que perdeu durante o trabalho de parto e o nascimento como também ingerir líquidos adicionais para amolecer as fezes, se estiver constipada. A água é sempre a melhor opção, mas suco de maçã e ameixa podem ser especialmente efetivos. Água quente com limão siciliano também pode dar conta do recado.

Mexa o traseiro. Um corpo inativo encoraja intestinos inativos. Você não conseguirá correr no dia seguinte ao parto, mas pode dar breves caminhadas pelo corredor. Os exercícios de Kegel, que podem ser praticados na cama quase imediatamente após o parto, ajudarão a tonificar não somente o períneo, mas também o reto. Em casa, caminhe com o bebê.

Não force. Fazer força não estourará nenhum ponto, mas pode causar ou agravar hemorroidas. Se já tem hemorroidas, banhos de assento, anestésicos tópicos, compressas de hamamélis, supositórios ou compressas quentes ou frias trarão alívio.

Use amolecedores de fezes. Muitos hospitais mandam as novas mães para casa com um amolecedor de fezes e um laxante, por uma razão: ambos podem ajudá-la.

A primeira evacuação talvez seja dolorosa. Mas não tema. Quando as fezes amolecerem e seu intestino ficar regular, o desconforto diminuirá e, eventualmente, desaparecerá — e evacuar será segunda natureza novamente.

Transpiração excessiva e ondas de calor
"Acordo à noite encharcada de suor. Isso é normal?"

É uma bagunça, mas é normal. Mães recentes são mães suadas (e, às vezes, mães com fogachos), e por duas boas razões. Primeira: seus níveis hormonais estão caindo, refletindo o fato de que já não está grávida. Segunda: a transpiração (assim como a urinação frequente) é a maneira de seu corpo se livrar dos líquidos acumulados durante a gravidez (e com o soro intravenoso) após o parto — algo pelo que você deveria ficar feliz. Algo que não a deixará feliz é o quanto a transpiração pode ser desconfortável e por quanto tempo pode durar. Algumas mulheres continuam a transpirar muito por várias semanas ou mais. Se você transpira mais à noite, como costuma ser o caso das mães recentes, cobrir o travesseiro com uma toalha de papel pode ajudá-la a dormir melhor (e a proteger o travesseiro).

Não se irrite com a transpiração. Mas beba líquidos suficientes para compensar os que está perdendo, especialmente se estiver amamentando, mas mesmo que não esteja.

Fogachos também são comuns no pós-parto, e também em função das mudanças hormonais. Essas ondas de calor podem ser mais pronunciadas se você estiver amamentando e durar algumas semanas ou mais — embora sejam uma prévia da menopausa, não são um sinal de que ela chegou.

Febre
"Acabei de chegar do hospital e estou com uma febre de mais ou menos 38,3°C. Devo telefonar para o médico?"

Assim como foi durante os nove meses de gravidez, sempre é uma boa ideia ser cautelosa durante a primeira semana após o parto, o que significa que você deve informar o médico se não estiver se sentindo bem. Embora seja possível que a febre esteja relacionada ao pós-parto, o médico vai querer eliminar a infecção pós-parto e tratar qualquer outra infecção que possa ter. A febre também pode ser causada pela combinação de excitação e exaustão comum no pós-parto, mas normalmente não chega a 38,3°C. Febre baixa e breve (menos de 37,8°C) ocasionalmente acompanha o ingurgitamento causado pela chegada do leite, e não é nada com que se preocupar.

Assim, continue a ser cautelosa. Durante as três primeiras semanas após o parto, relate ao médico qualquer febre acima de 37,8°C que dure mais que um dia ou qualquer febre mais alta que dure mais que algumas horas.

Seios ingurgitados

"Meu leite acabou de descer, e agora meus seios estão gigantescos, muito duros e tão doloridos que não consigo usar sutiã."

Justo quando você pensou que seus seios não podiam ficar maiores, eles ficaram. O leite chegou, deixando seus seios inchados, dolorosamente sensíveis, latejando e duros como granito — e, às vezes, seriamente, assustadoramente grandes. Para tornar as coisas mais desconfortáveis e inconvenientes, esse ingurgitamento (que às vezes chega às axilas) pode tornar a amamentação dolorosa para você e, se os mamilos ficarem achatados em função do inchaço, frustrante para o bebê. Quanto mais demorar para amamentar, pior o ingurgitamento tende a ser.

Felizmente, ele não vai durar muito tempo. O ingurgitamento, e todos os seus terríveis efeitos, desaparece gradualmente quando um sistema bem coordenado de oferta e demanda de leite é estabelecido, tipicamente em alguns dias. A sensibilidade dos mamilos — que geralmente chega ao auge por volta da vigésima mamada, se você estiver contando — também diminui rapidamente conforme eles engrossam. E, com o cuidado adequado, o mesmo acontece com as rachaduras e o sangramento nos mamilos que algumas mulheres têm (leia *O que esperar do primeiro ano* para saber mais).

Até que amamentar se torne segunda natureza para seus seios — e completamente indolor para você —, há alguns passos que você pode dar para aliviar o desconforto e conseguir uma boa oferta de leite (leia tudo sobre isso a partir da p. 636).

Mulheres que começam facilmente a amamentar (especialmente as que estão no segundo filho) não costumam ingurgitamento. Desde que o bebê receba suas entregas de leite, isso também é normal.

Ingurgitamento se você não estiver amamentando

"Não estou amamentando. Ouvi que secar o leite pode ser doloroso."

Seus seios estão programados para se encher de leite no terceiro ou quarto dia após o parto, quer você planeje usar esse leite para alimentar o bebê ou não. Esse ingurgitamento pode ser desconfortável e até mesmo doloroso, mas é temporário.

O leite materno só é produzido quando necessário. Se não for usado, a produção para. Embora vazamentos esporádicos possam continuar por vários dias ou até mesmo semanas, o ingurgitamento severo não deve durar mais que 12 ou 24 horas. Durante esse período, bolsas de gelo, analgésicos leves e um sutiã com sustentação devem ajudar. Evite estimular os mamilos, espremê-los para que jorrem leite e duchas quentes, que ativam a produção de leite e mantêm o ciclo doloroso por mais tempo.

Onde está o leite?

"Já se passaram horas desde o parto e não sai nada de meus seios quando eu os aperto. Meu bebê está faminto?"

Seu bebê não somente não está faminto como ainda nem sentiu fome. Bebês não nascem com muito apetite ou necessidades nutricionais imediatas. E, quando ele começar a sentir vontade de um seio cheio de leite (no terceiro ou quarto dia após o parto), você indubitavelmente será capaz de oferecê-lo.

O que não significa que atualmente seus seios estejam vazios. O colostro, que, por enquanto, fornece nutrição suficiente ao bebê e importantes anticorpos que o corpo dele ainda não consegue produzir (e também ajuda a esvaziar o sistema digestivo do excesso de muco e os intestinos do mecônio), definitivamente está presente na minúscula quantidade necessária. Uma colher de chá por mamada é tudo que sua trouxinha de alegria precisa por enquanto. Mas, até o terceiro ou quarto dia após o parto, quando seus seios começarem a inchar e você tiver a sensação de que estão cheios (indicando que o leite chegou), não é assim tão fácil extrair o colostro usando as mãos. Um bebê de um dia de idade, ávido por mamar, está mais bem equipado para extrair esse pré-leite que você.

Se o leite não chegar no quarto dia, telefone para o médico.

Vínculos

"Eu achava que me sentiria ligada ao bebê assim que ele nascesse, mas não estou sentindo nada. Tem alguma coisa errada comigo?"

Momentos após o parto, você recebeu sua muito esperada trouxinha de alegria, e ela é mais bonita e perfeita do que você jamais teria ousado imaginar. Ela olha para você e seus olhos se encontram em um momento inebriante, forjando um vínculo instantâneo. Enquanto segura nos braços aquela forma minúscula, inala aquele cheirinho doce e cobre o rostinho macio de beijos, você sente emoções das quais não se sabia capaz, e elas a dominam com sua intensidade. Você é uma mãe apaixonada.

CRONOLOGIA DO LEITE MATERNO

Sugar o colostro nos primeiros dias não somente oferece ao recém-nascido o início de vida mais saudável possível, como também dá início à amamentação, estimulando a produção do estágio seguinte do leite. Eis o que será oferecido a seu bebê nas próximas semanas:

Colostro. Este espesso pré-leite amarelado está pronto assim que o bebê nasce, fornecendo a ele anticorpos cruciais e o tipo certo de nutrição para os primeiros dias de vida.

Leite de transição. Em seguida no cardápio de leite materno: leite de transição, que é o que enche seus seios (e a barriguinha do bebê) durante o ingurgitamento. Ele é branco alaranjado e contém mais lactose, gordura e calorias que o colostro, mas continua a fornecer uma boa quantidade de imunoglobulinas e proteínas.

Leite maduro. O leite maduro — que parece aguado como o leite desnatado e é ligeiramente azulado — substitui o leite de transição entre dez e catorze dias após o parto. Ele tem dois componentes: leite anterior e leite posterior. Quando o bebê começa a mamar, o leite anterior mata a sede, mas não a fome. Conforme a mamada progride, o seio fornece leite posterior, repleto de elementos que saciam a fome: gordura, nutrientes e calorias — tudo de que seu bebê em crescimento precisa.

E talvez você estivesse sonhando ou, ao menos, devaneando. Cenas de sala de parto como essa são material para sonhos — e comerciais —, mas nem sempre ocorrem na vida real. Outro possível cenário: após um longo e difícil trabalho de parto que a deixou física e emocionalmente esgotada, uma criatura estranha, enrugada, inchada e de rosto vermelho é colocada em seus braços desajeitados, e a primeira coisa que você nota é que ela não se parece com o querubim de bochechas rechonchudas que você estava esperando. A segunda coisa que nota é que ela não para de chorar. A terceira, que você não tem ideia de como fazê-la parar de chorar. Você tenta amamentá-la, mas ela não aceita o peito. Você tenta socializar, mas ela está mais interessada em dormir — e francamente, a essa altura, você sente o mesmo. E então se pergunta: será que perdi a oportunidade de criar vínculos com meu bebê?

Em hipótese alguma, não. O processo de criar vínculos é diferente para cada mãe e cada bebê, e não vem com prazo de validade. Certas mães realmente se ligam rapidamente a seus recém-nascidos, talvez porque já tivessem experiência com crianças, suas expectativas fossem mais realistas, seus trabalhos de parto tenham sido mais fáceis ou seus bebês sejam mais responsivos. Mas outras mães (muitas!) descobrem que os vínculos não se cimentam com a velocidade da supercola. Na verdade, vínculos que duram a vida toda geralmente se formam de modo gradual, com o tempo — e você e o bebê têm muito tempo pela frente.

Assim, dê a si mesma o tempo necessário para se acostumar a ser mãe (trata-se de uma grande adaptação, afinal) e conhecer o recém-nascido, que, sendo realista, também é um recém--chegado em sua vida. Atenda às necessidades básicas do bebê (e às suas) e verá a conexão amorosa se formar, um dia (e uma carícia) de cada vez. Falando em carícias, use-as em abundância. Quanto mais carinhosa você for (especialmente pele a pele, já que esse tipo de carícia libera mais ocitocina), mais protetora se sentirá. Embora possa não parecer natural no início, quanto mais tempo você passar acariciando, alimentando, massageando, cantando, fazendo vocalizações amorosas e conversando com o bebê — quanto mais tempo passar pele a pele e face a face com ele —, mais natural parecerá e mais próximos vocês ficarão. Antes que se dê conta, você se sentirá como a mãe que (realmente!) é, para sempre ligada ao bebê pelo tipo de amor com que sempre sonhou.

PARA OS PAIS

CRIANDO VÍNCULOS COM O BEBÊ

O vínculo começa com o primeiro carinho, mas esse é somente o início de seu relacionamento com o bebê. Essa conexão novinha em folha entre vocês se aprofundará e fortalecerá, não somente nas próximas semanas, mas durante os muitos anos que terão juntos como pai e filho.

Em outras palavras, não espere resultados instantâneos. Você pode tê-los, mas não se preocupe se não tiver. Olhe para cada momento com o recém-nascido como uma nova oportunidade de fortalecer os laços que vocês vêm construindo. Fazer contato visual e pele a pele (abrindo a blusa e aconchegando o bebê em seu peito nu) todas as vezes que tiver chance estreitará o vínculo — ao mesmo tempo que, de acordo as pesquisas, acelerará o desenvolvimento cerebral do recém-nascido. Todas as vezes que você se aproxima do bebê, seu nível de ocitocina aumenta, intensificando a sensação de proximidade. O relacionamento pode parecer unilateral a princípio (até que ele esteja alerta o bastante para ser responsivo, você dará todos os sorrisos e produzirá todas as vocalizações), mas cada momento de sua atenção contribui para a sensação de bem--estar do bebê, informando a ele que está seguro e é incondicionalmente amado. A resposta que você receberá quando os sorrisos começarem a surgir confirmará que a conexão sempre esteve presente.

Sua esposa tem monopolizado o tempo e o cuidado do bebê? Informe-a de que quer participar. Se ela tende a ficar o tempo todo com ele (as mães frequentemente fazem isso sem nem perceber), diga a ela para sair de casa — ou, ao menos, do quarto. Dessa maneira, ela terá algum tempo para si mesma e você poderá ficar sozinho com o bebê, o que rapidamente fará com que se aproximem ainda mais.

"Meu bebê é prematuro e foi levado imediatamente para a UTI neonatal. Os médicos disseram que ele ficará internado por ao menos duas semanas. Será tarde demais para criarmos vínculos quando ele sair?"

É claro que não. Ter a chance de criar vínculos logo após o parto — de fazer contato pele a pele e olho a olho — certamente é maravilhoso. É o primeiro passo do desenvolvimento da conexão duradoura entre mãe e bebê. Mas é somente o primeiro passo. E esse passo não precisa ser dado no momento do nascimento. Ele pode ocorrer horas ou dias depois, em uma cama de hospital ou através da abertura da incubadora, ou semanas depois, em casa.

E, por sorte, você será capaz de tocar, conversar e provavelmente segurar o bebê mesmo enquanto ele está na UTI. A maioria dos hospitais não somente permite como encoraja o contato mãe-bebê na UTI, especialmente no estilo canguru (segurar o bebê contra o peito, com contato pele a pele). Fale com a equipe da UTI e veja como você pode ficar perto de seu recém-nascido. Para saber mais sobre os cuidados com bebês prematuros, leia *O que esperar do primeiro ano*.

Mesmo mães e pais que têm a chance de criar vínculos na sala de parto não necessariamente sentem uma ligação instantânea (veja a pergunta anterior). Amor que dura a vida inteira leva tempo para se desenvolver — tempo que você e o bebê terão em breve.

Recuperação da cesariana
"Como será a recuperação da cesariana?"

Similar à recuperação de qualquer cirurgia abdominal, com uma deliciosa diferença: em vez de perder a vesícula ou o apêndice, você ganhará um bebê novinho em folha.

É claro que há outra diferença, menos deliciosa. Além de se recuperar da cirurgia, você também terá de se recuperar do parto. Com exceção do períneo intacto, nas próximas semanas você experimentará todos os desconfortos que experimentaria se tivesse feito parto vaginal (sua sortuda!): dores pós-parto, lóquio, desconforto perineal (se passou pelo trabalho de parto antes da cirurgia), ingurgitamento dos seios, fadiga, mudanças hormonais e transpiração excessiva, para citar alguns.

Eis o que você pode esperar enquanto estiver na sala de recuperação:

Dor em torno da incisão. Quando a anestesia passar, a incisão, assim como qualquer outra, começará a doer. O quanto vai doer dependerá de muitos fatores, incluindo sua tolerância à dor e quantas cesarianas já fez (a primeira geralmente é a mais desconfortável). Segurar um travesseiro contra a incisão ao mudar de posição ou evacuar (e, após a alta, andar de carro) pode ajudar. Precisa de mais ajuda? Uma faixa elástica (como a que usou durante a gravidez) sustenta a barriga e protege a incisão. Usar calcinhas de cintura alta e calças confortáveis também de cintura alta ou um vestido bem solto para ir para casa evitará pressão sobre a incisão. Você provavelmente receberá medicação para a dor (informe à equipe se não quiser narcóticos), o que pode fazê-la se sentir tonta ou entorpecida. Também pode permitir que durma um pouco. Não se preocupe se estiver amamentando: a medicação não passará para o colostro e, quando o leite chegar, você provavelmente já não precisará de analgésicos potentes (mas, se precisar, a pequena quantidade de medicamento que passará para o leite não causará danos ao bebê). Se a dor continuar por semanas, como às vezes ocorre, use analgésicos comuns como ibuprofeno (Advil ou Motrin) — mas converse com o médico sobre a dosagem.

DÊ-SE TEMPO

Então você já é mãe há uma semana (com todas as estrias, dores pós-parto e olheiras para provar), e pode estar se perguntando: Quando começarei a me sentir mãe? Quando conseguirei dar de mamar sem me atrapalhar por 20 minutos? Ou finalmente aprenderei a fazê-lo arrotar? Ou deixarei de ter medo de quebrar o bebê toda vez que o pegar no colo? Quando serei capaz de fazer barulhinhos para o bebê sem me sentir meio tola? Quando descobrirei o que significam os vários tipos de choro e como responder a eles? Como impeço a fralda de vazar? Como visto o macaquinho sem que isso se transforme em uma luta? Como passo xampu no cabelinho sem que ele caia nos olhinhos sensíveis? Quando a tarefa que a natureza me designou começará a parecer natural?

A verdade é que o parto a transforma em mãe, mas não necessariamente a faz se sentir mãe. Somente o tempo empregado nessa tarefa às vezes desconcertante e às vezes desanimadora, mas sempre incrível, fará isso. O dia a dia (e a noite a noite) da maternidade nunca é fácil, mas definitivamente fica mais fácil.

Então pegue leve, dê um tapinha em suas costas e dê algum tempo para si mesma, mãe.

Possivelmente náusea, com ou sem vômito. Esse não é sempre um resultado da cirurgia, mas, se for, peça um medicamento antináusea.

Exaustão. Você provavelmente se sentirá meio fraca após a cirurgia, graças à perda de sangue, ao anestésico e à medicação para a dor. Se passou por horas de trabalho de parto antes da cirurgia, estará ainda mais cansada. Também pode se sentir emocionalmente exausta (afinal, você acabou de ter um bebê... e fazer uma cirurgia), especialmente se a cesariana não foi planejada.

Avaliações regulares de sua condição. Uma enfermeira irá verificar periodicamente seus sinais vitais (temperatura, pressão, pulso, respiração), produção de urina, sangramento vaginal, curativo da incisão e firmeza e nível do útero (conforme ele encolhe e retorna à pelve).

REGRAS DO ALOJAMENTO CONJUNTO

Está se perguntando para onde foram todos os bebês do hospital (você sabe, aquelas trouxinhas bem enroladinhas que costumavam ficar em exibição no berçário, em um berço após o outro)? Provavelmente estão nos quartos das mães. O alojamento conjunto em tempo integral se tornou o padrão do cuidado centrado na família, e por várias e boas razões. Ele dá às novas mães (e frequentemente também aos pais, que tipicamente também são bem-vindos no quarto) a chance de conhecerem o recém-nascido desde o início, fazerem contato pele a pele, familiarizarem-se com os sinais que o bebê dá quando está com fome e praticarem as técnicas de ninar das quais definitivamente precisarão quando chegarem em casa. Também permite que amamentem sempre que o bebê quiser, o que aumenta as chances de sucesso da amamentação.

Até mesmo reduz o choro e aumenta o tempo de sono dos recém-nascidos (e das mães, acredite ou não). O alojamento conjunto é considerado tão benéfico que até mesmo as famílias de bebês em UTIs neonatais são encorajadas a passar uma ou duas noites com o bebê em um quarto (embora a enfermeira esteja sempre à distância de uma campainha) antes de irem para casa.

Por essas e outras razões, os berçários frequentemente não têm tantos (se algum) bebês hoje em dia, tipicamente abrigando somente os recém-nascidos que precisam de cuidados adicionais. Alguns hospitais até mesmo fecharam seus berçários, enviando os bebês que precisam de atenção médica para as UTIs neonatais.

As mães têm escolha quando se trata de alojamento conjunto? Em muitos hospitais, não. Ele se tornou um requerimento (e, quando não é mandatório, é enfaticamente proposto). E isso está ótimo para a maioria dos pais, que ficam felizes por não perderem seus bebês de vista. Mas, às vezes, a mãe precisa de uma folga, de uma ou duas horas de sono ininterrupto ou da chance de descansar do parto e se preparar para cuidar do bebê. Se esse parece seu caso, aperte a campainha e peça ajuda. Você a conquistou, você a merece e — esperamos — você a receberá. Apenas garanta que, se estiver amamentando no peito, o bebê não receba mamadeira enquanto você descansa.

Depois que tiver sido levada para o quarto, você pode esperar:

Mais avaliações. Uma enfermeira continuará a monitorar sua condição e periodicamente massageará seu útero para ajudá-lo a se contrair (isso pode doer muito).

Remoção do cateter urinário. Isso provavelmente acontecerá várias horas após a cirurgia. A micção pode ser difícil, então tente as dicas da p. 620. Se elas não funcionarem, o cateter pode ser reinserido até que você consiga urinar por si mesma.

Encorajamento para se movimentar. Antes de ser capaz de sair da cama, você será encorajada a mexer os dedos, girar os tornozelos, flexionar os pés para alongar os músculos da panturrilha, pressionar os pés contra a beirada da cama e se virar de um lado para o outro. Esses movimentos irão melhorar a circulação, especialmente nas pernas, e evitar coágulos, além de ajudá-la a se livrar mais rapidamente dos líquidos acumulados com o soro intravenoso. (Mas esteja preparada: alguns deles são bastante desconfortáveis, ao menos nas primeiras 24 horas.) Você também pode retomar os exercícios de Kegel.

Levantar-se entre 8 e 24 horas após a cirurgia. Com ajuda da enfermeira, você primeiro ficará sentada, apoiada na cabeceira elevada da cama. Então, usando as mãos para se apoiar, irá deslizar as pernas para o lado da cama e deixá-las penduradas por alguns minutos. Em seguida, lentamente, será ajudada a descer até o chão, com as mãos ainda na cama. Se ficar tonta (o que é normal), sente-se imediatamente. Descanse por mais alguns minutos e, lentamente, dê alguns passos — caminhar pode ser muito desconfortável. Embora você possa precisar de ajuda nas primeiras vezes que se levantar, será temporário. De fato, em breve poderá ter mais mobilidade que a mãe que fez parto vaginal no quarto ao lado e, provavelmente, também se sentará antes.

Lento retorno à dieta normal. Uma pesquisa mostrou que mães que retornaram aos alimentos sólidos entre 4 e 8 horas após a cirurgia evacuaram mais cedo e, de modo geral, receberam alta 24 horas antes que as que só ingeriram líquidos. O procedimento pode variar de hospital para hospital e de médico para médico, e sua condição após a cirurgia também pode influenciar a decisão de desconectar o soro e começar a usar os talheres. A reintrodução dos alimentos sólidos será feita em etapas. Você começará a ingerir líquidos oralmente, passando em seguida para algo macio e facilmente tolerável (como gelatina) e progredindo lentamente (nem pense em pedir que alguém contrabandeie um hambúrguer com fritas para seu quarto). Quando voltar a ingerir sólidos, não se esqueça dos líquidos, especialmente se estiver amamentando.

Dor nos ombros. A irritação do diafragma pode causar algumas horas de dor aguda nos ombros (graças ao feixe nervoso que vai do diafragma aos ombros, "refletindo" a dor) após a cirurgia. Um analgésico pode ajudar.

Provavelmente constipação. Como a anestesia, a cirurgia, a dieta limitada e qualquer medicamento contra a dor que você esteja tomando deixam o intestino preguiçoso, pode demorar alguns dias até você evacuar, e isso é normal. Você também pode ter gases dolorosos por causa da constipação. Um amolecedor de fezes, supositório ou laxante suave devem ser prescritos, especialmente se você estiver desconfortável. As dicas da p. 622 também podem ajudar.

Gases dolorosos. Conforme seu trato digestivo (temporariamente desabilitado pela cirurgia) volta a funcionar, os gases presos podem causar dor considerável, especialmente se pressionarem a linha da incisão. O desconforto costuma ser pior ao rir, tossir e espirrar. Peça que a enfermeira ou o médico sugiram remédios. Um supositório pode liberar os gases. Caminhar pelo corredor também pode ajudar, assim como deitar-se de lado ou de costas, com os joelhos dobrados, respirando profundamente enquanto segura a incisão. Segurar um travesseiro contra a incisão ao mudar de posição ou evacuar (e, depois da alta, andar de carro) também vai ser útil. Precisa de mais ajuda? Uma faixa elástica (do tipo que você talvez tenha usado durante a gravidez) ajudará a sustentar a barriga e proteger a incisão.

Inchaço. Achou que os dias de inchaço tinham acabado agora que você chegou ao pós-parto? Eles acabarão — em algum momento. Mas, na primeira semana após a cesariana, muitas mães notam aumento do inchaço, particularmente das pernas e pés. Parte dele vem dos líquidos remanescentes da gravidez e parte de todo o soro que você tomou durante a cirurgia. O fato de que não está se movendo piora o problema, já que torna mais difícil para seu organismo livrar-se dos fluidos. Resolva isso tomando muita água, movimentando-se tanto quanto possível (sem exagerar) e, quando estiver na cama, mantendo as pernas elevadas.

Passar tempo com seu bebê. Você será encorajada a ninar e alimentar o bebê assim que possível (veja o quadro da p. 645). E sim, poderá até mesmo pegá-lo no colo. Se o regulamento do hospital e sua condição permitirem, ele provavelmente ficará em seu quarto — e, é claro, ter seu parceiro, um familiar ou amigo presente será de grande ajuda. Se não contar com essa ajuda, não hesite em chamar a enfermeira, que pode dar uma mão.

Remoção dos pontos. Se seus pontos ou grampos não forem absorvíveis, serão removidos por volta do quarto ou quinto dia após o parto. O procedimento não é muito doloroso, embora possa haver certo desconforto. Quando o curativo for retirado, dê uma boa olhada na incisão com a enfermeira ou o médico. Quando ela estiver curada (sem casca ou ferida aberta, geralmente entre dez e catorze dias após a cirurgia), você poderá cobri-la com uma fita de silicone (compre um pacote na farmácia local) para minimizar a cicatriz. Pergunte quando a área deve curar totalmente, que mudanças serão normais e quais podem exigir atenção médica.

Você provavelmente poderá ir para casa entre dois e quatro dias após o parto. Mas ainda terá de pegar leve e continuará a precisar de muita ajuda enquanto se recupera.

PARA OS PAIS

ESTEJA PRESENTE

A melhor maneira de começar sua nova vida como pai é em casa com sua família. Se for possível e financeiramente exequível, pense em tirar licença logo após o parto — através da Lei de Licença Médica e Familiar, que concede doze semanas de licença não paga para mães e pais (p. 274) ou da política de sua empresa ou usando parte das férias. Se for impossível (ou você não quiser), pense em trabalhar meio período por algumas semanas ou fazer parte do trabalho em casa.

Se nenhuma dessas possibilidades for prática, maximize seu tempo fora do trabalho. Assegure-se de estar em casa tanto quanto possível e aprenda a dizer não para horas extras, reuniões muito cedo ou muito tarde e viagens de negócios que possam ser canceladas ou adiadas. Especialmente no período pós-parto, quando sua parceira ainda estiver se recuperando, tente fazer boa parte das tarefas domésticas e do cuidado com o bebê quando estiver em casa. Por mais física ou emocionalmente estressante que seja seu trabalho, não existe tarefa mais extenuante que cuidar de um recém-nascido.

Criar vínculos com o bebê é a prioridade, mas não se esqueça de devotar algum tempo para cuidar da nova mãe em sua vida. Paparique-a quando estiver em casa e deixe-a saber que você pensa nela quando está no trabalho. Telefone frequentemente para oferecer apoio (e para que ela possa desabafar sempre que precisar) e a surpreenda com flores ou pratos de seu restaurante favorito.

No Brasil, a legislação prevê cinco dias de licença paternidade, prorrogável por mais 15 dias se a empresa em que trabalha estiver cadastrada no Programa Empresa Cidadã.

Indo para casa com o bebê

"No hospital, uma enfermeira estava sempre ao alcance da campainha se eu precisasse de ajuda com o bebê. Agora que estou em casa, não sei como cuidar dele e estou me sentindo sobrecarregada."

É verdade que os bebês não nascem com instruções impressas entre as covinhas de seus bumbuns fofinhos (isso não seria conveniente?). Felizmente, eles tipicamente saem do hospital com instruções da equipe médica sobre como alimentar, dar banho e trocar fraldas. Já perdeu as instruções? Ou talvez elas tenham sido manchadas de cocô alaranjado da primeira vez que você tentava trocar a fralda do bebê enquanto as lia? Não se preocupe: há muita ajuda disponível enquanto você aprende suas novas tarefas como mãe (incluindo em *O que esperar do primeiro ano*). Além disso, você provavelmente já agendou a primeira consulta com o pediatra, durante a qual receberá ainda mais informações e respostas para as dezenas de perguntas que acumulou (isso é, se você se lembrar de anotá-las e levá-las com você). Ou talvez seu plano de saúde dê direito à visita de uma enfermeira, que pode solucionar os problemas que está tendo e oferecer alguma ajuda.

É claro que é necessário mais que *know-how* para transformar uma mãe de primeira viagem em uma especialista. É necessário ter paciência, perseverança e prática, prática, prática. Por sorte, o bebê não a julga enquanto você aprende. Ele não liga se você colocou a fralda de trás para a frente ou se esqueceu de lavar atrás das orelhas dele. Além disso, não tem medo de fornecer *feedback*. Ele informará sempre que estiver com fome, cansado ou desconfortavelmente molhado (embora, inicialmente, você possa ter dificuldade para entender do que ele está se queixando). O melhor de tudo é que o bebê nunca teve outra mãe (ou pai) para comparar com você e, definitivamente, a acha o máximo. Aliás, você é a melhor mãe que ele já teve.

Ainda não se sente confiante? O que mais pode ajudá-la — para além da passagem do tempo e do acúmulo de experiência — é saber que está em boa companhia. Todos os pais (mesmo os profissionais experientes que você sem dúvida observa com inveja) ficam perdidos nas primeiras semanas, especialmente quando a exaustão pós-parto — aliada à privação de sono todas as noites e à recuperação — cobra seu preço do corpo e da alma. Então, dê uma folga para si mesma e leve o tempo que precisar para se ajustar ao programa parental. Em breve (antes do que imagina), os desafios cotidianos de cuidar do bebê já não serão tão desafiadores. Aliás, eles serão tão naturais que você será capaz de fazer tudo isso dormindo (e frequentemente terá a impressão de que fez). Você trocará fraldas, alimentará, colocará para arrotar e ninará como os melhores, e com um braço preso nas costas (ou, ao menos, com um braço dobrando as roupas secas, acompanhando as redes sociais, lendo um livro, comendo ou realizando outras tarefas). Você será mãe. E as mães, caso você não tenha sido informada, podem fazer tudo.

TUDO SOBRE:
Começar a amamentar

Não há nada mais natural que amamentar um bebê, certo? Bem, nem sempre, ao menos não imediatamente. Os bebês nascem para mamar, mas não necessariamente sabendo mamar. O mesmo vale para as mães. Os seios vêm de fábrica e se enchem de leite automaticamente, mas saber como posicioná-los efetivamente na boca do bebê é uma arte que precisa ser aprendida.

A verdade é que, embora a amamentação seja um processo natural, ela não necessariamente ocorre naturalmente — ou rapidamente — a todas as mães e bebês. Às vezes, há fatores físicos que frustram as primeiras tentativas; em outras, trata-se simplesmente de falta de experiência de ambas as partes. Mas, o que quer que esteja mantendo seu bebê e seus seios separados, provavelmente não demorará muito para que eles estejam em perfeita sincronia. Alguns dos mais mutuamente satisfatórios relacionamentos seios-bebê começam com vários dias — ou mesmo semanas — de falta de jeito, esforços malsucedidos e lágrimas de ambos os lados.

Ler sobre amamentação (ou mesmo fazer aulas) antes da chegada do bebê pode acelerar o ajuste mútuo. Mas não há substitutos para aprender fazendo, com o bebê no peito. As instruções básicas a seguir a ajudarão a começar, mas você encontrará muito mais detalhes — incluindo estratégias para superar praticamente todo desafio de amamentação que possa encontrar pelo caminho — em *O que esperar do primeiro ano*.

Começando a amamentar

Eis como começar bem:

Comece cedo. Os bebês estão muito alertas na primeira hora após o nascimento, tornando-a o momento perfeito para o primeiro contato e a primeira mamada. Informe ao médico que você quer amamentar logo depois do parto (mesmo que seja cesariana), presumindo que o bebê não precise de atenção médica imediata.

Peça ajuda. Pergunte se uma consultora de lactação ou enfermeira treinada em amamentação pode observar sua técnica, fornecer instruções e redirecionar seus esforços se você e o bebê não estiverem tendo sucesso. Se sair do hospital ou casa de parto antes de obter a ajuda de que necessita — ou precisar de ajuda mais tarde —, encontre uma consultora ou enfermeira que atenda em casa e possa avaliar sua técnica e lhe dar algumas dicas. Entre em contato com o grupo local da La Leche League (procure em llli.org) ou da Associação Internacional de Consultoras de Lactação em www.aleitamento.com/ilca-ibclc/ para encontrar uma consultora de lactação em sua área. Alguns pediatras também têm consultoras (ou enfermeiras muito experientes) em suas equipes — pergunte se é o caso de seu pediatra.

Não dê mamadeira. Mesmo que esteja planejando dar mamadeira em algum momento futuro, não faça isso agora — e assegure-se de que a equipe do hospital também não faça, a menos que alimentação suplementar seja medicamente necessária. Mamadeiras de água glicosada ou fórmula podem sabotar seus esforços ao satisfazer o tênue apetite e a vontade de sugar do recém-nascido. E, como o bico da mamadeira dá resultado com menos esforço, o bebê pode ficar relutante em aceitar o mamilo, mais trabalhoso, após alguns encontros com a mamadeira. Ainda pior, se o bebê saciar a vontade de sugar com a mamadeira, seus seios não serão estimulados a produzir leite, e um círculo vicioso pode começar, atrapalhando o estabelecimento de um bom sistema de oferta e demanda. Ao chegar em casa, fique longe da mamadeira (mesmo que planeje suplementar mais tarde) até que a amamentação esteja estabelecida, usualmente após duas ou três semanas.

BEBÊ DE MAMADEIRA

Escolheu a mamadeira? Começar a dar a mamadeira normalmente é muito mais fácil que começar a dar o peito (especialmente porque fórmulas e mamadeiras vêm com instruções, ao contrário dos seios). Mas ainda há muito a aprender, e você pode ler tudo a respeito em *O que esperar do primeiro ano*.

Amamente o tempo todo. Tente amamentar a cada 2 ou 3 horas, cronometradas do início de uma mamada ao início da outra, em um total de oito a doze mamadas por dia. Isso não somente manterá o bebê feliz (recém-nascidos adoram sugar, mesmo quando não estão com fome), como também estimulará seus seios, minimizando o ingurgitamento e aumentando a produção. Tem um dorminhoco nas mãos? Se já se passaram mais de 2 a 3 horas desde a última mamada, está na hora de acordá-lo. Desenrole a manta ou coloque o bebê sobre seu peito nu (o cheiro de seu seio pode ser suficiente para acordá-lo).

COMENDO QUANDO ESTÁ AMAMENTANDO

A produção de leite queima 500 calorias por dia, o que significa que você terá de ingerir 500 calorias diárias a mais (em relação à ingestão diária de antes da gravidez, não sua cota diária quando estava grávida). Quando o bebê ficar maior e mais faminto, você talvez tenha de acrescentar ainda mais calorias, até que os sólidos sejam introduzidos no cardápio e a demanda por leite materno diminua gradualmente. Você também precisará de uma porção extra de cálcio, em um total de cinco.

Para mais detalhes sobre o que comer e não comer (e beber) quando está amamentando — além de todo o *know-how* sobre amamentação que você precisará ter —, leia *O que esperar do primeiro ano*. Para saber detalhes sobre a Dieta da Amamentação, leia *What to Expect: Eating Well When You're Expecting*.

HORA DE MAMAR

Lembra-se de como cronometrou as contrações, contando do início de uma até o início da seguinte? Você cronometrará as mamadas da mesma maneira. Elas não serão tão próximas quanto as contrações, mas durarão muito mais tempo, deixando-a com menos tempo entre uma e outra do que você pode imaginar.

Mas, por mais demorada que seja a amamentação no início, é importante não impor limites de tempo. A mamada de um recém-nascido dura em média 30 minutos, mas alguns fofinhos mais lerdos podem se demorar por até 45. Tampouco limite quanto tempo o bebê passa em cada seio porque está com medo de que os mamilos fiquem doloridos. Mamilos doloridos resultam do posicionamento incorreto do bebê e têm pouca relação com a duração da mamada. Deixe que o bebê seja seu guia (como você descobrirá em breve, o recém-nascido é sábio de muitas maneiras, e uma delas é o aleitamento). Ele provavelmente lhe dirá quando estiver na hora de trocar de seio (ao sugar mais lentamente ou parar de sugar) e de parar de mamar (afastando a cabeça do seio). A exceção? Se o bebê adormecer após apenas alguns minutos, você precisa acordá-lo (alguns dorminhocos preferem cochilar a mamar). Quando seu leite chegar (e o ingurgitamento diminuir), garanta que ao menos um seio seja "esvaziado" (ele deixará de parecer cheio e parecerá mais macio) em cada mamada. Drenar totalmente um dos seios antes de passar para o outro garantirá que seu pequeno receba não somente o leite anterior, que sacia a sede no início de cada mamada, mas também o calórico leite posterior, que surge no fim. Então, não troque de seio arbitrariamente no meio da mamada. Quando o bebê terminar com o primeiro seio, você pode oferecer o segundo, mas não force. Apenas se lembre de iniciar a mamada seguinte no seio que ainda não foi drenado.

Está com tanto sono que já não se lembra qual é o seio da vez? Use um lembrete: uma anotação em seu diário ou aplicativo de amamentação, um elástico de cabelo preso à alça do sutiã ou um bracelete de amamentação no pulso.

E, falando em registros, é uma boa ideia manter uma tabela das mamadas (quando começam e terminam) e das fraldas molhadas e sujas que seu recém-nascido produz. Embora possa parecer meio obsessivo, isso a ajudará a ter uma boa noção do progresso da amamentação e permitirá que você relate ao pediatra na próxima consulta. Juntamente com o ganho de peso, a excreção adequada (ao menos seis fraldas molhadas — de urina clara, não escura — e cinco fraldas sujas a cada 24 horas) é um dos melhores indicadores da ingestão adequada, e um sinal de que seus seios e seu bebê estão fazendo a coisa certa.

PARA OS PAIS

SEM SEIOS, SEM PROBLEMA

É um fato biológico: há três coisas que as mães podem fazer e os pais, não. Você não pode engravidar, não pode dar à luz (o que alguns considerariam uma grande vantagem) e não pode amamentar. Mas eis outro fato: essas limitações físicas não precisam mandá-lo para as laterais do campo. Você pode partilhar quase toda a empolgação, alegria, expectativa e, sejamos realistas, todo o estresse da gravidez e do parto de sua esposa — do primeiro chute ao último empurrão —, como participante ativo e solidário. E, embora jamais vá oferecer seu seio ao bebê (ao menos não com o tipo de resultado que o bebê espera), você pode participar do processo de amamentação:

Seja o *backup* do bebê. Depois que a amamentação é estabelecida, há mais de uma maneira de alimentar o bebê. E, embora você não possa amamentar, pode dar mamadeiras suplementares de leite materno ou fórmula (se elas estiverem no cardápio). Isso não somente dará uma folga à mãe (seja no meio da noite ou no meio do jantar), como também lhe dará mais oportunidades de ficar próximo do bebê. Aproveite o momento ao máximo: em vez de segurar a mamadeira na boca do bebê, fique na posição de amamentação, com o bebê aconchegado em seu peito e a mamadeira no lugar onde estaria o seio. Abrir a camisa, o que permite contato pele a pele, irá melhorar a experiência para vocês dois. Não há mamadeiras suplementares no cardápio? Você ainda pode fazer contato pele a pele em toda oportunidade que tiver.

Divida o plantão noturno. Dividir as alegrias da amamentação significa dividir também as semanas iniciais de noites insones. Mesmo que não esteja dando mamadeiras suplementares, há muito que você pode fazer pelo Time Amamentação. Você pode pegar o bebê, trocar a fralda se necessário, levar o bebê até seu quarto para mamar e levá-lo de volta ao berço quando ele tiver terminado. Não somente você se conectará mais com o bebê ao participar das mamadas noturnas (construindo tanto laços vitalícios quanto memórias vitalícias), como também permitirá que a mãe consiga um muito necessário descanso.

Assuma outras tarefas. Amamentar é o único cuidado limitado às mães. Os pais podem dar banho, trocar fraldas e embalar como a melhor das mães — e sim, até mesmo melhor que elas — quando têm a oportunidade de participar.

Fique calma, mãe. A tensão não somente inibe a liberação do leite como pode gerar estresse no bebê (eles são extremamente sensíveis aos humores da mãe), e um bebê estressado não consegue se alimentar efetivamente. Assim, tente iniciar cada mamada o mais relaxada possível. Faça exercícios de relaxamento antes de começar ou ouça música suave e tranquilizadora. Ficar confortável também a ajudará a se acalmar, então use um travesseiro de amamentação (ou um travesseiro regular) para posicionar o bebê de modo que a mamada não cause tensão nem dor.

Princípios básicos da amamentação

O posicionamento apropriado é essencial para uma boa mamada e para prevenir dor nos mamilos e outros problemas. Comece colocando o bebê de lado, virado para seu mamilo. Assegure-se de que todo o corpo do bebê esteja virado para seus seios, com orelha, ombro e quadril formando uma linha reta. Em outras palavras, as partes íntimas dele devem estar na frente (paralelas) do seio no qual ele não irá mamar. Você não quer que a cabeça do bebê fique virada para o lado: ela deve formar uma linha reta com o corpo. (Imagine como seria difícil beber e engolir tendo de virar a cabeça para o lado.) Use um travesseiro de amamentação (ou um travesseiro normal) para deixar o bebê em uma altura que facilite as manobras.

Você pode tentar qualquer uma dessas posições, experimentando até encontrar a mais confortável:

Posição transversal

Posição transversal. Segure a cabeça do bebê com a mão oposta ao seio que irá oferecer (se oferecer o seio direito, segure o bebê com a mão esquerda). Apoie o punho entre as escápulas do bebê, com o polegar atrás de uma orelha e os outros dedos atrás da outra. Usando a outra mão, segure o seio, colocando o polegar acima do mamilo e da aréola, no local onde o nariz do bebê tocará o seio. Seu indicador deve estar no local onde o queixo do bebê tocará o seio. Comprima ligeiramente de modo que o mamilo aponte levemente na direção do nariz do bebê. Você está pronta para dar de mamar.

Posição invertida

Posição invertida. Essa posição é especialmente útil se você fez cesariana e não quer apoiar o bebê em seu abdômen ou se seus seios forem grandes e o bebê for pequeno ou prematuro. Posicione o bebê ao lado de seu corpo, de frente para você, com as perninhas sob seu braço (o braço direito, se for oferecer o seio direito). Apoie a cabeça do bebê com a mão direita e segure o seio como na posição transversal.

Posição tradicional

Posição tradicional. Posicione o bebê de modo que aquela cabecinha fofa descanse sobre a dobra do cotovelo e o corpo fique apoiado em seu braço. Usando a mão livre, segure o seio como na posição invertida.

Deitada. Deite-se na cama ou sofá, apoiada em travesseiros, de modo que, quando você colocar o bebê sobre seu corpo, barriga com barriga e a cabeça perto de seu seio, a gravidade o mantenha coladinho a você. O bebê pode descansar sobre você em qualquer direção, desde que toda a parte da frente do corpo dele esteja apoiada sobre o seu e ele consiga alcançar o seio. O bebê pode pegar o mamilo naturalmente nessa posição, ou você pode ajudá-lo dirigindo o mamilo na direção de sua boca — você não precisa fazer muita coisa na posição deitada além de se recostar e aproveitar.

Deitada de lado. Nessa posição, tanto você quanto o bebê ficam de lado, barriga com barriga. Use a mão do outro lado para segurar o seio, se necessário. Essa posição é uma boa escolha para amamentar no meio da noite.

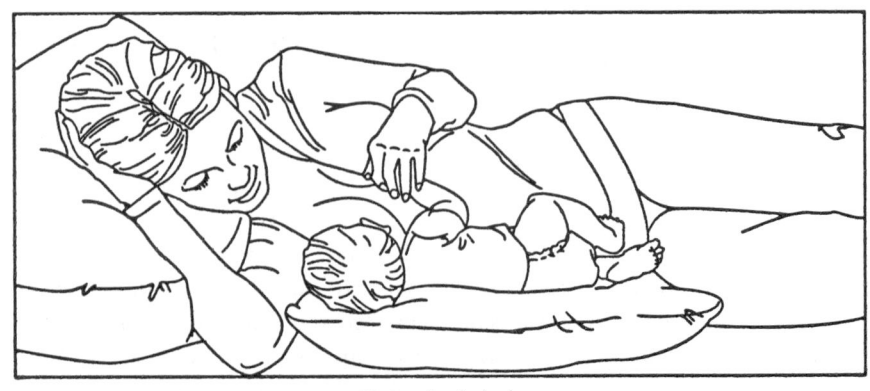

Deitada

Deitada de lado

AMAMENTANDO MÚLTIPLOS

Amamentar, como qualquer outro aspecto de cuidar de múltiplos, parece duplamente desafiador. Todavia, depois que entrar no ritmo de amamentar os múltiplos (e você entrará!), você descobrirá que isso é não somente possível como duplamente (ou mesmo triplamente) gratificante — e conveniente. Para amamentar com sucesso gêmeos ou mais, você deve:

Comer. Amamentar mais bebês significa que você terá de comer mais. Para fornecer combustível à máquina de leite para múltiplos, você precisará de 400 a 500 calorias a mais que suas necessidades pré-gestação por bebê (talvez tenha de aumentar esse valor quando os bebês crescerem e ficarem mais famintos ou diminuir, se estiver suplementando a amamentação com fórmula e/ou sólidos ou tiver consideráveis reservas de gordura que queira queimar). Você também precisará de uma porção extra de cálcio por bebê (em um total de seis, embora você também possa fazer suplementação para chegar a esse total). Leia o quadro da p. 638 para saber mais.

Use a bomba. Se seus bebês estiverem na UTI neonatal e ainda forem pequenos demais para mamar no peito, pense em usar uma bomba extratora; leia o quadro da p. 646.

Amamente dois ao mesmo tempo. Você tem dois seios e duas (ou mais) bocas para alimentar, então por que não as alimenta ao mesmo tempo? Uma óbvia — e grande — vantagem de amamentar em tandem é que você não passará dia e noite amamentando (primeiro o bebê A, agora o bebê B, então de volta para o bebê A, e assim por diante). Para amamentar dois ao mesmo tempo, primeiro posicione ambos no travesseiro e então ofereça o peito (ou peça que alguém lhe passe um bebê de cada vez, especialmente se ainda estiver se acostumando a esse malabarismo). Usar um travesseiro de amamentação projetado para gêmeos tornará o posicionamento ainda mais fácil. Você pode colocar ambos os bebês na posição invertida, usando travesseiros de amamentação para apoiar as cabecinhas, ou combinar a posição tradicional e a posição invertida, novamente usando travesseiros para apoiá-los e fazendo experimentos até que você e os bebês estejam confortáveis.

Se a amamentação em tandem não a atrai, não pratique. Você pode dar mamadeira para um (usando leite bombeado ou fórmula, se estiver suplementando) enquanto amamenta o outro (e então inverter) ou amamentar um depois do outro.

Tem três (ou mais) bebês para alimentar? Amamentar trigêmeos (e mesmo quadrigêmeos) também é possível. Amamente dois de cada vez, e o terceiro em seguida, lembrando-se de alternar o bebê que mama sozinho. Para mais informações sobre amamentar múltiplos de ordens superiores, acesse raisingmultiples.org.

Trate cada um deles a seu modo. Mesmo gêmeos idênticos têm diferentes personalidades, apetites e padrões de amamentação. Assim, tente perceber as necessidades individuais de cada um deles. E mantenha registros muito cuidadosos para ter certeza de que cada bebê está sendo bem alimentado a cada mamada.

Exercite ambos os seios. Alterne os seios para cada bebê a cada mamada, para que ambos os seios sejam igualmente estimulados.

Agora que o bebê está posicionado, você pode ajudá-lo a pegar o mamilo usando as seguintes dicas:
- Esfregue o mamilo gentilmente nos lábios do bebê até que ele abra bem a boca, como em um bocejo. Algumas consultoras de lactação sugerem tocar o nariz do bebê com o mamilo e então baixá-lo até o lábio superior para estimular o bebê a abrir a boca. Isso evita que o lábio inferior fique dobrado para dentro durante a mamada. Se o bebê afastar a cabeça, acaricie gentilmente a bochecha mais próxima de você. O reflexo de busca fará com que ele vire a cabeça na direção do seio.
- Quando a boquinha estiver aberta, traga o bebê para mais perto. Não mova o seio na direção do bebê. Muitos problemas ocorrem porque a mãe se curva sobre o bebê, tentando colocar o mamilo na boquinha dele. Em vez disso, mantenha as costas eretas e traga o bebê até o seio. Lembre-se de não enfiar o mamilo em uma boca

indisposta: deixe que o bebê tome a iniciativa. Podem ser necessárias algumas tentativas antes que ele abra a boca o suficiente para sugar.
- Assegure-se de que o bebê sugue tanto o mamilo quanto a aréola que o cerca. Sugar somente o mamilo não comprimirá as glândulas mamárias e pode causar dor e rachaduras.
- Quando o bebê estiver sugando da maneira apropriada, veja se o seio não está bloqueando o narizinho dele. Se estiver, pressione levemente o seio com os dedos. Elevar ligeiramente o bebê também pode permitir que ele respire mais facilmente. Mas, enquanto manobra, assegure-se de não remover a aréola da boca do bebê.
- Não tem certeza de que o bebê está sugando? Olhe para as bochechinhas: você notará um movimento pronunciado, constante e rítmico. Isso significa que seu comilãozinho está se alimentando, sugando e engolindo com sucesso.

Agora que a mamada começou, quanto tempo deve durar? Veja o quadro da p. 638.

Se o bebê tiver acabado de mamar, mas ainda estiver no peito, afastar-se abruptamente pode ferir o mamilo. Primeiro, interrompa a sucção apertando o seio ou colocando um dedo no canto da boca do bebê para permitir a entrada de ar.

AMAMENTANDO APÓS A CESARIANA

Está ávida para amamentar, mesmo tendo feito cesariana? Quando você vai poder começar a amamentar dependerá de como está se sentindo e das condições do bebê. Mais e mais hospitais permitem contato pele a pele logo após o parto, se as condições do bebê permitirem. E os mais progressistas dão às mães a oportunidade de amamentar logo após a cesariana, ainda na sala de cirurgia. É claro que você terá dificuldade para se movimentar (afinal, acabou de fazer uma grande cirurgia), então convoque seu parceiro, uma enfermeira, doula ou consultora de lactação para ajudá-la a se sentar (ou se deitar de lado) e ficar em posição, pronta para que o bebê lhe seja entregue.

Você provavelmente achará a amamentação após a cesariana desconfortável no início (ao menos quando o efeito da medicação passar). Sua melhor aposta será encontrar a posição que coloque menos pressão sobre a incisão. Faça isso colocando um travesseiro regular ou de amamentação no colo, sob o bebê, deitando-se de lado ou usando a posição invertida (p. 641), novamente usando um travesseiro como apoio. Uma faixa elástica também tira parte da pressão da incisão, tornando a amamentação um pouco mais confortável. Algumas posições serão mais confortáveis que outras, então encontre aquela que é melhor para você.

Se você estiver grogue por causa da anestesia geral ou seu bebê precisar de cuidados imediatos no berçário, a primeira mamada pode ter de esperar. Se, após 12 horas, você ainda não for capaz de ficar com o bebê, peça que a enfermeira use uma bomba para extrair o colostro e iniciar a lactação.

Algumas outras coisas para saber. Primeira, como você receberá muitos líquidos graças ao soro intravenoso, o bebê terá um pouquinho mais de "peso líquido". Ele se livrará desses fluidos fazendo muito xixi e parecendo perder muito peso (mais do que em um parto vaginal típico). Cuide para que tal perda normal não seja usada como pretexto para mamadeiras suplementares (a menos que sejam consideradas medicamente necessárias), já que isso pode diminuir suas chances de sucesso na amamentação (p. 637). Segunda, em alguns casos, a cesariana faz com que o leite demore um pouco mais que o esperado para descer, provavelmente graças ao estresse adicional da cirurgia. Você pode estimular a produção fazendo frequente contato pele a pele com o bebê e amamentando o quanto antes. Documente seus desejos no plano de parto e peça a ajuda de seu parceiro, da consultora de lactação, doula ou pediatra para ficar junto do bebê o mais cedo possível. Finalmente, você receberá medicação contra a dor (frequentemente narcótica) após o parto: não hesite em tomá-la se precisar (e quiser). Sentir dor intensa pode interferir desnecessariamente com seus esforços para amamentar. Desde que só use a medicação por um breve período e em dosagem segura (no máximo um comprimido a cada 6 ou 8 horas, observando se o bebê não está excessivamente sonolento), ela é segura para o bebê e compatível com a amamentação.

Se tomou antibióticos após a cesariana, pode aumentar as chances de o bebê ter sapinho. Tomar um probiótico reduz esse risco.

AMAMENTANDO NA UTI NEONATAL

O aleitamento materno se destina a bebês de qualquer tamanho, inclusive os minúsculos. De fato, prematuros e bebês que são pequenos para a idade gestacional ou apresentam problemas médicos ao nascer se beneficiam muito do leite materno, mesmo que ainda não estejam prontos para sugar. Assim, não desista da amamentação. Fale com o neonatologista e a enfermeira encarregada para ver como pode amamentar na UTI neonatal. Se puder, use a bomba (a bomba elétrica dupla é a melhor e, se você puder alugar uma bomba hospitalar, melhor ainda). Se o bebê ainda não estiver pronto para sugar o mamilo, o leite extraído pode ser dado a ele na sonda ou mamadeira. Mesmo que inicialmente isso não seja possível, é só bombear o leite e guardá-lo para quando o bebê estiver pronto, ao mesmo tempo estimulando a produção até que ele possa se alimentar diretamente do seio. Não produz leite suficiente ou não consegue bombear? Pergunte ao hospital sobre leite materno doado, frequentemente usado para suplementar os prematuros. Para saber muito mais sobre a alimentação de prematuros (e outros cuidados), leia *O que esperar do primeiro ano.*

Capítulo 17
Pós-parto: as primeiras seis semanas

A essa altura você provavelmente já se acostumou à sua nova vida como mãe ou já descobriu como conciliar os cuidados com o novo bebê e as demandas de seus filhos mais velhos. Quase certamente, grande parte de sua atenção, diurna e noturna, está focada na trouxinha recém-chegada. Afinal, os bebês não sabem se cuidar sozinhos. Mas isso não significa que você deva negligenciar o cuidado consigo mesma (sim, você também precisa de cuidados, especialmente se ainda estiver se recuperando).

Embora nesse momento a maioria de suas perguntas e preocupações esteja relacionada ao bebê, você certamente tem algumas centradas em si mesma, do estado de suas emoções ("Será que algum dia vou parar de chorar durante aqueles ridículos comerciais de seguro de vida?") e de sua vida sexual ("Será que algum dia vou querer transar novamente?") ao estado de sua cintura ("Será que algum dia vou conseguir fechar o zíper da calça?"). As respostas são sim, sim e sim — só tenha paciência.

O que você pode estar sentindo

As primeiras seis semanas após o parto são consideradas um período de "recuperação". Mesmo que tenha passado com tranquilidade pela gravidez e tido o trabalho de parto mais fácil da história (e especialmente se não teve), seu organismo foi esticado e estressado ao máximo e precisa de uma chance para se recuperar. Toda nova mãe, assim como toda gestante, é diferente e se recupera em uma velocidade diferente, com diferentes sintomas. Dependendo do tipo de parto, quanta ajuda tem em casa e vários outros fatores individuais, você pode experimentar todos ou alguns dos seguintes sintomas:

Fisicamente
- Lóquio, primeiro vermelho escuro, depois cor-de-rosa, amarronzado e branco amarelado

- Fadiga, é claro
- Dor e amortecimento do períneo, se fez parto vaginal (especialmente se levou pontos) ou entrou em trabalho de parto antes da cesariana
- Menos dor na incisão, mas continuado amortecimento, se fez cesariana
- Diminuição gradual da constipação e, com sorte, das hemorroidas
- Gradual diminuição da barriga conforme o excesso de fluidos é eliminado e o útero encolhe e retorna para a pelve
- Gradual perda de peso
- Gradual diminuição do inchaço
- Desconforto nos seios e dor nos mamilos até que a amamentação esteja bem estabelecida
- Dor nas costas (em função dos músculos abdominais enfraquecidos e de carregar o bebê)
- Dor nas articulações (que ainda estão frouxas em função da gravidez)
- Dor nos braços e no pescoço (de carregar e amamentar o bebê)
- Transpiração excessiva
- Fogacho
- Perda de cabelo

Emocionalmente
- Euforia, mau humor ou oscilações entre os dois
- Sensação de estar sobrecarregada, crescente autoconfiança ou oscilações entre os dois
- Pouco interesse pelo sexo ou, menos comumente, desejo acentuado

ESPERANDO O INESPERADO NO PÓS-PARTO

Assim como a gravidez, o puerpério pode ter sintomas inesperados. Um deles são os chutes fantasmas: sentir ocasionalmente que o bebê está chutando no útero quando (claramente) ele está vivendo do lado de fora. Ou assaduras (em você, não no bebê) por usar absorventes durante tanto tempo (você pode trocar de marca, usar compressas de hamamélis ou pegar emprestado o creme para assaduras do bebê). Urticária do puerpério, que pode surgir dias, semanas ou mesmo meses após o parto, mesmo em mulheres que jamais tiveram uma reação alérgica na vida. Essa urticária parece estar associada aos hormônios da amamentação ou a uma reação imunológica (peça um plano de tratamento ao médico, que provavelmente incluirá um anti-histamínico seguro para lactantes). Outro sintoma inesperado que pode afetar as lactantes: uma breve sensação de tristeza todas as vezes que o bebê começa a mamar (leia o quadro da p. 673 para saber mais sobre essa síndrome).

Encontrou outro sintoma que não esperava agora que já não está esperando? Leia este capítulo e o anterior e, se mesmo assim não descobrir o que o causa, converse com o médico.

O que você pode esperar da consulta do pós-parto

O pré-natal pode ter terminado, mas os cuidados do "quarto trimestre" (veja o quadro da p. 693) estão apenas começando. O ACOG recomenda que a primeira consulta do pós-parto ocorra idealmente nas três primeiras semanas, seguida pelos cuidados necessários (telefone se tiver qualquer sintoma preocupante), e a última não mais que doze semanas após o parto. Por que tantas? Porque, de muitas maneiras, os três primeiros meses após o parto são tão importantes para seu bem-estar e o bem-estar do bebê quanto os nove meses de gestação. Durante as consultas, espere que os seguintes quesitos sejam verificados:
- Pressão arterial
- Peso, que deve ter tido uma redução de 8 ou 9 quilos
- Seu útero, para ver se retornou à forma, ao tamanho e à localização de antes da gravidez
- O colo do útero, que está retornando ao estado pré-gestação, mas ainda pode estar intumescido
- Sua vagina, que terá se contraído e recuperado grande parte do tônus muscular
- Qualquer laceração ou cicatriz de episiotomia
- Seus seios, em busca de caroços, vermelhidão, sensibilidade, mamilos rachados ou qualquer secreção anormal
- Hemorroidas ou veias varicosas, se você tiver
- Suas emoções (busca de sinais de depressão pós-parto e ansiedade; fornecimento de orientações para apoiá-la)
- Seu conforto e confiança nos cuidados com o bebê e a amamentação
- Questões ou problemas que queira discutir. E lembre-se: se algo não parecer certo — mesmo que lhe garantam ser normal —, mencione ao médico e insista se ele ignorar sua inquietação. Se não for nada com que se preocupar, sua mente ficará mais tranquila. Se for algo que exija atenção médica imediata, você terá sido proativa com sua saúde, possivelmente ajudando a evitar algo ainda mais sério.

Durante essa consulta, o médico também discutirá seu padrão de sono e fadiga, gerenciamento de doenças crônicas, retorno às atividades sexuais e métodos de controle de natalidade (veja a p. 679).

O que você pode estar se perguntando

Exaustão

"Eu sabia que ficaria cansada após o parto, mas não durmo há semanas e, falando sério, já passei do ponto de exaustão."

Ninguém está rindo, especialmente nenhum dos outros pais privados de sono lá fora. E ninguém tampouco está se perguntando por que você está tão exausta. Afinal, está cuidando de infinitas mamadas (especialmente se estiver amamentando no peito) e colocando para arrotar, trocando fraldas, embalando e ninando. Está tentando dar conta da montanha de roupa suja que parece ficar maior e mais assustadora a cada dia e da pilha de notas de agradecimento que precisam ser escritas. Está fazendo compras (sem fraldas de novo?) e carregando peso (quem diria que você teria de carregar toda essa tralha de bebê só para comprar leite no supermercado?). E está fazendo tudo isso após dormir em média 3 horas por noite (se tiver sorte), com um corpo que ainda está se recuperando do parto. Em outras palavras, você tem múltiplas boas razões para se sentir como a Nossa Senhora da Perpétua Exaustão.

Existe cura para a síndrome da fadiga materna? Não, ao menos não até que o bebê comece a dormir a noite toda. Mas, enquanto isso, há muitas maneiras de recuperar parte de sua disposição — ou, ao menos, disposição suficiente para seguir em frente:

Consiga ajuda. Contrate alguém, se puder pagar (uma doula pós-parto pode ser a opção ideal). Se não puder, deixe que a família e os amigos ajudem.

Divida a carga. Criar filhos — quando os dois pais estão presentes — é tarefa para dois. Mesmo que seu parceiro trabalhe das nove às seis, ele deve dividir a carga de cuidados com o bebê quando estiver em casa. O mesmo vale para limpar, lavar roupa, cozinhar e fazer compras. Juntos, dividam e conquistem as responsabilidades e então anotem quem deve fazer o que, para não haver confusão. (Se você é mãe solteira ou seu parceiro está mobilizado, peça a ajuda de um amigo próximo ou um membro da família.)

Não se importe tanto com as pequenas coisas. A única coisinha pequena que importa agora é o bebê. Todo o restante deve ficar em segundo plano até que você se sinta mais disposta. Assim, deixe a poeira se acumular (mesmo que seja no topo daquelas notas de agradecimento ainda em branco). E, enquanto está ignorando as notas de agradecimento, ganhe tempo enviando um e-mail coletivo com fotos do bebê anexadas.

Mande entregar. Seja a refeição quente que você nunca tem tempo de preparar, o cortador de unha para o bebê que você se esqueceu de comprar ou as fraldas que estão sempre acabando, existe um aplicativo para tudo que você queira entregue em sua porta (com exceção de uma soneca), então baixe todos eles e mãos à obra.

Durma quando o bebê dormir. Sim, você já ouviu isso antes e, provavelmente, riu da ideia. Afinal, a soneca do bebê é o único momento que você tem para fazer as outras trezentas coisas que precisam ser feitas. Mas pare de rir e comece a roncar. Deite-se, mesmo que somente por 15 minutos, durante uma das sonecas do bebê e você se sentirá mais capaz de lidar com o choro quando ele recomeçar.

Alimente o bebê, alimente a si mesma. Você está ocupada alimentando o bebê, mas não se esqueça de se alimentar também. Assim como fez quando estava esperando, lute contra a fadiga ingerindo ao longo do dia minirrefeições que combinem proteínas e carboidratos complexos, resultando em energia de longo prazo. Mantenha a geladeira, o porta-luvas e a bolsa de fraldas estocados de lanchinhos fáceis de transportar e consumir, para nunca ficar sem combustível. Embora o açúcar e a cafeína (um pedaço de bolo gigante e uma xícara enorme de café com leite) possam parecer a solução óbvia para as deficientes em energia, lembre-se que, embora possam lhe dar um pico de energia no curto prazo, eles rapidamente levam a um estado ainda mais letárgico. E não coma apenas: beba muita água, porque a desidratação pode levar à exaustão.

Se estiver realmente esgotada, converse com o médico para eliminar causas físicas (como tireoidite pós-parto; veja o quadro da p. 666). Se estiver meio para baixo, siga algumas dicas para melhorar seu humor (p. 657), porque a melancolia também está relacionada à fadiga. Se todo o restante for eliminado e o diagnóstico for "fadiga de mãe", saiba que os dias de zumbi não duram para sempre. Você vai sobreviver e, algum dia, vai dormir novamente.

Perda de cabelo

"Meu cabelo subitamente começou a cair. Estou ficando careca?"

Você não está ficando careca, só voltando ao normal. Ordinariamente, perdemos cem fios de cabelo por dia (mas não todos ao mesmo tempo, então normalmente não notamos a queda), que são continuamente substituídos. Durante a gravidez, as mudanças hormonais impedem que eles caiam. Mas todas as coisas boas chegam ao fim, incluindo cabelo que não cai. Todos os fios que deveriam ter sido eliminados durante a gravidez serão eliminados após o parto, geralmente nos primeiros seis meses — e frequentemente em chumaços preocupantes. Entre as mulheres que amamentam, algumas vezes o cabelo só começa a cair depois que o bebê desmama ou a amamentação passa a ser suplementada com fórmula e sólidos.

Felizmente, quando o bebê soprar as velinhas do primeiro aniversário (e provavelmente tiver muito cabelo), seu próprio cabelo terá voltado ao normal.

Para mantê-lo saudável, continue tomando os suplementos pré-natais (ou mude para suplementos para lactantes, se estiver amamentando), coma bem e cuide bem dele. Isso significa lavar somente quando necessário (como se você tivesse tempo para lavar o cabelo todos os dias), usar pente de dentes largos ou escova, não fritar os fios com chapinhas ou ferros de enrolar (como se você tivesse tempo para isso) e prender com elásticos macios e presilhas que não sejam muito apertadas.

Fale com o médico se a perda de cabelo parecer excessiva, já que isso pode ser um sintoma de tireoidite pós-parto (veja o quadro da p. 666).

Pelo lado bom, você provavelmente perderá os pelos na barriga e no rosto que surgiram durante a gravidez. Mas a festa pode ter acabado se você estava gostando de não ter de se depilar graças ao menor crescimento de pelos nas pernas e axilas.

Incontinência urinária no pós-parto

"Tive o bebê há quase dois meses e ainda faço xixi ao tossir ou rir. Algum dia vou parar de vazar?"

A bexiga de nova mãe está dando trabalho para você e suas calcinhas? É completamente normal deixar escapar um pouquinho de urina nos meses (sim, meses) após o parto, normalmente ao rir, espirrar, tossir ou realizar qualquer atividade que exija esforço e, também, é muito comum (mais de um terço das mães vaza um pouquinho no pós-parto). Isso porque a gravidez, o trabalho de parto e o parto enfraquecem os músculos em torno da bexiga e da pelve, tornando mais difícil controlar o fluxo de urina. Além disso, conforme seu útero encolhe nas semanas após o parto, ele se posiciona diretamente sobre a bexiga, comprimindo-a e tornando mais difícil segurar o xixi. As mudanças hormonais que ocorrem após a gravidez também costumam ter impacto.

Pode levar entre três e seis meses, ou até mais, para que você recupere o controle total sobre a bexiga. Até lá, use protetores diários, absorventes ou fraldas para adultos para absorver a urina (dependendo de quanto esteja vazando). Você também pode dar os seguintes passos para recuperar o controle mais rapidamente:

Continue a fazer os exercícios de Kegel. Achou que eles não eram mais necessários agora que o bebê nasceu? Na verdade, você precisará deles mais que nunca para acelerar sua recuperação. Entre outros benefícios, continuar os exercícios fortalecedores do assoalho pélvico a fará recuperar o controle sobre a bexiga agora e mantê-lo quando for mais velha.

Emagreça. Os quilos extras ganhos durante a gravidez ainda estão pressionando sua bexiga. Quando chegar à sexta semana, comece a perder peso para remover essa pressão.

Treine a bexiga. Faça xixi a cada meia hora — antes de ter vontade — e depois tente aumentar esse intervalo alguns minutos por dia.

AJUDA PARA VAZAMENTOS QUE NÃO PASSAM

Já tentou todo truque que conhecia para lidar com a incontinência urinária ou fecal do pós-parto, já fez exercícios de Kegel até ficar azul, mas ainda está vazando? Não deixe que o constrangimento a impeça de conversar com o médico. Ele pode sugerir *biofeedback* (p. 124), outros tratamentos (como fisioterapia) ou, em casos particularmente difíceis, cirurgia. Felizmente, os vazamentos costumam desaparecer sozinhos sem esse tipo de intervenção.

Regule o intestino. Tente evitar a constipação, para que os intestinos cheios não pressionem a bexiga.

Beba. Pode parecer que reduzir a ingestão de líquidos reduzirá os vazamentos, mas a desidratação a torna mais suscetível a infecções do trato urinário. A bexiga infectada tende a vazar e a bexiga que vaza tende a se infectar. Mas, ao ingerir fluidos, tente limitar a cafeína, já que o excesso pode irritar o trato urinário.

Está cansada de usar absorventes, mas não gosta da ideia de usar fraldas para adultos? Outra opção, depois que já tiver se recuperado totalmente do parto (fale com o médico primeiro): um suporte para a bexiga, uma espécie de tampão que é inserido na vagina para gentilmente erguer e apoiar a uretra, para evitar vazamentos (não use tampões comuns). O vazamento não melhora? Veja o quadro desta página.

Incontinência fecal

"Tenho soltado gases involuntariamente e até mesmo vazado um pouco de fezes, o que é nojento. O que posso fazer a respeito?"

Como nova mãe, definitivamente se espera que você limpe a sujeira do bebê — mas você provavelmente não esperava ter de limpar também a sua. Mas algumas mães realmente acrescentam a incontinência fecal e a liberação involuntária de gases à longa lista de sintomas desagradáveis do puerpério. Isso porque, durante o trabalho de parto e o nascimento, os músculos e nervos da área pélvica são esticados e até mesmo danificados, o que pode tornar difícil controlar como e quando as fezes (e os gases) deixam seu corpo. Na maioria dos casos, o problema se resolve sozinho quando esses músculos e nervos se recuperam, geralmente em algumas semanas.

Até lá, evite alimentos difíceis de digerir (frituras, feijões, repolho) e não coma demais ou muito depressa (quanto mais ar você engolir, mas tenderá a soltar gases). Fazer os exercícios de Kegel fortalecerá os músculos danificados, além daqueles que controlam a urina (que também pode estar vazando). E converse com o médico. Se a incontinência fecal continuar, talvez você seja encaminhada a um especialista para fazer fisioterapia do assoalho pélvico.

Dor nas costas do puerpério
"Achei que a dor nas costas passaria após o parto, mas não passou. Por quê?"

Bem-vinda de volta, dor nas costas. Se você é como quase metade das mulheres que acabaram de dar à luz, sua velha e não tão amiga dor retornou para uma visita indesejada. Parte dela ainda tem a mesma causa: ligamentos que foram afrouxados pelos hormônios e ainda não enrijeceram. Pode levar algum tempo, e várias semanas de dor, antes que esses ligamentos recuperem força. O mesmo vale para os músculos esticados e enfraquecidos do abdômen, que modificaram sua postura durante a gravidez, pressionando as costas. E, é claro, agora que o bebê nasceu, há outra razão para a dor: todas as vezes que você se curva e o pega, embala, alimenta e carrega no colo. Quando esse fardinho fofo que você carrega ficar maior e mais pesado, suas costas enfrentarão crescente estresse e pressão. Uma coisa pela qual não se pode culpar a dor nas costas: a epidural. Uma pesquisa mostrou que, com exceção dos primeiros dias, a dor nas costas não está relacionada a ela.

Embora o tempo cure a maioria das dores, incluindo as do pós-parto, há outras maneiras de enfrentar a dor nas costas:

- Tonifique a barriga. Inicie alguns exercícios pouco exigentes para fortalecer os músculos que suportam as costas (leia a p. 691 para saber mais).
- Consiga apoio. Use bandagem, cinto, faixa ou shorts de compressão para dar suporte aos músculos abdominais, diminuindo a dor nas costas.
- Cuidado ao se abaixar. E levantar peso. Dê uma folga às costas abaixando-se corretamente: separe os pés para ter uma base de apoio mais ampla, dobre os joelhos (e não a cintura), contraia os músculos abdominais ao erguer (ou baixar) algo, levante-se usando os músculos das pernas e mantenha o objeto o mais próximo possível do corpo. Se um objeto for pesado ou desajeitado demais, não o levante.
- Sente-se. É verdade que você está correndo de um lado para o outro (e embalando o bebê) o tempo todo, mas, sempre que não estiver, sente-se. Quando tiver de ficar em pé, coloque um dos pés sobre um banquinho baixo para tirar parte da pressão das costas.

- Ponha os pés para cima. Quem merece ficar de pés para cima mais que você? Além disso, elevar os pés ligeiramente ao se sentar — e alimentar o bebê — aliviará a pressão nas costas.
- Não se jogue no sofá. Ao alimentar o bebê, não afunde no sofá (por mais tentador que seja, dado seu estado de exaustão). Sua coluna agradecerá se ficar bem apoiada.
- Cuide da postura. Ouça os conselhos de sua mãe, mamãe, e mantenha as costas eretas, mesmo quando estiver caindo de cansaço. Ombros curvados resultam em costas doloridas. Conforme o bebê cresce, evite apoiá-lo no quadril, o que prejudicará suas costas ainda mais e a deixará com o quadril dolorido.
- Use um *sling*. Em vez de sempre segurar o bebê nos braços, use um *sling*. Isso não somente será reconfortante para ele (e para você), como também fornecerá alívio para costas e braços doloridos.
- Alterne os braços. Muitas mães favorecem um dos braços, sempre carregando o bebê (e dando mamadeira) no esquerdo ou no direito. Em vez disso, alterne os braços para que ambos se exercitem (e você não tenha dor em um dos lados).
- Faça massagem. Não tem tempo e dinheiro para uma massagem profissional? Peça que seu marido faça isso por você.
- Aqueça. Uma bolsa de água quente pode aliviar a dor muscular e nas costas. Aplique-a frequentemente, especialmente durante as maratonas de amamentação. Pergunte a seu médico (ou ao pediatra) se pode usar cremes ou emplastros enquanto está amamentando. Você provavelmente receberá luz verde, mas é melhor ser cautelosa e perguntar primeiro.

Quando seu corpo se acostumar a carregar o bebê o tempo todo, a dor nas costas (e nos braços, quadris e pescoço) provavelmente diminuirá e, talvez, você se veja com um par de bíceps musculosos. Até lá, eis algo que pode aliviar as dores ao diminuir o fardo: esvazie a bolsa de fraldas. Carregue somente o absolutamente necessário, que já é bastante pesado.

Baby blues

"Eu tinha certeza de que ficaria exultante quando o bebê nascesse. Mas agora estou me sentindo para baixo. O que está acontecendo?"

Como algo tão feliz pode deixá-la tão triste? Isso é o que estimados 60 a 80% das novas mães acabam se perguntando logo após o parto, graças ao chamado *baby blues* (disforia puerperal). A disforia surge aparentemente sem motivo, no geral entre três e cinco dias após o parto, mas às vezes um pouco antes ou um pouco depois, trazendo consigo tristeza e irritabilidade inesperadas, crises de choro, inquietação e ansiedade. Inesperadas porque ter um bebê não deveria deixá-la exultante, em vez de no fundo do poço?

PARA OS PAIS

O SEU *BABY BLUES*

Tornar-se pai foi o momento mais feliz da sua vida, e segurar o bebê lhe dá mais alegria do que você julgava possível. Então, por que você está tão exausto emocionalmente? Depois de toda a espera, de todo o planejamento, da preparação, dos sonhos, dramas, expectativas e euforias, seu filho nasceu, e você se sente não somente esgotado (essa é a privação de sono falando), como também meio decepcionado. Bem-vindo ao Clube do Pós-Parto, no qual você subitamente entende por que a palavra *"baby"* é tão frequentemente seguida da palavra *"blues"*. Nem todo pai experimenta o chamado *baby blues* (cerca de 10%), mas você pode esperar um potente coquetel de emoções tanto em você mesmo quanto em sua parceira (felizmente, é provável que somente um de vocês o manifeste de cada vez). Esteja pronto. E seja forte. Você precisará da paciência de um santo, da resistência de um triatleta e de (muito) senso de humor para enfrentar esse período de ajustamento. Adapte as dicas para o *baby blues* da mãe (nesta e nas próximas páginas) para suas necessidades durante esse momento difícil. Se elas não ajudarem e o *baby blues* se transformar em depressão, fale com o médico para obter a ajuda necessária e começar a aproveitar a vida com seu novo bebê.

Na verdade, é fácil entender por que se sente assim se você recuar um pouco e der uma olhada objetiva no que vem acontecendo em sua vida, seu corpo e sua psiquê, incluindo: rápidas modificações dos níveis hormonais (que caíram drasticamente após o parto), parto esgotante seguido de exaustiva volta para casa, constantes demandas do recém-nascido, privação de sono, possível falta de autoconfiança, obstáculos à amamentação (mamilos sensíveis, doloroso ingurgitamento), infelicidade com sua aparência (olheiras, barriga, mais covinhas em suas coxas que nas do bebê) e estresse em função da inevitável mudança na dinâmica do relacionamento. Com tal esmagadora lista de desafios para enfrentar (e nem vamos mencionar as pilhas de roupa suja), não surpreende que você esteja se sentindo para baixo.

O *baby blues* provavelmente desaparecerá nas próximas semanas, quando você se ajustar à nova vida e tiver mais tempo para descansar — ou, sendo mais realista, quando começar a funcionar mais efetivamente com pouco descanso. Entrementes, tente as seguintes dicas para se reerguer:

Reduza as expectativas. Está se sentindo sobrecarregada e despreparada em seu novo papel como mãe? Talvez seja útil lembrar que não será assim por muito tempo. Daqui a algumas semanas, você provavelmente se sentirá muito mais confortável. Até lá, reduza as expectativas em relação a si mesma e em relação ao bebê. Depois, reduza de novo. Transforme este em seu mantra de mãe (ou de pai), mesmo depois que virar profissional: não existe mãe perfeita. Esperar demais significa que você se decepcionará consigo mesma e, consequentemente, ficará desanimada. Em vez disso, faça o melhor que puder (o que, a essa altura, talvez não seja tanto quanto você gostaria, mas não faz mal).

Não faça isso sozinha. Nada é mais deprimente que ficar sozinha com um bebê chorando, uma montanha de roupa manchada para lavar, torres de louça suja e a promessa (ou melhor, garantia) de outra noite sem dormir. Assim, se for possível, peça ajuda: de seu parceiro, sua mãe, sua irmã, seus amigos.

Vista-se bem. Sim, você está ocupada arrumando o bebê (e trocando fraldas), mas costuma esquecer de se arrumar? Pode parecer frívolo, mas é surpreendentemente verdadeiro: passar algum tempo cuidando da aparência fará com que você se sinta melhor, mesmo que somente o bebê a veja o dia inteiro. Então entre no chuveiro e seque o cabelo antes de seu marido sair para trabalhar, troque as calças de moletom sujas por um par limpo e pense em usar um pouquinho de maquiagem (e um monte de corretivo).

Vista seu bebê. O *babywearing* [literalmente "vestir o bebê", e que consiste em carregá-lo em um *sling* ou canguru] pode melhorar seu humor e o dele (bebês no *sling* choram menos, e isso é uma felicidade). Veja o quadro da página seguinte.

Saia de casa. É incrível o que uma mudança de cenário pode fazer por seu estado de espírito, especialmente quando o cenário não inclui a bagunça no que um dia foi sua casa. Tente sair com o bebê ao menos uma vez ao dia: dê uma volta, passeie no shopping, tome um café com amigos. Qualquer coisa que a impeça de mergulhar novamente (e compreensivelmente) na autopiedade.

Paparique-se. Da próxima vez que tiver meia hora para si mesma, aproveite. Tire um cochilo, tome um banho demorado, faça as unhas, navegue pelas redes sociais ou leia os sites de fofocas sobre celebridades. Ocasionalmente, seja sua própria prioridade. Você merece.

Mexa-se. Os exercícios aumentam a liberação de endorfinas, causando uma onda natural (e surpreendentemente duradoura) de bem-estar. Matricule-se em uma aula de exercícios pós-parto (procure uma que inclua os bebês), assista a um DVD ou vídeo do YouTube com aulas de preparo físico no puerpério, saia e tonifique os músculos com a ajuda do carrinho do bebê ou simplesmente dê uma volta.

BABYWEARING CONTRA O *BABY BLUES*

Não há dúvida de que a última palavra em cuidados infantis é o *sling*, que permite que você acalme, embale e até alimente o bebê sem erguer um dedo, deixando mãos e braços livres para praticamente qualquer outra atividade que precise fazer. Mas o *babywearing* (carregar o bebê em um *sling*) também pode curar o *baby blues* das novas mães (e pais)? E até mesmo aliviar a depressão pós-parto?

Alguns dizem que sim, por várias razões:

- O *babywearing* (assim como o contato pele a pele) eleva os níveis de ocitocina, um dos hormônios mais felizes produzidos pelo organismo. Também conhecido como "hormônio dos laços afetivos", a ocitocina não somente ajuda a cimentar a conexão com o bebê, como também alivia o estresse e as dores do pós-parto — ambos fatores que podem deprimir a mãe. De fato, baixos níveis de ocitocina foram ligados à depressão e ao transtorno de ansiedade pós-parto. Aumentar o nível de ocitocina em circulação ao carregar o bebê em um *sling* pode melhorar seu humor.
- O *babywearing* deixa o bebê mais feliz. Bebês no *sling* choram menos e dormem e se alimentam melhor — e o que poderia deixar uma mãe mais feliz (e mais confiante) que isso?
- O *babywearing* deixa braços e pernas livres — para fazer uma refeição, trabalhar um pouco, lavar a roupa e, sim, até mesmo arrumar o cabelo (pense bem, arrumar o cabelo!). Todas essas coisas têm a capacidade de fazer com que você se sinta melhor.
- O *babywearing* permite que você saia mais. Não existe maneira mais fácil de caminhar, fazer compras, almoçar com uma amiga. Além disso, o bebê no *sling* tende a ser menos tocado por estranhos intrometidos (e possivelmente cheios de germes), o que também é um benefício.

É claro que, se não se sentir confortável, tampouco se sinta obrigada a usar um *sling*. Lembre-se de que toda mãe é diferente, e o que parece certo para você quase sempre é também o melhor para você. Também leve em consideração que, embora o *babywearing* possa ser muito terapêutico para mães lutando contra o *baby blues* ou mesmo a depressão e a ansiedade moderadas, ele pode não ser a resposta para todas e, provavelmente, não será suficiente para tratar a depressão pós-parto mais séria.

Faça lanchinhos e seja feliz. Muito frequentemente, as mães estão tão ocupadas enchendo a barriguinha dos bebês que esquecem das próprias. E isso é um erro, já que o baixo nível de glicose derruba não somente o nível de energia, mas também o humor. Para se manter mais equilibrada, tanto física quanto emocionalmente, tenha lanchinhos saudáveis e fáceis de consumir sempre à mão. Está tentada a comer uma barra de chocolate? Vá em frente, especialmente se chocolate a deixa feliz, mas lembre-se de que o pico de energia fornecido pelo açúcar tende a desaparecer rapidamente. (Opte pelo chocolate amargo sempre que puder, já que ele tem menos açúcar e supostamente melhora o humor.)

Chore — e ria. Se precisa chorar, chore. Mas, quando terminar, encontre algo bobo na TV ou on-line e dê risada. Tente rir também de todos os contratempos que provavelmente está tendo, como a fralda que explodiu, os seios que vazaram na fila do supermercado, o bebê que babou no dia em que você saiu de casa sem lenços de papel. Você sabe o que dizem: rir é o melhor remédio. Além disso, o senso de humor é o melhor amigo de uma mãe.

Ainda está triste? Lembre-se de que você superará essa fase em uma semana ou duas — a maioria das mães supera —, e então se sentirá muito melhor, na maior parte do tempo.

Mas lembre-se também de que existe uma grande — e muito significativa — diferença entre disforia e depressão pós-parto. Se o *baby blues* não desaparecer, ou aparecer mais tarde que o esperado, se a tristeza persistir (durante mais de duas semanas) ou piorar e/ou você começar a se sentir muito ansiosa, pode estar sofrendo de depressão pós-parto.

"Não tenho qualquer sinal de disforia puerperal, mas meu parceiro parece meio deprimido. Será que ele tem baby blues?"

Seu parceiro parece estar para baixo enquanto você está voando alto? Estudos mostram que o pai tem probabilidade muito maior de ter *baby blues* quando a mãe não tem (e, inversamente, é improvável que ele fique triste quando ela também está — essa talvez seja a maneira de a natureza garantir que ambos os pais não fiquem deprimidos ao mesmo tempo). As mudanças hormonais (que os pais também têm no pós-parto) podem ser um gatilho, assim como as inevitáveis mudanças trazidas por um novo bebê. De qualquer modo, é importante que ele não reprima seus sentimentos, algo que pode se sentir compelido a fazer para não sobrecarregá-la. Encoraje-o a falar sobre o que sente — e leia o quadro da p. 657.

Depressão pós-parto

"Fiquei tão feliz quando trouxemos o bebê para casa. Mas, nas duas últimas semanas, tenho me sentido

realmente para baixo. Triste, até mesmo desesperançada. Será que é só baby blues?"

Embora "baby blues" e "depressão pós-parto" frequentemente sejam usados para descrever a alteração de humor das novas mães, as duas condições são muito diferentes. O muito mais comum *baby blues* (disforia puerperal) surge e desaparece rapidamente. A verdadeira depressão pós-parto é muito menos prevalente (afetando cerca de 15% das mães) e muito mais prolongada (durando de algumas semanas a um ano ou mais). Ela pode ter raízes na depressão durante a gravidez, pode começar após o parto ou (mais frequentemente) só se manifestar um mês ou dois após o nascimento do bebê. Às vezes, surge muito mais tarde, quando a mãe volta a menstruar ou para de amamentar (possivelmente por causa de uma flutuação hormonal). Mais suscetíveis à depressão pós-parto são as mulheres que já a tiveram, as que tiveram complicações durante a gravidez ou o parto e as que tiveram bebês prematuros ou doentes. Mulheres que já passaram por aborto espontâneo ou bebê natimorto são mais suscetíveis à depressão (e à ansiedade) após um subsequente parto saudável, frequentemente porque não conseguem se livrar da sensação de que algo dará errado novamente.

Os sintomas da depressão pós-parto são similares aos da disforia puerperal, mas muito mais pronunciados. Eles incluem choro e irritabilidade, problemas relacionados ao sono (não conseguir dormir ou querer dormir o dia inteiro), problemas alimentares (não ter apetite ou comer o tempo todo), sentimentos persistentes de tristeza, desesperança e desamparo, inabilidade (ou falta de vontade) de cuidar de si mesma ou do recém-nascido, afastamento social, preocupação excessiva, aversão ao recém-nascido, sensação de solidão e perda de memória.

PARA OS PAIS

FIQUE ATENTO AO HUMOR DE SUA PARCEIRA

Baby blues é uma coisa (normal e autolimitante), depressão pós-parto é outra. Trata-se de uma condição médica que requer tratamento profissional e imediato. O mesmo vale para outras desordens puerperais do humor, incluindo ansiedade, transtorno obsessivo-compulsivo, estresse pós-traumático e psicose. Se a mãe em sua vida parecer sobrecarregada, triste, zangada, ansiosa ou desesperançada várias semanas depois de o bebê voltar para casa, não estiver dormindo ou dormindo o tempo todo, não sair de casa ou não permitir que ninguém a visite, não estiver comendo ou funcionando normalmente — ou tão normalmente quanto se poderia esperar, dado seu novo e exigente papel como mãe —, sente-se com ela e diga que está preocupado. Foque nos comportamentos que observou — chorar constantemente, enfurecer-se sem razão aparente, recusar-se a sair de casa ou atender o telefone, mostrar-se incomumente ansiosa, inquieta ou estressada, não interagir com o bebê — e encoraje-a a dividir seus sentimentos com você. Assegure-a de que o que quer que esteja sentindo não é culpa dela — não é porque ela é fraca ou uma mãe ruim. E lembre-a de que você está ao lado dela e a apoiará em cada passo do caminho. O apoio emocional do parceiro é um componente essencial na recuperação da depressão pós-parto.

Mas não pare aí. Encoraje-a a conversar com o médico sobre isso e, se necessário, procurar um psicoterapeuta ou psicólogo. Não esqueça o assunto se ela disser não; telefone você mesmo. Ela pode não reconhecer os sinais de depressão. Tenha certeza de que você reconhece (veja a página seguinte) e entenda que ela pode não ter todos os sintomas (a depressão e a ansiedade pós-parto não se manifestam da mesma maneira para todas as mulheres). Garanta que ela tenha o tratamento de que necessita para se sentir melhor, e apoie o máximo que puder o plano proposto. Se um método não funcionar (e não necessariamente funcionará, ao menos no início), encoraje-a a estar aberta a outros e não desistir. A depressão pós-parto é tratável, mas encontrar o tratamento certo às vezes leva tempo.

E, embora grande parte de seu foco esteja compreensivelmente em sua parceira enquanto você tenta ajudá-la a melhorar, entenda que, por enquanto, ela pode não estar em condições de assumir a maior parte ou (em um caso severo) qualquer cuidado com o bebê. Forneça os cuidados de que seu recém-nascido precisa e, se não puder fazer isso por causa do trabalho, tente encontrar um amigo ou familiar (ou babá, se puder pagar) que possa. É normal se sentir frustrado ou decepcionado com o fato de que sua parceira não está feliz em seu novo papel com seu novo bebê — então não se censure por se sentir assim. Encontre maneiras de relaxar e lembre-se de que há pais que sabem exatamente pelo que você está passando. Acesse as páginas de apoio aos pais em postpartum.net.

Também esteja consciente de que pais podem sofrer de depressão pós-parto. Seus próprios hormônios estão em fluxo, e é natural que a combinação entre o novo bebê, o estresse dos últimos nove meses e o novo senso de responsabilidade cobrem um preço. De fato, entre 10% e 25% dos novos pais têm depressão pós-parto paterna. Você pode se sentir deixado de lado ou sobrecarregado com tudo que agora se espera de você. Se suspeitar estar sofrendo de depressão pós-parto, fale com sua parceira, um amigo confiável ou um familiar e não hesite em procurar tratamento profissional, pensando não somente em sua saúde e bem-estar, mas também na saúde e bem-estar do bebê.

CONSEGUINDO AJUDA PARA A DEPRESSÃO PÓS-PARTO

Nenhuma mãe deveria sofrer com a depressão pós-parto. Infelizmente, muitas sofrem, seja porque acreditam que ela é normal e inevitável após o parto (não é) ou porque têm vergonha de pedir ajuda (não deveriam ter). A depressão pós-parto pode impedir que a mãe atenda às necessidades emocionais do bebê, o que leva a um desenvolvimento mais lento (bebês de mães deprimidas são menos vocais, menos ativos, produzem menos expressões faciais e são mais ansiosos, passivos e reservados.)

Por sorte, existe cada vez mais consciência sobre a depressão pós-parto e a necessidade de mães que sofrem receberem a ajuda e o tratamento de que necessitam. A maioria dos hospitais envia as mães para casa com material educativo para que elas (e, tão importante quanto, seus parceiros e outros familiares) notem os sintomas precocemente e procurem tratamento. Os médicos também estão mais informados, aprendendo a reconhecer fatores de risco que podem predispor a gestante à depressão pós--parto, procurando sinais da doença após o nascimento e a tratando de modo rápido, seguro e bem-sucedido.

Os pediatras — que têm mais oportunidade de interagir com as mães que obstetras e parteiras — frequentemente são a primeira linha de defesa na detecção da depressão pós-parto. A AAP recomenda que os pediatras verifiquem a presença de depressão nas visitas de um, dois e quatro meses, pedindo que as mães respondam a um breve questionário chamado de Escala de Depressão Pós-Parto de Edimburgo — basicamente, dez perguntas projetadas para revelar se a mãe está sofrendo dessa doença.

A depressão pós-parto é uma das formas mais tratáveis de depressão. Se ela a atingir, não sofra mais do que precisa. Fale com alguém e receba a ajuda que necessita. Para mais ajuda, entre em contato com o Apoio Internacional ao Pós-Parto no número 800-944-4PPD (4773) ou acesse postpartum.net.

No Brasil, segundo o Ministério da Saúde, os profissionais do Sistema Único de Saúde (SUS) são capacitados para identificar, ainda no pré-natal, sinais e fatores de risco que podem levar a gestante a desenvolver depressão pós-parto. As equipes de Saúde da Família podem solicitar o apoio matricial dos profissionais de saúde mental, por intermédio do Núcleos de Apoio à Saúde da Família (Nasf) ou de outras equipes de saúde mental do município.

Para alguns casos considerados mais graves, que precisem de um cuidado maior, devem ser encaminhados para os Centros de Atenção Psicossocial (Caps) ou outros serviços de referência em saúde mental do município ou da região. Os casos que apresentem riscos, como de suicídio ou de infanticídio, devem ser encaminhados para a internação, de preferência em hospital geral.

Se ainda não tentou as dicas para superar o *baby blues* (p. 657), tente-as agora. Algumas podem ser úteis para aliviar também a depressão pós-parto. Mas, se sintomas moderados continuarem por mais de duas semanas ou sintomas mais sérios continuarem por mais que alguns dias, sem melhora aparente, é provável que você precise de atenção profissional. Não espere para ver se passa (e não demore a procurar ajuda se está tendo sintomas que podem resultar em dano para si mesma ou o bebê). E não se engane com afirmações de que tais sentimentos são normais no pós--parto — não são. Telefone para o médico e seja franca sobre o que está sentindo. Peça para ser encaminhada a um terapeuta que trate depressão pós-parto e marque uma consulta imediatamente. A terapia, a primeira linha de defesa, pode ajudá-la a se sentir melhor rapidamente e, se o terapeuta achar que a medicação pode ajudar, vários antidepressivos são seguros para lactantes. Outro medicamento promissor é a brexanolona por infusão intravenosa. Ela é diferente dos inibidores seletivos de recaptação de serotonina porque contém progesterona, e é o primeiro medicamento aprovado especificamente para tratar depressão pós-parto. A terapia de luz brilhante também pode ser eficaz na redução dos sintomas ao causar no cérebro uma mudança bioquímica que pode animá-la. Outras terapias da medicina complementar e alternativa, alimentação saudável e exercícios também costumam minimizar os sintomas, assim como o *babywearing* (p. 660). Como a tireoidite pós-parto pode levar à depressão (veja o quadro da página seguinte), o médico também pode verificar sua tireoide. As mesmas dicas usadas para lidar com a depressão durante a gravidez (p. 74) se aplicam à depressão pós-parto.

A TIREOIDITE A DERRUBOU?

Quase todas as novas mães se sentem exaustas. A maioria tem problemas para perder peso. Muitas se sentem tristes ao menos parte do tempo e, praticamente, todas perdem cabelo. Pode não ser um retrato bonito, mas, para a maioria delas, é algo completamente normal no pós-parto e que, gradualmente, começa a melhorar com o passar das semanas. Para estimados 7 a 8% das mães que sofrem de tireoidite pós-parto (TPP), no entanto, as coisas talvez não melhorem com o tempo. E, como os sintomas de TPP são tão similares aos apresentados pelas novas mães, a condição pode permanecer sem diagnóstico e tratamento.

A TPP costuma surgir entre uma a quatro meses após o parto, com um breve episódio de hipertireoidismo (excesso de hormônio da tireoide). Esse período de excesso de hormônio circulando pelo fluxo sanguíneo pode durar de duas a oito semanas e deixar a mulher cansada, irritada, nervosa e muito quente, além de ter transpiração excessiva e insônia — todos sintomas comuns no período pós-parto, tornando o diagnóstico mais elusivo. E não faz mal, porque, geralmente, nenhum tratamento é necessário nessa fase.

Em cerca de 25% das mulheres com TPP, o período de hipertireoidismo é seguido por um período de hipotireoidismo (escassez de hormônio da tireoide) que frequentemente dura entre dois e seis meses. Com o hipotireoidismo, a fadiga continua, juntamente com a depressão (mais duradoura e muitas vezes mais severa que a disforia puerperal típica), dores musculares, perda excessiva de cabelo, pele seca, intolerância ao frio, problemas de memória e inabilidade de perder peso. Novamente, esses sintomas são tão parecidos com os da nova mãe que podem ser facilmente ignorados e tratados como típicos do pós-parto.

Algumas mães com TPP têm somente hipertireoidismo, ao passo que outras têm somente hipotireoidismo, que surge de dois a seis meses após o parto.

Se seus sintomas pós-parto parecem mais pronunciados e persistentes que o esperado e, especialmente, se estiverem interferindo com sua habilidade de viver normalmente e aproveitar o tempo com o bebê, converse com o médico. Um exame de sangue pode determinar facilmente se a TPP é a causa dos sintomas. Mencione qualquer histórico pessoal ou familiar de problemas da tireoide (especialmente do lado materno, já que existe um forte elo genético).

A maioria das mulheres se recupera da TPP em até um ano após o parto. Entrementes, a suplementação de hormônio da tireoide pode ajudá-la a se sentir muito melhor, muito mais rápido. Cerca de 25% das mulheres que apresentam a condição, no entanto, permanecem com hipotireoidismo, exigindo tratamento durante toda a vida (que consiste em um comprimido diário e um exame de sangue anual). Mesmo nas que se recuperam espontaneamente, a tireoidite tende a ressurgir durante ou após gestações subsequentes. Por essa razão, faz sentido que mulheres que tiveram TPP façam um exame anual e, se planejam engravidar novamente, sejam examinadas antes da concepção e durante a gravidez (porque uma doença não tratada da tireoide pode interferir com a concepção e causar problemas durante a gestação).

PARA ALÉM DA DEPRESSÃO PÓS-PARTO

As novas mães frequentemente têm altos e baixos, momentos ocasionais em que se sentem sobrecarregadas, estressadas e mesmo ansiosas e a maioria se preocupa desnecessariamente. Na maior parte do tempo, é uma questão de ajuste e privação de sono, como seria de se esperar.

Mas, às vezes, as coisas não são assim tão simples — ou normais. Os transtornos puerperais do humor são distintamente diferentes das típicas oscilações de humor das novas mães, e se apresentam de muitas formas, às vezes acompanhando a depressão pós-parto ou surgindo no lugar dela. Se notar sintomas de qualquer um desses transtornos, não demore em procurar a ajuda de que necessita.

Transtorno de ansiedade pós-parto. Algumas novas mães, em vez de (ou além de) se sentirem deprimidas, sentem-se extremamente ansiosas ou temerosas, às vezes tendo ataques de pânico que incluem coração disparado, respiração acelerada, ondas de calor ou frio, dor no peito, náusea, insônia, tontura e tremores. Mulheres com histórico de ansiedade ou ataques de pânico (durante a gestação ou antes) têm maior probabilidade de experimentar esses sintomas após o parto.

A ansiedade pós-parto afeta cerca de 10% das novas mães, e cerca de metade das que têm depressão pós-parto também sente ansiedade. Uma mãe com ansiedade pós-parto pode ter uma sensação constante de temor, como se algo estivesse prestes a dar terrivelmente errado. Ou pode se preocupar constantemente com a saúde e o desenvolvimento do bebê, sua habilidade de cuidar dele e sua capacidade de equilibrar a maternidade com o restante das responsabilidades no trabalho e em casa. Não são como as preocupações normais das mães (são mais extremas) e tipicamente não estão relacionadas a um problema ou ameaça reais. Por exemplo, a mãe sofrendo de ansiedade pós-parto pode temer que o bebê esteja doente ou com dor todas as vezes que ele chora. Ou teme que possa dormir enquanto o segura e então derrubá-lo. Ou ter o difuso e incômodo temor de que o bebê morra, ela o deixe no carro quente ou alguém invada a casa e o sequestre enquanto dorme. Às vezes, a nova mãe sofrendo de ansiedade pós-parto pode se sentir inquieta e assustada o tempo todo, mesmo estando exausta. Assim como a depressão pós-parto, a ansiedade requer tratamento imediato com um terapeuta qualificado. Tal tratamento pode incluir terapia (psicoterapia ou terapia cognitiva comportamental), técnicas como meditação, exercícios de relaxamento e treinamento de atenção plena e, se necessário, medicação.

Transtorno obsessivo-compulsivo (TOC). Cerca de 30% das mulheres que sofrem de depressão pós-parto também apresentam transtorno obsessivo-compulsivo, embora o TOC possa ocorrer sozinho. Os sintomas incluem comportamentos obsessivos e compulsivos, como acordar a cada 15 minutos para se assegurar de que o bebê ainda está respirando, criar uma ordem obsessiva para realizar as tarefas cotidianas (como apertar o interruptor três vezes antes de acender a luz) e temer que se desviar dessa ordem possa ferir o bebê, limpar excessivamente a casa ou ter pensamentos obsessivos sobre ferir o recém-nascido (como jogá-lo pela janela ou escadas abaixo). Mulheres que sofrem de TOC ficam horrorizadas com seus pensamentos violentos e repugnantes, embora não ajam de acordo com eles (somente aquelas que sofrem de psicose podem fazer isso; veja abaixo). Mesmo assim, elas têm tanto medo de perder o controle e seguir esses impulsos que podem terminar negligenciando os bebês. Como a depressão pós-parto, o tratamento para TOC inclui uma combinação de terapia e antidepressivos. Se estiver tendo pensamentos e/ou comportamentos obsessivos, consiga ajuda contando ao médico sobre os sintomas.

Psicose. Muito mais rara e séria que a depressão pós-parto é a psicose pós-parto. Seus sintomas incluem perda do senso de realidade, alucinações e/ou ilusões. Se tem sentimentos suicidas, violentos ou agressivos, está ouvindo vozes ou vendo coisas ou apresenta outros sintomas de psicose, telefone para o médico e vá para a sala de emergência imediatamente. Não subestime o que está sentindo e não acredite nas garantias de que tais sentimentos são normais no pós--parto — não são. Para ter certeza de que não agirá seguindo qualquer sentimento perigoso enquanto está sozinha e esperando ajuda, peça que um vizinho, familiar ou amigo fique com você ou coloque o bebê em um local seguro (como o berço). Você também pode telefonar para 911 ou para a Linha Nacional de Prevenção ao Suicídio, 1-800-273-8255. No Brasil, você pode ligar para o Centro de Valorização da Vida, para o número 188, disponível todos os dias da semana, 24 horas por dia. (Se você for o pai e notar quaisquer sintomas de psicose pós-parto em sua esposa, consiga ajuda imediatamente e, até que ela chegue, não deixe sua esposa sozinha com o bebê por um minuto sequer.)

Estresse pós-traumático. O nascimento seguro de um bebê saudável deveria ser um momento para se lembrar com alegria. Mas, para 6 a 9% das novas mães que sofrem de estresse pós-traumático, o parto se torna uma fonte de dor e de ansiedade. Gerado por um evento traumático durante o trabalho de parto, o nascimento ou o puerpério (como prolapso do cordão umbilical, distocia do ombro, laceração severa, hemorragia ou cesariana de emergência) ou por um trauma percebido (sensação de ser impotente ou não ter apoio adequado durante o parto), o estresse pós-traumático pode deixar a nova mãe com *flashbacks* e pesadelos que reencenam vividamente (e possivelmente ampliam) o parto traumático. Ou ela pode se sentir desligada do bebê e dos outros, tendo dificuldade para dormir, ansiedade, ataques de pânico, resposta exagerada ao susto e pensamentos perturbadores e intrusivos. Mulheres com histórico de depressão, ansiedade ou trauma anterior (agressão sexual, por exemplo, ou um acidente de carro muito grave) têm maior risco de desenvolverem estresse pós-traumático. Ele é temporário e tratável — usualmente com terapia —, então, se estiver com qualquer sintoma, não espere para buscar ajuda profissional. Sem tratamento, as novas mães que sofrem de estresse pós-traumático têm menor probabilidade de obter cuidados puerperais rotineiros e amamentar e maior probabilidade de ter dificuldades para se ligar ao recém-nascido e cuidar dele.

Qualquer que seja o tratamento (ou combinação de tratamentos) que você e o terapeuta escolham — e mesmo que demore para descobrir o melhor tratamento em seu caso —, o passo mais importante é o que você está dando agora: reconhecer que está deprimida e procurar ajuda. Sem o tratamento certo, a depressão pós-parto pode impedir que você crie vínculos, cuide e se divirta com o bebê. Ela também pode ter um efeito devastador no desenvolvimento emocional, social e físico do recém-nascido (veja o quadro na p. 667), nos outros relacionamentos de sua vida e em sua própria saúde e bem-estar.

Perdendo peso no pós-parto

"Eu sabia que não entraria no jeans skinny logo após o parto, mas já se passaram duas semanas e ainda pareço grávida de seis meses."

Amava a barriga de gestante, mas não tanto agora que não está mais grávida? Embora o parto produza uma perda de peso mais rápida que qualquer dieta da moda (uma média de 5,5 quilos da noite para o dia), a maioria das novas mães não a acha rápida o bastante. Particularmente depois que dão uma olhada em seu reflexo no espelho, ainda parecendo grávidas.

O fato é que ninguém sai da sala de parto muito mais magra que quando entrou. Parte da razão para a barriga protuberante é o útero ainda aumentado, que voltará ao tamanho de antes e à sua posição pélvica ao fim de seis semanas, diminuindo a barriga no processo. Outra razão podem ser os líquidos, que serão eliminados em breve. E então há os músculos abdominais (e possivelmente também diástase abdominal, veja a p. 692) e a pele, que foram esticados e exigirão algum esforço para retornar à antiga forma — além de algumas reservas de gordura que ajudaram a alimentar o bebê durante a gestação (e ainda o estão nutrindo se você estiver amamentando).

Por mais difícil que seja deixar isso para lá, tente não pensar em sua forma física durante as seis primeiras semanas, especialmente se estiver amamentando. Esse é um período de recuperação, durante o qual ampla nutrição é importante para seu nível energético, humor, resistência às infecções e bem-estar geral.

Seguir uma dieta puerperal saudável deve colocá-la no caminho da perda de peso lenta e constante. Se, após seis semanas, você não estiver perdendo peso, pode começar a reduzir significativamente as calorias. Se estiver amamentando, não exagere. Ingerir muito poucas calorias pode reduzir a produção de leite, e queimar gordura rapidamente demais pode liberar toxinas no sangue, que acabarão no leite. Se não estiver amamentando, você pode tentar perder peso mais rápido após a marca das seis semanas, mas atenha-se a dietas equilibradas e com calorias suficientes para fornecer a energia de que toda nova mãe precisa.

No caso de algumas mulheres, os quilos extras desaparecem enquanto elas estão amamentando, ao passo que outras ficam chateadas porque os ponteiros da balança não se mexem. Se esse for seu caso, não se preocupe: você será capaz de perder o peso remanescente quando desmamar o bebê.

A rapidez com que você retornará ao peso pré-gravidez também dependerá de quantos quilos ganhou. Se não ganhou muito mais que 11 a 16 quilos, provavelmente poderá parar de usar as calças de maternidade em alguns meses, sem nenhuma dieta rigorosa. Se ganhou 16 quilos ou mais, podem ser necessários mais esforço e mais tempo — entre dez meses e dois anos — para

retornar ao peso de antes da gravidez e a seus jeans *skinny*.
De qualquer modo, dê uma folga para si mesma e tenha paciência. Lembre-se, você levou nove meses para ganhar esse peso, e pode levar ao menos o mesmo tempo para perdê-lo.

Recuperação da cesariana, continuação
"Faz uma semana desde que fiz a cesariana. O que posso esperar agora?"

Embora você definitivamente tenha percorrido um longo caminho, como toda nova mãe você ainda está em recuperação. E, como toda nova mãe que fez cesariana, está se recuperando não somente da gravidez e do parto, mas também da cirurgia. Você se recuperará mais rapidamente se seguir as instruções do médico tanto em relação ao pós-operatório quanto às coisas pelas quais as mães geralmente não são conhecidas (repousar e não exagerar vêm à mente). Entrementes, você pode esperar:

Melhora progressiva da dor. A maior parte da dor deve se dissipar ao fim de seis semanas (embora algumas mães sintam dor ocasional e pontadas por muito mais tempo, até mesmo meses depois). A cicatriz ficará dolorida e sensível nas primeiras semanas, mas deve melhorar de modo constante. Sensações ocasionais de que a cicatriz está repuxando e se contraindo, além de dores breves no local da incisão, são parte normal da cura e devem passar em breve. Você pode também sentir coceira na cicatriz e em torno dela (outra parte normal, embora muito irritante, do processo de cura). Se for assim, peça que o médico recomende uma pomada contra coceira. O amortecimento em torno da cicatriz durará mais tempo, possivelmente vários meses. Os carocinhos na cicatriz provavelmente diminuirão e a cicatriz pode ficar cor-de-rosa ou púrpura antes de empalidecer.

Embora narcóticos em doses seguras (e prescritas pelo médico) tenham sido empregados nos primeiros dias após o parto, a essa altura o paracetamol (Tylenol) ou o ibuprofeno (Advil) devem dar conta do recado. Se a dor no local da incisão piorar, a área ficar vermelha ou a cicatriz vazar um líquido marrom, cinza, verde ou amarelo, telefone para o médico. A incisão pode estar infeccionada. (Um vazamento pequeno e de cor clara costuma ser normal, mas fale com o médico mesmo assim.)

Usar uma cinta elástica ou outro tipo de sistema de apoio costuma minimizar a dor e dar suporte à incisão e ao abdômen cada vez menor.

Espera de ao menos quatro semanas para manter relações sexuais. As orientações são praticamente as mesmas que para o parto vaginal (sim, mesmo que seu bebê não tenha saído pela vagina), embora a rapidez do processo de cicatrização da incisão possa ser um critério para avaliar quanto tempo você precisará (e desejará) esperar. Leia a p. 674 para saber mais sobre retomar as relações sexuais.

Começar a se mexer. Retorne lentamente aos exercícios, começando com uma caminhada de 5 minutos algumas vezes por semana assim que se sentir capaz e passando para exercícios de baixo impacto após cinco ou seis semanas. Quando retornar ao mundo da ginástica, faça isso gradualmente, aumentando a carga conforme aumenta sua estamina — mas também tente ser consistente (se estiver buscando resultados, exercícios ocasionais não serão úteis). Enquanto retorna lentamente à antiga rotina de exercícios, concentre-se nos que enrijecem o abdômen (p. 691), mas comece devagar. Você deve levar vários meses para voltar a malhar como fazia antes de ter o bebê. E lembre-se de que os exercícios de Kegel são importantes mesmo que você tenha passado pelo parto com o períneo intacto, porque a gravidez cobrou um preço dos músculos do assoalho pélvico, mesmo que o parto não tenha cobrado.

Infecção nos seios

"Um de meus seios está vermelho e doendo muito, e eu estou com febre. Tenho uma infecção?"

Parece que a mamãe tem uma mastite, uma infecção no seio que pode ocorrer a qualquer momento durante a lactação, mas é mais comum entre a segunda e a sexta semanas do puerpério. O que a causa? Frequentemente uma combinação de germes que entram nos dutos de leite através de uma rachadura no mamilo, falha em drenar os seios a cada mamada e baixa resistência em função do estresse e da fadiga.

Os sintomas mais comuns de mastite são dor severa, enrijecimento, vermelhidão, calor e inchaço do seio sobre o duto afetado, além de sintomas parecidos com os da gripe — tremores e febre de 38,3 a 38,9°C —, embora ocasionalmente os únicos sintomas sejam febre e fadiga. Se desenvolver tais sintomas, contate o médico imediatamente. O tratamento médico é necessário e pode incluir repouso, antibióticos, analgésicos, aumento da ingestão de líquidos e aplicação de calor. Você deve começar a se sentir drasticamente melhor entre 36 e 48 horas depois de começar a tomar o remédio. Se não se sentir, informe ao médico. Ele pode prescrever um tipo diferente de antibiótico. Tome a quantidade prescrita, a menos que seja aconselhada a parar (ou receber um antibiótico diferente). Tomar probióticos junto com o antibiótico (embora não ao mesmo tempo) ajudará a evitar candidíase e sapinho.

Continue a amamentar durante o tratamento. O antibiótico prescrito para a infecção será seguro durante a amamentação, e drenar o seio evitará dutos de leite entupidos. Amamente no seio infectado se aguentar a dor e esgote o leite que o bebê não consumir. Se a dor for grande demais para amamentar, veja se consegue bombear o seio para drená-lo.

Atrasar ou interromper o tratamento da mastite pode levar ao desenvolvimento de um abcesso no seio, cujos sintomas incluem dor latejada e excruciante, inchaço localizado, sensibilidade e calor na área do abcesso e variações de temperatura de 37,8 a 39,5°C. O tratamento inclui antibióticos e, frequentemente, drenagem cirúrgica com anestesia local. Amamentar nesse seio pode ser possível (dependendo da localização do abcesso), mas em muitos casos, não. Mas você pode continuar amamentando no outro seio até o bebê desmamar.

FICANDO PARA BAIXO COM O REFLEXO DE EJEÇÃO

Não há nada mais satisfatório que dar de mamar: aquela descarga de ocitocina, o hormônio do bem-estar, que percorre suas veias, fornecendo nutrição para o bebê e um prazer abençoado e pacífico para você.

Mas e se não for isso que você sente cada vez que o bebê começa a sugar? E se, em vez de se sentir feliz e serena, você tiver um breve momento de tristeza, agitação, temor, culpa, raiva ou ressentimento? Sentimentos que passam rapidamente, mas a deixam agitada, perguntando-se o que pode ter gerado uma resposta tão inesperada à amamentação?

Ela é pouco conhecida e discutida, mas uma pequena porcentagem das lactantes sofre de disforia no reflexo de ejeção do leite (D-MER, na sigla em inglês), uma rara condição que traz consigo várias emoções negativas. As emoções começam imediatamente antes de o leite ser ejetado e duram entre 30 segundos e alguns minutos.

Os especialistas dizem que a D-MER não é psicológica (ela não é aversão à amamentação nem tem ligação com depressão pós-parto), mas sim uma resposta fisiológica hormonal, relacionada à súbita queda de dopamina (responsável pela estabilização do humor e pelos pensamentos felizes) imediatamente antes da ejeção do leite.

O que você pode fazer se estiver experimentando D-MER? Primeiro, saiba que irá passar, melhorando gradualmente e finalmente desaparecendo (provavelmente quando o bebê estiver no sexto mês). Segundo, lembre-se de que as emoções negativas não representam seus verdadeiros sentimentos, sendo somente uma resposta hormonal momentânea. Mães com D-MER (ao contrário de mães com depressão pós-parto) se sentem bem no restante do dia. Entender o que está acontecendo e lembrar a si mesma que essa é uma situação temporária ajuda a lidar com a situação. Também pode ser útil registrar essas ondas de sentimentos negativos para ver se existe um padrão de intensidade (talvez eles sejam mais fortes quando você está desidratada ou muito cansada) e se há passos proativos que possa dar para aliviá-los. Terceiro, pergunte ao médico se existem terapias (como remédios fitoterápicos seguros para lactantes, acupuntura ou mudanças na dieta) que possam ajudar. Os exercícios aumentam naturalmente os níveis de dopamina, o que significa que caminhar com o bebê antes de amamentar pode lhe dar uma injeção de ânimo durante a ejeção. Finalmente, acesse os grupos de mães nas redes sociais para ver se encontra alguém que tenha passado pela D-MER. Como sempre, saber que não está sozinha no que está sentindo pode ser tremendamente reconfortante.

Retomando as relações sexuais

"Ouvi muitas respostas diferentes para essa pergunta, mas quando posso voltar a ter relações sexuais?"

Depende parcialmente de você, embora seja sensato incluir o médico na decisão (embora não no calor do momento). Os casais tipicamente são aconselhados a retomar a vida sexual quando a mulher se sentir fisicamente pronta, normalmente por volta da quarta semana do pós-parto, embora alguns médicos já as autorizem na segunda semana e outros ainda sigam a velha regra das seis semanas. Em certas circunstâncias (por exemplo, se a recuperação foi lenta ou você teve uma infecção), o médico pode recomendar que espere mais tempo. Se o médico recomendar que espere, mas você se achar pronta, pergunte se há uma razão para a espera e aguarde a liberação. O tempo voa quando você está cuidando de um recém-nascido.

Até lá, presumindo que esteja disposta, satisfaçam um ao outro com carícias que não envolvam penetração.

"A parteira disse que podemos voltar a ter relações sexuais, mas tenho medo de que vá doer. Além disso, para ser honesta, não estou realmente com vontade."

Fazer "aquilo" não está no alto de sua lista de prioridades ou, mais provavelmente, sequer está entre as vinte mais? Claro. A maioria das mulheres perde o interesse sexual no período puerperal — e além dele —, por várias razões. Primeiro, como você já suspeita, o sexo no pós-parto pode ser mais dor que prazer, especialmente se fez parto vaginal, mas, surpreendentemente, mesmo que tenha passado pelo trabalho de parto e feito uma cesariana. Afinal, sua vagina foi esticada até o limite e possivelmente lacerada ou cirurgicamente cortada, deixando-a dolorida demais para se sentar, que dirá pensar em sexo. Além disso, os baixos níveis de estrogênio fazem com que o tecido vaginal permaneça fino, e isso é ruim quando se trata de vaginas. E sua lubrificação natural ainda não retornou, fazendo-a se sentir desconfortavelmente seca quando deveria estar úmida, especialmente se estiver amamentando (os hormônios da amamentação podem mantê-la seca por mais tempo).

PARA OS PAIS

SEXO PÓS-PARTO?

Talvez você esteja passando pela mais longa abstinência sexual de sua vida desde a faculdade e tenha certeza de estar exibindo sintomas de ALS (acúmulo letal de sêmen). Você nunca esteve tão pronto para a ação, mas a ação pode não estar nos planos de sua parceira. E você entende. Afinal, ela está se recuperando de um choque significativo — não somente o parto, mas os nove meses antes dele. Ela passou por uma experiência física difícil, e você sente por ela, mesmo que não sinta literalmente sua dor. Provavelmente está até hesitante em mencionar sexo. O médico ou a parteira podem ter dito que as relações sexuais estão tecnicamente liberadas, mas, compreensivelmente, sua parceira (e o corpo dela) talvez tenha um cronograma diferente em mente: o sexo pode ter de esperar até que ela mude de ideia. E ela vai, em algum momento.

Quando ela concordar em tentar sexo pós-parto — e mesmo que esteja tão ávida quanto você (ou mais) —, prossiga muito lentamente e de modo extremamente gentil. Pergunte a ela o que é gostoso, o que dói, o que você pode fazer para ajudar. Você precisará servir muitos aperitivos de ternas preliminares antes de sequer pensar no prato principal, tanto para deixá-la no clima quanto para deixá-la lubrificada (ela estará seca graças às mudanças hormonais, e lubrificação extra também será útil). Não se surpreenda se levar um jato de leite no olho bem no meio da ação (leite acontece, especialmente no início). Ria e volte ao trabalho.

Ou talvez a demora em retomar a vida sexual não se deva a ela, mas a você? Talvez você esteja hesitando em embarcar no trem sexual porque ser pai está fazendo com que se sinta incrivelmente feliz, mas distintamente não sexy? Muitos novos pais descobrem que tanto o espírito quanto a carne se mostram menos dispostos depois do parto (embora não haja nada anormal nos que não passam por isso), por muitas e compreensíveis razões: fadiga, medo de que o bebê acorde e interrompa, desconforto de fazer sexo tão perto do recém-nascido (particularmente se ele estiver em seu quarto), receio de machucar sua esposa tendo relações antes de ela estar completamente recuperada e, por fim, uma preocupação generalizada, física e mental, com o bebê, que, de modo muito razoável, concentra suas energias e interesses onde são mais necessários nesse estágio da vida. Seus sentimentos também podem estar sendo influenciados pelo temporário aumento do nível de estrogênio e queda do nível de progesterona que muitos pais experimentam, pois é a testosterona que — tanto em homens quanto em mulheres — alimenta a libido. Essa provavelmente é a maneira da natureza de ajudá-lo a ser protetor, mantendo o sexo fora de sua mente quando há um novo bebê na casa. (Mas saiba que sentir desejo sexual não o torna menos protetor.)

Lembre-se que, como em todas as questões sexuais, o normal abrange uma ampla variação. Para alguns casais, o desejo chega antes da autorização do médico. Para outros, seis meses podem se passar sem que o sexo retorne. Algumas mães sentem a libido diminuída até pararem de amamentar, mas isso não significa que não possam aproveitar a proximidade do ato sexual.

Enquanto espera que as libidos (a sua, a dela ou ambas) façam seu inevitável retorno (e farão!), assegure-se de dar à sua parceira toda a atenção de que ela indubitavelmente necessita. Mesmo que ela não esteja no clima para o amor, definitivamente está no clima para ouvir que você a ama (e a acha bonita e sexy). Tampouco será ruim se você tomar algumas iniciativas românticas para colocar ambos de volta no clima, por mais desafiador que isso seja com um recém-nascido na casa. Acenda algumas velas perfumadas quando o bebê finalmente dormir, a fim de disfarçar o cheiro de fraldas sujas. Ofereça a ela uma massagem sensual, mas sem expectativas de sua parte. Aconchegue-se a ela quando vocês dois desabarem no sofá. Talvez vocês descubram que a libido retornou antes do esperado.

Mas sua libido tem outros problemas além dos físicos: sua compreensível preocupação com uma pessoinha muito pequenina e muito carente, que costuma acordar com a fralda cheia e a barriga vazia nos momentos mais inconvenientes. Sem mencionar vários outros assassinos do clima (o cheiro pungente de vômito envelhecido nos lençóis, a pilha de roupas sujas no pé da cama, o óleo de bebê onde costumava ficar o óleo de massagem, o fato de que você não consegue se lembrar da última vez que tomou banho). Não surpreende que o sexo não esteja no programa, ou mesmo em sua mente.

Será que algum dia você vai voltar a fazer amor? É claro que sim. Como todas as outras coisas em sua nova e frequentemente intensa vida, será preciso tempo e paciência — também por parte de seu parceiro, que pode já estar pronto para essa abstinência chegar ao fim (ou não; veja o quadro da p. 675). Então espere até se sentir pronta ou use as seguintes dicas:

Lubrifique. Usar K-Y ou outro lubrificante até que suas secreções naturais retornem pode reduzir a dor e, idealmente, aumentar o prazer. Compre em pacotes econômicos para se sentir à vontade para usá-lo generosamente — em vocês dois.

Relaxe. Falando em lubrificação, beber uma pequena taça de vinho pode ajudá-la a relaxar e evitar que fique tensa e sinta dor durante o sexo (beba logo após uma mamada, se estiver amamentando). Outra excelente maneira de relaxar é a massagem, então peça uma antes de fechar negócio.

Aqueça. Seu parceiro pode estar mais ávido que nunca para passar aos negócios. Mas, embora ele provavelmente não vá precisar de preliminares, você definitivamente precisará. Então peça. E depois peça mais. Quanto mais esforço ele empregar no aquecimento (desde que haja tempo antes de o bebê acordar de novo), melhor será o evento principal para vocês dois.

Fale. Você sabe o que machuca e o que é gostoso, mas seu parceiro não sabe, a menos que você ofereça direções claras ("Vire à esquerda... não, direita... não, para baixo... só um pouquinho para cima — aí, perfeito!"). Então, fale com ele quando quiser que as coisas esquentem.

Posicione-se adequadamente. Tente até encontrar uma posição que coloque menos pressão nas áreas doloridas e lhe dê controle sobre a profundidade da penetração (essa é uma ocasião na qual mais fundo definitivamente não é melhor). Ficar por cima (se você tiver energia) ou lado a lado são posições no pós-parto, por essas razões. Quem quer que esteja encarregado do vai-e-vem, garanta que seja realizado em uma velocidade confortavelmente baixa.

Bombeie. Não, não esse tipo de bombeamento. Bombeie sangue e recupere o tônus muscular da vagina fazendo os exercícios dos quais provavelmente já não aguenta mais ouvir falar (mas, mesmo assim, deve continuar a fazer): Kegel. Pratique-os dia e noite (e não se esqueça de praticar também durante o sexo, já que os apertões podem ser prazerosos para vocês dois).

Encontre meios alternativos de gratificação. Se ainda não está se divertindo com o intercurso, procure satisfação sexual na masturbação mútua (suave para você) ou no sexo oral (idem). Ou, se vocês estiverem cansados demais, encontre prazer e intimidade em estarem juntos. Não há absolutamente nada errado (e tudo certo) em se deitar na cama e somente se aconchegar.

O resumo da situação pós-parto: mesmo que o sexo machuque um pouco na primeira vez (e segunda, e terceira), não o descarte nem desista de tentar. Não demorará muito (embora possa parecer) para que o prazer seja todo seu — e de seu parceiro — mais uma vez.

Mais um passo antes de retomar sua vida sexual: não se esqueça do controle de natalidade; veja a página seguinte.

Amamentação como controle de natalidade?
"Ouvi que amamentar impede que você engravide. Isso é verdade?"

Amamentar é uma forma de controle de natalidade... mas não a mais confiável. A menos que não se importe de engravidar novamente em breve, é melhor não usar a lactação como contraceptivo — ou, ao menos, não colocar todos os ovos contraceptivos na cesta da lactação.

É verdade que, em média, mulheres que amamentam retornam a seus ciclos normais mais tarde que mulheres que não amamentam — um sinal de que, em média, não voltam a ser férteis tão rapidamente. Em mães que não amamentam, a menstruação costuma retornar entre seis e doze semanas após o parto, ao passo que, em lactantes, a média é de quatro a seis meses. Como sempre, no entanto, as médias não contam toda a história. Sabe-se de lactantes que voltaram a menstruar tão cedo quanto seis semanas ou tão tarde quanto dezoito meses após darem à luz.

Embora não haja maneira de prever onde você cairá na cronologia da primeira menstruação, muitas variáveis oferecem dicas, como frequência da amamentação (mais de três vezes ao dia parece suprimir melhor a ovulação), duração da amamentação (se amamentar por mais tempo, a ovulação será postergada por mais tempo) e se você amamenta exclusivamente ou suplementa (dar fórmula ou sólidos ao bebê pode interferir no efeito supressor da ovulação). O que significa que, apesar de não ser uma certeza, há uma boa probabilidade de que você não engravide novamente se amamentar de forma exclusiva, amamentar frequentemente e ainda não tiver menstruado.

Então, por que se preocupar com o controle de natalidade, ao menos até menstruar pela primeira vez no pós-parto? Porque a cronologia da primeira ovulação puerperal é tão imprevisível quanto a da primeira menstruação puerperal. Algumas mulheres têm uma primeira menstruação estéril, ou seja, apesar de estarem menstruadas, elas não ovularam. Outras ovulam após a menstruação, o que significa que poderiam passar de uma gravidez a outra sem sequer abrir a caixa de tampões. Como você não sabe o que vai acontecer primeiro, a menstruação ou a ovulação, o controle de natalidade faz sentido se quer planejar sua próxima gravidez.

Acha que já pode estar grávida? Na p. 52 você encontrará mais informações sobre gestações sequenciais.

Opções de controle de natalidade

"Definitivamente não estou pronta para ter outro bebê. Quais são minhas opções em termos de controle de natalidade?"

Ok, talvez o sexo não seja a primeira coisa em sua mente nesses dias — e nessas noites privadas de sono. Talvez seja a última coisa em sua mente na maior parte do tempo. Mas chegará uma noite (ou uma tarde de domingo, quando o bebê estiver cochilando) na qual você terá vontade de tirar todas as chupetas e paninhos de cima da cama e se jogar — na qual a luxúria retornará à sua vida e a paixão continuará de onde parou (aproximadamente) antes do bebê.

Então esteja preparada. Se quer evitar as gestações sequenciais, precisará de alguma forma de controle de natalidade assim que recomeçar a ter relações sexuais. E, como nunca se sabe quando a vontade chegará, é melhor ter o controle de natalidade à mão (ou ao lado da cama) antecipadamente.

A menos que vocês sejam um casal de apostadores, usar a amamentação como controle de natalidade é arriscado (veja a pergunta anterior). Em outras palavras, você precisa de uma forma mais confiável de contracepção, e há muitas disponíveis, mesmo que esteja amamentando. Pode até haver novas opções no mercado desde a última vez que usou um método contraceptivo (ou opções que se ajustem melhor a suas necessidades).

Antes de decidir qual é a melhor para você, conheça os métodos a seguir e os discuta com seu parceiro e seu médico. Cada um deles tem vantagens e desvantagens, dependendo de seu histórico médico e ginecológico, seu estilo de vida, se quer engravidar novamente no futuro (e o quanto está certa de que quer evitar a gravidez até lá), as recomendações de seu médico, seus sentimentos e os sentimentos de seu parceiro. Todos os métodos são efetivos quando usados de forma correta e consistente, embora alguns ofereçam resultados mais confiáveis que outros:

Contraceptivo oral. Disponível somente por prescrição (não há venda livre nas farmácias), o contraceptivo oral (a "pílula") está entre os métodos não permanentes de controle da natalidade mais efetivos, com uma taxa de sucesso de 99,5% (a maior parte das falhas se deve ao fato de a usuária ter perdido um dia ou tomado as pílulas na ordem errada). Outro benefício: ele permite espontaneidade no sexo.

Há dois tipos básicos de pílula anticoncepcional: as combinadas (que contêm tanto estrogênio quanto progesterona) e as que só contêm progesterona (minipílulas). Ambas impedem a ovulação e espessam o muco cervical para impedir que os espermatozoides cheguem ao óvulo, caso o óvulo seja liberado. Elas também impedem que o óvulo fertilizado se implante no útero. As pílulas combinadas são ligeiramente mais eficazes. Para máxima efetividade, as minipílulas devem ser tomadas sempre no mesmo horário (as combinadas têm uma janela ligeiramente maior).

Algumas mulheres têm efeitos colaterais ao tomar contraceptivo oral (que variam, dependendo da pílula), mais comumente: retenção de líquidos, oscilações de peso, náusea, sensibilidade nos seios, aumento ou diminuição do desejo sexual, perda de cabelo e irregularidades menstruais. Após os primeiros ciclos menstruais usando pílula, esses sintomas frequentemente diminuem ou desaparecem. Em geral, os anticoncepcionais de hoje causam menos efeitos colaterais que os de antigamente.

Algumas versões da pílula (Yasmin, Cyclessa) fornecem níveis constantes de estrogênio e progesterona (elas são chamadas de pílulas monofásicas), ao passo que outras fornecem três níveis diferentes (chamadas de trifásicas), para reduzir o inchaço e a TPM. Outra opção que pode ser especialmente atraente para mulheres que não gostam de menstruar é a Seasonale (Seasonique, no Brasil). Ela vem em uma cartela com 84 pílulas hormonais e 7 pílulas inativas, e as usuárias tomam os hormônios por doze semanas antes de fazerem uma pausa para menstruar (o que só ocorre quatro vezes ao ano). Mas algumas mulheres têm mais sangramento de escape com a Seasonale que com as pílulas mensais. A maioria dos médicos concorda que é seguro tomar as pílulas monofásicas continuamente — sem tomar as inativas — para evitar totalmente a menstruação.

Mulheres acima dos 35 anos e as que fumam muito podem ter risco aumentado de efeitos colaterais sérios (como coágulos sanguíneos, ataque cardíaco ou derrame). A pílula também pode ser inapropriada para mulheres com certos problemas médicos, incluindo histórico de coágulos, diabetes, hipertensão e certos tipos de câncer. E a pílula às vezes é menos eficaz em mulheres acima do peso ou obesas.

O lado positivo é que a pílula parece proteger contra várias doenças, incluindo câncer nos ovários e no útero. Outros benefícios experimentados por algumas mulheres que tomam pílula são atenuação da TPM, ciclos menstruais muito regulares e (no caso de certas marcas) pele mais clara. Há controvérsia sobre possibilidade de aumento de risco de câncer nos seios, então fale com o médico sobre quaisquer preocupações que possa ter, especialmente se existir histórico familiar de câncer mamário pré-menopausa.

Se está planejando ter outro bebê, a fertilidade pode demorar mais para retornar com o contraceptivo oral que com um contraceptivo de barreira. Idealmente, você deveria mudar para um método de barreira (p. 684) três meses antes de começar a tentar conceber. Cerca de 80% das mulheres ovulam nos primeiros três meses após pararem de tomar a pílula, e 95% no primeiro ano.

Se decidir experimentar a pílula (ou retornar a ela), o médico a ajudará a determinar que tipo e dosagem são melhores para você, com base em se está ou não amamentando (os contraceptivos orais que contêm estrogênio não são recomendados durante a amamentação, então as lactantes estão limitadas à pílula de progesterona, também chamada de minipílula), assim como seu ciclo menstrual, peso, idade e histórico médico. Assegurar-se de que a pílula funcione como deve cabe a você, então tome como prescrito. Se perder uma única pílula ou tiver diarreia ou vômito (que podem interferir na absorção da pílula por seu organismo), use proteção adicional (como camisinha) até a menstruação seguinte. Vá ao médico de seis em seis meses ou uma vez ao ano para monitorar sua saúde e relatar quaisquer problemas ou sinais de complicação que surjam entre as consultas e informe a qualquer um que lhe prescreva medicação de qualquer tipo que toma contraceptivo oral (algumas ervas medicinais e medicamentos, como antibióticos, interagem adversamente com a pílula, tornando-a menos eficaz).

A pílula não protege contra doenças sexualmente transmissíveis, então use camisinha se houver chance de contrair uma DST de seu parceiro. A pílula aumenta a necessidade de vitaminas B6, B12 e C, riboflavina, zinco e ácido fólico (ela reduz a necessidade de outros nutrientes), então continue a tomar seu suplemento pré-natal (ou suplemento para lactantes).

Injeção. A injeção hormonal, como a Depo-Provera, é um método altamente eficiente de controle de natalidade (com uma taxa de sucesso de 99,7%) que impede a ovulação e espessa o muco cervical para evitar que óvulo e espermatozoide se encontrem. A injeção, aplicada no braço ou na nádega, é efetiva durante três meses. A Depo-Provera é uma injeção somente de progesterona, então é segura para mães que amamentam.

Como no caso do contraceptivo oral, os efeitos colaterais das injeções hormonais podem incluir ciclos irregulares, ganho de peso e inchaço. Para algumas mulheres, os ciclos menstruais se tornam mais breves e menos intensos, e muitas não menstruam usando Depo-Provera. Outras podem ter ciclos menstruais mais longos e com sangramento mais intenso. E, como no caso da pílula, a injeção não é para todas, dependendo de suas condições médicas específicas, e não protege contra ISTs.

A maior vantagem da injeção é que ela evita a gravidez por doze semanas, e isso pode ser atraente para alguém que não goste de pensar em contracepção ou frequentemente se esqueça de tomar a pílula ou inserir o diafragma. Ela também protege contra o câncer do endométrio e dos ovários. Mas há desvantagens: ter de ir ao médico a cada doze semanas para outra injeção e que seus efeitos não podem ser imediatamente revertidos (se você subitamente quiser conceber) e levar até um ano para que a fertilidade retorne após a interrupção do uso.

Adesivo. O Ortho Evra, do tamanho de uma caixa de fósforos, fornece os mesmos hormônios que a pílula combinada, mas em forma de adesivo. Ao contrário da pílula, ele mantém os níveis hormonais constantes porque os fornece continuamente através da pele. O adesivo é usado por uma semana de cada vez e substituído no mesmo dia da semana por três semanas consecutivas (você pode usar um aplicativo ou o alarme do celular como lembrete). Na quarta semana, você não usa o adesivo e fica menstruada. O adesivo pode ser trocado em qualquer momento do dia. Se você se esquecer de trocar, os hormônios do adesivo antigo serão efetivos por mais dois dias.

A maioria das mulheres escolhe usar o adesivo no abdômen ou na nádega. Ele também pode ser usado na parte superior do torso (com exceção dos seios), nas costas ou na parte externa do antebraço. Como não é afetado por umidade, temperatura ou nível de atividade, pode ser usado em qualquer clima, ao tomar banho, fazer ginástica e mesmo em sauna ou banheira de hidromassagem.

Como outros contraceptivos hormonais, o adesivo é altamente eficaz (cerca de 99,5%). Pode ser menos eficaz em mulheres com excesso de peso ou obesas. Os efeitos secundários são semelhantes aos do contraceptivo oral, mas pode haver risco maior de coágulos. Ele não protege contra ISTs.

Anel. O Nuvaring é um anel de plástico pequeno (com cerca de 5 centímetros de diâmetro), transparente e flexível que estica como um elástico e pode ser inserido na vagina e deixado no lugar por 21 dias. Uma vez inserido, ele libera um fluxo constante de baixas doses de estrogênio e progesterona. O posicionamento exato no interior da vagina não é importante para a eficácia, porque não se trata de um método de barreira. Você pode inserir o anel com facilidade uma vez por mês (e não o sentirá depois de inserido, nem seu parceiro durante o sexo). Uma vez retirado (novamente, com facilidade), você ficará menstruada. Uma semana após o anel ter sido removido, você deve inserir um novo, mesmo que a menstruação ainda não tenha parado. Se tiver problemas para se lembrar da inserção mensal, um aplicativo ou lembrete no celular pode ajudá-la. Estudos mostram que o nível de controle do ciclo menstrual do Nuvaring é melhor que o da pílula, o que significa que há pouco escape. Como os hormônios são os mesmos que os utilizados nas pílulas combinadas, os efeitos secundários são geralmente os mesmos, e as mulheres aconselhadas a não tomar pílula também são aconselhadas a não utilizar anéis vaginais. O anel também não é para mães que amamentam. Ele tem uma taxa de sucesso de cerca de 99%, e é uma boa escolha para mulheres obesas. O Nuvaring não protege contra ISTs.

Implante. O implante subcutâneo de progesterona demonstrou ser um método seguro e eficaz de controle de natalidade (com uma taxa de sucesso de cerca de 99,9%), embora possa ser menos eficaz em mulheres obesas. O Nexplanon (Implanon, no Brasil) é uma haste plástica flexível do tamanho de um fósforo implantado no antebraço. Ele libera uma dose baixa e constante de progesterona para espessar o muco cervical e afinar o revestimento do útero, além de interromper a ovulação. O implante é seguro durante a amamentação e pode evitar a gravidez por até três anos. O efeito colateral mais comum é o sangramento irregular, especialmente nos primeiros seis a doze meses de uso. Na maioria dos casos, a menstruação se torna mais breve e menos intensa (embora, em alguns casos, se torne mais longa e intensa), e algumas mulheres deixam de menstruar. Problemas sérios com Nexplanon são raros. Não protege contra as ISTs.

DIU (dispositivo intrauterino). O DIU é o método feminino de controle de natalidade mais amplamente usado no mundo, mas não nos EUA, onde somente 11% das mulheres que usam contraceptivos optam por ele. O que é surpreendente, já que os DIUs atuais estão entre os métodos mais seguros de contracepção e são tão eficazes quanto a esterilização (mais de 99%). O DIU também é o método mais conveniente e, para muitas mulheres, sem complicações — definitivamente algo a considerar. No Brasil, segundo dados da Febrago de 2018, apenas 1,9% das brasileiras fazem uso do DIU.

O DIU é um pequeno dispositivo plástico inserido no útero pelo ginecologista e que pode permanecer no lugar (efetivamente impedindo a gravidez) por vários anos, dependendo do tipo. Existem dois tipos. O DIU ParaGard libera cobre no útero para imobilizar os espermatozoides e impedir a implantação. Este DIU de longa duração pode ser usado por dez anos (você o coloca e pode esquecê-lo!). O DIU Mirena libera progesterona nas paredes uterinas, espessando o muco cervical e bloqueando os espermatozoides, ao mesmo tempo que impede a implantação. Ele dura cinco anos, o que ainda é um excelente período de proteção.

A maior vantagem do DIU é que ele oferece o que há de mais moderno em termos de conveniência. Uma vez inserido (o que, a propósito, pode acontecer no momento que você desejar, inclusive logo após o parto vaginal ou cesariana ou na consulta de seis semanas), ele não precisa de manutenção, com exceção da verificação regular (mensalmente é uma boa ideia) do cordão ligado a ele. Isso permite uma vida sexual totalmente espontânea, sem pausas para encontrar e inserir o diafragma, colocar a camisinha ou se lembrar de tomar a pílula. Outra vantagem: o DIU não interfere na amamentação e os hormônios do Mirena são seguros para o bebê.

Você pode aumentar a já excelente proteção contra a gravidez fornecida pelo DIU se usar camisinha e/ou espermicida durante os dois ou três primeiros meses após a inserção (quando ocorre a maioria das falhas, que são muito raras).

O DIU não deve ser usado por mulheres com gonorreia ou clamídia não tratadas. Tampouco deve ser usado por mulheres com doença inflamatória pélvica ativa, presença ou suspeita de condição pré-maligna ou câncer no útero ou no colo do útero, anormalidades no útero ou útero incomumente pequeno. Pergunte ao médico sobre a segurança do DIU se você (ou seu parceiro) tiver uma DST. Alergia ou suspeita de alergia ao cobre elimina a possibilidade de usar DIU de cobre.

Possíveis complicações incluem cólicas (suaves a moderadas) durante a inserção (e, raramente, por algumas horas ou mesmo dias depois), perfuração uterina (extremamente rara), expulsão acidental (que pode não ser percebida e deixá-la desprotegida), e infecções nas trompas de Falópio ou na pelve (também raras). A colocação do DIU não aumenta o risco de gravidez ectópica. Algumas mulheres têm sangramento de escape entre as menstruações durante os primeiros meses após a inserção. As primeiras menstruações podem ser mais longas e intensas. Também não é incomum que a mulher continue a ter menstruações mais longas e intensas enquanto usa DIU, embora o Mirena, que libera progesterona, possa diminuir o sangramento (a maioria das mulheres relata que suas menstruações ficaram mais leves ou pararam completamente com o Mirena). DIUs não protegem contra ISTs.

Diafragma. O diafragma é um método contraceptivo de barreira: um copinho de borracha em forma de domo que é colocado sobre o colo do útero antes do sexo para bloquear a entrada do esperma. Ele tem efetividade de 94% quando usado adequadamente (ou seja, se for do tamanho certo, tiver sido inserido corretamente e não escorregar) e associado a um gel espermicida para inativar qualquer espermatozoide que consiga passar pela barreira. Para além do possível aumento de infecções do trato urinário e ocasional reação alérgica gerada pelo espermicida ou pela borracha, o diafragma é seguro. De fato, se usado com espermicida, parece reduzir o risco de infecções pélvicas que podem causar infertilidade (embora não proteja contra ISTs). Ele não afeta a amamentação de maneira alguma.

Com o diafragma, o tamanho definitivamente importa. Ele deve ser prescrito e adaptado por um médico e readaptado a cada parto, já que a gravidez e o parto mudam o tamanho e a forma do colo do útero. No fator espontaneidade, não recebe notas muito altas, porque você precisa parar para inseri-lo (ou inseri-lo antes de as coisas começarem a esquentar) e então se assegurar de que está no lugar antes de cada sessão de sexo (a menos que esteja repetindo a performance algumas horas depois da primeira, caso em que só precisa adicionar mais espermicida). O diafragma então deve ser deixado no lugar por entre seis e oito horas após o sexo (mas não mais de 24 horas seguidas). Alguns especialistas sugerem que seria mais prudente removê-lo em doze ou dezoito horas, e alguns recomendam que as mulheres o insiram como parte de sua rotina noturna para não o esquecerem ou negligenciarem em um momento de paixão (embora, novamente, ele não possa ficar no lugar por mais de 24 horas). De qualquer modo, há muita verificação e conferência do relógio. E também há manutenção envolvida: limpar o diafragma após o uso, guardá-lo adequadamente em sua caixinha (e não no fundo da bolsa ou no bolso do jeans) e periodicamente segurá-lo contra a luz para ver se não há furos.

Capuz cervical. O capuz cervical é similar ao diafragma de muitas maneiras. Ele deve ser adaptado por um médico e usado com espermicida e age como barreira aos espermatozoides. Seu sucesso em evitar a gravidez é menor que o do diafragma (aproximadamente 60 a 75%), mas ele tem algumas vantagens. Tendo o formato de um dedal grande, esse capuz flexível de borracha possui uma borda firme que se encaixa no colo do útero, podendo ter metade do tamanho do diafragma. Outra conveniência: em vez do limite de 24 horas recomendado para o diafragma, o capuz pode ser deixado no lugar por 48 horas (embora um odor desagradável possa se desenvolver se ele permanecer tanto tempo).

O FemCap, outro tipo de capuz cervical (com uma taxa de sucesso de 85%), é um domo de silicone parecido com um chapéu de marinheiro. Ele vem em três tamanhos e lacra o colo do útero com uma borda que se posiciona contra as paredes vaginais, além de um sulco que armazena o espermicida e retém o esperma. Ele também vem com alça para remoção.

Esponja contraceptiva. A esponja Today, que cobre o cérvix para impedir que os espermatozoides entrem no útero enquanto libera continuamente um espermicida que os impede de se moverem, é feita de isopor. Ela é macia, redonda e tem cerca de 5 centímetros de diâmetro, com uma alça de nylon presa ao fundo para facilitar a remoção. Os benefícios: a esponja não requer consulta ou prescrição médica, é relativamente fácil de usar, fornece proteção contínua por 24 horas após a inserção e não interfere com a amamentação. Em contrapartida, é menos eficaz que o diafragma (cerca de 80%) e pode aumentar o risco de candidíase e ser desconfortável de inserir. Ela não deve permanecer no lugar por mais tempo que o recomendado, e você precisa ser cuidadosa para removê-la intacta (um pedaço deixado para trás pode causar odor e infecção). A esponja tampouco pode ser reutilizada, então é preciso ter um estoque.

Camisinha. A camisinha (como você provavelmente já sabe) é essencialmente uma capa para o pênis, projetada para reter os espermatozoides ejaculados para que não tenham acesso à vagina. Ela é feita de látex ou pele de cordeiro (retirada dos intestinos) e, se usada consistente e corretamente, é um método contraceptivo bastante eficaz (com taxa de sucesso de 98%). A camisinha é totalmente inofensiva, a menos que um ou ambos os parceiros tenham uma reação alérgica ao látex ou ao espermicida (se o látex for um problema, opte pela pele de cordeiro). Ela tem a vantagem de ser fácil de comprar e carregar e reduzir o risco de transmissão de ISTs como gonorreia, clamídia e HIV (a variedade feita de látex é melhor para impedir a transmissão de HIV), assim como do vírus Zika. Como não interfere na amamentação e claramente não requer readaptação após o parto (como é o caso do diafragma), é um método "transicional" ideal. Alguns casais acham que a camisinha impede a diversão espontânea — especialmente porque é preciso esperar até que o pênis esteja ereto —, e outros que diminui a sensibilidade e/ou causa irritação vaginal (com mais potencial para irritação no pós-parto). Outros casais não se incomodam com a camisinha e acham que colocá-la faz parte das preliminares.

Para aumentar a eficácia, você não deve se demorar após o sexo quando está usando camisinha: o pênis deve ser retirado antes que a ereção desapareça totalmente e enquanto a camisinha está no lugar, para evitar vazamento de esperma. O uso de creme lubrificante (ou camisinha lubrificada) permitirá uma penetração mais confortável naqueles meses mais secos de puerpério e amamentação. Mas escolha o lubrificante com cuidado: não use os à base de óleo ou vaselina, porque podem danificar a camisinha de látex (sempre leia as instruções da embalagem antes de usar um lubrificante à base de óleo).

Acha que camisinhas são somente para homens? Há uma para você também. A camisinha feminina é um saquinho de poliuretano muito fino e lubrificado que forra a vagina e é mantido no lugar por um anel interno e fechado perto do colo do útero e um anel externo e aberto na entrada da vagina. A camisinha feminina é inserida na vagina até oito horas antes do intercurso e removida logo depois. As desvantagens: ela é mais cara que a masculina, pode diminuir as sensações e é claramente perceptível quando está no lugar. Além disso, é mais um método contraceptivo que depende da conformidade da mulher, ao contrário da camisinha masculina, que divide a responsabilidade. E é um pouco menos efetiva que a camisinha masculina (cerca de 95%). Mas, como ela, evita ISTs.

Espumas, cremes, géis, supositórios e filmes espermicidas. Usados sozinhos, esses agentes espermicidas não são lá muito eficientes (aproximadamente 72 a 94%) para evitar a gravidez. Eles estão disponíveis sem prescrição, mas podem ser inconvenientes e fazer bagunça. Eles podem ser inseridos até uma hora antes do intercurso.

Contracepção de emergência ["pílula do dia seguinte"]. A pílula de contracepção de emergência (PCE) é o único método de controle de natalidade que pode ser usado após o sexo sem proteção (ou como *backup* se o método contraceptivo falhar, como no caso de a camisinha furar, o diafragma sair do lugar ou você se esquecer de tomar a pílula), mas antes de a gravidez ser estabelecida. A PCE é vendida sem receita com os nomes comerciais Plan B One-Step, Take Action, Next Choice One Dose e My Way (no Brasil, as marcas mais comuns são Postinor-2, Pilem, Previdez 2, Pozato, Diad, Minipil2-Post e Poslov). A Ellaone, outra PCE, está disponível com receita. A PCE reduz o risco de gravidez em 75% se ingerida em até 72 horas após o sexo sem proteção. Quanto mais cedo for tomada após o sexo sem proteção, mais eficaz. (O médico também pode recomendar o uso de pílulas anticoncepcionais comuns como contracepção de emergência, mas confira a dose.) As pílulas de contracepção de emergência não funcionarão se você já estiver grávida. As PCEs não são como as chamadas "pílulas do aborto", como a RU486. Elas agem primariamente ao impedir temporariamente a ovulação.

E não são recomendadas durante as seis primeiras semanas do puerpério, porque contêm alto nível de estrogênio, o que pode aumentar o risco de coágulos. Tampouco são recomendadas durante a amamentação.

Esterilização. A esterilização frequentemente é a escolha dos casais que sentem que suas famílias estão completas, não têm problemas em fechar (e trancar) a porta para a concepção e estão ávidos para dispensar totalmente os contraceptivos (e quem não está?). Ela é incrivelmente segura (sem efeitos conhecidos de longo prazo sobre a saúde) e praticamente infalível. A falha ocasional pode ser atribuída a um deslize durante a cirurgia ou, no caso da vasectomia, ao não uso de contraceptivos alternativos até que todos os espermatozoides viáveis sejam ejaculados. Embora a esterilização às vezes seja reversível, ela deve ser considerada permanente.

A vasectomia (a amarração ou corte dos canais deferentes, que transportam os espermatozoides dos testículos para o pênis) é um procedimento fácil, feito no consultório e com anestesia local, que acarreta muito menos riscos que a esterilização feminina. Ela não afeta (como temem alguns homens) a habilidade de ter ereção ou ejacular — tudo que falta são os espermatozoides (e não o sêmen). Uma pesquisa mostrou que não há risco aumentado de câncer de próstata em homens que fizeram vasectomia.

A ligadura tubária é um procedimento feito em mulheres sob anestesia local ou epidural (logo após o parto, se você quiser; veja a p. 585), na qual uma pequena incisão é feita no abdômen (perto do umbigo ou da linha do biquíni) e as trompas de Falópio são cortadas, amarradas ou bloqueadas. Ela exige algum tempo, no geral entre dois e sete dias (às vezes mais), de atividades leves no caso da maioria das mulheres — o que você estará fazendo de qualquer modo se tiver acabado de dar à luz.

Consciência da fertilidade. Casais que preferem não usar nenhum contraceptivo podem optar pelo método de consciência da fertilidade (FAM), também chamado de planejamento familiar natural. Essa abordagem se baseia na percepção de vários sinais ou sintomas corporais para determinar o momento da ovulação. Se realizado de maneira perfeitamente correta, o FAM pode ser tão bem-sucedido quanto alguns dos outros métodos de controle da natalidade (ficando na casa dos 90%).

E qual é a maneira perfeitamente correta? Quanto mais fatores o casal levar em consideração, melhor será a taxa de sucesso — e há uma longa lista de fatores, incluindo mudanças no muco cervical (o muco é claro, copioso, fino e tem consistência de clara de ovo), na temperatura basal (a temperatura basal, mensurada logo de manhã, cai ligeiramente pouco antes da ovulação, chega ao ponto mais baixo durante a ovulação e então sobe imediatamente antes de retornar ao valor basal durante o restante do ciclo) e cervicais (o colo do útero, normalmente firme, torna-se ligeiramente mais macio, mais alto e mais aberto que o normal durante a ovulação). Os kits de previsão também podem ajudar a identificar o momento da ovulação (embora usá-los todos os meses possa sair bem caro). Os testes de saliva também podem prever quando a ovulação está prestes a acontecer e são mais econômicos. Armada com todas essas informações, a chave é evitar o sexo desde o primeiro sinal de que está prestes a ovular até três dias depois. Precisa de mais informações? Leia *What To Expect Before You're Expecting* [O que esperar antes de estar esperando].

PARA OS PAIS

MAIS OPÇÕES DE CONTROLE DE NATALIDADE PARA VOCÊ?

As escolhas são limitadas quando se trata de controle de natalidade para homens. Mas estão em fase de testes clínicos alguns contraceptivos masculinos promissores. Um deles é um gel hormonal de uso tópico (aplicado diariamente nos braços e ombros) que interrompe a produção de testosterona nos testículos. Nenhuma testosterona nos testículos significa nenhuma produção de espermatozoides. Outro produto, uma pílula ou injeção anticoncepcional masculina, também baixa o nível de testosterona nos testículos — o suficiente para interromper a produção de esperma, mas não para diminuir a libido. Uma forma não cirúrgica (e reversível) de vasectomia também está sendo testada e se mostra promissora. Ansioso para começar? Não tão rápido: os especialistas dizem que faltam anos para que qualquer um desses métodos chegue ao mercado.

TUDO SOBRE:
Recuperar a forma

Uma coisa é parecer grávida de seis meses quando você realmente está grávida de seis meses... outra é parecer grávida de seis meses quando você já teve o bebê. Mas a maioria das novas mães pode esperar sair da sala de parto com um pacotinho nos braços — e um pacotão em torno da cintura.

Quanto tempo depois de se tornar mãe você deixará de parecer uma futura mãe? Os genes desempenharão um papel em relação à rapidez com que você voltará a usar jeans *skinny*, assim como seu metabolismo, quanto peso ganhou durante a gravidez e, é claro, seus hábitos alimentares no pós-parto. Mas não há como evitar: para recuperar a forma (e parar de usar calças de moletom folgadas), você definitivamente precisará retomar os exercícios.

"Quem precisa de exercícios?", você pode se perguntar. "Não parei um minuto desde que saí do hospital e voltei para casa. Isso não conta?" Infelizmente, não muito. Por mais exaustivo que seja cuidar de um recém-nascido, não enrijecerá os músculos perineais e abdominais esticados e enfraquecidos pela gravidez e pelo parto — apenas um programa de exercícios regulares pode fazer isso. E o tipo certo de exercício fará mais que tonificá-la. Evitará as dores nas costas de carregar o bebê, tornará mais rápida a recuperação do parto, fortalecerá as articulações afrouxadas pela gravidez e melhorará a circulação. Os exercícios de Kegel, que trabalham a musculatura perineal, ajudarão a evitar a incontinência urinária e problemas sexuais no pós-parto. Finalmente, os exercícios podem deixá-la mais feliz. À medida que as endorfinas liberadas pelos exercícios circulam em seu organismo, melhorando seu humor e sua tolerância, você se encontrará mais bem equipada para lidar com o estresse da maternidade e até mesmo superar o *baby blues*. De fato, as pesquisas mostram que as mães que retomam os exercícios físicos seis semanas após o parto têm mais autoestima e se sentem melhores.

Mas nem pense em começar detonando, mesmo que se sinta surpreendentemente bem e extremamente motivada. Em vez disso, conduza seu corpo ainda em recuperação até a boa forma de maneira lenta e constante, começando com os exercícios básicos a seguir. Suplemente-os com exercícios pós-parto encontrados on-line ou em DVD, faça aulas para novas mães ou simplesmente transforme os passeios com o bebê em rotina diária.

REGRAS DE EXERCÍCIOS PARA AS PRIMEIRAS SEIS SEMANAS

- Use um sutiã de apoio e roupas confortáveis (nada que cause atrito em locais sensíveis, retenha umidade ou não respire).
- Tente dividir os exercícios em duas ou três sessões breves, em vez de fazer uma única sessão longa por dia (isso tonificará melhor os músculos e será mais fácil para seu corpo em recuperação — além disso, será mais provável que você consiga encaixar os exercícios em sua rotina e continue a fazê-los).
- Inicie cada sessão com o exercício que achar menos cansativo.
- Exercite-se lentamente, e não faça séries rápidas de repetição. Em vez disso, descanse brevemente entre os movimentos (é durante o descanso que ocorre a construção muscular, e não enquanto você está em movimento).
- Evite saltos e movimentos bruscos e erráticos durante as seis primeiras semanas, enquanto suas articulações ainda estão frouxas.
- Evite também exercícios que exijam encostar os joelhos no peito, abdominais e elevação das duas pernas durante esse período.
- Mantenha uma garrafa de água por perto e beba com frequência.
- Avance devagar e com bom senso. "Sem dor, sem ganho" não foi um lema criado com novas mamães em mente. Não faça mais do que o recomendado, mesmo que sinta que pode, e pare antes de se sentir cansada (ou melhor, ainda mais cansada do que ser mãe já a deixa). Se exagerar, provavelmente só sentirá no dia seguinte, quando poderá estar tão exausta e dolorida que não será capaz de se exercitar. Além disso, forçar seus limites pode retardar a recuperação.
- Não deixe que os cuidados com o bebê a impeçam de cuidar de si mesma. O bebê vai adorar se deitar em seu peito enquanto você faz os exercícios de solo.

Primeiras semanas após o parto

Está ansiosa para recuperar aquele corpo pré-bebê? Então ficará feliz em saber que está na hora de subir a escada de exercícios. Mas, antes de dar esse passo, assegure-se de que os músculos verticais que formam sua parede abdominal não se separaram durante a gravidez. Se estão separados, terão de se fechar antes que os exercícios comecem a esquentar (veja o quadro da página seguinte). Quando a separação tiver fechado, ou se jamais teve uma separação, você pode realizar os exercícios a seguir. Inicialmente, faça-os na cama e depois passe para o tapete de yoga ou para o chão coberto com um pano macio.

Inclinação pélvica. Deite-se de costas, com os joelhos dobrados e as solas dos pés encostadas no chão. Apoie a cabeça e os ombros com travesseiros e deixe os braços ao lado do corpo. Inspire. Então expire enquanto pressiona a região lombar contra o chão por 10 segundos. Relaxe. Repita três ou quatro vezes para começar, aumentando gradualmente até chegar em doze, e depois, 24.

Deslizamento de pernas. Deite-se de costas, com os joelhos dobrados e as solas dos pés encostadas no chão. Apoie a cabeça e os ombros com travesseiros e deixe os braços ao lado do corpo. Lentamente, estique ambas as pernas até encostarem no chão. Ao inspirar, deslize o pé direito, com a sola totalmente apoiada no chão, na direção das nádegas. Mantenha a região lombar encostada no chão. Exale ao deslizar a perna para a posição inicial. Repita com o pé esquerdo. Comece com três ou quatro deslizamentos de cada lado e aumente gradualmente, até fazer doze ou mais, confortavelmente. Após três semanas, passe para a elevação modificada de pernas (elevando ligeiramente uma perna e baixando-a lentamente), se for confortável.

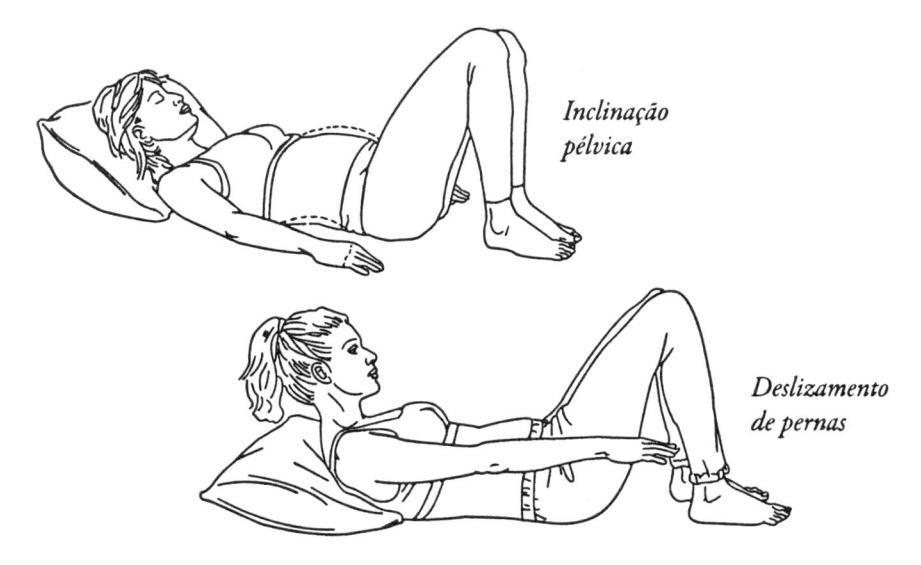

Inclinação pélvica

Deslizamento de pernas

Levantamento de cabeça e ombros. Deite-se de costas, com os joelhos dobrados e as solas dos pés encostadas no chão. Apoie a cabeça e os ombros com travesseiros e estique os braços enquanto exala. Erga a cabeça lentamente ao inalar. Erga-a um pouco mais a cada dia, avançando gradualmente até conseguir tirar os ombros ligeiramente do chão. Não tente fazer abdominais durante as seis primeiras semanas — depois disso, somente se sempre teve músculos abdominais fortes. E primeiro verifique se não tem uma separação abdominal (veja o quadro abaixo).

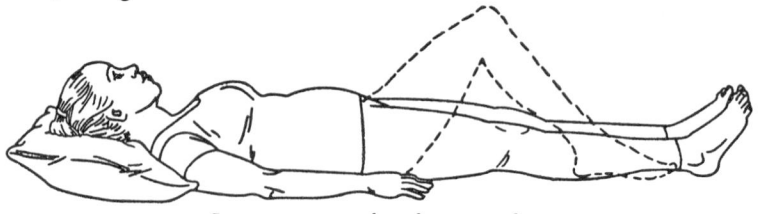

Levantamento de cabeça e ombros

FECHE A ABERTURA

Não olhe agora, mas pode haver um buraco no meio da sua barriga (e não é seu umbigo). Sendo uma condição muito comum durante a gestação (60% das gestantes a experimentam), conhecida nos círculos obstétricos como diástase abdominal, essa separação dos músculos abdominais pode se desenvolver quando a barriga se expande. Costuma levar um ou dois meses após o parto para ela se fechar, e você terá de esperar até que isso aconteça antes de fazer exercícios abdominais, sob o risco de se machucar. Para determinar se tem essa separação, examine-se da seguinte maneira: deite-se de costas com os joelhos dobrados e as solas dos pés apoiadas no chão. Apoie a cabeça e os ombros com travesseiros e deixe os braços ao lado do corpo. Erga ligeiramente a cabeça, com os braços estendidos para a frente, e procure um caroço macio na altura do umbigo. Esse caroço indica uma separação.

Se tiver uma separação, você vai conseguir corrigi-la mais rapidamente com este exercício: deite-se de costas com os joelhos dobrados e as solas dos pés apoiadas no chão. Apoie a cabeça e os ombros com travesseiros, deixe os braços ao lado do corpo e inale. Coloque as mãos sobre o abdômen, usando os dedos para unir os dois lados dos músculos abdominais enquanto expira, pressionando o umbigo na direção da coluna e erguendo a cabeça lentamente. Exale enquanto baixa a cabeça lentamente. Repita três ou quatro vezes, duas vezes ao dia.

Após a consulta

Agora, com a liberação do médico, você pode passar gradualmente para um programa mais ativo que inclua caminhada acelerada, corrida, bicicleta, natação, hidroginástica, aeróbica, yoga, Pilates, musculação e rotinas similares. Ou se matricule em uma turma de exercícios pós-parto. Mas não tente fazer muito, muito rápido. Como sempre, deixe que o corpo seja seu guia.

O QUARTO TRIMESTRE

Achou que tinha deixado os trimestres (e todas aquelas consultas) para trás? Talvez, não. De acordo com o paradigma de cuidados puerperais do ACOG (que seu médico pode ou não seguir e seu plano de saúde pode ou não cobrir), todas as mulheres devem ter contato (consulta, telefonema, e-mail ou mensagem de texto) com seu médico durante as três primeiras semanas após o parto. A consulta inicial deve ser seguida dos cuidados (consulta ou contato) necessários, terminando com uma consulta abrangente no máximo doze semanas após o parto. A razão para esse quarto trimestre? Os especialistas concluíram que os três primeiros meses após o parto são essenciais para a saúde da mãe e do bebê. Eles também são um período de mudanças e ajustes físicos, sociais e psicológicos. Esse tipo de cuidado individualizado e continuado pode ajudá-la a navegar a transição para a maternidade enquanto recebe os cuidados médicos de que necessita — o que é especialmente importante se você tiver sintomas físicos ou emocionais que requeiram atenção. No Brasil, o Ministério da Saúde recomenda a primeira consulta puerperal sete a dez dias após o parto.

PARTE 4
Permanecendo saudável quando você está esperando

Capítulo 18
Se você ficar doente

Você provavelmente já esperava experimentar ao menos alguns dos sintomas menos agradáveis da gravidez durante seus nove meses de espera (um pouquinho de enjoo matinal, algumas câimbras, talvez azia e fadiga), mas talvez não esperasse pegar um resfriado terrível ou ficar cheia de coceira por causa de uma infecção. A verdade é que gestantes adoecem tanto quanto as outras pessoas — na verdade, mais que as outras pessoas, já que a supressão normal do sistema imunológico (para que o corpo da mãe não rejeite o bebê como "organismo estranho") as torna alvos fáceis para todo tipo de germe. Além disso, ficar doente por dois pode deixá-la duas vezes mais desconfortável, especialmente porque muitos dos remédios que você costumava usar precisarão ficar trancados no armário por enquanto.

A prevenção, claro, é a melhor maneira de não ficar doente e manter o brilho saudável da gravidez. Mas, quando ela falha (como quando um colega de trabalho leva o vírus da gastroenterite para o escritório, os beijos de seu sobrinho são doces, mas cheios dos vírus da gripe, ou você pega algumas bactérias junto com suas frutas frescas), o tratamento rápido, na maioria dos casos sob supervisão médica, pode ajudá-la a se sentir melhor mais rapidamente.

O que você pode estar se perguntando

O resfriado comum
"Estou espirrando e tossindo e minha cabeça está me matando. O que posso tomar sem afetar o bebê?"

O resfriado comum é ainda mais comum quando você está grávida, porque seu sistema imunológico está suprimido. A boa notícia é que você será a única atingida por essa virose horrível. O bebê não pega resfriados nem é afetado por eles. A notícia não tão boa: os medicamentos e suplementos que você poderia usar para tratar os sintomas (ou prevenir o resfriado), incluindo ibuprofeno, doses extras de vitamina C e zinco e ervas (como equinácea), normalmente não podem ser usados quando você está esperando um bebê (encontre na p. 715 informações sobre medicação durante a gravidez). Assim, antes de esvaziar as prateleiras da farmácia local, telefone para o médico para descobrir quais medicamentos são seguros para gestantes, assim como aquele que funcionará melhor em seu caso. (Se já tomou algumas doses de um medicamento não recomendado, não se preocupe. Mas informe ao médico, só por garantia.)

Mesmo que seu tratamento habitual contra resfriados esteja proibido por enquanto, não precisa aguentar o nariz escorrendo e a tosse de estourar o peito. Alguns dos remédios mais efetivos contra resfriados não são encontrados em vidros, e são os mais seguros para você e o bebê. Estas dicas podem ajudá-la a tratar o resfriado antes que ele se transforme em sinusite ou outra infecção secundária, ajudando-a a se sentir melhor mais rapidamente. No primeiro espirro ou coceira na garganta:

- Descanse, se precisar. Levar o resfriado para a cama não necessariamente diminuirá sua duração, mas, se seu corpo estiver implorando repouso, dê ouvidos a ele, especialmente agora que ele está implorando por dois. Em contrapartida, se estiver disposta (e não tiver febre ou tosse), o exercício leve a moderado pode ajudá-la a se sentir melhor mais rapidamente.
- Alimente o resfriado e o bebê. Coma tão bem quanto conseguir, considerando o quanto se sente mal e a falta de apetite, provavelmente. Dê preferência aos alimentos ricos em vitamina C, como frutas cítricas e melão.
- Afogue o resfriado em líquidos. O nariz escorrendo pode custar a seu corpo os fluidos de que você e o bebê necessitam. Líquidos mornos (como chá de gengibre e caldo de galinha) serão particularmente reconfortantes para a garganta arranhando.
- Fique sentada mesmo quando estiver deitada. Elevar a cabeça com alguns travesseiros tornará mais fácil respirar através do nariz entupido. Dilatadores nasais (que abrem gentilmente as narinas, facilitando a respiração) também podem ajudar. Ou tente descongestionar o nariz com bálsamos como o Vick Vaporub.
- Permaneça úmida. Manter as narinas úmidas alivia a congestão, então ligue o umidificador, especialmente à noite, e use gotas ou spray de soro fisiológico (ele não contém medicamentos, então você pode usá-lo tanto quanto precisar), mas fique longe do lavador nasal, que tende a disseminar germes.
- Alivie com água salgada. Gargarejar com água morna salgada (um quarto de colher de chá de sal para cada 250 ml de água morna) pode aliviar a garganta dolorida ou arranhando, acabar com o gotejamento pós-nasal e controlar a tosse.
- Acalme a tosse de um jeito doce. Algumas colheres de chá de mel

podem suprimir a tosse seca que frequentemente surge junto ou após um resfriado, tão efetivamente quanto um xarope. Mel puro é doce demais? Misture-o com água quente e limão siciliano.

Resfriados geralmente não causam febre, mas, se sua temperatura subir para mais de 37,8°C, baixe-a imediatamente com paracetamol (Tylenol) e telefone para o médico (mais informações sobre febre na p. 701). Telefone também se o resfriado for severo o bastante para interferir com sua alimentação ou sono, se estiver tossindo muco esverdeado ou amarelado, se a tosse causar dor ou chiado no peito, se os seios nasais estiverem latejando (veja a próxima pergunta) ou se os sintomas durarem mais de duas semanas. É possível que o resfriado tenha progredido para uma infecção secundária, caso em que medicação pode ser necessária.

Sinusite

"Tive um resfriado forte por mais de dez dias. Agora minha testa e minhas bochechas estão doendo muito. O que devo fazer?"

Parece que seu desagradável resfriado evoluiu para uma ainda mais desagradável sinusite, uma inflamação dos tecidos que revestem os seios nasais. Além do nariz continuamente entupido, sinais de sinusite frequentemente incluem dor e sensibilidade na testa e/ou em uma ou ambas as bochechas (abaixo dos olhos), dor nas gengivas e possivelmente perda temporária do olfato. A dor da sinusite geralmente piora quando você inclina ou sacode a cabeça. A febre às vezes acompanha esses sintomas, mas nem sempre.

Sinusite após um resfriado é bastante comum, mas muito mais comum entre gestantes. Isso porque os hormônios da gestação tendem a inchar as membranas mucosas (incluindo as dos seios nasais), prendendo ar e muco por trás das aberturas nasais estreitadas e causando bloqueios que permitem que os germes se multipliquem. Esses germes tendem a permanecer mais tempo por lá, porque as células imunológicas, que destroem os germes invasores, têm dificuldade para chegar aos recessos mais profundos dos seios nasais. Como resultado, os sintomas podem persistir por semanas (ou mais, tornando-se crônicos).

A maioria das sinusites é causada por vírus (às vezes por alergias), mas em cerca de 10% das vezes as bactérias ficam com a culpa. Se a sinusite for causada por bactérias (o que muitas vezes é o caso quando os sintomas persistem por mais de dez dias ou são graves e acompanhados de febre), o médico prescreverá um antibiótico seguro. Se for causada por vírus, os antibióticos não serão úteis, e o tratamento se concentrará no alívio dos sintomas com analgésicos, esteroides tópicos e enxaguantes nasais (alguns médicos autorizam o uso de certos descongestionantes após o primeiro trimestre; veja a p. 540).

Temporada de gripe

"Costumo tomar a vacina contra a gripe no outono, mas agora estou me perguntando se deveria pular este ano. A vacina é segura durante a gravidez?"

A vacina definitivamente é sua melhor linha de defesa durante a temporada de gripe. Ela não somente é segura, como é uma atitude muito inteligente durante a gestação. De fato, o CDC recomenda que todas as gestantes sejam vacinadas. Isso porque a gripe pode ser muito mais severa quando você está grávida, e tem maior probabilidade de levar a complicações sérias e hospitalização. E, como o CDC coloca as gestantes no topo da lista prioritária (juntamente com os idosos e as crianças entre 6 meses e 5 anos), as futuras mães podem gingar até a frente da fila, mesmo que o estoque de vacinas seja baixo. Converse com seu médico sobre a vacina contra a gripe — muitos obstetras a oferecem para suas pacientes grávidas. Você também pode ser vacinada nos postos encontrados em farmácias ou supermercados locais. No Brasil, você pode se vacinar em uma Unidade Básica de Saúde (UBS), Clínicas da Família, laboratórios ou clínicas de imunização. A vacina contra a gripe oferece mais proteção quando é tomada antes ou no início de cada temporada — preferencialmente em outubro (no Brasil, entre março e abril). Ela nunca é 100% eficaz, porque protege somente contra os vírus que se acredita que causarão mais problemas em determinado ano. Mesmo assim, ela aumenta muito a chance de passar pela temporada sem pegar gripe (ou H1N1). No Brasil, o Sistema Único de Saúde aplica a vacina contra gripe trivalente, que protege das duas cepas de influenza A, a H1N1 e a H3N2, e uma linhagem de influenza B, a Victoria. Já no sistema particular, a vacina contra gripe é tetravalente, que protege da influenza A (H1N1 e H3N2) e influenza B (Victoria e a Yamagata).

E, mesmo quando não evita a gripe, a vacina geralmente reduz a severidade dos sintomas, o que é ainda mais importante quando você está esperando um bebê, já que os sintomas em gestantes podem ser especialmente intensos. Os efeitos colaterais são pouco frequentes e geralmente amenos.

Você terá de se ater à injeção em sua vacinação sazonal contra a gripe, já que a vacina por *spray* nasal (FluMist, feita com o vírus vivo) não foi aprovada nem é aplicada em mulheres grávidas.

Se suspeitar que está com gripe (os sintomas incluem febre, dor no corpo, dor de cabeça, dor de garganta e tosse), telefone para o médico imediatamente para receber tratamento (e para que a gripe não evolua para uma pneumonia). O tratamento pode incluir uma medicação antiviral (como Tamiflu), juntamente com passos para reduzir a febre (veja a pergunta seguinte) e outros sintomas.

> ## VACINA PARA DOIS
>
> Tomar vacina a deixa protegida quando você está esperando um bebê, mas você sabia que seus benefícios também se estendem ao futuro recém-nascido? Os pesquisadores descobriram que bebês de mães que foram vacinadas contra a gripe no último trimestre da gestação parecem estar protegidos contra o vírus até terem idade suficiente para receber sua própria vacina, aos 6 meses. É claro que, se estiver no primeiro ou segundo trimestres quando a vacinação começar, não espere — você precisará estar protegida durante a temporada de gripe.

meio da noite. Isso porque a febre alta não só pode ser prejudicial para o bebê em desenvolvimento (especialmente durante o primeiro trimestre), como sua causa (por exemplo, uma infecção que requer tratamento) também pode ser prejudicial, mesmo que a febre não seja. Enquanto você espera para falar com o médico, tome paracetamol (Tylenol) para começar a baixar a febre. Tomar banho com água morna, ingerir bebidas frescas e manter as roupas e cobertas leves também ajudará a diminuir a temperatura. Aspirina ou ibuprofeno (Advil ou Motrin) não devem ser tomados em nenhum momento durante a gravidez, a menos que tenham sido especificamente recomendados pelo médico.

Febre

"Estou com um pouco de febre. O que devo fazer?"

Embora a febre baixa (inferior a 37,8°C) geralmente não seja motivo de preocupação quando você está grávida, ela tampouco é algo que se deva ignorar. Portanto, tome medidas para baixá-la prontamente, mas também fique de olho no termômetro para garantir que os números não comecem a subir.

Se a febre chegar a 37,8°C, telefone para o médico no mesmo dia ou na manhã seguinte, se estiver no meio da noite. Se chegar a 38,3°C, telefone imediatamente, mesmo que esteja no

Dor de garganta

"Meu filho está com dor de garganta. Se eu pegar, existe risco para o bebê?"

Se existe uma coisa que as crianças são boas em dividir, são os germes. Quanto mais crianças houver em sua casa (particularmente se elas vão para a creche ou escola), maiores suas chances de pegar resfriados e outras infecções enquanto está esperando.

Assim, intensifique as medidas de proteção (veja o quadro da p. 706). Mas, se suspeitar que já sucumbiu à faringite estreptocócica, você provavelmente terá de fazer uma cultura. A infecção não prejudicará o bebê, desde que seja tratada prontamente, com o tipo certo de antibiótico — um que seja efetivo e seguro durante a gravidez. Não tome o remédio prescrito para seu filho ou alguma outra pessoa na família.

Infecção do trato urinário
"Acho que estou com uma infecção urinária."

Sua pobre e maltratada bexiga, que passa meses a fio sendo agredida pelo útero em crescimento e seu adorável ocupante, é solo fértil para visitantes indesejados: as bactérias. Esses pequenos organismos (que geralmente vivem silenciosamente em sua pele e em suas fezes) acham mais fácil que o habitual entrar em seu trato urinário quando você está grávida, graças à inundação de hormônios que relaxam a musculatura. Uma vez lá dentro, as bactérias se sentem em casa e tornam sua vida miserável, multiplicando-se rapidamente em áreas nas quais a compressão do útero em expansão (a mesma compressão que faz você se levantar para urinar várias vezes durante a noite) permite que a urina se acumule ou flua lentamente. De fato, as infecções do trato urinário são tão comuns na gravidez que ao menos 5% das mulheres grávidas podem esperar desenvolver ao menos uma, e aquelas que já tiveram têm uma chance em três de terem outra. Em algumas mulheres, a infecção é "silenciosa" (sem sintomas) e diagnosticada somente após uma cultura rotineira de urina. Em outras, os sintomas podem variar de leves a bastante desconfortáveis (vontade de urinar frequentemente, dor ou queimação ao urinar — às vezes somente uma ou duas gotas —, pressão ou dor aguda no baixo-ventre). A urina também pode ser turva e ter cheiro desagradável.

Diagnosticar a infecção é tão simples quanto mergulhar um bastãozinho em uma amostra de urina no consultório médico: o bastão reagirá à presença de glóbulos vermelhos ou brancos, que podem indicar infecção. A amostra então será enviada para análise no laboratório. Tratar a infecção urinária também é simples. O médico prescreverá um antibiótico seguro para gestantes, específico para o tipo de bactérias que o laboratório encontrar na urina.

É claro que a prevenção é sempre a melhor estratégia, especialmente quando você está esperando um bebê. Eis alguns passos que você pode dar para evitar a infecção do trato urinário. Você também pode empregá-los, juntamente com o tratamento prescrito, para acelerar a recuperação caso já tenha contraído uma infecção:

- Ingira muitos líquidos, especialmente água, para ajudar a expelir as bactérias. O suco de *cranberry* também é benéfico, possivelmente porque contém taninos que impedem as bactérias de aderirem às paredes do trato urinário. Evite café e chá (mesmo descafeinados), que podem aumentar a irritação.
- Lave bem a área vaginal e esvazie a bexiga antes e depois do sexo.

- Todas as vezes que urinar, esvazie completamente a bexiga. Inclinar-se para a frente no vaso sanitário pode ajudá-la nisso. Às vezes, o "duplo esvaziamento" também ajuda: após urinar, espere 5 minutos e tente novamente. E não segure o xixi quanto tiver vontade, já que fazer isso regularmente aumenta a suscetibilidade a infecções.
- Para permitir que a área perineal respire, use calcinhas e meias com fundilho de algodão, não use calças ou *leggings* muito justas, não use meias-calças sob as calças e durma sem calcinha e sem a calça do pijama, se for possível (e confortável).
- Mantenha as áreas vaginal e perineal meticulosamente limpas e sem irritações. Limpe da frente para trás ao usar o vaso sanitário, para impedir que bactérias fecais penetrem sua vagina ou uretra. Lave essas áreas diariamente (duchas são melhores que banhos de banheira) e evite espumas de banho e produtos perfumados, como pós, géis de banho, sabonetes, sprays, detergentes e papel higiênico.
- Pergunte a seu médico o que ele acha da ideia de você tomar probióticos para restaurar o equilíbrio de bactérias benéficas.
- Infecções nas partes inferiores do trato urinário não são divertidas, mas o risco potencial mais sério é o de que as bactérias da infecção não tratada cheguem aos rins. Infecções renais não tratadas são muito perigosas e podem levar a parto prematuro, baixo peso ao nascer e outras complicações. Os sintomas são os mesmos das infecções do trato urinário, mas frequentemente acompanhados de febre (às vezes chegando a 39,4°C), tremores, sangue na urina, dor nas costas (no meio ou em ambos os lados), náusea e vômito. Se tiver esses sintomas, notifique imediatamente o médico, para receber tratamento.

Candidíase

"Acho que estou com candidíase. Posso usar o mesmo creme de sempre ou preciso ir ao médico?"

A gestação jamais é o momento de praticar o autodiagnóstico ou tratamento, nem mesmo quando se trata de algo aparentemente tão simples quanto a candidíase vaginal. Mesmo que já a tenha tido centenas de vezes, mesmo que conheça os sintomas de trás para a frente (corrimento amarelado, esverdeado ou espesso e com aspecto de queijo que cheira mal, acompanhado de ardência, coceira, vermelhidão ou dor), mesmo que já tenha se tratado com sucesso com medicamentos vendidos livremente nas farmácias, dessa vez, telefone para o médico.

O tipo de tratamento que você receberá dependerá do tipo de infecção, algo que somente os testes laboratoriais podem determinar. Se realmente for uma candidíase, que é muito comum na gravidez, o médico pode prescrever supositórios vaginais, géis, pomadas ou cremes. O fluconazol pode ser usado, se necessário, mas somente em baixas doses e por não mais de dois dias, por causa do possível risco aumentado de aborto espontâneo com altas doses.

VAGINOSE BACTERIANA

A vaginose bacteriana é a condição vaginal mais comum em mulheres de idade fértil, afetando mais de três quartos de todas as mulheres e até 16% das gestantes. A vaginose, que ocorre quando bactérias normalmente encontradas na vagina começam a se multiplicar excessivamente, muitas vezes é acompanhada de corrimento anormal cinzento ou esbranquiçado e com forte odor de peixe, dor, coceira ou ardência (embora algumas mulheres não apresentem nenhum sintoma). Os especialistas não sabem exatamente o que faz com que o equilíbrio normal de bactérias seja rompido, embora alguns fatores de risco tenham sido identificados, incluindo múltiplos parceiros sexuais e uso de duchas ou de DIU.

Por que você deveria se preocupar com algo tão comum? Porque, durante a gravidez, a vaginose está associada a um ligeiro aumento de complicações — como ruptura prematura das membranas ou infecção do líquido amniótico — que podem levar ao parto prematuro. Ela também pode estar ligada ao ligeiro aumento do risco de aborto espontâneo e baixo peso ao nascer. Embora não esteja claro se tratar a vaginose sintomática com antibióticos durante a gestação diminui o risco de complicações, a maioria dos médicos a trata mesmo assim.

Assegure-se de mencionar qualquer sintoma ao médico, para receber o diagnóstico correto... e, se necessário, o tratamento correto.

Infelizmente, a medicação só pode banir a candidíase temporariamente: a infecção frequentemente retorna repetidamente até depois do parto e pode exigir vários tratamentos. Você pode acelerar a recuperação e prevenir a reinfecção mantendo-se o mais limpa e seca possível: sempre limpe da frente para trás, enxague a área vaginal completamente depois de ensaboar no banho (chuveiros são preferíveis a banheiras), não use sabonetes perfumados e espuma de banho (ou qualquer outro produto irritante), use calcinhas de algodão, evite calças ou *leggings* muito justas (especialmente as que não forem de algodão) e deixe a área respirar o máximo possível (durma sem calcinha, se puder).

Comer iogurte com culturas vivas de probióticos pode manter os fungos à distância. Você também pode conversar com o médico sobre um suplemento efetivo de probióticos. Algumas mulheres que sofrem de candidíase crônica relatam que reduzir a ingestão dos alimentos consumidos pelos fungos, como açúcar e pães e bolos feitos com farinha de trigo refinada, também ajuda. Não faça duchas íntimas, porque isso perturba o equilíbrio normal de bactérias na vagina (o que pode estar ligado à vaginose bacteriana, veja o quadro da p. 704) e a expõe aos nocivos ftalatos (boas razões para jamais usar duchas íntimas, esteja grávida ou não). Você também não precisa de lenços umedecidos para a região íntima, mas, se não conseguir viver sem aquela "sensação de frescor", escolha lenços que sejam sem álcool e produtos químicos e que não alterem o pH vaginal, pois fazer isso aumenta o risco de infecção.

Gastroenterite

"Estou com gastroenterite e não consigo manter nada no estômago. Isso vai prejudicar o bebê?"

Justo quando você achou que era seguro sair do banheiro, lá está você de novo vomitando (adeus enjoo matinal, olá vírus estomacal). E, se ainda estiver no primeiro trimestre quando pegar gastroenterite, pode ser difícil diferenciar seus sintomas do enjoo matinal normal (a menos que você também tenha diarreia).

Por sorte, ter gastroenterite não fere seu bebê, somente seu estômago. Mas não significa que não deva ser tratada. E, esteja seu estômago revirado por causa dos hormônios, de um vírus ou da salada de ovos que ficou tempo demais no bufê, o tratamento é o mesmo: dê ao seu corpo o repouso que ele está pedindo e foque nos líquidos, especialmente se os estiver perdendo através do vômito ou da diarreia. No curto prazo, eles são muito mais importantes que os sólidos.

Se não estiver urinando com frequência suficiente ou sua urina estiver escura (ela deve ser cor de palha), você pode estar desidratada. Os fluidos são seus melhores amigos: tente tomar golinhos frequentes de água, suco diluído (o suco de uva branca é o menos irritante para o estômago), caldo claro, chá fraco ou água morna com limão siciliano. Se não conseguir engolir, chupe cubos de gelo ou picolés. Siga as dicas de seu estômago ao acrescentar sólidos e os mantenha simples, sem tempero nem gordura (torrada seca, purê de maçã, bananas). Não se esqueça de que o gengibre é bom para qualquer estômago doente. Tome-o em chás, refrigerantes sem gás (será melhor se realmente houver gengibre neles) ou qualquer outra bebida ou então balas de gengibre. Você precisa de vitaminas agora, então tente tomar as pré-natais quando for menos provável que seu estômago as devolva (pós podem ser mais fáceis de manter no estômago que cápsulas). Mas não se preocupe se não conseguir tomá-las por alguns dias — não haverá dano.

PERMANECENDO SAUDÁVEL QUANDO VOCÊ ESTÁ ESPERANDO

Durante a gravidez, quando você precisa se manter saudável por dois, a proverbial prevenção vale duas vezes mais que a cura. As seguintes sugestões aumentarão suas chances de permanecer saudável quando está esperando (e quando não está):

Mantenha a imunidade alta. Consuma a melhor dieta possível, durma e se exercite o suficiente e descanse antes de chegar à exaustão. Reduzir o estresse em sua vida o máximo que puder também ajudará a manter seu sistema imunológico funcionando em níveis ótimos.

Evite pessoas doentes como evitaria a praga. Da melhor maneira que puder, tente ficar longe de qualquer um que esteja resfriado, gripado, com gastroenterite ou qualquer outra doença claramente contagiosa. Afaste-se das pessoas tossindo no ônibus, não abrace a amiga que está com dor de garganta e evite apertar a mão do colega com o nariz escorrendo (apertos de mãos disseminam germes). Também evite locais fechados e lotados.

Lave as mãos. As mãos são as principais disseminadoras de infecções, então lave-as frequente e cuidadosamente com sabonete e água morna (cerca de 20 segundos são suficientes), particularmente depois de se expor a alguém doente, passar algum tempo em locais públicos ou usar transportes públicos. Lavar as mãos é especialmente importante antes de comer. Mantenha um higienizador ou lenços higienizadores para as mãos no porta-luvas, na gaveta de sua mesa no escritório e na bolsa ou pasta, a fim de poder limpá-las quando não houver pia por perto.

Evite a disseminação dos germes. Em casa, tente limitar o máximo possível o contato disseminador de germes com marido ou filhos doentes. Não termine os sanduíches deles nem beba de seus copos. E, embora toda criança doente precise de um pouco de terapia de beijos e abraços com a mãe, assegure-se de lavar as mãos e o rosto (ou esfregá-los com higienizador) após esse carinho reconfortante. Faça o mesmo depois de tocar lençóis, toalhas e lenços usados, especialmente antes de tocar os próprios olhos, nariz e boca. Faça com que seus pequenos pacientes lavem as mãos frequentemente e tente ensiná-los a tossir e espirrar na dobra dos cotovelos, e não nas mãos (o que também é uma boa dica para adultos). Use spray ou lenços desinfetantes em telefones, tablets, teclados, controles remotos e outras superfícies tocadas por eles.

Se seu filho ou uma criança sob seus cuidados ou com a qual passa bastante tempo desenvolverem qualquer tipo de erupção cutânea, evite o contato próximo e telefone para o médico assim que puder, a menos que já saiba ser imune à catapora, quinta doença e sarampo.

Seja esperta com os pets. Mantenha seus animais de estimação com boa saúde, atualizando as vacinas, se necessário. E assegure-se de lavar as mãos após manusear a comida e os potes dos pets (eles às vezes contêm bactérias). Se tiver gato, tome precauções para evitar a toxoplasmose (p. 113).

Cuidado com carrapatos e mosquitos. Evite áreas com ocorrência de doença de Lyme, vírus Zika ou vírus do Nilo ocidental ou se proteja adequadamente (p. 713 e quadro da p. 712).

Cada um na sua. Mantenha uma política de não compartilhamento em relação a escovas de dente e outros itens pessoais (e não deixe as cerdas de uma escova de dentes tocarem as cerdas de outra). Use copos descartáveis para enxaguar a boca ao escovar os dentes.

Coma com segurança. Para evitar doenças causadas por alimentos, desenvolva hábitos de segurança alimentar ao prepará-los e armazená-los (p. 170).

Se não conseguir manter nada no estômago, fale com o médico. A desidratação é um problema para qualquer um sofrendo de gastroenterite, mas é especialmente problemática para gestantes. Você pode ser aconselhada a ingerir líquidos de reidratação (como Pedialyte, que também vem em uma apresentação que pode ser congelada, acalmando o estômago) ou água com eletrólitos. Água de coco também pode ajudar. Se não conseguir manter nem isso no estômago, o médico pode querer que você vá ao consultório para receber fluidos intravenosos. Também telefone se a gastroenterite causar febre (p. 705).

Fale com o médico antes de abrir o armário de remédios em busca de alívio. Antiácidos como Tums e Rolaids são considerados seguros durante a gestação, e alguns médicos autorizam o uso de remédios contra gases, mas pergunte primeiro. Ele também pode autorizar o uso de alguns medicamentos contra diarreia, mas provavelmente somente se você já tiver passado do primeiro trimestre. No Brasil, os mais utilizados são Mylanta Plus ou Maalox.

E não se desespere: a maioria dos casos de gastroenterite se resolve sozinha em um ou dois dias.

Citomegalovírus (CMV)
"Sou professora da pré-escola e tivemos um surto de CMV. Devo me preocupar com isso durante a gravidez?"

Felizmente, não é provável que você pegue CMV de um de seus alunos e o passe para o bebê. Isso porque a maioria dos adultos já foi infectada pelo CMV durante a infância. Se você está entre a maioria ou teve CMV na idade adulta — e, como alguém que passa muito tempo com crianças, isso definitivamente é possível —, você não irá contraí-lo agora (embora ele possa ser "reativado"). Mesmo que tenha uma nova infecção por citomegalovírus durante a gravidez, os riscos para o bebê são reduzidos. Embora metade das gestantes infectadas dê à luz bebês infectados, somente uma pequena porcentagem dos bebês apresenta sintomas. Os riscos são ainda menores em mães que tiveram reativação da infecção durante a gestação.

Mesmo assim, como há potencial de doenças congênitas sérias no caso de infecção por CMV, é melhor se manter o mais segura possível. A menos que tenha certeza de ser imune porque já teve a infecção ou foi testada antes de conceber, a melhor defesa é um bom ataque (como seria no caso de qualquer outra infecção viral). Como alguém que trabalha com crianças pequenas (e seus germes), você provavelmente já conhece a rotina de higiene. Mas seja especialmente meticulosa ao praticar o protocolo padrão para evitar a disseminação de qualquer tipo de infecção, como lavar as mãos frequentemente e com cuidado, especialmente após trocar fraldas ou ajudar as crianças a usarem o vaso sanitário — e, é claro, resista à tentação de mordiscar as guloseimas que elas deixarem para trás.

Embora a CMV frequentemente chegue e vá embora sem sintomas óbvios, às vezes ela causa febre, fadiga, glândulas inchadas e dor de garganta. Se notar qualquer um desses sintomas, fale com o médico. Quer os sintomas assinalem CMV ou outra doença (como gripe ou garganta inflamada), você precisará de tratamento.

Quinta doença
"Ouvi dizer que uma doença da qual nunca ouvi falar, quinta doença, pode causar problemas durante a gravidez."

A quinta doença (eritema infeccioso), causada pelo parvovírus B19 (que não deve ser confundido com o parvovírus que afeta cães e gatos) é a quinta de um grupo de seis doenças que causam febre e erupção cutânea em crianças. Mas, ao contrário das outras (como sarampo e catapora, que recebem toda atenção), a quinta doença não é amplamente conhecida porque seus sintomas são amenos e podem nem ser notados — ou estarem totalmente ausentes. A febre está presente em somente 15 a 30% dos casos. Nos primeiros dias, a erupção dá às bochechas a aparência de terem sido estapeadas, e então se espalha pelo tronco, nádegas e coxas, desaparecendo e reaparecendo (geralmente em resposta ao calor ou a um banho quente) por uma a três semanas. Ela pode ser confundida com a erupção de outras doenças infantis ou mesmo com uma queimadura de sol ou vento. Os adultos tipicamente não apresentam a erupção do tipo "tapa no rosto".

A exposição concentrada, por cuidar de uma criança doente ou ensinar em uma escola onde haja epidemia, pode aumentar ligeiramente o baixíssimo risco de contrair a quinta doença. Mas metade das mulheres em idade fértil já a tiveram na infância e são imunes, então a infecção de gestantes felizmente não é comum. No improvável evento de uma futura mãe pegar a quinta doença e o feto ser infectado, o vírus pode atrapalhar a habilidade fetal de produzir glóbulos vermelhos, levando a um tipo de anemia e outras complicações. Se o teste revelar que você contraiu a quinta doença, o médico buscará sinais de anemia fetal realizando ultrassons semanais por oito a dez semanas. Se o bebê for infectado durante a primeira metade da gestação, o risco de aborto espontâneo aumenta.

Novamente, as chances de a quinta doença afetar você, a gravidez ou o bebê são muito remotas. Mesmo assim, como sempre, faz sentido tomar as precauções necessárias para evitar qualquer infecção enquanto estiver esperando (veja o quadro da p. 706).

Catapora (varicela)

"Minha filha foi exposta à catapora na creche. Se ela pegar, o bebê pode ser prejudicado?"

É pouco provável. Isolado do resto do mundo, o bebê não pode pegar catapora de uma terceira pessoa, somente de você. O que significa que você teria de pegá-la primeiro, o que é improvável. Em primeiro lugar, sua filha não pegará catapora e a trará para casa se tomou a vacina (recomenda-se que todos os bebês recebam a primeira dose ao completar 1 ano). Em segundo, é provável que você tenha sido infectada (85 a 95% da população americana adulta já teve catapora) ou vacinada, tornando-a imune. Pergunte a seus pais ou verifique seus registros médicos para descobrir se teve catapora ou foi vacinada contra ela (a vacina se tornou disponível em 1995). Se não tiver certeza, peça que o médico faça um teste para verificar se você é imune.

Embora as chances de ser infectada sejam muito reduzidas mesmo que você não seja imune, uma injeção de imunoglobulina antivaricela-zoster (VZIG) 96 horas depois da exposição pessoal documentada (em outras palavras, contato direto com alguém diagnosticado com catapora) pode ser recomendável. Não está claro se a injeção protegerá o bebê caso você contraia a doença, mas deve minimizar as complicações para você — um benefício significativo, já que essa doença infantil amena pode ser bastante severa em adultos. Se você apresentar um caso severo, pode receber um medicamento antiviral para reduzir o risco de complicações.

Se você for infectada durante a primeira metade da gravidez, há a chance muito reduzida (cerca de 2%) de que o bebê desenvolva uma condição chamada síndrome da varicela congênita, que pode causar algumas doenças congênitas. Se for infectada mais tarde, não há quase nenhum perigo para o bebê. A exceção é se você contrair varicela pouco antes (uma semana) ou depois do parto. Nesse cenário extremamente improvável, há a pequena chance de que o recém-nascido seja infectado e desenvolva a erupção característica em uma semana ou mais. Nesse caso, para evitar a infecção neonatal, o bebê receberá uma infusão de anticorpos contra a varicela ao nascer (ou assim que ficar evidente que você foi infectada após o parto).

O herpes zoster, que é uma reativação do vírus da varicela em alguém que já teve a doença (e raramente ocorre em mulheres grávidas), não parece ser prejudicial ao feto, provavelmente porque a mãe — e consequentemente o bebê — já tem anticorpos contra o vírus.

Se você não for imune e escapar da infecção dessa vez, peça ao médico para ser vacinada após o parto, a fim de proteger as futuras gestações. A imunização com duas doses, tomadas em um intervalo de quatro a oito semanas, deve ser concluída ao menos um mês antes da nova concepção.

SARAMPO, CAXUMBA E RUBÉOLA

Há boas chances de que você seja imune ao sarampo, à caxumba e à rubéola. Isso porque você (como a maioria das mulheres em idade fértil) provavelmente recebeu a vacina tríplice viral (SCR), que protege contra essas doenças, quando era criança — ou, o que é menos provável, já teve as doenças e não as terá novamente. Mas, com os crescentes lapsos nas vacinações resultando em novos surtos dessas doenças potencialmente perigosas, você pode estar se perguntando se há qualquer risco para a gestação ou para o bebê. Eis o que você precisa saber:

Sarampo. No muito improvável cenário de você ser diretamente exposta a alguém com sarampo e ter certeza de não ser imune, o médico pode lhe administrar imunoglobulinas (anticorpos) durante o período de incubação — entre a exposição e o início dos sintomas —, para diminuir a severidade da doença no caso de você a contrair. O sarampo não parece causar defeitos congênitos, embora possa ser ligado ao risco aumentado de aborto espontâneo e parto prematuro. Se contrair sarampo perto da data provável do parto, há o risco de que o recém-nascido pegue a infecção de você.

Caxumba. Não é fácil pegar caxumba hoje em dia. Ela não é altamente contagiosa por contato casual e só algumas centenas de americanos pegam caxumba a cada ano, graças à imunização rotineira das crianças. No entanto, como ela parece causar contrações uterinas e está associada ao risco aumentado de aborto espontâneo no primeiro trimestre ou parto prematuro mais tarde, gestantes que não são imunes devem estar alertas para os primeiros sintomas (possivelmente dor vaga, febre e perda de apetite, seguidas de glândulas salivares inchadas, dor de ouvido e dor ao mastigar ou ao ingerir bebidas e alimentos ácidos ou azedos). Notifique o médico de tais sintomas imediatamente, porque o tratamento precoce reduz a chance de problemas.

Rubéola. Como a rubéola é muito perigosa durante a gravidez, o médico fará um teste simples — um título — para medir o nível de anticorpos em seu sangue já na primeira consulta pré-natal, a fim de estar absolutamente certo de que você é imune. No improvável evento de não ser (ou seu nível de anticorpos ser baixo, significando que sua imunidade está desaparecendo), não há razão para se preocupar. Felizmente, o CDC considera a rubéola erradicada nos EUA (em 2015, o Brasil recebeu da Organização Mundial da Saúde (OMS) o certificado de eliminação da doença no país), tornando quase impossível pegá-la aqui (e quase impossível que o vírus seja prejudicial se você contrair a doença). Os sintomas, que surgem duas a três semanas após a exposição, costumam ser moderados (mal-estar, febre baixa e glândulas inchadas, seguidos por leve erupção um ou dois dias depois) e às vezes podem nem ser notados. Se você pegar rubéola durante a gravidez (e, mais uma vez, as chances são extremamente remotas), o risco para o bebê dependerá de quando você foi infectada. Durante o primeiro mês, as chances de o bebê apresentar defeitos congênitos sérios é bastante alta. No terceiro mês, o risco é significativamente mais baixo. Depois disso, mais baixo ainda.

Não lembra se recebeu a vacina SCR ou se já teve sarampo, caxumba ou rubéola? Verifique seus registros médicos (ou fale com seus pais, que provavelmente sabem se você foi vacinada ou não). Se definitivamente não for imune (ou se os títulos mostrarem que sua imunidade é baixa), você não receberá a vacina (ou um reforço) durante a gravidez. Embora nunca se tenha reportado problemas nos bebês de mulheres que foram inadvertidamente vacinadas antes de saberem que estavam grávidas, os especialistas recomendam não assumir esse risco teórico. Mas você pode tomar a SCR (ou, se o título de somente uma doença for baixo, a vacina individual contra essa doença) logo após o parto. Isso protegerá não somente seu bebê até que ele esteja totalmente imunizado como também suas futuras gestações.

Hepatite A

"Acabei de ouvir sobre um recall de frutas processadas por causa de uma possível contaminação por hepatite A — depois que já tinha comprado e comido. Se eu pegar hepatite A, pode afetar minha gravidez?"

A infecção por hepatite A é rara nos EUA (ela é mais prevalente em países com pouco saneamento), e geralmente ocorre pela rota fecal-oral (ao ingerir algo que foi contaminado pelas fezes de uma pessoa infectada). A maioria das infecções resulta do contato pessoal próximo, mas o vírus também pode ser disseminado por um trabalhador da indústria de alimentos que esteja infectado — provavelmente a razão pela qual o lote de frutas que você comprou foi recolhido (e outra boa razão para implementar práticas de segurança alimentar ao cozinhar e preparar alimentos). A infecção frequentemente é moderada, sem sintomas perceptíveis (especialmente em crianças mais novas). Crianças mais velhas e adultos tipicamente experimentam dores musculares, dor de cabeça, desconforto abdominal, perda de apetite, febre, mal-estar e, em alguns casos, icterícia (amarelamento da pele e dos olhos). Em casos raros, os sintomas se tornam severos o bastante para exigir hospitalização. Eles costumam não durar mais que dois meses, e os infectados pela hepatite A se recuperam completamente (na maioria das vezes sem qualquer tratamento) e se tornam imunes a novas infecções. (Você também é imune se já foi vacinada.)

PROTEGENDO-SE CONTRA O VÍRUS ZIKA

O vírus Zika é disseminado por mosquitos (e, em alguns casos, através do sexo). Embora não seja arriscado para a população em geral, normalmente causando sintomas moderados (ou, às vezes, nenhum sintoma perceptível), o vírus foi associado tanto ao aborto espontâneo quanto a defeitos congênitos sérios — como microcefalia (cabeça menor que o esperado) e danos cerebrais — em bebês cujas mães foram infectadas durante a gravidez. Se você vive ou precisa viajar para uma região onde o Zika é prevalente (o CDC recomenda que não se viaje para essas áreas), proteja-se das picadas dos mosquitos (veja o quadro da p. 712). Se seu parceiro viajou para uma região infectada pelo Zika ou você vive em uma, o CDC a aconselha a se abster do sexo ou usar camisinha durante o sexo pelo restante da gravidez. Se for infectada pelo Zika durante a gravidez (ou achar que pode estar infectada), você fará um exame de sangue e um ultrassom e sua gravidez será monitorada atentamente. Para as últimas informações, visite cdc.gov/zika ou portal.fiocruz.br/zika.

Felizmente, a infecção raramente é passada para o feto ou recém-nascido. Isso porque os anticorpos que seu corpo produz após a exposição passam diretamente pela placenta, protegendo-o completamente da infecção. Portanto, mesmo que você pegue, é improvável que isso afete a gravidez. Mesmo assim, o médico pode sugerir que você receba uma injeção de imunoglobulinas até duas semanas após a exposição, somente para ser prudente (a injeção também é segura).

Se estiver viajando para uma área com altas taxas de infecção ou tiver hepatite B ou C, pergunte ao médico sobre a imunização contra a hepatite A, que pode ser feita durante a gravidez.

Hepatite B
"Sou portadora de hepatite B e acabo de descobrir que estou grávida. Isso prejudicará o bebê?"

Saber que você é portadora é o primeiro passo para garantir que isso não prejudique o bebê. Por sorte, é improvável que a infecção seja passada para ele ainda no útero. Mas, como a infecção do fígado pode ser transmitida durante o parto, passos serão dados para que isso não aconteça. O recém-nascido será tratado, até 12 horas depois de nascer, com imunoglobulinas contra hepatite B, além de receber a vacina (que é rotineira após o parto). Esse tratamento quase sempre evita que a infecção se desenvolva. O bebê também será vacinado com 1 ou 2 meses e novamente aos 6 meses (o que também é rotineiro para todos os bebês), e pode ser testado dos 12 aos 15 meses, para garantir que a terapia tenha sido efetiva.

Hepatite C
"Devo me preocupar com a hepatite C durante a gravidez?"

Como a hepatite C costuma ser transmitida através do sangue (por exemplo, através de transfusões ou seringas compartilhadas entre usuários de drogas), a menos que você tenha feito uma transfusão ou pertença a uma categoria de alto risco, é improvável que seja infectada. A hepatite C pode ser transmitida da mãe infectada para o bebê durante o parto, com uma taxa de transmissão de 4 a 7%. A infecção, se diagnosticada, pode ser tratada, mas não durante a gravidez.

Doença de Lyme
"Vivo em uma área de alto risco de doença de Lyme. Preciso tomar precauções adicionais agora que estou grávida?"

Como você provavelmente já sabe, a doença de Lyme é mais comum entre aqueles que passam tempo em áreas arborizadas onde os carrapatos dos cervos se esconden — mas esses carrapatos ocasionalmente pegam uma carona para os subúrbios e também para a cidade, através das plantas levadas do interior. A variante que ocorre no Brasil pode ser transmitida pelo carrapato-estrela.

A melhor maneira de se proteger é tomar medidas preventivas. Se você está em uma área arborizada ou relvada ou lidando com plantas que cresceram em áreas assim, use calças compridas, enfiadas nas botas ou meias, e blusas de manga comprida, além de aplicar um repelente efetivo contra os carrapatos de cervos (como um que contenha DEET) na pele exposta e tratar as roupas com permetrina. Quando voltar para casa, examine sua pele cuidadosamente em busca de carrapatos (se não conseguir ver certas partes de seu corpo agora que está grávida, peça que seu parceiro ou outra pessoa examine-as para você). Se encontrar um carrapato, remova-o imediatamente, puxando com uma pinça (remover o carrapato em 24 horas elimina quase totalmente a possibilidade de infecção). Não é preciso guardar o carrapato para testes.

Se encontrar um carrapato e notar a característica marca avermelhada e em formato de alvo no local da picada, vá ao médico: o exame de sangue determinará se você está infectada. Os sintomas iniciais da doença de Lyme podem incluir fadiga, dor de cabeça, pescoço enrijecido, febre, calafrios, corpo dolorido e glândulas inchadas perto do local da picada. Os sintomas posteriores podem incluir dor parecida com a da artrite e perda de memória.

Felizmente, os estudos demonstraram que o tratamento imediato com antibióticos protege totalmente o bebê cuja mãe foi infectada com doença de Lyme, além de evitar que a mãe fique seriamente doente.

Paralisia de Bell

"Acordei esta manhã com dor atrás da orelha e a língua adormecida. Quando olhei no espelho, um lado inteiro de meu rosto parecia caído. O que está acontecendo?"

Parece que você pode ter paralisia de Bell, uma condição temporária causada por dano ao nervo facial, resultando em fraqueza ou paralisia de um lado da face. Embora seja bastante incomum, a paralisia de Bell atinge as mulheres grávidas três vezes mais que as não grávidas, e ocorre mais frequentemente no terceiro trimestre ou no início do puerpério. Seu surgimento é súbito, e a maioria das pessoas com a condição acorda um dia e descobre que o rosto está caído.

A causa dessa paralisia facial temporária é desconhecida, embora os especialistas suspeitem que certas infecções virais ou bacterianas possam causar inchaço e inflamação do nervo facial, gerando a condição. Outros sintomas às vezes acompanham a paralisia, incluindo dor atrás da orelha ou na parte de trás da cabeça, vertigem, sialorreia [baba] por causa dos músculos fracos, boca seca, incapacidade de pensar, perturbação do paladar, amortecimento na língua e mesmo dificuldade de fala.

A boa notícia é que a paralisia de Bell não se espalha para além do rosto e não piora. Outra boa notícia: a maioria dos casos se resolve sozinho entre três semanas e três meses, sem tratamento (embora, em algumas pessoas, ela possa levar até seis meses para desaparecer completamente). E a melhor notícia de todas: a condição não representa ameaça para a gravidez nem para o bebê e não necessita de tratamento. Mas, como os sinais de derrame (que é ligeiramente mais comum durante a gravidez, mesmo em mulheres jovens e saudáveis) podem ser iguais aos da paralisia de Bell, é crítico que você telefone imediatamente para o médico se notar que um lado do rosto está subitamente caído.

TUDO SOBRE:
Medicação durante a gravidez

O que praticamente todos os medicamentos prescritos e vendidos livremente nas farmácias têm em comum? Leia as letrinhas miúdas nos rótulos e bulas e você verá: praticamente todos avisam que gestantes não devem utilizá-los sem prescrição médica. Mesmo assim, se você é como a gestante média, terminará tomando ao menos um remédio com receita e vários sem receita durante a gravidez. Como saber quais são seguros e quais não?

MANTENDO-SE ATUALIZADA

As muitas listas de medicamentos seguros, possivelmente seguros, possivelmente inseguros e definitivamente inseguros mudam o tempo todo, especialmente conforme novos medicamentos são introduzidos, outros deixam de ser vendidos somente com receita e passam a ser vendidos livremente e outros ainda são estudados para determinar sua segurança para gestantes. Você pode acessar a Food and Drug Administration (fda.gov), o March of Dimes Resource Center no número (888) MODIMES (663-4637) ou no website marchofdimes.org, safefetus.com ou mothertobaby.org para conferir a segurança de um medicamento durante a gravidez. Consulte também seu obstetra.

Felizmente, somente alguns fármacos são definitivamente prejudiciais durante a gravidez, e muitos podem ser usados com segurança. Mesmo assim, nenhum fármaco — prescrito ou comprado livremente, tradicional ou fitoterápico — é 100% seguro para 100% das pessoas 100% do tempo. E, quando você está grávida, a saúde e o bem-estar de duas pessoas, uma delas muito pequena e vulnerável, deve ser levado em conta todas as vezes que você toma um remédio. Pesar os riscos potenciais contra os benefícios potenciais é sempre sensato, ainda mais quando você está grávida. Do mesmo modo, envolver seu médico na decisão de tomar ou não um remédio é sempre boa ideia, mas torna-se essencial durante a gestação.

Assim, exatamente como diz o rótulo, pergunte antes. Antes de tomar qualquer medicamento enquanto está esperando — mesmo que, no passado, você o tomasse rotineiramente, sem pensar duas vezes —, pergunte ao médico se é seguro.

Medicamentos comuns

Eis um resumo sobre os medicamentos mais comuns que você pode pensar em tomar durante a gravidez. Mesmo que se acredite que todos os medicamentos dessa lista são seguros, fale com o médico antes de tomar qualquer um deles pela primeira vez durante a gestação.

Tylenol. O paracetamol geralmente é autorizado para uso de curto prazo durante a gravidez, mas pergunte ao médico qual é a dosagem adequada.

Aspirina. A aspirina geralmente não é recomendada, especialmente durante o terceiro trimestre, já que aumenta o risco de complicações antes e durante o parto, como sangramento excessivo, assim como risco de problemas no recém-nascido. Alguns estudos sugerem que doses muito baixas podem prevenir a pré-eclâmpsia em certas circunstâncias, mas somente seu médico será capaz de dizer se ela é indicada em seu caso. Outros estudos sugerem que baixas doses, em combinação com o medicamento anticoagulante heparina, podem reduzir a incidência de aborto espontâneo recorrente em mulheres com síndrome dos anticorpos antifosfolipídeos. Novamente, somente o médico pode dizer se é o seu caso.

Advil ou Motrin. O ibuprofeno geralmente não deve ser usado durante a gravidez, especialmente durante o primeiro e o terceiro trimestres, quando pode ter o mesmo efeito afinador do sangue da aspirina. Use somente se especificamente recomendado por um médico que saiba que você está grávida.

Naproxeno. O uso do naproxeno, um anti-inflamatório não esteroide, não é de modo algum recomendado durante a gestação.

Sprays nasais. Para desentupir o nariz, você pode usar a maioria dos sprays nasais com esteroides. Fale com o médico sobre a melhor marca e a dosagem correta. Os sprays de soro fisiológico são sempre seguros, assim como as tiras dilatadoras. Fique longe de descongestionantes não esteroides que contenham oximetazolina (como Afrin), a menos que receba clara autorização do médico que faz seu acompanhamento pré-natal. A maioria não aprova esses sprays, e outros aconselham somente o uso limitado (um ou dois dias) após o primeiro trimestre.

Antiácidos. A azia que não passa (e que você conhece muito bem) responde a Tums ou Rolaids — e você recebe um bônus de cálcio. Maalox e Mylanta normalmente também são permitidos. Para todos eles, converse com o médico sobre a dosagem correta.

Também fale com ele antes de usar medicamentos que reduzem a acidez estomacal, como Prilosec, Prevacid, Pepcid ou Zantac (no Brasil, é mais comum se utilizar o Omeprazol e Pantoprazol em gestantes), já que algumas pesquisas mostram risco aumentado de asma em crianças cujas mães usaram esse tipo de medicação durante a gravidez.

Remédios para gases. Muitos médicos liberam remédios para gases, como Gas X ou Mylicon, para alívio ocasional da distensão abdominal, mas fale com seu médico antes de usar.

FIQUE ESPERTA COM OS ANTIBIÓTICOS

Os antibióticos podem salvar vidas, literalmente, quando usados contra infecções bacterianas potencialmente perigosas, mas também podem ser usados em excesso ou da maneira errada, levando a infecções resistentes. Eis alguns fatos sobre eles:

- Os antibióticos são prescritos para infecções bacterianas. Não funcionam (e não devem ser usados) em infecções virais, como gripes e resfriados.
- Muitos antibióticos podem ser usados seguramente durante a gravidez, então não hesite em tomá-los se o médico os prescrever para combater uma infecção bacteriana (como uma infecção do trato urinário).
- Tome o antibiótico exatamente da maneira prescrita pelo médico. Não pule doses e sempre termine o tratamento, a menos que seja instruída a não fazer isso.
- Jogue fora quaisquer sobras de medicamentos, e nunca guarde antibióticos para a próxima vez que ficar doente.
- Só tome antibióticos prescritos por um médico que saiba que você está grávida.
- Ao tomar antibióticos, pense em tomar também um suplemento probiótico para repor as bactérias benéficas. Tente espaçar as doses: probióticos devem ser tomados algumas horas depois dos antibióticos.

MEDICAÇÃO E LACTAÇÃO

Está se perguntando se poderá abrir o armário de remédios mais frequentemente (e com menos preocupação) quando estiver amamentando, e não mais esperando? A boa notícia é que a maioria dos medicamentos — vendidos com e sem receita — é compatível com a amamentação e segura para o bebê. Mesmo quando certo fármaco não deve ser usado durante a lactação, frequentemente existe um substituto seguro, o que significa que você provavelmente não precisará desistir da amamentação se precisar tomar determinado medicamento. Lembre-se também de que, embora seja verdade que o que entra em seu corpo normalmente termina no leite, a quantidade que chega ao alimento do bebê é uma fração minúscula da que permanece em seu organismo.

A maioria dos fármacos, em doses típicas, parece não ter efeito no bebê que mama no peito. Aí se incluem os medicamentos mais comuns, como:
- Paracetamol (Tylenol)
- Ibuprofeno (Advil, Motrin)
- Antiácidos (Maalox, Mylanta, Tums (no Brasil, os mais comuns são Mylanta Plus ou Maalox.)
- Laxantes (Metamucil, Colace, supositório de glicerina)
- Anti-histamínicos (como Claritin; o Benadryl também é seguro, mas pode causar sonolência no bebê)
- Descongestionantes (Afrin, Allegra, e assim por diante)
- Broncodilatadores (Albuterol)
- A maioria dos antibióticos
- A maioria dos medicamentos antifúngicos (Lotrimin, Mycelex, Diflucan, Monistat (no Brasil, o mais comum é o Fluconzol)
- Corticoides (prednisona)
- Medicamentos para a tireoide (Synthroid)
- A maioria dos antidepressivos
- A maioria dos sedativos
- A maioria dos medicamentos para condições crônicas (como asma, cardiopatias, hipertensão arterial, diabetes, e assim por diante)

Algumas classes de medicamentos podem ser significativamente prejudiciais para o leite materno e para o bebê. Betabloqueadores, remédios contra o câncer, lítio, cravagens (usadas para tratar enxaquecas) e hipolipemiantes (para baixar o colesterol) não devem ser usados enquanto você está amamentando. Os pesquisadores ainda não têm resposta definitiva sobre certas classes de anti-histamínicos e antidepressivos. E outros medicamentos são seguros, mas somente se usados rara e temporariamente (como narcóticos para a dor após a cesariana). Fale com seu médico ou com o pediatra do bebê para ter informações mais atualizadas sobre o que é ou não seguro. Você também pode acessar a base de dados da National Library of Medicine's Drug and Lactation (LactMed) em toxnet.nlm.nih.gov (clique em LactMed), o Infant Risk Center em infantrisk.com, Mother to Baby em mothertobaby.org ou MotherRisk em motherrisk.org para mais informações sobre que medicamentos são seguros ou não quando você está amamentando. Você pode encontrar informações relativas aos medicamentos recomendados para gestantes no Brasil no site biblioteca.cofen.gov.br buscando pelo título do manual elaborado pelo Ministério da Saúde, *Amamentação e Uso de Medicamentos e Outras Substâncias*.

Em alguns casos, a medicação menos segura pode ser seguramente descontinuada enquanto a mãe amamenta e, em outros, é possível encontrar um substituto mais seguro. Quando uma medicação não compatível com a amamentação é necessária por um curto período, a amamentação pode ser temporariamente suspensa, com os seios sendo bombeados para manter a produção, mas o leite sendo jogado fora. Ou as doses podem ser programadas para logo depois da amamentação ou pouco antes do sono mais longo do bebê.

Eis o resumo da medicação durante a lactação: assegure-se de receber luz verde de seu médico ou do pediatra do bebê sobre qualquer medicação que tome ou esteja pensando em tomar enquanto estiver amamentando, assim como sobre qualquer fitoterápico ou suplemento.

Anti-histamínicos. Nem todos os anti-histamínicos são seguros durante a gravidez, mas vários provavelmente receberão luz verde de seu médico. O Benadryl (nome genérico: difenidramina) é o anti-histamínico mais comumente recomendado durante a gravidez. O Claritin (loratadina) também é considerado seguro pela maioria dos especialistas, mas fale com seu médico, porque nem todos o liberam, particularmente durante o primeiro trimestre. Alguns médicos permitem o uso de clorfeniramina (Chlor-Trimeton) e triprolidina em bases limitadas, mas a maioria aconselha a escolher uma alternativa melhor, então fale com seu médico antes de recorrer a esses fármacos.

Descongestionantes. A maioria dos médicos recomenda ficar longe de descongestionantes contendo fenilefrina e pseudoefedrina (como Sudafed, Claritin-D e DayQuil). Alguns liberam o uso muito limitado após o primeiro trimestre (por exemplo, uma ou duas vezes ao dia por não mais de um dia), já que o uso mais frequente pode reduzir o fluxo de sangue para a placenta. Não tome descongestionantes sem primeiro falar com o médico, mas não se preocupe se já tiver tomado — apenas informe a ele. O Vick Vaporub é seguro se usado como indicado.

Antibióticos. Se o médico prescreveu um antibiótico durante a gestação, é porque o risco apresentado pela infecção contra a qual você está lutando é maior que qualquer risco de tomar esse medicamento (e muitos são considerados completamente seguros). Você provavelmente receberá a prescrição de um antibiótico da família da penicilina ou da eritromicina. Certos antibióticos não são recomendados (como as tetraciclinas, frequentemente usadas para tratar acne), então garanta que qualquer médico que lhe prescreva antibióticos saiba que você está grávida.

Remédios para a tosse. Expectorantes como Mucinex e supressores da tosse como Robitussin ou Vicks 44, assim como a maioria das pastilhas para tosse, são considerados seguros durante a gravidez, mas converse com seu médico sobre a dosagem. No Brasil, o mais comum é o Abrilar.

Remédios para dormir. Unisom, Tylenol PM, Sominex, Nytol, Ambien e Lunesta são considerados seguros durante a gravidez, e são liberados por muitos médicos para uso ocasional. Sempre fale com seu médico antes de tomar esses ou quaisquer outros remédios para dormir. No Brasil, recomenda-se o Neozine.

Antidiarreicos. A maioria dos antidiarreicos não é recomendada durante a gravidez (tanto o Kaopectate quanto o Pepto-Bismol contêm salicilato, um ingrediente ativo vetado para gestantes), embora o Imodium geralmente seja permitido após o primeiro trimestre.

Remédios contra a náusea. Unisom Sleep Tabs (que contém o anti-histamínico doxilamina), tomado em combinação com vitamina B6, diminui os sintomas do enjoo matinal, mas obtenha a dosagem correta com seu médico. A desvantagem de tomar esse remédio durante o dia: sonolência. O Diclegis e o Bonjesta, fórmulas de liberação lenta que combinam os mesmos ingredientes e estão disponíveis com receita, podem causar menos sonolência e são considerados completamente seguros.

Antibióticos tópicos. Pequenas quantidades de antibióticos, quando necessárias para um corte ou outro ferimento, como bacitracina ou Neosporin (Nebacetin, no Brasil), são seguros durante a gravidez.

Esteroides tópicos. Pequenas quantidades de hidrocortisona tópica (como Cortaid) são seguras durante a gravidez. Use parcimoniosamente em erupções cutâneas ou picadas de mosquitos, quando necessário. No Brasil, qualquer corticoide tópico é permitido, como o Cotisonal e Cortigen.

Antidepressivos. Embora os resultados das pesquisas sobre os efeitos de antidepressivos na gravidez e no feto estejam sempre mudando, parece que vários medicamentos são seguros, outros devem ser totalmente evitados e outros ainda podem ser considerados caso a caso, com os riscos apresentados pelo uso sendo pesados contra os riscos da depressão não tratada (ou subtratada). Leia a p. 74 para saber mais.

TIRANDO O MÁXIMO PROVEITO DE SEUS MEDICAMENTOS

Se depende de uma medicação oral para controlar uma condição crônica, você pode ter de fazer alguns ajustes agora que está esperando. Por exemplo, se sofre de enjoo matinal, tomar o remédio pouco antes de se deitar — para que possa fazer efeito antes que comece o enjoo da manhã — evitará que você perca a maior parte da dosagem por causa do vômito. Se precisa tomar um remédio com o estômago vazio (especialmente logo ao acordar), mas acha impossível por causa da náusea, pergunte ao médico sobre usar medicação antináusea em supositório (como Fenergan) antes de tomar o remédio.

Outra coisa que você precisará ter em mente e à qual a equipe médica terá de estar atenta: alguns medicamentos são metabolizados de maneira diferente durante a gestação, então a dosagem a que está acostumada não é necessariamente a certa quando você está grávida. Se não sabe se sua dosagem está correta, acha que ela precisa ser ajustada porque você ganhou muito peso ou simplesmente tem a impressão de estar tomando medicação de mais ou de menos, fale com seu médico.

Se precisar ser medicada durante a gravidez

Seu médico recomendou ou prescreveu uma medicação? Eis alguns passos que você pode dar para garantir que ela será segura para dois:
- Diminua os riscos e aumente os benefícios. Ao pesar os riscos e benefícios com seu médico, veja se consegue inclinar a balança a seu favor, aumentando os benefícios (como tomar o remédio para resfriado à noite, quando ele a ajudará a dormir) ou reduzindo os riscos (talvez tomando a medicação pelo menor tempo possível, na mais baixa dose efetiva).
- Pergunte e conte. Sempre verifique com o obstetra medicação prescrita por outro médico (como um antibiótico para infecção no ouvido prescrito pelo otorrinolaringologista ou um antidepressivo prescrito pelo psiquiatra).
- Cuidado com as medicações associadas. Muitos medicamentos vendidos sem receita combinam vários ingredientes ativos para aliviar múltiplos sintomas, e um ou mais desses ingredientes podem não ser seguros durante a gravidez.

Por exemplo, um analgésico à base de paracetamol pode estar associado a um anti-histamínico, um descongestionante ou, em alguns casos, até mesmo um supressor da tosse. Assim, verifique a lista de ingredientes ativos para ter certeza de que o produto que está escolhendo contém somente o ingrediente (ou ingredientes) autorizado pelo médico.

- Converse antecipadamente com o médico sobre os efeitos colaterais que pode ter e quais deve relatar.

PARTE 5
Complicações da gravidez

Capítulo 19
Lidando com as complicações

Se uma complicação foi diagnosticada ou você suspeita que pode ter uma, encontrará neste capítulo informações sobre sintomas e tratamentos. Se até agora teve uma gravidez sem problemas — e não há razões para acreditar que não continuará assim —, este capítulo não é para você. Na verdade, você não precisa saber nada do que está aqui. Embora o conhecimento definitivamente seja empoderador quando precisamos dele, ler sobre todas as coisas que poderiam dar errado quando elas não estão dando errado (e provavelmente não darão errado) só vai estressá-la, e sem razão. Pule este capítulo e se poupe da preocupação desnecessária.

Complicações da gravidez

As seguintes complicações, embora mais comuns que outras, são pouco prováveis na gestação média. Assim, só leia esta seção se uma complicação tiver sido diagnosticada ou você estiver experimentando sintomas que podem indicar uma. Se uma complicação foi diagnosticada, use as informações sobre ela como visão geral — para ter uma ideia de com o que está lidando —, mas espere receber conselhos mais específicos (e possivelmente diferentes) de seu médico. Os conselhos dele, é claro, são os que você deve seguir.

Sangramento subcoriônico

O que é? O sangramento subcoriônico (também chamado de hematoma subcoriônico) é o acúmulo de sangue entre o revestimento uterino e o córion (a membrana fetal externa, próxima do útero) ou sob a própria placenta, frequentemente (mas nem sempre) causando escape ou sangramento perceptível.

A vasta maioria das mulheres que sofrem sangramento subcoriônico tem gestações perfeitamente saudáveis. Mas como (em raros casos) sangramentos ou coágulos sob a placenta podem causar problemas se forem muito grandes, todos os sangramentos subcoriônicos são monitorados.

O quanto é comum? Em 20% das mulheres que experimentam sangramento no primeiro trimestre, a causa é o hematoma subcoriônico.

Quais são os sinais e sintomas? Escape e sangramento, frequentemente começando no primeiro trimestre, podem ser sinais. Mas muitos sangramentos subcoriônicos são detectados durante um ultrassom de rotina, sem quaisquer sinais ou sintomas anteriores.

O que você e o médico podem fazer? Se tiver escape ou sangramento, telefone para o médico. Um ultrassom pode ser realizado para ver se há hematoma subcoriônico, de que tamanho e em que local.

SANGRAMENTO DURANTE A GRAVIDEZ

Felizmente, a maioria dos sangramentos ou escapes não significa que há algo errado com o bebê ou a gravidez. Mas, às vezes, eles indicam algo mais sério: um problema com a placenta, por exemplo, uma ameaça de aborto ou uma gravidez ectópica. E é por isso que você deve relatar qualquer escape ou sangramento que notar ao médico.

Durante o primeiro trimestre, telefone se notar:
- Escape leve, cor-de-rosa a vermelho escuro. Geralmente não é nada com que se preocupar, mas é melhor conferir. Pode ser resultado da implantação, irritação do colo do útero após o sexo ou um exame pélvico, leve infecção vaginal ou alguma outra coisa inócua (p. 201).
- Escape leve a intenso, vermelho vivo. Frequentemente, esse tipo de escape não significa que haja algo errado, mas você definitivamente deve informar ao médico. Pode indicar um sangramento subcoriônico (página anterior) ou ameaça de aborto (p. 727).
- Escape (cor-de-rosa, vermelho ou marrom), acompanhado de cólicas: telefone imediatamente. Embora tais sintomas nem sempre indiquem algo preocupante, é importante conferir, já que também podem indicar ameaça de aborto (p. 727) ou aborto inevitável (p. 775). O médico verificará se o colo do útero está aberto ou fechado e provavelmente usará o ultrassom para conferir os batimentos cardíacos do feto.
- Sangramento intenso com cólicas: telefone imediatamente. Algumas mulheres sangram intensamente durante o primeiro trimestre — e mesmo sentem cólicas — e suas gestações con-

tinuam normalmente. Mas cerca de metade das mulheres que tem sangramento e cólica no primeiro trimestre sofre aborto espontâneo. Para saber mais sobre o aborto espontâneo no início da gestação, veja a p. 775.
- Sangramento e dor muito aguda no baixo-ventre, com sensibilidade, dor nos ombros e/ou pressão no reto: telefone imediatamente (ou ligue para 911). No Brasil, ligue para o SAMU, para o número 192. Esses sintomas podem indicar uma gravidez ectópica (p. 782) que se rompeu ou está prestes a se romper.

No segundo trimestre, telefone se notar:
- Escape ou sangramento intenso (no segundo ou terceiro trimestres). Telefone para o médico imediatamente, já que sangramentos nos últimos dois trimestres podem ser causados por placenta prévia (p. 738), placenta abrupta (p. 740), laceração no revestimento uterino ou (após a 20ª semana) parto prematuro (p. 744) — condições que precisam ser verificadas e tratadas (se possível) imediatamente. Embora escape ou sangramento durante o segundo ou terceiro trimestres não seja sinal definitivo de que algo está seriamente errado, é uma boa ideia passar por uma avaliação, só por precaução.
- Sangramento intenso com coágulos, acompanhado de cólicas. No segundo trimestre, esses sintomas infelizmente significam que um aborto espontâneo é inevitável. Leia a p. 784 para saber mais sobre aborto espontâneo tardio.

Ameaça de aborto

O que é? A ameaça de aborto é uma condição que sugere que um aborto espontâneo pode ocorrer. Geralmente (mas não sempre), há sangramento vaginal e, às vezes, cólicas abdominais, mas o colo do útero permanece fechado e os batimentos cardíacos fetais podem ser vistos no ultrassom.

O quanto é comum? Cerca de 1 em cada 4 gestantes sangra durante os primeiros meses.

VOCÊ VAI QUERER SABER...

No início da gravidez, cólicas ocasionais no baixo-ventre provavelmente são resultado da implantação, do aumento normal do fluxo sanguíneo ou do esticamento dos ligamentos conforme o útero cresce, não sinal de gravidez ectópica. Leia a p. 782 para saber mais.

> ### VOCÊ VAI QUERER SABER...
>
> Aproximadamente metade das gestantes diagnosticadas com ameaça de aborto tem uma gravidez e um bebê perfeitamente saudáveis.

Quais são os sinais e sintomas? Os sintomas da ameaça de aborto incluem:
- Cólicas abdominais com ou sem sangramento vaginal durante as primeiras 20 semanas de gravidez, com o colo do útero permanecendo fechado.
- Sangramento vaginal durante as primeiras 20 semanas de gravidez, sem cólicas, com o colo do útero permanecendo fechado.

O que você e o médico podem fazer? A primeira coisa que o médico fará em caso de sangramento e/ou cólicas será um exame pélvico para verificar se o colo do útero está aberto ou fechado e analisar a intensidade do sangramento. Você provavelmente também fará um ultrassom para conferir os batimentos cardíacos do bebê.

O médico também pode pedir exames de sangue para acompanhar os níveis de hCG durante alguns dias para se assegurar de que estão subindo, indicando que você ainda está grávida. Um exame de sangue também pode ser feito para verificar os níveis de progesterona.

Dependendo do resultado dos exames, o médico pode prescrever repouso (além de repouso pélvico; veja a p. 766) e, em certas circunstâncias, recomendar que você faça suplementação de progesterona para ajudar a manter a gravidez.

> ### ESPERE PARA VER
>
> Às vezes, é cedo demais para ver os batimentos cardíacos do feto ou o saco fetal em um ultrassom, mesmo em uma gravidez saudável. As datas podem estar erradas e o equipamento de ultrassom pode não ser suficientemente sofisticado. Se o colo do útero ainda estiver fechado, você tiver somente escape leve e o ultrassom não for definitivo, outro ultrassom será feito. Seus níveis de hCG também serão monitorados. É importante ser realista, mas também permanecer positiva e adiar qualquer decisão até que a gravidez se prove inviável.

Se o exame mostrar que o colo do útero está aberto ou não houver batimento cardíaco do feto no ultrassom, infelizmente o aborto espontâneo é considerado inevitável. Para mais informações, leia o capítulo 20.

Hiperêmese gravídica

O que é? Hiperêmese gravídica (HG) é o termo médico para a náusea e o vômito graves durante a gravidez, que ocorrem de forma contínua e debilitante (não confundir com o enjoo matinal típico, mesmo que seja severo). A HG começa no início do primeiro trimestre (com o diagnóstico geralmente feito por volta da 9ª semana) e tende a desaparecer entre a 12ª e a 16ª semanas. Na maioria dos casos, desaparece inteiramente na 20ª semana, mas, em algumas mulheres, pode continuar durante toda a gravidez.

Sem tratamento, a HG pode levar a perda de peso (geralmente 4,5 quilos ou 5% do peso corporal pré-gestação), desnutrição, desidratação e possíveis danos ao bebê. O tratamento frequentemente requer hospitalização, principalmente para administração de fluidos e fármacos antináusea por via intravenosa, preservando efetivamente o bem-estar da mãe e do bebê.

O quanto é comum? A HG ocorre em 1 a 2% de todas as gestações. É mais comum em primigestas, mulheres jovens, obesas e esperando múltiplos. O estresse emocional extremo (não o estresse comum, cotidiano) também pode aumentar o risco de HG, assim como desequilíbrios endócrinos (altos níveis de hormônios da tireoide) e deficiência de vitamina B e outros nutrientes. Os genes também desempenham um papel. E, se você teve HG em uma gestação anterior, tem chances ligeiramente mais altas de tê-la também em gestações subsequentes.

Quais são os sinais e sintomas? Os sintomas de HG incluem:

- Náusea e vômito muito frequentes e muito severos (em outras palavras, vomitar o dia inteiro, todos os dias).
- Incapacidade de manter qualquer alimento ou bebida no estômago (levando à desnutrição e ao desequilíbrio eletrolítico).
- Sinais de desidratação, como micção pouco frequente ou urina escassa e escura.
- Perda de mais de 5% do peso corporal.
- Sangue no vômito.

O que você e o médico podem fazer? Conhecer os sinais e iniciar o tratamento imediatamente, em vez de esperar. Embora Diclegis ou Bonjesta (uma combinação de vitamina B6 e doxilamina, o anti-histamínico encontrado no Unisom SleepTabs) frequentemente sejam prescritos para os casos mais graves de enjoo matinal, a HG geralmente requer medicamentos mais fortes e hospitalização. Se você estiver vomitando sem parar e/ou emagrecendo muito, o médico avaliará sua necessidade de líquidos intravenosos e/ou hospitalização, além de algum tipo de fármaco antiemético (como Fenergan, Reglan, Dramin ou escopolamina). Quando for capaz de manter comida no estômago novamente, ajuste a dieta para eliminar alimentos gordurosos e apimentados, que tendem a causar náusea, e evite cheiros e sabores que lhe deem vontade de vomitar. Gengibre, acupuntura e faixas de acupressão para os pulsos (p. 193), suplementos de magnésio (orais ou em spray) e até mesmo banhos com sal de Epsom podem evitar a náusea. Além disso, tente mordiscar lanches com alto conteúdo de carboidratos e proteínas durante o dia e garanta que sua ingestão de líquidos seja adequada. A melhor maneira de saber se está desidratada é analisar sua urina: se for escassa e escura, você não está ingerindo (ou mantendo) fluidos suficientes.

> ### VOCÊ VAI QUERER SABER...
>
> Por mais desconfortável que a hiperêmese gravídica possa ser, com o tratamento certo é improvável que afete o bebê. Os estudos não mostram nenhum efeito negativo sobre a saúde ou o desenvolvimento de bebês cujas mães receberam tratamento para a HG.

Uma coisa da qual você deve se lembrar é que não está sozinha, mesmo que ache que a gestante típica que se queixa do enjoo matinal não sabe do que está falando. Para conseguir apoio de mães que já passaram por isso (e deram à luz bebês perfeitamente saudáveis), acesse o website da HER Foundation em helpher.org.

Diabetes gestacional

O que é? A diabetes gestacional (DG) — uma forma de diabetes que surge somente durante a gravidez — ocorre quando o corpo se torna mais resistente à insulina (o hormônio que permite que o organismo transforme açúcar em energia) e menos capaz de regular efetivamente o aumento do nível de glicose durante a gravidez. Como a DG geralmente começa entre a 24ª e a 28ª semanas, um teste rotineiro de glicose é realizado por volta da 28ª semana de gestação. Mas, se você era obesa ao engravidar, a DG pode surgir antes (ou você pode ter diabetes tipo 2 não diagnosticada), e é por isso que o médico pode pedir o teste mais cedo e de modo mais frequente. A DG quase sempre desaparece após o parto, mas, se você a teve, fará um novo exame após o parto para ter certeza.

A diabetes, tanto do tipo que começa na gravidez quanto do tipo que começa antes da concepção, não é prejudicial para a mãe nem para o bebê, se controlada. Mas, se o excesso de açúcar circular pelo sangue da mãe e então entrar na circulação fetal através da placenta, os problemas potenciais são sérios. Há risco de pré-eclâmpsia (p. 732) e morte fetal. A diabetes não controlada também pode causar problemas para o bebê após o nascimento, como icterícia, dificuldades respiratórias e baixo nível de glicose. Mais tarde, ele pode ter risco aumentado de obesidade e diabetes tipo 2. As pesquisas também sugerem que a DG precoce (antes da 26ª semana) e não controlada está associada a risco aumentado de autismo no bebê. Mas é importante lembrar: esses potenciais efeitos negativos não se aplicam a mães que conseguiram a ajuda de que necessitam para manter seu nível de glicose sob controle.

O quanto é comum? A DG é bastante comum, afetando entre 7% e 9% das gestantes. Como é mais comum entre mulheres obesas, suas taxas estão aumentando juntamente com as taxas de obesidade nos EUA. Gestantes mais velhas também têm maior tendência de desenvolver DG, assim como mulheres com histórico familiar de diabetes ou diabetes gestacional. Nativo-americanas, hispano-americanas e afro-americanas também apresentam risco mais alto de DG.

Quais são os sinais e sintomas? A maioria das mulheres não apresenta sintomas, mas algumas podem ter:
- Sede incomum
- Micção frequente e em grandes quantidades
- Fadiga (que pode ser difícil de distinguir da fadiga da gravidez)
- Açúcar na urina (detectado durante uma consulta de rotina)

O que você e o médico podem fazer? Por volta da 28ª semana (antes, se você estiver acima do peso, for obesa ou apresentar outros fatores de risco), você fará um exame de glicose (p. 397) e, se necessário, um teste mais elaborado de tolerância à glicose, que dura três horas. Se os testes mostrarem que você tem diabetes gestacional, o médico provavelmente a colocará em uma dieta especial (similar à Dieta da Gravidez), pedirá que você se exercite regularmente e recomendará que mantenha o ganho de peso dentro de certos limites, para controlar a diabetes. Você também pode precisar aferir seus níveis de glicose em casa. Se dieta e exercícios não forem suficientes para controlar seu nível de glicose (geralmente são), você pode precisar de insulina suplementar. A insulina pode ser administrada em injeções. A metformina (ou, menos frequentemente, gliburida) pode ser usada como tratamento alternativo. Felizmente, quase todos os riscos potenciais associados à diabetes gestacional podem ser eliminados através do controle dos níveis de glicose, cuidado pessoal e cuidados médicos.

Ela pode ser evitada? Muitos dos passos usados para controlar a diabetes gestacional também podem ser usados para evitá-la. Conceber no peso ideal diminui o risco, assim como ganhar a quantidade certa de peso durante a gravidez. O mesmo se aplica aos bons hábitos alimentares (comer muitas frutas e vegetais, proteínas magras, feijões e grãos integrais, limitar o açúcar, os grãos refinados e as batatas brancas e ingerir suficiente ácido fólico) e exercícios regulares (as pesquisas mostram que mulheres obesas que se exercitam diminuem à metade o risco de desenvolver DG).

Ter diabetes gestacional aumenta o risco de desenvolver diabetes tipo

2 após o parto. Mas manter uma dieta saudável, permanecer ou voltar ao peso normal e, ainda mais importante, continuar a se exercitar depois que o bebê nascer (e além) diminui significativamente esse risco. O mesmo vale para a amamentação. Os especialistas dizem que ela melhora o metabolismo da glicose e a sensibilidade à insulina, diminuindo pela metade o risco de desenvolver diabetes. Quanto mais você amamentar, mais o risco diminui.

> **VOCÊ VAI QUERER SABER...**
>
> Se a diabetes gestacional for bem controlada, e a gravidez, cuidadosamente monitorada, é muito provável que a gravidez progrida normalmente e o bebê nasça saudável.

Pré-eclâmpsia

O que é? Pré-eclâmpsia é um transtorno que geralmente se desenvolve tarde na gravidez (após a 20ª semana) e é caracterizado pelo aumento súbito da pressão arterial e frequentemente (mas não sempre) pela presença de proteínas na urina e possivelmente outros sinais e sintomas. Pode haver inchaço excessivo (especialmente das mãos e do rosto), mas o diagnóstico não é feito somente com base nele (já que inchar é normal). A hipertensão gestacional envolve somente o aumento da pressão arterial e não é a mesma coisa que pré-eclâmpsia.

Embora não esteja claro o que causa a pré-eclâmpsia (ver quadro da página seguinte), os especialistas acreditam que ela ocorre quando os vasos sanguíneos da placenta não se desenvolvem adequadamente: são mais estreitos que o normal, limitando a quantidade de sangue que flui através deles. Essa mudança no fluxo sanguíneo para a placenta causa hipertensão arterial e inchaço excessivo na mãe. E, como a placenta não funciona corretamente, não é capaz de eliminar os resíduos com rapidez suficiente, fazendo com que os resíduos se acumulem no sangue e que as proteínas que deveriam permanecer na corrente sanguínea vazem para a urina. Os danos às paredes dos vasos sanguíneos também podem resultar em mudanças na coagulação, o que, por sua vez, pode levar a outros problemas.

Se a pré-eclâmpsia não for tratada, ela pode progredir para a eclâmpsia, uma condição muito mais grave envolvendo convulsões (p. 749). A pré-eclâmpsia não tratada também pode causar uma série de outras complicações, como parto prematuro ou restrição do crescimento intrauterino.

O quanto é comum? De 8 a 10% das gestantes são diagnosticadas com pré-eclâmpsia, com o risco maior para gestantes de múltiplos, mulheres acima dos 40 anos, obesas e aquelas que sofrem de pressão alta, diabetes ou diabetes gestacional. A pré-eclâmpsia é mais comum nas primigestas e, se você teve pré-eclâmpsia em uma de suas gestações, tem uma chance em três de tê-la novamente em gestações futuras. O risco é maior se você for diagnosticada com pré-eclâmpsia na primeira gestação ou desenvolver pré-eclâmpsia no início de qualquer gestação.

Quais são os sinais e sintomas? Os sintomas de pré-eclâmpsia podem incluir um ou todos os seguintes:
- Aumento da pressão arterial (para 140/90 ou mais em uma mulher que nunca teve pressão alta)
- Proteínas na urina
- Dor de cabeça severa que não é aliviada pelo paracetamol (Tylenol)
- Dor na parte superior do abdômen
- Visão borrada ou dupla
- Coração acelerado
- Urina escassa e/ou escura
- Funcionamento anormal dos rins
- Reações reflexas exageradas
- Inchaço severo das mãos e do rosto
- Inchaço severo dos tornozelos, que não melhora
- Ganho súbito e excessivo de peso, não relacionado à alimentação

O que você e o médico podem fazer? O acompanhamento pré-natal é a melhor maneira de diagnosticar pré-eclâmpsia no estágio inicial (o médico pode ser alertado pelo súbito aumento de sua pressão arterial ou qualquer um dos sintomas listados). Estar alerta para tais sintomas (e notificar o médico se notar qualquer um deles) também ajuda, particularmente se você tem histórico de hipertensão antes da gravidez, desenvolveu hipertensão durante a gravidez ou tem diabetes ou diabetes gestacional.

AS RAZÕES POR TRÁS DA PRÉ-ECLÂMPSIA

Ninguém sabe com certeza o que causa a pré-eclâmpsia, embora haja várias teorias:
- Um elo genético. Os pesquisadores teorizam que o código genético do feto pode ser um dos fatores que predispõe a gestação à pré-eclâmpsia. Assim, se sua mãe ou a mãe de seu parceiro tiveram pré-eclâmpsia durante sua gestação ou a gestação de seu parceiro, você tem maior probabilidade de ter pré-eclâmpsia durante suas gestações. Mas os genes do bebê não são os únicos em jogo. Algo no código genético da gestante também a predispõe à pré-eclâmpsia.
- Vasos sanguíneos defeituosos. Sugeriu-se que esse defeito faz com que, em algumas mulheres, os vasos sanguíneos se estreitem durante a gravidez, em vez de se expandirem (como ocorre normalmente). Como resultado, há uma queda no fornecimento de sangue para órgãos como rins e fígado, levando à

pré-eclâmpsia. O fato de mulheres que experimentam pré-eclâmpsia durante a gravidez terem risco aumentado de algum tipo de cardiopatia mais tarde também parece indicar que a condição pode ser resultado de uma predisposição à hipertensão arterial.
- Periodontite. Gestantes com periodontite grave têm mais que o dobro de chances de desenvolverem pré-eclâmpsia que gestantes com gengivas saudáveis. Os especialistas teorizam que a infecção que causa a periodontite pode viajar para a placenta ou produzir substâncias que causam pré-eclâmpsia. Mesmo assim, não se sabe se a periodontite causa pré-eclâmpsia ou simplesmente está associada a ela.
- Resposta imunológica a um intruso: o bebê. Essa teoria sugere que o corpo da mulher se torna "alérgico" ao bebê e à placenta. Essa "alergia" provoca uma reação que pode danificar o sangue e os vasos sanguíneos da mãe. Quanto mais similares forem os códigos genéticos da mãe e do pai, maior a probabilidade de ocorrer essa resposta imunológica.

Em 75% dos casos, a pré-eclâmpsia é moderada. No entanto, mesmo um caso moderado pode progredir muito rapidamente para pré-eclâmpsia severa ou eclâmpsia se não for diagnosticado e tratado prontamente. Na pré-eclâmpsia severa, a pressão arterial é consistentemente muito mais elevada e, se não tratada, pode levar a danos nos órgãos ou complicações mais sérias.

Se você tem um caso moderado, o médico provavelmente recomendará exames regulares de sangue e de urina (contagem de plaquetas, enzimas do fígado, função renal e níveis de proteína na urina) para verificar se a condição está progredindo, contagem diária de chutes no terceiro trimestre (que, de qualquer modo, é recomendada; veja a p. 422), monitoramento da pressão arterial, mudanças na dieta (incluindo ingerir mais proteínas, frutas, vegetais, laticínios desnatados e gorduras saudáveis e menos sal, além de beber água suficiente). Alguma forma de repouso também pode ser prescrita, assim como parto antecipado (o mais próximo possível da 37ª semana).

Em um caso mais severo, você provavelmente será tratada em um hospital, com cuidadoso monitoramento fetal (incluindo testes de não estresse e ultrassons para verificar o bem-estar e o crescimento do bebê), medicação para baixar a pressão arterial, sulfato de magnésio (um eletrólito com propriedades anticonvulsivas que ajuda a evitar a progressão para eclâmpsia) e parto antecipado — frequentemente com 34 semanas, se sua condição for estável. Se ela se tornar instável, você pode receber corticoides para acelerar o desenvolvimento dos pulmões do bebê, seguidos de parto imediato, independentemente da idade gestacional.

Embora a pré-eclâmpsia possa ser controlada, a única maneira de curá-la é o parto. A boa notícia é que 97% das mulheres com pré-eclâmpsia se recuperam totalmente, com rápido retorno à pressão arterial normal após o parto. Isso dito, mulheres com histórico de pré-eclâmpsia têm maior tendência de desenvolverem hipertensão, diabetes tipo 2 e colesterol alto após o parto, além de apresentarem risco aumentado de derrame, coágulos e ataques cardíacos, então mantenha seus hábitos saudáveis — comer bem, exercitar-se, não fumar e assim por diante — e assegure-se de receber bom acompanhamento médico depois que o bebê nascer.

Ela pode ser evitada? Uma pesquisa sugeriu que, para mulheres com risco de pré-eclâmpsia, a administração de aspirina ou outro fármaco anticoagulante durante a gestação pode reduzir o risco. Isso levou à recomendação de que mulheres com alto risco de pré-eclâmpsia, mas sem sinais ou sintomas, tomem uma dose baixa (81 miligramas) de aspirina todos os dias após a 12ª semana de gestação.

Engravidar com um peso saudável pode baixar o risco de pré-eclâmpsia. A boa nutrição — incluindo ingestão adequada de vitaminas e minerais (especialmente magnésio) — também pode reduzir o risco, assim como exercícios regulares e bons cuidados dentários. Uma maneira inesperada (e gostosa) de prevenção: comer chocolate amargo regularmente durante a segunda metade da gravidez.

VOCÊ VAI QUERER SABER...

Felizmente, em mulheres que recebem cuidados médicos regulares, a pré-eclâmpsia quase sempre é detectada cedo e controlada com sucesso. Com cuidados médicos apropriados e imediatos, uma mulher com pré-eclâmpsia perto do termo tem praticamente as mesmas chances de ter um resultado positivo que uma mulher com pressão arterial normal.

Síndrome HELLP

O que é? Como a pré-eclâmpsia, a síndrome HELLP é uma complicação séria relacionada à pressão arterial. Pode ocorrer sozinha ou em conjunção com a pré-eclâmpsia, quase sempre no último trimestre. O acrônimo, em inglês, significa hemólise (*hemolytic anemia*), na qual os glóbulos vermelhos são destruídos muito cedo, causando baixa contagem; enzimas hepáticas elevadas (*elevated liver enzymes*), o que indica que o fígado está funcionando mal e é incapaz de processar toxinas com eficiência; e baixa contagem de plaquetas (*low platelet count*), o que indica dificuldade de coagulação.

Quando a HELLP se desenvolve, pode ameaçar a vida da mãe e do bebê. Mulheres que não são diagnosticadas e tratadas rapidamente têm aproximadamente uma chance em quatro de apresentarem complicações sérias, primariamente na forma de danos extensos no fígado ou derrame.

O quanto é comum? Cerca de 50 mil gestantes americanas desenvolvem HELLP todos os anos, com o risco sendo maior em mulheres que tiveram pré-eclâmpsia ou eclâmpsia (10 a 20% das quais também desenvolvem HELLP) ou apresentaram a síndrome em uma gestação anterior. No Brasil, segundo estudo de 2017 realizado pela Febrasgo, a síndrome HELLP se desenvolve em 0,1 a 0,8% de todas as gestantes e em 10 a 20% de gestantes com pré-eclâmpsia grave/eclâmpsia.

Quais são os sinais e sintomas? Os sintomas de HELLP são muito vagos, consistindo em (no terceiro trimestre):
- Náusea
- Vômito
- Dor de cabeça
- Mal-estar generalizado
- Dor e sensibilidade na parte superior do abdômen ou no peito
- Sintomas de virose

Os exames de sangue revelam baixa contagem de plaquetas, elevação das enzimas hepáticas e hemólise (ruptura de glóbulos vermelhos). A função hepática se deteriora rapidamente em mulheres com HELLP, então o tratamento é crítico.

O que você e o médico podem fazer? O único tratamento efetivo para a síndrome HELLP é o parto, então a melhor coisa que você pode fazer é estar consciente dos sintomas (especialmente se já teve ou apresenta risco elevado de pré-eclâmpsia) e telefonar imediatamente para o médico se desenvolver algum deles. Se tem HELLP, você pode receber esteroides (para tratar a condição e acelerar o desenvolvimento dos pulmões do bebê) e sulfato de magnésio (para evitar convulsões).

Ela pode ser evitada? Como uma mulher que teve HELLP em uma gestação anterior tem risco aumentado de tê-la novamente, o monitoramento é necessário em qualquer gestação subsequente. Tomar as mesmas medidas para prevenir e tratar a pré-eclâmpsia (página anterior) pode ajudar a evitar a recorrência da síndrome HELLP.

Restrição do crescimento intrauterino

O que é? Restrição do crescimento intrauterino (RCIU) é o termo usado quando o bebê é menor que o normal durante a gravidez. O diagnóstico é feito se o bebê pesar menos que o décimo percentil para sua idade gestacional, com base em medidas de ultrassom. Pode ocorrer se a saúde da placenta ou o fluxo sanguíneo forem pobres ou se a nutrição, saúde ou estilo de vida da mãe prejudicarem o crescimento do feto.

Bebês que apresentam RCIU frequentemente têm baixo peso ao nascer e são considerados pequenos para sua idade gestacional. Mas nem todos os bebês considerados pequenos para sua idade gestacional têm RCIU. Alguns são bebês saudáveis que nasceram menores que a média porque estavam geneticamente destinados a ser assim.

Há dois tipos de RCIU: a simétrica, na qual todas as partes do corpo do bebê são proporcionalmente pequenas, e a assimétrica, na qual a cabeça e o cérebro do bebê são de tamanho normal, mas o restante do corpo é pequeno.

> **VOCÊ VAI QUERER SABER...**
>
> Mais de 90% dos bebês que nascem pequenos para sua idade gestacional se saem bem, alcançando seus companheiros maiores nos dois primeiros anos de vida.

O quanto é comum? A RCIU ocorre em cerca de 10% de todas as gestações. Ela é mais comum na primeira gestação, na quinta e nas subsequentes, em mulheres com menos de 17 ou mais de 35 anos, nas que já tiveram bebês com baixo peso ao nascer e nas que apresentam problemas na placenta ou anormalidades uterinas. A gestação de múltiplos também é um fator de risco, mas isso muitas vezes é simplesmente o resultado das acomodações apertadas (é difícil acomodar mais de um bebê de 3 quilos em um único útero).

> **VOCÊ VAI QUERER SABER...**
>
> Uma mãe que já teve um bebê com baixo peso ao nascer tem somente um risco ligeiramente maior de ter outro, e as estatísticas mostram que, na verdade, cada bebê subsequente tende a ser um pouco mais pesado que o precedente. Se você teve um bebê com RCIU da primeira vez, controlar todos os possíveis fatores contribuintes pode reduzir o risco desta vez.

Quais são os sinais e sintomas? Surpreendentemente, gestar um bebê pequeno normalmente não é sinal de RCIU. Na verdade, raramente há sinais externos de que o feto não está crescendo como deveria. A RCIU geralmente é detectada durante um exame pré-natal rotineiro, quando o médico mede o fundo do útero — a distância entre o osso púbico e o topo do útero — e descobre que a medida é pequena demais para a idade gestacional do bebê ou durante um ultrassom, que consegue detectar se o crescimento do bebê está mais lento que o esperado para sua idade gestacional.

O que você e o médico podem fazer? Um dos melhores previsores da boa saúde de um bebê é o peso ao nascer, então ter RCIU pode levar a alguns problemas para o recém-nascido, incluindo dificuldade para manter a temperatura corporal normal e lutar contra infecções. Por isso, é tão importante diagnosticar e começar a tratar o problema o mais cedo possível, para aumentar as chances de o bebê ter um peso saudável ao nascer. Várias abordagens podem ser tentadas, dependendo da causa, incluindo repouso, alimentação intravenosa e medicamentos para aumentar o fluxo sanguíneo para a placenta ou corrigir um problema diagnosticado que possa estar contribuindo para a RCIU. Se o ambiente uterino for pobre e não puder ser melhorado e os pulmões do feto estiverem maduros, o parto imediato — que permite que o bebê comece a viver em condições mais saudáveis — geralmente é a melhor solução.

Pode ser evitada? Uma nutrição ótima, bons cuidados pré-natais e ganho de peso correto da mãe podem aumentar muito as chances de que o bebê cresça e se desenvolva como deveria, assim como eliminar fatores de estilo de vida que contribuem para a RCIU (como fumar, beber ou usar drogas recreativas), tratar qualquer distúrbio alimentar, minimizar o estresse físico e o estresse emocional excessivo (como depressão) e controlar a hipertensão crônica. Felizmente, mesmo quando a prevenção e o tratamento não obtêm sucesso (ou são impossíveis) e o bebê nasce menor que o normal, as chances de que se recupere são cada vez maiores, graças aos muitos avanços nos cuidados neonatais.

Placenta prévia

O que é? A definição de placenta prévia é uma placenta que cobre parcial ou completamente a abertura do colo do útero. No início da gravidez, a placenta baixa é comum, mas, conforme a gravidez progride e o útero cresce, ela costuma se mover para cima e para longe do colo do útero. Se ela não se mover e cobrir parcialmente ou tocar o colo do útero, é chamada de prévia parcial. Se cobrir completamente o colo do útero, é chamada de prévia total ou completa. Ambas podem bloquear fisicamente a passagem do bebê pelo canal de nascimento, tornando o parto vaginal impossível. A placenta prévia também pode gerar sangramento no fim da gestação e durante o parto. Quanto mais próxima do colo do útero estiver a placenta, maior a possibilidade de sangramento.

O quanto é comum? A placenta prévia ocorre em um a cada duzentos partos. É mais provável em mulheres com mais de 30 anos que em mulheres com menos de 20 anos, e também é mais comum em mulheres que tiveram ao menos uma gestação anterior ou qualquer tipo de cirurgia uterina (como cesariana ou curetagem após aborto espontâneo). A gestação de múltiplos também aumenta os riscos, assim como fumar durante a gravidez.

Quais são os sinais e sintomas? A placenta prévia é mais frequentemente descoberta não com base em sintomas, mas durante um ultrassom rotineiro de segundo trimestre. Às vezes, a condição se anuncia no terceiro trimestre (ocasionalmente antes), com sangramento vermelho vivo. Tipicamente, o sangramento é o único sintoma. Não costuma causar dor.

Placenta prévia

O que você e o médico podem fazer? Se você não tiver nenhum sangramento e nenhum sinal de uma condição placentária mais complicada chamada placenta acreta (p. 752), nada precisa ser feito até o terceiro trimestre, quando a maior parte dos casos de placenta prévia se corrige sozinha. Mesmo mais tarde, não é necessário tratamento se você foi diagnosticada com placenta prévia, mas não apresenta sangramentos (só precisará ficar alerta para qualquer sangramento ou sinal de trabalho de parto pré-termo, que é mais comum com a placenta prévia). Se tiver sangramentos relacionados à placenta prévia, o médico provavelmente a colocará em repouso pélvico (sem relações sexuais), pedirá que evite as atividades e os exercícios extenuantes e a monitorará de perto. Se o parto prematuro parecer iminente, você pode receber injeções de esteroides para acelerar o desenvolvimento dos pulmões do bebê. Mesmo que a condição não tenha causado problemas à gravidez (não teve nenhum sangramento e chegou ao termo da gestação), o bebê nascerá por cesariana.

VOCÊ VAI QUERER SABER...

A placenta prévia é considerada a causa mais comum de sangramentos na parte final da gravidez. A maioria dos casos é descoberta cedo e bem administrada, com o bebê nascendo por cesariana. Em cerca de 75% dos casos, o bebê nasce por cesariana programada antes de o trabalho de parto começar.

Placenta abrupta [descolamento prematuro da placenta]

O que é? A placenta abrupta é a separação da placenta e da parede uterina durante a gravidez, e não após o parto. Se o descolamento for pequeno, geralmente há pouco perigo para a mãe e o bebê, desde que o tratamento seja imediato e as precauções adequadas sejam tomadas. Se o descolamento for mais severo, o risco para o bebê é consideravelmente maior. Isso porque o descolamento completo da placenta significa que o bebê já não recebe oxigênio nem nutrição.

O quanto é comum? Ela ocorre em menos de 1% das gestações, quase sempre na segunda metade, e mais frequentemente no terceiro trimestre. O descolamento da placenta pode acontecer com qualquer gestante, mas ocorre mais comumente em mulheres que já tiveram descolamento ou têm predisposição à formação de coágulos, assim como naquelas que estão gestando múltiplos, têm diabetes gestacional ou apresentaram pré-eclâmpsia ou hipertensão arterial durante a gestação. É também mais comum em mulheres que fumam ou usam cocaína. Ocasionalmente, o cordão umbilical curto ou um trauma causado por um acidente causam o descolamento.

Quais são os sinais e sintomas? Os sintomas dependem da severidade do descolamento, mas geralmente incluem:

- Sangramento (leve a intenso, com ou sem coágulos)
- Cólicas ou dores abdominais
- Sensibilidade no útero
- Dor nas costas ou no abdômen

O que você e o médico podem fazer? Informe imediatamente ao médico se sentir dor abdominal acompanhada de sangramento na segunda metade da gravidez. Juntamente com esses sintomas, testes de sofrimento fetal (testes de estresse e não estresse; p. 507) podem ser úteis para o diagnóstico e para decidir a estratégia de tratamento, assim como o ultrassom (embora somente 25% dos descolamentos possam ser vistos no ultrassom).

Se for confirmado que a placenta se separou ligeiramente da parede uterina, mas não descolou totalmente, e os sinais vitais do bebê permanecerem regulares, você provavelmente será monitorada e aconselhada a não fazer nenhum tipo de esforço. Se o sangramento continuar, você pode precisar ser hospitalizada para monitoramento contínuo e administração intravenosa de fluidos. O médico também pode administrar esteroides para acelerar o desenvolvimento dos pulmões do bebê, caso o parto precise ser antecipado. Se o sangramento for controlado e o bebê não der sinais de sofrimento, o parto vaginal pode ser possível. Mas, se o descolamento for significativo ou continuar a aumentar, a única maneira de tratamento é o parto, frequentemente por cesariana.

Corioamnionite

O que é? Uma infecção bacteriana das membranas e do líquido amniótico que cercam e protegem o bebê. É causada por bactérias comuns, como a E. coli ou os estreptococos do grupo B (cuja presença rotineiramente é testada por volta da 36ª semana). Acredita-se que a infecção seja a principal causa de ruptura prematura das membranas fetais pré-termo (RPMpt) e parto prematuro.

O quanto é comum? A corioamnionite ocorre em 1 a 2% das gestações. Mulheres que experimentam ruptura prematura das membranas pré-termo têm risco aumentado de corioamnionite, porque bactérias da vagina podem se infiltrar no saco amniótico depois que ele é rompido. Mulheres que tiveram a infecção durante a primeira gestação têm maior probabilidade de a terem novamente em uma gestação subsequente.

Quais são os sinais e sintomas? O diagnóstico de corioamnionite é complicado pelo fato de que nenhum teste simples pode confirmar a presença de infecção. Os sintomas podem incluir:
- Febre
- Útero sensível e dolorido
- Batimentos cardíacos acelerados na mãe e no bebê
- Vazamento do líquido amniótico, com cheiro ruim (se as membranas já tiverem se rompido)
- Corrimento vaginal de cheiro desagradável (se as membranas estiverem intactas)
- Aumento da contagem de glóbulos brancos (um sinal de que seu corpo está lutando contra uma infecção)

O que você e o médico podem fazer? Telefone para o médico se notar qualquer vazamento do líquido amniótico, por menor que seja, corrimento com cheiro ruim ou qualquer outro dos sintomas listados anteriormente. Se for diagnosticada com corioamnionite, você provavelmente receberá uma prescrição de antibióticos e o parto será realizado imediatamente. Você e o bebê também podem receber antibióticos após o parto para garantir que nenhuma infecção se desenvolva.

Oligodrâmnio

O que é? O oligodrâmnio é uma condição na qual não há líquido amniótico suficiente cercando e protegendo o bebê. Ele costuma se desenvolver na última parte do terceiro trimestre, mas pode surgir antes. Embora a maioria das mulheres diagnosticadas tenha gestações completamente normais, há ligeiro risco de constrição do cordão umbilical se não houver líquido suficiente para o bebê flutuar. A condição pode resultar da perfuração do saco amniótico após a amniocentese ou de um vazamento espontâneo em qualquer momento da gravidez (tão pequeno que talvez você nem note). O baixo nível de líquido amniótico também pode sugerir que o bebê está com problemas, como crescimento abaixo do normal ou uma condição renal ou urinária (o bebê normalmente excreta urina no líquido amniótico e, quando esse processo não funciona como deveria, o primeiro indicador é o baixo nível de líquido).

O quanto é comum? Cerca de 4% das gestantes são diagnosticadas com oligodrâmnio, mas a taxa sobe para 12% nas gestações pós-termo (as que chegam a 42 semanas).

Quais são os sinais e sintomas? Não há sintomas, mas sinais que indicam a condição são um útero menor do que deveria e nível reduzido de líquido amniótico, detectado por ultrassom. Também pode haver diminuição perceptível da atividade fetal e, em alguns casos, queda súbita da frequência cardíaca fetal.

O que você e o médico podem fazer? Se for diagnosticada com oligodrâmnio, você precisará fazer muito repouso e beber muita água. O nível de líquido amniótico será cuidadosamente monitorado. Se, em qualquer momento, o oligodrâmnio colocar em perigo o bem-estar do bebê, o médico pode optar pelo parto imediato. Se o baixo nível de líquido amniótico for resultado de um problema no trato urinário do bebê, a cirurgia fetal para corrigi-lo é uma opção.

Polidrâmnio

O que é? O excesso de líquido amniótico em torno do feto causa a condição conhecida como polidrâmnio (também chamada de hidrâmnio). A maioria dos casos de polidrâmnio é moderada e transiente, simplesmente o resultado de uma mudança temporária no equilíbrio normal de produção de líquido amniótico, com qualquer líquido extra tendendo a ser reabsorvido sem qualquer tratamento.

Mas, quando o acúmulo de líquido é severo (o que é raro), pode sinalizar um problema com o bebê, como má formação do sistema nervoso central ou do sistema gastrointestinal (ou outra má formação congênita) ou inabilidade de engolir (normalmente, o bebê engole líquido amniótico). Níveis consistentemente altos de líquido amniótico aumentam o risco de ruptura prematura das membranas fetais pré-termo, parto prematuro, descolamento prematuro da placenta, apresentação pélvica e prolapso do cordão umbilical.

O quanto é comum? O polidrâmnio ocorre em cerca de 1% das gestações. Tem maior probabilidade de ocorrer quando há múltiplos fetos ou anormalidades fetais, e pode estar relacionado à diabetes ou diabetes gestacional não controladas.

Quais são os sinais e sintomas? Muito frequentemente, não há sintomas, embora algumas mulheres possam notar:

- Dificuldade para sentir os movimentos fetais (por causa do acolchoamento extra fornecido pelo excesso de líquido)

- Desconforto no abdômen ou no tórax (porque o útero maior que o normal pressiona os órgãos abdominais e as paredes do tórax)

O polidrâmnio geralmente é detectado durante um ultrassom, que analisa o líquido amniótico ou um exame pré-natal quando a altura do fundo — a distância entre o osso púbico e o topo do útero — é maior que a normal (embora essa descoberta em um exame seja sempre seguida de um ultrassom para confirmação).

O que você e o médico podem fazer? A menos que o acúmulo de líquido seja bastante severo, não há absolutamente nada que você precise fazer, exceto manter as consultas com o médico, que continuará a monitorar a condição com ultrassons (talvez semanais). Se o acúmulo for mais severo, o médico pode sugerir que você se submeta a um procedimento chamado amniocentese terapêutica, durante a qual o líquido é retirado do saco amniótico para reduzir o excesso.

Ruptura prematura das membranas fetais pré-termo (RPMpt)

O que é? RPMpt se refere à ruptura das membranas (a "bolsa") que protegem o feto no útero antes da 37ª semana (ou, em outras palavras, pré--termo). O maior risco da RPMpt é o parto prematuro. Outros riscos incluem infecção do líquido amniótico e prolapso ou compressão do cordão umbilical. A ruptura das membranas que ocorre antes do início do trabalho de parto, mas após a 37ª semana, é abordada na p. 504.

VOCÊ VAI QUERER SABER...

Com diagnóstico e controle imediatos e apropriados da RPMpt, tanto a mãe quanto o bebê devem ficar bem, embora, se o parto for prematuro, o bebê possa ficar bastante tempo na UTI neonatal.

O quanto é comum? A ruptura prematura das membranas ocorre em 3% das gestações. As mulheres de mais alto risco são as que fumaram durante a gravidez, têm certas ISTs, sangramento vaginal crônico ou placenta abrupta, já tiveram RPMpt, têm vaginose bacteriana ou estão gestando múltiplos.

Quais são os sinais e sintomas? Os sintomas são vazamento ou jorro de líquido pela vagina. A maneira de saber se você está vazando líquido amniótico, e não urina, é cheirar: se o cheiro for de amoníaco, provavelmente é urina. Se for meio adocicado, provavelmente é líquido amniótico (a menos que ele esteja infectado, caso em que terá cheiro ruim). Se tiver qualquer dúvida sobre o que está vazando, telefone para o médico em nome da cautela.

O que você e o médico podem fazer? Se as membranas se romperem após a 34ª semana, o parto será induzido. Se for cedo demais para o bebê nascer com segurança, você provavelmente fará repouso no hospital e receberá antibióticos para evitar infecções, assim como esteroides para acelerar o máximo possível o desenvolvimento dos pulmões do bebê, para poder fazer um parto antecipado seguro.

Raramente, a ruptura nas membranas se fecha e o vazamento de líquido amniótico para sozinho. Se isso acontecer, você poderá voltar para casa e retomar sua rotina, permanecendo alerta para sinais de novo vazamento.

Trabalho de parto/parto prematuro

O que é? Um trabalho de parto que começa após a 20ª semana, mas antes do fim da 37ª semana, também é considerado prematuro.

O quanto é comum? O trabalho de parto e o parto prematuro são bastante comuns. Cerca de 12% dos bebês americanos nascem prematuros.

Embora ninguém saiba o que causa o trabalho de parto prematuro, os especialistas indicam vários fatores que aumentam o risco (p. 57). Apresentar um ou mais desses fatores não necessariamente significa que você entrará prematuramente em trabalho de parto, e não ter nenhum fator de risco tampouco significa que isso não acontecerá. De fato, ao menos metade das mulheres que entram em trabalho de parto prematuro não apresenta fatores de risco conhecidos.

Quais são os sinais e sintomas? Sinais de trabalho de parto pré-termo podem incluir todos ou alguns dos seguintes:
- Cólicas parecidas com as menstruais
- Contrações regulares que se intensificam e se tornam mais frequentes, mesmo que você mude de posição
- Pressão nas costas
- Pressão incomum na pelve
- Corrimento sanguinolento
- Ruptura das membranas
- Mudanças no colo do útero (afinamento, abertura ou encurtamento), vistas no ultrassom

---

VOCÊ VAI QUERER SABER...

O bebê nascido prematuramente provavelmente ficará em uma UTI neonatal por alguns dias ou semanas (em alguns casos, meses). Embora a prematuridade esteja ligada ao crescimento lento e a atrasos no desenvolvimento, a maioria dos bebês que nascem mais cedo e com um peso saudável (para um prematuro) se recupera e não apresenta problemas duradouros. Graças aos avanços nos cuidados médicos, suas chances de levar para casa um bebê normal e saudável após o parto prematuro são muito boas.

PREVENDO O PARTO PREMATURO

Mesmo em mulheres com alto risco de parto prematuro, a maioria chega a termo. Uma maneira de prever o parto prematuro é examinar as secreções cervicais e vaginais em busca de uma substância conhecida como fibronectina fetal (FNF). Os estudos mostram que algumas mulheres que testam positivo têm boas chances de entrar em trabalho de parto uma ou duas semanas após o teste. Mas o teste é melhor para prever quais mulheres não apresentam risco (ao detectar a FNF) que para prever quais apresentam. Quando a FNF é detectada, procedimentos devem ser adotados para reduzir as chances de trabalho de parto prematuro. O teste está amplamente disponível, mas costuma ser reservado somente para mulheres de alto risco. Se você não for considerada de alto risco, não precisa ser testada.

Outro teste é o do comprimento cervical. Através de um ultrassom antes da 30ª semana, o comprimento do colo do útero é medido para ver se há sinais de que ele está encurtando ou se abrindo. O colo do útero curto a coloca em risco aumentado de parto prematuro, especialmente se começar a encurtar cedo na gravidez.

Embora não seja coberto pelo plano de saúde, um novo exame de sangue (PreTRM), amplamente disponível, costuma prever o parto prematuro (fale com seu médico sobre ele e outros testes preditivos no horizonte). No Brasil, para avaliar risco de pramaturidade, é utilizada a medida do colo uterino, realizada no exame morfológico de segundo trimestre. Se o colo for maior ou igual a 25 mm, a paciente tem um risco mais baixo de parto prematuro; se for menor que 25 mm, esse risco é maior.

O que você e o médico podem fazer? Como cada dia em que o bebê permanece no útero aumenta as chances de sobrevivência e boa saúde, adiar o parto o máximo possível será o objetivo principal. Infelizmente, não há muito que se possa fazer para interromper o trabalho de parto pré-termo. As medidas outrora recomendadas (repouso, hidratação, monitoramento da atividade uterina) não parecem interromper ou prevenir as contrações, embora muitos médicos ainda as prescrevam. Suplementos ou injeções de progesterona devem ser usadas em mulheres com parto prematuro anterior ou aquelas com colo do útero curto que não estejam esperando múltiplos. Antibióticos (se a cultura de estreptococos do grupo B for positiva; veja a p. 480) ou tocolíticos (que podem interromper temporariamente as contrações e dar ao médico tempo de administrar esteroides para acelerar o desenvolvimento dos pulmões do bebê, caso o parto prematuro se torne inevitável ou necessário) podem ser administrados. Se, em qualquer momento, o médico determinar que o risco para você ou para o bebê supera o risco do parto prematuro, não será feita mais nenhuma tentativa de adiar o nascimento.

Pode ser evitado? Nem todos os partos prematuros podem ser evitados, pois nem todos são causados por fatores de risco preveníveis. No entanto, as seguintes medidas costumam reduzir o risco de parto prematuro (enquanto aumentam as chances de ter a gravidez mais saudável possível):

- Tomar ácido fólico ou um suplemento pré-natal (e possivelmente selênio extra) durante um ano antes da gestação
- Permitir um intervalo de ao menos dezoito meses entre duas gestações, se possível
- Chegar ao peso ideal antes da concepção
- Obter um bom acompanhamento dentário antes da gravidez
- Obter acompanhamento pré-natal precoce
- Comer bem.
- Receber injeções semanais de progesterona a partir da 16ª semana de gravidez e continuar até a 36ª semana, se já passou por um parto prematuro (mas não se estiver esperando múltiplos) ou usar progesterona vaginal se o colo do útero estiver encurtando

- Ser testada e, se necessário, tratada para qualquer infecção, como vaginose bacteriana ou infecção do trato urinário durante a gravidez
- Cumprir qualquer limitação às atividades (no trabalho, por exemplo, ou repouso, se necessário) prescrita pelo médico
- Evitar fumar, beber e usar cocaína ou qualquer outra substância que não tenha sido prescrita pelo médico

A boa notícia é que 80% das mulheres que entram em trabalho de parto pré-termo têm seus bebês a termo (ou seguramente próximas do termo).

Dor na cintura pélvica ou disfunção da sínfise púbica

O que é? A dor na cintura pélvica (DCP), às vezes chamada de disfunção da sínfise púbica (DSP), ocorre porque os ligamentos que normalmente mantêm os ossos pélvicos alinhados se tornam excessivamente relaxados e flexíveis antes do que deveriam (com a aproximação do parto, eles devem afrouxar significativamente). Isso pode tornar as articulações pélvicas instáveis, causando dor moderada a severa. A dor também pode ocorrer quando uma articulação pélvica enrijece e para de se mover normalmente, causando irritação nas outras articulações.

O quanto é comum? A incidência de DCP diagnosticada é de cerca de 1 em cada 300 gestações. No entanto, alguns especialistas acreditam que até 25% das gestantes experimentam DCP, mas a maioria dos casos não é diagnosticada.

Quais são os sinais e sintomas? O sintoma mais comum é uma dor excruciante (como se a pelve estivesse sendo partida ao meio) e dificuldade para andar. Tipicamente, a dor é focada na área púbica, mas, em algumas mulheres, irradia-se para a parte superior das coxas e o períneo. A dor pode piorar ao caminhar e nas posições de carga, particularmente se a atividade envolver erguer uma perna, como ao subir escadas, vestir-se, entrar e sair do carro e até mesmo se virar na cama. Em casos muito raros, a articulação pode se separar, causando dor mais séria na pelve, virilha, quadris e nádegas.

O que você e o médico podem fazer? Evitar agravar a condição ao limitar as posições de carga e minimizar o melhor que puder qualquer atividade que envolva erguer ou abrir as pernas — até mesmo andar, se for muito desconfortável (alguns médicos recomendam repouso para que a dor não piore). Tente estabilizar os ligamentos frouxos usando um suporte pélvico ou uma faixa elástica que mantenha os ossos no lugar. Shorts de apoio com bolsas de gelo embutidas podem estabilizar as articulações e minimizar a dor. Os exercícios de Kegel e inclinações pélvicas ajudam a fortalecer os músculos da pelve. A fisioterapia pode ser especialmente útil, então peça que o médico a encaminhe a um especialista. Você também pode perguntar sobre acupuntura e quiropraxia, assim como analgésicos seguros.

Muito raramente, a DCP torna o parto vaginal impossível, e o médico pode optar por uma cesariana. Ainda mais raramente, a DCP piora após o parto, exigindo cirurgia. Mas, para a maioria das mães, quando o bebê nasce e a produção de hormônios é interrompida, os ligamentos retornam ao normal.

Emaranhamento e nós no cordão umbilical

O que são? De vez em quando, o cordão umbilical fica atado, emaranhado ou enrolado em torno do feto, frequentemente no pescoço (um cordão nucal). Alguns nós se formam durante o parto, outros, durante a gravidez. Desde que o nó permaneça frouxo, não é provável que cause problemas. Mas, se ficar apertado, pode interromper a circulação de sangue da placenta para o bebê e causar privação de oxigênio. Isso ocorre raramente, mas, quando ocorre, é mais provável durante a descida do bebê pelo canal de parto.

O quanto são comuns? Nós verdadeiros ocorrem em cerca de 1 em cada 100 gestações, mas somente 1 em cada 2 mil apresenta um nó apertado o bastante para causar problemas. Os cordões nucais, mais comuns, ocorrem em cerca de um quarto das gestações, mas normalmente são inofensivos.

Deficiências nutricionais que afetem a estrutura e a barreira protetora do cordão ou outros fatores de risco, como gestar múltiplos, ter hidrâmnio, fumar ou usar drogas podem tornar a mulher mais suscetível a um nó sério no cordão umbilical.

Quais são os sinais e sintomas? O sinal mais comum de nó no cordão é atividade fetal diminuída após a 37ª semana. Se o nó ocorrer durante o trabalho de parto (quando os nós são mais frequentemente detectados), o monitor fetal acusará frequência cardíaca anormal.

O que você e o médico podem fazer? Você pode observar como o bebê está se saindo, fazendo contagens regulares dos chutes e telefonando para o médico se notar diminuição da atividade fetal. Se um nó solto se apertar durante o parto, a frequência cardíaca fetal irá cair. Para garantir a segurança do bebê, o parto imediato, normalmente através de cesariana, frequentemente é a melhor abordagem.

Artéria umbilical única

O que é? Em um cordão umbilical normal, há três vasos sanguíneos: uma veia (que leva oxigênio e nutrientes para o bebê) e duas artérias (que transportam os resíduos do bebê de volta para a placenta e o sangue da mãe). Mas, em alguns casos, o cordão umbilical contém somente dois vasos sanguíneos: uma veia e uma artéria.

O quanto é comum? Cerca de 1% da gestação de únicos e 5% da gestação de múltiplos apresentam artéria umbilical única. A condição é mais comum entre caucasianos, mulheres com mais de 40 anos, gestantes de múltiplos e mães com diabetes. Fetos femininos são mais frequentemente afetados que os masculinos.

Quais são os sinais e sintomas? Não há nenhum. A condição é tipicamente detectada durante um ultrassom de rotina.

O que você e o médico podem fazer? Se for diagnosticado que o cordão possui somente uma artéria, a gravidez será monitorada mais atentamente, pois isso aumenta ligeiramente o risco de baixo crescimento e/ou má formação fetal. Na ausência de outras anormalidades, no entanto, a artéria umbilical única não tem impacto sobre a gravidez. O bebê provavelmente nascerá saudável.

INSERÇÃO VELAMENTOSA DO CORDÃO UMBILICAL

Em 1% das gestações (mais em caso de múltiplos), o cordão umbilical se insere na lateral da placenta, fazendo com que os vasos sanguíneos atravessem as membranas fetais sem proteção. Chamada de inserção velamentosa do cordão umbilical, a condição não causa quaisquer problemas sérios: você só precisará de mais ultrassons e mais monitoramento durante o parto.

Complicações pouco comuns da gravidez

As seguintes complicações são raras. É extremamente improvável que a gestante média encontre qualquer uma delas. Novamente (e isso merece ser repetido), só leia esta seção se precisar e, mesmo então, leia somente o que se aplicar a você. Se qualquer uma for diagnosticada durante sua gravidez, use as informações para aprender sobre a condição e seu tratamento típico (assim como a maneira de evitá-la em gestações futuras), mas entenda que o protocolo de tratamento de seu médico pode ser diferente.

Eclâmpsia

O que é? Eclâmpsia é o resultado de uma pré-eclâmpsia não controlada ou não solucionada (p. 732). Dependendo de quando a mulher se torna eclâmptica, o bebê pode nascer prematuramente, já que o parto imediato frequentemente é o único tratamento. Embora a eclâmpsia ameace a vida da mãe, as mortes maternas devido a ela são bastante raras nos EUA. Com tratamento ótimo e cuidadoso acompanhamento, a maioria das mulheres com eclâmpsia retoma a saúde após o parto. No Brasil, segundo a Febrasgo, a eclâmpsia e a pré-eclâmpsia são as principais causas de morte materna.

O quanto é comum? A eclâmpsia é muito menos comum que a pré-eclâmpsia e ocorre tipicamente entre mulheres que não receberam acompanhamento pré-natal regular.

VOCÊ VAI QUERER SABER...

Pouquíssimas mulheres recebendo cuidado pré-natal regular progridem da administrável pré-eclâmpsia para a muito mais séria eclâmpsia.

Quais são os sinais e sintomas? A eclâmpsia é sempre precedida pela pré-eclâmpsia. Convulsões — geralmente perto ou durante o parto — são o sintoma mais característico. As convulsões também podem ocorrer no pós-parto, em geral nas primeiras 48 horas.

O que você e o médico podem fazer? Se tiver convulsões, você receberá oxigênio e drogas para interrompê-las, e o parto será induzido ou uma cesariana será realizada quando você estiver estável. A maioria das mães com eclâmpsia retorna rapidamente ao normal após o parto, embora o acompanhamento cuidadoso seja necessário para garantir que a pressão arterial não permaneça elevada e as convulsões não continuem.

Pode ser evitada? O cuidado pré-natal regular garantirá que os sintomas da pré-eclâmpsia sejam percebidos cedo. Se você for diagnosticada com pré-eclâmpsia, o médico a acompanhará cuidadosamente (e sua pressão arterial), para garantir que a condição não progrida para eclâmpsia. As medidas para evitar a pré-eclâmpsia também evitam a eclâmpsia.

Colestase

O que é? A colestase é uma condição na qual o fluxo de bile da vesícula é mais lento que o normal (como resultado dos hormônios da gravidez), fazendo com que se acumulem ácidos da bile no fígado e na corrente sanguínea. A colestase tem maior probabilidade de ocorrer no último trimestre, quando os hormônios estão no ápice. Felizmente, ela costuma desaparecer após o parto.

A colestase pode aumentar o risco de sofrimento fetal, nascimento pré-termo ou morte fetal, e é por isso que o diagnóstico e o tratamento precoces são fundamentais.

O quanto é comum? A colestase afeta 1 ou 2 gestações em cada 1 mil. Ela é mais comum em gestações de múltiplos, em mulheres com danos anteriores no fígado e naquelas cujas mães ou irmãs tiveram colestase.

Quais são os sinais e sintomas? Mais frequentemente, o único sintoma notado é a coceira severa, sobretudo nas mãos e nos pés, com frequência no fim da gravidez. A coceira não deve ser confundida com a causada pela pele seca e esticada (que é muito comum e completamente normal durante a gravidez).

O que você e o médico podem fazer? O objetivo de tratar a colestase da gravidez é aliviar a coceira e evitar complicações. A coceira pode ser tratada com medicação tópica, loções ou corticoides. Medicação às vezes é empregada para diminuir a concentração de ácidos biliares. Se a colestase ameaçar o bem-estar da mãe ou do feto, o parto antecipado pode ser necessário.

Trombose venosa profunda

O que é? A trombose venosa profunda (TVP) é o desenvolvimento de um coágulo sanguíneo em uma veia profunda. Esses coágulos surgem mais comumente nas extremidades inferiores, particularmente as coxas. As mulheres ficam mais suscetíveis a coágulos durante a gravidez, o parto e, particularmente, o pós-parto. Isso acontece porque a natureza, sabiamente preocupada com o sangramento excessivo durante o parto, tende a aumentar a habilidade de coagulação do sangue — ocasionalmente demais. Outro fator que pode contribuir é o útero alargado, que dificulta o retorno do sangue no restante do corpo para o coração. Se a TVP não for tratada, o coágulo pode se mover para os pulmões e ameaçar a vida da mãe.

O quanto é comum? A TVP ocorre em uma de cada quinhentas a 2 mil gestações, incluindo o puerpério (no Brasil, ocorre em uma ou duas de cada mil gestações). Ela é mais comum em mulheres mais velhas, acima do peso, sedentárias, fumantes, com histórico familiar ou pessoal de coágulos ou que apresentam hipertensão arterial, diabetes e uma variedade de outras condições, incluindo doenças vasculares. O repouso prolongado com pouca atividade também pode aumentar o risco de TVP, assim como viagens longas de avião.

Quais são os sinais e sintomas? Os sintomas mais comuns de trombose venosa profunda são:
- Sensação pesada ou dolorosa na perna
- Sensibilidade na panturrilha ou coxa
- Inchaço leve a severo
- Distensão das veias superficiais
- Dor na panturrilha ao flexionar o pé (virar os dedos na direção do queixo)
- Se o coágulo tiver se movido para os pulmões (embolia pulmonar), pode haver:
- Dor no peito
- Falta de ar
- Tosse com expectoração espumosa e manchada de sangue
- Respiração e batimentos cardíacos acelerados
- Lábios e pontas dos dedos azulados
- Febre

O que você e o médico podem fazer? Se foi diagnosticada com TVP ou qualquer outro tipo de coágulo em gestações anteriores, informe ao médico. Além disso, telefone imediatamente para ele se notar inchaço e dor em somente uma perna em qualquer momento da gravidez. Não massageie o inchaço.

CÂNCER NA GRAVIDEZ

Às vezes, a vida pode dar uma virada ao mesmo tempo alegre e desafiadora, quando gravidez e câncer ocorrem ao mesmo tempo. Quer já estivesse lidando com o câncer quando descobriu que estava grávida ou tenha recebido o diagnóstico depois, haverá muitas informações a reunir e escolhas a fazer com a equipe pré-natal e a equipe oncológica.

O tratamento do câncer durante a gravidez é um equilíbrio delicado entre fornecer o melhor cuidado para a mãe e limitar os possíveis riscos para o bebê. O tipo de tratamento que você receberá dependerá de muitos fatores: em que momento da gravidez está, o tipo de câncer, o estágio do câncer e, é claro, seus desejos. As decisões que você vai enfrentar ao pesar seu bem-estar contra o bem-estar do bebê serão emocionalmente excruciantes, e você precisará de muito apoio ao tomá-las.

Embora cirurgias possam ser realizadas, se necessário, os médicos frequentemente adiam qualquer outro tratamento (como quimioterapia) até o segundo ou terceiro trimestres, quando é mais seguro realizá-los. Qualquer tratamento que possa ser prejudicial ao bebê (como radiação) provavelmente será adiado até depois do parto. Quando o câncer é diagnosticado no fim da gestação, os médicos podem esperar até o bebê nascer para iniciar o tratamento ou induzir o parto mais cedo. A notícia reconfortante é que mulheres diagnosticadas durante a gravidez respondem tão bem ao tratamento quanto mulheres que não estão grávidas, se todos os outros fatores forem iguais.

Para mais ajuda, entre em contato com o Instituto Nacional do Câncer em cancer.gov ou com hopefortwo.org, uma rede de apoio a gestantes com câncer. No Brasil, você pode obter informações no site do Instituto Nacional do Câncer (Inca), inca.gov.br, e no site do Instituto Vencer o Câncer, vencerocancer.org.br.

Ultrassons podem diagnosticar coágulos na perna, e um exame especial (cintilografia pulmonar) ou tomografia podem diagnosticar coágulos nos pulmões. Se você tiver um coágulo, pode ser tratada com heparina, para "afinar" o sangue e evitar novos coágulos (embora a heparina possa ser descontinuada perto do termo, para evitar que você sangre excessivamente durante o parto). Sua coagulação será continuamente monitorada.

Pode ser evitada? Você pode prevenir coágulos mantendo o sangue circulando, ou seja, fazendo exercícios regulares e evitando longos períodos sentada. Se tiver de viajar de avião, levante-se e caminhe a cada 1 ou 2 horas e gire os tornozelos enquanto estiver sentada. Faça pausas frequentes para se alongar durante viagens compridas de carro. Permanecer hidratada também pode ajudar a prevenir coágulos. Se pertencer ao grupo de alto risco, você pode usar meias de compressão para evitar que coágulos se formem em suas pernas. Se for colocada em repouso, tome medidas para reduzir o risco (sugestões na p. 762).

Placenta acreta

O que é? Uma placenta cuja ligação com a parede uterina é anormalmente firme. Dependendo da profundidade com que as células placentárias invadirem as paredes uterinas, a condição pode ser chamada de percreta ou increta. Ela aumenta o risco de sangramento intenso ou hemorragia durante a expulsão da placenta.

QUANDO O PARTO EM CASA NÃO É O MELHOR

Você pode ter começado a gestação com baixo risco e decidido fazer o parto em casa, mas, se surgirem certas complicações, é mais prudente refazer os planos e optar por um hospital (ou uma casa de parto ligada a um hospital). Eis algumas circunstâncias nas quais os planos para o parto em casa precisam ser modificados:
- Se você desenvolver qualquer uma das complicações listadas neste capítulo (com exceção da hiperêmese gravídica ou do hematoma subcoriônico, se tiverem sido resolvidos)
- Se estiver esperando múltiplos
- Se o bebê estiver em apresentação pélvica
- Se você entrar em trabalho de parto prematuro
- Se houver sofrimento fetal

Tampouco é considerado seguro planejar um parto em casa se você já fez uma cesariana anterior. Embora algumas parteiras façam partos vaginais após cesariana, os especialistas concordam que o risco é muito maior que os benefícios.

O quanto é comum? Somente uma em cada 2.500 gestações tem ligação anormal. A placenta acreta é de longe a mais comum, respondendo por 75% dos casos. Nessa condição, a placenta se infiltra profundamente na parede uterina, mas não nos músculos uterinos. O risco de placenta acreta aumenta se você tiver placenta prévia e/ou já tiver feito uma ou mais cesarianas. Na placenta increta, que responde por 15% dos casos, a placenta penetra os músculos uterinos. Na placenta percreta, que responde pelos 10% finais, a placenta não somente se infiltra na parede e nos músculos uterinos, como também atravessa a parte externa da parede uterina e pode até mesmo se ligar a órgãos próximos.

Quais são os sinais e sintomas? Normalmente, não há sintomas. A condição é diagnosticada através de um ultrassom Doppler colorido ou pode ser notada somente no parto, quando a placenta não descola (como normalmente faria) da parede uterina depois que o bebê nasce.

O que você e o médico podem fazer? Infelizmente, há pouco que você possa fazer. Na maioria dos casos, a placenta precisa ser removida cirurgicamente após o parto. Quando o sangramento não pode ser controlado através do fechamento dos vasos sanguíneos expostos, a remoção de todo o útero talvez seja necessária.

Vasa prévia

O que é? Vasa prévia é uma condição na qual alguns dos vasos sanguíneos que conectam o bebê à mãe correm por fora do cordão umbilical e ao longo da membrana sobre o colo do útero. Quando o trabalho de parto começa, as contrações e a abertura do colo do útero podem fazer com que esses vasos se rompam, possivelmente prejudicando o bebê. Se a condição é diagnosticada antes do trabalho de parto, uma cesariana é programada e o bebê nasce saudável quase 100% das vezes.

O quanto é comum? A vasa prévia é rara, afetando 1 em cada 5.200 gestações. Mulheres que também tiveram placenta prévia, histórico de cirurgia uterina (incluindo cesariana), curetagem ou gestação de múltiplos têm risco aumentado. Mulheres que engravidaram por FIV também correm um risco ligeiramente maior.

Quais são os sinais e sintomas? Normalmente, não há sinais dessa condição.

O que você e o médico podem fazer? Testes diagnósticos, como um ultrassom ou, melhor ainda, um Doppler colorido no segundo trimestre, podem detectar vasa prévia. Mulheres diagnosticadas farão cesariana, geralmente antes da 37ª semana, para assegurar que o trabalho de parto não comece sozinho. Os pesquisadores estão estudando se a vasa prévia pode ser tratada com terapia a *laser* para selar os vasos em posição anormal. Você pode ler mais a respeito em vasaprevia.com.

Complicações do parto e pós-parto

Muitas das seguintes condições não podem ser antecipadas antes do parto, e não há necessidade de ler a respeito (e se preocupar) antecipadamente, já que é muito improvável que ocorram com você. Foram incluídas para que, no improvável evento de você experimentar uma delas, possa aprender a respeito após o fato ou, em alguns casos, saber como evitar que ocorram novamente em uma gestação subsequente.

Sofrimento fetal

O que é? O sofrimento fetal ocorre quando o fornecimento de oxigênio para o bebê no útero é comprometido, antes ou durante o trabalho de parto. O sofrimento pode ser causado por vários fatores, como pré-eclâmpsia, diabetes não controlada, placenta abrupta, escassez ou excesso de líquido amniótico, compressão, prolapso ou emaranhamento do cordão umbilical e restrição ao crescimento uterino. Também pode ocorrer quando a mãe permanece por muito tempo em uma posição (como deitada de costas) que comprime importantes vasos sanguíneos, privando o bebê de oxigênio. A privação continuada de oxigênio e/ou a desaceleração da frequência cardíaca podem ser sérios e devem ser corrigidos o mais rapidamente possível, no geral com parto imediato (mais frequentemente por cesariana, a menos que o parto vaginal seja iminente).

O quanto é comum? A incidência exata de sofrimento fetal é incerta (especialmente porque alguns casos são somente temporários), mas as estimativas vão de 1 caso em cada 25 partos a 1 em cada 100.

Quais são os sinais e sintomas? Bebês que estão bem têm batimentos cardíacos fortes e estáveis e respondem aos estímulos com os movimentos apropriados. Bebês em sofrimento apresentam queda da frequência cardíaca, padrão diferente ou ausente de movimentos e/ou fazem sua primeira evacuação, chamada de mecônio, ainda no útero. A única maneira de suspeitar que o bebê está em sofrimento é a desaceleração pronunciada dos movimentos (após a 28ª semana) ou a bolsa estourar e o líquido amniótico estar manchado de mecônio. A única maneira de saber com certeza é usar monitoramento fetal, teste de não estresse ou ultrassom de perfil biofísico.

O que você e o médico podem fazer? Se você acha que o bebê pode estar em sofrimento porque notou mudança na atividade fetal (ela desacelerou significativamente, parou de todo ou a está preocupando de alguma outra maneira), telefone imediatamente para o médico. Também telefone se a bolsa estourar e você notar que o líquido amniótico está manchado de mecônio (p. 532). Quando estiver no consultório ou no hospital (ou em trabalho de parto), você será ligada ao monitor fetal para ver se o bebê realmente mostra sinais de sofrimento. Você pode receber oxigênio e fluidos intravenosos para oxigenar melhor seu sangue e fazer com que a frequência cardíaca do bebê volte ao normal. Se a razão para o sofrimento fetal for o fato de você ficar de costas por muito tempo, virar-se para o lado esquerdo para remover a pressão dos principais vasos sanguíneos pode resolver. Se essas técnicas não funcionarem, o melhor tratamento é um parto rápido. Os mesmos passos serão dados se você não notar quaisquer sintomas, mas o bebê parecer em sofrimento durante uma consulta de rotina ou teste de não estresse.

Prolapso do cordão umbilical

O que é? O prolapso ocorre durante o trabalho de parto, quando o cordão umbilical sai pelo colo do útero e pelo canal de parto antes do bebê. Se o cordão for comprimido durante o parto (se, por exemplo, a cabeça do bebê pressionar o cordão prolapsado), o suprimento de oxigênio ficará comprometido.

O quanto é comum? Felizmente, o prolapso do cordão umbilical não é comum, ocorrendo em 1 em cada 300 partos. Complicações que aumentam o risco de prolapso incluem polidrâmnio, apresentação pélvica ou qualquer outra na qual a cabeça do bebê não cubra o colo do útero, bebê pequeno para a idade gestacional e parto prematuro. Também pode ocorrer durante o parto do segundo gêmeo. O prolapso é um risco potencial na ruptura prematura das membranas fetais pré-termo e mesmo perto do termo, se as membranas se romperem antes de a cabeça do bebê encaixar no canal de parto.

Quais são os sinais e sintomas? Se o cordão deslizar pela vagina, você será capaz de ver ou sentir. Se o cordão for comprimido pela cabeça do bebê, haverá sinais de sofrimento fetal.

O que você e o médico podem fazer? Não há como saber antecipadamente se haverá prolapso. Se você suspeita que houve e ainda não está no hospital, apoie-se nas mãos e nos joelhos, com a cabeça baixa e a pelve erguida, para retirar pressão do cordão umbilical. Telefone para 911 (no Brasil, ligue para o SAMU, para o número 192) ou faça com que alguém a leve ao hospital (a caminho, deite-se no banco de trás, com as nádegas erguidas). Se já estiver no hospital, o médico pode pedir que você mude rapidamente de posição, adotando uma que facilite a movimentação da cabeça do bebê, removendo a pressão do cordão umbilical. O parto terá de ser feito muito rapidamente, provavelmente por cesariana. O parto imediato costuma evitar os problemas (como falta de oxigênio) que ocorrem quando o cordão umbilical prolapsado é comprimido.

Distocia de ombro

O que é? Uma complicação do parto na qual um ou ambos os ombros do bebê ficam presos atrás do osso pélvico da mãe quando o bebê está descendo pelo canal de parto.

O quanto é comum? O tamanho é o que mais importa quando se trata de distocia de ombro, que ocorre mais frequentemente em bebês muito grandes. De fato, as estatísticas mostram que menos de 1% dos bebês pesando 3 quilos têm distocia de ombro, ao passo que a taxa é consideravelmente mais alta em bebês que pesam mais de 4 quilos. Por essa razão, mães com diabetes não controlada (seja gestacional ou desenvolvida antes da concepção) têm maior tendência de terem essa complicação durante o parto. As chances também aumentam quando a gravidez passa das 40 semanas (já que bebês que nascem mais tarde tendem a ser maiores) ou se você já teve um bebê com distocia de ombro. Mesmo assim, muitos casos ocorrem sem nenhum desses fatores de risco.

Quais são os sinais e sintomas? O parto para depois que a cabeça emerge e antes de os ombros saírem. Isso pode acontecer inesperadamente.

O que você e o médico podem fazer? Várias abordagens podem ser usadas quando o ombro do bebê está alojado na pelve, como mudar a posição da mãe ao pressionar intensamente as coxas dela contra a barriga, aplicar pressão sobre o abdômen logo acima do osso púbico ou tentar virar o ombro do bebê ainda dentro do canal de parto. Se a mãe tiver mobilidade (se não fez uma epidural, por exemplo), ficar de quatro pode ajudar. Em alguns casos (quando o peso estimado do bebê está acima de 4,5 quilos e a mãe é diabética, o bebê está acima dos 5 quilos em qualquer situação ou já houve distocia de ombro em uma gestação anterior), o médico pode recomendar uma cesariana programada para evitar possíveis complicações no parto vaginal, incluindo distocia de ombro.

Pode ser evitada? Manter o ganho de peso dentro dos limites recomendados pode diminuir as chances de ter um bebê grande demais para passar pelo canal de parto, assim como controlar cuidadosamente a diabetes, gestacional ou não.

Lacerações perineais sérias

O que é? A cabeça do bebê pressionando os delicados tecidos do colo do útero e da vagina pode causar lacerações no períneo, a área entre a vagina e o ânus.

Lacerações de primeiro grau (quando somente a pele é lacerada) e de segundo grau (quando a pele e os músculos vaginais são lacerados) são comuns. Mas lacerações severas — que se aproximam do reto e envolvem pele e tecido da vagina e músculos do esfíncter anal (terceiro grau) ou que laceram o reto (quarto grau) — podem causar dor e aumentar não somente o tempo de recuperação no pós-parto, como também seu risco de incontinência e outros problemas com o assoalho pélvico. Lacerações também podem ocorrer no colo do útero.

O quanto são comuns? Qualquer mulher fazendo parto vaginal corre o risco de laceração, e até metade das mães terá ao menos uma pequena laceração. Lacerações de terceiro e quarto graus são muito menos comuns.

Quais são os sinais e sintomas? Sangramento é o sintoma imediato. Depois que a laceração for suturada, você também pode sentir dor e sensibilidade no local até ela cicatrizar.

O que você e o médico podem fazer? Geralmente, todas as lacerações com mais de 2 centímetros ou que continuam a sangrar são suturadas. Um anestésico local pode ser aplicado, se não foi administrado durante o parto ou você não recebeu uma epidural.

Se você tiver lacerações ou fizer episiotomia, banhos de assento, bolsas de gelo, hamamélis, sprays anestésicos e simples exposição da área ao ar podem ajudá-la a cicatrizar mais rapidamente e com menos dor (p. 616).

Podem ser evitadas? Massagem perineal e exercícios de Kegel (p. 512 e 312), um mês ou mais antes da data provável do parto, podem ajudar a área perineal a ficar mais flexível e mais capaz de esticar sobre a cabeça do bebê quando ele emergir (embora a massagem perineal antes do parto só seja útil em primigestas). Compressas mornas no períneo e massagem perineal durante o parto ajudam a evitar lacerações. Permitir que o parto desacelere e seja controlado (fazendo força somente quando sentir vontade, não em um cronograma específico) dará ao períneo mais tempo para esticar, diminuindo a probabilidade de lacerações. Alguns médicos sugerem que fazer o parto apoiada sobre as mãos e os joelhos diminui a probabilidade de lacerações, ao passo que ficar de cócoras ou deitada de costas a aumenta.

Ruptura uterina

O que é? Ocorre quando uma área enfraquecida da parede uterina — quase sempre o local de uma cirurgia uterina anterior, como cesariana ou remoção de miomas — se rompe devido à pressão durante o trabalho de parto e o parto. A ruptura uterina pode resultar em sangramento descontrolado no abdômen ou, mais raramente, permitir que parte da placenta ou do bebê penetre o abdômen.

O quanto é comum? Felizmente, as rupturas são raras em mulheres que nunca fizeram cesariana ou cirurgia uterina. Mesmo mulheres que entram em trabalho de parto depois de terem feito cesariana (optam pelo parto vaginal após cesariana) têm somente 1 chance em 100 de ruptura (e o risco é muito menor quando a mulher faz uma nova cesariana sem trabalho de parto). Mulheres em maior risco de ruptura uterina são as que tentam o parto vaginal após cesariana com indução por prostaglandinas — e é por isso que esse tipo de parto geralmente não é tentado se a mãe precisar ser induzida. O afinamento dos músculos uterinos também aumenta o risco de ruptura. Anormalidades na placenta (placenta abrupta ou acreta) ou feto atravessado no útero também aumentam o risco. A ruptura uterina é mais comum em mulheres que já tiveram seis ou mais bebês ou têm o útero muito distendido (por causa de múltiplos fetos ou excesso de líquido amniótico).

Quais são os sinais e sintomas? Dor ardente (sensação de que algo está "rasgando"), seguida de dor difusa e sensibilidade no abdômen durante o trabalho de parto (mesmo em mães que receberam epidural) são os sinais mais comuns de ruptura uterina. Mais tipicamente, o monitor fetal mostrará queda significativa da frequência cardíaca do bebê. A mãe pode desenvolver sinais de baixo volume sanguíneo, como frequência cardíaca acelerada, baixa pressão arterial, vertigem, falta de ar ou perda da consciência.

O que você e o médico podem fazer? Se já fez cesariana ou cirurgia na qual a parede uterina foi cortada completamente e gostaria de tentar parto vaginal, discuta com o médico se você é uma boa candidata (p. 477). Não induzir o parto reduz ainda mais o já extremamente baixo risco de ruptura uterina durante o parto vaginal após cesariana. Se você tiver uma ruptura uterina, uma cesariana imediata será necessária, seguida de sutura do útero. Você também pode receber antibióticos para prevenir infecções.

Pode ser evitada? Para mulheres com risco aumentado (como cesariana anterior), o monitoramento fetal durante o trabalho de parto pode alertar o médico para uma ruptura potencial ou real. Mulheres que estão tentando o parto vaginal após cesariana não devem ser induzidas, com exceção de algumas circunstâncias.

Inversão uterina

O que é? Trata-se de uma complicação rara que ocorre quando parte da parede uterina colapsa e vira do avesso (literalmente, como uma meia virada do avesso), às vezes passando pelo colo do útero e chegando à vagina. Em muitos casos, é causada pela separação incompleta entre a placenta e a parede uterina: a placenta então puxa o útero com ela quando emerge do canal de parto. A inversão uterina, quando não notada e/ou tratada, pode resultar em hemorragia e choque. Mas é uma possibilidade remota, já que é improvável que a condição não seja notada e tratada.

O quanto é comum? A inversão uterina é muito rara; as taxas variam de 1 em 2 mil partos a 1 em 50 mil partos. Seu risco é maior se você já sofreu inversão em um parto anterior. Outros fatores que aumentam ligeiramente o muito remoto risco incluem trabalho de parto muito longo (mais de 24 horas), vários partos vaginais anteriores ou uso de fármacos, como o sulfato de magnésio (administrado para interromper o trabalho de parto pré-termo). O útero também tem maior probabilidade de inverter se estiver excessivamente relaxado ou o cordão umbilical for curto e puxado muito bruscamente durante o parto.

Quais são os sinais e sintomas? Sintomas de inversão uterina incluem:
- Dor abdominal
- Sangramento excessivo
- Sinais de choque
- Em uma inversão completa, o útero será visível na vagina

O que você e o médico podem fazer? Conhecer os fatores de risco e informar ao médico se já teve uma inversão uterina no passado. Se você tiver uma inversão, o médico tentará empurrar o útero de volta e lhe dará ocitocina para encorajar quaisquer músculos frouxos a se contraírem. Em casos raros, quando isso não funciona, a cirurgia para reposicionar o útero é uma opção. Em ambos os casos, você pode precisar de uma transfusão de sangue para repor o que perdeu no sangramento. Antibióticos podem ser administrados para evitar infecções.

Pode ser evitada? Como uma mulher que sofreu inversão no passado apresenta risco aumentado de sofrer outra, informe ao médico se for seu caso.

> ## PRÉ-ECLÂMPSIA PÓS-PARTO
>
> A pré-eclâmpsia pós-parto é uma condição rara caracterizada por hipertensão arterial e acúmulo de proteínas na urina. Mulheres que tiveram pré-eclâmpsia durante a gravidez têm risco aumentado de terem também a variedade puerperal, que geralmente surge 48 horas após o parto (embora também possa se desenvolver até seis semanas depois). Sem tratamento, ela pode levar à eclâmpsia, síndrome HELLP e outros problemas, e é por isso que você precisa estar alerta para os sintomas: dor de cabeça, alterações da visão, dor abdominal, náusea ou vômito, falta de ar ou inchaço. Não falte a nenhuma consulta pós-parto, para que sua pressão arterial e urina possam ser verificadas. O tratamento inclui medicação anti-hipertensiva e possivelmente sulfato de magnésio para evitar convulsões.

Hemorragia pós-parto

O **que é?** O sangramento após o parto, chamado de lóquio, é normal. Mas, às vezes, o útero não se contrai como deveria, levando à hemorragia pós-parto: o sangramento excessivo ou descontrolado no local onde a placenta estava ligada ou em lacerações não suturadas na vagina e no colo do útero. A hemorragia pode ocorrer até uma ou duas semanas após o parto se fragmentos da placenta estiverem retidos ou aderidos ao útero. Infecções também podem causar hemorragia, logo após o parto ou semanas depois.

O quanto é comum? A hemorragia pós-parto ocorre em 2 a 4% dos partos. O sangramento excessivo tem maior probabilidade de ocorrer nas seguintes circunstâncias:

- O útero está relaxado demais e não se contrai devido a um longo trabalho de parto
- O útero está excessivamente esticado devido a múltiplos partos, um bebê muito grande ou excesso de líquido amniótico
- Houve um parto traumático
- Pedaços da placenta ficaram retidos após o parto
- A placenta tem um formato estranho ou se separou prematuramente
- Miomas impedem a contração simétrica do útero
- A mãe estava muito fraca no momento do parto (devido à anemia, pré-eclâmpsia ou fadiga extrema)
- A mãe está tomando vitamina E
- A mãe tem um transtorno hemorrágico não diagnosticado

Quais são os sinais e sintomas? Os sintomas incluem:

- Sangramento que encharca mais de um absorvente por hora durante várias horas

- Sangramento intenso, vermelho vivo, por mais de alguns dias
- Coágulos grandes (do tamanho de um limão siciliano ou maiores); coágulos menores são normais
- Dor ou inchaço
- Fraqueza, falta de ar, vertigem, coração acelerado

A perda de grande quantidade de sangue pode fazer com que a mulher se sinta fraca, sem ar, tonta ou com o coração disparado.

O que você e o médico podem fazer? Você deve esperar sangramento após o parto, mas alerte o médico imediatamente se notar um sangramento anormalmente intenso ou qualquer um dos sintomas listados na primeira semana após o parto. Se o sangramento for severo o bastante para ser categorizado como hemorragia, você pode precisar de fluidos intravenosos ou, possivelmente, uma transfusão de sangue.

Pode ser evitada? Depois que a placenta for expulsa, o médico se certificará de que está completa, ou seja, que nenhum pedaço permaneceu no útero (o que pode levar a sangramento excessivo e infecção). Ele provavelmente administrará ocitocina ou outra medicação e pode massagear o útero para encorajá-lo a se contrair, para minimizar o sangramento. Amamentar assim que possível também ajuda a contrair o útero, minimizando o sangramento. Evitar qualquer suplemento ou medicação que possa interferir com a coagulação reduz o risco de sangramento excessivo no pós-parto.

Infecções pós-parto

O que são? A vasta maioria das novas mães se recupera do parto sem nenhum problema, mas ele ocasionalmente pode torná-la suscetível a infecções. Isso porque pode deixá-la com várias feridas abertas: no útero (onde a placenta estava ligada), no colo do útero, na vagina, no períneo (especialmente se você teve laceração ou fez episiotomia) e no local da incisão da cesariana. Infecções pós-parto também podem ocorrer na bexiga ou nos rins se você usou cateter. Um fragmento da placenta inadvertidamente deixado no útero também pode levar à infecção. Mas a infecção pós-parto mais comum é a endometrite, que afeta o revestimento do útero (o endométrio).

Embora algumas infecções possam ser perigosas, especialmente se não foram diagnosticadas e tratadas, na maioria das vezes elas somente tornam a recuperação do parto mais lenta e mais difícil e desviam tempo e energia de sua prioridade: conhecer o bebê. Por essa razão, é importante obter ajuda para tratar qualquer infecção o mais rapidamente possível.

O quanto são comuns? Até 8% dos partos resultam em infecção. Mulheres que fizeram cesariana e aquelas que tiveram ruptura prematura das membranas correm maior risco.

Quais são os sinais e sintomas? Os sintomas das infecções variam, mas quase sempre há:
- Febre
- Dor ou sensibilidade na área infectada
- Secreção com cheiro ruim (na vagina, em caso de infecção uterina, ou na ferida)
- Calafrios

O que você e o médico podem fazer? Telefone para o médico se tiver febre acima de 37,8°C por mais de um dia; telefone imediatamente se a febre for mais alta ou você notar outros dos sintomas listados. Se tiver uma infecção, você provavelmente receberá uma prescrição de antibiótico (compatível com a lactação, se estiver amamentando). Tome-o como prescrito até o fim do tratamento, mesmo que comece a se sentir melhor. Tomar probiótico junto com o antibiótico (embora com um intervalo de ao menos 2 horas entre os dois) pode evitar a diarreia, o sapinho e a candidíase associados aos antibióticos (em você e no bebê, se estiver amamentando). Descanse bastante e ingira muitos líquidos.

MCPP

A miocardiopatia periparto (MCPP) consiste no crescimento e enfraquecimento incomuns, porém muito sérios do músculo cardíaco, que podem ocorrer no fim da gravidez ou no pós-parto. Os sintomas incluem dificuldade para respirar quando deitada, dor no peito, inchaço severo das pernas, veias intumescidas no pescoço e palpitações no coração. Os fatores que aumentam o risco de MCPP incluem hipertensão arterial, obesidade, gestação de múltiplos e descendência africana. Com diagnóstico e tratamento imediatos, a maioria das mulheres se recupera integralmente.

Podem ser evitadas? O cuidado meticuloso com as feridas e a boa higiene definitivamente ajudam a prevenir infecções (lave as mãos antes de tocar a área do períneo, limpe-se da frente para trás e use somente absorventes — e não tampões — para o sangramento pós-parto).

TUDO SOBRE:
Se você precisar fazer repouso

Repouso (uma expressão generalizada e ainda popular para uma recomendação cada vez mais conhecida como "restrição de atividades") pode significar coisas diferentes para médicos diferentes — e para as pacientes que recebem essa recomendação. Talvez signifique somente descansar um pouco a cada 2 horas; talvez isso e entregar o aspirador de pó a seu parceiro e cancelar a academia por algum tempo; talvez ficar na cama por ao menos meio dia, todos os dias; e talvez uma estada no hospital nas últimas semanas (ou meses) da gestação. Não importa a forma que assuma (ou como seja chamado), estima-se que o repouso ainda seja prescrito em cerca de 20% das gestações nos Estados Unidos. O número pode estar caindo, mas não tão rapidamente quanto muitos médicos, muitas gestantes e mesmo o ACOG gostariam.

Então, essa prescrição honrada pelo tempo para muitas gestações problemáticas já prescreveu? Provavelmente, não. Ainda há várias razões pelas quais os médicos podem recomendar repouso, mas a explicação mais simples talvez seja a de que eles frequentemente não têm opções de tratamento quando tentam evitar complicações, como o parto prematuro, mas se sentem compelidos a "fazer algo".

Certas gestantes têm maior probabilidade de terminarem fazendo algum tipo de repouso, incluindo as com mais de 35 anos (porque geralmente há mais risco de complicações), assim como as que estão esperando múltiplos, têm histórico de aborto espontâneo em razão de insuficiência cervical ou apresentam alguma forma de sangramento (como ameaça de aborto), complicações particulares, como pré-eclâmpsia, certas doenças crônicas ou ameaça de trabalho de parto prematuro.

Que tipo de repouso?

Se você recebeu uma recomendação de repouso, é provável que ela tenha vindo com uma lista muito específica de coisas que pode ou não fazer. Isso porque o repouso vem em uma variedade de pacotes. Eis as informações básicas sobre cada tipo. Converse sobre suas opções com o médico se receber recomendação de qualquer tipo de repouso, para se assegurar de que ele não seja mais estrito que o necessário.

Repouso programado (ou restrição de atividades). Na esperança de evitar o repouso absoluto mais tarde, alguns médicos pedem que gestantes com certos fatores de risco (como múltiplos ou parto prematuro anterior) descansem por um período determinado todos os dias. A recomendação pode ser para se sentar com os pés para cima ou se deitar por 2 horas ao fim de cada jornada ou descansar por 1 hora, deitada de lado (preferencialmente do lado esquerdo, mas pode ser qualquer lado), para cada 4 horas em que está acordada. Alguns médicos podem pedir que você diminua sua jornada de trabalho no terceiro trimestre e restrinja atividades como exercícios, subir escadas e caminhar ou ficar em pé por longos períodos.

Repouso modificado. No repouso modificado, você geralmente é proibida de trabalhar no escritório (embora trabalhar no conforto de casa provavelmente seja liberado), dirigir e realizar tarefas domésticas (finalmente algo para celebrar!). Ficar sentada (com os pés para cima) provavelmente será liberado, assim como ficar em pé o tempo suficiente para preparar um sanduíche ou tomar banho. Você pode até mesmo ganhar uma saída por semana, desde que não envolva caminhadas longas ou subir escadas. Você também será capaz de ir à consulta mensal (ou mesmo semanal, se necessário). Gestantes em repouso modificado podem dividir seu dia entre o sofá e a cama, mas subir e descer escadas deve ser mantido no mínimo. Fisioterapia leve pode ser prescrita.

ANTES DE IR PARA A CAMA

Foi mandada para a cama? Confira esta lista antes de entrar debaixo das cobertas.

- Fale com seu plano de saúde. Informe que você precisa fazer repouso (e submeta os formulários médicos necessários). Pergunte que cuidados domiciliares, se algum, serão cobertos. Pergunte também se há cobertura para fisioterapia, aluguel de material médico e mesmo massagem. Você também pode perguntar sobre sua cobertura no caso de o bebê nascer prematuramente.
- Ative o seguro por invalidez. O repouso pode ter enorme impacto financeiro em uma família prestes a se expandir (outra razão para se assegurar de que ele é realmente necessário como prescrito). Se não puder trabalhar, fale com alguém do departamento de RH (se houver) de seu local de trabalho para ver se você se qualifica para a pensão por invalidez temporária (é provável que sim, embora você e seu médico tenham de documentar as razões) — e se sua "licença" durante o repouso será coberta pela Lei de Licença Médica e Familiar (p. 276), se você tiver direito a ela. No Brasil, a legislação garante que a trabalhadora gestante se afaste do trabalho e receba o Auxílio-Doença pelo INSS ao comprovar a gravidez de risco.
- Explore as opções de trabalho em casa. Se seu emprego e seu empregador forem flexíveis, você pode ser capaz de continuar trabalhando em tempo parcial enquanto fica de repouso. Ou procure oportunidades que permitam isso.
- Organize seu telefone. Assegure-se de atualizar sua agenda com os números dos quais pode precisar enquanto estiver presa à cama (médico, farmácia, hospital, vizinhos e amigos que possam ajudá-la).
- Cadastre-se em serviços on-line e aplicativos de entrega de res-

taurantes, supermercados e farmácias, concierge, passeadores de cães, lavanderia e assim por diante, se as finanças permitirem.
- Contrate alguém para ajudá-la, se possível. Ou aceite ajuda de familiares, amigos e vizinhos. Você precisará de ajuda para limpar a casa, fazer compras, cuidar das crianças (se tiver outros filhos) e levá-las para a escola, atividades e casa dos amigos, preparar refeições e lavar roupa. Se seus amigos e vizinhos se oferecerem para ajudar, sugira que usem ferramentas on-line para se organizar, como lotsahelpinghands.com, carecalendar.org ou mealbaby.com.
- Dê chaves às pessoas que você quer que a visitem (ou deixe uma chave com o vizinho, o síndico ou o porteiro), para que não precise se levantar da cama toda vez que a campainha tocar. Se possível, peça que um vizinho receba suas entregas.
- Compre ou pegue emprestado um minibar que possa ser colocado ao lado da cama (ou sofá) e estocado com bebidas, vegetais cortados, queijo, iogurte e outros lanches que precisem ser refrigerados. Ou pense em usar uma caixa térmica forrada com bolsas de gelo e reabastecida diariamente.
- Monte uma estação para seu laptop, telefone, tablet e qualquer outro aparelho que precise ser carregado. Todos os carregadores devem estar à mão.

Repouso estrito. Geralmente significa que você precisa passar o dia inteiro na horizontal, com exceção das idas ao banheiro e uma ducha rápida (usando uma cadeira de banho, se possível). Se houver escadas em sua casa, você terá de escolher um andar e permanecer nele. (Algumas mulheres recebem permissão de mudar de andar uma vez ao dia, ao passo que outras talvez só possam fazer isso uma vez por semana.) Repouso estrito significa que não há privilégios de cozinha; então, a menos que tenha alguém para servir suas refeições e lanches, você precisará de um minibar ou caixa térmica ao lado da cama. Fisioterapia leve também pode ser prescrita.

Repouso hospitalar. Algumas gestantes requerem monitoramento constante, o que significa internação em um hospital. E, pela própria natureza de estar no hospital, você passará muito tempo na cama. No entanto, dadas as preocupações com a inatividade prolongada, você também pode receber uma recomendação de fisioterapia leve durante sua estada no hospital — o que é uma boa coisa, já que manterá seus músculos trabalhando de uma maneira segura para você e o bebê. Se foi admitida no hospital porque já está em trabalho de parto pré-termo, você provavelmente precisará de monitoramento constante, além de medicação intravenosa. A cama pode ser ligeiramente inclinada (com os pés mais altos que a cabeça), para que a gravidade ajude seu bebê (ou bebês) a crescer no útero pelo máximo de tempo possível.

Repouso pélvico. Sim... isso significa exatamente o que você está pensando: nada de sexo. Mas "nada de sexo" está aberto a interpretação, então pergunte exatamente o que significa em sua situação. Pode significar nada inserido na vagina (pênis, dedos, dildos, vibradores); pode significar nada de sexo, seja oral, vaginal ou anal; ou pode significar simplesmente nada de orgasmo. Você pode ser colocada em repouso pélvico se teve sangramentos (como ameaça de aborto no primeiro trimestre ou placenta prévia mais tarde), tem histórico de parto prematuro, está tendo contrações prematuras ou tem insuficiência cervical.

As desvantagens do repouso

Ficar parada (seja na cama, no sofá ou no hospital) por semanas ou meses pode ter um custo físico. A inatividade prolongada gera dor nos quadris e nas costas, perda muscular (dificultando a recuperação após o parto), irritação da pele (também chamadas de escara), perda óssea e coágulos nas pernas. Também pode agravar muitos sintomas normais da gravidez, como azia, constipação e inchaço nas pernas, além de aumentar seu risco de diabetes gestacional, já que seu corpo não está metabolizando a glicose na taxa usual. O repouso pode diminuir seu apetite, o que pode impedi-la de comer o suficiente para nutrir o bebê. Ou o inverso: horas intermináveis na cama podem levá-la a comer demais, especialmente se estiver entediada, gerando excesso de peso, especialmente porque você não queima calorias em atividades regulares e exercícios.

Mas também há um custo psicológico. A inatividade prolongada está ligada à depressão e à ansiedade, especialmente se ficar presa dentro de casa, isolada das atividades que tipicamente mantêm sua mente e seu corpo ocupados, privada de interação social, exercícios (e dos hormônios que eles liberam), sexo (idem), do estímulo oferecido pelo trabalho e mesmo da exposição à luz do sol (que estimula o humor e regula o sono). Há também uma perda da experiência "normal" de gravidez (aquela em que todos à sua volta se mostram atentos, solícitos e respeitosos e a barriga a faz se sentir especial aonde quer que vá). O impacto emocional (assim como o físico) pode permanecer após o parto, e está associado a um risco maior de depressão e ansiedade pós-parto.

Permanecendo animada durante o repouso

A ideia de ficar deitada na cama ou no sofá com o controle remoto na mão pode parecer bastante atraente — até ser prescrita na forma de repouso. Infelizmente, o repouso não é uma festa do pijama. Quando a realidade se instala, repousar pode ser trabalho duro. E por isso é importante não perder de vista o quadro geral (gravidez saudável, bebê saudável) e lembrar a si mesma que o médico tem boas razões para mantê-la na cama ou, ao menos, afastada de seu estilo de vida normalmente agitado.

Quando descobrir com o médico exatamente quais atividades são permitidas (e quais não são), use as dicas a seguir para minimizar alguns dos efeitos colaterais.

Fisicamente. Você vai ficar surpresa com as coisas que ainda pode fazer quando lhe pedem para fazer menos. Algumas sugestões:

- Mova o que puder. O médico pode permitir — e até prescrever — alguns exercícios de baixo impacto (caminhadas, musculação leve para a parte superior do corpo, faixas de resistência para a parte inferior) para minimizar a perda muscular e manter a força.
- Alongue o que puder. O máximo que puder sob as orientações do médico, alongue as pernas, gire os tornozelos e flexione os pés para evitar coágulos e manter os músculos fortes. Erga e baixe os braços, role os ombros, expanda o peito (enlace os dedos atrás das costas e abra o peito) e assim por diante, para manter a força do tronco. E não se esqueça dos exercícios de Kegel, que você pode fazer mesmo estando de repouso.
- Monitore o que come. A diminuição do apetite da mãe pode fazer com que ela perca peso e que o bebê tenha baixo peso ao nascer. Se estiver sem apetite, reaja fazendo lanches leves e nutritivos ao longo do dia. É claro que, se comer demais (por causa do tédio ou da depressão), o excesso de peso também pode virar um problema. Se esse for o caso, pare de beliscar o tempo todo e tenha lanches saudáveis à mão.
- Permaneça hidratada. É fácil se lembrar de beber água quando você está ativa, mas difícil ter sede na cama. Ingerir líquidos suficientes minimizará o inchaço e a constipação resultantes da diminuição dos movimentos.
- Mantenha-se confortável. Se estiver confinada à cama pela maior parte do dia, maximize o fluxo sanguíneo para o útero deitando-se de lado, e não de costas, e mudando de posição a cada hora para diminuir as dores no corpo e prevenir escaras. Coloque um travesseiro sob a cabeça, um travesseiro de corpo inteiro sob a barriga e entre as pernas e talvez um travesseiro atrás de você (um travesseiro regular ou um projetado especialmente para apoio), se isso ajudá-la a manter o equilíbrio. Ficar semissentada na cama (especialmente após comer) também ajuda a diminuir a azia.

Mentalmente. As limitações às atividades podem ser difíceis de aceitar, especialmente se você é normalmente muito ativa. Às vezes, manter-se ocupada pode ser uma distração bem-vinda. Tente:

- Permanecer conectada. É claro que você vai querer manter contato com familiares e amigos através de telefonemas, mensagens de texto, chamadas de vídeo e redes sociais, nem que seja para desabafar com aqueles que mais ama. Mas pode encontrar ainda mais empatia e apoio entre aquelas que também estão passando a gravidez deitadas: suas colegas de repouso. Você pode encontrá-las em whattoexpect.com (e não se esqueça de baixar o aplicativo What To Expect). Ou veja no quadro da p. 772 uma lista de recursos on-line para mulheres em gestações de alto risco.
- Estruture o dia. Tente estabelecer uma rotina, mesmo que o ponto alto de seu dia seja uma curta (e aprovada) caminhada até a esquina e uma ducha.
- Trabalhe de casa. Se seu emprego permitir, vá em frente. Mas primeiro fale com o médico, para saber com certeza quais são seus limites (por exemplo, quanto estresse você pode suportar).
- Prepare-se para o bebê. Organize o enxoval, encomende os acessórios e encontre uma doula, uma consultora de lactação, um pediatra e até mesmo babás e creches — tudo on-line.

PARA OS PAIS

LIDANDO COM O REPOUSO

Ter as atividades restritas claramente não será nenhum piquenique para sua parceira (especialmente se ela ficar restrita à cama) e, certamente, não será fácil para você. Você fará hora extra para tentar realizar as tarefas domésticas e outras que vocês costumavam dividir, acrescentando várias novas descrições de cargo às que você já tinha, de assistente executivo a mordomo, chef (e enchedor de garrafas de água), motorista, faxineiro, afofador de travesseiros, psicólogo amador e saco de pancadas verbal (afinal, ela precisa desabafar), tudo isso além de seu emprego regular. Tem outros filhos? O cuidado e a alimentação deles também serão trabalho seu, na maior parte do tempo. O repouso dela será exaustivo para você, mas, se mantiver os olhos no prêmio (mãe saudável e filho saudável), você conseguirá passar por esse momento difícil. Eis algumas maneiras de lidar com os altos e baixos de ficar em repouso:

Organize um fluxo constante de visitantes. É verdade que ela só tem olhos para você, mas, após longos e tediosos dias em casa (ou quase sempre em casa), sua esposa pode desejar uma mudança de ritmo e de rostos. Então, trabalhe com seus amigos e familiares para organizar um rodízio de visitantes para sua querida. Será bom para ela e você terá a folga que precisa (e merece).

Providencie distração. Você também morreria de tédio (e de mau humor) se estivesse preso em casa. Faça um estoque de jogos, escolha séries de TV para maratonar e aprenda quais são os melhores deliveries da sua região (e então peça on-line). Surpreenda-a com um *mix* das músicas favoritas dela.

Exercitem-se juntos. Ela só pode dar uma volta na quadra, mas, com você ao lado, essa volta será muito mais divertida. Ela teve permissão de usar pesos leves para exercitar tronco e braços? Pegue seus próprios pesos e faça alguns crucifixos enquanto ela faz roscas bíceps leves. Encoraje-a a fazer bicicleta ou flexionar os pés enquanto você faz *spinning*. Faça abdominais ao lado da cama enquanto ela alonga o pescoço.

Convide-a para um encontro em casa. Ela pode não ser capaz de sair para um jantar seguido de cinema, mas você pode trazer o encontro para casa (ou para o quarto de hospital). Vista-se bem (nem que seja seu melhor pijama), escolha uma música agradável, use velas e a louça boa e peça entrega do restaurante favorito dela (ou cozinhe o prato favorito dela). Pode não ter o mesmo clima de seus encontros anteriores, mas será uma distração bem-vinda da espera diária.

Paparique-a. Se puder pagar ou for coberto pelo plano de saúde, contrate uma terapeuta para fazer uma massagem pré-natal (apenas obtenha autorização do médico). Veja se algum salão concorda em atendê-la em casa e (se as finanças permitirem) agende manicure e pedicure. Se isso estiver fora de seu alcance ou não for do agrado dela, faça uma massagem você mesmo, prepare máscaras faciais para vocês usarem juntos (encontre uma receita on-line que use ingredientes que você provavelmente tem em casa, como aveia e abacate) ou se ofereça para pintar as unhas dos pés, que ela já não alcança.

Faça elogios. Toda gestante precisa de um incentivo extra para a autoestima, mas gestantes em repouso se beneficiam ainda mais de algumas palavras doces. Sim, você acha que ela sempre é bonita e sexy, mesmo quando não lava o cabelo há dias nem se maquia há semanas, mas ela sabe que você pensa assim? Diga a ela... o mais frequentemente que puder.

Empreste o ombro e o ouvido. Às vezes, ela precisará desabafar e, na maioria delas, você será o receptor de toda a frustração que ela sente. Para obter melhores resultados (e porque ela merece), responda com paciência, compreensão e empatia. Incentive-a (ou a acalme quando ela estiver nervosa), lembrando-a de que é bonita, forte e sua heroína pessoal, e que tudo isso vai passar (deixando vocês dois com um pacotinho muito fofo como recompensa pelos esforços dela), mas também deixe-a desabafar sempre que precisar. Mas, enquanto cuida das necessidades emocionais dela, tente não ignorar inteiramente as suas. Faça uma pausa de vez em quando (é para isso que serve o rodízio de visitantes) e busque o apoio de seus amigos. Ficar de repouso é difícil — mas cuidar de uma gestante de repouso também é.

Observe o humor. O repouso está ligado a risco aumentado de depressão e ansiedade durante a gestação. Esteja alerta para os sinais (p. 241) e, se notá-los, tome as medidas necessárias para que ela obtenha a ajuda de que precisa. Também esteja alerta para os sinais de depressão pós-parto (p. 661), já que o repouso também aumenta esse risco. É seu próprio humor que o preocupa? A depressão também atinge os pais. Converse com seu médico e busque ajuda.

Ajude-a a se recuperar. Você acha que, após todo esse repouso, ela estará pronta para correr a maratona do novo bebê? Na verdade, o oposto é verdadeiro. Quanto mais tempo as atividades dela forem restritas, mais fora de forma ela ficará e menos energia e resistência terá. O que significa que estará mais cansada, e não mais energizada, que a média, e provavelmente precisará de mais ajuda durante a recuperação. Dê a ela essa ajuda, assim como o tempo de que ela precisa para recuperar as forças — mas lembre-se de que vocês dois se sentirão exaustos por algum tempo, graças a sua nova posição como pais.

- Crie uma *playlist* para o bebê. Comece a tocar as músicas agora e seu pequeno provavelmente será reconfortado ao ouvi-las mais tarde. Além disso, a música pode acalmá-la quando você mais precisa (como agora, quando se sente como um animal selvagem).
- Veja algumas séries. Uma palavra: maratona.
- Faça artesanato. Tricô, crochê, *scrapbook* ou *quilt* (se não sabe como, recorra a um tutorial do YouTube ou a uma amiga criativa). Você se manterá ocupada enquanto cria lembranças para seu pequeno.
- Organize. Limpe o laptop e o celular de uma vez por todas, atualize softwares e aplicativos, coloque as fotos em porta-retratos digitais. Crie uma lista de anúncio de nascimento e um cartão virtual ou de papel. Tenha todos os endereços (físicos ou de e-mail) atualizados. Você pode até mesmo imprimir as etiquetas, se tiver certeza de que não quer escrevê-las à mão. Aproveite e compre selos.

- Socialize. Dê uma festa do pijama: peça pizza ou deixe que as amigas tragam cada uma um prato. E, se não puder sair para seu chá de bebê, peça que elas o organizem em sua casa.
- Arrume-se. Tente não cair na armadilha do "ninguém vai me ver, mesmo". Ter boa aparência fará você se sentir melhor, quer os outros a vejam ou não. Então escove o cabelo, use maquiagem, passe uma loção perfumada na barriga (que pode estar seca e coçando, de qualquer modo), faça uma máscara facial e cuide das unhas. Se puder pagar, pense em chamar uma cabeleireira ou manicure para atendê-la em casa. (Informe as amigas de que esse seria um excelente presente de chá de bebê.)
- Comece um diário. Agora é um excelente momento para começar a registrar seus pensamentos em um diário on-line ou no *What to Expect Pregnancy Journal and Organizer*. Ou escreva algumas cartas para o bebê, para preservar certos momentos da gravidez e dividi-los com ele anos mais tarde. Gostaria de desabafar sobre a experiência do repouso? O diário serve para isso também.
- Vire blogueira. Sempre quis escrever? Agora é sua chance.
- Mantenha os olhos no prêmio. Emoldure uma das fotografias de ultrassom e a mantenha a seu lado ou a use como papel de parede do telefone ou tablet. Desse modo, quando as coisas ficarem difíceis, você poderá lembrar que tem a melhor razão do mundo para não sair da cama.

Repouso e o restante da família

Você está se perguntando como o repouso afetará o restante da família, de seu parceiro aos outros filhos (incluindo os filhos de quatro patas)? Provavelmente os afetará de maneiras que você nem imagina:

Seu parceiro. Quando você for enviada para a cama, seu parceiro será enviado para o trabalho — e fazendo hora extra. Dependendo de suas restrições, ele terá que ser responsável pela maior parte da limpeza da casa, lavagem das roupas, tarefas variadas, compras e preparação de refeições — e tudo isso além de seu emprego regular. O sexo também pode ser restrito, então tentem ser gentis e pacientes um com o outro durante essa fase difícil. E, embora você provavelmente vá ansiar por companhia após longos dias sozinha, encoraje seu parceiro a sair ocasionalmente com os amigos. Isso fará bem a ele (e a você também).

Tem outros filhos? Ele claramente terá ainda mais a fazer. Como ele carregará todo o fardo sozinho, tente ser especialmente respeitosa em relação aos estilos e técnicas empregados por ele, que podem ser diferentes dos seus.

Seus filhos. Se você já tem filhos — especialmente filhos pequenos que querem ficar o tempo todo no colo da mãe —, a restrição de atividades pode ser um desafio adicional. Você provavelmente fará menos cócegas e maratonas de esconde-esconde, e mais chás com bonecas, livros, quebra-cabeças, figuras para colorir e jogos de tabuleiro (por mais tediosos que sejam). Vocês também podem olhar fotos das crianças mais velhas quando eram bebês, ajudando-as a se aclimatarem à ideia do irmãozinho que vai chegar. Mas tente não colocar a culpa pelo repouso no bebê, já que isso pode inflamar a rivalidade fraterna. Em vez disso, diga que o médico mandou que você descansasse para o bebê crescer forte e saudável. Se for possível, peça que alguém leve os mais novos para brincar do lado de fora todos os dias, já que gastar energia facilitará os momentos mais tranquilos com você.

MÃES AJUDANDO MÃES

Toda gravidez traz desafios, mas uma gravidez de alto risco (ou que passa por complicações) traz muito mais. Enfrentá-los será muito mais fácil se você tiver companhia: outras mães, que sabem exatamente pelo que você está passando porque estão passando (ou já passaram) pela mesma coisa. Você provavelmente encontrará esse apoio on-line: acesse whattoexpect.com, sidelines.org, betterbedrest.org e keepemcookin.com.

Está se sentindo culpada por não estar "presente" para os filhos mais velhos? É compreensível (quando você é mãe, a culpa faz parte do pacote), mas tente superar. Lembre-se de que seus filhos valorizam cada momento com a mãe, mesmo aqueles passados juntinhos na cama.

Seus animais de estimação. Para a maioria dos cães e gatos, não existe nada melhor que passar o dia com a mamãe na cama ou no sofá. Mas, para os muito enérgicos que precisam de jogos interativos, a restrição de atividades pode ser um problema. O mesmo para os que precisam de longas caminhadas. É claro que seu parceiro pode assumir o cuidado com os animais de estimação (e, se necessário, você pode contratar alguém para passear com os cachorros), mas, se seu bebê de quatro patas for muito dependente, você precisará confortá-lo.

Quando o repouso acabar

Pode parecer contraintuitivo, mas, quanto mais você descansa, mais cansada pode ficar — e isso definitivamente é verdade quando fica em repouso absoluto por qualquer período de tempo. Mesmo os menores esforços podem parecer monumentais quando você perdeu o tônus muscular e a força e quando a capacidade aeróbica reduzida a deixa sem ar depois de subir apenas alguns degraus. Acrescente trabalho de parto, parto e recuperação a essa equação debilitante, juntamente com a privação de sono normal entre os novos pais, e você pode esperar estar fisicamente exausta, mais ainda que a média das mães (que já estão muito cansadas).

Então, mantenha suas expectativas realistas após o parto. Dê uma folga a si mesma, considerando tudo pelo que seu corpo passou e pelo que ainda está passando. Planeje retomar a antiga forma de maneira lenta, mas constante. Comece gradualmente, modificando os exercícios pós-parto da p. 691 se parecerem muito difíceis e acelerando quando sua resistência e massa muscular aumentarem. Caminhar, fazer yoga e nadar são boas atividades para começar. Com esforço consistente de sua parte e ajuda do médico, da família e dos amigos, não se preocupe. Você chegará lá!

Capítulo 20
Perda da gravidez

A gravidez deveria ser a época mais feliz da vida, cheia de empolgação, antecipação e devaneios em cor-de-rosa e azul sobre a vida com o futuro bebê. Normalmente, ela é todas essas coisas, mas nem sempre. Às vezes, a gravidez termina de maneira inesperada e trágica. Mesmo que só veja o bebê no ultrassom, você cria vínculos a cada dia que ele cresce dentro de você. E ter esses sonhos e esperanças de futuro destruídos é compreensivelmente devastador. Se teve perda da gravidez ou um bebê natimorto, você mais do que ninguém sabe que a dor está além das palavras. Este capítulo é dedicado a ajudar você e seu parceiro a entender o que aconteceu, a lidar com a dor e a enfrentar uma das perdas mais difíceis da vida.

Tipos de perda

Aborto espontâneo precoce

O que é? O aborto espontâneo é a perda do embrião ou feto antes que ele seja capaz de viver fora do útero, resultando no fim não planejado da gestação. Quando tal perda se dá no primeiro trimestre, como ocorre em 80% dos casos, é chamada de aborto espontâneo precoce. (Um aborto espontâneo que ocorre entre o fim do primeiro trimestre e a 20ª semana é considerado tardio; ver a p. 784.)

A perda precoce da gravidez frequentemente está relacionada a um defeito cromossômico ou genético no embrião, mas também pode ser causada por fatores hormonais e outros. Na maioria das vezes, a causa não é identificada. O aborto espontâneo não é causado por exercícios, sexo, trabalho árduo, erguer objetos pesados, sustos, estresse emocional, queda ou impacto leve no abdômen, nem pelo mais severo dos enjoos matinais.

O quanto é comum? O aborto espontâneo precoce é muito mais comum do que a maioria das mulheres percebe. Embora seja difícil saber com certeza, os pesquisadores estimam que mais de 40% das concepções terminam em aborto espontâneo. Mas, como bem mais da metade ocorre tão cedo que a mulher nem sabe que está grávida, o aborto frequentemente não é notado, passando por uma menstruação normal ou um pouco mais intensa. Leia o quadro da p. 777 para saber mais sobre os diferentes tipos de aborto espontâneo.

VOCÊ VAI QUERER SABER...

Felizmente, a vasta maioria das mulheres que passam por um aborto espontâneo tem em seu futuro uma gravidez normal e perfeitamente saudável.

Sinais e sintomas. Os sintomas de aborto espontâneo podem incluir alguns ou todos os seguintes:
- Cólica ou dor (às vezes severa) no centro do baixo-ventre ou das costas
- Sangramento vaginal intenso (possivelmente com coágulos e/ou tecido), similar ao da menstruação
- Sangramento leve por mais de três dias
- Queda súbita e pronunciada ou perda dos sinais usuais de gestação, como sensibilidade nos seios e náusea (não a queda normal e gradual do fim do primeiro trimestre)
- Colo do útero que parece aberto (dilatado) quando examinado pelo médico
- Nenhum embrião visível no ultrassom (o saco gestacional está vazio)
- Nenhum batimento cardíaco detectado no ultrassom

O que você e o médico podem fazer? Se o médico descobrir que o colo do útero está dilatado e/ou nenhum batimento cardíaco fetal for detectado no ultrassom (e suas datas estiverem corretas), significa que você teve ou está tendo um aborto espontâneo. Infelizmente, nada pode ser feito para evitar a perda nesse estágio.

Se você estiver sentindo muita dor por causa das cólicas, o médico pode recomendar ou prescrever um analgésico. Não hesite em pedir alívio para a dor, se precisar.

Muitos abortos são completos, significando que todo o conteúdo do útero é expelido pela vagina (e é por isso que frequentemente há tanto sangue). Mas, às vezes — especialmente no fim do primeiro trimestre —, o aborto não é completo, e partes da gestação permanecem no útero (algo conhecido como aborto incompleto; veja o quadro da p. 778). Ou os batimentos cardíacos não são detectados no ultrassom, o que significa que o embrião ou feto morreu, mas nenhum sangramento ocorreu ainda (é conhecido como aborto retido). Em ambos os casos, mais cedo ou mais tarde o útero será — ou precisará ser — esvaziado para que você possa se recuperar e seu ciclo menstrual ser retomado (e você possa tentar engravidar de novo, se quiser). Isso pode acontecer de várias maneiras:

VOCÊ ESTÁ TENDO SANGRAMENTO DE ESCAPE?

Vermelho (ou cor-de-rosa, ou marrom) na calcinha ou no papel higiênico é definitivamente assustador quando você está grávida. Mas nem todo escape ou sangramento significa que você está tendo um aborto espontâneo ou perdendo o bebê. Algumas mulheres têm escape intermitente durante toda a gestação. Leia sobre as muitas razões para o escape que não estão relacionadas ao aborto espontâneo na p. 201.

Às vezes, escape, sangramento intenso e/ou cólicas indicam ameaça de aborto. Tampouco significa que você vai perder o bebê. Leia a p. 727 para saber mais.

Se não sabe quando telefonar para o médico em caso de escape ou sangramento, veja o quadro da p. 726. Se teve ou está passando por uma perda, este capítulo pode ajudá-la a lidar com isso.

TIPOS DE ABORTO ESPONTÂNEO PRECOCE

Se você está passando pela perda precoce da gravidez, a tristeza que está sentindo será a mesma, qualquer que seja a nomenclatura médica. Mesmo assim, é útil conhecer os diferentes tipos de aborto para se familiarizar com os termos que o médico pode usar:

Gravidez química. Ocorre quando o óvulo é fertilizado, mas não se desenvolve com sucesso nem se implanta totalmente no útero. A menstruação pode atrasar e a mulher costuma suspeitar que está grávida. Ela pode até mesmo obter resultado positivo no teste de gravidez, porque seu corpo produziu níveis baixos (mas detectáveis) do hormônio hCG. Mas, na gravidez química, não haverá saco gestacional ou placenta, e a gravidez terminará com o que parecerá uma menstruação. Os especialistas estimam que até 70% de todas as concepções sejam químicas, e muitas mulheres que passam por elas sequer percebem que conceberam. Frequentemente, o resultado positivo muito precoce no teste de gravidez e então uma menstruação atrasada (entre alguns dias e uma semana) são os únicos sinais de gravidez química.

Gravidez anembrionária. Refere-se a um óvulo fertilizado que se liga à parede do útero e começa a desenvolver a placenta (que produz hCG), mas não se transforma em embrião. O que fica para trás é um saco gestacional vazio (visível no ultrassom). Os especialistas acreditam que até metade dos abortos espontâneos precoces sejam anembrionários. A maioria ocorre bem no começo do primeiro trimestre. Alguns ocorrem antes mesmo de a mulher perceber que concebeu, e terminam no que parece uma menstruação atrasada. Outros são notados somente em um ultrassom de rotina, no qual (após a 5ª ou 6ª semana) o saco gestacional é visível, mas não há embrião em seu interior.

Aborto retido. Ocorre quando o embrião ou feto morre, mas não é expulso, ao menos não imediatamente. Frequentemente, não há sinais (não há sangramento, por exemplo) e, em alguns casos, a placenta continua a produzir hormônios, o que faz seu corpo pensar que você ainda está grávida. Um aborto retido normalmente é descoberto durante o ultrassom de rotina do primeiro trimestre, no qual não se ouvem batimentos cardíacos, ou mais tarde, quando os batimentos cardíacos tampouco podem ser ouvidos com o Doppler. O fato de não haver sinais de alerta — você vai para a consulta esperando ver ou ouvir os batimentos cardíacos, e não há nenhum — torna esse momento ainda mais doloroso. Algumas mulheres notam a ausência de sintomas de gravidez (embora isso, por si só, não signifique perda) ou, menos comumente, têm um corrimento amarronzado.

Aborto completo. Um aborto completo ocorre quando todo o tecido da gestação (embrião e placenta) é expulso do útero através da vagina. A mulher tem sangramento e cólicas, e o aborto completo esvazia o útero sem intervenção médica. Durante o exame, o médico descobre que o colo do útero já está fechado novamente, e não há sinal de saco gestacional no útero durante o ultrassom. Quanto mais cedo ocorrer o aborto (geralmente antes das 12 semanas), mais provável que seja completo.

Aborto incompleto. Ocorre quando o embrião ou feto já não é viável e é expulso pela vagina, através de sangramento, juntamente com parte do tecido da placenta, mas algum tecido permanece no útero. Em um aborto incompleto, a mulher continua a ter cólicas e a sangrar (às vezes intensamente) e o colo do útero permanece dilatado. Como ainda há tecido placentário residual no útero, ele continua a produzir hCG, que é detectável nos exames de sangue e cujo nível não cai como esperado. O tecido remanescente ainda é visível no ultrassom.

- Conduta expectante. Você e o médico podem escolher deixar a natureza seguir seu curso e esperar até que a gestação seja naturalmente expelida. Pode levar alguns dias ou, em alguns casos, três a quatro semanas.
- Medicação. A medicação — geralmente uma pílula ou óvulo vaginal de misoprostol — pode encorajar seu corpo a expelir o tecido fetal e a placenta, e pode ser usada em um aborto incompleto ou retido, assim como na gravidez anembrionária, um óvulo fertilizado que se implanta, mas não se desenvolve (veja o quadro na p. 777). O tempo de espera é variável, mas, tipicamente, bastam alguns dias para que o material seja completamente expelido (embora o sangramento possa durar mais alguns dias). Efeitos colaterais incluem náusea, vômito, cólicas e diarreia.
- Cirurgia. Outra opção é um procedimento cirúrgico simples chamado dilatação e curetagem a vácuo. Durante esse procedimento, o médico dilata gentilmente o colo do útero e remove (por sucção) o tecido fetal e a placenta do útero. O sangramento após o procedimento geralmente dura uma semana. Embora os efeitos colaterais sejam raros, há ligeiro risco de infecção.

Como você e o médico devem decidir qual rota tomar? Eis alguns fatores a levar em consideração:
- Em que estágio está o aborto. Se o sangramento e as cólicas já forem intensos, o aborto espontâneo provavelmente já está quase completo. Nesse caso, permitir que ele progrida naturalmente talvez seja preferível à curetagem. Mas, se ainda não houver sangramento (como no aborto retido), o misoprostol ou a curetagem podem ser alternativas melhores.
- Em que estágio estava a gravidez. Quanto mais prolongada tiver sido a gravidez, mais tecido fetal haverá e maior a probabilidade de a curetagem ser necessária para esvaziar completamente o útero.
- Seu estado físico e emocional. Esperar pelo aborto natural depois que o embrião ou feto já morreu pode ser psicologicamente debilitante. É provável que você não seja capaz de lidar com a perda enquanto a gestação ainda está dentro de você. Completar o processo mais rapidamente permitirá que você retome seu ciclo menstrual e, quando for a hora certa, tente conceber novamente.
- Riscos e benefícios. Como a curetagem é invasiva, ela apresenta risco ligeiramente mais alto (embora ainda bastante baixo) de infecção. O benefício de completar o aborto espontâneo mais cedo, no entanto, pode superar em muito o pequeno risco para algumas mulheres. Com o aborto espontâneo natural, também há o risco de que ele não esvazie completamente o útero, caso em que a curetagem pode ser necessária para terminar o que a natureza começou.

- **Avaliação do aborto.** Quando a curetagem é realizada, avaliar a causa do aborto através de um exame do tecido fetal é mais fácil. Se esse não for seu primeiro aborto, testes genéticos podem ser realizados no tecido, ajudando a prever a possibilidade de recorrência, além de fornecer algumas respostas.

IDADE E ABORTO ESPONTÂNEO

Mais e mais mulheres mais velhas estão engravidando e tendo bebês saudáveis no momento da vida que parece certo para elas e seus parceiros, que frequentemente também são mais velhos. Mas, em média, com o aumento da idade vem o aumento do risco de aborto espontâneo. Isso porque os óvulos mais velhos da mãe (e possivelmente os espermatozoides mais velhos do pai) apresentam maior probabilidade de ter defeitos genéticos que resultam em um embrião inviável, ou seja, que não conseguem sobreviver. Esses embriões quase sempre são espontaneamente abortados. Assim, embora uma mulher de 20 anos tenha entre 10% e 15% de chances de perder a gravidez, uma de 35 anos tem 20% de chances de aborto espontâneo, a de 40 anos, 40%, e a de 45 anos, mais de 80%.

Quando a mulher concebe através de técnicas reprodutivas avançadas, como a FIV (o que mulheres com mais de 40 anos tendem a fazer), os riscos de aborto espontâneo podem diminuir (embora não serem eliminados) através dos testes pré-implantação, que aumentam a probabilidade de gestação saudável ao implantar somente os embriões que parecem viáveis.

Se você teve um aborto espontâneo natural e se sente capaz (física e emocionalmente, o que pode ser extremamente difícil) de guardar a gestação expelida, pode fazer isso em um copo ou pote esterilizado, para que ela possa ser testada mais tarde.

Qualquer que seja o curso adotado, e quer o suplício termine mais cedo ou mais tarde, a perda será difícil para você. Leia a p. 787 para algumas dicas de como lidar com ela.

Gravidez molar

O que é? Uma gravidez molar começa quando o óvulo é fertilizado, mas a placenta se transforma em uma massa anormal de cistos (também chamados de molas hidatiformes), e não há feto. Em alguns casos, tecido embrionário ou fetal identificável — mas não viável — está presente. Quando isso acontece, dá-se o nome de gravidez molar parcial.

A causa é uma anormalidade durante a fertilização, na qual dois conjuntos de cromossomos do pai se misturam a somente um conjunto de cromossomos da mãe (molar parcial) ou a nenhum deles (molar completa). A maioria dos casos é identificada semanas após a concepção.

O quanto é comum? Relativamente rara, ocorrendo em somente uma em cada mil gestações. Mulheres com menos de 20 ou mais de 35 anos, assim como as que já tiveram múltiplos abortos espontâneos, apresentam risco ligeiramente aumentado de gravidez molar.

Quais são os sinais e sintomas? No início, a gravidez molar parece uma gravidez normal, mas a gestante pode notar:
- Sangramento vaginal, de marrom escuro a vermelho vivo, durante o primeiro trimestre
- Náusea e vômito severos
- Às vezes, cólicas desconfortáveis

CORIOCARCINOMA

Coriocarcinoma é um tipo extremamente raro de câncer relacionado à gravidez (ocorrendo em somente 1 em cada 40 mil gestações) que cresce das células da placenta. Ele ocorre mais frequentemente após gravidez molar, aborto espontâneo, aborto ou gravidez ectópica, quando resíduos da placenta deixados para trás continuam a crescer, a despeito da ausência de feto. Somente 15% dos coriocarcinomas ocorrem após uma gravidez normal.

A condição geralmente é diagnosticada quando há sangramento intermitente após um aborto espontâneo, gravidez molar ou remoção de gravidez molar, assim como secreção anormal de tecidos, níveis elevados de hCG que não retornam ao normal após o fim da gravidez, tumor na vagina, útero ou pulmões e/ou dor abdominal.

Se você for diagnosticada, há notícias reconfortantes no horizonte. Embora qualquer tipo de câncer carregue consigo algum risco, o coriocarcinoma responde extremamente bem à quimioterapia e à radiação e tem uma taxa de cura de mais de 90%. A histerectomia quase nunca é necessária em função da excelente resposta desse tipo de tumor às drogas da quimioterapia.

E, felizmente, com diagnóstico e tratamento precoces, a fertilidade não é afetada, embora normalmente se recomende esperar um ano após o tratamento e ter a certeza de que não há evidências remanescentes da doença antes de engravidar novamente.

O médico pode notar outros sinais, incluindo:
- Hipertensão arterial
- Útero maior que o esperado
- Útero pastoso (e não firme)
- Ausência de tecido embrionário ou fetal ou presença de tecido inviável (visto no ultrassom)
- Níveis excessivos dos hormônios da tireoide no organismo da mãe

O que você e o médico podem fazer? Se o ultrassom mostrar que você tem uma gravidez molar, o tecido anormal precisará ser removido através de curetagem (lembre-se que, mesmo que haja tecido embrionário ou fetal, ele não é viável, ou seja, não pode se transformar em um bebê). O acompanhamento é crucial para garantir que ela não dê origem a um câncer como o coriocarcinoma (leia o quadro da p. 781), embora, felizmente, as chances de isso acontecer em uma gravidez molar tratada sejam muito reduzidas.

VOCÊ VAI QUERER SABER

Ter tido uma gravidez molar não a coloca em risco mais alto de ter outra. De fato, somente 1 a 2% das mulheres que tiveram gravidez molar têm uma segunda.

Gravidez ectópica

O que é? Uma gravidez ectópica (também conhecida como gravidez tubária) é uma gravidez inviável que se implanta fora do útero, mais comumente nas trompas de Falópio, no geral porque algo (como uma cicatriz nas trompas) obstruiu ou desacelerou o movimento do ovo até o útero. A gravidez ectópica também pode ocorrer no colo do útero, nos ovários, no abdômen ou mesmo, em casos raros, na cicatriz de uma cesariana anterior. Infelizmente, não há como a gestação continuar normalmente.

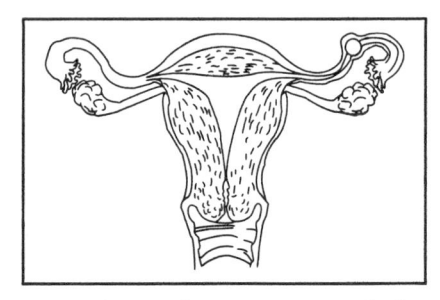

Em uma gravidez ectópica, o óvulo fertilizado se implanta em uma área que não o útero. Aqui, o ovo se implantou na trompa de Falópio.

O ultrassom pode detectar a gravidez ectópica, frequentemente já na 5ª semana. Mas, sem diagnóstico e tratamento precoces, o ovo pode continuar a crescer na trompa, provocando sua ruptura. Se a trompa se romper, sua habilidade de levar um futuro óvulo fertilizado até o útero é destruída e, se a ruptura não for solucionada, pode resultar em hemorragia interna severa e choque, pondo em risco a vida da mãe. Felizmente, o tratamento rápido (geralmente cirurgia ou medicação) costuma evitar tal ruptura e remover a maior parte do risco para a mãe, também aumentando as chances de preservar a fertilidade.

> ## VOCÊ VAI QUERER SABER...
>
> Mais da metade das mulheres cuja gravidez ectópica é tratada consegue conceber e ter gestações normais um ano depois.

O quanto é comum? Cerca de 2% de todas as gestações são ectópicas. Mulheres em risco incluem as com histórico de endometriose, doença inflamatória pélvica, gravidez ectópica anterior ou cirurgia nas trompas e mulheres que fumam, têm DST ou conceberam enquanto tomavam pílulas de progesterona. O DIU não aumenta o risco de gravidez ectópica, mas gestações em mulheres que usam DIU tendem a ser ectópicas.

Quais são os sinais e sintomas? Como em muitos abortos espontâneos, o sangramento anormal é um sinal precoce. Mas, na gravidez ectópica, haverá também dor aguda, cólica e sensibilidade, geralmente no baixo-ventre (frequentemente há uma dor surda que progride para espasmos e cólicas). A dor pode piorar ao evacuar, tossir ou se movimentar. Se a trompa se romper, haverá sangramento intenso no interior do abdômen e você pode sentir:
- Dor abdominal severa e aguda
- Pressão no reto
- Dor nos ombros (devido ao sangue se acumulando sob o diafragma)
- Sangramento vaginal intenso
- Tontura, desmaio e choque

SE VOCÊ TEVE UMA PERDA PRECOCE DA GRAVIDEZ

Embora possa ser difícil para os pais aceitarem isso, quando ocorre uma perda precoce da gravidez, normalmente é porque a condição do embrião ou feto não era compatível com a vida. O aborto espontâneo precoce geralmente é um processo de seleção natural no qual o embrião ou feto anormal (defeituoso em razão de anormalidades genéticas, pobre implantação no útero, infecção materna, acidente aleatório ou razões desconhecidas) é perdido por causa de sua incapacidade de sobreviver.

Isso dito, perder um bebê, mesmo nos estágios iniciais da vida — mesmo quando a perda era inevitável desde o início — pode ser traumático. Assim, permita-se ficar de luto pelo tempo que for necessário: é uma parte importante do processo de cura. Lembre também que todos experimentam esse pesar de maneiras diferentes, portanto, não há certo ou errado. Você pode se sentir mais triste do que esperaria, pode se sentir pronta para seguir em frente muito antes do que imaginava ou pode oscilar entre vários estados emocionais. Fique de luto e se recupere à sua maneira, em seu próprio tempo. Partilhar os sentimentos com seu parceiro é essencial, e encontrar apoio de outros (especialmente aqueles que também perderam a gravidez) pode ajudar muito. Mas, novamente, faça o que parecer certo para você. Só tente não permitir que a culpa aumente a dor: o aborto espontâneo não foi sua culpa.

Para mais sobre como lidar com a perda, veja a p. 787. Para ajuda aos pais lidando com tal perda, veja o quadro da p. 798.

O que você e o médico podem fazer? Se for determinado que você tem uma gravidez ectópica (geralmente diagnosticada através de ultrassom e exames de sangue), infelizmente não há como salvá-la. Você provavelmente terá de fazer uma cirurgia (por laparoscopia) para remover a gestação tubária ou tomar um medicamento (metotrexato) que porá fim a ela. Em raros casos, pode-se determinar que a gravidez ectópica não está mais se desenvolvendo e desaparecerá sozinha, o que elimina a necessidade de cirurgia.

Como o material residual da gestação deixado na trompa pode danificá-la, um teste para determinar os níveis de hCG será feito para garantir que toda a gravidez tubária foi removida ou reabsorvida.

Aborto espontâneo tardio

O que é? A perda de um bebê entre o fim do primeiro trimestre e a 20ª semana. Embora o termo médico seja "aborto espontâneo" e o bebê ainda seja considerado inviável (incapaz de viver fora do útero), a perda pode ser mais palpável porque a gravidez é mais palpável — especialmente se você observou sua barriga crescer, sentiu os primeiros chutes e se admirou com as belas feições se desenvolvendo perante seus olhos nos ultrassons. Para saber como lidar com esse tipo devastador de perda, veja a p. 790.

O quanto é comum? O aborto espontâneo tardio ocorre em cerca de 6 em cada mil gestações. Normalmente, está relacionado à saúde da mãe (uma condição crônica como síndrome dos anticorpos antifosfolípedes ou, mais raramente, diabetes mal controlada), à condição do útero, insuficiência cervical (p. 59), infecção bacteriana não tratada ou problemas na placenta. Às vezes, o aborto tardio se deve a anormalidades cromossômicas ou genéticas no feto.

Quais são os sinais e sintomas? Eles incluem:
- Sangramento intenso (possivelmente incluindo coágulos), acompanhado de cólicas intensas e dor abdominal
- Colo do útero dilatado (descoberto durante exame)

- Nenhum batimento cardíaco fetal detectado no ultrassom ou Doppler
- Cessação completa dos movimentos do bebê (se a mãe já começou a sentir os movimentos de forma consistente)

VOCÊ VAI QUERER SABER...

Quando a causa do aborto espontâneo tardio pode ser determinada, é possível evitar a repetição da tragédia. Se uma insuficiência cervical (um cérvix incompetente) previamente não diagnosticada for responsável, futuros abortos podem ser evitados com a cerclagem no início da gravidez, antes que o colo do útero comece a dilatar (p. 59). Se uma doença crônica, como diabetes, hipertensão ou obesidade, for responsável, a condição pode ser controlada antes de qualquer futura gravidez. Em alguns casos, um útero com formato anormal ou deformado por miomas, pólipos ou septo (um pedaço de tecido que divide toda ou parte da cavidade uterina) pode ser corrigido com cirurgia. A presença de anticorpos que geram inflamação na placenta e/ou coágulos pode ser tratada com baixas doses de aspirina e injeções de heparina em uma gravidez subsequente. Algumas causas de aborto espontâneo tardio, como infecção aguda, têm baixa probabilidade de recorrência.

O que você e o médico podem fazer? Se tiver sangramento intenso e as cólicas dolorosas que sinalizam aborto espontâneo, na maioria das vezes não há nada a fazer para impedir o inevitável, infelizmente. O aborto pode ser completo ou o médico pode ter de realizar uma curetagem para remover quaisquer remanescentes da gestação. Se o aborto não começou sozinho, mas ficar claro, durante uma consulta de rotina ou ultrassom, que não há batimento cardíaco fetal, o médico pode levá-la ao hospital para induzir o trabalho de parto usando misoprostol ou para um procedimento similar à curetagem, chamado dilatação e evacuação, no qual métodos cirúrgicos são usados para expulsar o feto e a placenta. A evacuação é considerada mais segura que a indução por causa do risco menor de infecção e sangramento, mas fale com o médico sobre os riscos e benefícios de ambas as opções. Se a indução for escolhida, dependendo do estágio da gravidez, você pode ter a oportunidade de segurar o bebê, e fazer isso vai ajudar no processo de luto (leia a p. 792 para saber mais).

O aborto espontâneo tardio será emocionalmente — e talvez fisicamente — doloroso, então solicite medicação, se precisar.

Morte fetal

O que é? A perda do bebê no útero em qualquer momento após a

20ª semana é chamada de morte fetal. A maioria ocorre antes do início do trabalho de parto, embora um pequeno número ocorra durante o trabalho de parto ou o parto. Depois de tantos meses criando vínculos com o bebê, preparando-se para ele e sentindo e vendo seus chutes, a dor da morte fetal é imensa.

SUPRESSÃO DA LACTAÇÃO QUANDO O BEBÊ MORRE

Ao sofrer a perda de um bebê, a última coisa de que você precisa é de outro lembrete do que poderia ter sido. Infelizmente, a natureza pode fornecer esse lembrete quando o fim da gravidez (mesmo trágico) automaticamente sinaliza o início da lactação e seus seios se enchem de leite. Será emocionalmente doloroso, é claro, mas o ingurgitamento também será fisicamente doloroso. Bolsas de gelo, analgésicos leves e um sutiã de sustentação podem minimizar o desconforto físico. Evitar banhos quentes, estimulação dos mamilos e retirar leite dos seios ajudará a interromper a produção do leite. O ingurgitamento passará em alguns dias.

O quanto é comum? A morte fetal ocorre em cerca de 1 em cada 160 gestações. As razões para os bebês morrerem no útero incluem defeitos congênitos (cerca de 15%), baixo crescimento fetal (35%), problemas na placenta, como placenta abrupta (20%), nós no cordão umbilical (2%), condições crônicas de saúde da mãe, como diabetes, hipertensão ou obesidade (10%) e infecções na mãe ou no feto (cerca de 10%). O trauma severo (como um acidente grave de carro ou falta de oxigênio durante um parto difícil) também pode causar morte fetal.

Quais são os sinais e sintomas? A gestante pode suspeitar que algo está errado se os movimentos fetais pararem subitamente. O ultrassom confirmará que não há batimentos cardíacos fetais. Durante o trabalho de parto, a falta de batimentos cardíacos fetais pode ser detectada pelo monitor fetal ou Doppler.

O que você e o médico podem fazer? Mesmo que os movimentos do bebê tenham parado — levando-a a temer o pior —, não há como se preparar para a notícia de que ele morreu no útero. Você provavelmente será envolta em uma névoa de incredulidade e pesar quando ouvir que os batimentos cardíacos não foram localizados. Pode ser difícil ou mesmo impossível tocar a vida enquanto carrega um bebê que já não vive, e estudos mostram que a mãe tem muito mais chances de sofrer depressão severa se o parto do natimorto for adiado por mais de três dias após a morte ser diagnosticada. Por essa razão, seu estado mental será levado em consideração enquanto o médico decide o que fazer em seguida. Se o parto for iminente ou já tiver começado, o bebê natimorto será retirado do útero dessa maneira. Se o parto claramente não estiver prestes a começar, a decisão de induzi-lo imediatamente ou permitir que você volte para casa e espere até que ele comece sozinho dependerá do quanto a data provável do parto está distante, de sua condição física e de seu estado emocional. A maioria dos médicos recomenda induzir o parto em um ou dois dias. Se você acha que ficaria mais confortável em outra ala que não a maternidade, onde não precisará ouvir os novos pais e seus bebês, discuta isso com o médico. Alguns hospitais tornam essa opção disponível para casais que farão o parto de um bebê natimorto.

Após o parto, e após você e seu parceiro terem passado o tempo que precisarem com o bebê, ele será examinado, juntamente com a placenta e o cordão umbilical, para determinar a causa da morte. O ACOG recomenda que testes genéticos sejam realizados em todos os natimortos, com permissão dos pais. Também com permissão deles, pode ser feita uma autópsia. O médico pode sugerir que você passe por alguns testes, mas, em mais da metade dos casos, eles não conseguem determinar a causa da morte fetal. Para obter ajuda para lidar com essa perda, leia a próxima seção.

TUDO SOBRE:
Lidar com a perda da gravidez

Não importa como ou quando você perde a gravidez, dói profundamente. Todo mundo lida com a perda de uma maneira diferente, mas eis algumas sugestões que podem ser úteis.

Lidando com a perda no primeiro trimestre

O fato de frequentemente ocorrer bem no início da gestação não significa que o aborto espontâneo não seja doloroso para os pais. Mesmo que nunca tenha visto o bebê, talvez com exceção do ultrassom, você sabia que havia uma vida crescendo dentro de você e podia já ter formado vínculos com ela, por mais abstratos que fossem esses vínculos. Então, enquanto ainda estava começando, essa vida terminou abruptamente, e a promessa dos meses e anos à frente foi quebrada. Compreensivelmente, você está triste, mas também pode experimentar emoções inesperadas. Pode ficar furiosa com seu corpo por ter falhado, ou ressentida com amigas e familiares que estão grávidas ou têm bebês. Pode ter problemas para comer e dormir, ou mesmo aceitar a perda. Pode chorar muito, ou não chorar. Essas estão entre as muitas respostas naturais e saudáveis à perda da gravidez. A sua reação é normal, qualquer que seja.

Alguns casais abordam a perda precoce de forma pragmática, aceitando facilmente que a gravidez não era para ser, prontos para seguir adiante e tentar novamente. Outros acham isso muito mais difícil — e, em alguns casos, lidar com a perda precoce termina sendo tão difícil quanto lidar com a perda tardia. Eis uma razão: como tantos casais só contam sobre a gravidez após o primeiro trimestre, mesmo os amigos e familiares próximos podem não saber, o que significa que será difícil obter apoio. Mesmo os que sabiam sobre a gravidez e/ou foram informados sobre o aborto podem oferecer menos apoio do que teriam oferecido se a gravidez tivesse progredido por mais tempo. Eles podem tentar minimizar a perda, dizendo "Não se preocupe, você pode tentar novamente" ou "Você tem sorte por ter acontecido já no início", sem perceber que a perda de um bebê, não importa o quanto estava no início da gestação, pode ser devastadora.

UM PROCESSO PESSOAL

Quando se trata de lidar com um aborto espontâneo ou outro tipo de perda da gravidez, não existe uma fórmula emocional a ser seguida. Diferentes casais enfrentam, lidam e processam seus sentimentos de maneiras totalmente diferentes. Você pode ficar profundamente entristecida, mesmo devastada pela perda, e descobrir que a recuperação é surpreendentemente lenta. Ou pode lidar com a perda de modo pragmático, vendo-a como um obstáculo na estrada para ter um bebê. Pode descobrir que, após a tristeza momentânea, é capaz de deixar a experiência para trás mais rapidamente do que teria esperado e, em vez de se demorar na perda, pode escolher olhar para a frente e tentar novamente.

Vários fatores podem contribuir para seu senso de perda: quanto tempo você demorou para conceber (quanto mais tempo levou, mais dolorosa pode ser a perda), se concebeu com reprodução assistida (às vezes, quanto mais avançada a tecnologia usada para engravidar, maior o investimento emocional na gravidez e maior a sensação de perda), sua idade (se sente a pressão de seu relógio biológico, você pode sentir a perda mais intensamente pois "meu tempo está acabando"), a duração da gravidez (quanto mais tempo ficou grávida, mais tempo teve para se conectar ao bebê) e quantas perdas já teve (o pesar frequentemente se acumula com cada perda ou pode contribuir para uma

> sensação de desesperança e mesmo insensibilidade). Os pais podem ficar igualmente devastados, mas de maneiras diferentes (p. 798).
>
> Lembre-se: a reação normal é aquela que é normal para você. Permita-se sentir o que precisar sentir para começar a se recuperar.

Mesmo assim, se sofreu um aborto espontâneo (ou uma gravidez ectópica ou molar), lembre-se de que tem o direito de lamentar o quanto precisar, seja muito ou muito pouco. Faça isso de uma maneira que a ajude a se recuperar e, ao fim, seguir em frente, de sua maneira e em seu tempo.

Dizer adeus — o que, para muitos pais, é um passo vital no processo de recuperação — pode ser mais difícil quando não há nada tangível a que dizer adeus. Talvez você encontre conforto em uma cerimônia privada com familiares próximos ou somente você e seu esposo. Ou ao partilhar seus sentimentos — individualmente, em um grupo de apoio ou on-line — com mulheres que também passaram pelo aborto precoce. Como tantas mulheres sofrem um aborto ao menos uma vez durante seus anos férteis, você pode ficar surpresa com quantas tiveram a mesma experiência, mas nunca falaram a respeito, com você ou qualquer outra pessoa. (Se não quiser partilhar seus sentimentos ou não sentir necessidade de fazer isso, não faça. Faça somente o que for certo para você.) Algumas das dicas para as que passaram por perdas tardias também pode ajudá-la.

Aceite que pode sempre haver espaço em seu coração para a gravidez que perdeu e que você pode se sentir triste na data provável do parto ou na data do próprio aborto, mesmo anos depois. Se ajudar, planeje algo especial para celebrar: plantar flores ou uma árvore, fazer um piquenique tranquilo em um parque.

Embora seja normal que você lamente a perda — e importante que lide com ela de sua própria maneira —, você também deve começar a se sentir melhor conforme o tempo passa (para muitas mulheres, podem ser necessários seis meses; para outras, dois anos). Se não se sentir ou continuar tendo problemas para enfrentar a vida cotidiana — você não está comendo nem dormindo, não consegue focar no trabalho, está se isolando da família e dos amigos — ou se sentir continuamente ansiosa (após um aborto espontâneo, a ansiedade é um sintoma muito mais comum que a depressão), procure aconselhamento profissional e possivelmente outras terapias para ajudá-la a se recuperar. Para mais dicas sobre como lidar com a perda da gravidez, veja o quadro da p. 792.

Tente lembrar a si mesma que você pode — e provavelmente irá — engravidar novamente e dar à luz um bebê saudável, se é isso que quer. Para a vasta maioria das mulheres, o aborto espontâneo é um evento único e, na verdade, uma indicação da futura fertilidade.

Lidando com a perda no segundo trimestre

A expressão "aborto espontâneo" é quase sempre associada à dor e tristeza — afinal, a perda de um bebê, em qualquer momento, é algo a lamentar. Mas quase sempre é associada também às primeiras semanas de gestação, uma época na qual a vida crescendo no interior da mãe parece especialmente vulnerável, abstrata, impalpável, e na qual os casais frequentemente são discretos sobre sua felicidade por medo de amarem e perderem a nova vida. Será que é possível estar preparada para o aborto espontâneo? Não, mas é algo que você tende a esperar, se não aceitar, quando ocorre no primeiro trimestre.

E é por isso que a perda no segundo trimestre é tão dura. A essa altura, você já relaxou, começando a ver e possivelmente sentir provas tangíveis da vida em seu interior. O que antes era uma bola de células e depois um minúsculo girino miraculosamente se transformou em um bebê — e, se você não ousava sonhar com o futuro desse bebê antes, esses sonhos quase certamente começaram no segundo trimestre. Tudo é normal, tudo está como deveria estar, você pode respirar aliviada.

DEPRESSÃO PÓS-PARTO E PERDA DA GRAVIDEZ

Toda mãe que perde um bebê tem razões para se sentir triste. Mas, para algumas, a tristeza pode ser aprofundada pela depressão e/ou ansiedade pós-parto, gerada em parte pela queda súbita dos hormônios e agudamente acentuada pelo fim abrupto da gravidez e a perda trágica do bebê. Sem tratamento, a depressão pode evitar que você passe pelos estágios do luto que são essenciais para a recuperação. Embora possa ser difícil distinguir a depressão pós-parto da depressão causada pela perda do bebê, qualquer tipo de depressão requer ajuda. Se está exibindo sinais de depressão (perda de interesse pelas atividades cotidianas, insônia, perda de apetite, tristeza extrema que interfere com sua capacidade de funcionar), não hesite em buscar ajuda. Fale com o médico que acompanhou seu pré-natal ou com seu médico regular e peça para ser encaminhada a um profissional de saúde mental. A terapia — e, se necessário, medicação — pode ajudá-la a se sentir melhor.

Então, subitamente, as coisas não estão normais: algo está terrivelmente errado. A dor e o choque podem tirar seu fôlego e fazer com que se pergunte se algum dia vai voltar a respirar normalmente. E, é claro, deixando-a com a pergunta: por quê? Se algo estava errado, por que essa perda não aconteceu no primeiro trimestre, quando você ao menos estava preparada para a possibilidade? Por que aconteceu depois que você passou tantas semanas e meses criando vínculo com o bebê e sua barriga cada vez maior, talvez até mesmo sentindo aquelas palpitações de vida? Por que isso tinha de acontecer?

E, como se a notícia de que perdeu o bebê não fosse devastadora o bastante, você também tem de ir ao hospital para suportar o parto. Dar à luz um bebê que você não levará para casa é, compreensivelmente, um fardo terrível. Assim como estar na maternidade, onde pais felizes recebem bebês saudáveis, celebrando o início da vida enquanto você enfrenta seu trágico fim. Além disso, ao voltar para casa de braços vazios e coração partido, você terá de lidar com a recuperação física, além da emocional. Isso pode ser verdade, mesmo que não passe pelo parto, mas sim por uma curetagem ou evacuação.

Se a opção de ver e segurar o bebê for possível, pense cuidadosamente a respeito. Embora possa não parecer natural segurar o minúsculo bebê que você acabou de perder, provavelmente lhe dará conforto mais tarde, quando for capaz de olhar para trás e se lembrar do breve tempo que tiveram juntos. Também pode tornar a perda mais real e, embora essa realidade dolorosa possa ser exatamente o que você gostaria de evitar, ela dará início ao processo de luto, que é um passo necessário da recuperação. Pense também em organizar uma pasta ou caixa de memórias, com a impressão do pezinho e da mãozinha, uma mecha do cabelo e fotografias, se essa opção estiver disponível. Use o nome do bebê quando falar sobre ele e, se ainda não escolheu um nome, pense em escolher agora. E assegure-se de falar com médicos, enfermeiras e conselheiros sobre suas opções para enterrar ou cremar o bebê. Mas lembre-se, sempre, de que certo é aquilo que é certo para você e seu parceiro nesse momento devastador: não se sinta obrigada a seguir uma fórmula sugerida por alguém.

Quanta dor você sentirá, e quanto tempo ela vai durar? Não existe limite de tempo para o luto, nenhum mínimo ou máximo. Todo mundo é diferente, e você precisará se recuperar de sua própria maneira, em seu próprio ritmo. Use o que for necessário para encontrar conforto: um retiro com seu parceiro, falar on-line com mães que passaram por perdas similares, um enterro para o bebê, um grupo de apoio, um terapeuta de luto ou engravidar novamente, se essa for uma opção. O conforto pode chegar rapidamente ou levar muito tempo. De qualquer maneira, é completamente normal. Leia o quadro da p. 792 para saber mais sobre o difícil processo de lidar com essa perda.

Finalmente, lembre-se — e continue a lembrar a si mesma — de que você não fez nada errado. Você não falhou com seu bebê e a perda não é sua culpa. Tenha isso em mente quer descubra ou não a causa do aborto espontâneo.

Lidando com abortos repetidos

Sofrer uma única perda pode ser muito difícil. Mas, se sofreu mais de uma, você pode achá-la infinitamente mais difícil, com cada perda atingindo-a mais intensamente que a anterior. Você pode se sentir desencorajada, deprimida, furiosa, irritada e/ou incapaz de focar na vida cotidiana (ou em qualquer outra coisa que não suas perdas). A cura dessa ferida psíquica não somente leva mais tempo que a cura do corpo, como a tristeza pode ser debilitante. Além disso, a dor emocional pode levar a sintomas físicos, incluindo dor de cabeça, perda ou excesso de apetite, insônia e fadiga insuperável. (Alguns casais lidam mesmo com as perdas repetidas de maneira mais pragmática, e isso também é completamente normal.)

O DIFÍCIL PROCESSO DE LIDAR COM A PERDA

Quando experimenta a perda da gravidez, você fica de luto não somente pelo bebê, mas pelas esperanças, sonhos e pelo potencial que você acreditava existir — uma vida ainda não vivida. O processo de luto, embora difícil, é um tributo àquela vida e às conexões que você fez com o bebê durante o tempo que ele passou em seu útero, então permita que ele aconteça. As seguintes dicas podem ajudá-la a lidar com a situação:

- Leve o tempo que precisar. O processo de luto geralmente tem muitas etapas (incluindo negação, isolamento, raiva, depressão e aceitação), mas todo mundo o experimenta e se recupera de maneira diferente. Não apresse o processo, mas tampouco o prolongue quando do sentir que está na hora de seguir em frente.

- Sinta o que precisa sentir. Talvez você se sinta irritada e impaciente, ansiosa, deprimida. Ou solitária e vazia, mesmo que esteja cercada de pessoas que a amam. Ou talvez sinta uma tristeza passageira e então esperança novamente. Tudo isso é normal.

- Chore se precisar, pelo tempo que precisar, com a frequência que precisar. Se não quiser chorar, é igualmente válido e normal.

- Escreva a respeito. Faça um diário de seus sentimentos, os tristes, os ansiosos, os furiosos, aqueles que você acha que não pode dividir com ninguém.

- Pare de se sentir culpada. Praticamente toda mãe que perdeu um bebê, não importa se muito cedo ou tarde, procura uma maneira de culpar a si mesma. Talvez você se lembre de tudo que comeu ou bebeu, todas as vezes que vomitou as vitaminas pré-natais ou se esqueceu de tomá-las ou se pergunte se foi a ginástica ou o sexo que fez, a caixa pesada que ergueu ou o estresse no trabalho. Talvez agonize sobre os sentimentos ambíguos que teve sobre estar grávida, especialmente se não planejou a gravidez. Culpar-se é compreensível, normal e comum entre as mulheres. Mas a verdade é que a perda do bebê não foi, de modo algum, sua culpa. Você não é responsável. Se não conseguir se livrar da culpa, busque apoio profissional.

- Reconheça que os pais também ficam de luto. Pais que perderam um bebê tendem a sentir tanto quanto as mães; eles somente expressam e processam o luto de modo diferente. Não somente pela razão óbvia: você carregou o bebê, ele foi perdido em seu corpo. Mas também porque ele provavelmente está tentando ser forte (lembre-se que, para o bem ou para o mal, é para isso que os homens são hormonalmente predispostos, culturalmente programados e tradicionalmente criados). A dor que ele sente pode ser intensificada pela frustração e mesmo raiva por não ter sido capaz de fazer as duas coisas que os homens frequentemente sentem que se espera deles: proteger e consertar. Ele não pôde proteger você e o bebê que vocês criaram, e tampouco pôde consertar o que deu errado. Ele pode não chorar ou tentar não chorar na sua frente, pode ser estoico e distante ou tentar se distrair no trabalho e com outras atividades, mas nada disso significa que não sinta a mesma dor que você, que a devastação que o atinge não seja real. Se você sente que esse é o caso com seu parceiro, e quando se sentir capaz, encoraje-o a dividir o que está sentindo com você. Ele também pode achar útil falar com outro pai que passou por uma perda. Mas entenda se ele não quiser falar sobre sentimentos. Deixe-o passar pelo luto à sua própria maneira, como você está fazendo.

- Cuidem um do outro. O luto pode ser muito voltado para dentro. Você e seu marido podem ficar tão consumidos pela dor que acabam sem reservas emocionais para consolar um ao outro. Mas lembre-se, vocês fizeram esse bebê juntos e o perderam juntos, e se recuperarão melhor se passarem pelo luto juntos. Embora quase certamente haja ocasiões em que você queira ficar sozinha com seus pensamentos, tire algum tempo para partilhá-los com seu marido. Pensem em fazer terapia conjunta, que frequentemente é mais benéfica que a individual. Ou participem de um grupo de

apoio formado por casais. Isso pode não somente ajudá-los a encontrar conforto, mas também a preservar e mesmo aprofundar seu relacionamento.
- Não enfrente o mundo sozinha. Se teme os rostos amigáveis perguntando sobre o bebê, escolha um amigo para responder às perguntas nas primeiras vezes que enfrentar o mundo. Assegure-se de que seus colegas de trabalho e as pessoas nos locais que frequenta sejam informados sobre a perda, para que você não precise dar mais explicações que o necessário.
- Entenda que alguns amigos e familiares podem não saber o que dizer ou fazer. Alguns ficam tão desconfortáveis que acabam se afastando. Outros dizem coisas que mais machucam que ajudam (como "Você pode ter outro bebê"). Embora certamente tenham boas intenções, eles talvez não entendam que outro bebê jamais assumirá o lugar do que você perdeu e que os pais se ligam ao filho muito antes de ele nascer. Se ouvir frequentemente comentários que a machucam, peça para um amigo ou familiar próximo informar aos outros que prefere que eles digam simplesmente que lamentam sua perda.
- Procure apoio entre os que já passaram por isso. Você pode encontrar conforto em um grupo de apoio, local ou on-line, para pais que perderam bebês (tente compassionatefriends.org ou nationalshare.org). No Brasil, você pode tentar a ONG Amada Helena (amada-helena.org) e o Núcleo Cuidar (nucleocuidar.com.br). Mas procure não permitir que o grupo se torne uma maneira de se agarrar ao sofrimento, em vez de se recuperar dele.
- Cuide de si mesma. Em face da dor emocional, as necessidades físicas podem ser a última coisa em sua mente. Não deveriam. Comer direito, dormir bem e se exercitar são atitudes vitais não somente para manter a saúde, mas também para apressar a recuperação. O mesmo vale para se afastar momentaneamente do luto para ver um filme ou jantar fora. Se você sente que retomar sua vida normal seria uma espécie de traição, peça ao bebê, em espírito, permissão para aproveitar a vida novamente. Você pode tentar fazer isso em uma "carta" para ele. Afinal, para que a vida siga em frente, você precisa continuar vivendo.
- Volte-se para a religião, se achar conforto nela. Para alguns pais enlutados, a fé é um grande consolo. Para outros, a tragédia pode fazer com que questionem sua fé. E, para outros ainda, a religião não é a resposta, mas a espiritualidade pode ser. Novamente, a escolha é sua.
- Espere que a dor diminua com o tempo. Inicialmente, pode haver

somente dias ruins, então alguns dias bons e, finalmente, mais dias bons que ruins. Mas, lembre-se de que o processo de luto (que pode incluir pesadelos e *flashbacks* passageiros) não tem cronograma fixo. Pode não estar totalmente completo por dois anos, mas o pior costuma ser durante os primeiros três a seis meses (e, para alguns, somente uma questão de semanas). Se, após seis a nove meses, o luto ainda for o centro de sua vida, se estiver tendo problemas para funcionar ou focar ou tiver pouco interesse pelo que a cerca, procure ajuda. E lembre-se de que a depressão pós-parto também pode atrapalhar o processo de cura; veja o quadro da p. 790.

BARRIGA DE ALUGUEL, PERDA PESSOAL

A barriga de aluguel ou gravidez sub-rogada frequentemente é chamada de "presente de vida" para casais que não podem conceber e/ou não conseguem levar a gravidez adiante. Mas, assim como gestações tradicionais às vezes terminam em aborto espontâneo ou morte fetal (ou perda de um gêmeo), o mesmo acontece com a barriga de aluguel. Se você passou pela perda de uma gravidez sub-rogada, ela pode ser tão real e profundamente dolorosa quanto se tivesse perdido um bebê que você mesma estivesse gestando — e, se perdeu bebês antes de optar pela barriga de aluguel, pode parecer um destino ainda mais cruel. A barriga de aluguel era o milagre que finalmente lhe daria o bebê que você e seu parceiro desejavam, mas não podiam ter. O investimento financeiro pode ter sido grande, mas o investimento emocional foi muito maior.

Embora a perda não tenha acontecido em seu corpo — e mesmo que o bebê não tenha sido concebido com seu óvulo (ou o espermatozoide de seu parceiro) —, você tem o direito de sentir as mesmas emoções que qualquer casal passando por essa perda, incluindo dor, raiva, ressentimento (até mesmo pela mãe substituta) e culpa. E tem o direito de passar pelo luto da maneira que quiser. Use este capítulo para ajudá-la a lidar com esse processo.

O tempo pode não curar tudo — sempre faltará um pedacinho do seu coração —, mas definitivamente ajuda muitíssimo. Até lá, o conhecimento pode ser poderoso (descobrir o máximo que puder sobre o que causou o aborto espontâneo e o que você e o médico podem fazer para evitar outro; veja a p. 51), mas paciência e apoio são os melhores remédios. Dividir com outros que já sofreram perdas semelhantes, especialmente múltiplas perdas, pode ajudá-la a se sentir menos sozinha, assim como mais esperançosa. Acima de tudo, tente se livrar da culpa. Frequentemente demais, mães que sofreram abortos múltiplos os veem como falha de seu corpo na realização da mais fundamental das funções femininas. Mas os abortos não foram sua culpa. Em vez disso, tente focar em o quanto você tem sido forte (mesmo que nem sempre se sinta forte) e em o quanto está determinada em ter um bebê.

Lidando com a perda durante ou após o parto

Às vezes, a perda do bebê ocorre durante o trabalho de parto ou o parto, às vezes logo depois. De qualquer maneira, seu mundo desaba. Você esperou, se preparou, antecipou e desejou esse bebê por meses, e agora vai voltar para casa sem ele.

Provavelmente não há dor maior que a infligida pela perda de um filho. E, embora nada possa curar realmente a dor que você está sentindo, há passos que podem ser dados para diminuir a inevitável tristeza que se segue a tal tragédia:

- Veja o bebê, pegue-o no colo, escolha um nome para ele. O luto é vital para aceitar e se recuperar da perda, e é difícil elaborar o luto por um bebê sem nome que você nunca viu. Mesmo que seu bebê tenha deformações, os especialistas aconselham vê-lo, porque o que se imagina geralmente é pior que a realidade. Segurar o bebê tornará a morte mais real para você e, no fim das contas, mais fácil de aceitar. Assim como algumas daquelas primeiras vezes que você não terá de outro modo: dar banho, colocar fralda, vestir, pentear o cabelo, ninar, beijar. Tire tempo para focar nos detalhes que desejará lembrar mais tarde: olhos grandes e cílios longos, narizinho de botão, belas mãos com dedos delicados, muito cabelo. Se escolheu um nome, use-o. Se não escolheu, pense em fazer isso agora, para ter um nome para o bebê do qual quer se lembrar para sempre.
- Obtenha o apoio de que precisa. Há doulas especializadas em ajudar pais enlutados. Os hospitais também têm conselheiros de luto que podem ajudá-la. Peça a ajuda de que precisa.
- Não apresse o adeus, se não quiser. Peça e use o tempo que precisa. Alguns hospitais podem oferecer CuddleCots, sistemas de refrigeração que permitem que os pais passem mais tempo com os bebês e digam adeus.
- Colete lembranças de seu bebê. Tire fotos ou contrate um profissional para tirá-las (NowILayMeDownToSleep.org pode ajudá-la

com isso), e considere preservar as impressões dos pés e das mãos dos bebês, além de uma mecha de cabelo, para que você tenha lembranças tangíveis no futuro.
- Será pedida sua permissão para conduzir testes genéticos e possivelmente uma autópsia no bebê. Se optar por fazê-los, tente não evitar os fatos, por mais duros que sejam. Discuta as descobertas da autópsia e outros relatórios com o médico para ajudá-la a aceitar a realidade do que aconteceu, o processo de luto e as decisões para as futuras gestações.
- Peça que amigos e familiares deixem em sua casa os preparativos que você fez para o bebê. Voltar para uma casa que parece nunca ter sido preparada para um bebê só tornará mais difícil aceitar a realidade do que aconteceu. É melhor que você mesma embale as coisinhas dele.
- Lembre-se de seu bebê da maneira mais privada ou mais pública que precisar. Organize um funeral, com enterro ou cremação, o que lhe dará outra importante oportunidade de se despedir. Mas, em relação ao serviço fúnebre, faça o que parecer mais certo para você. Pode ser uma cerimônia completamente privada — permitindo que você e seu marido dividam seus sentimentos só entre vocês dois — ou uma que a cerque do amor e do apoio de sua família, seus amigos e sua comunidade.
- Honre a memória de seu filho de uma maneira que tenha significado para você, se isso ajudar. Plante uma árvore ou flores em um jardim ou parque local. Compre livros para creches que atendem crianças necessitadas ou faça uma doação para uma clínica que ajude gestantes e mães de alto risco ou para uma organização que construa parquinhos.

Lidando com a perda de um gêmeo

Pais que perdem um dos gêmeos (ou mais bebês, no caso de trigêmeos ou quadrigêmeos) enfrentam ao mesmo tempo a celebração do nascimento e o luto pela morte. Se isso acontecer, você pode se sentir em conflito, incapaz tanto de lamentar o bebê perdido quanto de aproveitar seu tempo com o bebê vivo — ambos processos vitalmente importantes. Entender o que está passando pode ajudá-la a lidar com seus sentimentos, que podem incluir alguns ou todos dos seguintes:
- Você pode se sentir devastada. Você perdeu um bebê, e o fato de que tem outro não minimiza a perda. Entenda que você tem direito de lamentar o bebê que perdeu, mesmo enquanto celebrar o nascimento do outro. De fato, elaborar o luto pela perda é parte importante do processo de recuperação. Adotar as medidas para pais enlutados descritas nas seções anteriores pode ajudá-la a aceitar a realidade da morte de seu bebê.

PARA OS PAIS
VOCÊ TAMBÉM ESTÁ DE LUTO

Vocês conceberam o bebê juntos. Celebraram juntos o resultado positivo no teste de gravidez. Viram imagens de ultrassom juntos, usaram o aplicativo de gravidez para atualizações semanais sobre o tamanho e o desenvolvimento do bebê, de mirtilo para pêssego, e talvez bem maior que isso. Juntos, planejaram, desejaram, sonharam e imaginaram sua vida como pais, como família de três ou mais. Vocês deram palpites (e talvez tenham acertado) sobre o sexo do bebê, escolheram o nome, analisaram as opções de parto, talvez tenham feito aulas de parto ou listas de enxoval.

E então, num instante, esses planos, esperanças e sonhos acabaram. Tenha acontecido cedo ou tarde na gravidez, pouco antes ou logo depois do parto, o bebê que vocês fizerem juntos desapareceu. Deixando vocês dois de luto, juntos — mas provavelmente cada um à sua maneira.

O luto pela perda do bebê assume muitas formas e níveis de intensidade, dependendo de muitos fatores (desde o estágio da gestação até quanto tempo demorou para vocês conceberem e se a gravidez foi ou não planejada), mas também do gênero. Pode-se facilmente argumentar que as mães lamentam não somente a perda abstrata (as visões e devaneios sobre a vida com o bebê), mas também a perda física, palpável. Afinal, o bebê que vocês fizeram juntos estava crescendo dentro dela. Compreensivelmente, previsivelmente, a compaixão estará centrada nela — os abraços, as condolências, as ofertas de ajuda, até mesmo o cuidado médico. A rede de apoio focará nela e, provavelmente, você também. Sim, ela precisará desse apoio, é claro. Mas e quanto a você? Quando será sua vez de ficar de luto?

Eis algumas coisas para lembrar conforme você tenta seguir em frente:

A perda também é sua. As pessoas provavelmente dirão "Sinto muito por ela ter perdido o bebê". Você pode até mesmo se ver chamando de dela a perda do bebê que vocês fizeram juntos. Mas, para que possa elaborar o luto e se recuperar, você precisa reconhecer que, assim como conceberam o bebê juntos e planejaram criá-lo juntos, vocês o perderam juntos. Você pode ter maneiras diferentes de expressar e processar seu pesar, mas a perda também é sua.

O luto é seu. Todo mundo reage à sua própria maneira após a perda da gravidez ou morte fetal, e isso vale para mães e pais (o que, por sinal, aqueles que perderam uma gravidez ou um bebê sempre serão — a perda não muda isso). Talvez você processe a dor rapidamente ou, talvez, leve mais tempo. Talvez ela seja surpreendentemente intensa, ou muito menor do que você teria esperado. Não há regras sobre como você deveria se sentir ou por quanto tempo — e isso vale também para sua parceira.

Você pode ser forte e mesmo assim estar triste. Os hormônios, assim como as expectativas culturais, fazem com que as reações masculinas sejam diferentes das femininas, e isso pode afetar a maneira como você reage à perda. Você pode se ver assumindo automaticamente o papel de "protetor", sendo tão forte quanto precisa ser — ou ainda mais forte, se sua parceira estiver especialmente vulnerável. Quanto mais ela chorar, mais você se sentirá compelido a segurar suas próprias lágrimas, a manter uma fachada corajosa. Mas, o máximo que puder, tente não deixar que essa fachada impeça a manifestação de suas próprias emoções. Seja uma rocha para ela, sim, mas desmorone uma vez ou outra se precisar. Acima de tudo, faça o que lhe parecer certo. Se você está triste, tudo bem. Se precisa chorar, tudo bem. Se é estoico, tudo bem também.

O luto será mais efetivo se vocês passarem por ele juntos. Às vezes, os casais se afastam quando estão enlutados pela perda da gravidez, mas isso não é inevitável. Frequentemente, trata-se de má comunicação: ele tenta ser forte e ela acha que isso é um sinal de que a perda não importa muito para ele. Ela se volta para outros em busca de apoio, e ninguém oferece apoio a ele. Ou ela fica tão envolvida no próprio pesar (e nas consequências físicas da perda) que sequer percebe que ele também está sofrendo. Mas as pesquisas mostram que os casais se recuperam mais rapidamente quando passam por isso juntos, e a maneira mais efetiva de superar o luto é partilhá-lo, não dividi-lo. Mesmo que ficar frente a frente seja difícil no começo, tentem ficar lado a lado. A terapia de luto para casais pode ser especialmente efetiva. Saiba, também, que frequentemente o luto aproxima os casais, e passar por essa dor juntos pode ajudar vocês dois a lidarem melhor com a dor e se recuperarem mais rapidamente.

Você precisará encontrar sua própria maneira. Vocês estão nisso juntos, como estiveram desde o início. Mas talvez você precise encontrar outras válvulas de escape para seu pesar. Talvez encontre uma no trabalho, em atividades voluntárias, exercícios, esportes, música, natureza. Talvez a encontre no apoio de seus amigos, especialmente aqueles que sabem pelo que você passou. Ou on-line, com outros pais que já perderam uma gravidez. Ou talvez na solidão. Uma válvula de escape para a qual os pais enlutados às vezes se voltam são o álcool e as drogas recreativas, mas, embora possam mascarar a dor, lembre-se de que essas substâncias jamais farão com que você se recupere, e esse deve ser seu principal objetivo. Se está experimentando sinais de dependência ou depressão, busque ajuda imediatamente.

CUIDADOS PALIATIVOS PARA SEU BEBÊ

Há muitos hospitais e clínicas que oferecem programas de cuidados paliativos para famílias que desejam continuar a gestação de bebês que provavelmente serão natimortos ou não viverão muito após o parto. Eles oferecem cuidados para a mãe e o pai e honram o bebê com dignidade e compaixão. Para encontrar uma lista desses programas em seu estado, acesse perinatalhospice.org.

Se você foi informada de que o bebê pode não viver muito tempo após o parto, também pode ser possível, quando todos os esforços para salvar a vida dele tiverem sido esgotados, doar um ou mais órgãos saudáveis para um bebê que precise deles — e fazer isso pode ser um consolo para sua própria e devastadora perda. Um neonatologista pode lhe oferecer informações úteis em tal situação e ajudá-la a se preparar física e emocionalmente para ela.

- Você também pode estar feliz, mas ambivalente sobre demonstrar felicidade. Pode parecer inapropriado estar excitada com a chegada do bebê sobrevivente ou mesmo desleal em relação ao que não sobreviveu. Esse é um sentimento natural, mas você precisa se livrar dele. Amar e cuidar do irmão dele é uma maneira maravilhosa de honrar o bebê que você perdeu — além disso, é essencial para o bem-estar do bebê sobrevivente.
- Você pode querer celebrar, mas não saber se é correto fazer isso. Um novo bebê é sempre algo a comemorar, mesmo quando a notícia feliz vem permeada de tristeza. Se não se sente confortável fazendo uma festa de boas-vindas para o bebê sem reconhecer sua perda, pense em primeiro realizar uma cerimônia fúnebre ou uma despedida para o bebê que faleceu.
- Você pode ver a morte do bebê como uma punição, talvez porque não estava realmente certa de querer ou estar pronta para ser mãe de gêmeos ou porque queria uma menina mais que um menino (ou vice-versa). Embora esse tipo de culpa seja comum entre pais que passam por qualquer tipo de perda, é totalmente sem fundamento. Nada do que você fez, pensou, imaginou ou desejou causou a perda.
- Você pode se sentir desapontada por não ser mãe de múltiplos. É normal ficar triste com a perda de toda aquela excitação, especialmente se imaginou e planejou a chegada de múltiplos durante meses. Você pode até mesmo sentir uma pontada de pesar ao ver gêmeos. Não se sinta culpada por isso: é totalmente compreensível.
- Você pode temer que explicar a situação para familiares e amigos seja

constrangedor e difícil, especialmente se eles estiverem esperando ansiosamente pela chegada dos gêmeos. Para que enfrentar o mundo seja um pouquinho mais fácil, peça que um amigo ou familiar dê a notícia a todos, para que você não tenha de fazer isso. Nas primeiras semanas, tente levar alguém junto quando sair com o bebê, para que essa pessoa possa se antecipar e responder às inevitáveis — e possivelmente dolorosas — perguntas.
- Você pode ter problemas para lidar com as reações e comentários da família e dos amigos. Ao tentar ajudar, eles podem exagerar na excitação ao receber o bebê, sem reconhecer aquele que você perdeu. Ou podem urgi-la a esquecer o bebê morto e apreciar o vivo. Por mais bem-intencionadas que sejam essas palavras e ações, podem machucar. Assim, não hesite em dizer às pessoas — especialmente às mais próximas — como você se sente.
- Você pode se sentir deprimida demais com a perda para cuidar do novo bebê — ou, se ainda estiver grávida, para cuidar do bebê ao cuidar da melhor maneira possível de si mesma. Não se censure por seus sentimentos infelizes e confusos. São normais e totalmente compreensíveis. Mas obtenha a ajuda de que necessita para começar a atender às necessidades físicas e emocionais do bebê. Grupos de apoio podem ajudar, e terapia também.
- Você pode se sentir sozinha em sua dor. Obter apoio de pessoas que sabem pelo que você está passando pode ajudar mais do que você imagina. Encontre esse apoio em um grupo local ou on-line. Você pode entrar em contato com os Centers for Loss in Multiple Births (CLIMB) em climb-support.org.

O que quer que esteja sentindo — e, considerando-se a situação, você pode estar sentindo muitas coisas ao mesmo tempo —, dê tempo a si mesma. É provável que se sinta progressivamente melhor — e melhor sobre se sentir melhor.

TENTANDO NOVAMENTE APÓS A PERDA DA GRAVIDEZ

Tomar a decisão de tentar uma nova gravidez — e um novo bebê (frequentemente chamado de "bebê arco-íris") — após uma perda nem sempre é fácil e, definitivamente, não tão fácil quanto pensam aqueles à sua volta. É uma decisão intensamente pessoal, e que pode ser dolorosa. Eis algumas coisas que você pode querer considerar ao decidir quando (ou se) tentar novamente:
- Tentar novamente após perder um bebê (ou mais) exige coragem. Dê a si mesma o crédito que merece — e o tapinha nas costas que precisa — ao embarcar nesse processo.

- O momento certo é o certo para você. Pode ser necessário somente um breve intervalo para que você se sinta emocionalmente pronta para tentar ter outro bebê, ou pode demorar muito tempo. Não se force (nem deixe que outros a forcem) a tentar novamente cedo demais. E não se questione (ou se paralise) esperando mais do que precisa. Ouça seu coração e saberá quando estará emocionalmente curada e pronta para contemplar a ideia de uma nova gravidez.
- Você também precisará estar fisicamente pronta. Pergunte ao médico se um período de espera é necessário em seu caso. Frequentemente, você pode tentar assim que se sentir disposta (e assim que seu ciclo menstrual começar a cooperar). De fato, os estudos mostram que as mulheres têm uma taxa de fertilidade mais alta que o normal nos primeiros três ciclos após um aborto espontâneo. Se houver uma razão para esperar mais do que você gostaria (como pode ser o caso após uma gravidez molar), use esse tempo para obter a melhor condição física possível para a concepção.
- A nova gravidez pode ser menos inocente. Você agora sabe que nem todas as gestações têm final feliz, o que significa que provavelmente não dará nada como garantido. Você talvez se sinta mais nervosa que da primeira vez, especialmente até passar a semana em que perdeu a última gravidez (e, se perdeu o bebê pouco antes ou depois do parto, talvez se preocupe o tempo inteiro até lá). Você pode tentar conter a excitação, e sua alegria seja temperada pelo receio — tanto que você pode até mesmo hesitar em criar vínculos com o novo bebê até que o medo de amar e perder novamente tenha se dissipado. Você pode ficar ainda mais atenta a cada sintoma da gravidez: os que lhe dão esperança (seios inchados, enjoo matinal, idas frequentes ao banheiro) e os que geram ansiedade (pontadas na pelve, cólicas leves). Tudo isso é totalmente compreensível e perfeitamente normal, como você descobrirá se conversar com mulheres que levaram uma gravidez a termo após experimentarem uma perda. Apenas obtenha ajuda rapidamente se esse tipo de sentimento a impedir de cuidar da nova gravidez.

Olhar para a frente, para a maior recompensa de todas — o bebê que você está tão ansiosa para pegar no colo —, em vez de olhar para trás, para a perda, a ajudará a se manter positiva. Lembre-se de que a vasta maioria das mulheres que passaram pela perda da gravidez ou do bebê tem gestações completamente normais e bebês completamente saudáveis. Para saber mais sobre tentar novamente após a perda da gravidez, leia *What to Expect Before You're Expecting*.

Índice

A

AABB. *Ver* Associação Americana de Bancos de Sangue
AAP. *Ver* Academia Americana de Pediatria
abdômen. *Ver* barriga; carregar o bebê; contrações; cólicas; parecer grávida; útero
dormindo sobre o, 357
massagem do, 215
aborto espontâneo completo, 776, 779
aborto espontâneo incompleto, 776, 778, 779
aborto espontâneo precoce. *Ver* aborto espontâneo
aborto espontâneo retido, 777-779
aborto espontâneo tardio, 784, 785
   insuficiência cervical e, 59-61, 785
   lidando com o, 790-792
   sangramento e, 725-727
aborto espontâneo, 775-802
Ver gravidez ectópica
   aconselhamento genético após, 81, 84-85
   administração do, 584-585
   ameaça de, 726-728, 763, 766, 777
   aspirina para prevenir, repetidos, 716
   atividades que não causam, 54, 775
   cirurgia para completar, 779-780
   coriocarcinoma após, 781
   curetagem para, 584-586 754, 779-780, 782, 785, 791
   da barriga de aluguel, 795
   de um gêmeo, 604
   gravidez molar e, 780-782
   gravidez química, 25, 777
   incompleto, 778
   lidando com, 787-801
   medicação para completar, 779
   medo que seja causado pelo orgasmo, 375
   medo que seja causado pelo sexo, 375
   no primeiro trimestre, 775--782
   no segundo trimestre, 784--785
   precoce, 775-780
   repetido, 51-52, 792-796
   retido. *Ver* aborto espontâneo retido
   Rhogam após, 93
   sintomas que não indicam, 200-202, 726-727, 777
   sintomas que podem indicar, 726-727, 777, 781--782, 784-785
   tardio, 784-785
   terapia com progesterona para prevenir, 48, 51-52, 728
   terapia hormonal para prevenir, 48, 51-52, 728
   tipos de, 777-778
aborto espontâneo, risco aumentado
   anemia falciforme, 73
   caxumba, 710
   DIU durante a gestação, 41
   em função da idade da mãe, 77-78, 780
   em função da idade do pai, 77-78
   ftalatos, exposição excessiva a, 118
   herpes genital, 46-47
   insuficiência cervical, 59-61
   medicamentos fitoterápicos, 125-126
   obesidade, 65, 593
   quinta doença, 708-709
   sarampo, 710
   transtorno alimentar, 67-71
   vaginose bacteriana, 704
   violência doméstica, 109
aborto
   anterior, 43
   coriocarcinoma após, 781
   diagnóstico pré-natal e, 95
   espontâneo. *Ver* aborto espontâneo
   Rhogam após, 62
abortos espontâneos repetidos, 51-52
   lidando com, 792, 795-796
abscesso no seio, 673
abuso de substâncias. *Ver* álcool; uso de drogas; fumo
abuso doméstico, 109-110
abuso sexual, 109
ACA. *Ver* Lei do Cuidado Acessível
Academia Americana de Pediatria (AAP)
   sobre álcool, 103
   sobre banco de sangue do cordão umbilical, 398--403
   sobre clampeamento tardio do cordão umbilical, 557

sobre depressão pós-parto, 664
aceitando o seio, durante a amamentação, 640 647
Acesulfame K, 164
acidentes. *Ver* quedas
morte fetal e, 786
placenta abrupta e, 740
ácido azelaico, 214, 231
ácido docosaexaenoico. *Ver* DHA
ácido fólico (folato), 147-148
absorção do, e chá verde, 166
após cirurgia para perda de peso, 68
em folhas verdes, 140
em suplementos pré-natais, 147-148
hiperpigmentação e, 350
nos carboidratos, 153
para prevenir autismo, 182
para prevenir diabetes gestacional, 731
para prevenir doenças congênitas, 182
para prevenir parto prematuro, 57, 746
ácido glicólico, 214
ácido salicílico, para a pele, 212-214
ácidos graxos ômega 145-146, *Ver* DHA
amamentação e, 488
desenvolvimento do cérebro do bebê e, 414, 426
dieta crua e, 153-155
na depressão pós-parto, 145
no gado criado a pasto, 167
nos ovos, 144, 240
nos peixes, 240
para ansiedade, 242
para depressão, 244
para oscilações de humor, 240
sono do recém-nascido e, 144

ACMG. *Ver* Colégio Americano de Medicina Genética e Genômica
acne, 230
maquiagem para esconder, 213
nas costas, 213, 231
tetraciclina para, 720
tratamentos para, 213-214
ACOG. *Ver* Congresso Americano de Obstetras e Ginecologistas
aconselhamento genético, 84--85
depois que um problema é descoberto, 95-97
aconselhamento. *Ver* psicoterapia
depressão do pai e, 245
depressão e, 243-244
depressão pós-parto e, 665
estresse e, 205
luto e, 793
para casais, 378
para pais enlutados, 799
transtornos alimentares e, 69-70
transtornos do humor no pós-parto e, 668-669
açúcar refinado, 132
açúcar. *Ver* junk food
ataques de pânico e, 242--243
calorias, 131
candidíase e, 705
caspa e, 348
diabetes e, 71-72
diabetes gestacional e, 730--732
espinhas e, 214, 230-231
estresse e, 204
fadiga e, 186, 652
gases e, 258
na urina, 301-303
no sangue. *Ver* glicose no sangue
nos rótulos nutricionais, 160

oscilações de humor e, 240
sono e, 386
substitutos, 162-165
acupressão, 121. *Ver* medicina complementar e alternativa
para alívio da dor do trabalho de parto, 409, 447
para dor de cabeça, 260
para enjoo matinal severo, 729
para enjoo matinal, 193
acupuntura, 119-121. *Ver* medicina complementar e alternativa
bebê em apresentação pélvica e, 121, 465
contra o estresse, 209
e moxabustão, 465
endorfinas da, 120, 447
para alívio da dor do trabalho de parto, 447
para azia, 224
para depressão, 76, 243
para D-MER, 674
para dor ciática, 422
para dor de cabeça, 260
para dor na cintura pélvica, 747
para dor nas costas, 346
para eczema, 233
para enjoo matinal severo, 729
para enjoo matinal, 193
para enxaqueca, 262
para parar de fumar, 106
para síndrome das pernas inquietas, 424
para síndrome do túnel do carpo, 120, 280, 393
Adderall, 76
aditivos nos alimentos, 159, 166
Administração de Saúde e Segurança Ocupacional (OSHA), 284-285
Administração de Saúde e Segurança Ocupacional, 285

adoçantes, 162-165
adolescente, grávida, 135
  ingestão de calorias, 135
  parto prematuro e, 59
Advil. *Ver* ibuprofeno
AFP. *Ver* alfafetoproteína
Afrin. *Ver* spray nasal
aftas, 295
agachar-se, durante o trabalho de parto e parto, 548, 552, 553, 557, 567, 574
  risco de lacerações e, 759--760
agave, 164
água da torneira, 114-116
  ao viajar, 367, 368
água de coco, 150, 190, 707
água glicosada para recém--nascidos, 637
água salgada, gargarejos com, 698
água, bolsa de. *Ver* membranas
água. *Ver* banho; hidroterapia; natação
beber. *Ver* líquidos
  da torneira, segurança da, 114-118, 368
  exercícios na, 321, 323, 345, 346, 421
  retenção. *Ver* inchaço
  segurança da, em viagens, 367, 368
AIDS, 45
airbag no carro, 362
albuterol
  durante a amamentação, 718
  para asma, 298
álcool, 102-103
  depressão e, 75
  no kombucha, 163
  parto prematuro e, 58, 746
  restrição do crescimento intrauterino e, 737
álcool, consumo excessivo, 104
álcool, uso pelo pai, 361
  oscilações de humor e, 245

perda do bebê e, 799
alergia, do recém-nascido ao leite materno, 490
alergia, injeções para, 299
alergias, 297-300
  anti-histamínicos, 716-718
  evitando-as no bebê, 299, 490
  pós-parto, 650
  sinusite em função das, 699
Aleve. *Ver* naproxeno
Alexander, técnica de, 410--411
alfafa, 172
alfafetoproteína (AFP), 90
alfa-hidroxiácido, 212
alimentos apimentados, 161
  azia e, 223
  para induzir o trabalho de parto, 520
  permanecendo fresca e, 340
  resposta do bebê aos, 383
alimentos defumados, 167, 171
alimentos e bebidas pasteurizados, 114, 150, 171, 172, 367
alimentos enriquecidos, 160, 184
alimentos fermentados, 163
alimentos fortificados com vitaminas, 160, 184
alimentos orgânicos, 166-170
alimentos processados, 133, 166-167
alimentos saudáveis, 154-155
alimentos. *Ver* dieta; comer; nutrição; *alimentos específicos*
  aditivos, 159, 166
  alergias, 299-300
  apimentados, 161
  aversões e desejos para. *Ver* desejos e aversões alimentares
  crus, 150, 153-155
  durante o trabalho de parto, 541-542

durante viagens, 367-368
E. coli e, 150
enriquecidos/fortificados, 160, 184
estragados, 162
fast-food, 156-157
intoxicação alimentar, 162
junk food, 131, 156-157
lendo os rótulos, 159-160
listeriose e, 171
OGMs, 167-168
orgânicos, 166-170
para induzir o trabalho de parto, 520
para o desenvolvimento do cérebro do bebê, 145, 414
para ter energia, 101, 186
pasteurizados, 150
processados, 133
produtos químicos nos, 118, 166-172
recipientes seguros, 117--118
salgados, 145-146
salmonela, 150, 167
saudáveis, 154-155
segurança alimentar, 170--172
sono e, 384
substituições saudáveis, 131
toxoplasmose e, 114
alisamento, do cabelo, 210--211
alívio da dor
  cesariana e, 584-587, 629
  durante a gestação. *Ver* paracetamol
  durante o trabalho de parto medicado, 443-447
  durante o trabalho de parto não medicado, 447--449
  durante o trabalho de parto, seleção do médico e, 36
Lamaze e, 409-410
medicina complementar e alternativa para. *Ver* métodos individuais

método Bradley e, 410
no pós-parto, 615-616
recuperação (do vício em álcool e drogas) da mãe e, 446, 629-630
Allegra, 718
almofada térmica, 112-113
durante o trabalho de parto, 561
para ciática, 421
para dor nas costas, 345
para dor nas costelas, 456
para dor no pós-parto, 618, 657
para trabalho de parto posterior, 538
alojamento conjunto
após cesariana, 633
pós-parto, 631-632
alongamento, parto e, 512, 554, 556
altas altitudes, 367-368
altitude, alta, 316, 367-368
AMA. *Ver* Associação Médica Americana
amamentação em tandem, 55
amamentação, 488-495, 625--627, 636-647. *Ver* leite materno; colostro
após cesariana, 471, 645--646
após cirurgia nos seios, 494
após o parto, 581, 583
bebê na UTI neonatal, 646-647
benefícios, 488-492
câncer e, 493
colostro e, 626-627
combinada com mamadeira, 495
começando, 636-647
como amamentar, 636--647
como controle de natalidade, 493, 678
controle de natalidade e. *Ver* controle de natalidade

diabetes tipo 2 e, 731-732
dieta para, 638
dores do pós-parto e, 615
durante a gestação, 54-55
duto de leite entupido e, 672-673
formato dos mamilos e, 490
horário das mamadas, 638--639
ingurgitamento e, 625
mãe diabética e, 72
mastite e, 672-673
medicamentos e, 718-719
múltiplos, 643-644
necessidade calórica para, 638
o dia todo, 637-638
ovulação e, 493, 678
pai e, 492, 639-640
perda de peso durante a, 493, 638, 670
posições para, 640-642
preparando-se para a, 490
prevenção do eczema no bebê e, 233
produção de leite e, 627
quando você não pode amamentar, 495
resposta imunológica do bebê e, 489
sangramento no pós-parto e, 761
sentindo-se triste durante a, 673-674
supressão da, ao alimentar com mamadeira, 637
supressão da, na perda da gravidez, 786
sutiã para, 518
tandem, 55
transtornos alimentares e, 70
urticária, 650
amamentação, sutiã de, 518
Ambien, 720
ameaça de aborto espontâneo, 727-728

escape e, 726-727, 777
repouso e, 763
repouso pélvico para, 766
amêndoas. *Ver* oleaginosas
contra azia, 224
amendoim, 299
amniocentese terapêutica, 743
amniocentese, 92-95
descobrindo o sexo do bebê e, 354
NIPT e, 87
para remover o excesso de líquido amniótico, 743
Rhogam após, 62
teste combinado e, 88
triagem quádrupla e, 90
ultrassom de translucência nucal e, 88
amolecedores de fezes, 256
pós-parto, 624, 633
amolecimento do colo do útero. *Ver* colo do útero
indução e, 539-541
pré-trabalho de parto, 514--515
amortecimento
com ciática, 421-422
da cicatriz da cesariana, 619
das mãos, 280, 393
do períneo no pós-parto, 616
durante ataques de pânico, 242
anéis, dedos inchados e, 418--420
anemia falciforme
materna, 73
teste de triagem no recém--nascido para, 480-481
teste genético para, 80, 181
testes diagnóstico pré-natal para, 92, 94
anemia por deficiência de ferro, 341-342. *Ver* anemia
desejo por substâncias não comestíveis e, 227

fadiga e, 418
falta de ar e, 296, 458
síndrome das pernas inquietas e, 424
vertigem e, 341
síndrome do intestino irritável, 72-73
anemia, da mãe, 341-342
alimentos ricos em ferro para evitar, 143
exame de sangue para, 180, 416
fadiga e, 418
sangramento severo no pós-parto e, 760
síndrome das pernas inquietas e, 424
vertigem e, 340-341
anemia, do bebê
clampeamento tardio do cordão umbilical e, 556
incompatibilidade de Rh e, 61-65
anestesia combinada raquiperidural, 445
anestesia geral, 445-446
amamentação após, 645-646
para cesariana de emergência, 445, 584
anestesia, 443-446, 538. *Ver tipos individuais*
geral, amamentação após a, 646
geral, para cesariana de emergência, 445, 541
local, para cerclagem, 60
local, para tratamento de abscesso no seio, 673
para cesariana, 584-585, 630
para laqueadura, 585, 687
para tratamento dentário, 294
angiomas estelares, 228
animais de estimação. *Ver gatos; cães*

alergias a, 300
durante o repouso, 771-772
mantendo-os saudáveis, 707
preparando para o novo bebê, 429
vacinas, 707
animais. *Ver gatos; animais de estimação*
anomalias genéticas
aborto espontâneo precoce e, 775, 780, 783
aborto espontâneo tardio e, 784
morte fetal e, 787
anomalias genéticas, testes no recém-nascido, 480-481
anorexia, 69
anormalidades cromossômicas. *Ver diagnóstico pré-natal*
aborto espontâneo precoce e, 52, 775
aborto espontâneo repetido e, 52
aborto espontâneo tardio e, 784
idade da mãe e, 79
ansiedade, do pai
como sintoma empático, 226
oscilações de humor e, 244-245
sobre mudanças de vida, 205-206
sobre trabalho de parto e parto, 405-406
sonhos expressando, 428-429
ansiedade. *Ver baby blues; depressão; depressão pós-parto; estresse sobre o parto, 403-406*
abortos espontâneos repetidos e, 52
após aborto espontâneo, 790

ataques de pânico e, 242-243
babywearing contra, pós-parto, 660
chocolate amargo para aliviar, 240
durante o trabalho de parto, tranquilizantes para, 446-447
exercícios para ajudar a reduzir a, 313
pressão arterial elevada e, 301
quando telefonar para o médico sobre, no pós-parto, 620
repouso e, 766
sobre sexo, 374-377
técnica de relaxamento para, 208
técnicas da medicina complementar e alternativa para tratar, 119-124, 215, 411
transtorno de ansiedade pós-parto, 667-668
transtorno de estresse pós-traumático no pós-parto, 669
anterior, posição do bebê, 464
antiácidos, 707, 717-718
constipação e, 257
náusea no fim da gravidez e, 459
antibióticos tópicos, 232, 720
antibióticos, 717-718
amamentação e, 718
candidíase no bebê e, 646, 672
cesariana e, 584
contracepção oral e, 681
e parto prematuro, 745
em pomada, para os olhos dos recém-nascidos, 44-45

nos alimentos, 166-168
para acne, 214, 720
para candidíase, 704, 762
para corioamnionite, 741
para doença de Lyme, 714
para dor de garganta, 702
para eczema, 232
para estreptococos do grupo B, 481
para infecção do trato urinário, 702
para infecção nos seios, 672-673
para infecções do pós-parto, 762
para inversão uterina, 759
para ISTs, 44-45
para ruptura prematura das membranas, 744
para ruptura uterina, 759
para sinusite, 699
tópicos, 214, 720
tratamento dentário e, 295
vaginose bacteriana e, 704
anticonvulsionantes, 734
anticorpos antifosfolipídeos, 52, 716
síndrome, 784
anticorpos
aborto espontâneo tardio e, 784
antifosfolipídeos, e abortos espontâneos repetidos, 52
Kell, 65
na incompatibilidade de Rh, 61-65
no colostro, 503, 627
no leite materno, 489, 627
passados para o bebê no útero, 451-452
rubéola, 180, 710-711
toxoplasmose, 113
vacina DTP e, 441
antidepressivos, 74-75, 243--244, 718, 720-721. *Ver* depressão; transtornos de humor

amamentação e, 718
no pós-parto, 664-665, 667-669
para depressão pós-parto, 664-665
antidiarreicos, 707, 720
antieméticos. *Ver* remédios contra a náusea
antígenos de Kell, 65
anti-histamínicos, 718-719
alergias e, 298
amamentação e, 718
eczema e, 232
para enjoo matinal, 192--193, 720, 729
PPPU e, 420
síndrome das pernas inquietas e, 424
urticária durante a amamentação e, 650
anti-inflamatório não esteroide, 716
antioxidantes
na espirulina, 154
nas frutas, 141
no mel, 132, 165
apagamento do colo do útero, 524, 559
contrações de Braxton Hicks e, 455
insuficiência cervical e, 60
no início do trabalho de parto, 559
no pré-trabalho de parto, 524
tampão mucoso e, 529
apetite, da mãe, 264. *Ver* aversões; desejos; ganho de peso
depressão e, 241
depressão pós-parto e, 662--663
durante o trabalho de parto, 541-542
perda do, estresse e, 209, 792
quando você está doente, 698, 711, 712

repouso e, 765-767
sexo do bebê e, 264
supressores, 67, 69, 250
Ver estresse
apetite, do recém-nascido, 626
amamentação e, 489, 626, 643
Apgar, escala de, 581
maior pontuação quando a mãe come e bebe durante o trabalho de parto, 542
menor pontuação quando a mãe está deprimida, 75
apneia do sono, 297
em bebês de fumantes, 105
Apoio Internacional ao Pós--Parto, 664
apresentação do bebê, 463--470. *Ver* posição pélvica; posição do bebê
apresentação pélvica de pés, 469
apresentação pélvica incompleta, 469, 470
apresentação pélvica, bebê em, 463-470
cesariana, 472
exercícios para virar, 466--468
hipnose para virar, 124
incompleta de pés, 469
incompleta, 469
moxabustão para virar, 121
múltiplos e, 608-609
parto em casa e, 753
parto vaginal e, 466
prolapso do cordão umbilical e, 755
técnica de Webster para, 121
versão cefálica externa e, 465, 469, 473

Aquanil, 231
aquecimento para exercícios, 318
ar, falta de, 295-296, 457--458
  com asma, 298-299
  com ataques de pânico, 242-243
  com hemorragia pós-parto, 761
  com miocardiopatia periparto, 762
  com ruptura uterina, 758
  com trombose venosa profunda, 751
  como sintoma de anemia, 342
  durante os exercícios, 320, 323
ardência
  ao urinar no pós-parto, 617-621
  ao urinar. *Ver* infecção do trato urinário
área de saúde, trabalho na, 284
aréola. *Ver* amamentação
  amamentação e, 645
  carocinhos e escurecimento da, 20, 197, 349
arnica, 345
aromaterapia, 125, 215
arrumando a mala para o hospital, 516-518
artemísia, 121, 126
artéria umbilical única, 748
artrite reumatoide da mãe, amamentação e, 493
asma, 298-299
aspartame, 163
aspiração do nariz e da boca do bebê, 578, 586
aspirina, 716
  após tratamentos de fertilidade, 48
  para abortos espontâneos repetidos, 716

  para pré-eclâmpsia, 735
assadura na mãe, no pós--parto, 650
assadura. *Ver* pele
assaduras, 339, 351
assaduras, da mãe no pós--parto, 650
Associação Americana de Bancos de Sangue (AABB), 401
Associação Internacional de Assistência Médica para Viajantes, 365
Associação Médica Americana (AMA), 35
ataques de pânico, 242-243
atendimento, tipos de, 33-35
atividade física. *Ver* exercícios
atum, 145, 161. *Ver* peixes
audição fetal, 63-64, 283
aulas de parto, 406-412
  benefícios das, 407-408
  cesariana e, 356
  segunda gestação e, 411
  tipos de, 408-412
aulas de primeiros socorros, 407
aulas de ressuscitação cardiopulmonar em bebês, 407
aulas
  de parto, 406-412
  para pais, 521
  ressuscitação cardiovascular em bebês, 407
aumento da temperatura. *Ver* febre; excesso de calor; transpiração
adesivos e, 345
almofadas térmicas e, 112--113
banheiras de hidromassagem/saunas e, 112-113
câmaras de bronzeamento e, 216
cobertor elétrico e, 112--113

como sinal precoce de gravidez, 19-21
exercícios e, 70, 314-315, 322
fogachos. *Ver* fogachos
hidroterapia e, 123
autismo
  antidepressivos e risco aumentado de, no bebê, 75
  banco de sangue do cordão umbilical para, 399
  diabetes gestacional e risco aumentado de, no bebê, 731
  pais mais velhos e risco aumentado de, no bebê, 78
  poluição do ar e risco aumentado de, no bebê, 118
  suplemento de vitaminas para reduzir o risco de, 182
autoexame dos seios, 397
automóveis. *Ver* carro
aversões alimentares, 225--227. *Ver* desejos
  enjoo matinal e, 191
  na segunda gestação, 49
aves, 151, 167, 170, 171, 172
azia, 222-224
  alimentos apimentados e, 161
  cabelo do bebê e, 223
  com múltiplos, 592
  estresse e, 50
  ganho de peso e, 247
  obesidade e, 66
  sono e, 384-385
  tratamentos da medicina complementar e alternativa para, 120, 122
AZT, 45
azuladas
  pernas, 350
  veias, 229

B

baby blues, 657-661. *Ver* depressão pós-parto
 ausência de, no pós-parto, 661
 babywearing contra, 659--660
 do pai, 658, 661
babywearing
 contra a depressão pós--parto, 665
 contra o *baby blues*, 660
bacharel em Ciência da Enfermagem, 31
baixo peso ao nascer, 602, 703-704, 737, 767. *Ver* bebê prematuro; pequeno para a idade gestacional
 antidepressivos e, 74-75
 asma e, 298
 ganho de peso insuficiente, 57, 246-247
 múltiplos e, 450
 poluição do ar e, 118-119
 restrição de crescimento intrauterino e, 736-738
 ruído excessivo e, 283
 UTI neonatal e. *Ver* unidade de tratamento intensivo neonatal
balançando durante o trabalho de parto, 550
balé, 323
bancos de sangue do cordão umbilical, 398-403
 no plano de parto, 436
banheira de parto, 436-438
banheiras de hidromassagem, 112-113. *Ver* banho; hidroterapia
banheiras. *Ver* banho; hidroterapia
banho. *Ver* hidroterapia
 aveia, 392
 com espuma, 703-704
 com sal de Epsom, para enjoo matinal severo, 730
 de assento, 396, 617, 621, 624, 757
 na sala de parto, 37
 no terceiro trimestre, 482
 óleo, 215
 para parto na água, 436--438
 quente, 112
banhos de assento, 396, 621, 624, 757
barra de parto, 552
barriga. *Ver* abdômen
 coceira na, 392
 com múltiplos, no pós--parto, 610
 fotografias da, 390
 grande/pequena, 391-392
 na segunda gestação, 49
 no 9º mês, 500
 no 8º mês, 453
 no 1º mês, 178
 no 4º mês, 291
 no 5º mês, 337
 no 2º mês, 221
 no 7º mês, 415
 no 6º mês, 383
 no 3º mês, 253
 outras pessoas tocando a, 309-310
 que aparece e desaparece, 233
 restrição de crescimento intrauterino e, 737
 sexo do bebê e, 461
 tamanho do bebê e, 460--461
barro, comer. *Ver* picamalácia
batimentos cardíacos do bebê. *Ver* batimentos cardíacos fetais
batimentos cardíacos fetais. *Ver* monitoramento fetal
 aborto espontâneo e, 776, 778, 785-786
 acelerados após o sexo, 376
 ameaça de aborto espontâneo e, 727-728
 desaceleração dos, com epidural, 444
 Doppler e, 266-267. *Ver* Doppler
 efeitos do fumo sobre os, 104
 gênero e, 266
 localização dos, e posição do bebê, 463
 morte fetal e, 786
 ouvindo, 251, 266
 ouvir em casa, 267-268
 placenta anterior e ouvir os, 358-359
 sofrimento fetal e, 474, 754-755
 testes de bem-estar fetal e, 507-508
 ver, no ultrassom, 202, 236
bebê pequeno para a idade gestacional
 álcool e, 104
 amamentação na UTI neonatal e, 646-647
 bebê pequeno e, 391
 fumo e, 105-106
 ganho de peso, e 246-247
 prolapso do cordão umbilical e, 755
 restrição de crescimento intrauterino e, 736-738
 resultados da triagem quádrupla e, 89-90
 transtornos alimentares e, 69, 70-71
 bebê pós-termo, 499, 509, 516
 testes de bem-estar do, 507-508
bebê prematuro, 509. *Ver* trabalho de parto e parto prematuros
 amamentação, 646-647
 criando vínculos com o, 628-629

pelos no, recém-nascido, 580
bebê, posição do. *Ver* apresentação pélvica
de múltiplos, e parto, 608-609
médico verifica a, 501, 563
no terceiro trimestre, 463-470
trabalho de parto posterior em função da, 536-539
bebê, tamanho do. *Ver* peso ao nascer
diabetes gestacional e, 730
distocia do ombro e, 756-757
grande, razão para cesariana e, 472
sucesso do parto vaginal após cesariana e, 478--479
tamanho da barriga e, 460-462
bebê. *Ver* fetal; feto; *tópicos específicos*
alimentação. *Ver* amamentação; mamadeira
alojamento conjunto com o, 631-632
aparência do, após o nascimento, 579-580
baixo peso ao nascer. *Ver* restrição do crescimento intrauterino
cabeça grande do, razão para cesariana e, 472
canguru. *Ver* Babywearing
criando vínculos com o, 495, 582, 627-629
indo para casa com o, 622--623, 634-635
lidando com a perda do, 787-801
pós-termo, 499
procedimentos para cuidar do, após o nascimento, 579-581

testes para detectar doenças no, 480-481
beber. *Ver* álcool; líquidos
bebidas energéticas, 100, 186
Benadryl, 718-719
betacarotenos, 140, 147, 166
beta-hidroxiácido (BHA), 212, 214
bexiga. *Ver* micção; frequência urinária
cheia, no ultrassom do primeiro trimestre, 236
função, pós-parto, 620--622
infecção, 435. *Ver* infecção do trato urinário
infecção, no pós-parto, 761. *Ver* infecção do trato urinário
pressão sobre a, feita pelo bebê, 196, 506
produtos para suporte da, 655
útero invertido e incapacidade de esvaziar a, 236-237
vazando, durante a gestação, 459-460, 502
vazando, no pós-parto, 621-622, 654-655
bicicleta elíptica, 321
bicicleta ergométrica. *Ver* exercícios
biofeedback, 124-125
para azia, 224
para dor de cabeça, 260
para dor nas costas, 346
para enjoo matinal, 193
para estresse, 209
para hipertensão, 72
para incontinência urinária pós-parto, 655
biópsia das vilosidades coriônicas, 92-93
amniocentese comparada a, 94-95
idade da mãe e, 79

idade do pai e, 78
NIPT e, 87
Rhogam após, 62
teste combinado e, 89
ultrassom de translucência nucal e, 88
biópsia transabdominal das vilosidades coriônicas, 92--93
biópsia transcervical das vilosidades coriônicas, 92--93
Birthing from Within, 410
BirthWorks, 410
bisfenol A (BPA), 117-118
micro-ondas e, 112
blastocisto, 176-177
bloqueio do pudendo, 445
body art, 262-263
bola de parto, 409, 457, 538, 548, 550-552. *Ver* bola de exercícios
bolsa estourou. *Ver* ruptura das membranas
bolsa. *Ver* Membranas
bolsas de gelo, 339
para câimbras nas pernas, 395
para dor de cabeça, 260, 261
para dores nas costas, 345
para hemorroida, 396
para ingurgitamento, se não estiver amamentando, 626
para lacerações perineais, 757
para pós-parto dor perineal, 582-583, 617
para trabalho de parto posterior, 538
para virar bebê em apresentação pélvica, 467
Bonjesta, 193, 720, 729
Botox, 212
BPA. *Ver* bisfenol A
branqueamento dos dentes, 214

brinquedos sexuais, 371
broncodilatadores, 298, 718
bronzeamento sem sol, 216
bronzeamento
　camas, 216
　hiperpigmentação da pele e, 350
　melasma e, 349
　sem sol, 216
brotos, 172
bulimia, 67-71
bypass gástrico ou manga gástrica após gravidez, 68

C

cabeça do bebê
　aparência da, no recém-
　　-nascido, 579
　coroando, 508, 572, 578
　encaixe da, 505-509
　posição. *Ver* estação da cabeça do bebê
　tamanho da, e parto, 462, 472
cabelo da mãe
　cremes depilatórios, 211
　crescendo rápido, 348-352
　crescimento lento, 351-352
　cuidados, 210-212
　depilação com cera, 211
　eletrólise, 211
　lasers, 211
　luzes, 210
　pelos indesejados, 211, 349, 351-352
　perda e doença da tireoide, 666
　perda no pós-parto, 653-
　　-654
　permanente, 211
　relaxamento e alisamento, 210-211
　tintura, 210
　tratamento com queratina, 211

cabelo do bebê, 382
azia da mãe e, 223
pelos corporais fetais. *Ver* lanugo
recém-nascido, 579
cachorro olhando para baixo, postura de yoga, 322
cães
　alergias a, 300
　preparando-se para o novo bebê, 429
café. *Ver* cafeína
cafeína, 100-102
　oscilações de humor e, 238
　sono e, 386
câimbras nas pernas, 394-
　-395
　exercícios de alongamento para, 313, 320, 325
　magnésio para, 387, 394
　no trabalho de parto transicional, 570-571
caixa de areia do gato, 113
cálcio, 147
　alimentos, 138-139
　após cirurgia para perda de peso, 68
　aversão a leite e, 138, 149-
　　-151
　cafeína e, 100
　câimbras nas pernas e, 394-395
　intolerância à lactose e, 149-151
　na dieta vegetariana, 151-
　　-152
　na espirulina, 154
　nas Doze Diárias, 138
　nas vitaminas pré-natais, 147
　para cuidados dentários, 294
　para múltiplos, 594
　suplemento de, 147, 151, 643
calombos nas gengivas, 295
calorias, 129

amamentação e, 638
　do açúcar, 132
　gorduras e, 144
　nas Doze Diárias, 134-135
　no leite materno, 489
　para múltiplos, 594
　qualidade das, 129
　queimando, com exercícios, 321
　repouso e, 766
caminhadas, 321
　após cesariana, 632
　dor pélvica com, 461, 746-
　　-747
　durante o trabalho de parto, 549, 566, 567
　múltiplos e, 597
　para inchaço, 418-420
　para induzir o trabalho de parto, 514-515
　pós-parto, 693
　quedas acidentais e, 426-
　　-427
　repouso e, 763, 766
camisinha feminina, 686
camisinha, 686
　falha da, 40
câncer
　amamentação e, 493
　banco de sangue do cordão umbilical para, 398, 402
　cólon, 132
　coriocarcinoma, 781
　de pele, 216, 217
　gravidez e, 751-752
candidíase, 703-705
　antibióticos e, 673
　prevenindo com probióticos. *Ver* probióticos
canguru, 629. *Ver* pele a pele
canguru, para o bebê. *Ver babywearing*
cansaço. *Ver* fadiga; sono
capuz cervical, 685
carboidratos, 131
　constipação e, 153, 255

dietas *low-carb* e, 152-153
durante viagens, 366
fibras nos, 153
para dormir, 385
para esquecimento, 311
refinados, 131, 142, 157
cardiopatias congênitas
  aconselhamento genético
  e, 84
  banco de sangue do cordão
  umbilical para, 399
  ecocardiograma fetal para
  detectar, 88
  suplementos pré-natais
  para evitar, 182
  testes no recém-nascido
  para detectar, 481
cardiopatias fetais, 75, 88,
  104, 182
cáries, 293-295
  no bebê, amamentação e,
  491
cariótipo, exame de sangue
  para
  abortos espontâneos repetidos, 51
carne vermelha
  colesterol e, 158
  dieta sem, 151
carnes
  colesterol e, 158
  cruas ou malpassadas, 114,
  171, 172
  defumadas, 167, 171
  dieta sem carne 136, 151
  Ver dieta vegetariana
  escolhendo cortes magros,
  130, 167
  evitando substâncias químicas nas, 115
  frios, 171
  gado criado a pasto, 166-
  -167
  orgânicas, 168
  segurança alimentar das,
  170-172
caroços nos seios, 397

caroços
  nas aréolas, 20, 197
  nas gengivas, 295
carrapatos, doença de Lyme
  e, 707, 713-714
carregar crianças mais velhas, 344
carregar objetos pesados,
  344
carro. *Ver* dirigir
  airbag, 362-363, 483
  cinto de segurança, 362-
  -363
casa de parto, 34-38. *Ver*
  hospital
  fazendo as malas para,
  516-518
  parto na água, 436-438
  quando você chegar na,
  em trabalho de parto,
  564-565
caspa, 348
catapora, 709-710
  vacina, 80-81
cateter urinário
  cesariana e, 584, 632
  epidural e, 443
  no plano de parto, 435
  no pós-parto, 621
  útero inclinado e, 236
cavalgar, 316, 324
caxumba, 710-711
  vacina, 80-81, 710-711
CDC
  sobre álcool, 103
  sobre BPA, 117
  sobre rubéola, 180, 711
  sobre testes em recém-nascidos, 481
  sobre testes para ISTs, 44
  sobre vacina contra a gripe, 80, 700
  sobre vacina dTpa, 441
  sobre vacinas, 80
  sobre vírus Zika, 712
Celexa, 75. *Ver* antidepressivos

celulares, 111-112
células falciformes. *Ver* anemia falciforme
células-tronco. *Ver* banco de
  sangue do cordão umbilical
Centering Pregnancy, 34
  mobilização militar e, 64
Centers for Loss in Multiple
  Births (CLIMB), 801
cerclagem, para insuficiência
  cervical, 58
cerveja. *Ver* álcool
cérvix incompetente. *Ver* insuficiência cervical
cesariana eletiva, 479
cesariana natural, 471, 475,
  585
cesariana repetida, 476-477
cesariana, 470-477, 584-587.
  Ver parto vaginal após cesariana
  agendada, 472-473
  amamentação após, 471,
  641, 645-646
  anestesia raquidiana, 445
  apresentação pélvica e,
  466
  aulas de parto e, 408, 410
  banco de sangue do cordão
  umbilical e, 401
  decepção com a, 470-471
  desproporção cefalopélvica e, 472
  distocia do ombro e, 757
  dor após, 630, 671
  eletiva, 479
  emergencial, 474, 585
  epidural precoce e, 443
  exercícios após, 672
  ganho de peso e, 247
  herpes e, 47, 473
  idade da mãe e, 78
  indução e, 541
  infecções no pós-parto,
  671, 760-761
  laqueadura após, 585

limite de tempo para o trabalho de parto e, 476
miomas e, 42
múltiplos e, 472, 607-610
natural, 471, 585
obesidade e, 66, 473
pai e, 471, 475
parteira e, 30
parto vaginal após. *Ver* parto vaginal após cesariana
placenta abrupta e, 740
placenta prévia e, 356, 738-739
posição do bebê e, 466, 470, 472
posição oblíqua e, 470
posição transversa e, 470
prolapso do cordão umbilical e, 756
razões para, 471-476
recuperação, 629-634, 671-672
repetidas, 476-477, 479
ruptura uterina e, 758
sexo após, 671-672
tamanho do bebê e, 72, 247, 472
vasa prévia e, 754
versão cefálica externa e, 465
Cetaphil, 231
chá de camomila, 125, 165, 258
chá de ervas, 126, 165-166, 258
para induzir o trabalho de parto, 515
chá de folhas de framboesa
para induzir o trabalho de parto, 515
segurança das, 125, 165--166
chá verde, 101, 166
chá
cafeína no, 100
de camomila, 125, 165--166, 258

de ervas, 126, 165-166
de folhas de framboesa, 125, 165, 515
de gengibre, 192
kombucha e, 163
preto, 101, 165
verde, 101, 166
Champix, 106
charutos, 105
chefe, contando ao, sobre a gravidez, 272-277, 278--279
cheiro de peixe na vagina, 44, 301, 704
cheiro
de peixe na secreção vaginal, 44, 301, 704
do cocô do bebê que mama no peito, 489
do líquido amniótico, 530
olfato mais apurado, 20, 187, 189, 191-192
perda de olfato e sinusite, 699
ruim em caso de infecção no pós-parto, 619, 762
ruim na urina, em caso de infecção do trato urinário, 702-703
ruim no líquido amniótico, 741, 743
chi (qi), 120
chicletes
azia e, 224
de nicotina, 106
excesso de saliva e, 194
para prevenir cáries, 294
xilitol, 164, 294
Children's Health Insurance Program (CHIP), 83
chocolate amargo
ansiedade e, 242, 244
baby blues e, 661
cafeína e, 101
enxaqueca e, 261
oscilações de humor e, 240
pré-eclâmpsia e, 735

choque
da gravidez ectópica, 782--784
da inversão uterina, 759
sensação parecida com, na pelve, 422-423, 506
choro, da mãe. *Ver baby blues*; depressão; oscilações de humor; depressão pós-parto
choro, do bebê no útero, 505
chumbo, exposição ao, 115
na água da torneira, 115
chutando, bebê. *Ver* movimentos fetais
chutes fantasmas no pós--parto, 650
ciática, 421-422
acupuntura para, 120
exercícios para, 327, 421
fisioterapia para, 122
massagem para, 122
natação para, 313, 322
ciclismo, 316, 324
ciclo menstrual irregular
data provável do parto e, 27-29
testes de gravidez e, 23
ciclo menstrual, data provável do parto e, 27-29
cigarros eletrônicos, 106
cigarros. *Ver* fumo
cílios
da mãe, tratamento para, 211-212
do bebê, 290, 382
cimicífuga azul, 126
cimicífuga preta, 126, 515
cinto de segurança
no avião, 367
no carro, 362-363
posicionador, 362
circulação
angiomas estelares e, 228
exercícios para melhorar a, 320, 329-330
posições ao dormir e, 357

veias varicosas e, 229
cirurgia bariátrica, 68
cirurgia de banda gástrica
    após gravidez, 68
cirurgia. *Ver* cesariana; epi-
    siotomia
  a *laser* nos olhos, 352
  câncer, 751-752
  cerclagem, 59-61
  fetal, 96, 742
  hérnia inguinal, 388
  hérnia umbilical, 387-388
  laqueadura, 585-586
  nos seios, amamentação
    após, 494
  para perda de peso após a
    gravidez, 68-69
cisto de corpo lúteo, 237-238
cisto do plexo coroide, 91
cistos
  de corpo lúteo, 237-238
  do plexo coroide, 91
  gravidez molar e, 780
citomegalovírus, 708
clamídia, 44
  testes para, 181
clampeamento do cordão
    umbilical
  banco de sangue do cordão
    umbilical e, 401
  cesariana e, 585-586
  no plano de parto, 436
  parto vaginal e, 578
  polidrâmnio e, 742
  prolapso e, 755-756
  ruptura das membranas
    pré-trabalho de parto,
    531
  ruptura precoce das mem-
    branas fetais pré-termo,
    743
  tardio após cesariana, 471
  tardio, 555-557
clareamento dental, 214
Claritin. *Ver* alergias; lorata-
    dina
clorfeniramina (Chlor-Trime-
    ton), 719

cloro
  água da torneira e, 116
  limpeza de casa e, 115
  piscinas e, 367
coach. *Ver* pai
  mãe solteira e, 85
  mobilização e, 64
coagulação
  na hemorragia do pós-par-
    to, 619, 761
  no aborto espontâneo, 52,
    727, 785
  no sangramento do pós-
    -parto, 614
coágulo
  com repouso, 766-767
  controle de natalidade e,
    680, 682, 687
  dor nas pernas, 395
  na pré-eclâmpsia, 735
  na trombose venosa pro-
    funda, 366, 750-752
  nas veias varicosas, 229
  prevenção, no pós-parto,
    632
  sob a placenta. *Ver* sangra-
    mento subcoriônico
  viagens aéreas e, 366
cobertor elétrico, 113
COBRA, 83
cobre
  DIU de, 684
  em suplementos pré-natais,
    147
cocaína, 108-109
  placenta abrupta e, 740
  trabalho de parto e parto
    prematuro e, 746
cóccix, dor no, no pós-parto,
    618
coceira
  alergias e, 297-300
  bolinhas na pele e, 420
  caspa e, 348
  colestase e, 750
  eczema e, 232-233
  em todo o corpo, 198

estrias e, 262-263
  na barriga, 392
  na incisão da cesariana,
    671
  nas mãos, 350, 750
  nas pernas. *Ver* síndrome
    das pernas inquietas
  no couro cabeludo, 348
  no peito e nas costas, 351
  no períneo no pós-parto,
    617
  nos pés, 350, 750
  pele seca e, 231-232
  retal, 396
  tricomoníase e, 44
  vaginal. *Ver* infecção va-
    ginal
cola. *Ver* cafeína
Colace, 718
colágeno, 228
  preenchimento, 212
  suplementos, 263
Colégio Americano de En-
    fermeiras Obstétricas
  seleção de candidatas, 31,
    35
  sobre partos em casa, 38
Colégio Americano de Medi-
    cina Genética e Genômica
    (ACMG), 81-82
  sobre testes em recém-nas-
    cidos, 480
colestase, 750
colesterol, 158
  amamentação do bebê e,
    mais tarde na vida, 490
cólica. *Ver* contrações; câim-
    bra nas pernas
  aborto espontâneo e, 726-
    727, 776, 784
  ameaça de aborto espontâ-
    neo e, 728
  amniocentese e, 94-95
  biópsia das vilosidades co-
    riônicas e, 93
  crescimento do útero e,
    346-347

descolamento das membranas e, 540
exercícios e, 315
gases e, 199-200
gravidez ectópica e, 783
gravidez molar e, 781
nas laterais do abdômen, 199-200, 346-347
no início do trabalho de parto, 526, 560
no pós-parto, 615-616
orgasmos e, 272
parto prematuro e, 434, 744
placenta abrupta e, 740
pré-trabalho de parto e, 524
quando telefonar para o médico sobre, 198
sangramento e, no fim da gravidez, 727
sangramento e, no início da gravidez, 202, 726-727
suaves, no início da gravidez, 199
colo do útero curto
insuficiência cervical e, 59-61
múltiplos e, 598, 603, 604
parto prematuro e, 56-59, 745
progesterona e, 56
teste de triagem para, 56, 745
colo do útero
aborto espontâneo e. Ver aborto espontâneo
afinamento do, 501, 513, 524, 559
ameaça de aborto espontâneo e, 727-728
apagamento do, 513, 524, 529, 559, 564, 565, 577
bebê chutando o, 422
biópsia anterior, 43
cerclagem e, 60

comprimento do. Ver comprimento do colo do útero
curto (encurtamento do). Ver comprimento do colo do útero
dilatação do, 501, 513, 524, 529, 535, 559, 564, 565, 571, 577, 784
incompetente. Ver insuficiência cervical
infecção do, no pós-parto, 761-762
irritação do, escape e, 200, 375, 395, 726
lacerações no, 556-557, 757
mudanças no, antes do parto, 513
mudanças no, detectadas durante exame médico, 23
mudanças no, durante a ovulação, 688
mudanças no, no início da gravidez, 23, 179
parto prematuro e, 56-59, 745
placenta prévia e, 356, 738-739
pós-parto, 651
preparação do, na indução, 536-541
tamanho do, diafragma e, 684
vasa prévia e, 753-754
colostro
amamentação durante a gravidez e, 55
amamentação e, 626, 627
vazando durante a gestação, 502-503
vazando durante o sexo, 373
colposcopia, 43
comer e vomitar. Ver bulimia
comer fora, 157-158

comer. Ver dieta; alimentos; nutrição
a placenta, 483-484
durante o trabalho de parto, 541-542
durante viagens, 365-367
repouso e, 766, 767
comida estragada, 162
complicações, 725-773. Ver *complicações específicas*
álcool e, 103-104
amniocentese e, 94-95
asma e, 298-299
com DIU e, 41
condições crônicas e, 71-74
da pré-eclâmpsia, 396-397
depressão e, 241-243
do parto, 754-760
em gestações anteriores, 51
ftalatos e, 118
fumo e, 104
idade da mãe e, 77-79
miomas, 41-42
múltiplos e, 601-604
no pós-parto, 760-762
obesidade e, 65-66
parto em casa e, 38, 753
parto prematuro e, 59
repouso para, 762-773
compostos orgânicos voláteis, 117
compressas frias, 123. Ver bolsas de gelo
câimbras nas pernas e, 395
calor excessivo e, 339
dor nas costas e, 345
dor perineal no pós-parto e, 617, 757
eczema e, 232
hematomas do parto e, 618
ingurgitamento se não estiver amamentando e, 626
para dor de cabeça, 260, 261

para hemorroida, 396, 624
para virar o bebê, 465, 467-468
síndrome das pernas inquietas e, 424
trabalho de parto posterior e, 538
compressas mornas
para aliviar a dor do trabalho de parto, 538-539
para caroços nos seios, 397
para dor nos seios, 199
para o períneo, durante o trabalho de parto, 556, 758-759
para o períneo, no pós--parto, 616
para virar bebê em apresentação pélvica, 466--468
comprimento do colo do útero
insuficiência cervical e, 59
múltiplos e, 598, 604
parto prematuro e, 56, 59, 745
progesterona e, 56
testes, 56, 745
computadores, 280
concepção, 176
data provável do parto e, 28
sinais de, 19-20
teste de gravidez e, 22-24
Concerta, 76
concha, exercícios, 328
condições crônicas, 71-74.
Ver condições específicas
aborto espontâneo tardio e, 784
complicações na gravidez e, 51
medicamentos para, 718, 721
morte fetal e, 786
parto prematuro e, 59
conduta expectante após aborto espontâneo, 779

congestão nasal, 296. *Ver* alergias; resfriado comum; gripe; sinusite; ronco
dor de cabeça por causa da, 259-262
faixas para, 296, 698, 699
gotas para, 698
medicamentos para, 298, 717, 718
sangramentos nasais e, 296
sprays para, 296, 698, 716.
Ver alergias, resfriado comum
congestão pélvica, 230
cólicas após o orgasmo e, 272
Congresso Americano de Obstetras e Ginecologistas (ACOG)
seleção de médicos, 35
sobre álcool, 103
sobre banco de sangue do cordão umbilical, 400
sobre clampeamento tardio do cordão umbilical, 557
sobre comer e beber durante o trabalho de parto, 541
sobre definição do termo, 509
sobre exercícios, 311, 316, 319
sobre HIV, 44
sobre morte fetal, 787
sobre NIPT, 87
sobre o parto de múltiplos, 596
sobre o ultrassom do primeiro trimestre, 235
sobre obesidade, 66
sobre parto vaginal após cesariana, 477
sobre peixes, 161
sobre repouso, 763
sobre teste de toxoplasmose, 114

sobre testes genéticos, 81
sobre ultrassons 3D e 4D, 431-432
conização cervical, 60
conselhos não solicitados, 182, 308-309
constipação, 254-258
alimentos para combater a, 131, 140, 153, 253
alimentos refinados e, 256
carboidratos complexos e, 153
distensão abdominal e, 233, 258
do pai como sintoma empático, 226
doença da tireoide e, 255-256, 666
exercícios para, 313
falta de, 257-258
hemorroidas e, 255, 396
incontinência causada pelo estresse e, 459, 655-656
magnésio para, 257, 387
múltiplos e, 592
no pós-parto, 622-624
probióticos contra, 257
recuperação da cesariana e, 633
repouso e, 766
síndrome do intestino irritável e, 72-73
suplemento de ferro e, 183
veias varicosas e, 229
viagens e, 366
consultas
dentárias, 293-295
no 1º mês, 179-181
no 2º mês, 222
no 3º mês, 254
no 4º mês, 292
no 5º mês, 338
no 6º mês, 384
no 7º mês, 416
no 8º mês, 454
no 9º mês, 501

pós-parto, 651
primeira consulta pré-natal, 26-27
consultora de lactação, 637
contracepção oral, 679-681
durante a amamentação, 679
durante a gestação, 39-41
gravidez ectópica e, 782-784
contracepção. *Ver* controle de natalidade
contrações de Braxton Hicks
náusea e, 459
no pré-trabalho de parto, 434, 525
no terceiro trimestre, 454-455
por causa de exercícios, 597
contrações. *Ver* trabalho de parto
acupressão e, 121
amamentação durante a gravidez e, 54
ataque de asma e, 298
cronometrando, 561
de Braxton Hicks, 454-455, 525
desidratação e, 455
durante o falso trabalho de parto, 525
ervas medicinais e, 126, 515
exercícios e, 320
expulsão da placenta e, 581
fazer força durante as, 574, 576
irregulares, 532-533
massagem e, 215
no início do trabalho de parto, 558-559
ocitocina para induzir, 541
óleos essenciais e, 215-216
orgasmos e, 272, 370, 375, 426
parto prematuro e, 434
pós-parto, 615-616

pré-trabalho de parto e, 525
reflexologia e, 122-123
ruptura das membranas para induzir as, 546
trabalho de parto ativo e, 565
trabalho de parto real e, 526
trabalho de parto transicional e, 570-571
contrapressão para trabalho de parto posterior, 538
controle de natalidade. *Ver métodos individuais*
amamentação como, 493, 678
engravidar usando, 39-41
pós-parto, 679-689
convulsões
eclâmpsia e, 749-750
HELLP e, 735-736
coqueluche, vacina dTpa contra, 80-81, 441
cor dos olhos do bebê, 382, 580
coração disparado, 667
coração, doenças congênitas fetais no. *Ver* cardiopatias fetais
desenvolvimento de, 219-220
cordão nucal, 747
cordão umbilical. *Ver* sangue do cordão umbilical
artéria umbilical única, 748
clampeamento tardio, 401, 436, 471, 555-557
clampeando e cortando no momento do nascimento, 578
compressão do, sofrimento fetal e, 754-755
cortado pelo pai, 575
curto, inversão uterina e, 759
curto, placenta abrupta e, 740
nós, 747-748, 786

parto de lótus e, 557
parto emergencial e, 533-534, 536
prolapso, 531, 607, 669
corioamnionite, 741
coriocarcinoma, 781
coroação, da cabeça do bebê, 575-578
corpo, da mãe
forma, perdendo, 235
na segunda gestação, 48-50
no 1º mês, 178
no 2º mês, 221
no 3º mês, 253
no 4º mês, 291
no 5º mês, 337
no 6º mês, 383
no 7º mês, 415
no 8º mês, 453
no 9º mês, 500
no pós-parto, 670-671
retornando ao corpo do pré-parto, 670-671
correr, 230, 316, 321, 341
múltiplos e, 597
Cortaid, 720
Corticoides
asma e, 298
colestase e, 750
dentários, 214
lactação e, 718
medicamentos, 394, 718
para acelerar o desenvolvimento dos pulmões do bebê, 735, 736, 739, 740, 744
procedimentos cosméticos, 212
cosméticos, 212
erupções cutâneas e, 231
ftalatos e, 118
costas
dor. *Ver* dor nas costas
dormindo de, 357-358
espinhas nas, 231, 351
não ficar de, ao se exercitar, 316, 322

costelas luxadas, 455
couro cabeludo oleoso. *Ver* caspa
couro cabeludo, coçando, 348
couro cabeludo, do bebê
   estimulação do, fetal, 508, 546
   hematoma no, do parto instrumental, 548-549
   monitoramento interno de múltiplos e, 606-607
   monitoramento interno e, 546
crack, 109
criocirurgia cervical, 43
Cruz Vermelha americana
   aulas de ressuscitação cardiopulmonar em bebês, 407
   preparação para desastres, 486
cuidados dentários, 293-295. *Ver* infecção das gengivas
   cosméticos, 214
   prevenção da pré-eclâmpsia e, 735
   prevenção do parto prematuro e, 746
   raios x para, 293-294
cuidados médicos. *Ver* médico
cuidados pré-natais. *Ver* consultas; médico
   primeira consulta pré-natal, 26-27, 179-181
cunilíngua, 370. *Ver* sexo
Cyclessa, 680
Cymbalta, 75. *Ver* antidepressivos

D

dança, 322-323
danos cerebrais, no feto
   por causa do álcool, 104
   por causa do vírus Zika, 712
data da última menstruação (DUM), 28, 175-176, 237,
data de validade dos alimentos, 162, 170
data provável do parto (DPP), 23, 28, 179
   fundo e, 391-392
   triagem quádrupla e, 90
data provável do parto, 27--29, 179
   batimentos cardíacos do bebê e, 266
   bebê tardio e, 499, 514-515
   DUM e, 28
   medidas do útero e, 392
   múltiplos e, 596
   níveis de hCG e, 23, 203--204
   tamanho do bebê e, 392
   triagem quádrupla e, 90
   trombose venosa profunda. *Ver* trombose venosa profunda
   ultrassom precoce e, 28--29, 235-236
dedos
   amortecimento e formigamento dos, 393-394
   amortecimento e formigamento dos, durante o trabalho de parto, 563
   inchaço, 392-393, 418-420
DEET, 364
deficiência física, 74
deitar-se de lado
   durante o trabalho de parto, 553
   durante o sexo, 375
   dor ao, 447
   para descansar, 412
   para amamentar, 642
   para dormir, 357-358
   para inchaço, 419
Demerol, 446
dentes. *Ver* cuidados dentários; gengivas

Departamento de Agricultura dos Estados Unidos, 168
Depo-Provera, 681
depressão durante a gestação, 74-76, 241-245. *Ver* ansiedade; oscilações de humor; depressão pós-parto
   antidepressivos para, 74-75
   após morte fetal, 786
   após perda da gravidez, 801
   biofeedback para, 125
   dieta para aliviar a, 243
   do pai, 244-245
   doença da tireoide e, 255-256
   e risco de depressão pós--parto, 243, 661-662
   estresse e, 209
   exercícios para aliviar a, 243
   repouso e, 766
   restrição de crescimento intrauterino e, 738
   terapia da luz brilhante para, 76, 243-244
   terapia para, 243-244
   tratamentos da medicina complementar e alternativa, 76, 120, 122, 125, 243-244
depressão pós-parto paterna, 663
depressão pós-parto, 661--662, 665, 669
   ajuda, 664-665
   amamentação e, 494
   depressão crônica e risco de, 74-76
   depressão durante a gravidez e risco de, 244
   do pai, 662-664
   doença da tireoide e, 666--667
   médico e, 644, 667-669

ômega 3 para ajudar a prevenir, 145-146
pediatra e, 644
perda da gravidez e, 790
derrubando coisas, 392-393
descongestionantes, 296, 698, 699, 717, 718, 719
desejos e aversões alimentares, 225-227
do pai, 226
enjoo matinal e, 191
segunda gestação e, 49
desejos. *Ver* desejos e aversões alimentares
por barro, 115, 227, 342
por gelo, 227
desenvolvimento dos pulmões do feto, 382, 735--736, 739-740, 744, 746,
desenvolvimento fetal
no 1º mês, 175-177
no 2º mês, 219-220
no 3º mês, 251-253
no 4º mês, 289-291
no 5º mês, 335-337
no 6º mês, 381-383
no 7º mês, 413-415
no 8º mês, 451-452
no 9º mês, 497-499
desidratação, 460
contrações de Braxton Hicks e, 455
enjoo matinal e, 190, 459
enjoo matinal severo (HG) e, 729-730
exercícios e, 321
frequência urinária e, 196
gastroenterite e, 705, 707
gravidez de múltiplos e, 595
infecção do trato urinário e. *Ver* infecção do trato urinário
intoxicação alimentar e, 162, 705-707
parto prematuro e, 459
pós-parto, 621, 653, 655

tratamento para, 707
vertigem e, 340
viagens aéreas e, 366-367
desmaio, 198, 341. *Ver* tontura
anemia e, 340
gravidez ectópica e, 783
hemorragia pós-parto e, 761
medo de desmaiar durante o parto, 554-555
quando telefonar para o médico sobre, 198
DHA, 145-146; *Ver* ácidos graxos ômega 3
dieta crua e, 154
no leite materno, 490
nos suplementos pré-natais, 146
diabetes crônica, 71-72. *Ver* diabetes gestacional
amamentação e risco diminuído de, 493, 732
distocia do ombro e, 756--757
pré-eclâmpsia e, 732-733
diabetes gestacional, 730--732
açúcar na dieta e, 132
açúcar na urina e, 303
diabetes e, 72
distocia do ombro e, 757
exercícios com, 317
exercícios para prevenir, 313, 317
fibras na dieta e, 131
ganho de peso e, 247
idade da mãe e, 78
múltiplos e, 603
obesidade e, 66-67
parto prematuro e, 59
peso ao nascer e, 463, 473
placenta abrupta e, 740
pré-eclâmpsia e, 732-733
prevenção, 731-732
repouso e, 766
roncos e, 297

tamanho do bebê e, 392
testes para detectar, 181, 303, 397-398
diafragma, 684-685
diagnóstico pré-natal, 86-97
diarreia, 258
antibióticos e, 762
gastroenterite e, 705-707
intoxicação alimentar e, 162
medicamentos para, 707, 720
no início do trabalho de parto, 560
no parto prematuro, 434
no pré-trabalho de parto, 525
óleo de rícino e, 515
quando telefonar para o médico sobre, 198, 258
sanguinolenta, 198, 258
síndrome do intestino irritável e, 72-73
sorbitol e, 164
suplemento de ferro e, 183
diástase dos músculos abdominais, 332-333
pós-parto, 670
Diclectin, 193
Diclegis, 193, 720, 729
dieta crua, 153-155, 172
Dieta da Gravidez, 133-149. *Ver* dieta; alimentos
dieta FODMAP, 73
dieta paleolítica, 153
dieta sem glúten, 153
dieta vegana, 151-152
cálcio na, 137-139, 151--152
proteínas na, 136-167
suplementos de DHA na, 146
vitamina B12 na, 152
vitamina D na, 152
dieta vegetariana, 151-152
cálcio na, 137-139
proteínas na, 136-137

suplementos de DHA na, 146
vitamina B12 na, 152
dieta, 127-149. *Ver* dieta vegana; dieta vegetariana
ácidos graxos ômega 3, 145-146
alimentos alergênicos, 299-300
alimentos apimentados, 161
alimentos fermentados, 163
alimentos saudáveis, 154-155
após cesariana, 632-633
cafeína, 100-102
cálcio, 137-140
calorias, 134-135
cirurgia para perda de peso e, 68
colesterol, 158
comendo fora, 157-158
crua, 150, 153-155, 160, 171-172
DHA, 145-146
diabetes gestacional e, 731-732
diabetes, 71-72
enjoo matinal severo e, 730-731
ferro, 143, 342
FODMAP, 73
gestações sequenciais, 53
gordura, 143-145
grãos integrais, 142-143
gravidez de múltiplos e, 594-596
gravidez, 127-149
grazing, 134
importância, 127-128
junk food, 156-157
low-carb, 152-153
mãe abaixo do peso, 67
mãe obesa e, 66
no trabalho, 281
OGMs, 167-168
orgânica, 166-170
paleolítica, 153
para amamentação, 638
peixes, 160-161
pré-eclâmpsia e, 733-734
princípios da, saudável, 129-134
proteínas, 135-139
requerimentos nutricionais, 134-149
risco de parto prematuro, 57, 746
segurança alimentar e, 150, 159-161, 170-172
sem carne, 151
sem glúten, 153
sem leite, 149-151
síndrome do intestino irritável e, 72-73
substâncias químicas, 166-170
suplementos pré-natais, 147-149, 182-184
vegetariana, 151-152
vitamina A, 140-141
vitamina C, 139-140
dieta, efeitos
na acne, 231
na amamentação de múltiplos, 638
na amamentação, 633
na azia, 222-224
na constipação, 255
na depressão, 76, 243
na dor de cabeça, 134, 259-261
na fadiga, 186
na perda de peso, 670
na recuperação da cesariana, 632-633
na síndrome das pernas inquietas, 424
nas câimbras nas pernas, 394-395
nas estrias, 262-263
nas oscilações de humor do pai, 239
nas oscilações de humor, 145, 238, 240
nas veias varicosas, 229-230
nas viagens, 365-367
no enjoo matinal, 189-190
no estresse, 204
no ganho de peso. *Ver* ganho de peso
nos angiomas estelares, 228
nos ataques de pânico, 243
nos eczemas, 233
nos gases, 258
para dar início ao trabalho de parto, 520
dietas *low-carb*, 152
difteria, vacina dTpa contra, 81, 441, 442
dilatação do colo do útero, 513-514, 524, 559, 577. *Ver* trabalho de parto
aborto espontâneo e, 776, 778, 784
gravidez de múltiplos e, 607
indução e, 539-541
insuficiência cervical e, 60
epidural e, 443
lenta, 566
no início do trabalho de parto, 559
no trabalho de parto ativo, 564
no trabalho de parto transicional, 570
precipitada, 535
prematura, 56. *Ver* trabalho de parto pré-termo
pré-trabalho de parto e, 524
puxo tardio e, 572-573
secreção sanguinolenta e, 525, 530
dilatação e curetagem a vácuo
aborto anterior e, 43

para aborto espontâneo, 777-780, 785
para gravidez molar, 782
para placenta prévia, 738--739
dilatação e evacuação, 785
dildos, 766
dirigir. *Ver* carro
airbags e, 362
cinto de segurança, 362--363
no terceiro trimestre, 482--483
poluição do ar e, 119
telefone celular e, 111
viagens, 366, 368
disfunção da sínfise púbica, 746-747
dispositivo intrauterino (DIU), 683-684
durante a gestação, 41
gravidez ectópica e, 783
dispositivos eletrônicos e sono, 112, 386
dispositivos móveis, 111-112
distensão abdominal, 258. *Ver* gases; inchaço
azia e, 222-224
como sinal precoce de gravidez, 21
constipação e, 256-258
do pai, como sintoma empático, 226
e parecer grávida mais cedo, 233, 265
medicação antigases para, 717
por causa do manitol, 164
por causa do sorbitol, 164
pós-parto, 670
síndrome do intestino irritável e, 72-73
distensão dos intestinos. *Ver* distensão abdominal, gases
distocia de ombros, 544, 756-757
cesariana para, 756-757
episiotomia para, 543-544

distração, 449. *Ver* esquecimento
da dor do trabalho de parto, 448
falta de jeito e, 392-393
quedas acidentais e, 426--427
uso de celular e, 111
distúrbios metabólicos em recém-nascidos, 480
distúrbios metabólicos, testes de triagem pré-natais para, 480
DIU. *Ver* dispositivo intrauterino
diurético
cafeína como, 100
transtorno alimentar e, 69, 71
DNA fetal sem células, 87
doação de órgãos do bebê, 95-96, 800
doença da tireoide, 73-74, 255-256
abortos espontâneos repetidos e, 52
depressão e, 241-244, 255-256
depressão pós-parto e, 664-665
gravidez molar e, 781
medicação para, 73, 718
no pós-parto, 665
sal iodado, 73, 146
doença de Canavan, teste, 80
doença de Gaucher, 398
doença de Graves, 74
doença de Lyme, 707, 713--714
doença de Tay-Sachs
biópsia das vilosidades coriônicas para, 92-95
testes genéticos para, 80, 181
doença do refluxo gastroesofágico, 223
doença inflamatória pélvica

DIU e, 683
gravidez ectópica e, 782
doenças congênitas. *Ver* testes no recém-nascido; diagnóstico pré-natal; *condições específicas*
testes diagnósticos para, 91-97
aconselhamento genético para, 85
se uma for encontrada, 95-97
doenças sexualmente transmissíveis (ISTs), 43-45. *Ver doenças específicas*
método de controle de natalidade que protege contra. *Ver métodos individuais*
restrições sobre sexo com, 378
risco aumentado de gravidez ectópica com, 782--784
risco aumentado de parto prematuro com, 59
risco aumentado de ruptura prematura das membranas com, 743
testes para, 181
doente, durante a gravidez, 697-722
dopamina, 673-674
Doppler
batimentos cardíacos fetais e, 266-267
durante o trabalho de parto, 545, 572
em casa, 267-268
parto na água e, 437
ultrassom colorido Doppler, 753, 754
Dopplervelocimetria da artéria umbilical, 508
dor abdominal. *Ver* cólica
aborto espontâneo e, 776, 784

após a cesariana, 629-630, 633, 671
após cirurgia para perda de peso, 68
como sinal de parto prematuro, 744
como sinal de trabalho de parto. *Ver* contrações
gravidez ectópica e, 783
hérnia umbilical e, 388
inversão uterina e, 759
miomas e, 41
na parte superior do abdômen, 733
nas laterais, 346
nas laterais, exercícios e, 319
no início da gravidez, 199--200
no pós-parto, 615-617
pai com sintomas empáticos, 226
pelve dolorida e inchada e, 230
placenta abrupta e, 740
polidrâmnio e, 743
ruptura uterina e, 758
sangramento e, 198, 740, 776, 783-785
severa, 198, 758
dor de cabeça de sinusite, 260-262, 699
dor de cabeça tensional, 259--262
dor de cabeça, 259-262
 com pré-eclâmpsia, 397, 420, 732-735
 com síndrome HELLP, 736
 durante exercícios, 320
 em altas altitudes, 368
 em função da abstinência de cafeína, 101
 enxaquecas, 260
 no trabalho, 282, 286
 prevenindo, 259-260
 quando telefonar para o médico sobre, 198, 619

severa, 198, 397, 420, 733
 tratamentos da medicina complementar e alternativa para, 122, 124, 125
 tratando, 259-260
dor na cintura pélvica, 422, 461, 746
dor na panturrilha. *Ver* câimbras nas pernas
dor nas costas, 342-346. *Ver* ciática
 ao trabalhar, 279-282, 286
 após o orgasmo, 272
 com múltiplos, 592
 com múltiplos, no pós--parto, 610
 com placenta abrupta, 740
 do pai, com sintoma empático, 226
 durante o trabalho de parto, 526, 560, 565, 569. *Ver* trabalho de parto posterior
 durante parto prematuro, 434, 744
 exercícios para, 313, 322-323, 326-327
 ganho excessivo de peso e, 247
 micção dolorosa com, 198, 703
 na segunda gestação, 49--50
 no pré-trabalho de parto, 524
 obesidade e, 66
 pós-parto, 656-657
 quando telefonar para o médico sobre, 391, 434, 777
 terapias da medicina complementar e alternativa, 120-123, 215
dor nas pernas. *Ver* câimbras nas pernas; ciática; veias varicosas
 com trombose venosa profunda, 750-751

durante o trabalho de parto, 525-526
 severa, 228-230
dor no peito
 ansiedade pós-parto e, 667
 ataques de pânico e, 242
 durante o pós-parto, 618, 620
 falta de ar e, 296, 458, 564
 náusea e vômito no terceiro trimestre, e, 736
 tosse e, 699, 751
dor no pescoço, no trabalho, 280, 281
dor nos ombros
 após cesariana, 633
 com gravidez ectópica, 783
dor nos quadris. *Ver* dor nas costas; dor na cintura pélvica; ciática
 apoio para a barriga e, 344-345
 escoliose e, 345
 exercícios e, 327-330
 massagem para, 122
 múltiplos e, 592
 na segunda gestação, 49
 postura e, 657
 sentar-se e, 281
 severa, 747
dor. *Ver tipos específicos*
dores do pós-parto, 615-616
 múltiplos e, 610
dores nas costelas, 455-457
doula leiga, 439-440
doula para casais enlutados, 796
doula, 439-440
 apoio à amamentação, 440, 645
 após parto, 491
 cesariana, 585
 leiga, 440
 mãe solteira e, 85
 mobilização militar e, 64
 no pós-parto, 439-440, 652

quando telefonar, 513, 560
risco diminuído de cesariana, 471
Doulas da América do Norte, 440
doxilamina
Diclegis, 193, 720, 729
medicação para dormir, 720
para enjoo matinal severo, 729
para enjoo matinal, 192, 193, 720
Doze Porções Diárias, 134--149. *Ver* Dieta da Gravidez
amamentação e, 638
amamentação múltiplos e, 643
drogas ilegais, 108-110
recuperação do abuso de e alívio da, 630
restrição de crescimento intrauterino e, 738
drogas ilícitas. *Ver* drogas ilegais
ducha íntima, 300, 482, 704-705
DUM. *Ver* data da última menstruação
dutos de leite, entupidos
durante a amamentação, 672
durante a gestação, 398

E

E. coli, 150, 741
eclâmpsia, 749-750
pré-eclâmpsia e, 732, 734
síndrome HELLP e, 736
sulfato de magnésio e, 734
ecocardiograma fetal
diabetes da mãe e, 72
medidas aumentadas no ultrassom de translucência nucal e, 88

triagem do recém-nascido, 481
ectoderme, 177
eczema, 232-233
amamentação para prevenir, 233
esteroides tópicos para, 720
edema. *Ver* inchaço
Efexor XR, 75
elastina, 228
eletroacupuntura, 120
eletrólise, 211
Elidel, 232
Ellaone, 687
embolia pulmonar, 751
embrião, 176. *Ver* feto
implantação do, 21, 176, 200
medidas do, 29, 236
múltiplos, 590, 593
embutidos, 171
emergência
cesariana de, 584, 585
parto de múltiplos de, 607
parto de, 533-534, 536--538
preparando-se para, 485--486
prolapso do cordão umbilical, 755-756
quando telefonar para o médico em caso de, 197-198
emoções. *Ver baby blues*; depressão; oscilações de humor; depressão pós-parto
com múltiplos, 598-599
do pai. *Ver* pai
durante o trabalho de parto, 560, 570-571, 574, 583
em caso de perda da gravidez, 787-802
no 1º mês, 178
no 2º mês, 221
no 3º mês, 254

no 4º mês, 292
no 5º mês, 338
no 6º mês, 384
no 7º mês, 416
no 8º mês, 454
no 9º mês, 501
no pós-parto, 614, 650
encaixe da cabeça do bebê, 505-509, 513-514, 531
encapsulação da placenta, 483
endoderme, 177
endometriose, 42-43
gravidez ectópica e, 783
endometrite, 761
endorfinas
acupuntura, 120, 447
exercícios, 76, 102, 239, 240, 244, 245, 285, 305, 313, 659, 689
enfermeira obstétrica, 31. *Ver* profissional de saúde
parteira
casa de parto e, 34
encontrando uma, 35
para múltiplos, 591
para partos em casa, 38
parteiras certificadas, 32
prática independente, 35
enfermeira, visita no pós--parto, 623
engulhos, 194. *Ver* enjoo matinal
em função do gotejamento pós-nasal, 296
enjoo matinal, 187-194
alimentando-se com, 189-194
anemia por causa, 342
como sinal precoce de gravidez, 20
cuidado com os dentes e, 193, 281
Diclegis para, 193, 720, 729
diminuição da libido e, 255, 370

do pai, 226
excesso de saliva, 194
pulseiras antienjoo para, 193
falta de, 187
ganho de peso e, 263-265
gengibre para, 183, 192
magnésio para aliviar, 192
medicação para, 193-194, 720
medicamentos e vômito por causa do, 721
múltiplos e, 591-592
sensibilidade aos cheiros e, 178
severo (hiperêmese gravídica), 728-730
suplementos vitamínicos para, 148, 192
terapias da medicina complementar e alternativa para aliviar o, 120, 243, 447, 665
terceiro trimestre, 458-459
transtorno alimentar e, 70
vitamina B6 para minimizar, 182, 192, 193
vitaminas pré-natais e, 182
enxaqueca, 259-262
enzimas do fígado, elevadas, 734-735
EPA
sobre água da torneira, 116
sobre peixes, 161
sobre poluição do ar, 119
sobre repelentes de insetos, 364
epidural, 443-446
cesariana e, 584
dificuldade para urinar após, 620
dor nas costas após, no pós-parto, 656
escoliose e, 346
fazendo força com, 444, 566-567
intravenosa com, 542-543
na casa de parto, 38
para alívio da dor do trabalho de parto, 403--404, 443-445
para múltiplos, 607
parto vaginal após cesariana e, 479
raquiepidural, 445
tatuagens e, 262
trabalho de parto posterior e, 538
versão cefálica externa e, 465
walking, 445
epilepsia, 74
episiotomia, 543-544
dor no pós-parto e, 616, 620, 757
evitando, 312, 512
infecção após, 761
Kegel para prevenir, 312
massagem para prevenir, 512
parto a vácuo e, 548
parto com fórceps e, 548
sutura, 583
equinácea, 697
equipe médica durante trabalho de parto, 33
erguendo peso, 343-344
esforço físico no trabalho, 57, 282, 284
filhos, 344
no pós-parto, 656
pegar o bebê no colo, após cesariana, 633
eritromicina, 214, 720
erupção polimórfica da gravidez, 420-421
erva-de-são-joão, 244
escadas, dor ao subir, 747
escadas, subir durante repouso, 772
escala de depressão pós-parto de Edimburgo, 664
escape, 200-202, 504, 726--727, 777. *Ver* sangramento
aborto espontâneo e. *Ver* aborto espontâneo
após amniocentese, 95
após biópsia das vilosidades coriônicas, 95
após descolamento das membranas, 540
após exame pélvico, 200, 395, 525, 726-727
após sexo, 200, 375, 504
com sangramento subcoriônico, 725-726
como sinal precoce de gravidez, 20
implantação, 20, 200
no meio ou fim da gravidez, 395
quando não se preocupar, 201-202
esclerose múltipla, 74
escleroterapia, 228
escoliose, 345-346
escopolamina, 193, 729
esfoliação, 212, 214
esfregaço de Papanicolau
colposcopia e, 43
durante a primeira consulta pré-natal, 179-181
escape após, 200
PAPP-A. *Ver* proteína plasmática A associada à gravidez
para HPV, 45
espasmos, na barriga. *Ver* soluções
espasmos, nas pernas. *Ver* câimbras nas pernas
especialista em medicina materno-fetal, 30, 51, 84, 92, 590
aconselhamento genético e, 52 81, 84-85
gravidez de múltiplos e, 590, 600
espelho, durante o trabalho de parto, 555, 570, 575, 576

espermatozoides
   como indutores do trabalho de parto, 485, 487
   do pai mais velho, 77
   engolindo sêmen, 371
   fertilização por, 28, 175--177
espermicidas, 686-687
   durante a gestação, 40
espinha bífida. *Ver* anomalias no tubo neural
espinhas, 212-214, 230-231. *Ver* peles
   nas estrias, 420-421
   no recém-nascido, 435
espirulina, 154-155
esponja contraceptiva, 514
esportes ao ar livre, 324
esportes, 315-317, 324
esposo, 40. *Ver* pai
   esquecimento, 310-311, 392
   com múltiplos, 592
esqui *cross-country*, 324
esqui, 324
estação da cabeça do bebê durante o trabalho de parto, 508, 513, 574
estação zero, 508
esteiras, 314, 321
esterilização, 585, 687-688
esteroides tópicos, 720
esteroides
   asma e, 298-299
   corticoides, 718
   em *sprays* nasais, 716-717
   para acelerar o desenvolvimento dos pulmões do feto, 735, 739, 740, 746
   parto prematuro e, 745
   síndrome HELLP e, 735--736
   sinusite e, 699
   tópicos, 720
esticamento dos ligamentos abdominais. *Ver* dor nos ligamentos redondos
estilo de vida

do pai, ansiedade sobre mudanças, 205-206
durante a gravidez, 99-126
estimulação acústica do feto, 507
estimulação do couro cabeludo fetal, 546
   bebê tardio e, 515
   múltiplos e, 606
   para testar o bem-estar fetal, no 9º mês, 506-508
estimulação nervosa elétrica transcutânea (TENS), 449
estimulação vibro-acústica do feto, 507
estreptococos do grupo B, 480-482
   antibióticos para, 717
   corioamnionite e, 741
   faringite estreptocócica, 701-702
estresse emocional. *Ver* estresse
estresse, 204-209. *Ver* ansiedade; emoções; oscilações de humor; ataques de pânico
   aborto espontâneo não é causado por, 775
   azia e, 222-224
   biofeedback para, 125
   depressão e, 74-76, 241--244
   do pai, 205-206
   dor de cabeça e, 259-260
   dor nas costas, 345-346
   eczema e, 232-233
   enjoo matinal e, 187, 188, 193
   enxaqueca e, 261
   esquecimento e, 310-311
   exercícios para, 313
   extremo, enjoo matinal severo e, 728-730
   extremo, parto prematuro e, 57-58
hipertensão e, 72

massagem para, 122
meditação para, 123-124, 209
no trabalho, 209, 282, 284-285
reflexologia para, 122-123
restrição de crescimento intrauterino e, 736-738
sono e, 207, 385, 386
estrias, 262-263
   bolinhas nas, 420-421
   ganho de peso e, 248
estrogênio
   congestão nasal e, 296
   controle de natalidade, 679-682, 687
   corpo lúteo e, 237
   enjoo matinal e, 187
   mudanças na pele e, 350
   níveis elevados de, no pai, 226, 302, 676
   sensibilidade ao cheiro e, 191
   sexo doloroso no pós-parto e, 675
   testes de gravidez e, após tratamento de fertilidade, 24
evacuação. *Ver* constipação; diarreia; incontinência fecal; síndrome do intestino irritável
   ao fazer força durante o parto, 576
   primeira, no pós-parto, 622-624
exame físico. *Ver* consulta; exame interno; exame médico
   na primeira consulta pré--natal, 180-181
   para confirmar gravidez, 23
exame interno
   escape após, 200, 395, 525, 726
   na primeira consulta pré--natal, 23

para ameaça de aborto espontâneo, 728
para avaliar dilatação do colo do útero, 501, 513, 524, 562-563
exame pélvico. *Ver* exame interno
exames de sangue
diagnóstico pré-natal, 86-90
na primeira consulta pré-natal, 180
níveis de hCG e, 202
para abortos espontâneos repetidos, 52
para aconselhamento genético, 80-85
para detectar gravidez, 23-24
para glicose, 398
para incompatibilidade de Rh, 61-65
para parto prematuro, 745
para toxoplasmose, 113
rubéola, 180
exames médicos. *Ver* consultas; exame interno
para detectar gravidez, 23
exaustão. *Ver* fadiga
excesso de calor, 339 *Ver* aumento da temperatura; transpiração
assaduras e, 351
dor de cabeça e, 259-261
eczema e, 232-233
exercícios e, 315-317, 320--324
no pós-parto, 624, 666--667
sono e, 338-339
vertigem e, 340
vestindo-se para evitar o, 279,
excesso de peso, 65-67. *Ver* obesidade
exercício de elevação de pernas, 327

elevação das duas pernas, 317, 519
no pós-parto, 691
exercícios com bola, 332. *Ver* bola de parto
para ciática, 421
exercícios de agachamento, 329
exercícios de alongamento de borboleta, 328
exercícios de alongamento de ombros, 325
exercícios de alongamento, 280, 313, 318, 324-332
borboleta, 328
de ombros, 330
de peito, 330
de pernas em pé, 325
durante o repouso, 769
flexão de quadris, 329
para câimbras nas pernas, 394-395
vaca e gato, 326
exercícios de deslizamento de pernas, 691
exercícios de flexão dos quadris, 329
exercícios de giro da cintura, 329
exercícios de inclinação pélvica, 327
para ajudar a virar o bebê em apresentação pélvica, 466-468
para ciática, 421
para dor nas costas, 345
pós-parto, 691
exercícios de relaxamento, 124, 208
amamentação e, 640-647
dormindo e, 385
doula e, 439-440
durante o trabalho de parto ativo, 566-567
no início do trabalho de parto, 560
no método Bradley, 410

para alívio da dor do trabalho de parto, 443--446
para ansiedade pós-parto, 667-669
para depressão, 244
para dor de cabeça, 259--260
para dor nas costas, 345--346
para estresse, 207-208
para hipertensão, 72
para oscilações de humor, 238-241
para pressão arterial elevada, 301
para síndrome das pernas inquietas, 423-425
exercícios na barra, 323
exercícios na postura do triângulo, 330
exercícios para alongar o peito, 330
exercícios respiratórios
doula e, 439
durante o primeiro estágio do trabalho de parto, 561-562
durante o trabalho de parto ativo, 565, 568
durante o trabalho de parto transicional, 571-572
no método Bradley, 410
no método Lamaze, 409-410
para alívio da dor durante o trabalho de parto, 442
para contrações de Braxton Hicks, 455
exercícios, 99, 311-333. *Ver tipos específicos de exercícios*
apresentação pélvica e, 466-468
aquecimento para, 318
ataques de pânico e, 243
baby blues, 659
básicos, 324-332

benefícios, 313-317
bola de. *Ver* bola de parto
câimbras nas pernas e, 394-395
ciática e, 421
constipação e, 257
de Kegel. *Ver* Kegel
depressão e, 76, 239-240
diabetes e, 71
diabetes gestacional e, 398, 731-732
dicas de segurança, 317
D-MER e, 674
dor nas costas e, 345, 346
endorfinas, 76, 102, 239, 240, 244, 245, 285, 305, 313, 659, 689
energia fornecida pelos, 102
entrando em forma, 314--315
escoliose e, 345
esforço excessivo e, 321
estresse e, 207, 281
fadiga e, 186
fisioterapia e, 122
gestações sequenciais e, 53-54
hipertensão e, 72
imagem corporal, 304--305
múltiplos e, 597
no pós-parto, 689-692
no terceiro trimestre, 320, 417-418
no trabalho, 281
obesidade e, 66
orientações durante a gravidez, 317-320
oscilações de humor do pai e, 239
oscilações de humor e, 239, 240, 244
prevenção da pré-eclâmpsia, 735
prevenção da trombose venosa profunda e, 752

quando você está doente, 698
quanto fazer, 313-314, 321
recuperação da cesariana e, 672
regularidade, 318-319
relaxamento, 208
repouso e, 763, 766, 767, 773
respiratórios. *Ver* aulas de parto
restrições sobre, 333
sentada, 320, 366
síndrome das pernas inquietas e, 424
sono e, 385-386
sutiã para, 316, 690
tipos, 320-324
transtornos alimentares e, 70
veias varicosas e, 228
exfoliação corporal, 216
expansão da cintura. *Ver* abdômen; barriga; corpo; ganho de peso
exposição química
alimentos e, 133, 166-172
em casa, 114-118
no trabalho, 284-286
poluição do ar e, 119
expulsão da placenta, 581-583
extração a vácuo, 474, 547-548

F

fadiga, 184-187, 417-418. *Ver* insônia; sono
abstinência de cafeína e, 101
acupuntura para, 120
anemia e, 341, 418
câimbras nas pernas e, 394
comer bem e, 127

como sinal precoce de gravidez, 20
depressão e, 240
diabetes gestacional e, 731
do pai, como sintoma empático, 226
doença da tireoide e, 256, 653
dor de cabeça e, 259
durante o trabalho de parto, 574
enjoo matinal e, 188, 193
exercícios e, 319
exercícios para, 313
fumo passivo e, 282
múltiplos e, 592
no pós-parto, 651-653
oscilações de humor e, 240
severa, 342, 418
sexo e, 271, 372
síndrome da fadiga crônica, 74
síndrome das pernas inquietas e, 425
faixa elástica para sustentação da barriga
após cesariana, 633, 645--646, 671
para ciática, 421
para dor nas costas, 281, 344, 656
para dor nas costelas, 456
para dores abdominais, 347
para hérnia umbilical, 388
para trabalhar, 344
falso trabalho de parto, 525. *Ver* contrações de Braxton Hicks
falsos positivos
NIPT e, 87
teste de gravidez e, 22
triagem do recém-nascido e, 508
triagem quádrupla e, 90
triagens pré-natais e, 89, 92

falta de jeito, 392-393, 426
família. *Ver* filhos mais velhos; pai; testes genéticos
  dando a notícia à, 181-182
  histórico familiar e chances de múltiplos, 593
  histórico médico da, 80--83
  na sala de parto, 518-520
  repouso e, 771-772
  tamanho da, 55, 206, 476--477
fantasias. *Ver* sonhos
fármacos. *Ver* medicamentos
fazer amor. *Ver* sexo
fazer força, 573-581
  epidural e, 443
  hematomas, 618
  limite de tempo para, 566--567
  posições para, 549
FDA. *Ver* Food and Drug Administration
febre, 701
  após amniocentese, 93
  após biópsia das vilosidades coriônicas, 93
  com corioamnionite, 741
  com dor de cabeça, 261
  com gastroenterite, 707
  com gripe, 700
  com infecção no pós-parto, 762
  com infecção nos rins, 703
  com infecção nos seios, 672-673
  com ingurgitamento, 625
  com resfriados, 699
  com sinusite, 699
  com trombose venosa profunda, 751
  durante o trabalho de parto, estreptococos do grupo B e, 482
  pós-parto, 624-625, 762
  quando telefonar para o médico sobre, 198, 700
  quando telefonar para o médico sobre, no pós--parto, 619, 625, 762
felação, 371
FemCap, 685
fenda palatina
  detecção, 355
  fumo e, 104
Fenergan, 193, 721, 729
  para enjoo matinal severo, 728-730
fenilcetonúria, 163
  teste no recém-nascido para, 481
fenilefrina, 719
férias. *Ver* viagens
ferro, 143
  alimentos, 143
  após cirurgia para perda de peso, 68
  cafeína bloqueia absorção de, 100
  constipação, 183
  deficiência (anemia). *Ver* anemia por deficiência de ferro
  desejo por gelo e, 227
  diarreia, 183
  dieta sem carne e, 151
  múltiplos, 594-595
  nas vitaminas pré-natais, 147
  suplementação para anemia, 341-342
  suplemento, 143
fertilidade assistida. *Ver* tratamentos para fertilidade
fertilização *in vitro*
  após gravidez, 47-48
  múltiplos e, 593
  teste de gravidez e, 23-24
  testes genéticos e, 81
feto. *Ver* bebê
  apresentação e posição do, 463-470. *Ver* apresentação pélvica
  audição do, 64, 283, 361
baixo peso ao nascer. *Ver* baixo peso ao nascer
cabeça, coroando, 575--578
chorando útero, 505
chutes. *Ver* movimentos fetais
de triagem pré-natal. *Ver* diagnóstico pré-natal
desenvolvimento no 1º mês, 175-177
desenvolvimento no 2º mês, 219-220
desenvolvimento no 3º mês, 251-253
desenvolvimento no 4º mês, 289-291
desenvolvimento no 5º mês, 335-337
desenvolvimento no 6º mês, 381-383
desenvolvimento no 7º mês, 413-415
desenvolvimento no 8º mês, 451-452
desenvolvimento no 9º mês, 497-499
encaixe. *Ver* encaixe da cabeça do bebê
estimulando, no útero, 358-359
gênero. *Ver* gênero
insinuação. *Ver* insinuação
medidas do, para datar a gravidez, 28-29, 236
múltiplos. *Ver* múltiplos
ouvindo os batimentos cardíacos. *Ver* batimentos cardíacos fetais
paladar do, 336, 383
perda do. *Ver* gravidez ectópica; aborto espontâneo
posição. *Ver* posições do bebê
pós-termo, 499
restrição do crescimento do, 736-738

sofrimento do. *Ver* sofrimento fetal
soluços do, 425-426
tamanho do, e cesariana, 472
tamanho do, e diabetes gestacional, 392
tamanho do, e seu ganho de peso, 246-250, 462--463
tamanho do, e tamanho da barriga, 460-462
tardio, 516
tato do, 336
testes para determinar o bem-estar do, 506-508
visão do, 336
fezes. *Ver* constipação; diarreia
fibras
absorção de ferro e, 143
constipação e, 140, 254--257, 622
diabetes e, 71
diabetes gestacional e, 731
nos carboidratos complexos, 131, 142, 153
no pós-parto, 622
fibronectina fetal, 56, 745
fibrose cística
aconselhamento genético e, 84
biópsia das vilosidades coriônicas para, 92-93
testes genéticos para, 81, 181
ficar em pé
alongamento de pernas em pé, 325
dor nas costas e, 343
dor nas costas no pós-parto e, 656
durante o trabalho de parto, 549, 567
hemorroidas e, 395-397
inchaço e, 418-420
no trabalho, 280, 284, 286-287

para aliviar câimbras nas pernas, 394-395
parto prematuro e, 57
repouso e, 763-766
veias varicosas e, 228-230
filhos mais velhos
amamentação dos, durante a gravidez, 54-55
carregando, 344
cuidando dos, durante a gravidez, 50
repouso e, 771-772
filodendro, 119
filtro HEPA para alergias, 300
fisioterapia, 122
durante o repouso, 764, 765
para alívio da dor do trabalho de parto, 448
para ciática, 421-422
para dor na cintura pélvica, 655-656
para dor nas costas, 345
para incontinência no pós--parto, 655
fissuras anais, 396, 616. *Ver* hemorroidas
fitas de silicone para cicatrizes, 634
fitness. *Ver* exercícios
fitoquímicos, 140, 141, 166
FIV. *Ver* fertilização *in vitro*
flatulência. *Ver* distensão abdominal; gases
fluidos, 146-148. *Ver* desidratação; água
após cesariana, 632-633
azia e, 224
câimbras nas pernas e, 395
constipação e, 256
contrações de Braxton Hicks e, 455
durante o trabalho de parto, 541-542, 567
enjoo matinal e, 190
exercícios e, 315

gastroenterite e, 162, 705--707
inchaço e. *Ver* inchaço
incontinência urinária no pós-parto e, 655
infecção do trato urinário e, 196, 702-703
intravenosos. *Ver* fluidos intravenosos
micção frequente e, 460
múltiplos e, 595
no ganho de peso da gravidez, 248
no pós-parto, 615, 621, 623, 624, 762
no trabalho, 281
pele seca e, 232
repouso e, 767
resfriado comum e, 698
retenção de. *Ver* inchaço
sono e, 386
vertigem e, 340
viagens e, 366
fluidos e alimentos frios para enjoo matinal, 190
fluidos intravenosos (terapia intravenosa)
cesariana e, 584, 586
durante o trabalho de parto, 36, 541, 542-543
enjoo matinal severo e, 729
epidural e, 443, 444
inchaço no pós-parto inchaço por causa de, 226, 633
para desidratação, 707
FluMist, 700
flúor
na água, 116
na pasta de dentes, 293
nas vitaminas pré-natais, 148
tópico, durante a consulta dentária, 294
foco ecogênico, 91
fogachos, 339

ansiedade pós-parto e, 667
ataques de pânico e, 242
no pós-parto, 614, 624
folato. *Ver* ácido fólico
folhas verdes, 140
  como fontes de cálcio, 139, 152
folículos ovarianos, ovulação e, 176
Food e Drug Administration (FDA), 715
  sobre acesulfame K, 164
  sobre açúcar, 159
  sobre aspartame, 163
  sobre chás de ervas, 165
  sobre Doppler, 268
  sobre medicina complementar e alternativa, 125
  sobre NIPT, 87
  sobre OGMs, 167
  sobre peixes, 161
  sobre remédios fitoterápicos, 126
  sobre sacarina, 163
  sobre sucralose, 162
formigamento
  com hiperventilação, 423
  com relâmpagos na virilha, 422-423
  com síndrome das pernas inquietas, 423-425
  com síndrome do túnel do carpo, 280
  durante ataques de pânico, 242
  na virilha, 422-423
  nas mãos, 217, 393-394
  nas pernas, 421-422
  no períneo, durante o parto, 512, 574
  nos dedos das mãos e dos pés durante o trabalho de parto, 574
  nos seios. *Ver* seios, mudanças no
fósforo, 394

frequência cardíaca. *Ver* pulso
frequência urinária
  ausência de, 198
  cafeína e, 100
  diabetes gestacional e, 730-732
  fim da gravidez e, 502
  incomum, com insuficiência cervical, 59-61
  no início da gravidez, 20, 195-196
  segunda gestação e, 49
frio, sensibilidade ao, 255, 666
frios, 171
frutas e vegetais liofilizados, 132
frutas, 132-133, 139-141
  antioxidantes nas, 141
  cor das, 141
  lavando, 114, 169
  líquidos nas, 148
  orgânicas, 169
frutos do mar, crus, 160-161, 171, 172. *Ver* peixes
ftalatos, 118
fumo passivo, 105, 282
fumo, 104-107. *Ver* fumo passivo; maconha
  charutos, 105
  cigarros eletrônicos, 106
  depressão e, 74-76
  do pai, 105, 360-361
  narguilé, 107
  parando, 106
  parto prematuro e, 58, 746
  placenta prévia e, 738
  restrição de crescimento intrauterino e, 736-738
  síndrome da morte súbita infantil e, 105
  trombose venosa profunda e, 750-751
fundo
  bebê grande ou pequeno e, 391

  estimando o tamanho do bebê através do, 463
  mensuração nas consultas pré-natais, 29
  restrição de crescimento intrauterino e, 737

G

gado alimentado a pasto, 167, 168, 240
gado criado a pasto, 167-168.
  Ver carne
galinha. *Ver* aves
gancho amniótico, 546
ganho de peso, 246-250
  acompanhando o, 250
  alimentação eficiente e, 130
  após cirurgia para perda de peso, 68-69
  azia e, 222-224
  calorias e, 134-135
  carboidratos e, 131, 152--153
  crescimento dos pés e, 347-348
  diabetes e, 71-72
  diabetes gestacional e, 730-732
  distocia do ombro e, 756--757
  do pai, 226
  doença da tireoide e, 256--257
  dor nas costas e, 344
  em excesso, 247, 263-265
  estrias e, 263
  gestações muito próximas e, 52-53
  gorduras na dieta e, 143--145
  imagem corporal e, 304--305
  mãe abaixo do peso e, 67

muito pouco, 131, 144, 247, 264
múltiplos e, 595-596, 610
nenhum durante o primeiro trimestre, 263-265
no nono mês, 503, 524
no terceiro trimestre, 249
obesidade e, 65-67
parto prematuro e, 67
parto vaginal após cesariana e, 477-480
pré-eclâmpsia e, 732-735
primeiro trimestre, 249, 263-265
repouso e, 765, 766
restrição de crescimento intrauterino e, 736-738
risco da cesariana e, 472--473
ronco e, 297
segunda gestação e, 53
segundo trimestre, 249
súbito, 248, 732
tamanho da barriga e, 460-462
tamanho do bebê e, 460--462
transtornos alimentares e, 67, 69-71
veias varicosas e, 228-230
garganta dolorida, 698
CMV, 708
dor de garganta, 527-528
resfriado, 697-699
garganta
apertada durante o trabalho de parto, 570
dolorida, 698
inflamada, 527-528
gás do riso. *Ver* óxido nitroso
Gas X, 717
gases. 258-259. *Ver* distensão abdominal; constipação; azia; intolerância à lactose após cesariana, 633
barriga no início da gravidez e, 233, 265
do riso, 446
manitol e, 164
medicamentos para, 717
múltiplos e, 592
pós-parto, 655-656
pressão abdominal e, 200
síndrome do intestino irritável e, 72
sorbitol e, 164
gastroenterite, 697, 705-708
gatos, 113-114. *Ver* alergias; toxoplasmose
alergia a, 300
preparando para o novo bebê, 429
gelo
desejo por, 227
sugar, durante o trabalho de parto, 541, 567
gêmeos fraternos, 176, 590, 593
gêmeos idênticos. *Ver* gêmeos
gêmeos, 589-610. *Ver* múltiplos
alimentando-se bem com, 594-595
amamentação, 643-644
atendimento por parteira e, 591
banco de sangue do cordão umbilical e, 398-403
exercícios e, 597-598
fraternos, 176, 590, 593
ganho de peso com, 595--596
idênticos, 590
mães mais velhas e, 77
níveis de hCG e, 203-204
parto em casa para, 591, 753
parto prematuro e, 58
parto, 472-473, 607-609
perda da gravidez com, 797-801
posições dos, 608-609
repouso com, 604
riscos, 601-604
síndrome do gêmeo desaparecido e, 604-605
termo para, 597
ultrassom inicial e, 236
gênero, descobrindo, 94, 353-356
amniocentese e, 95
NIPT e, 87
revelação e, 355-356
tamanho da barriga e, 461
ultrassom e, 91, 354
gênero. *Ver* menino; menina
enjoo matinal e, 188
previsões sobre, 266, 349, 461
revelação quando o pai está mobilizado, 63
revelação, 355-356
tamanho da barriga e, 461
gengibre
chá, 165
em suplementos pré-natais, 148, 183
enjoo matinal e, 183, 192
enjoo matinal severo e, 729
gastroenterite e, 705-706
gengivas, 293-295
nódulo nas, 295
sangramento, 293-295
sensibilidade, 293, 295, 491
gengivite, 293, 295. *Ver* infecção das gengivas
genitais inchados no recém--nascido, 579
genitais da mãe
dor nos, e herpes, 47
exame dos, na primeira consulta pré-natal, 180
fibromas, 350
inchados e doloridos, 230
inchados no pós-parto, 618
intumescidos e sexo, 373
intumescidos, e desejo sexual, 268, 269, 370-371

sensação de intumescimento, 230
veias varicosas nos, 230
genitais do recém-nascido, inchaço dos, 579-580
ginástica aeróbica, 322
ginástica, 99, 311-333. *Ver* exercícios
encontrando tempo para a, 314-315
múltiplos e, 597
na água, 322
no pós-parto, 698-693
transtorno alimentar e, 70-71
ginecologista. *Ver* médico
Ginkgo biloba, 310
glicose, 302-303
  baby blues e, 661
  diabetes e, 71-72
  diabetes gestacional e, 730-732
  dor de cabeça e, 259-260
  enjoo matinal e, 190
  esquecimento e, 311
  fadiga e, 102, 184, 186, 190
  grazing e, 134
  oscilações de humor e, 245
  sono e, 385-386
  testes para, 180-181, 303
  vertigem e, 340
goma, vitaminas pré-natais em forma de, 183
gonadotrofina coriônica humana (hCG), 203 204
  ameaça de aborto espontâneo e, 728
  enjoo matinal e, 187
  exame de sangues para detectar, 180
  múltiplos e, 204
  níveis de, 202
  testes de fertilidade e, 24
  testes de gravidez de farmácia e, 21-26
  testes de triagem pré-natais e, 88, 90

gonorreia, 44
  DIU e, 684
  testes para, 181
gorda, sentindo-se. *Ver* imagem corporal; obesidade; ganho de peso
gorduras. *Ver* colesterol; DHA; ácidos graxos ômega 3
  na Dieta da Gravidez, 143-144
gosto metálico, 194
gostos, mudanças nos desejos/aversões e, 103, 225-227
  do pai, 226
enjoo matinal e, 188, 193
gotejamento pós-nasal, 296, 698
grama de trigo, 155
granuloma piogênico, 295
grãos integrais, 130, 135, 136, 142-143
  benefícios dos, 142
  constipação e, 254-257
  dieta paleolítica e, 153
  múltiplos e, 594-595
  pele sem espinhas e, 230-231
  rótulos nutricionais e, 159-160
grãos. *Ver* carboidratos complexos; grãos integrais
  como fontes de proteínas, 136-137
gravidez anembrionária, 777-778
gravidez de alto risco. *Ver riscos individuais*; complicações da gravidez
  escolhendo um médico para a. *Ver* especialista em medicina materno-fetal
gravidez ectópica, 782-784
  coriocarcinoma e, 781
  endometriose e, 42

fumo e, 104
lidando com a perda da, 788-789
Rhogam após, 62
sangramento e, 726
sinais de, 783
gravidez empática, do pai, 226
gravidez molar parcial, 780
gravidez molar, 780-782
gravidez química, 25, 777
gravidez sub-rogada (barriga de aluguel), 40, 79
aborto espontâneo, 795
gravidez tubária. *Ver* gravidez ectópica
gravidez. *Ver* Gravidez ectópica; segunda gravidez; *meses específicos e tópicos e sintomas associados*
  ambivalência sobre, 238, 427
  anúncio no trabalho, 276
  anúncio, 181-183
  após cirurgia para perda de peso, 68-69
  complicações, 725-773
  condições crônicas durante, 71-74
  cronologia, 177-178
  de múltiplos, 589-610
  diagnosticando, 21-23
  dieta durante, 127-172
  doenças durante, 697-722
  estilo de vida durante, 99-126
  mãe mais velha e, 77-79
  medicamentos durante, 715-722
  muito próximas uma da outra, 53, 332
  no trabalho, 272-288
  nutrição durante, 127-172
  perda da, lidando com a, 787-801
  perfil, 39-97
  permanecendo bem durante a, 706-707

postando nas redes sociais sobre a, 181, 351, 356, 390
química. *Ver* gravidez química
redução da, lidando com a, 602-603
segunda. *Ver* segunda gravidez
sinais de, 19-21
sintomas iniciais, 177
testes de. *Ver* testes de gravidez
grazing (solução das seis refeições), 134
com múltiplos, 594
no pós-parto, 653
para constipação, 258
para dor de cabeça, 260
para enjoo matinal, 190, 459
para fadiga, 186
para indigestão, 223, 258
para oscilações de humor, 238
gripe, imunização contra a, 80-81, 441, 442, 700-701

H

hamamélis
para assadura pós-parto, 650
para dor perineal, 620-621
para hemorroidas, 395--397, 624
para lacerações perineais, 757-758
hCG. *Ver* gonadotrofina coriônica humana
Head and Shoulders, 348, 351
hemangiomas no recém-nascido, 580
hematomas, de fazer força, 618

hemorragia pós-parto, 760--761
hemorroidas, 395-397
constipação e, 255
exercícios de Kegel para, 312
no pós-parto, 616, 624
sexo anal e, 371
hena, 262-263
heparina, 716, 752, 785
hepatite A, 712-713
vacina, 80
hepatite B, 713
testes, 181
vacina para o recém-nascido, 581
vacina, 80
hepatite C, 713
HER Foundation, 730
hera, 119
hérnia inguinal, 388
hérnia umbilical, 387-388
hérnia. *Ver* hérnia inguinal; hérnia umbilical
heroínas. *Ver* drogas ilegais
herpes genital, 46-47, 473
herpes zoster (cobreiro), 710
hidrocortisona, 720
para eczema, 232
hidroterapia, 123, 216
alívio da dor do trabalho de parto e, 37, 442, 448
escoliose e, 345
parto na água e, 437, 482
trabalho de parto posterior e, 538
hiperêmese gravídica, 728--730. *Ver* enjoo matinal
acupuntura para, 120
hiperpigmentação, 349
hipertensão gestacional, 247, 301, 732
hipertensão induzida pela gravidez. *Ver* hipertensão gestacional
hipertensão
consumo de sal, 146

crônica, 72
gravidez molar e, 782
inchaço e, 420
induzida pela gravidez. *Ver* hipertensão gestacional
medicina complementar e alternativa, 72, 122, 124-125, 209
morte fetal e, 786
múltiplos e, 603
obesidade e, 65
pré-eclâmpsia e, 732-738
Ver pré-eclâmpsia
pressão arterial elevada e, 301
trabalho altamente estressante e, 286
trombose venosa profunda e, 751
hipertireoidismo, 74, 256
depressão pós-parto e, 666
pós-parto, 666
hiperventilação durante o trabalho de parto, 563
hipnoterapia (hipnose), 124
para alívio da dor do trabalho de parto, 442
para estresse, 209
para trabalho de parto posterior, 538
hipotireoidismo, 73, 255
depressão pós-parto e, 666
no pós-parto, 666
triagem no recém-nascido, 480
histórico ginecológico, 39-47
histórico médico, 65-85
histórico obstétrico, 47-65
durante a primeira consulta médica, 179-181
histórico
familiar. *Ver* testes genéticos
ginecológico, 39-47
médico, 65-85
obstétrico, 47-65
HIV, 44-45

cesariana para, 473
testes para, 181
homeopatia. *Ver* medicina complementar e alternativa
hormônio estimulante dos folículos, múltiplos e, 593
hormônios. *Ver hormônios individuais*
do pai, 226, 302, 675
hospital
alojamento conjunto, 631--632
Amigo da Criança, 36
escolha de médico e, 36
escolha de pediatra e, 456--457
instalações para parto de alto risco, 96-97
o que colocar na mala do, 516-518
parto na água, 436-438
parto vaginal após cesariana e, 477
plano de parto e. *Ver* plano de parto
processo de admissão, 563
quando ir para o, 513, 532--533, 535, 539, 563-565
repouso no, 765-766
sala de parto, 37
tempo de internação, 622--623
tour, 406
hot yoga, 316, 322
HPV. *Ver* papilomavírus humano
hypnobirthing (hipnose no parto), 410, 411, 448

I

ibuprofeno (Advil, Motrin), 261, 716
amamentação e, 718

para dor após cesariana, 630, 671
para dor após o parto, 616, 617
para dores do pós-parto, 616
idade da mãe, jovem
doenças sexualmente transmissíveis e, 44
enjoo matinal severo e, 729
necessidades nutricionais, 135
parto prematuro, e 59
restrição do crescimento intrauterino e, 737
idade da mãe, mais velha, 77-79
aborto espontâneo e, 763
cesariana e, 474, 607-608
diabetes gestacional e, 731
múltiplos e, 78, 593
parto prematuro e, 59
pré-eclâmpsia e, 732
procurando um consultor de genética e, 84
repouso e, 763
restrição do crescimento intrauterino e, 736-737
riscos do contraceptivo oral e, 680
síndrome do gêmeo desaparecido e, 605
trombose venosa profunda e, 750-751
idade do pai, 77-78
idade materna avançada, 77--79
idade materna. *Ver* idade da mãe
idade paterna, 77
iluminação, dor de cabeça em função da, 260
imagem corporal, 235, 304--305
sexo e, 373
transtornos alimentares e, 70-71, 74

IMC. *Ver* índice de massa corporal
Imodium, 720
implantação do embrião, 176-177
anormal, na gravidez ectópica, 782
cólicas com, 199-201, 727
escape e, 20, 200-201, 726
gravidez química e, 25
sangramento durante, 20, 726
imunoglobulina antivaricela-zoster (VZIG), 709
inalação de vapor, 261
inchaço (edema), 418-420. *Ver* tornozelos, inchaço dos; pés, inchaço
altas altitudes e, 367-368
após cesariana, 633
da terapia intravenosa durante o trabalho de parto, 615
das mãos, 393-394, 418-420, 733
dos genitais, 373
hidroginástica para, 322
ingestão de líquidos e, 146-148
ingestão de sal e, 145-146
massagem para, 122
meias de compressão para. *Ver* meias de compressão
no pescoço, 762
no pós-parto, 615, 620, 633
perineal, no pós-parto, 617
posição para dormir e, 358
pré-eclâmpsia e, 396-397, 732-735
quando telefonar para o médico sobre, 198, 320
quando telefonar para o médico sobre, no pós--parto, 619-620
reflexologia para, 122-123

severo, 198, 261, 397, 397, 420, 733
síndrome do túnel do carpo e, 282, 393
trombose venosa profunda e, 750-751
inchaço no recém-nascido, 579-580
incisão da cesariana, 585--586, 630-631, 633-634
  cuidados, 633-634, 671
  infecção, 619, 671, 761
  parto vaginal após cesariana e, 478
incisão da episiotomia, 543--544
  cuidados, 617-618
  infecção, 617-618, 761
incompatibilidade de Rh, 61-65
  exame de sangues para, 180
incontinência de estresse, 459-460
  Kegel para, 312
  no pós-parto, 621-622, 689
incontinência de urgência, 459-460
incontinência fecal
  Kegel para prevenção de, 312
  no pós-parto, 655-656
incontinência urinária, 459--460
  biofeedback para, 125
  Kegel para, 312
  no pós-parto, 622, 654-655
incontinência
  fecal no pós-parto. *Ver* incontinência fecal
  urinária. *Ver* incontinência urinária
índice de massa corporal (IMC), 67, 246-247. *Ver* excesso de peso; mãe abaixo do peso
  ganho de peso e, 246-247
  múltiplos e, 593

indigestão, 222-224. *Ver* intoxicação alimentar; gases; gastroenterite
  alimentos apimentados e, 161
  com cólicas, no parto prematuro, 434
  durante o início do trabalho de parto, 560
  múltiplos e, 592
indução do trabalho de parto, 539-541
  com parto vaginal após cesariana, 478
  faça-você-mesma, 514-515, 520
  múltiplos e, 596
  ruptura das membranas e, 546
infecção das gengivas, 293, 295
  parto prematuro e, 58
  pré-eclâmpsia e, 734
infecção do trato urinário, 702-703
  antibióticos para, 717
  frequência urinária e, 366, 435, 459-460
  incontinência urinária e, 459-460
  líquidos e, 145, 196
  probióticos para, 703
infecção nos rins, 703
infecção vaginal, 703
  antibióticos e, 673
  escape e, 200
  no pós-parto, 761
  parto prematuro e, 58
infecção. *Ver* doente durante a gravidez; *infecções específicas*
  aborto espontâneo e, 784--785
  fluido amniótico, 741
  colo do útero, 200
  escape e, 200
  medo de o sexo causar, 376
  morte fetal e, 786
  na incisão da cesariana, 671

nas gengivas. *Ver* infecção das gengivas
  no pós-parto, 619, 761-762
  nos seios. *Ver* seios, infecções dos
  parto prematuro e, 58-59
  perda do tampão mucoso e, 530
  perineal, no pós-parto, 616--618
  relacionada ao parto, 761--762
  ruptura das membranas e, 532
  urinária. *Ver* infecção do trato urinário
  vaginal. *Ver* infecção vaginal
Influenza. *Ver* gripe
ingurgitamento do colo do útero, 375
ingurgitamento dos genitais, 268, 373
  do recém-nascido, 579--580
ingurgitamento dos seios, 625-627. *Ver* amamentação
  febre com, 625
  infecção dos seios e, 619
  quando telefonar para o médico sobre, 619
  supressão da lactação após perda e, 786
  supressão da lactação e, 625-626
inibidores seletivos de recaptação da serotonina (ISRSs), 75
inibidores seletivos de recaptação da serotonina e noradrenalina (ISRSNs), 75
inibina A, 90
início do trabalho de parto, 558-562
inseticidas. *Ver* pesticidas
insinuação, 505-509
  no pré-trabalho de parto, 513-514, 523-524

insônia, 297, 384-387. *Ver* sono
instinto de nidificação, 511--513, 524
insuficiência cervical, 58, 59-61
　aborto espontâneo tardio e, 60, 784
　parto prematuro e, 58
　repouso pélvico para, 766
insulina, 302-303
　diabetes e, 71
　diabetes gestacional e, 397-398, 730-732
International Childbirth Education Association (ICEA), 410, 411
intoxicação alimentar, 160, 162, 705-708
　evitando, 150, 152, 153, 163, 170-172
intravenosa. *Ver* fluidos intravenosos
iodo
　deficiência, 73, 146
　no sal, 146
　nos suplementos, 148
iogurte
　contra candidíase, 703-705
　fonte de cálcio, 137-138
　fonte de proteínas, 136--137, 151-152
　intolerância à lactose e, 164
　probióticos no. *Ver* probióticos
ISTs. *Ver* doenças sexualmente transmissíveis

J

jardinagem e toxoplasmose, 114
jet lag, 365-366
junk food, 131, 156-157
　substitutos saudáveis, 131

K

Kaopectate, 720
Kegel no pós-parto
　após cesariana, 618, 672
　constipação e, 623-624
　dor perineal e, 618
　incontinência fecal e, 655, 656
　incontinência urinária e, 622
　lacerações perineais e, 757
　sexo e, 677
Kegel, 312
　como fazer, 312
　como preparação para o parto, 404, 554
　constipação e, 257
　esperando múltiplos e, 597
　hemorroidas e, 396
　incontinência urinária e, 459
　para dor na cintura pélvica, 747
　repouso e, 767
　sexo e, 372
Kickboxing, 323
kombucha, 163
K-Y para lubrificação, 374, 677

L

La Leche League, 35, 637
lacerações durante o parto, 556-557. *Ver* períneo
　cervical, 757
　Kegel para evitar, 312, 757
　massagem para prevenir, 512, 577
　sérias, 757-758
　sutura, 556, 583
lactação. *Ver* amamentação
lactando sangue, 502

lactase, 150
lactose
　como substituta do açúcar, 162-165
　intolerância à, 149-151, 164
Lamaze, 410
　para alívio da dor do trabalho de parto, 442
Laminaria japonica na indução do trabalho de parto, 540
lanches, 129-134, 133, 190. *Ver grazing*
lanugo, 289, 414, 498, 499, 580
laptops, 282, 386
lareiras, 119
laser
　cirurgia dos olhos, 352
　para angiomas estelares, 228
　para estrias, 262
　para melasma, 349
　remoção de pelos com, 211
　tratamentos faciais com, 212-214
laticínios. *Ver* cálcio; Dieta da Gravidez
　alergia a, 150, 300
　aversão a, 149-151
　cálcio nos, 137-139
　dieta crua e, 150, 153
　dieta paleolítica e, 153
　dieta vegetariana e, 151
　intolerância, 149-151
　não pasteurizados/crus, 150, 367
　nas Doze Diárias, 137-139
　orgânicos, 167
　proteínas nos, 136-137
　sem lactose, 149
　vitamina D e, 152
lavador nasal, 698
lavanda, 216, 387, 618
　óleo de, 216, 618
laxantes
　enquanto estiver amamentando, 718-719

no pós-parto, 622
para constipação, 257
transtornos alimentares e, 67, 69-71
LEEP. *Ver* procedimento de excisão eletrocirúrgica com alça
legumes, 136, 172, 255
Lei Contra a Discriminação da Gestação de 1978, 274
Lei de Licença Familiar e Médica, 274, 634
repouso e, 764
Lei do Cuidado Acessível (ACA), 82-83
para cobertura do bebê, 586
programa de Visita Doméstica Materna e da Primeira Infância, 623
leite de amêndoas
cálcio e, 137-138, 149-152
para azia, 161, 224
para dormir, 385
para enjoo matinal, 192
leite de bruxa, 579
leite de transição, 627
leite maduro, 627
leite materno. *Ver* colostro
alergias e, 490
anticorpos no, 489, 503
calorias, 489
estágios, 627
extraindo, para bebê na UTI neonatal, 646-647
falta de, no pós-parto, 626
supressão após perda da gravidez, 786
supressão, 626
vazando, 373, 502-503
leite. *Ver* leite de amêndoas; leite materno; cálcio; laticínios
leucorreia. *Ver* secreção vaginal
levantamento de cabeça e ombros, 692

libido. *Ver* sexo
licença-maternidade, 272--288
licença-paternidade, 279, 361
ligadura tubária, 688
após o parto, 585
ligamentos redondos, dor nos 346-347
ao se exercitar, 319
com múltiplos, 591-593
ligamentos
afrouxando, 392, 461, 746
alongando, 201, 346-347, 422-423
exercícios e, 317, 321
no pós-parto, 656, 690
linea alba (linha branca), 349
linea nigra (linha preta), 349
linha branca (*linea alba*), 349
linha negra (*linea nigra*), 349
líquido amniótico, 451. *Ver* ruptura das membranas
amniocentese e, 92-95
cheiro ruim, 741
distinguindo da urina, 460, 743
e as papilas gustativas em desenvolvimento do bebê, 336, 383
em excesso, 742
escuro (manchado de mecônio), 532, 561
infecção do, 741
medidas uterinas e, 392
medindo a quantidade de, durante o ultrassom, 355, 507
muito pouco, 741
nível baixo durante o trabalho de parto, 532
oligodrâmnio e, 741
polidrâmnio e, 742
sofrimento fetal e, 754
vazando após a amniocentese, 95
vazando, 460

líquidos de reidratação, 707
listeria, 150, 167, 171
listeriose. *Ver* listeria
loção de calamina, 351
lóquio, 493, 582, 610, 613--615, 629, 649, 760
ausência de, 619
após parto de múltiplos, 610
com cheiro ruim, 619
quando telefonar para o médico sobre, 619
loratadina (Claritin), 718--719
lubrificantes vaginais, 374, 677
lubrificantes
camisinhas e, 236, 686
para massagem perineal, 435, 512, 556, 577, 757-758
para o sexo, durante a gestação, 373
para o sexo, no pós-parto, 677
lumpectomia após amamentação, 494
Lunesta, 541 720
lúpus, 43 74
luto, perda da gravidez e, 787-802
abortos espontâneos repetidos e, 52
do pai, 798-799
morte fetal e, 786-787
redução da gravidez e, 602-603
luz brilhante, terapia da, para depressão, 76, 243-244, 665
luz do sol. *Ver* terapia de luz brilhante
oscilações de humor e, 240
repouso e, 766
vitamina D da, 152

M

má prática, 477
Maalox, 707, 717 718
maconha, 107-108
mãe abaixo do peso, 67
  calorias e, 134-135
  ganho de peso com múltiplos e, 595-596
  ganho de peso e, 248-250
mãe solteira, 40, 79, 85, 652
mãe. *Ver tópicos específicos*
  sentindo-se, 630
  solteira, 85
  tornando-se, 359-362, 520-522
magra. *Ver* mãe abaixo do peso
mamadeira, 495, 637
mamilos. *Ver* aréola; seios; amamentação
  achatados, amamentação e, 488
  com piercing, amamentação e, 491
  doloridos, amamentação e, 625-626, 638-639, 643-644
  estimulação dos, para induzir o trabalho de parto, 515
  estimulação dos, para trabalho de parto parado, 566
  no pós-parto, 625, 627
  preparando, para a amamentação, 367
  rachados, 625, 642
  secreção sanguinolenta, 502-503
  sensíveis, como sinal precoce de gravidez, 19-20
manchas café com leite, no recém-nascido, 580
manchas de sangue na calcinha. *Ver* sangramento; escape
manchas mongólicas no recém-nascido, 580
manicure, 217
manitol, 164
manufatura, segurança do trabalho na, 284
mãos
  amortecimento e formigamento, 393-394
  coceira, 750
  inchaço. *Ver* inchaço
  manicure, 217
  palmas vermelhas, 350
maquiagem, 213
ftalatos na, 118
máquinas de exercícios, 315, 321
marcadores no ultrassom, 91
marcas de nascença, no recém-nascido, 580
March of Dimes Resource Center, 715
marrom, secreção, 504, 525, 540, 614, 726, 777
  falsos sintomas de trabalho de parto e, 525
máscara da gravidez. *Ver* melasma
massagem, 122, 215
  aromaterapia e, 215
  câimbras nas pernas e, 394
  ciática e, 421
  dor de cabeça e, 261
  dor nas costas e, 346
  durante o trabalho de parto, 448, 512, 569, 571, 575
  estresse e, 209
  nos pés, 216-217
  para dor do pós-parto, 620, 657
  perineal, 435, 506, 512, 556-557, 577
  repouso e, 765, 768-770
  trabalho de parto posterior e, 538
mastite, 672-673
masturbação, 371
maternidade. *Ver* casa de parto
mechas no cabelo, 210
mecônio
  no líquido amniótico, 516
  sofrimento fetal e, 754-755
medicação contra resfriados, 697-698, 716, 717
Medicaid, 82
medicamentos, 715-721 *Ver* remédios fitoterápicos; *medicamentos/condições específicas*
  abuso de opioides, 108
  com receita, 108, 715
  durante a amamentação, 718-719
  durante a gestação, 715-721
  para a dor do trabalho de parto, 443-447
  para condições crônicas, 718
  sangramento no pós-parto e, 761
  segurança, 715-721
  vendidos livremente, 715-721
medicina complementar e alternativa, 119-126. *Ver modalidades específicas*
  para alívio da dor do trabalho de parto, 447-448
  para apresentação pélvica, 121, 465
  para azia, 120, 224
  para ciática, 422
  para depressão pós-parto, 668
  para depressão, 76, 243-244
  para enjoo matinal severo, 120, 729
  para enjoo matinal, 193
  para escoliose, 345

para estresse, 120, 122--125, 209
para hipertensão, 72
para parar de fumar, 106
para síndrome das pernas inquietas, 424
médico de família, 29-30
médico. *Ver* parteira; obstetra
banco de sangue do cordão umbilical e, 400-403
durante o trabalho de parto, 513, 526-527, 533--535, 561, 564-565, 577
escolhendo para gravidez de múltiplos, 589-590
escolhendo, 29-32
marcando a primeira consulta com, 26-27
plano de parto e, 433-438
primeira consulta pré-natal com, 26-27, 179-181
quando telefonar durante a gestação, 197-198, 391
quando telefonar durante o trabalho de parto, 501, 513, 526-527
quando telefonar no pós--parto, 619-320
meditação, 123
para ansiedade pós-parto, 668
para ataques de pânico, 242-243
para azia, 224
para depressão, 76, 245
para dor de cabeça, 259
para dormir, 385, 386
para enjoo matinal, 282
para estresse, 209, 224, 243, 285
para síndrome das pernas inquietas, 423-425
para trabalho de parto posterior, 404
meias de compressão, 279, 308, 419-420
durante viagens, 366

para câimbras nas pernas, 394-395
para trombose venosa profunda, 750-751
para veias varicosas, 228-230
mel, 132, 165
para tosse, 698-699
melasma, 213, 349-350
maquiagem para esconder, 213
melatonina, 112, 365, 386
membranas. *Ver* ruptura das membranas
descolamento, 540
vazando, 95, 434, 503, 530-531
menina. *Ver* gênero
batimentos cardíacos fetais, 266
desenvolvimento fetal, 252, 336
enjoo matinal severo e, 188
esquecimento da mãe e, 310-311
secreção vaginal na, recém-nascida, 579-580
menino
apetite da mãe e, 264
batimentos cardíacos fetais quando, 266
inchaço dos genitais no momento do nascimento, 579-580
testículos, 336, 452
testosterona do, 252
menstruação. *Ver* data da última menstruação; ciclo menstrual irregular
após teste de gravidez positivo, 25
atrasada, como sinal precoce de gravidez, 21
primeira no pós-parto, 678
suprimida pela amamentação, 678

mercúrio, nos peixes, 166
mergulho com tanque, 316
mesa de parto, 37-38, 550
mesoderme, 177
metabolismo acelerado, 338, 364, 384
Metamucil, 718
metilfenidatos, 76
método Bradley, 410, 442
método contraceptivo de consciência da fertilidade, 688
método Mongan, 410-411
metotrexato para gravidez ectópica, 784
micção
após cesariana, 632
com ardência, 702-703
com ardência, no pós-parto, 616-618
dificuldade após o parto, 620-622
dificuldade, 236-237
dolorosa, 198, 702-703
durante o trabalho de parto, 561, 567
frequente e abundante, na diabetes gestacional, 730-732
infrequente, com enjoo matinal severo, 728-730
no pós-parto, 620-622
pouco frequente, 196
quando telefonar para o médico sobre, 197-198
segurar o xixi, 366, 435
micção, do bebê, 220, 252
microbirthing, 587
microdermoabrasão, 212,
micro-ondas, forno de, 99, 112, 155, 172
descongelando no, 172
minerais, em vitaminas pré--natais, 148; *Ver minerais específicos*
miocardiopatia periparto, 762

miomas, 41-42
    aborto espontâneo e, 785
    sangramento severo no pós-parto e, 760
Mirena, 683-684
misoprostol
    na indução do trabalho de parto, 541
    para aborto espontâneo incompleto, 775-776
    para aborto espontâneo tardio, 784-785
mobilização militar, 62-64
moda. *Ver* roupas
monitoramento do feto. *Ver* monitoramento fetal
monitoramento fetal externo, 545
monitoramento fetal por telemetria, 545
monitoramento fetal
    durante o trabalho de parto, 543-546
    epidural e, 444
    múltiplos e, 606
    para sofrimento fetal, 755
    testes de bem-estar fetal e, 506-508
    versão cefálica externa e, 465-466
monitoramento interno, 545
múltiplos e, 607
montanhas-russas, 111
morte fetal, 785-787
morte. *Ver* perda da gravidez; síndrome da morte súbita infantil
mosquitos, 363-364, 707, 712, 720
    repelentes, 364
    vírus Zika e. *Ver* vírus Zika
Motrin. *Ver* ibuprofeno
movimentos fetais
    aborto espontâneo tardio e, 785
    chutes fantasmas no pós-parto, 650

desaceleração dos, com oligodrâmnio, 742
dificuldade para sentir com polidrâmnio, 742
diminuição significativa dos, 637-368, 748
dolorosos, 391, 423, 457
    durante o trabalho de parto, 572
frequência dos, 353, 389--390
mãe obesa e, 66
morte fetal e, 786
múltiplos e, 592
no falso trabalho de parto, 525
no pós-parto, 650
padrões, 352-353, 389--390, 511
posição da placenta e, 357
quando telefonar para o médico sobre, 320, 422, 509, 546
reação ao sexo e, 376, 426
segunda gestação e, 49
sentindo pela primeira vez, 303-304
sofrimento fetal e, 755
sons, 425
testes de bem-estar fetal e, 506-507
testes, 422, 510
moxabustão para virar bebê em apresentação pélvica, 121, 465
muco cervical, mudanças no
    como controle de natalidade, 688
    concepção e, 28
muco cervical. *Ver* tampão mucoso
    no método de consciência da fertilidade, 688
muco. *Ver* resfriado comum; congestão nasal; gotejamento pós-nasal
tossindo, 699

múltiplos e, 594
múltiplos, 589-598. *Ver* gêmeos
alimentando-se bem com, 594-595
amamentação, 643-644
ambivalência sobre, 598--599
baixo peso ao nascer com, 602
banco de sangue do cordão umbilical com, 402
calorias e, 129
cesariana de, 472-473, 606-608
comentários insensíveis sobre, 599-601
complicações com, 601-604
cuidados pré-natais com, 590-591
decepção sobre, 598-599
diabetes gestacional com, 603
diagnosticando, 235-236, 266
dores do pós-parto e, 615-616
enjoo matinal e, 187-194
enjoo matinal severo e, 728-730
escolhendo o médico para, 589-590
exercícios e, 597
ganho de peso com, 248--250, 263-265, 595
grupos de apoio, 599
histórico familiar e, 593
hormônio folículo-estimulante (FSH), 593
idade da mãe e, 77-78, 593
insuficiência cervical e, 59-61
mães obesas e, 593
maiores chances de ter, 55, 593
movimentos fetais e, 303

NIPT e, 87
níveis de hCG com, 203--204
nutrição para, 594-595
obstetra para, 589-590
ordem superior, 609
parteira para, 591
parto de, 605-610
parto precoce de, 601-602
parto prematuro e, 41, 448, 451, 452
parto vaginal de, 607
perda de um bebê, 797--799
perinatologista para, 591, 602
posição dos bebês e parto, 608-609
pós-parto, 610, 613
predisposição a, 734, 740
pré-eclâmpsia com, 732--735, 749, 760
problemas placentários e, 603
redução da fetos, 602-603
repouso para, 747, 763
riscos com, 601-604
síndrome de transfusão feto-fetal e, 602-604
síndrome do gêmeo desaparecido, 604-605
sintomas de gravidez com, 591-592
termo, 597, 601
testes de bem-estar fetal, 508
trabalho de parto com, 606-607
tratamentos de fertilidade e, 23-24, 593, 605
ultrassom com, 235, 597
versão cefálica externa e, 465
musculação, 323-324
múltiplos e, 597
músculos abdominais
 falta de tônus no, e parecer grávida mais cedo, 266
fracos, dor nas costas causadas pelos, no pós-parto, 656
na segunda gestação, 303
separação dos, no pós-parto, 691, 692
tonificando, durante a gestação, 313, 327, 345
tonificando, no pós-parto, 692
música
alta, 283
para ajudar a virar o bebê em apresentação pélvica, 466
terapia, 243
tocando para o feto, 358--359
Mylanta, 707, 717-718
Mylicon, 717

N

nádegas
dor nas, 746-747
dor nas, durante o trabalho de parto, 524
erupção cutânea nas, 420
erupção cutânea nas, no pós-parto, 650
veias varicosas nas, 230
naproxeno, 716
narguilé, 107
nariz entupido, 296. *Ver* alergias; resfriado comum; congestão nasal; ronco
nascimento pré-termo. *Ver* trabalho de parto e parto prematuros
nascimento. *Ver* parto
natação, 322
gravidez de múltiplos e, 597
no pós-parto, 693
para ciática, 421-422

para dor nas costas, 313
para inchaço, 236, 418--420
segurança da água e, 366--367
National Disaster Distress Helpline, 486
Centro Nacional de Testagem de Recém-Nascidos & Recursos Genéticos (NNSGRC), 480-481
náusea. *Ver* enjoo matinal
ao se exercitar, 317
após cesariana, 631
após cirurgia para perda de peso, 69
ataques de pânico e, 242
causada por suplementos pré-natais, 183
com gastroenterite, 705
com gravidez molar, 781
com infecção do trato urinário, 702
com síndrome HELLP, 736
como sinal precoce de gravidez, 20
do pai, como sintoma empático, 226
durante o trabalho de parto, 570
em altas altitudes, 367-368
medicação para, 193
no terceiro trimestre, 458--459
quando telefonar para o médico sobre, 197, 431
quando telefonar para o médico sobre, no pós--parto, 619-620
severa, 198, 728-730
sexo e, 370
suplemento de ferro e, 342
suplementos pré-natais e, 147-148, 182-184
Neosporin, 720
neuroblastoma, 398

neuroterapia para depressão, 76
névoa cerebral, 310. *Ver* esquecimento
Nexplanon, 683
nicotina, 106. *Ver* fumo
Programa Nacional de Controle do Tabagismo, 106
terapia de reposição de nicotina, 105
NIOSH. *Ver* Administração de Saúde e Segurança Ocupacional
NIPT. *Ver* teste pré-natal não invasivo
nitratos de sódio, 167
nitratos, 167
nitritos, 167
NNSGRC. *Ver* National Newborn Screening & Genetics Resource Center
no primeiro trimestre, 241, 263-265
regime durante a gravidez, 153
repouso e, 767
nono mês, 497-501
bebê pós-termo, 499, 514--517
choro do feto, 505
colostro, 502-503
compras de mercado, 522--523
cuidados pré-natais, 501
desenvolvimento fetal, 497-499
emoções, 501
escape, 504
falso trabalho de parto, 525
frequência urinária, 502
insinuação, 505-509
instinto de nidificação, 511-513
massagem, 512
movimentos fetais, 506--507, 509-511

perda de peso, 504
pré-trabalho de parto, 523-525
rompimento da bolsa, 504-505
seu bebê, 497-499
seu corpo, 499-501
testes, 506-508
nós no cordão umbilical, 747-748
NSF International, 116
nutrição para o cérebro do bebê, 414
amamentação como, 489
nutrição. *Ver* dieta; suplementos vitamínicos
NuvaRing, 682-683
Nytol, 720

O

o que você pode esperar da consulta deste mês. *Ver* consultas
obesa, mãe, 65-67. *Ver* excesso de peso
bebê grande e, 65
calorias e, 134-135
cesariana e, 472-473
enjoo matinal severo e, 728-730
ganho de peso e, 57, 66--67, 246
IMC e, 246
movimentos fetais e diabetes gestacional e, 308, 397-398, 730, 549
múltiplos e, 593
parto vaginal após cesariana e, 477-480
pré-eclâmpsia e, 732-735
tamanho da barriga e, 460-461
trabalho de parto e, 472--473

versão cefálica externa e, 465
obesidade
ganho de peso e, 65-67, 246-250
ganho de peso, com múltiplos, 595-596
ingestão de calorias e, 134
parto vaginal após cesariana e, 477-480
trombose venosa profunda e, 750
obstetra plantonista, durante o trabalho de parto, 32
obstetra, 29-30. *Ver* médico
ocitocina
amamentação e, 54, 615, 673-674
após cesariana, 586
após parto, 582, 586, 615, 759
contato pele a pele e, 660
do pai e, 628
durante a indução do trabalho de parto, 541
evitando cesariana e 472
intravenosa, 543
para inversão uterina, 759
orgasmo e, 485, 514-515
para trabalho de parto parado, 566-567
sexo e, 485, 514-515
trabalho de parto e, 526
OGMs, 167-168
oitavo mês, 451-495
apresentação pélvica, 464--470
banho, 482
contrações de Braxton Hicks, 454-455
cuidado pré-natal, 454
desenvolvimento fetal, 451-452
dirigir, 482-483
dor nas costelas, 455-457
dor pélvica, 461
enjoo matinal, 458-459

falta de ar, 457-458
incontinência urinária, 459-460
movimentos fetais, 451
posição do bebê, 463-470
seu bebê, 451-452
seu corpo, 452-454
sexo, 485-487
tamanho da barriga, 460-462
testes para estreptococos do grupo B, 480-482
viagens, 484-485
oleaginosas e sementes, 137; *Ver* amendoim
óleo de linhaça, 154
óleo de rícino
para constipação, 257
para induzir o trabalho de parto, 515
óleos essenciais, 215-216
olhos. *Ver* visão
cirurgia para, 352
do bebê, inchados, 580
dor atrás dos olhos, sinusite e, 261, 699
quando telefonar para o médico sobre, 198
secos, 352
vermelhos no pós-parto, 575, 618
oligodrâmnio, 741-742
OMS. *Ver* Organização Mundial de Saúde
opioides, 108
organismos geneticamente modificados, 167-168
Organização Mundial de Saúde (OMS), 557
Organização Nacional de Clubes de Mães de Gêmeos, 599
orgasmo. *Ver* sexo
ansiedade do pai sobre, 371
causando trabalho de parto, 485, 487, 514-515

cólicas após, 272
mais frequente, 268, 271, 370
medo de aborto espontâneo causado por, 375
menos frequente, 271, 377
movimentos fetais e, 426
ocitocina e, 485, 514
reação do bebê ao, 426
restrição, 370-371, 375, 378, 576
sensação de genitais ainda intumescidos após o, 373
sonhando, 430
trabalho de parto e, 514-515
Ortho Evra, adesivo, 682
oscilações de humor, 238-241. *Ver* ansiedade; depressão
chocolate amargo para, 244
comer bem para melhorar as, 127, 134, 240
DHA/ômega 3 para ajudar nas, 145-146
do pai, como sintoma empático, 226
doença da tireoide e, 255-256
excesso de cafeína e, 100
exercícios para melhorar as, 313
grazing para moderar, 134, 459
no pós-parto. *Ver baby blues*; transtornos de humor no pós-parto; depressão pós-parto
Osteoporose
escassez de cálcio e, 137-139
risco menor com amamentação, 493
otimismo e resultado positivo da gravidez, 207-208
ovário, cisto no, 237-238
ovários do bebê, 336

ovários fetais, desenvolvimento dos, 252, 336
ovolactovegetariana. *Ver* vegetariana
ovos na dieta
colesterol, 158
ômega 3 (DHA), 145, 167
orgânicos, 167
pasteurizados, 150
segurança alimentar, 170-172
ovulação, 176
controle de natalidade e, 679-689
data provável do parto e, 27-29
durante a amamentação, 492-493, 678
primeira no pós-parto, 678
testes de gravidez de farmácia e, 21
tratamentos de fertilidade e, 23-24
óvulos da mãe, 176
gravidez ectópica e, 782
múltiplos e, 590, 593
óvulos doados, NIPT e, 87
óxido nitroso, 295, 446
oximetazolina (Afrin), 717
lactação e, 718

P

pais
ajudando logo após o parto, 582
apoio à amamentação e, 492-493, 639-640
aulas de parto e, 407
baby blues dos, 658
cesariana e, 475
ciúmes, 226, 428-429
coaching durante o início do trabalho de parto, 561-562

coaching durante o parto, 582
coaching durante o trabalho de parto ativo, 568--570
coaching durante o trabalho de parto transicional, 571-572
coaching enquanto ela faz força e durante o parto, 574-575
cortando o cordão umbilical, 575
criando vínculos com o bebê, 628-629
depressão da mãe durante a gravidez, 662-664
depressão e, 244-245
depressão pós-parto materna, 662-664
depressão pós-parto paterna, 658
desejos da mãe, e, 225
doula e, 440
enjoo matinal da mãe, 189
estresse em função das mudanças de vida, 205-206
fadiga da mãe, e, 417-418
flutuações hormonais dos, 302, 428-429, 675-676
frequência urinária da mãe, 195
fumo, 105
idade dos, 77-78
insônia da mãe, e, 385
licença-paternidade, 206, 367, 635
lidando com a perda da gravidez, 793, 798-799
mobilização, 62-64
oscilações de humor da mãe, e, 239-240, 244--245
oscilações de humor e, 244-245
parto emergencial e, 536--538

pegando o bebê, 574-575
pré-eclâmpsia e, 734
preocupações com a paternidade, 521-522
preocupações com o trabalho de parto e o parto, 405-406
presentes de parto, 510
repouso da mãe e, 768-770
sangue durante o parto e, 555
sentindo-se deixado de fora, 360-361
sexo no pós-parto, 675--676
sexo, 269-271, 371-372, 374
síndrome de Couvade, 226
sintomas empáticos, 226
sonhos, 428-429
teste de incompatibilidade de Rh, 61-62
testes genéticos, 80-85
vacinas e, 442
paladar, do bebê
amamentação e, 491
líquido amniótico e, 336
paladar, do feto, 383
palmas das mãos e solas dos pés avermelhadas, 350
palmas das mãos vermelhas, 350
palpitações, 458
paparicando-se, no spa, 210--217
papiloma nos seios, 502-503
papilomavírus humano (HPV), 45-46
vacina, 45-46
pápulas e placas urticariformes pruriginosas da gravidez (PPPU), 420
paracetamol (Tylenol), 716
amamentação e, 718
dor após cesariana e, 671
dor de cabeça e, 261
dor do pós-parto e, 616

dor nas costelas e, 456
dor no início do trabalho de parto e, 561
dor nos seios nasais e, 701
dor perineal e, 618
febre e, 198, 701
lactação e, 718
resfriado comum e, 699
Tylenol PM, 720
parada de cabeça, 322
ParaGard, 683
paralisia de Bell, 714-715
paralisia facial, 714
parques de diversão, 111
parteira, 8, 16, 29-35, 38, 57, 66. *Ver* casa de parto; doula; parto em casa; médico
clampeamento tardio do cordão umbilical e, 555-557
para múltiplos, 591
parto na água e, 436-438
parto vaginal após cesariana e, 477-480
taxas de cesariana e, 473, 476
parteiras de entrada direta, 31-32
parto com fórceps, 472, 474, 548-549, 567
bloqueio do pudendo para, 445
parto de lótus, 557
parto em casa, 38. *Ver* parteira
banco de sangue do cordão umbilical e, 399
complicações e, 753
de múltiplos, 591
emergencial, 533-534, 536-538
parto na água, 437
parto medicado, 443-447
parto na água, 81, 436-438. *Ver* hidroterapia
banco de sangue do cordão umbilical e, 398-403

casas de parto e, 37-38
escolha do médico e, 36
parto vaginal após cesariana, 477-480
parteira e, 30
parto em casa e, 753
ruptura uterina e, 758-759
tamanho da mãe e, 472, 478
tamanho do bebê e, 478
parto vaginal. *Ver* parto
apresentação pélvica e, 469-470
banco de sangue do cordão umbilical e, 398-403
benefícios, 479
laqueadura após, 585-586
miomas e, 41-42
múltiplos e, 606-609
placenta abrupta e, 740
placenta prévia e, 738
tamanho da mãe e, 462
tamanho do bebê e, 246, 463
parto, 558-587. *Ver* cesariana; nascimento; parto em casa; trabalho de parto; parto vaginal; *tópicos específicos*
alargamento da vagina durante, 554, 556-557
complicações, 754-760
alívio da dor durante, 447--448
amamentação logo após o, 578, 581, 636
banco de sangue do cordão umbilical e, 401-402, 478
bebê em apresentação pélvica e, 463-470
clampeamento do cordão umbilical e, 555-558
complicações durante o, 754-760
controle da dor com medicação, 443-447
controle da dor sem medicação, 447-449
criando vínculos durante o, 578, 581, 582
da placenta, 581-584
de gêmeos, 607-608
de múltiplos, 605-610
de trigêmeos, 609-610
distocia do ombro e, 756-757
dor do, 403-404
educação para o, 406-412
em casa (planejado), 38
emergencial, 533-534, 536--538
epidural durante, 444
episiotomia, 543-544
escolhas para o local do, 37--38
estágios, 559
extração a vácuo, 547-548
fórceps, 548
ilustrações do, 577-578
inibições sobre o, 404-405
inversão uterina e, 759
lacerações durante, 556-557
lacerações severas durante, 757-758
laqueadura após o, 585-586
mãe mais velha e, 77
mãe obesa e, 66
na água, 436-438. *Ver* parto na água
na casa de parto, 38, 84
no hospital, 37
nós no cordão umbilical durante o, 747-748
participação do pai, 574-575, 582
perda da gravidez durante o, 796-797
plano de parto para, 433-440
posição do bebê e, 463-470
posições para, 37, 574, 549--554
precipitado, 535
preferências. *Ver* plano de parto
preocupações do pai com o, 405-406
presentes para a mãe após o, 510
procedimentos hospitalares, 581
prolapso do cordão umbilical e, 755-756
puxo tardio e, 572-573
ruptura uterina e, 758-759
sangramento após, 614-615
sangue, visão do sangue durante o, 555
segunda gestação e, 50
sofrimento fetal durante, 747-748, 754-755
tamanho da mãe e, 462-46?
tamanho do bebê e, 462-46:
temendo constrangimento durante o, 404-405
termo, definição, 509
trabalho de parto e, 529-587
traumático e estresse pós--traumático no pós-parto, 669
traumático, hemorragia no pós-parto e, 760
visitantes, 518-520
parvovírus B19, 708-709
pasteurização flash, 150
pastilha de antiácidos, 224, 707, 717, 718
paternidade. *Ver* pai; mãe; maternidade
antecipando, 359-360, 362
preocupações com a, 360--361
sentimentos ambíguos sobre a, de múltiplos, 598-599
patinação no gelo, 317, 324
patinação, 324
patins em linha, 324
patins, 324
Paxil, 75
Pedialyte, 707
Pediatra
bebê com necessidades especiais e, 96

ÍNDICE

cuidados com o recém-nascido e, 480-481, 622-623
depressão pós-parto e, 661-662, 665, 669
escolhendo, 456
pedicure, 217
peeling, 214
peixes, 145, 160-161, 172
  crus, 160
  defumados, 167, 171
  DHA nos, 145-146, 240
  mercúrio nos, 160-161
  orgânicos, 168
  segurança alimentar, 170--172
  vitamina D nos, 152
pele a pele, com bebê, 493, 578
  após cesariana, 587, 641, 660
  babywearing e, 660
  criando vínculos e, 629
  do pai, 628-629, 639-640
pele manchada, 349-351
pele oleosa. *Ver* acne
pele pálida e anemia, 341--342
pele seca, 231-232
  coceira e, 392
  doença da tireoide e, 255, 666
  estrias e, 263
  na barriga, 392
  veias varicosas e, 229
pele seca, do bebê, 499, 580
pele, da mãe, 231-232, 349--351. *Ver* estrias
  amarelada, 198
  angiomas estelares, 228
  assaduras, 351. *Ver* assaduras
  bolinhas, 351, 420-421
  coceira, 392, 420-421
  cuidados, 212-214
  eczema, 232-233
  espinhas. *Ver* acne; espinhas

fibromas, 350-351
  hiperpigmentação, 350
  manchas descamadas, 351
  manchas, 350
  maquiagem, 213
  oleosa, 232
  pitiríase versicolor, 351
  sardenta, 350
  seca, 229, 231-232
  veias azuis, 197
  vermelhas, nas mãos e pés, 350
pele, do recém-nascido, 580
pelve
  dor severa. *Ver* dor na cintura pélvica
  encaixe do feto, 508, 513--514
  inchada e dolorida, 230
  pressão na, como sinal de parto prematuro, 434
  pressão na, como sinal de pré-trabalho de parto, 524
  relâmpagos na virilha, 422
  tamanho da, e parto, 462, 472, 478
penicilina, 720
Pepto-Bismol, 720
perda da gravidez, 775-802. *Ver* gravidez ectópica; aborto espontâneo; morte fetal
  depressão pós-parto e, 790
  durante o trabalho de parto, 796-797
  durante ou após o parto, 796-797
  lidando com a, 787-801
  luto pela, 787-801
  múltiplos e, 797, 800-801
  recorrente, 28
  supressão da lactação após, 786
  tentando novamente após, 801-802
perda de peso

cirurgia para, após gravidez, 68-69
doença da tireoide e, 255--256
enjoo matinal e, 187, 249, 263
enjoo matinal severo e, 728-730
no nono mês, 503, 523--524
no pós-parto, 70, 670-671
no pré-trabalho de parto, 523-525
perfil biofísico, 499, 507-508
perinatologista. *Ver* especialista em medicina materno-fetal
períneo. *Ver* vagina
  ao fazer força, 575-576
  compressas mornas no, durante o trabalho de parto, 556
  cuidados com o, com infecção do trato urinário, 702-703
  cuidados com o, com infecção vaginal, 703
  cuidados no pós-parto, 463-464
  dor, no pós-parto, 615-616
  episiotomia, 543-544
  esticando durante o parto, 554
  exercícios para. *Ver* Kegel
  inchaço no pós-parto, 617
  lacerações, 556, 757-758
  lacerações, prevenindo, 512, 556, 577
  lacerações, sutura, 583
  massagem, 512, 554, 556, 577
periodontite, 295, 734
pré-eclâmpsia e, 733-734
trabalho de parto pré-termo e, 58
permanente no cabelo, 211
pernas manchadas, 350

pernas
 azuladas, 350
 câimbras. *Ver* câimbras nas pernas
 formigamento. *Ver* síndrome das pernas inquietas
 inchaço. *Ver* inchaço
 manchadas, 350
 veias purpúreas nas, 228
 veias visíveis nas. *Ver* angiomas estelares; veias varicosas
peróxido de benzoíla, 214
pés
 azulados, 350
 coceira nos, 750
 crescimento dos, 347-348
 do bebê nas costelas da mãe, 457
 inchaço. *Ver* inchaço
 massagem, 216
 pedicure, 217
 reflexologia e. *Ver* reflexologia
 solas vermelhas, 350
pescoço, exercícios para relaxar, 326
peso ao nascer. *Ver* baixo peso ao nascer; pequeno para a idade gestacional
 estimativa, 473
 ganho de peso da mãe e, 462-463
 múltiplos, 602
 peso ao nascer da mãe e, 462
peso pré-gestação, retornando ao, 235
pesticidas, 116-117
 nos vegetais, 166, 168
picamalácia, 115, 227
pielectasia, 91
piercing
 no mamilo, 491
 no umbigo, 389
Pilates, 322, 693
pílula anticoncepcional. *Ver* contraceptivo oral

pílula contraceptiva de emergência, 687
pílula do aborto, 687
pílula. *Ver* contracepção oral
pintar o cabelo, 210
pintas, escurecendo, 350
pintura de paredes, 117 (somente "pintura")
nidificação e, 511-513
piscinas. *Ver* natação
pitiríase versicolor, 351
placenta abrupta, 740
 cesariana para, 473
 morte fetal e, 785-786
 múltiplos e, 603
 parto prematuro e, 59
 polidrâmnio e, 742-743
 ruptura prematura das membranas e, 743
 ruptura uterina e, 758
 sangramento e, 395, 726
 sofrimento fetal e, 754--755
placenta anterior, 356-357
 amniocentese e, 357
 movimentos fetais e, 303--304, 389-390
placenta increta, 753
placenta percreta, 753
placenta prévia completa, 738
placenta prévia, 263, 356, 378, 473, 738-739
 cesariana para, 472
 cesarianas repetidas e, 476--477
 múltiplos e, 603
 parto prematuro e, 59
 placenta acreta e, 752-753
 polidrâmnio e, 742-743
 repouso pélvico para, 378, 739, 766
 sangramento e, /27
placenta
 anterior e movimentos fetais, 465
 anterior, 356-357, 378, 473, 477

banco de tecido da, 400
cérebro de. *Ver* esquecimento
cesarianas repetidas e, 476-477
 com múltiplos, 590
 comer a, 483
 desenvolvimento, 176, 184, 237
 determinando o funcionamento da, em testes fetais, 506-508, 516
 encapsulação, 483
 expulsão, 581-583
 guardando, 398-403, 483
 parto de lótus, 557
 peso, 248
 placenta acreta, 477, 739, 752-753
 posição, 356-357
 pré-eclâmpsia e, 732-733
 prévia. *Ver* placenta prévia
 problemas na, e múltiplos, 737
 restrição de crescimento intrauterino e, 736-738
 retida, e sangramento no pós-parto, 760
 ruptura uterina e, 758-759
 síndrome de transfusão feto-fetal e, 602
placentofagia, 483
Plan B One-Step, 687
plano de parto, 433-440
plano de saúde. *Ver* Lei do Cuidado Acessível
 ao viajar, 364
 CHIP, 82-83
 COBRA, 83
 falta de, 82
 Medicaid, 82-83
 para bebê, 586
plastificantes (ftalatos), 118
pólen, alergias e, 299
polidrâmnio, 742-743
 nós no cordão umbilical e, 748

prolapso do cordão umbilical e, 755
pólipos, aborto espontâneo e, 785
politetrafluoroetileno (Teflon), 234
poltrona reclinável, 358, 386
poluição do ar, 118
poluição, 118
pomada para os olhos do recém-nascido, 44, 580
pontos
  da cesariana, 440
  da cesariana, remoção dos, 634
  evacuação no pós-parto e, 622-624
  no colo do útero (cerclagem), 59-61
  perineal, no pós-parto, 556, 616-618, 569
posição ajoelhada para o trabalho de parto, 551-552
posição da mãe
  para amamentação, 640--645
  para dormir, 357-358, 385, 457
  para parto, 574
  para sexo durante a gestação, 375
  para sexo no pós-parto, 677
  para trabalho de parto, 549-554
  repouso e, 768-770
  sofrimento fetal e, 754--755
posição da placenta, 356-357
posição deitada para amamentação, 642
posição do bebê, 463. *Ver*
  apresentação pélvica
  cefálica, 463, 469
  dos múltiplos, 456
  oblíqua, 470
  occipital anterior, 464
  posterior, 445, 464, 536

trabalho de parto posterior, 536, 538-539
transversal, 469, 470
transversal, ruptura uterina e, 758-759
posição encefálica do feto, 469-470
  de múltiplos, 608
posição invertida para amamentação, 641
  após cesariana, 645
  múltiplos e, 643
posição joelhos no peito para virar bebê em apresentação pélvica, 467
posição oblíqua do feto, 470
  de múltiplos, 608-609
posição occipital anterior do feto, 464-465
posição posterior
  do bebê, 445, 464, 536
  da placenta, 357
posição sobre as mãos e os joelhos ("de quatro")
  na hora de fazer força, 567, 574
  para dor nas costas, 327
  para trabalho de parto posterior, 538
  para trabalho de parto, 552
  para virar o bebê em apresentação pélvica, 466--467, 758
  para virar o bebê em posição posterior, 464
posição tradicional para amamentação, 642
posição transversal do feto, 470
  de múltiplos, 608-609
posição transversal para amamentação, 641
posições de amamentação
  deitada de lado, 642
  deitada, 642
  invertida, 641

tradicional, 64
transversal, 641
pós-parto, 613-693
  alojamento conjunto, 631-632
  amamentação, 492, 626, 627, 636-647
  baby blues, 657-661
  colostro, 626, 627, 646
  com múltiplos, 610
  complicações, 760-762
  consulta, 651
  controle de natalidade no, 679-689
  cuidados perineais, 616--618
  dificuldade para urinar, 620-622
  dor nas costas, 656-657
  dor perineal, 616-618
  dores do pós-parto, 615--616
  duração do internamento, 622-623
  eclâmpsia, 749
  evacuação, 623-624
  exaustão, 652-653
  exercícios, 313, 689-693
  exercícios, 689-693
  febre, 624-625
  fogacho, 624
  gases, 655
  hematomas, 618
  hemorragia, 760-761
  inchaço, 615
  incontinência fecal, 655--656
  incontinência urinária, 654-655
  indo para casa com o bebê, 635-636
  infecção nos seios, 619, 672-673
  infecções, 672-673, 761--762
  ingurgitamento dos seios, 625

iniciando amamentação, 636-646
leite materno, 626, 627, 646-647. *Ver* amamentação
lóquio, 614-615
perda de cabelo, 653-654
perda de peso, 670-671
primeira semana, 613-647
quando telefonar para o médico, 619-620
recuperação da cesariana e, 629-634, 671-672
sangramento vaginal, 614--615
sangramento, 614-615
sexo, 674-678
tireoidite, 666-667
transpiração, 624
trombose venosa profunda, 750-751
vínculos com o bebê, da mãe, 626-629
vínculos com o bebê, do pai, 628
pós-termo, 376, 478, 499, 509, 516, 539, 579-580, 742
postura da criança, 421
postura da vaca e gato, 326
para dor nas costas, 346
postura
dor de cabeça e, 260-261
dor nas costas e, 342-346
exercícios para melhorar, 322-323, 325
no pós-parto, 656
quando sentada, 259, 343--344
sapatos para melhorar a, 344
prancha de antebraço, exercício, 331
prednisona, 718
pré-eclâmpsia, 396-397, 732--735
anemia falciforme e, 73
anorexia e, 69

asma e, 298-299
aspirina e, 716
calombos nas gengivas e, 295
cirurgia para perda de peso e, 68-69
diabetes e, 71-72
diabetes gestacional e, 730-732
diagnosticando, 397-398
eclâmpsia e, 749-750
ftalatos e, 118
hipertensão e, 72
idade da mãe e, 77
inchaço e, 418-420
indução do trabalho de parto e, 539-541
múltiplos e, 603, 609-610
náusea e vômito tardios e, 458-459
no pós-parto, 760
parto prematuro e, 58
placenta abrupta e, 740
prevenção, 735
repouso e, 604, 763-766
sangramento no pós-parto e, 760-761
síndrome HELLP e, 735--736
sofrimento fetal e, 754-755
visão, 397, 733
preenchedores cosméticos, 212
pré-leite. *Ver* colostro
preparação para desastres, 485-486
presente de parto, dado pelo pai, 510
pressão abdominal. *Ver* distensão abdominal, gases
infecção do trato urinário e, 702
miomas e, 41
no início da gravidez, 199--200
no início do trabalho de parto, 558

pressão alta. *Ver* pressão arterial; hipertensão
pressão arterial, alta. *Ver* hipertensão; pré-eclâmpsia
pressão arterial, baixa
calor excessivo e, 113
epidural e, 444
posição ao dormir e, 357
ruptura uterina e, 758
vertigem e, 340
pressão arterial, elevada, 301
pressão retal. *Ver* hemorroida
durante o pré-trabalho de parto, 523
durante o trabalho de parto, 526, 552, 568-570
gravidez ectópica e, 783--784
parto pré-termo e, 434--435
quando telefonar para o médico sobre, 726-727
pressão
abdominal. *Ver* pressão abdominal
bexiga, 702-703
pélvica, parto prematuro e, 434
pélvica, pré-trabalho de parto e, 523
retal. *Ver* pressão retal
pré-trabalho de parto, 523--527
prévia parcial, 738
primeiro mês, 175-217
ansiedade, 204-209
cólicas, 201
cuidados com os cabelos, 210-212
cuidados dentários, 214--215
cuidados faciais, 212-214
cuidados pré-natais, 179-181, 197-198
desenvolvimento fetal, 175-177
enjoo matinal, 182-183, 187-194

escape, 200-202
estresse, 204-209
excesso de saliva, 194-195
exercícios, 186, 207
fadiga, 184-187
frequência urinária, 195--196
glicose, 184, 186, 190
gosto metálico, 194-195
mãos, 216-217
médico, 179-181, 197-198
mimos, 209-217
níveis de hCG, 203-204
nutrição, 186, 189-192
pés, 216-217
pressão abdominal, 199--200
seios, 196-199
seu bebê, 175-177
seu corpo, 177-178, 215--216
solução das seis refeições, 186
sono, 186
suplementos vitamínicos, 182-184
tratamentos para acne, 214
probióticos
antibióticos e, 717
candidíase e, 703-705
constipação e, 257-258
infecção do trato urinário e, 702-703
sapinho no bebê e, 646, 672
síndrome do intestino irritável e, 72-73
problemas de pele. *Ver* acne; pele
procedimento de excisão eletrocirúrgica com alça (LEEP), 43
produtos de limpeza, 115
eczema e, 232
produtos de limpeza, segurança dos, 115
profissional de saúde. *Ver* médico

progesterona no controle de natalidade, 679-689
progesterona
corpo lúteo e, 237-238
sintomas de gravidez e, 222, 255-256, 302, 340
programa de Visita Doméstica Materna e da Primeira Infância, 623
Programa Nacional de Controle do Tabagismo, 106
Programa Nacional de Doadores de Medula Óssea, 402
prolapso do cordão umbilical, 755
propiltiouracil, 74
prostaglandinas
como estímulo ao trabalho de parto, 526, 539-540
no sêmen, 485, 514-515
para preparar o colo do útero, 539-540
parto vaginal após cesariana e, 477-480, 758-759
proteína plasmática A associada à gravidez (PAPP-A)
triagem combinada e, 88
triagem integrada e, 89
proteínas, na urina, 301, 396-397, 420, 732
proteínas, nos alimentos, 135-137
em alimentos saudáveis, 154-155
múltiplos e, 594-595
shakes, 155
vegetais, 151-152
protetor de sutiãs, 503
protetor solar, 232, 350, 364
repelente de insetos e, 364
vitamina D e, 152
Protopic, 232
prova de trabalho de parto, 471, 472. *Ver* parto vaginal após cesariana
apresentação pélvica e, 469, 470

Prozac, 75
pseudoefedrina, 719
Psi Bands, 193
psicose pós-parto, 668-669
psicoterapia para depressão. 74-76, 667-668
pular refeições, 129
pulseiras antienjoo
para enjoo causado pelo movimento, 365
para enjoo matinal, 194
pulso
acelerado, 296, 458
exercícios e, 234320-324
fetal, medida do, 481
ponto de pulsação, no, 339
puxo tardio, 572

Q

qi (chi), 120
QI do bebê
mais alto com amamentação, 490
mais alto quando a mãe se exercita, 315
quarto mês, 289-333
alergias, 297-300
conselhos não solicitados, 308-309
cuidados dentários, 293--295
cuidados pré-natais, 292
desenvolvimento fetal, 289-291
esquecimento, 310-311
exercícios, 311-333
falta de ar, 295-296
glicose, 302-303
hipertensão, 301
imagem corporal, 304-305
movimentos fetais, 303--304
nariz entupido, 296-297
roncos, 297

roupas, 305-308
sangramento nasal, 296--297
secreções vaginais, 300--301
  seu bebê, 289-291
  seu corpo, 291-292
  tocar a barriga, 309-310
quedas, 426-427
  exercícios e, 316
  no trabalho, 286
  telefone celular e, 111
queijo
  como fonte de cálcio, 135, 138
  como fonte de proteínas, 135-139
  de leite cru, 150, 171
  intolerância à lactose e, 149
  macio, 150
  pasteurizado, 150, 171
queijos azuis, 150, 171
queijos macios, 150
quente
  ficando, demais. *Ver* excesso de calor; aumento da temperatura
  sentindo-se, 338-339. *Ver* excesso de calor; transpiração
quimioterapia
  coriocarcinoma e, 781
  drogas de, exposição às no trabalho, 284
  durante a gestação, 752
quinta doença, 285, 707, 708-709
quinto mês, 335-379
  anemia, da mãe, 341-342
  antecipando a maternidade, 359-362
  crescimento de cabelo e unhas, 348-352
  cuidados pré-natais, 338
  descobrindo o sexo do bebê, 353-356

desenvolvimento fetal, 335-337
dor abdominal, 346-347
dor nas costas, 342-346
dor nos ligamentos redondos, 346-347
elevação da temperatura, 338-339
exercícios, 341
ganho de peso, 344
movimentos fetais, 352--353
pele, 349-351
posição da placenta, 356--357
posição para dormir, 357--358
seu bebê, 335-337
seu corpo, 337-338
sexo, 369-379
vertigem, 340-341
viagens, 363-369
visão, 352
quiropraxia, 121-122
  apresentação pélvica e, 465
  ciática e, 422
  dor na cintura pélvica e, 747

R

raça e probabilidade aumentada de múltiplos, 593
radiação
  do telefone celular, 111
  dos raios x, 293-294
  em aviões, 285, 369
  no trabalho, 284-285
  tratamento com, para câncer, 751-752, 781
raios x, 293-294
  cuidados dentários e, 293--294
  no trabalho, 285

segurança dos aeroportos, 369
raquidiana
  para alívio da dor do trabalho de parto, 445
  para cesariana, 584, 608
recém-nascido. *Ver* bebê
recondicionamento térmico do cabelo, 211
redes sociais
  anúncios nas, 181-182
  apoio nas, 85, 179, 241
  conselhos sobre a gravidez nas, 27
  "guerras das mães" nas, 449
  para pais, 226, 244-245
  postando sobre a gravidez, 390
  repouso e, 577
  revelação do gênero, 356
redução da gravidez, em caso de múltiplos, 602-603
reflexo de busca, em recém--nascidos, 644
reflexo de ejeção disfórica do leite (D-MER), 673
reflexologia, 122-123
  para alívio da dor do trabalho de parto, 447-448
  para trabalho de parto posterior, 538
refluxo gastroesofágico, 187
refluxo, 129, 187, 223, 458--459. *Ver* azia; indigestão
refrigerantes dietéticos, 162--164
refrigerantes. *Ver* cafeína; refrigerante diet; junk food; substitutos do açúcar
regime, 153, 250
Registro Norte Americano de Parteiras, 32
Reglan, 193
  para enjoo matinal severo, 728-730
relacionamento

após perda da gravidez, 794
com o bebê. *Ver* vínculos com o parceiro, 487-488
mudanças no, 205-206, 376
relâmpagos na virilha, 315--316, 339 416, 422-423, 453, 506
relaxamento capilar, 210-211
relaxina, 347
Relief Bands, 193
REM. *Ver* sono com movimento rápido dos olhos
remédios contra a náusea, 720
  após cesariana, 631
  para enjoo matinal severo, 728-730
  para enjoo matinal, 194
  síndrome das pernas inquietas e, 424
remédios fitoterápicos, 125--126. *Ver* medicina complementar e alternativa
  para induzir o trabalho de parto, 515
remédios para a tosse, 720, 722
repouso na cama. *Ver* repouso
repouso pélvico, 378, 766
  ameaça de aborto espontâneo e, 727
  placenta prévia e, 738
repouso, 762-773
  animais de estimação durante, 772
  depressão em função do, 766-767
  família e, 772
  filhos mais velhos durante, 772
  logística do, 764-765
  múltiplos e, 604, 763
  no hospital, 765-766
  pai e, 768-770

para ameaça de aborto espontâneo, 728
para enjoo matinal severo, 729
para pré-eclâmpsia, 734
para restrição de crescimento intrauterino, 737
para ruptura prematura das membranas, 744
para trabalho de parto prematuro, 745
riscos do, 751, 766
tipos de, 763-766
resfriado comum, 697-699
restaurante, comendo em, 157-158
restrição do crescimento intrauterino, 736-738
  bebê pequeno e, 392
  pré-eclâmpsia e, 732
  sofrimento fetal e, 754
Restylane, 212
Retin-A, 214
  para estrias, 192
  para melasma, 258
Retrovir, 45
Rhogam, 61-65
  após amniocentese, 65, 94-95
  após biópsia das vilosidades coriônicas, 62, 92--95
riscos ambientais, 114-118
riscos domésticos, 113-118
riscos ocupacionais, 283
Ritalina, 76
Roacutan [isotretinoína], 214
Rolaids, 707, 717
rompimento da bolsa. *Ver* ruptura das membranas
ronco, 297
rosca bíceps, 328
rosto. *Ver* pele
  hematomas no, no pós--parto, 575, 618-620
  cuidados com o, 212-214

caído, 714-715
paralisia, 714-715
inchaço, 261
inchaço no pós-parto, 615
inchaço em caso de pré--eclâmpsia, 198, 301, 397, 732
rotina de exercícios com faixa elástica, 324
rotina de exercícios de crossfit, 324
rotinas de step, 323
rótulos nutricionais, 159-160
rótulos, nutrição, 142-143, 146
roupas para gestantes. *Ver* roupas
roupas
  para gestantes, 305-308
  para ginástica, 316
RU486, 687
rubéola, título de, 180, 711
rubéola, vacina contra, 180, 710-711
rugas, tratamentos para, 212-213
ruídos
  dor de cabeça por causa dos, 259-260
  excessivos, 283
  no trabalho, 283
ruptura artificial das membranas
  durante o trabalho de parto, 546
  indução do trabalho de parto e, 540
ruptura das membranas, 504-505, 530-531. *Ver* ruptura prematura das membranas
  artificial, 546, 564-565, 566
  descolamento das membranas e, 540
  durante o trabalho de parto ativo, 564

estreptococos do grupo B
  e, 480-482
indução e, 404
  no início do trabalho de
    parto, 395, 420
  parto prematuro e, 560
  quando telefonar para o
    médico sobre, 420, 568
  ruptura prematura das membranas, 743-744
  corioamnionite e, 741
  prolapso do cordão umbilical e, 755

S

sacarina, 163
saco amniótico, 177. *Ver*
  membranas
saco gestacional, visto no ultrassom, 236
  aborto espontâneo e, 777
sal de Epsom
  para dor perineal no pós-parto, 617-618
  para enjoo matinal severo, 730
sal
  alimentos processados e, 133, 166
  de Epsom. *Ver* sal de Epsom
  inchaço e, 145-146, 418-420
  iodo no, 73-74, 145-146
  na dieta, 145-146, 419
  pré-eclâmpsia e, 733-734
sala de parto, 37. *Ver* hospital
salas de trabalho de parto, parto e recuperação, 37
salicilatos, 720
saliva, do gotejamento pós--nasal, 296, 698
saliva, excesso, 194
salmão, DHA no, 145. *Ver* peixes

salmão, mancha de nascença
  em recém-nascidos, 580
salmonela, 150-167. *Ver* intoxicação alimentar; segurança alimentar
Salonpas, 345
SAMe, 244
sangramento nasal, 296
sangramento retal, 395-396
sangramento subcoriônico, 202, 725-726
sangramento
  abdominal, por ruptura uterina, 758
  das gengivas, 292, 293--295
  de fissuras, 396
  de hemorroidas, 371, 395--397
  de lacerações no períneo, 757
  de mamilos rachados, 625
  de verrugas genitais, 45--46
  dos mamilos no terceiro trimestre, 502-503
  interno, por gravidez ectópica, 782
  nasal, 296-297
  retal, 396
sangramento vaginal, 200--202, 725-727. *Ver* escape
  aborto espontâneo precoce e, 776-778
  aborto espontâneo tardio e, 727, 784-785
  ameaça de aborto espontâneo e, 727-728
  após amniocentese, 95
  após biópsia das vilosidades coriônicas, 92-93
  após exame interno, 200, 395, 525, 726
  como sinal de trabalho de parto iminente. *Ver* secreção sanguinolenta
  durante o parto, 555

excessivo, no pós-parto, 760-761
exercícios e, 320
gravidez ectópica e, 782--784
gravidez molar e, 781
implantação e, 20, 200
infecção e, 200
insuficiência cervical e, 60
inversão uterina e, 759
no fim da gestação, 395, 502-503
no pós-parto de múltiplos, 610
no pós-parto, 613, 614--615, 760-761
placenta abrupta e, 740
placenta prévia e, 738
quando telefonar para o médico sobre, 198, 202, 561
quando telefonar para o médico sobre, no pós--parto, 619, 761
repouso pélvico para, 766
Rhogam após, 62
sexo e, 200, 375, 503
subcoriônico, 202, 725-727
trabalho de parto pré-termo e, 744-745
sangue nas fezes, 258
sangue
  banco de sangue do cordão umbilical, 398-403
  lactação, 502-503
  na urina, 702-703
  nas fezes, 162, 258
  tipo, 180
  visão do, durante o parto, 555
sapatos, 230, 343, 344, 347--348, 306, 369, 419, 427
sapinho, antibióticos e, 646, 672, 762
sarampo, 710
sarampo, caxumba e rubéola (tríplice viral), vacina contra, 80, 710

sardas, escurecimento das, 350
sauna úmida, 112-113, 215, 316
saunas, 112-113
secreção sanguinolenta no pós-parto. *Ver* lóquio
secreção sanguinolenta nos mamilos, 502-503
secreção sanguinolenta, 530
 ao fazer força, 574
 com cerclagem, 60-61
 no início do trabalho de parto, 560
 no parto prematuro, 434, 744
 no pré-trabalho de parto, 525
 no trabalho de parto ativo, 563
 no trabalho de parto transicional, 570
secreções vaginais, 300-301
 amarronzadas, 525, 530, 540
 com cheiro de peixe, 44
 com mau cheiro no pós-parto, 762
 com mau cheiro, 729, 741
 como sinal de parto prematuro, 434, 745
 cor-de-rosa. *Ver* secreção sanguinolenta; escape
 esbranquiçadas, 300-301
 esverdeadas, 44
 na menina recém-nascida, 579-580
 no pós-parto. *Ver* lóquio
 no pré-trabalho de parto, 524-525
 sanguinolenta, 258, 525
 vermelhas. *Ver* sangramento, vaginal
secreções vaginais, sexo e, 373
sede
 aumento súbito da, 198, 731

ingestão de líquidos e, 147
segunda gravidez, 48-51
 amamentação durante, 54--55
 aulas de parto para, 411
 caroço no seio e, 397
 cesariana repetida e, 474, 479
 complicações e, 48
 contrações de Braxton Hicks e, 454-455
 enjoo matinal, 133
 fazendo força durante o trabalho de parto, 566-567
 incompatibilidade de Rh e, 61-65
 ingurgitamento após, 625
 lacerações perineais durante o trabalho de parto na, 556-557
 movimentos fetais, 49, 303-304
 mudanças nos seios e, 196--197, 199
 muito próxima da primeira, 52-54
 parto vaginal após cesariana e. *Ver* parto vaginal após cesariana
 sintomas de pré-trabalho de parto, 524-525
 tamanho da barriga, 49, 265, 460-462
 trabalho de parto, 50
segundo mês, 219-250
 acne, 230-231
 angiomas estelares, 228
 azia, 222-224
 barriga que vem e vai, 233
 cuidados pré-natais, 222
 depressão, 241-244
 desejos e aversões por alimentos, 225, 227
 desenvolvimento fetal, 219-220
 dificuldade para urinar, 236-237

 distensão abdominal, 221
 eczema, 232-233
 ganho de peso, 246-250
 imagem corporal, 235
 indigestão, 222-224
 oscilações de humor, 238--241, 239-240
 pele seca, 231-232
 seu bebê, 219-220
 seu corpo, 221
 síndrome de congestão pélvica, 230
 veias varicosas, 228-230
 veias, 227-230
segurança nos aeroportos, 369
segurança
 alimentar. *Ver* segurança alimentar
 dos medicamentos. *Ver* medicamentos
 veicular. *Ver* carro
seguro. *Ver* Lei do Cuidado Acessível; plano de saúde
seios do recém-nascido, inchados, 579-580
seios, aumento dos, 196-199
 na segunda gestação, 49, 199
seios, ingurgitamento no pós-parto, 625
seios, sensibilidade nos
 aborto espontâneo e, 776
 como sinal precoce de gravidez, 19-20
 no primeiro trimestre, 196--199
 sexo e, 373
seios. *Ver* aréola; mamilo; amamentação
 abcessos, 673
 ausência de mudanças, 49, 199, 201
 autoexame, 397
 caídos, 199
 caroços nos, 397
 cirurgia, amamentação após, 494

conchas de amamentação, 490
desconforto no pós-parto, 614
estrias, 262
infecção, 619, 672-673
mastite, 619, 672-673
peso, 247
pós-parto, 651
sangramento nos, no terceiro trimestre, 502-503
segunda gestação e, 49, 199
tatuagens nos, 262
veias nos, 197, 227-228
seleção do médico e, 34, 456
selênio, 142, 148, 154, 746
sêmen
  camisinhas e, 686
  engolir, 371
  prostaglandinas no, e trabalho de parto, 485, 487, 514
  vasectomia e, 687
sementes de cânhamo, 154
sensibilidade aos cheiros, 191-192
  como sinal precoce de gravidez, 20
  enjoo matinal e, 187-194
sensibilidade
  ao calor, 256
  ao cheiro. *Ver* sensibilidade ao cheiro
  ao frio, 255
  emocional. *Ver* oscilações de humor
  enjoo matinal e, 188
  nas gengivas. *Ver* sensibilidade nas gengivas
  nos seios. *Ver* sensibilidade nos seios
sentando-se
  após cesariana, 632
  dor nas costas e, 343
  durante o trabalho de parto, 550-551, 574

exercícios, 320
hemorroida e, 395-397
inchaço e, 418-420
no trabalho, 279-286
pós-parto, 618
trombose venosa profunda e, 750-751
veias varicosas e, 228-230
septo uterino, aborto espontâneo e, 785
sétimo mês, 413-450
  alívio da dor para trabalho de parto, 442-450
  bolinhas na pele, 420-421
  ciática, 421-422
  cuidados pré-natais, 416
  desenvolvimento fetal, 413-415
  fadiga, 417-418
  inchaço das mãos, 418--420
  inchaço dos pés e tornozelos, 418-420
  inchaço, 418-420
  movimentos fetais, 422
  orgasmo, 428
  plano de parto, 433-438
  quedas, 426-427
  relâmpagos na virilha, 422-423
  seu bebê, 413-415
  seu corpo, 415-416
  síndrome das pernas inquietas, 423-425
  sobrecarga, 431-433
  soluços fetais, 425-426
  sonhos, 427-431
sexo anal, 371
  repouso pélvico e, 766
sexo oral, 370-371
sexo, 268-272, 369-379, 426, 485-487. *Ver* orgasmo
  ameaça de aborto espontâneo e, 727-728
  anal, 371
  após ruptura das membranas, 530

aproveitando o, 377-378
cerclagem e, 61
cólicas após, 272
contrações de Braxton Hicks após, 455
dor no pós-parto, 674-678
durante o terceiro trimestre, 485-487
escape e, 200, 375
falta de interesse em, 271
FIV e, 47-48
induzindo o trabalho de parto com, 514-515
insuficiência cervical e, 59-61, 378
Kegel durante, 312, 372
lubrificação para, 373
maior interesse em, 268, 272-273
masturbação e, 271
oral, 370-371, 371
pai e, 269-271, 302, 374
perda do tampão mucoso e, 539-530
placenta prévia e, 738
posições para, 375
preocupações com o, 376--377
preocupações do pai sobre, 371-372
repouso pélvico e, 763-766
restrições, 378
sangramento após, 199, 375, 395, 504, 726-727
· sonhos sobre, 428-429
vírus Zika e, 378, 712
sexo, do bebê. *Ver* gênero
sexo, no pós-parto, 674-678
  controle de natalidade para, 679-689
  dor, 674-678
  esticamento vaginal e, 574
  falta de interesse, 674-678
  posições para, 677
  recuperação da cesariana e, 671-672
  secura vaginal, 675, 677

sentimentos do pai sobre, 675-676
sexto mês, 381-412
  amortecimento das mãos, 393-394
  aulas de parto, 406-412
  câimbras nas pernas, 384, 394-395
  caroços nos seios, 397
  coceira na barriga, 384, 392
  cuidados pré-natais, 384
  desenvolvimento fetal, 381-383
  exame de glicose, 384, 397-398
  falta de jeito, 392-393
  fundo, 454, 391-392
  hemorroida, 384, 395-397
  inibições durante o trabalho de parto, 404-405
  medo da dor do parto, 403-404
  movimentos fetais, 389--391
  sentindo que algo não está certo, 391
  seu bebê, 381-383
  seu corpo, 383-384
  sono, 384-387
  tour pelo hospital, 406
  umbigo, 384, 388-389
shiatsu, 121
sífilis, 44, 181
simulador de escadas, 321
síndrome da fadiga crônica, 74
síndrome da morte súbita infantil
  amamentação e, 489
  fumo e, 104-107
síndrome da varicela congênita, 710
síndrome das pernas inquietas, 423-425
  anemia e, 342
síndrome de abstinência neonatal, 108
síndrome de congestão pélvica, 230

síndrome de Couvade, 226
síndrome de Down. *Ver* doenças congênitas
  amniocentese para diagnosticar, 94
  biópsia das vilosidades coriônicas, 92
  idade da mãe e, 77, 79
  idade do pai e, 77-78
  NIPT, 87
  testes diagnósticos, 91-97
  triagem combinada para, 88
  triagem integrada, 90
  triagem quádrupla, 90
  triagens pré-natais, 86-91
  ultrassom de translucência nucal, 87
síndrome de Edwards
  teste para, 90
síndrome de Hurler, 398-399
síndrome de transfusão feto--fetal, 602
síndrome do alcoolismo fetal, 104
síndrome do túnel do carpo, 120
  amortecimento das mãos, 393
  falta de jeito em função da, 393
  por causa dos computadores, 280
síndrome HELLP, 735-736
sinusite, 699
sistema circulatório do bebê, 219-220
sistema imunológico
  da mãe, suprimido quando grávida, 697
  do bebê e amamentação, 489
  em desenvolvimento do bebê, 452
snowboard, 316, 320
sofrimento fetal, 508, 510, 545-546, 754-755. *Ver* monitoramento fetal

cesariana e, 474
escassez de líquido amniótico e, 532
manchas de mecônio e, 532
movimentos do bebê e, 510, 755
parto em casa e, 753
problemas no cordão umbilical e, 747-748, 754
solas dos pés, avermelhadas, 350
solução das seis refeições. *Ver grazing*
soluços fetais, 425-426
Sominex, 720
sonhos. *Ver* sono
  da mãe, 427, 429-431
  do bebê, 413-415
  do pai, 428-429
sono com movimento rápido dos olhos (REM)
  do bebê, 413
  da mãe, 427
sono, da mãe, 357-358, 384--386. *Ver* sonhos; fadiga
  alojamento conjunto e, 631-632
  apneia e, 297
  azia e, 223
  cafeína e, 101
  câimbras nas pernas e, 387, 394-395
  ciática e, 421-422
  congestão nasal e, 296
  depressão e, 241-244
  dispositivos eletrônicos e, 386
  distúrbios do humor no pós-parto e, 662, 667--669
  dor de cabeça e, 259-262
  dor nas costas e, 344
  enjoo matinal e, 192
  esquecimento e, 310-311
  estresse e, 207, 385
  exercícios e, 313-315, 385
  magnésio para, 387

medicamentos para, 298, 368, 718-719
meditação, 386
no pós-parto, 652-653
oscilações de humor e, 241
posição para, 357-358, 457
problemas. *Ver* insônia
REM, 427
repouso e, 766
roncos durante, 297
rotina da hora de ir dormir, 384-387
síndrome das pernas inquietas e, 423-425
suor noturno no pós-parto e, 624
sono, do recém-nascido, 145, 315, 578
alojamento conjunto e, 631-632
amamentação e, 638
sono, fetal, 112, 339, 358, 413, 426, 432,
sorbitol, 164
spinning (exercícios), 323
spray contra insetos
para se proteger de picadas, 364, 714
pesticida, para insetos dentro de casa, 116-117
stevia, 164
suco de *cranberry* para infecção do trato urinário, 702
suco pasteurizado, 150
sucos de fruta concentrados, 165
sucralose, 162, 163
Sudafed, 719
sugar. *Ver* amamentação
sulfato de magnésio
inversão uterina e, 759
pré-eclâmpsia e, 760
síndrome HELLP e, 735-736
suplemento de magnésio
câimbras nas pernas e, 394
constipação e, 257

enjoo matinal e, 424, 458-459
enjoo matinal severo e, 728-730
enxaqueca e, 260
pré-eclâmpsia e, 735
síndrome das pernas inquietas e, 342, 423-425
sono e, 386-387
suplementos dietéticos, 125, 186
suplementos fitoterápicos, 120, 149, 244. *Ver* remédios fitoterápicos
suplementos nutricionais. *Ver* suplementos vitamínicos
suplementos vitamínicos. *Ver* suplementos dietéticos; bebidas energéticas; suplementos fitoterápicos
suporte para a barriga. *Ver* faixa elástica para a barriga
supressão da lactação após morte fetal, 786
supressão da lactação, 626
surfactante, 382, 498
sushi, 160
sutiã, 308
caroços nos seios e, 397
durante o sono, 199
para amamentação, 518
para ginástica, 316
para ginástica, no pós-parto, 690
para seios ingurgitados, 625-626
protetores, 503
tamanho cada vez maior do, 196-199, 221
Synthroid, 718

T

tabaco. *Ver* fumo
tai chi, 318, 324

Take Action, contraceptivo de emergência, 687
talassemia
aconselhamento genético e, 84
testes genéticos para, 49, 181
tamanho
da barriga. *Ver* barriga
da mãe, e parto, 462
da pelve. *Ver* pelve
do bebê. *Ver* bebê, tamanho do
do útero. *Ver* útero
tampão mucoso, perda do, 524-525
após banho, 482
após sexo, 530
no pré-trabalho de parto, 524-525
tatuagens, 216
TDAH. *Ver* transtorno do déficit de atenção com hiperatividade
técnicas de relaxamento, 123, 208
Teflon. *Ver* politetrafluoroetileno
temperatura corporal basal
após a concepção, 21
acompanhando, no método de consciência da fertilidade, 688
tensão. *Ver* ansiedade; estresse
terapia de luz brilhante
para depressão, 76
para depressão pós-parto, 665
terapia de progesterona
abortos espontâneos repetidos e, 51-52
ameaça de aborto espontâneo e, 727-728
FIV e, 47-48
insuficiência cervical e, 59-61
para prevenir parto prematuro, 56-59, 745-746

terapia hormonal
  para abortos espontâneos repetidos, 52
  para prevenir nascimento pré-termo, 56, 58-59
terapia. *Ver* aconselhamento
terapias da medicina complementar e alternativa para, 122, 125
terceiro mês, 251-288
  batimentos cardíacos fetais, 266-267
  constipação, 254-257
  cuidados pré-natais, 254
  desenvolvimento fetal, 251-253
  distensão abdominal, 255-256
  dor de cabeça, 259-262
  estrias, 262-263
  ganho de peso, 262-263
  hipertireoidismo, 256
  hipotireoidismo, 255
  parecendo grávida mais cedo, 265
  seu bebê, 251-253
  seu corpo, 253-254
  sexo, 268-272
termo precoce, 509
termo
  definição, 509
  para múltiplos, 596
teste da contagem de chutes, 422, 506-507
teste de estresse de contrações, 507
teste de glicose, 303, 397-398
teste de não estresse, 507
teste de portadores expandido, 81-82, 84
teste de reação à ocitocina, 507
teste de saliva, 194
teste de tolerância à glicose, 398
  diabetes gestacional e, 731
teste genético pré-implantação, 780

teste pré-natal não invasivo (NIPT), 86-87
testes de deficiência de vitaminas e abortos espontâneos repetidos, 51-52
testes de gravidez de farmácia, 21-26
  linha fraca, 24-25
  negativo, 26
  positivo depois negativo, 25-26
  quando os ciclos são irregulares, 23
  sensibilidade, 21
  tratamentos de fertilidade e, 23-24
testes de gravidez, de farmácia, 21, 23-24
  linha fraca, 24-25
  positivo, então negativo, 25
  quando os ciclos são irregulares, 23
  resultado negativo, 25, 26
  sensibilidade dos, 21-23
  tratamentos de fertilidade e, 23-24
testes de triagem em recém-nascidos, 480-481
testes de triagem
  de glicose no sangue, 397-398
  de ISTs, 43-45
  de toxoplasmose, 114
  na primeira consulta pré-natal, 179, 181
testes de triagem, no recém-nascido, 480-481
testes de triagem, pré-natais, 86-91. *Ver* testes genéticos
  para parto prematuro, 56, 745
testes diagnósticos pré-natais, 91-97. *Ver* testes pré-natais
  idade da mãe e, 79
  idade do pai e, 78

testes diagnósticos pré-natais. *Ver* testes de triagem pré-natais
testes genéticos após perda da gravidez, 51-52, 780, 787, 797
testes genéticos, 80-85. *Ver* testes de triagem, pré-natal
  idade da mãe e, 79
  idade do pai e, 78
  na primeira consulta pré-natal, 181
testes. *Ver* exames de sangue; *testes e condições individuais*
  bem-estar fetal no nono mês, 506-507
  comprimento cervical, 56, 745
  de estresse de contrações, 507
  de gravidez de farmácia, 21-26
  de segurança da água, 116
  de título de rubéola, 180
  de tolerância à glicose, 398
  de triagem de glicose, 397-398
  de triagem do recém-nascido, 480
  de triagem pré-natal, 86-91
  de urina, de rotina, 180
  diagnósticos, para doenças congênitas, 91-97
  estreptococos do grupo B, 480-482
  fibronectina fetal, 56, 745
  genéticos, 84-85, 181
  glicose, 180, 302
  movimentos fetais, 509, 563, 678-679
  na primeira consulta pré-natal, 178
  para abortos espontâneos repetidos, 51-52
  para diabetes, 71-72

para incompatibilidade de Rh, 61-65
para infecção do trato urinário, 702-703
para ISTs, 180
para níveis de hCG, 203--204
para pré-eclâmpsia, 732--734
tratamentos de fertilidade e testes de gravidez de farmácia, 24, 47-48
testículos do feto, descida, 336, 452
testosterona
do pai, 302, 428-429
fetal, desenvolvimento da, 252
tétano. *Ver* vacina DTP
tetraciclinas, 720
tinta, 117
chumbo na, 115-116
tipo sanguíneo
antígenos Kell e, 65
da mãe, 180
incompatibilidade de Rh e, 65
tireoidite pós-parto, 666--667
título, 180
de catapora, 709-710
de rubéola, 180, 711
de sarampo e caxumba, 710-711
TOC. *Ver* transtorno obsessivo-compulsivo
tocolíticos para parto prematuro, 745
tonificação pélvica. *Ver* Kegel
tônus muscular. *Ver* exercícios
perda do, durante o repouso, 604, 765, 766, 772-773
segunda gestação e, 48
sentir os movimentos fetais e, 389
tamanho da barriga e, 262, 460-462

tornozelos, inchaço dos, 347--348, 418-420
após cesariana, 632
exercícios na água para aliviar, 322
ingestão de sal e, 145-146
no pós-parto, 614
pré-eclâmpsia e, 301, 732
repouso e, 766
severo, 248
tosse, 698
à noite, 296
com expectoração sanguinolenta, 751
coqueluche e. *Ver* coqueluche
dor no peito e, 699
febre e, 701
gotejamento pós-nasal e, 296
mel para a, 698-699
quando telefonar para o médico sobre, 698, 699, 751
tour pelo hospital, 406
toxemia. *Ver* pré-eclâmpsia
toxoplasmose, 113-114, 285
trabalho de escritório, 282
trabalho de parto ativo, 562--570
trabalho de parto breve, 535
trabalho de parto e parto prematuros, 56-59, 744-746
abuso doméstico e, 109-110
anemia falciforme e, 73
asma e, 298-299
banco de sangue do cordão umbilical e, 398-403
caxumba e, 710-711
clampeamento tardio do cordão umbilical e, 555--557
cocaína e, 108-109
colestase e, 750
colposcopia e, 43
corioamnionite e, 741
depressão e, 74-76, 146

desidratação e, 459-460, 595
doença da tireoide e, 73
endometriose e, 42-43
estreptococos do grupo B e, 480-482
excesso de peso e, 65
ftalatos e, 118
fumo e, 104-107
gestações muito próximas e, 52-54
idade da mãe e, 77-78
infecção do trato urinário e, 435, 459-460
mãe abaixo do peso e, 67
medidas elevadas no ultrassom de translucência nucal e, 89
miomas e, 41-42
múltiplos e, 590, 598, 601
obesidade e, 65
parto em casa e, 753
placenta prévia e, 738
polidrâmnio e, 742-743
por causa do sexo, medo de, 375
prolapso do cordão umbilical e, 755
repouso para prevenir, 763-766
repouso pélvico para, 378, 766
resultados anormais na triagem quádrupla e, 89-90
ruptura prematura das membranas e, 743-744
sangramento e, 395
sinais de, 434-435
testes de triagem para, 745
transtornos alimentares e, 70
vitaminas pré-natais e, 182-184
trabalho de parto latente, 559
trabalho de parto mais breve
doulas e, 439-440

exercícios e, 313-315
segunda gestação e, 48-49
trabalho de parto posterior, 536-539
acupressão para, 121, 447, 538
epidural e, 447
posição do bebê e, 464
posições de trabalho de parto para, 549-552
trabalho de parto precipitado, 535
trabalho de parto prodrômico, 525
trabalho de parto transicional, 559, 570-572
trabalho de parto. *Ver* parto; parto; trabalho de parto e parto prematuro
alimentos para induzir, 520
alívio da dor, métodos da medicina complementar e alternativa, 447-449. *Ver métodos individuais*
amigos e família durante o, 516-520
ativo, 419, 422-425
aulas de parto. *Ver* aulas de parto
bebê em apresentação pélvica e. *Ver* apresentação pélvica
bolsa estourando e início do, 504, 530
breve, 535
comer e beber durante, 541-542
contrações de Braxton Hicks e, 416
contrações irregulares durante, 532
contrações. *Ver* contrações
decisão sobre cesariana durante, 474
desacelerando, 566
doula para, 328-329
em caso de morte fetal, 785-787

estações do bebê durante, 508, 518, 572
estágios e fases, 559
estreptococos do grupo B e. *Ver* estreptococos do grupo B
falso, sintomas do, 525
fase 1, 558-562
fase 2, 462-570
fase 3, 570-573
fazendo força. *Ver* parto
hiperventilando durante, 563
indução em caso de múltiplos, 596
indução faça-você-mesma, 514-515, 541-542
indução faça-você-mesma, 514-515, 541-542
indução, 539-541
início do, 558-562
insinuação, 546
intravenosa durante, 542-543
ir para o hospital durante, 423
latente, 559
limites de tempo, 567
médico durante, 526, 533-535, 561
monitoramento fetal, 543, 545-546
movimentos do bebê durante, 572
múltiplos e, 605-610
na água, 448. *Ver* parto na água
não progride, 474, 566
obesidade e, 65-67
ocitocina durante, 565
opções de alívio da dor, 442-450
orgasmo levando a, 374
pai durante o, 568, 571
papel do *coach*. *Ver* pai parado, 566
perda da gravidez durante, 796

plano de parto para. *Ver* plano de parto
posições para, 549-554
posterior. *Ver* trabalho de parto posterior
predições sobre quando começará, 513
preocupações do pai sobre, 405
preparando a logística do, 513
prodrômico, 525
prolapso do cordão umbilical, 755-756
prova de, no parto vaginal após cesariana, 477-480
quando telefonar para o médico, 513, 533-535, 619
ruptura artificial das membranas e, 435, 546
sangramento durante, 726. *Ver* secreção sanguinolenta
secreção sanguinolenta. *Ver* secreção sanguinolenta
segunda gestação e, 48-50
sexo levando ao, 278-279, 363-364. *Ver* sexo
sinais de, 523-525
sinais precoces de, 72, 265
sintomas do pré-trabalho de parto, 524
técnicas de alívio da dor. *Ver* aulas de parto
temendo a dor do, 403-404
temendo o constrangimento durante, 404-405
tentativa de, com bebê sentado, 466
transicional, 559, 570-573
verdadeiro, sintomas do, 524
trabalho, 272-288
conciliando gravidez e, 272-288

contando ao chefe, 273-276
mudando de, 287-288
pai e, 634-635
parto prematuro e, 746
permanecendo confortável no, 279-282
permanecendo no, 286-287
repouso e, 768
segurança no, 282-286
seus direitos trabalhistas, 276
síndrome do túnel do carpo, 280
tratamento injusto no, 287
tranquilizantes para aliviar a dor do trabalho de parto, 446
transfusão de sangue
anemia falciforme e, 73
hemorragia pós-parto e, 761
inversão uterina e, 759
transfusão de sangue, para o bebê
incompatibilidade de Rh e, 65
transpiração, 338-339, 351
assaduras e, 339
excessiva no pós-parto, 624
exercícios e, 314-315
transtorno de ansiedade pós-parto, 660, 667-669
transtorno de estresse pós-traumático no pós-parto, 669
transtorno do déficit de atenção com hiperatividade (TDAH), 76
fumar e, do bebê, 105
transtorno obsessivo-compulsivo no pós-parto, 668
transtornos alimentares, 70-71, 74. *Ver* imagem corporal; mãe abaixo do peso
anemia por deficiência de ferro e, 341
restrição de crescimento intrauterino e, 738

transtornos comportamentais do bebê
fumo e, 104-105
transtornos de humor no pós-parto, 667-669
transtornos de humor. *Ver* depressão; ataques de pânico
tratamentos contra rugas, 212-213
tratamentos corporais, spa, 210, 214-217
tratamentos de fertilidade. *Ver* fertilização *in vitro*
após gravidez, 47-48
múltiplos e, 593, 600-601
testes de gravidez de farmácia e, 21
tratamentos de spa, 209-217
tratamentos faciais, 212
trava de heparina, 543
triagem combinada, 88-89
triagem integrada, 89
triagem quádrupla e, 89-90
triagem quádrupla, 87, 89-90
tricomoníase, 44-45
trigêmeos. *Ver* múltiplos
ganho de peso com, 595
parto, 601, 609-610
trigo integral branco, 142
trigo integral. *Ver* grãos integrais
trilhas, 315
tríplice viral. *Ver* sarampo, caxumba e rubéola
tromboflebite, veias varicosas e, 228-230
trombose venosa profunda, 750-752
trombose. *Ver* trombose venosa profunda
esmalte dos dentes, 153
inserção velamentosa do cordão umbilical, 748
visível, 227-228
trompas de Falópio, 176. *Ver* gravidez ectópica; laqueadura

trompas, ligar. *Ver* laqueadura
tubérculos de Montgomery, 20
tubo neural, anomalias no NIPT e, 87
reduzindo o risco de, 181. *Ver* ácido fólico
suplementos pré-natais para, 182
testes de triagem pré-natais para, 86, 88
testes diagnósticos, 91, 92, 95
triagem quádrupla para, 89
tubo neural, desenvolvimento do, 219
Tylenol PM, 720
Tylenol. *Ver* paracetamol

U

ultrassom de translucência nucal, 87-88
ultrassom morfológico, 91, 354-355
ultrassom transabdominal, 236
ultrassom transvaginal, 236
ultrassom vaginal. *Ver* ultrassom
ultrassom
3D, 431-432
4D, 431-432
amniocentese e, 94-95
ao virar o bebê em apresentação pélvica, 464-465
biópsia das vilosidades coriônicas e, 94
de múltiplos, 598
marcadores, 91
nível 2, 91
para datar a gravidez, 28
para determinar o sexo do bebê, 354-355
para estimar o peso ao nascer, 463, 473

para medir o comprimento
   cervical, 56, 745
 por diversão, 431
 primeiro trimestre, 235
 segundo trimestre, 354-
   -355, 431-432
 translucência nucal e, 87-88
umbigo saltado, 388-389.
   Ver hérnia umbilical
umbigo
 hérnia no, 388
 piercing, 234-235
 saltado, 388-389
umbigo, 387-389
umidificador para congestão,
   296, 297, 698
unhas
 crescendo rapidamente,
   257-260 348-352
 de acrílico e de gel, 217
 esmaltes, 217
 manicure, 217
 secas e quebradiças, 348-
   -349
unidade de tratamento intensivo neonatal (UTI neonatal), 35, 96
 alojamento na, 631-632
 amamentação do bebê na,
   646-647
 bebê com necessidades especiais e, 96
 cesariana e, 587
 criando vínculos com o
   bebê na, 628-629
 múltiplos na, 590
 parto de alto risco e, 96
 parto prematuro e, 742-743
Unisom, 720
 para enjoo matinal, 193.
   Ver Diclegis
urina
 açúcar na, 301-303
 com cheiro ruim, 702
 cor da, normal, 147
 distinguindo do líquido
   amniótico, 460, 530

escura, em caso de desidratação, 198
estreptococos do grupo B
   detectados na, 482
proteínas na, 301, 397, 420,
   732-733
sangue na, 198, 703
testes de gravidez. *Ver* testes
   de gravidez de farmácia
vazamento. *Ver* incontinência urinária
urticária no pós-parto, 650
uterina(o)
 câncer, amamentação para
   prevenir, 494
 cirurgia anterior, 42-43
 contrações. *Ver* contrações
 incisão durante cesariana,
   585-586
 inversão, 759
 miomas. *Ver* miomas
 músculos uterinos, 758
 revestimento, aumento do,
   176, 200
 ruptura, 758-759
 ruptura, risco de, em parto
   vaginal após cesariana,
   478
útero inclinado, 236
útero
 contrações. *Ver* contrações
 descida. *Ver* descida
 dolorido em caso de corioamnionite, 741
 examinando durante exame médico, 23, 180
 excessivamente esticado na
   gravidez de múltiplos,
   607, 608
 formato anormal e aborto
   espontâneo, 51-52, 784
 fundo, 29
 gravidez molar e, 781
 inclinado, 171
 inclinado, 236
 medidas do, 391-392, 462
 na segunda gestação, 48

no 1º mês, 178
no 2º mês, 221
no 3º mês, 253-254
no 4º mês, 291-292
no 5º mês, 337-338
no 6º mês, 383-384
no 7º mês, 415-416
no 8º mês, 452-454
no 9º mês, 499-501
no pós-parto de múltiplos,
   610
no pós-parto, 581, 586,
   615, 651, 670
peso, 248
restrição de crescimento
   intrauterino e, 736-738
tamanho do, para datar a
   gravidez, 29
UTI neonatal. *Ver* unidade
 de tratamento intensivo
 neonatal

V

vacina contra a gripe em forma de *spray* nasal, 700
vacina DTP, 441, 81, 441-
   -442
 para pais, 442
vacina dTpa. *Ver* vacina DTP
vacina pneumocócica, 80
vacinas, 80
 amamentação e, 489
 animais de estimação, 707
 catapora, 709-710
 DTP, 81, 441-442
 gripe, 80, 700-701
 hepatite A, 80, 712
 hepatite B, 80
 HPV, 45-46
 na infância, 441
 pais e, 442
 recém-nascido, 581, 713
 tríplice viral, 80, 710-711
 viagens e, 364

vagina
  alargamento durante parto, 554
  ardendo e queimando durante o parto, 574
  caroço na, após cerclagem, 59-61
  dor aguda na, 422-423
  dor no pós-parto. *Ver* períneo
  episiotomia e, 543-544
  exame da, na primeira consulta pré-natal, 180
  Kegel para, 312
  lacerações, 556-557, 757--758
  mudanças de cor como sinal de gravidez, 23
  mudanças e sexo no pós--parto, 674-678
  mudanças e sexo, 372
  no pós-parto, 651
  prolapso do cordão umbilical e, 755
  sangramento. *Ver* sangramento
  secura no pós-parto, 674--675, 677
  secura, 374
  sensação de choque na, 422-423
  vazamento, com cheiro ruim, 741
  vazamento, parto prematuro e, 434, 472, 743
  veias varicosas, 228-230, 616
  verrugas genitais, 45
vaginose bacteriana, 704
  duchas íntimas e, 300
  ruptura prematura das membranas e, 743
vaginose. *Ver* vaginose bacteriana
varicela, 709-710
  vacina, 80, 710
vasa prévia, 753-754

vasectomia, 687
vazando
  fezes. *Ver* incontinência fecal
  líquido amniótico. *Ver* líquido amniótico, vazando
  seios, 503
  urina. *Ver* incontinência urinária
vegetais, 132-133, 139-141, 143
  acrescentando gordura a, 143-144
  folhosos, verdes e amarelos, 152, 165
  lavagem, 168, 171, 172
  orgânicos, 166-170
  preparação, 133
veias varicosas, 228-230
  na pelve, 230, 373, 423, 615
veias. *Ver* veias varicosas
  azuis, nos seios, 196-199, 227-228
  no reto. *Ver* hemorroidas, 230
verde
  líquido amniótico, 527, 532, 561
  muco, 699
  pós alimentares, 155
  produtos de limpeza, 115
  secreção no local da incisão, 671
  secreção vaginal, 44, 301, 671
vérnix caseoso, 335, 498, 868
verrugas genitais, 45-46
versão cefálica externa para apresentação pélvica, 465--466, 469
  mulheres obesas e, 466
  múltiplos e, 608
versão interna, 608-609
vertigem, 340-341
  anemia e, 342
  ataques de pânico e, 242

baixa glicose e, 340
baixa pressão arterial e, 340
desidratação e, 340
desmaio, 341
durante exercícios, 341
durante o trabalho de parto, 563
hemorragia pós-parto e, 761
no pós-parto, 619, 632
paralisia de Bell e, 714
quando telefonar para o médico sobre, 198, 320, 619
ruptura uterina e, 758
transtorno de ansiedade no pós-parto e, 667. *Ver* tontura
vesícula vitelina, 177
viagens de avião, 366-367, 484
  desidratação e, 366-367
  trombose venosa profunda e, 366, 751-752
viagens de trem, 366, 368
viagens, 363-368, 484-485. *Ver* viagens de avião; dirigir seguro, 364
vibradores, 371
  repouso pélvico e, 766
vínculos da mãe
  amamentação e, 494-495
  depressão pós-parto e, 669
  ocitocina e, 660
  pós-parto, 583, 626-628, 636
  quando o bebê está no útero, 359
vínculos do pai, 359
  mobilização militar e, 62--64
  pós-parto, 582, 628-629, 634-635
  quando o bebê está no útero, 359
vinho. *Ver* álcool
violência doméstica, 109-110

virado para a frente, posição
do bebê, 464-465
virando o bebê. *Ver* apresentação pélvica
vírus Zika, 363, 364, 378,
686, 707, 712
visão borrada, 352
visão
distúrbios da, 198, 399, 420
dupla, 733
embaçada durante o trabalho de parto, 563
mudanças na, 352
pré-eclâmpsia, 396-397,
420, 732-735
quando telefonar para o
médico sobre, 197-198
visualização, 124. *Ver* meditação; exercícios de relaxamento
para o estresse, 209
para reduzir a dor do trabalho de parto, 449, 538
vitamina A, 140-141
absorção da gordura adicionada, 8
alimentos de cores brilhantes e, 141
alimentos ricos em, 140
em suplementos pré-natais,
147
toxicidade da, 184
tratamentos para rugas e,
212-213
vitamina B
carboidratos complexos e,
142, 153, 156
peixes e aves e, 151
vegetais e, 139
vitamina B
em carboidratos complexos, 131, 142, 153
em peixes e aves, 151
em vegetais, 140
vitamina B12
ausente na dieta crua, 154
dieta vegetariana e, 152
na carne vermelha, 151

necessidade de, após cirurgia para perda de peso, 68
nos suplementos pré-natais, 147, 182
vitamina B6
dieta crua e, 153-155
dieta vegetariana e, 151-152
em suplementos pré-natais, 147, 182-184
em suplementos pré-natais,
182
na carne vermelha, 151
para enjoo matinal, 147--148, 183, 193, 720, 729
para síndrome do túnel do
carpo, 280
vitamina B12
vitamina B6
em suplementos pré-natais,
147-148
para enjoo matinal, 182--183, 192-193, 720, 729
para síndrome do túnel do
carpo, 280
vitamina C, 93-94
absorção de ferro e, 97, 100
alimentos ricos em, 139-140
em suplementos pré-natais,
100
para angiomas estelares,
228
para as gengivas, 293-295
para congestão nasal, 296--297
para estrias, 263
para o resfriado comum,
697-699
para sangramento nasal,
296-297
para veias varicosas, 228--230
vitamina D
deficiência de, 152, 127
dieta crua e, 153-155
dieta sem lactose e, 149-151
dieta vegana e, 151-152
em suplementos pré-natais, 147-148

luz do sol e, 152
para eczema, 168
para síndrome das pernas
inquietas, 423-425
teste para deficiência de,
152, 180, 182
vitamina E
em suplementos pré-natais, 147-148
sangramento no pós-parto
e, 761
toxicidade, 184
vitamina K, 184
injeção de, para o recém--nascido, 581
nos tratamentos para rugas, 212
toxicidade, 184
vitaminas pré-natais, 147--148, 148-149, 182-184. *Ver*
ferro; *suplementos específicos*
após cirurgia para perda de
peso, 68-69
constipação e, 257-258
DHA e, 145-146
enjoo matinal e, 189
gestações muito próximas
e, 52-54
gosto metálico e, 194
mãe abaixo do peso e, 67
mãe obesa e, 66
múltiplos e, 595
náusea por causa das, 183.
Ver suplementos vitamínicos
voar. *Ver* viagens de avião
a trabalho, 285
vomitar. *Ver* vômitos
vômito. *Ver* enjoo matinal
anemia em função do, 342
após cesariana, 631
Braxton Hicks e, 459
cirurgia para perda de peso
e, 68-69
com anestesia, 445
com gastroenterite, 705--708

com gravidez molar, 780-782
com infecção do trato urinário, 703
com síndrome HELLP, 735-736
com transtorno alimentar, 69, 71-73
do pai, como sintoma empático, 226
durante o trabalho de parto, 570
intoxicação alimentar e, 162
medicação e, 721
medicação para. *Ver* medicamentos
náusea e. *Ver* enjoo matinal
no terceiro trimestre, 458-459
óleo de rícino e, 515
quando telefonar para o médico sobre, 198
quando telefonar para o médico sobre, no pós-parto, 619-620
severo, 198, 728-730
vulva
inchaço na, 230
inchada e dolorida, 230
intumescida, 373
veias varicosas, 228-230, 373, 384, 416, 484, 616
verrugas genitais, 22-23

W

walking epidural, 445
Webster, técnica, 121, 465
Wellbutrin, 75
Whey Low, 164
whey, 137
Women, Infants, e Children (WIC), 133
wraps corporais, 216
wraps fitoterápicos, 216

X

xilitol, 164

Y

Yasmin, 680

yoga, 322
boa escolha na gravidez de múltiplos, 597
hot. *Ver hot yoga*
para depressão, 243
para dor de cabeça, 260
para dor nas costas, 345-346
para dormir, 386
para relaxar, 120, 208, 242-243
para síndrome das pernas inquietas, 423-425

Z

ZDV, 45
zigoto, 176
zinco
contra resfriado comum, 697-699
dieta crua e, 154
em grãos integrais, 142-143
em suplementos pré-natais, 147-148
Zoloft, 75
Zumba, 322

Este livro foi composto na tipografia Minion Pro,
em corpo 10,5/13, e impresso em papel offset
no Sistema Cameron da
Divisão Gráfica da Distribuidora Record.